Le temps des Réformes et la Bible

sous la direction de

Guy Bedouelle — Bernard Roussel

BIBLE
DE
TOUS
LES
TEMPS

BEAUCHESNE

OUVRAGE PUBLIÉ AVEC LE CONCOURS
DU CENTRE NATIONAL DES LETTRES

ISBN 2 7010 1092 6

Pour toute documentation sur nos publications s'adresser
aux Éditions Beauchesne
72, rue des Saints-Pères — 75007 Paris

LA COLLECTION
BIBLE DE TOUS LES TEMPS

Une histoire du recours pratique à la Bible, sur une longue durée, manque à ce jour. Cette nouvelle collection répond à ce besoin, en voulant ouvrir les yeux sur le lieu, la place, l'usage de la Bible dans la société occidentale, du Christ à nos jours : comment la Bible est découverte, mise en main, mise en œuvre, lue, méditée, vécue ; comment la Bible devient un ferment pour des sociétés et des cultures.

Huit tomes, dirigés par des maîtres d'œuvre qualifiés et réalisés par les meilleurs experts internationaux, entièrement présentés en français, couvrent l'ordre chronologique du rôle joué par la Bible dans l'histoire de l'humanité, à partir de l'ère chrétienne.

Entreprise intellectuelle de qualité, entreprise humaine groupant près de 200 collaborateurs, Bible de tous les temps s'adresse à tous ceux qui, autour et au-delà de la Bible, veulent comprendre la richesse de cet héritage.

LE PLAN
ET LES MAITRES D'ŒUVRE

Liste des collaborateurs

ASTÉRIOS ARGYRIOU	*Université de Strasbourg II*
GUY BEDOUELLE	*Université de Fribourg, Suisse*
GILBERT DAHAN	*Centre national de la Recherche scientifique, Paris*
PHILIPPE DENIS	*Liège, Belgique*
ANDRÉ GODIN	*Centre national de la Recherche scientifique, Paris*
MAX HUOT DE LONGCHAMP	*Saint-Août (Indre)*
BERNARD ROUSSEL	*Ecole pratique des Hautes Etudes, V[e] section, Paris*
MICHAEL A. SCREECH	*All Souls' College, Oxford, Angleterre*
MARGUERITE SOULIÉ	*Université Paul-Valéry, Montpellier*
MARGARETE STIRM	*Berlin, RFA*
PATRICE VEIT	*Mission historique française en RFA, Göttingen*
MARC VENARD	*Université de Paris X*

Table des matières

Deuxième Partie

BIBLE, CULTURE ET SOCIÉTÉ

Au lecteur

Ce tome 5 de « Bible de Tous les Temps » est divisé en deux parties. Lire la Bible, la première, est chronologique et problématique. Bible, culture et société, la seconde, est thématique. Le rythme de la présentation change de l'une à l'autre. Deux auteurs ont rédigé la première, qui inclut aussi l'apport de deux spécialistes, l'un de l'orthodoxie, l'autre du judaïsme. Huit historiens sont associés dans la rédaction de la seconde partie.

Chronologie

On situe couramment le début des « Temps modernes » au milieu du quinzième siècle. Désormais toujours plus nombreux, vivant notamment dans plus de grandes villes, les Européens créent des circuits commerciaux et monétaires plus complexes ; ils rencontrent « les autres » dans des mondes nouveaux, d'une façon souvent dévastatrice ; ils s'affrontent à la recherche d'un équilibre européen encore introuvable... Ils cherchent alors dans les sources classiques et bibliques des réponses à des défis nouveaux, des règles de conduite ou le secret de leur avenir. En même temps que les attitudes et les langages de ses fidèles changent, Celui qu'ils désignent comme leur « Dieu » paraît prendre un autre visage, et se modifie aussi le rapport à la Bible dont on dit qu'Il est l'auteur premier et qu'elle donne accès à Sa Parole. On procède donc à un long réaménagement des savoirs et usages reçus des temps antérieurs. Aussi longtemps que ce qui, à nos yeux, est déjà moderne n'a pas totalement remplacé l'ancien qui est encore là, des juxtapositions souvent surprenantes sont observées, des *systèmes dont la pérennité n'est pas assurée sont édifiés. Il convenait d'en dire la simultanéité ou la succession. Nous avons choisi de marquer une coupure autour de l'année 1530.*

Problèmes

Chrétiens orientaux et biblistes juifs sont présents à cette histoire. Les orthodoxes, durement affectés par la conquête de Constantinople, conservent quelques liens avec l'Europe occidentale. Les communautés juives sont contraintes par les expulsions et exils à un intense travail sur leurs Écritures et leurs traditions. Dans le même temps, bien des biblistes chrétiens acquièrent une connaissance plus précise des exégètes juifs, sans que l'antijudaïsme dominant en soit atténué.

De l'étude de la Bible, on attendait d'abord concorde et progrès moral. Puis on a fait appel au texte contre les institutions et les traditions dites humaines, avant que les affrontements confessionnels ne s'expriment par les conflits d'interprétation. Il fallait donc donner la parole aux théologiens du seizième siècle, observer comment ils résolvaient les problèmes du commentaire et de la traduction, et tenter de définir sereinement l'attitude des Églises, de l'Église catholique notamment, quant à la rédaction et la diffusion de traductions de la Bible en langue vivante — car là est l'une des passions du seizième siècle.

Le risque était grand de traiter ces problèmes de façon anachronique. Le seizième siècle paraît en effet proche et familier parce que des orientations théologiques et pastorales qui y sont définies et adoptées sont reçues et confirmées au cours des siècles plus récents ; des pratiques et des habitudes apparaissent alors qui seront maintenues. Historiens, nous avons traité de leur originalité et de leur sens dans le temps de leur apparition. Notre propos n'était pas de dire à quelles conditions et à quel prix ces orientations et manières allaient pouvoir durer.

Thèmes

Erasme écrivait : « Nulli non licet esse theologum | *Il n'est interdit à personne d'être théologien.* » *Paraphrasons — en oubliant un temps la valeur péjorative — au seizième siècle — du terme* « bibliste » : « Nulli non licet esse biblistam | *Il n'est interdit à personne d'être bibliste.* » *C'est là l'expression de l'un des rêves les plus constants du seizième siècle : faire que tous lisent la Bible ! Sa réalisation a provoqué tant de passions et de polémiques que bien des beaux esprits ont fini par se détourner de la Bible.*

Certaines pages de la première partie de ce livre et la seconde partie en son entier sont le récit et l'analyse de ce « rêve ». *Tous les champs de recherche ne sont pas parcourus, mais un grand nombre d'entre eux sont jalonnés. Il sera question du maintien et de la perte du modèle biblique pour représenter l'espace et le temps, de la référence à l'Ecriture en littérature, de la façon de l'illustrer ou de la chanter, d'y fonder la pastorale et la politique, d'en user en philosophie et au théâtre.*

Les notes et la Bibliographie donnent accès aux sources, ouvrages de références et monographies. Le lecteur peut, si tel est son désir, aller aisément plus avant dans ses recherches.

Une « Table des matières » détaillée et un « Index des noms » permettent enfin de retrouver tant d'auteurs et de lecteurs du seizième siècle qui ont, en éditant, commentant ou traduisant la Bible, la citant ou l'imitant, exprimé les convictions, les croyances, les attentes et les goûts de leurs contemporains.

G. B. et B. R.

Première partie

LIRE LA BIBLE

Gutenberg et ses associés ont lié entre 1450 et 1455 l'histoire de la Bible aux conséquences de « l'apparition du livre ». Après la réalisation de la *Biblia latina* « à quarante-deux lignes », l'impression de Bibles et de travaux qui s'y rapportent va bénéficier des acquis successifs de l'art typographique. Inversement, ce type de production contribuera parfois à provoquer et accélérer des améliorations et des innovations, quand devront être résolus des problèmes particuliers de dessin et de fonte des caractères, de formats et de mise en pages, de réalisation et d'illustrations ou bien encore d'obtention de forts tirages. L'édition biblique s'est en effet très tôt trouvée confrontée à des problèmes de lisibilité et de maîtrise des coûts.

Dans le même temps, la mutation médiatique longuement commentée par E. L. Eisenstein déploie tous ses effets culturels. D'emblée, pour ne citer que deux « problèmes », les lecteurs sont provoqués à adopter une attitude nouvelle, et l'histoire du texte se présente en termes inédits.

La *Collatio Novi Testamenti* de Laurent Valla (avec sa première forme en 1442-1443 et sa seconde version en 1453-1457 éditée par Erasme en 1505) invite à la discussion et au choix. Le lecteur doit réagir à la confrontation du texte latin au texte grec, comme au rappel des exigences de la « bonne » latinité que blessait parfois la version reçue. Presque dans le même temps, la diffusion des 185 (?) exemplaires de la « Bible à quarante-deux lignes » favorisait la diffusion d'une forme particulière du texte latin : retenue par Gutenberg parmi d'autres traditions textuelles, elle dépendait de la révision parisienne du XIIIᵉ siècle. Elle sera adoptée jusqu'au début du XVIᵉ siècle dans des éditions vénitiennes et bâloises, mais aussi parisiennes et lyonnaises.

Double et complexe impulsion initiale, dont les effets sont ressentis bien au-delà du premier quart du XVIᵉ siècle. La collecte des formes variantes d'éditions, manuscrites ou imprimées, du texte latin, oblige ses auteurs à ne privilégier aucune lignée, fût-elle parisienne. Mais il faudra du temps pour qu'une clarification méthodologique s'opère et que l'on voie qu'à suivre Laurent Valla les yeux fermés, on s'engageait dans une impasse : corriger le texte de la Vulgate en fonction des données hébraïques et grecques ne conduisait pas à répondre à l'attente de l'édition d'une « source » unique et épurée. Après 1550 on saura maintenir une claire distinction des traditions hébraïque, grecque et latine; les commissions post-tridentines trouveront à travailler utilement sur l'histoire de la tradition « latine », ouvrant la voie à l'édition d'un artefact : la Vulgate sixto-clémentine de 1592 — texte idéal imposé par voie institutionnelle.

On entrevoit ici une première fois la complexité des problèmes qui vont se poser aux biblistes du XVIᵉ siècle. Les énoncés en sont largement — jamais totalement — inédits. Leur résolution exige du temps et des détours. Leur exposé requiert des précautions. Il faut compter en effet avec la représentation de la Bible qui légitime et motive en des milieux très divers l'usage que l'on fait d'elle et la façon dont on l'approche. Cette représentation sera perturbée et modifiée. Dans le débat qui s'instaure entre traducteurs, interprètes et lecteurs, ne sont pas seulement en jeu l'érudition, la technique ou la méthodologie...

Par cette nouvelle représentation s'inaugure le moment fascinant où les mots « lire la Bible » prennent désormais non pas un sens nouveau mais peut-être tout simplement un sens, lorsque l'accès par le quantitatif et la diversité des versions ou des traductions se conjugue avec le débat herméneutique qui traverse le XVIᵉ siècle.

L'ACCÈS A LA BIBLE
DU MILIEU DU XVᵉ SIÈCLE
AUX ENVIRONS DE 1530

Une image parlante mais trop contrastée pour être historiquement bien significative oppose la Bible du Moyen Age, objet rare, coûteux et pour cela même « enchaîné » au sens propre du terme dans l'église paroissiale ou conventuelle, au réfectoire ou à l'infirmerie du monastère[1] parce qu'il est précieux et risque d'être volé, à la Bible du XVIᵉ siècle qu'humanistes et réformateurs ont voulu partager avec le plus de générosité possible.

Si on en juge par les *Propos de table* de Luther, la Bible, au début du siècle encore, était devenue étrangère aux chrétiens. « Il y a trente ans », aurait-il dit en février 1538, « personne ne lisait la Bible et elle était inconnue de tous... moi-même je n'ai jamais même vu de Bible jusqu'à l'âge de vingt ans »[2]. Et il la décrit ailleurs comme gisant et enterrée sous les escaliers et dans la poussière[3].

On sait pourtant qu'une élite a pu lire la Bible et même quotidiennement. « Religieux, il a trouvé facilement la Bible dans son monastère, que celle-ci soit petite ou grande, bien rangée ou désordonnée; prêtre ou laïc, il l'a reçue en don ou encore achetée à prix d'or »[4]. Mais voici bien la difficulté : l'Ecriture est alors réservée à une élite intellectuelle.

C'est pourquoi les humanistes seront si préoccupés, en bons pédagogues, de la diffusion de la Parole de Dieu dans tout le peuple chrétien : « Puisse le paysan au manche de sa charrue en chanter des passages, le tisserand en moduler des bribes dans le va-et-vient de ses

---

1. *BTT* 4, p. 35 (P. PETITMENGIN). Cf. H. ROST, *Die Bibel im Mittelalter*, Augsburg, 1939 : Die Bibel « an der Kette », p. 306.
2. *WA. Tischreden* 3, nᵒ 3767, p. 598.
3. *WA. Tischreden* 5, nᵒ 6442, p. 663.
4. *BTT* 4, p. 52 (P. PETITMENGIN).

navettes, le voyageur alléger la fatigue de sa route avec ses histoires ; puissent celles-ci faire les conversations de tous les chrétiens ! »[5]. Erasme, qui reprend ici les souhaits de Jean Chrysostome, n'hésite pas en 1501 à recommander à un certain « ami Jean » dont tout laisse à croire qu'il était fort peu cultivé, de s'adonner à la fréquentation de la Bible en reprenant pour lui des passages de l'*Enchiridion militis christiani* : « Retire-toi le plus possible de la société humaine et invite les saints Prophètes, le Christ et les Apôtres à s'entretenir avec toi. Familiarise-toi surtout avec Paul, feuillette-le de jour et de nuit, et surtout apprends-le par cœur »[6].

Mais entre la Bible « enchaînée » et la Bible à tout vent, un monde a changé. Ce premier chapitre tentera de le montrer. Il y a eu la révolution majeure de l'imprimerie et donc la démultiplication des lecteurs potentiels. Il conviendra d'en mesurer les conséquences dont la plus claire est la nécessité virtuelle de traductions en langues nationales. Mais en fait nous verrons que le changement quantitatif est de bien moindre portée, bien que décisif, que la mutation intellectuelle, herméneutique et théologique, qui fait passer d'un texte scripturaire glosé en surabondance au texte nu, abordé sans écran et bientôt sans interprète, du moins sans quiconque qui prétende tirer son commentaire ou son introduction d'une autre source que la Parole elle-même.

Le champ chronologique de ce chapitre recouvre la fin du xvᵉ siècle, faisant la jonction avec le volume précédent de la collection, et le premier quart du xvıᵉ siècle. Cette limite n'est pas arbitraire : c'est l'époque où à peu près tous les acteurs ont pris leur position sur la scène religieuse, même si les options gouvernementales et politiques sont parfois un peu plus tardives comme en Angleterre ou en France.

1525, par exemple, est l'année sanglante de la guerre des Paysans en Allemagne, soulevée par ceux qui exigeaient une conformité littérale de toutes les décisions sociales, y compris les leurs, à la Parole de Dieu ; c'est aussi l'année de leur échec et de la terrible répression contre les partisans de Münzer après la bataille de Frankenhausen.

La même année, à Zurich, Zwingli « crée l'anabaptisme »[7] en orientant exclusivement les disputes sur les fondements scripturaires du baptême des enfants, et au début de 1526 il en fait la condition d'appartenance à la cité et rend sa transgression punissable de mort.

En 1525, en France, prenant occasion de la captivité de François Iᵉʳ, la Faculté de théologie de Paris condamne les « Bibliens » de Meaux. C'est la fin d'une expérience de diffusion populaire de la Bible en langue vulgaire et d'un renouveau de la prédication. Lefèvre d'Etaples et

---

5. C'est un écho de saint Jean Chrysostome (homélie 35 sur le chapitre 14 de la Genèse, *PG* 53, col. 323). Cf. *infra*, A. GODIN, « La Bible et la philosophie chrétienne », p. 566.
6. ALLEN, I, lettre 164, p. 374, l. 35-39.
7. E.-G. LÉONARD, *Histoire générale du protestantisme*, I, Paris, 1961, p. 183.

certains de ses disciples se réfugient à Strasbourg où ils traduiront, commenteront et enseigneront la Bible. Guillaume Briçonnet, leur évêque, nourri de Bible lui-même comme en témoigne sa correspondance spirituelle avec Marguerite de Navarre, qui semble d'ailleurs s'être arrêtée à cette époque-là, se maintient après son procès dans la stricte orthodoxie catholique.

Enfin, c'est le moment de l'affrontement décisif entre Erasme et Luther au sujet du libre arbitre (1524-1526), débat qui semble résumer, récapituler même, le véritable enjeu des Réformes nées de compréhensions de la Bible qui s'opposent.

**
***

Comment et dans quelle mesure avait-on accès à la Bible au début du xvie siècle ? Dans quelle mesure l'imprimerie en modifie-t-elle les conditions ? Comment l'humanisme tente-t-il, souvent avec succès, de mettre en place à cette période un véritable « outillage » biblique ? Comment enfin se font jour de nouvelles approches de la Bible, inédites dans l'histoire de l'exégèse au moment même où elles estiment trouver leur inspiration dans un « retour » à une compréhension antique et plénière ? Telles seront les questions auxquelles ce chapitre tentera successivement de répondre.

Il conviendrait de mesurer à chaque étape les différences de rythme de la pénétration, de la « réception » de la Bible ainsi transformée. En effet, des clivages, des retards ou au contraire des accélérations se découvrent, épousant les stratifications intellectuelles, sociales, géographiques... Ainsi les résistances des « théologiens » nées bien avant la publicité du « cas Luther » se crispent-elles lorsque les échos des livres « allemands » parviennent à pénétrer dans Cambridge, Tolède, Paris ou Meaux, tandis qu'ailleurs ils accentuent et déplacent les accents déjà devinés ou pressentis. De même le retentissement de la Parole nouvellement éclairée sera souvent plus fort et plus marquant dans les milieux populaires des artisans ou des paysans atteints par le colportage ou par la prédication que dans les cercles bourgeois plus traditionnels, tandis que la noblesse, comme fréquemment sous tout l'Ancien Régime, s'estime plus libre de penser par elle-même. Enfin, l'emplacement géographique des différents pays n'est pas indifférent avec ce décalage des mentalités — peut-être organique et constitutif — entre l'Europe du Nord et celle du Sud dont le concile de Trente lui-même ressentira les tensions. Autant de paramètres dont on n'a pas pu toujours — à supposer qu'il soit possible de les déceler clairement — indiquer dans ces pages les chevauchements ou les différences de niveau et qui donnent à la chronologie choisie, en particulier, sa relativité.

I

Que connaît-on de la Bible au début du XVIᵉ siècle?

S'il est vrai que les derniers siècles du Moyen Age, dans le goût d'une intériorité qui veut rejoindre le Christ et l'imiter, ont su trouver « des manières plus silencieuses de vivre la Bible... c'est-à-dire essentiellement les Evangiles »[1], y compris par un retour au texte sacré lui-même[2], peut-on encore constater ce fait et même le mesurer au début du XVIᵉ siècle ?

On connaît l'analyse de Lucien Febvre qui, traitant de notre période par l'intermédiaire des textes de Rabelais, a voulu y voir un siècle « qui veut croire », un « siècle inspiré, qui, sur toutes choses, cherchait d'abord un reflet du divin »[3]. Il n'y a pas de doute que, dans sa vie privée comme dans son activité publique, l'homme du XVIᵉ siècle respire une « atmosphère chrétienne »[4]. Mais quelle place y est-elle accordée à la Bible ? L. Febvre cite bien, avec Abel Lefranc mais pour le réfuter, la célèbre phrase du Prologue de *Pantagruel* où Rabelais, en 1532, s'écrie avec envie en parlant de la *Chronique gargantuine* qu'il « en a esté plus vendu par les imprimeurs en deux moys qu'il ne sera acheté de Bibles en neuf ans »[5], mais on ne saurait en déduire d'information statistique ! S'il y a incontestablement une sacralisation de la

---

1. *BTT* 4, p. 618.
2. *Ibid.*, p. 228 (J. Verger).
3. L. Febvre, *Le problème de l'incroyance au XVIᵉ siècle. La religion de Rabelais*, Paris, 1947², p. 500.
4. *Ibid.*, p. 375.
5. Pléiade, éd. 1942 (J. Boulenger), p. 191.

société, de son espace et de son temps, la question est pour nous de savoir s'il arrive à l'homme du xvie siècle de remonter parfois à ce qui en est la source. En d'autres termes, y a-t-il dans ce climat de religiosité une connaissance de l'Ecriture sainte par imprégnation et peut-on la mesurer ? Existe-t-il une réception auditive et orale, par exemple, qui se passe du recours au texte écrit ?

La bible de l'œil et de l'oreille

La vie monastique

S'il y a bien un milieu où cette connaissance par osmose, par laborieuse et incessante fréquentation de la Bible peut se faire, c'est bien celui de la vie monastique ou, plus largement, du monde des religieux. Le microcosme conventuel permet de généraliser les informations qu'il nous livre. Au Moyen Age, par exemple, la proportion d'illettrés dans les Ordres soumis à la règle de saint Benoît donne une possibilité d'extrapoler à l'ensemble de la population. Dans les monastères, on s'exerce à la rumination de l'Ecriture, dans la *lectio divina*, au chœur, au réfectoire et jusqu'aux récréations où on s'amuse aux devinettes bibliques, les *Joca monachorum*[6].

Cependant, toute la perspective du monachisme médiéval est orientée non vers l'instruction, le savoir, mais vers l'union à Dieu et ce qui la facilite[7]. Le xvie siècle, si didactique, si fier de sa science, pouvait-il, même dans les cloîtres, se contenter de cette connaissance par réminiscence, apte seulement, pouvait-il sembler, à soutenir les associations d'idées pieuses ?

A la fin de 1508, Lefèvre d'Etaples, convié par Guillaume Briçonnet, l'évêque de Lodève, comme nouvel abbé de Saint-Germain-des-Prés, à résider dans ce monastère, y trouve environ vingt-cinq moines dont un certain nombre refusaient la réforme qu'on cherchait à leur imposer depuis 1502. Ce sont certainement eux, mais aussi peut-être les plus observants, que vise Lefèvre dans la Préface à son *Quincuplex Psalterium* lorsqu'il évoque la décadence des études et par là la « mort des cloîtres »[8]. En interrogeant les moines sur le profit spirituel qu'ils retiraient de la psalmodie, il constate qu'ils s'attachaient au sens banal des Psaumes (« je ne sais quel sens littéral ») et en sortaient l'âme toute découragée. Quand l'Ecriture est lue ou récitée, elle est mal comprise !

6. *BTT* 4, pp. 262-263 (J. Dubois).
7. *Ibid.*, p. 278.
8. Ed. Henri Estienne, 1513², fol. A ii r⁰.

Additio

Additio.j. Debiata lfa in ß loco penit° z coformis fic nfe tñslatioi. Vbi eñ qð ß ponit nihil alið significat qñ nu daret z é sensus qp nõ euelleret capillos a capite vt fieret caluus: qp qð caput nudabat:qð osuebat face gentiles sup mox° os suos. vñ.j. Deu.xiiij. a ℿõ faciet° caluicia sup moxuos²z. dicit Ra.Sa.ze. Cñ eo ca.vbi dicit in postilla: Filios eius qui remanserũt

Additio.ij. Peccati aaro in fabricatione vituli nõ fuit tãte grauitat. vt ipe cu posteritate sua deberet disperdi: nõ eñ idolatrauit nec osensũ idolatrie ßbuit: vt lañ° ostensũ fuit ß.Exo.xxxij.in additione.vñ nõ merebat deleri cu posteritate sua: pzesertim

Glo.ozdi.

L Ocut° est dñs Ca.XI. Esy. Quicqð a õo facit: u ipsa institunt° auctozitate mã dã est. In aialib° igit moxes pingut boim z act° z volutates:et qp b° ßut mũdi vel imũdi. Sesy. Dirit psð ad noe. Oe qð mouet° z viuit erit vob in cibũ ze. In Geñ.qz dicuus est: Dirit deus cũcta q fecerat z erat val de bona. bic aũt quedã ßbibent° velut mala z imunda decernunt. Mõ sũt eñ ista ñra sibi: ni z iudicoz castrimargi am ad modicã õis reputit: et spual° sceptozu° exposito quales debeat eé instruit. Lz eñ nutrimentũ est aig rõnalis rõnabilir intellecta.Sicut aũt in supionb° p oblationes figurauit õ feret°:sic nãc p ea q comedit exprimit comedctes. a ℿ Diuisi vngulam Vngula diuidit° q fm duo testameta firmo te gradu innocetie z iustitie sta tuit. Iudei ruminãt verba legis: sed vngula nõ findunt:qz duo testamenta nõ recipiũt:nec in patre et filiũ et spiñ scõ credut:fidei gressum diuidut:be renti vngulã findunt in patre et filius credtes:sed doctrinã veritatis nõ ru minãt. b ℿ Camelus. Iudeus sup bia tumidus:ßbus õz: Liquates culice camelũ aũt glutietes. Dz ruminãt:qz in lfa meditant/sed nõ diuidũt vngula:qz lit terã a spũ nõ distinguunt. In camelo supbia designat:q pmie stulto qp é sapientie stulticia ñria est. Lepus vt timidus foxi tudini cõtrari°est.Chirogrylius vt rapax iusticie.Sus vt soz dib° castitati. Poz carnes nõ comedam /qs vident habere virtutes nõ sequamur:q has aũt quatuoz: generales frutes
ℿ omnes in

Nico.delyra

L Ocutus est dñs. Post.ß actũ est de offerend° rõne offici cuiuslibet: sacerdotes:ßi quæter agit æ offerend° et æ pfessione fidei: cuiusmõi sũt alii inferiores: qz oblationes erat q̃dã pstationes fidei vnũ° dei z christi venturi: q fide oblationes erat accepte isti aũt offerētes debēt esse mundi z actib° suis ozdinatis.rvi pmo agit æ pcuratoe mundicie.scõ õe ozdiatõe vite.rvi ca. z in vtroq debebãt a sacerdotib° infozmari z doceri. Lir ca pmũ faciendũ qp mũdicia côseruat in ß q cauet ab imundicia q̃ pztingat purgãt. Pot aũt pztingere specialiter ßtũ ad ali qs psonas:de q pmo agit. Alio mõ pztingere ßtũ ad totus gẽm.z de but°purgatoe agit scõ.f.xvj.ca. Adhuc pmo agi tur de vestaoe imundicie q puenit ab extriseco.scõ de vestaoe illi° q puenit ab intriseco.ru.ca. Circa pñe ca.in ß agit de mundicia z imundicia aialiũ pisciũ et auiũ:siderabus q duplex é imundicia.f.spualis z cozpalis. Spũalis aũt im mundicia que

Replica

mouet vß.ad.r.ca.vbi Burgeñ.nitítur alleuiare peccatũ aaron in fabricatioe vituli côtra rotũdã lfam.j. Deu.ix. vbi õz ß pctõ õz: Irat° dñs vehemēter. voluit aarõ æterere:msi moy ses erã.p eo depcat° fuisset:nõ putet igit pctm aarõ leue.qñ qð õus ß vehemēter irat°/msi dicat deu ipm.p modico pctõ vehementer irati. vñ puto in.pposito duos filios aaron pmi p pctõ vituli punitos: vt eñ õuo qp° filii dicant remansisse. Decim eñ ß p duos filios punitos factũ/p assumptione ignis .ppbani:nõ videt graue fuisse sicut fabicatio vituli.

Nico.delyra

mũdicia q idei est qð pctm: nõ põt eé in brut°:quia peccare nõ põt cũ careat itel lectu z voluntate:pctm tñ põt reddare in ipa inßtum boies talia immol.lit.iõ lis/vel vtunt cis ad alia malesicia:sic.j. rr.ca.pec° cũ q aliqs coierit ßapit occi dant. Immudicia õo cozpa lis potest esse i brut°.et ß duplicit. Uno modo subiectiue sicut aialia venenosa z veñ abominabilia: z illa q eé nutrimento imundo z abomiabili nutriunt/vt poz cus:vel in loco imundo habitãt: ve aia lia babitãia ß terra/vt talpe et mures et bmõi. vñ z er talib° fetox° contrabãt. Alio mõ effectiue in Jeuʒ accepta in cũ bũ ß adur mala nutrimentum:t boc er ni mia bumilitate vel siccitate seu alijs cir cũstantijs. Aliq aũt aialia sunt imũda ætrox° modo sicut bufones z serpētes: igit ætez ßdictas imundicias multa de aialib°/piscib° et auib° reputata sunt im mũda et ßbibita iudeis: qz idolatrye cis vtebantur in sacrificijs seu alijs malesi cijs/vel qz erant mala nutrimenti: vt coz ruptiua vite/sic venenosa z abomiabi lia. Sunt etñ æter ß alig rõnes æfigura onis mystice z figurales: vtpote qp per alia aialia figurant° immundicia luxurie: sep° timiditate: ignauie; camelus .ppter gibbũ qð babet in dozso tumotes supbie; et sic de alijs de facili põt applicari a ßcunq intelligēte; .pnietati° aialiũ pisciũ z auiũ psideratis: qp qp istas rõnes mysticas inten do dimittere:z sicui isistere lfali. Presentis igit ca. diuiditur i duas ptes:qz pmo ostdit qð debeat mũdũ z imũdũ iudicari. Scõo ßcipit immundicia vitari:ibi: Nolite cõtaminare aias vras ze. Adhuc pmo agit æ imundicia ßcta et gressibilib° z volatilib°.scõo er reptilib°:ibi: Qñ qð reptat ze. adhuc pmo agit æ mũdicia z imudicia circa ßdicta p côpatione ad esus. scõo p côparatione ad tactũ:ibi: Quicqð aũt er volucribus. Prima z tres: qz pmo agit æ mundicia z imũdicia circa gres sibilia.scõo circa aqtica:ibi: Dec sũt q eñ aq°. Circa pmo ßpo nit inductio ad fuãdũ segnitia/õz ß: b ℿ Custodite oia ze. scj p speciale .pretione:q ipe est õe° oim p generalem guber natione. Scõã ßi q ß nõ est in bebʒeo. Custodite oia q pze ce.vo. vt sum õe° vñ.Cõsequenter subdit general regula circa mũdicia aialiũ gressibiliũ/cũ dicit: ℿ Oñe qp babet Di uisam vngulã ze. Es a ptz p nõ loquit ß scriptura de muni
℣ dicta aialium

Moraliter

Moraliter. a ℿ Locutus est dñs ze. In boc ca.agit æ cibis mundis z imudis fm legẽ. Circa qð scidũ q sicut õz:j. Timo.iiij.a. Ois creatura dei bona:z nihil reuiciedũ q cũ gråtiactione ßcipit. Et ad(Titũ.j.õ. Oia munda mũdis. Et
℣ ideo q mũ

Est-ce là réaction, réflexe, d'un humaniste ou d'un spirituel exigeant ? Plutôt le cri d'alarme d'un précurseur. Car pour l'heure, dans la première décennie du siècle, il ne semble pas qu'on attende le salut des monastères d'un retour à l'Ecriture. Pourtant la réforme des maisons religieuses est bien à l'ordre du jour et constitue en soi une véritable « Préréforme » comme l'a montré Renaudet[9]. Mais ce renouveau ne paraît pas passer par l'Ecriture.

Certes Jean Raulin († 1515), théologien nominaliste en relation avec les milieux humanistes, propose au chapitre général de l'ordre de Cluny qu'il vient de rejoindre, un programme de réforme avec sa *Collatio de perfecta religionis plantatione* (Paris, Guy Marchant, 1499) : le texte est entièrement truffé de citations scripturaires mais il n'y est fait nulle part explicitement appel à un retour aux sources bibliques. Il faut plutôt d'abord revenir à la règle de saint Benoît qui est le « rocher d'où sort l'eau vive » (fol. iv v°), image traditionnellement réservée à l'Ecriture sainte.

Cependant Raulin, célèbre prédicateur populaire et auteur spirituel renommé, n'a pas lui-même négligé la Bible. Il s'attache au quadruple sens médiéval dont il donne une définition un peu recherchée : « La lettre est le vase fourni par Moïse dont la moralité est l'huile versée par les prophètes; l'allégorie est la miche apportée par Jésus-Christ dont l'anagogie est la flamme jaillissant des explications données par les apôtres et les commentateurs »[10]. Son *Itinerarium Paradisi* (Paris, 1512), recueil de sermons sur la pénitence et sur le mariage, apparaît comme une somme pastorale où l'inspiration est, malgré tout, plus biblique que canonique ou même morale. Mais la correspondance de Raulin (Paris, 1521), tout entière consacrée aux changements à apporter à la vie des monastères, ne contient nulle allusion à un retour vers l'Ecriture, mais se concentre, dans la ligne de la règle bénédictine, à prêcher la « conversion des mœurs » et à préconiser un surcroît de piété.

Les traités de Michel Bureau, qui devient abbé du monastère de la Couture au Mans en 1497, assignent un plus grand rôle à la « compétence dans les lettres humaines et divines » (*Tractatus novus super reformatione status monastici*, Paris, Guy Marchant, s.d., fol. a iv v°) mais recommandent surtout une réforme institutionnelle (tenue des chapitres généraux; suppression des abus par le roi et par le pape). Les courts ouvrages de Guy Jouenneaux (*Ad discipulos epistola*, Paris, s.d.; *Reformationis monasticae vindiciae seu defensio*, Paris, Marnef, 1504) voient le salut d'une réforme monastique dans la reprise des observances plutôt que dans un retour humaniste ou spirituel à la Bible : Jouen-

---

9. A. RENAUDET, *Préréforme et humanisme à Paris (1494-1517)*, Paris, 1953² (reprint Genève, 1981).

10. *Opera omnia*, Anvers, 1612, sermon 89, p. 548.

neaux, qui a édité Térence en 1492, fait pourtant partie de cette vague d'humanistes qui, à la fin du xve siècle, quittent les imprimeurs ou l'Université pour aller renforcer la vie claustrale chez les Bénédictins, les Célestins, les Chartreux ou les Carmes. Il retrouve par exemple à Chezal-Benoist les deux frères Fernand, Jean et Charles. Ce dernier, dans ses écrits monastiques (*De animi tranquillitate*, Paris, Josse Bade et Jean Petit, 1512; *Speculum disciplinae monasticae, ibid.,* 1515), invite bien davantage à revenir aux sources patristiques et médiévales du monachisme (Cassien, Climaque, Benoît, Bernard) et à une théologie christocentrique qu'à l'Ecriture. On pourra certes, par l'étude de la Tradition et par le renouveau spirituel, retrouver le goût de la Bible mais Fernand ne plaide pas pour un accès direct au texte.

Ainsi la conversion personnelle, la pénitence comme état de vie et comme sacrement, le retour aux institutions capitulaires, le refus de la commende sont les moyens couramment envisagés pour une réforme de la vie religieuse. La *lectio divina* est certes citée dans ces manifestes réformateurs mais comme une évidence dont l'assiduité retrouvée ne fera pas en elle-même surgir une nouvelle vitalité. On pourrait sans doute trouver quelques exceptions, par exemple chez un Vitrier à Saint-Omer pour les franciscains ou, pour les cisterciens, un Denys Faucher à Lérins, qui recommande la Bible même aux moniales de Tarascon.

Mais c'est plutôt de l'extérieur, comme le font Lefèvre et son disciple Clichtove, tous deux prêtres séculiers, qu'on attire l'attention des cloîtres sur le nécessaire retour à la Bible. En juin 1515, Clichtove dans son *De laude monasticae religionis* (Paris, H. Estienne) montre le fondement biblique de la vie monastique, voit dans l'Ecriture le remède à la corruption morale (fol. 39 v°) et conseille d'enseigner dans les monastères les sciences nécessaires à sa juste compréhension en se livrant à la lecture continue de la Bible ainsi qu'à celle des commentaires (fol. 37 v°). Selon Clichtove, dans la devise monastique *ora et labora,* travailler désigne aussi l'étude : son texte représente un vrai plaidoyer pour un renouveau de la vie religieuse grâce à la fréquentation de l'Ecriture.

Si donc pour les humanistes (Erasme, transfuge de la vie religieuse, Lefèvre, qu'elle attirait, ou encore Clichtove), la vraie compréhension de l'Ecriture avait déserté les cloîtres, ce qui est ressenti de l'intérieur, nous l'avons vu, semble assez différent. Le retour à la Bible ne semble pas une urgence : il s'agit plutôt de redonner force aux moyens traditionnels qui engendreront d'eux-mêmes la familiarité avec la Parole de Dieu.

La société religieuse en miniature qu'est le couvent peut déjà indiquer que la même divergence d'interprétation par rapport à l'Ecriture, ou plus exactement sur sa place exacte ou sur sa priorité, va se manifester à propos de la réforme de l'Eglise au sens large, celle du peuple chrétien. Les humanistes et les Réformateurs insisteront sur un accès direct des fidèles au texte de l'Ecriture. Mais les pasteurs et théologiens plus conservateurs argueront du fait qu'il existait déjà une manière, paisible et séculaire, devenue toute naturelle, d'être imprégné de la Bible grâce à la liturgie et la prédication. Etait-ce vraiment le cas ?

La liturgie

Dans son enquête sur la Flandre, J. Toussaert a montré non seulement les faiblesses du sentiment religieux, même si la sensibilité congénitale au sacré est très vive, mais aussi l'irrégularité de la fréquentation de la messe et des sacrements[11]. Mais même lorsqu'il y a fidélité dans l'assistance à l'église, les illettrés, composant la majorité des fidèles, n'ont qu'un accès très dérivé à une liturgie qui, pourtant, dans sa composition objective, est presque entièrement biblique par les lectures et les chants du Propre. Mais la foule des fidèles ne fait qu'assister très passivement à la messe dont les paroles récitées en latin, et pour certaines parties, obligatoirement à voix basse, lui échappent. Le moment central est l'élévation de l'hostie et l'attention est souvent absorbée par la chorale et la musique[12].

Mais, dira-t-on, il y a la prédication ! Certes, elle est très en honneur et on mesure le plus souvent sa qualité à sa longueur et à sa puissance émotionnelle : l'exemple d'un Savonarole à Florence à la fin du XVᵉ siècle est là pour le prouver. Elle part bien d'un texte biblique, mais c'est apparemment pour s'en éloigner à toute allure ! Nous possédons ici des textes de première main, et d'abord les *Artes praedicandi* ou *Artes concionandi*, élaborés surtout par les franciscains[13]. On y apprend comment, pour bien prêcher, utiliser tous les procédés de la méthode scolastique, arrivant ainsi à une division du sermon en distinctions infinies.

La seconde source est constituée par les sermons eux-mêmes qui ont été conservés et souvent imprimés à l'époque. L'exemple type de cette littérature homilétique est fourni par les *Sermones Dormi secure* ou *Dormi sine cura* composés pour que les prêtres « moyennement cultivés » puissent les comprendre et les prêcher au peuple, et ainsi dormir tranquillement dans la nuit du samedi au dimanche ! Le recueil est attribué à Richard Maidstone, de la fin du XIVᵉ siècle, mais le double

---

11. J. Toussaert, *Le sentiment religieux en Flandre à la fin du Moyen Age*, Paris, 1963, p. 203.

12. F. Rapp, *L'Eglise et la vie religieuse en Occident à la fin du Moyen Age*, Paris, 1971, pp. 145-146.

13. Th. M. Charland, *Artes praedicandi. Contribution à l'histoire de la rhétorique au Moyen Age*, Paris-Ottawa, 1936.

volume : les *Sermones dominicales* et les *Sermones de sanctis*, sont réimprimés largement au début du xvie siècle. Le commentaire de la péricope de l'Evangile, ou parfois de l'Epître, est modelé selon l'art des divisions à l'intérieur desquelles se trouvent indiquées des références bibliques.

Il y a des exemples plus caricaturaux encore. Chez certains prédicateurs populaires : Olivier Maillard, cordelier de l'observance († 1502), ou Michel Menot († 1518), la Bible sert de prétexte à d'aimables farces, étymologies fantaisistes, concordances mnémo-techniques, anecdotes, *exempla*...[14]. Les sermons sont d'ailleurs une des sources amusantes bien que probablement emphatique pour notre connaissance de la société du temps[15], mais, semble-t-il, le contenu théologique ou pastoral en est mince.

Ne convient-il pas cependant d'y regarder de plus près ? Aux statistiques concernant les citations bibliques, qui ont toujours besoin d'être interprétées, nous avons préféré prendre quatre exemples qui fourniront un petit échantillon de la production homilétique disponible au début du xvie siècle. Ils nous permettront de nuancer les idées généralement reçues.

Il s'agit d'homéliaires en langue latine imprimés ou réimprimés à cette époque : ils ont d'ailleurs connu une grande diffusion si l'on en juge par les éditions conservées. Notre méthode d'investigation consiste en l'analyse de la structure du sermon et de ses notations bibliques afin de mesurer leur place et surtout leur rôle : l'Ecriture sainte sert-elle d'illustration des idées, d'argumentation, de décoration ? Pour faciliter la comparaison, nous avons pris l'exemple de quatre sermons sur l'Eucharistie prononcés ou proposés pour le Jeudi saint ou, en tout cas, s'appuyant sur les textes proposés en ce jour : Jn 13, commençant par le lavement des pieds des disciples, correspondant au *Mandatum* intégré dans la liturgie du premier des Jours saints, et le récit paulinien de l'institution de l'Eucharistie : 1 Co 11.

Michael Lochmayr († 1491) est devenu chanoine de Passau en 1488. Il avait été doyen de la Faculté de droit puis de celle de théologie à Vienne, et enfin recteur. Ses *Sermones perutiles*... semblent avoir été publiés pour la première fois à Haguenau en 1490[16].

Dans le sermon *De cena Domini*, Lochmayr prend comme « thème » : Jn 13, 4 : « Jésus se lève de table, quitte son manteau... »

---

14. Michel MENOT, *Sermons choisis*, éd. J. NÈVE, Paris, 1924. Voir la description faite par Etienne GILSON, *Les Idées et les Lettres*, Paris, 1932, pp. 93-154.

15. Par exemple, H. CHÉROT, « La société au commencement du xvie siècle d'après les homélies de Josse Clichtove », *Revue des Questions historiques*, 57 (1895), pp. 533-544; et A. GODIN, « La société au xvie siècle vue par J. Glapion, confesseur de Charles Quint », *Revue du Nord*, 46 (1964), pp. 341-370.

16. Cf. *DS*, IX (1976), col. 953 (H. J. REPPLINGER), Les *Sermones perutiles de Sanctis* sont publiés à Haguenau, H. Bran, 1507; le sermon commenté se trouve aux fol. xxxix v° ss.

Introduction : Les quatre sortes de cène :

1. Matérielle (celle du « thème »);
2. Sacramentelle : celle que le Christ institue (cf. Lc 22, 19);
3. Spirituelle : la cène de la grâce (par la charité) (Ap 3, 20; Jn 1; 17 et surtout 1 Co 10);
4. Eternelle : la « cène de la gloire » : Ap 19, 9; Ps 103, 23 (car l'homme qui revient au repos est celui qui accède à la gloire : seuls les amis du Christ sont invités : Gn 43; Jl 3, 17).

Seuls les points 1 et 2 sont traités dans l'homélie.

I. La cène matérielle : sept enseignements nous y sont donnés (en fait six sont seulement traités) :

1. Faire mémoire du Christ : Jn 13, 1*a*; 1 Co 11, 26 (les deux péricopes du jour);
2. Etre rendu parfait en charité : Jn 13, 1*b*; Rm 5, 8;
3. Supporter l'épreuve (Judas participe à la Cène);
4. Mépriser les richesses (Mt 5, 10) (la pauvreté en esprit est manifestée par le lavement des pieds);
5. Observer la chasteté (le Christ se ceint d'un linge) (Lc 12, 35);
6. Exercer l'humilité : le lavement des pieds inclut Judas pour attendrir son cœur.

II. La cène sacramentelle : quatre points :

1. Quelle est son utilité pour ceux qui communient ? :
   A / l'accroissement de la vertu de foi;
   B / la rémission des péchés véniels;
   C / la destruction des péchés mortels : Jn 13, 6.

2. Quel mal encourt le pécheur qui communie ? :
   A / il déshonore Dieu : 1 Co 11, 27;
   B / il abrège sa vie (car 1 Co 11, 29);
   C / il se livre au diable comme Judas;
   D / il va à la damnation : 1 Co 11, 29.

3. Qu'arrive-t-il à celui qui communie et revient à son péché ? :
   A / la perversion : 2 P 2, 22;
   B / la perdition;
   C / la confusion.

4. Que devons-nous faire après avoir reçu le sacrement ? :
   A et B / sans illustration scripturaire;
   C / considérer ce qui occasionne le péché;
   D / connaître les maux qui arrivent si on ne communie pas (perte de la participation aux mérites de l'Eglise). Défense de canon *Utriusque sexus* de Latran IV sur la communion pascale.

Conclusion : Au Jeudi saint sont attachés sept privilèges (description de la liturgie et des indulgences attachées à certaines dévotions qui lui méritent le nom d'*Ablasstag*) (en allemand dans le texte).

Nous avons omis de signaler les références canoniques ou patristiques, d'ailleurs rares (Augustin, Grégoire, Ambroise, Jérôme, Origène), ou plus récentes : Nicolas de Lyre ou saint Thomas d'Aquin

(*Somme de théologie*, IIIa, qu. 79) dont nous verrons que le traité sur l'Eucharistie est largement utilisé par les autres commentateurs. Chez Lochmayr, la première partie est une exégèse moralisante des deux textes de la fête : à part l'application à la chasteté qui paraît bien artificielle, les textes bibliques sont respectés.

La distance est beaucoup plus grande dans la seconde partie destinée à défendre l'obligation de la communion annuelle et implicitement la confession ; le prédicateur s'appesantit, comme le feront les autres, sur le sacrilège d'une communion en état de péché mortel. La sévérité du ton est aggravée par la lecture littérale de 1 Co 11, 29-30 : « Celui qui mange et boit, mange et boit sa propre condamnation s'il ne discerne le Corps. C'est pour cela qu'il y a parmi vous beaucoup de malades et d'infirmes et que bon nombre sont morts. » Saint Thomas applique bien la première partie de ce texte au pécheur qui communie (IIIa, qu. 80, art. 5, ad. 2), mais il ne cite pas la menace de la seconde partie du verset.

Nous ne devons pas nous laisser troubler ici par ce que nous pouvons juger une intrusion d'éléments disciplinaires ou canoniques dans la prédication. Cet ensemble manifeste seulement que l'unité du domaine religieux propre au Moyen Age subsiste encore et que précisément l'Ecriture sainte n'a pas de place délimitée, assignée à part, fût-ce pour mieux la révérer. L'Ecriture est d'abord conçue comme une « autorité » et elle est citée comme telle dans le droit canon si bien qu'il finit par se produire une sorte d'osmose. Cette interpénétration du dogme, de la morale et de la discipline qu'on observe chez Lochmayr donne plutôt à penser que l'Ecriture y conserve une place centrale, même si elle n'est pas privilégiée, dans le discours chrétien de la fin du xve siècle.

Pelbartus de Themeswar († 1504) est un auteur très célèbre au début du xvie siècle[17]. Ce franciscain de l'observance, originaire de Hongrie, fut lecteur d'Ecriture sainte. Il a écrit en particulier un commentaire sur les Psaumes et les Cantiques de l'Ancien et du Nouveau Testament en 1484, réimprimé en 1504 et 1513. Ses *Sermones de Sanctis : Hyemales et Estivales* auraient été composées en 1489 ou en 1496 : ils ont eu de très nombreuses éditions. Ils comportent quatre sermons *De cena Domini*. Examinons de plus près celui qui développe « la douceur de l'amour que le Christ a montré pour nous à la dernière Cène »[18]. Le « thème » développé est de nouveau : Jn 13, 1, mis en rapport avec 1 Jn 4, 9 et Ap 1, 5, donc trois textes johanniques.

---

17. Wadding-Sbaralea, *Scriptores ordinis minorum*, II, pp. 316-317. *DTC* XII (1933), col. 715-717 (A. Teetaert).
18. Nous utilisons l'éd. de Lyon, chez J. Sacon, 1509, fol. lxii ss. (pagination défectueuse).

Introduction : La charité divine manifestée par le lavement des pieds : Par qui ? A qui ? Comment ? Pourquoi ?

Le sermon a trois parties très inégales. Le geste du Christ doit être compris en exemple, en enseignement, à cause du sacrement :

I. En exemple : l'humilité du Christ est rapprochée de Gn 3, 4 où le serpent propose l'orgueil de la connaissance (de nombreuses autorités patristiques et médiévales sont citées).

II. En enseignement : reprise d'un sermon d'Innocent III (sermo XIX : *De triplici lavacro*, PL 217, col. 397-400). Trois bains sont institués au Jeudi saint :
— le bain de l'eau (matérielle et spirituelle) : Sir 3, 30 : « L'eau éteint les flammes; l'aumône remet les péchés »;
— le bain du sang (la Croix; l'Eucharistie);
— le bain des larmes (lamentation de Jésus sur les pécheurs et sa sueur de sang).

III. A cause du sacrement : La question posée est, en reliant la purification opérée par le lavement des pieds et l'Eucharistie, de savoir si les apôtres qui communiaient étaient baptisés et s'étaient confessés ? Jn 13, 10 : ils étaient tous purs sauf Judas. Etaient-ils à jeun ? Mais le jour de son institution, l'Eucharistie, après le repas pascal, est donnée en signe.

La Vierge qui n'avait pas besoin du baptême a obéi au précepte et l'a reçu pour se revêtir du caractère de tous les fidèles. Elle est « humble servante » : Lc 1, 48, et donne un exemple pour nos confessions.

Conclusion :

1. Quel bienfait retirons-nous de l'Eucharistie ? Quatre points : allusions à Dt 4, 7; 2 P 1, 4;
2. Quel est le plus grand bienfait l'Incarnation ou l'Eucharistie ? Trois points. Réponse : l'Eucharistie car un don de Dieu intègre les précédents : de plus elle est une réalité et non un souvenir;
3. Pour qui est fait le Testament nouveau ? 10 catégories, des pasteurs aux pénitents (allusions à 1 P 5, 1 ss.).

Chez Pelbart, l'homélie est nettement moins biblique et plutôt tournée vers la théologie spirituelle. Les questions posées mettent à la portée des fidèles, non sans une certaine ampleur, le mystère de l'Eucharisite mais l'approche n'est pas scripturaire comme le prouve la question du baptême et de la confession de Marie et des apôtres.

Les deux exemples suivants concernent deux prédicateurs dominicains très célèbres au début du XVIe siècle. Le premier est Guillaume Pépin († 1533), prieur du couvent d'Evreux, sa ville natale, après avoir fait ses études au couvent Saint-Jacques de Paris[19]. Les éditions

---

19. *DS* XII (1984), col. 1053-1054 (P. RAFFIN).

de ses très nombreux sermons s'échelonnent entre 1511 et 1545, mais on trouve encore des recueils publiés au milieu du XVIIe siècle. Pépin a touché aussi au commentaire biblique avec une Exposition sur la Genèse selon le quadruple sens (1528) et sur l'Exode (1534). Son *Speculum aureum* qui est un commentaire des Psaumes apparaît comme typique de l'époque, reproduisant les traits bien connus de l'obsession de la mort avec son cortège de représentations terribles et d'histoires édifiantes où les *exempla* doivent entretenir la crainte de l'enfer.

Il en va différemment du sermon *De sacramento altaris*, publié en 1517 dans les *Sermones quadragesimales*. Le *thema* est celui de l'épître du Jeudi saint : 1 Co 11, 23-32[20].

Quatre parties sous forme de questions :

I. L'Eucharistie est-elle le plus grand des sacrements ? Oui. Preuve par les quatre causes :

— efficiente : l'institution par le Christ est reconnue par tous et elle est nécessaire au salut (Jn 6, 54) ;
— matérielle : le Christ y est *effectualiter* (Pr 23, 1) ;
— formelle : *Hoc est enim corpus meum*. Ce sont les cinq paroles même du Christ (mais le mot *enim* vient de la Tradition) ;
— finale : les autres sacrements lui sont ordonnés. Référence à saint Thomas : III*a*, qu. 80, art. 6.

II. L'homme juste et l'homme pécheur peuvent-ils également recevoir l'Eucharistie ? Citation textuelle de saint Thomas : III*a*, qu. 80, art. 3.

III. Qu'est-ce qui est contenu sous les espèces du pain ? Le Corps du Christ sous chacune des espèces. Différents exemples concrets sont pris pour montrer ce qu'est une substance.

IV. De qui est ce corps ? Corpus *meum* : celui du Christ, né de la Vierge Marie.

Conclusion : trois voies pour s'approcher du mystère :

1. *Ars :* le feu transforme le minerai en métal par la technique. Dieu est la Sagesse ouvrière de toutes choses : Sg 7, 21 ;
2. *Natura :* les changements physiques s'opèrent aussi dans la nature : le suc des fleurs en miel ; la nourriture en notre chair ;
3. *Scriptura :* changements miraculeux dans la Bible : Gn 19, 26 ; Ex 4, 3 ; Ex 7, 20 ; Jn 2, 9 ; Jn 6, 11.

Le sermon du dominicain est en réalité un cours de théologie sacramentaire qui ne modifie pas la forme scolastique des *quaestiones* : les questions 76 et 80 de la III*a Pars* de la *Somme de théologie* de Thomas d'Aquin sont citées en référence ou même textuellement. La préoccupation principale en est la transsubstantiation, expliquée et commentée.

---

20. Nous avons consulté l'éd. Jean Petit, Paris, 1532 : « novo ordine ab ipso authore digesti », fol. CXX v° et ss.

Sous l'apparente sécheresse des divisions, la pensée est claire et sobre car Pépin cite peu d'autorités. Il ne fait pas tellement usage de l'Ecriture sauf à la fin de sa conclusion où il évoque à la suite du *De sacramentis* de saint Ambroise les changements de substance décrits dans les faits miraculeux de la Bible. Manifestement l'homélie ne se veut pas d'abord un commentaire biblique.

D'ailleurs l'édition du *Carême* de Pépin publié en 1532 comporte une Préface qui entend répondre à cette question. L'auteur anonyme, probablement Pépin lui-même, s'adresse au lecteur qui refuserait tout sermon non entièrement tiré de l'Ecriture sainte. Ceux qui disent que les autres sermons ne sont que paroles d'homme, même si elles sont saintes et religieuses, se trompent : il s'agit toujours d'expliquer l'Ecriture car elle est très profonde et même abyssale. Ce n'est donc nullement mépriser l'Ecriture, eau jaillissant pour la vie éternelle (Jn 4, 14) que de tirer de son propre fond pour la scruter. L'argumentation est tout à fait traditionnelle.

*
* *

Jean Clérée († 1507) fut maître général des dominicains deux mois avant sa mort, après avoir été le vicaire général de l'Ordre. Docteur de Sorbonne en 1490, il fut un prédicateur célèbre à Paris et en province. Louis XII en fit son confesseur et l'encouragea dans sa tâche de réformer son Ordre par l'introduction de la Congrégation de Hollande[21]. Dans ses *Sermones quadragesimales* qui furent recueillis alors qu'il prêchait dans l'église conventuelle de Valenciennes, il ne cesse de manier avec une dextérité et une imagination confondantes toutes les divisions et subdivisions des *Artes praedicandi*. Le sermon *In Cena Domini* est à cet égard l'un des plus sobres du recueil. Classiquement le *thema* est 1 Co 11, 20[22].

Introduction : deux modes successifs de présence du Christ :

— historique *(praesentialiter)* = l'Incarnation;
— sacramentelle : Pr 8, 31; Mt 28, 20.

Les Corinthiens mangeaient avant de communier comme les Apôtres à la Cène parce que le Christ a voulu rattacher le sacrement au repas pascal (saint Thomas « doctor sanctus » : III*a*, qu. 73). Judas a participé à la Cène : il faut s'examiner avant de communier.

---

21. Quétif-Echard, *Scriptores ordinis praedicatorum*, II, 11-13; A. Mortier, *Histoire des Maîtres généraux de l'Ordre des Frères Prêcheurs*, V, Paris, 1911, p. 128.
22. *Sermones quadragesimales*, Paris, F. Regnault, 1520.

I. *Le récit de l'Écriture :*

   1. La révélation du traître (combinaison de Mt 26, 20 et de Jn 13, 25);
   2. La manifestation de l'humilité (Ap 3, 20) : quatre gestes du Christ que nous devons imiter (commentaire de Jn 13, 4) :
     — Il se lève de table et dépose ses vêtements : nous devons quitter nos péchés : Rm 13, 11; Ex 16, 1 ss;
     — Il verse de l'eau : nous devons pleurer;
     — Il se ceint d'un linge : nous devons nous ceindre de nos bonnes œuvres.
   3. L'institution du sacrement : Quel est le contenu de l'institution du Jeudi saint : 1. La paix : Jn 14, 27; 2. Les apôtres deviennent « docteurs » : Mt 28, 19; 3. Ils sont « évêques » : Mt 16, 19; 4. Ils sont ordonnés « prêtres » : 1 Co 11, 24.

II. *Les fruits du sacrement :* Cette partie traite en fait de la communion faite par des pécheurs et suit la *Somme de théologie :* IIIa, qu. 80, art. 4 :

   1. Provocation de la colère de Dieu : Ps 68, 25;
   2. Grandeur de leur malignité : Ml 1, 6; He 10, 29. Leur blasphème est plus grave que d'avoir crucifié le Christ : Ps 68, 22; 1 Co 2, 8;
   3. Accroissement de leur captivité par le péché : 1 Co 11, 29.

Évoquant le cas de Judas, le sermon se termine par une lamentation sur ceux qui communient en état de péché mortel.

Ici la référence à saint Thomas n'est pas pure répétition mais fait accéder l'auditeur à une tradition elle-même imprégnée d'Écriture. D'ailleurs, dans le cas de Clérée, le sermon commente avec assez de précision le texte évangélique lui-même[23]. Les références bibliques sont nombreuses pour illustrer le problème qui paraît toujours fondamental au prédicateur et qui est d'ordre pastoral : la communion en état de péché grave; les quatre sermons que nous avons retenus sont pour cette raison polarisés par le personnage de Judas. Il faut dire d'ailleurs que la liturgie du Jeudi saint autorisait et même favorisait cet accent mis sur l'apôtre qui trahit.

En définitive, il semble qu'on doive nuancer, pour ces sermons latins, l'impression recueillie chez Michel Menot par exemple. La structure très dense, le déploiement des subdivisions et la maîtrise consommée de l'*Ars praedicandi* dans chacun des cas examinés n'occultent pas vraiment la Bible. Certes, chaque fois, la perspective est dogmatique, morale ou disciplinaire, mais l'Écriture est citée, peut-être à faux parfois, mais elle est bien là. Si on peut déplorer cet usage de l'Écriture, moins décoratif d'ailleurs que proprement argumentatif, la situation ne remonte pas au début du XVIe siècle ni à la fin du siècle précédent mais à la pratique médiévale[24]. Le contraste n'en sera que plus grand

---

23. On ne trouve pas, au moins dans ce texte, l'impression de « grossièreté » retirée par Renaudet, *op. cit.,* p. 182.
24. *BTT* 4, pp. 534-535 (J. Longère).

avec ces homélies « évangéliques » qui, par le jeu des éditions, leur sont contemporaines et centrent en effet toute la prédication sur l'Ecriture en tant que telle. C'est pour donner corps à ce contraste que nous nous sommes attardés sur ces sermons[25].

La bible animée

La prédication avait, grâce au talent dramatique de ses exécutants au XVIe siècle naissant, valeur de spectacle et était appréciée comme telle. C'est ainsi qu'elle se rapproche d'un mode de transmission biblique auquel il convient d'accorder toute son importance et qui, d'origine médiévale, la garde ensuite par sa diffusion imprimée[26]. Les *Mystères*, nés à partir du XIe siècle de textes bibliques dialogués à l'occasion des grandes fêtes, vont devenir théâtre religieux en sortant de l'église à partir du XIIIe siècle. Ils font largement appel aux Apocryphes, surtout pour compléter le Nouveau Testament avec le très ancien *Protévangile de Jacques*, mais aussi le *Transitus Mariae*, la *Vision de saint Paul*, comme tous les *Actes* apocryphes des Apôtres[27].

Telle est en partie l'origine de ce *Jeu* ou *Mystère des Actes des Apôtres*, composé par Simon et Arnoul Gréban, « joué par personnages à Paris en l'hôtel des Flandres en 1507, imprimé en 1538, repris sur la scène en 1541 et réimprimé à cette occasion par les Angeliers pour Guillaume Alabat de Bourges »[28]. Ce *Jeu* comprend 62 000 vers et demandait trois à quatre semaines de représentations espacées avec 484 personnages, y compris les anges, les démons et les vertus allégorisées.

Les scènes des *Actes* depuis la Pentecôte au Cénacle par laquelle commence le Mystère alternent avec des dialogues célestes entre Dieu le Père et Jésus, mais aussi avec Lucifer, Satan et les autres « anges mauvais et monstres draconicques » dont un certain Pantagruel. Ce « magnificque mystere... selon l'Escripture saincte » où ont été insérées plusieurs histoires des gestes des Césars « selon la vraye verité », véhicule toute une connaissance des temps apostoliques sous une forme dramatique et pleine de charme.

Regardons par exemple comment est traité l'épisode de l'eunuque éthiopien (Ac 8, 26-39)[29]. L'archange Michel avertit le diacre Philippe

---

25. Cf. *infra*, pp. 118-121.
26. H. Rey-Flaud, *Le cercle magique*, Paris, 1973 (pour une bibliographie des *Mystères de l'Ancien et du Nouveau Testament*). Cf., pour la suite du XVIe siècle, le chapitre 21, pp. 635 ss.
27. BTT 4, pp. 431-440 (E. Bozóky).
28. Le réviseur, sans doute Jean Chaponneau, infléchit cette version vers la « foi nouvelle », sans pour autant supprimer les légendes mais en ajoutant des épisodes tirés du texte scripturaire : Ac 1, 15-26; 6, 1-7; 8, 4-8. Cf. R. Lebègue, *Le Mystère des Actes des Apôtres*, Paris, 1929, pp. 231-232.
29. Ed. 1540, vol. I, fol. 76 r⁰-86 r⁰.

de se rendre sur la route de Gaza (v. 26). Philippe répond et obéit. L'eunuque se parle à lui-même en lisant le prophète Isaïe (v. 27-28). Michel ordonne à Philippe de s'approcher (v. 29). Suit alors le dialogue entre le diacre et l'Ethiopien qui

> Scavoir veuil l'exposition
> Qui est sur la position
> De l'Escripture positive.

Les répliques de Philippe sont une belle catéchèse rimée (v. 35). Après le baptême donné sans que le texte reprenne l'ingénuité de la question de l'eunuque (v. 38) mais en incorporant le v. 37 considéré comme une glose ancienne, et après la disparition de Philippe (v. 39), l'Ethiopien rend grâces à Dieu par une prière; la scène s'achève par un court dialogue avec son serviteur puis par un nouvel échange entre Michel et Philippe. La scène suivante s'occupe de la conversion de Paul (Ac 9), mais le second livre du *Mystère* ne s'achève pas sans qu'on retrouve l'eunuque accueilli par la reine Candace et ses suivantes[30] : c'est l'occasion de raconter encore l'épisode du baptême et ce qui arriva quand il lui vint l'idée :

> Dedans la Bible estudier
> Ou en lisant aucun passage
> Lequel je n'estoys assez sage
> De bien entendre et exposer.

La reine Candace assure vouloir bientôt en entendre davantage. On la retrouvera bien plus tard, au sixième livre dans l'épisode qui met saint Matthieu aux prises avec les magiciens d'Ethiopie. Mais si un eunuque parle bien à cette occasion en faveur de l'apôtre, aucune allusion aux premières scènes n'y est faite[31].

Ainsi ce texte très coloré, plein de rebondissements donnait-il une connaissance des premiers temps de l'Eglise où les *Actes* canoniques et apocryphes se mêlaient sans aucune distinction devant un public qui, même instruit, n'avait strictement aucun critère de discernement possible.

Une étude parallèle des divers *Jeux des Rois*[32] qui mettent en scène, d'habitude brièvement, l'épisode des Mages (Mt 2, 1-12), où, à l'intérieur des « Passions » ou encore dans des textes isolés dont la *Comédie de l'Adoration des trois roys à Jésus-Christ* de Marguerite de Navarre, imprimée en 1547, n'est qu'un des derniers exemples, montre bien les diverses variations faites autour du texte évangélique à partir des

---

30. C'est une addition du réviseur du texte : Lebègue, p. 210.
31. Ed. 1541, vol. II, fol. VII ss.
32. *Trois Jeux des Rois (XVIe-XVIIe siècles)*, éd. Y. Giraud, N. King et S. de Reyff, Fribourg (Suisse), 1985.

enjolivements remontant au vIe siècle. Dans ce genre de représentation, l'aspect comique est souligné et semblait compromettre la dignité du texte sacré puisque Jean Eck, curé à Ingolstadt[33], proteste contre le jeu de scène ridicule qui consiste à faire préparer la bouillie de l'enfant Jésus par saint Joseph !

En ce qui concerne l'Ancien Testament, le xvIe siècle commençant a aussi hérité de celui qui l'a précédé de *Jeux* sur différents épisodes. Il y a un ensemble de très nombreuses pièces en vers français qu'on désigne sous le nom de *Mistere du Viel Testament*. Nous n'avons pas ici à retracer la genèse d'ailleurs obscure de cette œuvre collective dont le groupement a dû être contemporain des frères Gréban qui ont peut-être fourni eux-mêmes quelques scènes.

Comme pour les *Actes des Apôtres*, l'impression a suivi les représentations parisiennes qui connurent un grand succès vers 1500, puis quarante ans plus tard. La première édition complète, sans date, a été imprimée à Paris par Jehan Petit pour Geoffroy de Marnef; une seconde en deux volumes vers 1520 à Paris chez la veuve Trepperel pour Jehan Jehannot; enfin en 1542, toujours à Paris, pour Jehan Rehal. Des éditions partielles (le sacrifice d'Abraham; la Vendition de Joseph) ont été faites autour de 1538-1540.

L'éditeur du texte au siècle dernier[34] a montré l'importance des Apocryphes et même des traditions talmudiques par rapport aux textes canoniques : on a affaire à une amplification dramatique des histoires de la Bible. Quelques exemples montreront la part des Écritures canoniques et celle de la légende, dont le mélange devait indissolublement habiter la conscience populaire et même cultivée au début du xvIe siècle, façonnée qu'elle était encore par des textes du genre de la *Bible historiale*.

Si nous prenons le « Procès de Paradis », l'auteur de ces scènes brode sur la fin du chapitre 3 de la Genèse[35]. Au moment où Dieu s'apprête à condamner l'homme désobéissant, un débat s'instaure entre Justice et Miséricorde, « fille aisnée » de Dieu, qui est sans doute issu de la littérature midrashique.

Contrairement à d'autres textes contemporains, aucune mention du Protévangile (Gn 3, 15) n'est développée ici. D'ailleurs, les allusions au Christ et à Marie n'apparaissent qu'à la fin du *Mistère* lorsque la Sibylle Tiburtine prédit à l'empereur « Octavien » la conception d'une

---

33. « Et non habeatur 'Joseph' omnino aut saltem honestiori modo, scilicet quod non condiat pulmentum, ne ecclesia Dei irrideatur », Johann Ecks Pfarrbuch, éd. J. GREVING, Münster, 1908, p. 132.

34. *Le Mistere du Viel Testament*, publié avec introduction, notes et glossaire par le baron James de ROTHSCHILD, Paris, 6 vol., 1878-1891 (Société des anciens textes français), avec de nombreuses indications sur le théâtre biblique dans les diverses langues européennes au Moyen Age. Le texte se fonde sur l'édition de 1500.

35. *Op. cit.*, t. I, vers 1295-1882.

Vierge[36] : cet argument issu du Pseudo-Augustin est mis en scène en Italie tout au cours du xvi⁰ siècle[37]. Il y a une exception à ce silence sur le Messie lors de l'histoire d'Abraham.

En effet, le salut dans le Christ est annoncé alors dans le « conseil de Dieu » avec Justice et Miséricorde, dans la prévision de la naissance d'Isaac[38]. Le Verbe de Dieu se trouve donc parmi les trois anges qui visitent Abraham. Ce dernier s'exclame alors :

> Ce sont anges, chose vraye
> Qui sont apparus en ce lieu
> Et mesme le vray filz de Dieu
> Qui veult premonstrer par figure
> Qu'il doit prendre humaine nature[39].

Dans ces scènes sur les chapitres 13 à 20 de la Genèse, le poète a interverti les différents épisodes depuis les guerres des Sodomites et des Elamites (Gn 14, 1-16) jusqu'à la circoncision d'Isaac.

<center>
* *

Que pouvons-nous conclure de cette brève enquête ? On peut répondre à la question posée au préalable : « Que connaît-on de la Bible au début du xvi⁰ siècle ? », à un premier niveau : s'il s'agit de considérer une connaissance par la lecture intégrale, il est clair que les chrétiens de ce temps ignoraient la lettre des Ecritures, « mais à force d'écouter des extraits dans les sermons, d'en voir les épisodes représentés sur les tréteaux des 'mystères', alors il faut reconnaître que la Bible ne leur était pas étrangère »[40], même s'il s'y mêlait beaucoup d'alluvions. On ne peut conclure à une perte de la mémoire biblique. La formation chrétienne et même biblique la plus universelle aura été celle que les enfants recevaient sur les genoux de leur mère[41]. Il y avait également ces bribes d'Ecriture qui subsistaient dans les « Livres d'heures » dont l'apogée se trouve au xv⁰ siècle : Psaumes de la Pénitence, Fragments d'Evangiles dont la Passion selon saint Jean[42].

Mais il y a également un second niveau qui est celui de la validité ultime de notre question, peut-être seulement commode pour introduire à la « Bible au xvi⁰ siècle ». N'est-elle pas précisément typique

---

36. T. VI, pp. 207-209.
37. *Ibid.*, p. lxvii.
38. T. I, pp. 336-337.
39. *Ibid.*, p. 362.
40. RAPP, *op. cit.*, pp. 325-326; H. ROST, *Die Bibel im Mittelalter*, Augsburg, 1939, sur la Bible dans la culture et la vie quotidienne, pp. 255-291.
41. TOUSSAERT, *op. cit.*, p. 85.
42. H. BOHATTA, *Bibliographie der « livres d'heures » des XV. und XVI. Jahrhunderts*, Wien, 1924; A. LABARRE, « Heures (Livres d') », *DS* VIII (1969).

de ce xvɪᵉ siècle éminemment « biblique » : ne l'avons-nous pas héritée de lui ? En d'autres termes, si la fin du Moyen Age est encore une civilisation orale, le christianisme y est oral lui aussi pour une large part.

Le fait même d'isoler l'Ecriture de la Tradition, de poser la Bible comme élément consciemment séparé dans la liturgie ou dans l'étude, destiné à être considéré comme tel, en tant que tel, est une idée neuve. Nous voulons dire par là qu'elle est neuve pour la masse des chrétiens car elle était connue, au moins théoriquement, par les savants et dans l'enseignement.

En fait, envisager la Bible comme un « en-soi » présuppose que la Bible soit un objet, c'est-à-dire un volume, pour tout le monde, et donc diffusée largement : c'est là la révolution de l'imprimerie. Parce qu'on en dispose, on pourra y revenir comme à une source : telle est l'exigence de l'Humanisme et de la Réforme, ce qui est une revendication étonnante pour la psychologie médiévale rebelle à la précision et même encline à une indécision radicale, au niveau populaire, quant aux limites des dogmes[43]. Le xvɪᵉ siècle est l'époque de ce changement majeur des frontières qui s'opère en premier lieu au profit et à propos de la Bible.

Guy BEDOUELLE.

---

43. TOUSSAERT, p. 82.

2

Le tournant de l'imprimerie

L'imprimerie est née de la coïncidence d'un besoin accru et pressant de livres, de la maturation des techniques métallurgiques pour la fonte de caractères à l'unité, de la prédominance du papier sur le parchemin et de la découverte d'éléments déterminants (encre grasse, presse...). Elle apparaît au moment où la conjonction de ces facteurs divers devient possible et rentable, son inventeur étant en quelque sorte le catalyseur. Elle vient à son heure après l'exploitation de certaines améliorations ou de correctifs de la copie manuscrite et ses imperfections, avec l'utilisation de la *pecia* et de l'*exemplar*, et aussi après l'exploration d'autres pistes comme la xylographie.

LA BIBLE ET L'INVENTION DE L'IMPRIMERIE

Dès le début de cette aventure de l'imprimerie, on trouve, on le sait bien, la Bible : elle était également présente dans la demande accrue de l'écrit multiplié comme dans les essais préalables de Gutenberg. Le premier grand bibliophile royal que fut Charles V, le roi de France, n'avait-il pas avant même son accession au trône, fait copier sa Bible française qui orna ensuite sa « librairie » de la tour de la Fauconnerie au Louvre et figure en bonne place dans un inventaire de plus de 1 000 volumes dans le catalogue de 1373 ? Un siècle plus tard, la *Biblia Pauperum* n'est-elle pas l'une des rares impressions issues d'une xylographie améliorée ?

Grâce à la propension de l'orfèvre Johannes Gensfleisch zum Gutenberg (c. 1395-1468)[1] à recourir à la justice, les documents de ses divers procès à Strasbourg et à Mayence nous ont permis de connaître l'inventeur de l'imprimerie sans résoudre pour autant toutes les énigmes dont son entreprise est entourée. A la fin de son séjour à Strasbourg, soit vers 1446-1448, ou plus probablement à son retour à Mayence, Gutenberg, en association avec un bailleur de fonds, Peter Fust, mit au point son procédé. L'impression de la Bible à quarante-deux lignes de 1452-1453 semble avoir encore été réalisée dans le cadre de cette collaboration à laquelle s'est probablement joint Peter Schöffer, futur gendre de Fust. Mais après la rupture de l'association en 1455 comme nous le savons grâce à l'acte dressé par le notaire Ulrich Helmasperger, les deux hommes vont fonder à Mayence une imprimerie concurrente de celle de Gutenberg. Une de leurs premières productions, qui d'ailleurs porte la date la plus ancienne de l'histoire de l'imprimerie, est le Psautier dit de Mayence, tandis que Gutenberg réalise ou tente de réaliser avec les caractères de la Bible à quarante-deux lignes, lui aussi, un Psautier dont il ne subsiste qu'un feuillet, puis avec d'autres caractères, la Bible à trente-six lignes.

La Bible « de Gutenberg »

Elle était composée de 642 folios formant deux volumes[2]. Chaque folio comporte quarante-deux lignes, sauf certains exemplaires d'une première composition qui ont leurs premières pages à quarante ou à quarante et une lignes. Avec ses grandes marges harmonieusement calculées, son texte d'un seul tenant, sa « justification » parfaite, le premier livre, avec ses abréviations latines courantes, ressemble à un manuscrit d'une qualité exceptionnelle, même si quelques menues erreurs y sont repérables, dans la taille des lettrines en particulier. Les imprimeurs, au départ du moins, se considéreront comme les héritiers des copistes médiévaux.

Les lettres sont monumentales. Il n'est pas impossible que leur emploi fut initialement prévu pour des enluminures et indiquerait une destination liturgique. Le nombre des jeux de caractères s'élève à 300[3]. L'impression fut faite sur de l'excellent papier blanc de différentes textures, et, pour une trentaine d'exemplaires de luxe, sur du parchemin. Le tirage global dut être de 150 exemplaires dont 46 subsistent, ce qui est une proportion considérable.

La Bible de Gutenberg ne comporte pas d'illustrations et il n'y a pas

1. A. Ruppel, *Johannes Gutenberg, sein Leben und sein Werk*, Nieuwkoop, 1967[3].
2. Cf. le commentaire de Jean-Marie Dodu sur la réédition de la Bible de Gutenberg, *Les Incunables*, Paris, 1985 (réimpression de l'exemplaire de la Bibliothèque Mazarine à Paris).
3. G. Zedler, *Von Coster zu Gutenberg*, Leipzig, 1921, pp. 188-192.

de place laissée pour les y insérer, mais des lettrines d'initiales de taille différente marquaient les grandes divisions du texte (livres bibliques, chapitres, prologues et préfaces), leur décoration étant à la charge de l'acquéreur à partir d'une *Tabula rubricarum* qui en indiquait la répartition. L'ouvrage n'était pas livré relié.

Le texte de la Vulgate reproduit par Gutenberg est celui de la recension parisienne qu'on a cru reconnaître dans le manuscrit *HS II 67* de la bibliothèque de Mayence. Elle comprend les IIIe et IVe livres d'Esdras, la Prière de Manassé ainsi que les prologues hiéronymiens comme la lettre de Jérôme à Paulin.

LA BIBLE ET SA DIFFUSION PAR L'IMPRIMERIE

L'étude entreprise autour de la Bible « de Gutenberg » nous permet de mesurer à son point de départ l'influence potentielle de l'imprimerie par son coût et sa diffusion[4]. On a pu en effet calculer qu'un exemplaire sur papier de la première Bible devait revenir à l'achat 34 florins pour un exemplaire sur papier et 50 sur parchemin, alors qu'il fallait débourser de 60 à 100 florins pour une Bible manuscrite. Il est vrai cependant que l'exemplaire sur parchemin d'une Bible à quarante-deux lignes, conservé à la H. E. Huntington Library de San Marino en Californie, porte d'une main du xve siècle la mention de 100 florins.

Ce que nous savons de l'histoire des 46 exemplaires de la Bible de Gutenberg actuellement existants donne une idée des acquéreurs du xve et du xvie siècle. Ainsi l'exemplaire de Harvard (Cambridge, Mass.) fut légué en 1471 par Johannes Vlyeger, prêtre de la cathédrale d'Utrecht à un monastère de Brigittines. Celui de Cassel appartint sans doute aux sœurs de la Vie commune d'Immenhausen; celui de Leipzig se trouvait en 1461 en possession des franciscains de Langensalza en Thuringe. L'exemplaire papier de la British Library appartenait à l'abbaye de Saint-Jacques de Würzburg dont Trithemius devint abbé en 1506; celui de Munich se trouvait au monastère bénédictin d'Andechs en Bavière; celui de la Bodleian chez les carmes d'Heilbronn et avait été offert par Neninger, bourgmestre de la ville. La copie papier de la Bibliothèque nationale de Paris qui avait été enluminée et reliée par Heinrich Cremer en 1456 pour l'archevêque de Mayence, Theodorich von Erbarch († 1459), se trouva ensuite à l'église paroissiale d'Ostheim, près d'Aschaffenburg. Les dominicains d'Erfurt en avaient une depuis 1460 (exemplaire de Princeton), et les dominicaines de Steynach au Tyrol en reçurent une

---

4. Paul SCHWENKE, *Johannes Gutenbergs 42 zeilige Bibel*, Ergänzungsband zur Faksimile-Ausgabe, Leipzig, 1923.

en 1530 pour la profession d'une sœur, offerte par le curé du village : c'est l'exemplaire de Vienne (Œsterreichische Nationalbibliothek).

Cet inventaire partiel nous permet de voir comment les monastères et couvents étaient pour la majorité des cas, dès le départ, demandeurs ou receveurs d'une Bible latine du type de celle de Gutenberg. Un des exemplaires de Leipzig, disparu pendant la seconde guerre mondiale, qui avait appartenu aux franciscains d'Altenburg, conservait encore la chaîne qui l'attachait à son pupitre, pour le préserver du vol.

Il ne faudrait cependant pas surestimer l'importance quantitative de la production de Bibles aux débuts de l'imprimerie[5]. Sachant que chaque imprimeur utilisait à peu près 200 grandes feuilles de papier par an et que ce nombre correspond à la quantité nécessaire pour la composition d'une Bible tirée à 1 000 exemplaires, chiffre moyen d'une édition au xvie siècle, on doit en conclure que la décision de lancer sur le marché une Bible complète était grave et risquée : pratiquement une Bible accaparait l'activité d'un imprimeur pour un an. C'est pourquoi les textes de la Bible complète ne sont généralement pas produits par de petits imprimeurs dont le capital et la trésorerie se seraient révélés insuffisants.

C'est également la raison pour laquelle il existe beaucoup d'éditions partielles du texte biblique avec aussi des adaptations attrayantes et pédagogiques. Ainsi les *Passiones Christi* sont un des grands succès de l'imprimerie rhénane dans les vingt premières années du xvie siècle, comme également les versions harmonisées ou synoptiques qui tiennent compte des divers récits évangéliques : les Harmonies évangéliques, ou bien encore les Vies du Christ qui incorporent les éléments des quatre Evangiles, plus aptes à toucher un public large, intéressé davantage par les calendriers, les hagiographies légendaires que par un gros volume coûteux[6].

Ainsi, comme au Moyen Age, la Bible imprimée est-elle un objet précieux, rare, sans doute intimidant[7]. Ainsi également l'accès à la Bible par l'imprimerie se fait-il par le biais de versions tronquées, diluées si l'on peut dire : la culture biblique est, au début du xvie siècle, encore

---

5. R. HIRSCH, *Printing, Selling and Reading, 1450-1550*, Wiesbaden, 1967 ; Miriam Usher CHRISMAN, *Lay Culture, Learned Culture, Books and Social Change in Strasbourg, 1480-1599*, New Haven, London, 1982, pp. 4 ss.

6. CHRISMAN, *op. cit.*, pp. 114-115. Pour l'Italie, voir A. J. SCHUTTE, « Printing, Piety and the People in Italy », *Archiv für Reformationsgeschichte*, 71 (1980), pp. 5-19 : elle souligne l'importance des ouvrages spirituels dans la production imprimée en italien : il y a cependant onze éditions de Bibles italiennes avant 1495, dont la plupart reproduisent la version de Niccolo Malermi († 1481) ; Richard CROFTS, « Books, Reform and the Reformation », *Archiv für Reformationsgeschichte*, 71 (1980), pp. 21-36, pour les vingt premières années de l'imprimerie en Allemagne, ne catégorise que 3,5 % des livres « bibliques » sur un total de 1 700 livres religieux (sur 3 400).

7. La rareté est soulignée par Peter HEATH, *The English Parish Clergy on the Eve of the Reformation*, London, 1969, pp. 74-75.

partielle. Cependant l'apprentissage de la lecture complète va se faire lentement.

Comment d'ailleurs mesurer la diffusion réelle du texte sacré ? Nous avons plusieurs manières d'aborder ce problème historique pour le début du XVIᵉ siècle. La première serait d'étudier les inventaires des bibliothèques qui nous sont parvenus. Nous pouvons prendre, à titre d'exemple, le cas particulier d'un religieux comme Martin Bucer qui avait *ad usum* des livres nécessaires à ses études mais appartenant à la bibliothèque conventuelle.

Nous avons en effet la liste des livres qu'il a par-devers lui adressée à son prieur le 30 avril 1518, c'est-à-dire d'ailleurs quelques jours après la rencontre décisive avec Luther[8] : il précise bien dans sa lettre que les livres, de droit, appartiennent au couvent dominicain de Sélestat dont il fait partie. Sur un total de 59 livres qui représentent un ensemble d'intérêts humanistes, il faut retenir le *Novum Testamentum* d'Erasme et les *Annotationes* dans leur première édition; un Psautier hébreu avec la traduction de Jérôme qui était l'édition faite par Pellican à Bâle en 1516 également. On peut y ajouter les Paraphrases d'Erasme sur l'Epître aux Romains dans l'édition de Louvain, 1517 ou de Bâle, 1518, reliée avec d'autres ouvrages divers. C'est peu pour le domaine biblique par rapport aux nombreux textes d'Aristote, de saint Thomas d'Aquin ou d'Erasme, mais probablement Bucer disposait-il d'autres textes de l'Ecriture dont il n'avait pas à faire mention dans un inventaire quasi officiel.

Un peu plus tard, si l'on en juge par la date des derniers livres enregistrés, fut dressé l'inventaire de la bibliothèque de Reuchlin[9]. Ici évidemment, c'est la Bible hébraïque qui domine : l'impression de Soncino de 1488, celle de Bomberg de 1517 et 1521 et de nombreux textes partiels : un Pentateuque de Brescia, 1492, et un Psautier de même origine publié deux ans plus tard. Il avait le *Novum Testamentum* de 1516 et même le Psautier et les Cantiques en éthiopien de 1513 publiés par Johann Potken à Rome.

Les deux exemples que nous avons pris concernent évidemment le cas particulier des humanistes. La bibliothèque conventuelle des dominicains de Saint-Dominique de Pérouse à la fin du XVᵉ siècle peut donner une idée de la répartition entre des livres de philosophie, de patristique, de scolastique, d'une part, et des textes et commentaires bibliques de l'autre, et aussi de la proportion entre manuscrits et incunables[10].

---

8. *Correspondance de Martin Bucer*, t. I publié par Jean ROTT, Leiden, 1979, pp. 43-58.

9. Karl CHRIST, *Die Bibliothek Reuchlins in Pforzheim* (Zentralblatt für Bibliothekswesen, 52), Leipzig, 1924. Voir aussi Walther KÖHLER, *Huldrych Zwinglis Bibliothek*, Zürich, 1921.

10. Tommaso KAEPELLI, *Inventori di libri di San Domenico di Perugia, 1430-1480* (Sussidi eruditi, 15), Roma, 1962; les inventaires de 1430, 1446, 1458, et surtout pour notre sujet, celle du maître général des dominicains MANSUETI († 1480), léguée au couvent. Pour une approche plus générale, Guy-Marie OURY, « Les moines de la Renaissance au cœur de la révolution du livre », *Collectanea Cisterciensia*, 49 (1987), pp. 173-183.

La seconde approche, plus globale, pour mesurer la diffusion réelle de la Bible par l'imprimerie est rendue possible par les testaments, ou plus exactement par les inventaires après décès lorsque les historiens s'y sont intéressés. Tel est le cas de la région d'Amiens pour la période 1503-1576, portant sur environ 900 cas[11].

Quand il y a le legs d'un *seul* livre, ce qui est le cas du tiers de ces inventaires, il s'agit pratiquement toujours d'un ouvrage religieux, mais, sauf pour une dizaine de personnes, ce n'est pas une Bible mais un livre d'heures. Quand l'héritage comporte deux livres ou plus, il inclut généralement le Psautier complet, parfois même la Bible en français ou bien en latin.

La répartition sociale est fort intéressante : sur 261 personnes recensées comme appartenant à la « classe marchande », on trouve 91 livres d'heures et seulement deux Bibles en français tandis que les « artisans » (83 personnes) lèguent cinq bibles en français pour 53 livres d'heures.

Il vaut également la peine de se pencher sur le détail des Bibles apparaissant dans ces inventaires qui s'étendent jusqu'aux deux tiers du xvie siècle ; il faut noter l'importance de plus en plus grande des Bibles complètes qui indique bien l'expansion de la lecture et donc de la place accrue de la Bible : sans en être la principale bénéficiaire, elle y trouve sa place. On note en effet 8 Bibles en latin dont une est l'édition de Paganinis et une en hébreu mais surtout 24 en langue française réparties dans toutes les classes de la société dans ce diocèse d'Amiens, y compris un teinturier et un boulanger : 6 de ces Bibles françaises sont encore la vieille version de Guyart des Moulins. Mais il y a beaucoup de Bibles partielles : 27 Psautiers dont 4 dans la version de Marot et 5 textes de l'Ancien Testament seul.

Ainsi peut-on penser que la Bible se fait lentement sa place dans la culture mais les positions confessionnelles concernant l'accès des laïcs à la Bible vont ensuite jouer d'un grand poids comme nous le verrons. C'est pourquoi il est intéressant pour la période que nous considérons de se demander quel fut l'accueil de l'Eglise devant cette nouvelle invention qui pouvait transformer le rapport des chrétiens au texte sacré.

L'imprimerie au service de la Bible ?

Comment l'Eglise a-t-elle accueilli l'imprimerie qui allait permettre une diffusion si large de sa doctrine, de sa piété et de sa source, l'Ecriture

11. Albert Labarre, *Le livre dans la vie amiénoise du XVIe siècle. L'enseignement des inventaires après décès, 1503-1576*, Paris-Louvain, 1971, dont nous utilisons les informations. Pour un panorama des bibliothèques particulières dans toute l'Europe, se reporter à la bibliographie de ce livre, pp. 410-416, 421-445.

sainte ? S'est-elle rendu compte de la chance qui s'ouvrait devant elle ? On pourrait en fait parler d'un enthousiasme teinté rapidement d'inquiétude. A la fin du XVe siècle, à Rome, où certains imprimeurs allemands furent reçus personnellement par des cardinaux en hommage à leur art nouveau, la ville compte en 1475 une vingtaine de presses, ce qui est considérable si l'on pense que l'initiative de Jean Heynlin et de Guillaume Fichet pour introduire l'imprimerie à Paris date de 1470. Mais bien vite on se rendit compte que l'admirable instrument pouvait se retourner contre la foi et contre l'Eglise : capable de communiquer la vérité, elle pouvait devenir ferment d'erreur.

Dès 1479 les évêques allemands, approuvés par Sixte IV avaient octroyé à l'Université de Cologne le privilège de contrôler et de sanctionner les fauteurs et les utilisateurs de mauvais livres. En 1486, l'archevêque de Mayence, Berthold de Henneberg, se plaint que les « livres saints », c'est-à-dire bibliques, soient livrés sans précaution aux mains des « hommes simples et ignorants et au sexe féminin », car le Nouveau Testament présuppose une connaissance bien plus large[12].

L'année suivante, dans une bulle adressée à l'Eglise universelle, situant sa préoccupation parmi les multiples soucis de la sollicitude du Siège apostolique *(Inter multiplices)*, Innocent VIII établit un contrôle dans tous les lieux *(nationes, civitates, terrae, castra, villae, loci)*[13]. Ce qui est donc « le premier document pontifical sur la presse » institue une autorisation préalable et charge le maître du Sacré-Palais de constituer une liste de livres déjà imprimés qui seraient contraires à la foi catholique.

Alexandre VI reprend ce texte en le complétant quelque peu et surtout en l'adaptant spécialement pour certains diocèses germaniques, sans doute en relation avec le contrôle institué dès 1479. Dans aucun de ces textes pontificaux il n'est question de la Bible : tous les livres sont visés quels qu'ils soient.

Le concile de Latran V voulut à son tour traiter de ce problème. La constitution *Inter sollicitudines* du 4 mai 1515[14] s'inspire des documents précédents, y compris dans son titre. L'imprimerie, don de la faveur divine, peut contribuer grandement à l'accroissement de la science dans la sainte Eglise, mais il est à craindre que « les poisons ne soient mélangés

---

12. Texte dans V. F. de GUDENUS, *Codex diplomaticus anecdotorum...*, t. IV, Francfort-Leipzig, 1758, pp. 469-475 (p. 470).

13. C. J. PINTO DE OLIVEIRA, « Le premier document pontifical sur la presse », *Revue des Sciences philosophiques et théologiques*, 50 (1966), pp. 628-643 (texte et traduction, pp. 638-643).

14. J. HILGERS, *Die Bücherverbote in Papstbriefen*, Freiburg-i-Br., 1907; Rudolf HIRSCH, « Bulla super impressione librorum, 1515 », *Gutenberg Jahrbuch 1973*, pp. 248-251, repris dans *The Printed Word : Its Impact and Diffusion* (primarily in the 15th and 16th centuries), London, 1978. Pour le texte, MANSI, *Sacrorum conciliorum... collectio*, XXXII, pp. 912-913; et pour une traduction, O. de LA BROSSE *et al.*, *Latran V et Trente*, I, Paris, 1975, pp. 425-426.

aux médicaments ». Là encore il n'est fait nulle mention des textes bibliques dont on se féliciterait qu'ils puissent être mieux connus ou au contraire dont on découragerait les traductions. Il est seulement question de « livres traduits du grec, de l'hébreu, de l'arabe ou du chaldéen ou bien écrits directement en latin ou en langue vulgaire ». La constitution du concile institue une censure plus précise dans chaque diocèse sous la responsabilité de l'évêque et de l'inquisiteur. Inclus dans les actes conciliaires, *Inter sollicitudines* sera imprimé aussi à part dans un petit opuscule de deux folios in-quarto.

Sauf le texte de Berthold de Henneberg pour Cologne qui fait expressément référence aux « Evangiles et aux Epîtres de Paul », aucun des textes plus généraux sur l'imprimerie n'aborde le cas de la Bible : on ne perçoit pas clairement encore en 1515 que des traductions pourraient entraîner les lecteurs vers « les plus grandes erreurs » pour reprendre l'expression de la bulle *Inter sollicitudines*.

Or, quatre ans plus tard, c'est en Allemagne, mais aussi en Espagne et en France une effervescence[15] de l'imprimerie au contact des idées luthériennes qui va durer une bonne vingtaine d'années dans la clandestinité la plupart du temps. En février 1519, Froben annonce à Luther l'envoi de 600 exemplaires de ses livres et l'assure du bon accueil de la Sorbonne[16]... Après les premiers textes très polémiques, ce sont surtout des commentaires bibliques qui sont ainsi diffusés en langue vulgaire, faisant suite aux premiers essais du début du siècle.

En France, en effet, les *Epistres Sainct Pol glosées* sont publiées en 1507 par Antoine Vérard et offrent le premier commentaire suivi en français, réédité d'ailleurs en 1521[17]. Vers 1515, François Regnault publie *L'exposition sur le sermon sur la montagne*, connue par une réfutation qu'en fit Clichtove et dont il ne semble subsister qu'un seul exemplaire : on a pensé à l'attribuer à Vitrier[18]. Mais bientôt ce seront les traductions bibliques de Lefèvre, les *Epistres et Evangiles...* composées à Meaux, etc.

Ce qu'il convient de remarquer est la tonalité évangélique qui entoure la production française en matière biblique. On peut même dire que publier un Nouveau Testament en français constitue à la fin de notre période une sorte de déclaration d'intention au début d'une carrière d'imprimeur, comme un signe de reconnaissance, un geste : ainsi fait Simon du Bois en 1525 puis Pierre de Vingle en 1529.

Ceci pose dès lors le fameux rapport étudié à plusieurs reprises

---

15. C'est l'expression de Francis HIGMAN, *Histoire de l'édition française*, I : *Le livre conquérant. Du Moyen Age au milieu du XVIIe siècle*, Paris, 1982, pp. 305-325 (p. 305).

16. LUTHER, *WA. Briefwechsel* I, p. 332, l. 4-8.

17. HIGMAN, *op. cit.*, p. 318.

18. J.-P. MASSAUT, « Théologie universitaire et requêtes spirituelles à la veille de la Réforme », dans *La controverse religieuse (XVIe-XIXe siècle)*, éd. M. PÉRONNET, I, Montpellier, s.d., pp. 7-18.

entre l'imprimerie et la diffusion ou même l'irruption de la réforme protestante[19]. L'imprimerie ajouterait une révolution religieuse au fameux aphorisme de Francis Bacon selon lequel « l'imprimerie, la poudre à canon et le compas... ont changé l'apparence et l'état du monde entier »[20]. Nous verrons plus loin dans quelle mesure cette thèse se vérifie.

Au seuil du XVIe siècle, l'imprimerie donne une nourriture abondante à l'appétit encyclopédique qui se manifeste au temps de Pic de La Mirandole et de Rabelais. La culture devient comme indifférenciée, vaste, abordable par l'individu[21], dépassant les classifications médiévales qui comme dans la prédication finissent par étouffer la matière envisagée. Le livre de la nouvelle imprimerie propose une entrée majestueuse qui est symbolisée par ces portiques, ces frontons, ou comme on les appelle en typographie ces frontispices, par lesquels tous les ouvrages se présentent au lecteur pour l'inviter à entrer, à pénétrer dans le royaume du savoir. Mais dans le cas de la Bible le paradoxe et la tension entre les deux approches vont se maintenir un certain temps car le texte édité est encore le plus souvent encombré par les commentaires médiévaux et il faudra l'effort humaniste pour le rendre à sa pureté et à sa simplicité.

LA BIBLE « ENCOMBRÉE »

Grâce aux travaux de Beryl Smalley, les différentes phases d'élaboration, de fixation — on pourrait dire : de cristallisation — de la Glose de la Bible au Moyen Age sont mieux connues[22]. Cette Glose ordinaire, appelée selon sa localisation sur la page marginale ou interlinéaire, constitue en fait une sorte de « chaîne » des commentaires bibliques les plus importants de la tradition, essentiellement patristiques.

On sait que les Postilles du franciscain Nicolas de Lyre (c. 1270-1349)[23] ont au XIVe siècle d'une certaine manière supplanté la Glose,

---

19. Voir en particulier les travaux d'Elizabeth EISENSTEIN. Par exemple, *The Printing Press as an Agent of Change*, I, Cambridge, 1979, p. 450.

20. *Novum organum* (1620), aphorisme 129.

21. C'est la position de Marshall McLuhan : « La culture médiévale basée sur le manuscrit permettait un style de communauté très différent de la communauté massive qui est apparue avec l'imprimerie. La révolution de Gutenberg a fait de chaque individu un lecteur... Le monde imprimé est visuel. Or l'œil n'est pas une force unifiante. Il porte à la fragmentation. Il permet à chacun d'avoir son point de vue et de s'y tenir » (P. BABIN et M. McLUHAN, *Autre homme, autre chrétien à l'âge électronique*, Lyon, 1977, p. 34 (et p. 170)).

22. Beryl SMALLEY, *The Study of the Bible in the Middle Ages*, Oxford, 1984³ (réimpression), Notre-Dame (Indiana), 1964, pp. 46 ss., et *Studies in Medieval Thought and Learning*, Londres, 1982. Pour une mise au point, *BTT* 4, pp. 95-114 (G. LOBRICHON) et la bibliographie, p. 623.

23. *BTT* 4, p. 225, p. 418. J. H. BENTLEY, *Humanists and Holy Writ*, Princeton, 1983, pp. 20-31.

sans pour autant la supprimer. Le travail de Nicolas, plus littéral, s'appuie sur sa connaissance de l'hébreu et de l'exégèse juive qu'il avait acquise auprès des rabbins de l'école d'Evreux. Sa *Postilla litteralis* sur les deux Testaments a dû être achevée en 1331 tandis que la *Postilla moralis* date de 1339.

L'inspiration reçue de Rashi († 1105) devait éveiller les soupçons et la critique des commentateurs suivants[24]. Paul de Burgos (c. 1351-1435), c'est-à-dire Paul de Sainte-Marie, évêque de Burgos, juif converti par la doctrine de saint Thomas d'Aquin, donne, dans ses *Additiones* aux Postilles, un commentaire plus proche de son maître dominicain. Mais le franciscain Mathias Döring († 1469) défendit Nicolas de Lyre dans ses *Replicae*.

Davantage qu'un affrontement personnel de ces auteurs, il y a là plutôt un face-à-face « de deux écoles théologiques, de deux familles d'esprit »[25] : d'abord une tradition davantage soucieuse du texte lui-même, et ensuite une autre plus spirituelle, qu'on pourrait appeler plus augustinienne : elles appartiennent toutes deux au patrimoine de l'Eglise latine.

La double perspective avec son balancement réciproque traversant le xve siècle dans son approche de la Bible, il est normal de la trouver encore diffusée au début de notre période. Il faut même ajouter qu'une dernière réponse fut élaborée et prétendait donner à saint Thomas le dernier mot : On a donc un *Defensorium pro eodem Thoma contra Nicolaum Lyran et Invectivas* (sic) *Matthiae Dorinck in replicationibus contra Paulum Burgensem super Bibliam*. Cette œuvre fut écrite par Diego (Didacus) de Deza, dominicain espagnol (1444-1523)[26]. Du point de vue du genre littéraire, on peut le rapprocher de l'*Interpretatio Georgii in Summulas Petri Hispani cum Bricot quaestionibus*, publiée à Paris en 1503 qui prétendait présenter Aristote avec les commentaires de commentaires : ceux des abrégés de Buridan par Bricot avec l'aide de Georges de Bruxelles et de Pierre d'Espagne ! Nous sommes bien dans l'ère des textes si encombrés qu'ils vont engendrer la réaction humaniste du texte « nu ». Il est juste de dire que si l'évêque dominicain Diego de Deza publia sa propre réplique aux commentateurs bibliques en 1491, 1514 puis à Séville en 1517 dans un commentaire thomiste des Sentences, elle n'apparut jamais à la suite des Postilles[27].

---

24. H. HAILPERIN, *Rashi and the Christian Scholars*, Pittsburgh, 1963.

25. H. de LUBAC, *Exégèse médiévale*, IV (II, 2), Paris, 1964, p. 359. Sur les auteurs après N. de Lyre, J. G. ROSENMÜLLER, *Historia interpretationis librorum sacrorum in ecclesia christiana*, V, Leipzig, 1814.

26. Sur Diego de Deza, mort en 1523 après avoir été nommé archevêque de Tolède, cf. QUÉTIF-ECHARD, *Scriptores Ordinis Praedicatorum*, II, Paris, 1721, pp. 51-52.

27. E. A. GOSSELIN, « A Listing of the Printed Editions of Nicolaus de Lyra », *Traditio*, 26 (1970), pp. 399-426 (p. 400). Quétif-Echard indiquent les éditions de Séville, 1491, et de Paris, 1514.

[Colonnes en grec, latin, hébreu et araméen du premier chapitre de la Genèse, disposées en regard les unes des autres.]

Tranſla.Chal.

Interp.chal. Pꝛiūa chal.

Genèse 1 dans la *Polyglotte d'Alcalá*

Or toute cette tradition issue de la Glose et des œuvres de Nicolas de Lyre a été incorporée par d'innombrables manuscrits : on en a recensé plus de 800 pour les diverses œuvres de Nicolas. De là elle a pu être diffusée par l'imprimerie qui a repris purement et simplement avec la typographie la présentation compliquée, obscurcissant le texte sacré par la seule présence des commentaires. Eclairée mais aussi donc noyée par les commentaires, la Bible semble au centre d'un véritable puzzle de renvois et de répliques.

Il est en effet significatif que la Glose, les Postilles et leurs appendices aient connu un tel succès dans la période des incunables et même ensuite. Les Postilles de Nicolas de Lyre sont en effet imprimées dès 1471-1472 par Conradus Sweynheym et Arnoldus Pannartz en cinq volumes publiés à Rome.

Dans notre optique, nous pouvons signaler les éditions du XVe et du XVIe siècle qui comportent autour du texte biblique la Glose, les Postilles, les *Additiones* et les *Replicae*, à partir de la liste dressée par Edward A. Gosselin[28]. Toutes les éditions ne comprennent pas tous les éléments. De plus, nous ne considérons ici que les éditions comportant toute la Bible, les éditions partielles sur certains livres bibliques étant elles aussi fort nombreuses.

— *Postilla litteralis et moralis* :

Ed. de Sébastien Brant, chez J. Froben à Bâle, 6 vol. in-fol., 1498-1502 (Gosselin, nº 14) (réimprimée en 1506-1508, nº 15).
Ed. de Conrad Leontorius, chez J. Mareschal à Lyon, 7 vol. in-fol., c. 1520-1528 (nº 16).
Ed. imprimée chez G. Trechsel à Lyon, 7 vol. in-fol., 1545 (nº 17).

— Avec la *Postilla litteralis* seule (mais le cas échéant avec les *Additiones* et les *Replicae*) :

A. Koberger (Nuremberg), 1484, 2 vol. in-fol. (nº 31).
P. de Paganinis, Venise, 1485, 2 vol. in-fol. (nº 32).
A. Koberger, Nuremberg, 1487, 4 vol. in-fol. (nº 35).
Octavianus Scotus, Venise, 1489, 4 vol. in-fol. (nº 37).
(J. Gruninger), Strasbourg, 1492, 4 vol. in-fol. (nº 38).
A. Koberger, Nuremberg, 1493, 4 vol. in-fol. (nº 39).
P. de Paganinis, Venise, 1495, 5 vol. in-fol. (nº 42).
A. Koberger, Nuremberg, 1497, 4 vol. in-fol. (nº 46).
J. Cornicularius, Paris, 1524 (considérée comme douteuse par Gosselin, nº 51).
(?), Venise, 1588, 7 vol. in-fol. (nº 52).
(?) Paris (c. 1590), 6 vol. in-fol. (nº 53).

---

28. *Ibid.* Gosselin distingue les éditions complètes latines des Postilles, avec ou sans le texte de l'Ecriture, mais aussi les éditions en langue vulgaire (en allemand ou en français) et surtout de nombreuses éditions partielles, sur le Psautier et particulièrement sur les Epîtres et Evangiles des dimanches, spécialement la traduction française de Pierre Desrey qui inclut N. de Lyre parmi d'autres auteurs.

Certaines de ces éditions d'ailleurs témoignent déjà de l'évolution des esprits dans le rapport à l'Ecriture. L'attention des exégètes a été attirée par exemple par la Préface à l'édition de la Glose et des Postilles composée par Bernardin Gadolo (1463-1499)[29]. Ce Calmaldule, prieur de Saint-Michel de Murano, l'île de la lagune vénitienne, qui fut aussi l'éditeur des commentaires de Jérôme sur la Genèse et les Prophètes, dédie, le 28 janvier 1495, son volume publié chez Paganino de Paganinis à Venise, au cardinal François Piccolomini, le futur et éphémère pape Pie III[30].

Gadolo y explique en détail comment il en est venu à faire imprimer ce livre par son compatriote Paganinis : il a pour cela consulté *toutes* les éditions imprimées et cinq manuscrits, les a collationnés et a pu ainsi rectifier les erreurs glissées dans le texte biblique. Mais il n'a rien ajouté ou modifié, précise-t-il, qu'il n'ait trouvé dans un manuscrit ancien et a préféré laisser intact ce qu'il aurait pensé devoir changer plutôt que de se confier à son sens propre lorsqu'il n'avait aucun témoin pour appuyer son intuition. Il a fait exception pour les prologues de saint Jérôme dans lesquels il a trouvé tant de fautes qu'il a dû y remédier en comparant les textes avec les autres œuvres de ce docteur.

On trouve rarement exprimé avant Gadolo ce souci d'un texte plus sûr dans le respect des manuscrits anciens et la prudence de l'abstention dans les cas douteux en ce qui concerne la Parole inspirée avec la conviction cependant que les autres textes peuvent faire l'objet d'une correction par comparaison. Si l'influence des sains principes de Gadolo fut mince dans la mesure où les Bibles glosées servirent peu par la suite pour la mise au point qu'on voudra donner de la Vulgate, le principe d'une critique respectant les critères propres à l'Ecriture est sainement et clairement exposé par lui.

Quoi qu'il en soit du jugement porté sur Nicolas de Lyre qu'exprime le fameux dicton : « S'il n'avait pas joué de la lyre (ou s'il n'avait pas dé-lyré), Luther n'aurait pas dansé »[31] dont on connaît plusieurs versions de sens opposé, un humaniste comme Reuchlin lui reconnaît la qualité de « maître » rendant hommage ainsi à sa science hébraïque, mais il ajoute aussitôt : « Cependant j'adore comme Dieu la vérité »[32]. Aussi n'est-il pas étonnant de voir comment les humanistes auront le senti-

---

29. H. QUENTIN, *Mémoire sur l'établissement du texte de la Vulgate*, Rome-Paris, 1922, p. 95. Sur Gadolo : *Dictionnaire de spiritualité*, VI, col. 28-29, Paris, 1967 (G. M. CACCIAMANI).
30. *Lyber vitae, Biblia cum glosis ordinariis et interlinearibus... simulque cum expositione Nicolai de Lyra*, Venise, P. de Paganinis, 1495, fol. a ii r°.
31. Sur le dicton, de LUBAC, *op. cit.*, p. 353.
32. REUCHLIN, *De rudimentis hebraicis*, Pforzheim, 1506, fol. 549. L'éloge de N. de Lyre fait contraste avec la sévérité que montrent envers lui Erasme et Thomas More.

3

L'humanisme et la Bible

L'avènement de l'humanisme dont la chronologie est différente selon les pays considérés, puisque l'Italie précède les autres d'au moins un demi-siècle, a pu être qualifié de « révolution scientifique » s'exerçant dans le domaine biblique car les humanistes de la Renaissance ont modifié la problématique pour l'étude du Nouveau Testament, les méthodes pour y répondre et les règles de l'interprétation[1].

La question qui se pose dès l'abord est donc celle-ci : les humanistes ont-ils abordé la Bible avec une nouvelle problématique qui les a comme nécessairement amenés à vouloir un texte plus fidèle à l'original que l'antique Vulgate ? Ou bien est-ce l'inverse ? Est-ce le respect de l'original hébreu et grec qui les a conduits progressivement à une nouvelle problématique, voire à une nouvelle herméneutique ? Sont-ils d'abord des philologues ou des grammairiens, pour ne pas employer abusivement le terme d'exégètes qui semble de deux siècles postérieur[2] ?

La conviction des docteurs de Sorbonne penchait certainement vers la première hypothèse : les humanistes abordaient le texte sacré avec des préjugés anti-scolastiques et donc, pour eux, anti-théologiques. Ou pire, ils étaient des grammairiens qui s'improvisaient théologiens : des « humanistae theologizantes », disaient-ils avec mépris[3]. Il n'y avait donc

1. J. BENTLEY, *Humanism and Holy Writ*, Princeton, 1983, p. 218.
2. On le trouve utilisé en 1732 par le *Dictionnaire de Trévoux*. Sur le conflit philologie-théologie *(the inspirational view)*, W. SCHWARZ, *Principles and Problems of Biblical Translation*, Cambridge, 1955.
3. C'est l'expression de Noël Béda, syndic de Sorbonne dans les *Annotationes in Fabrum*, Paris, 1526, Praefatio, fol. aa 1 v°.

nullement à s'étonner, selon eux, que leurs rivaux s'attaquent à la lettre du texte traditionnel et mettent en péril la foi catholique.

La connaissance que nous avons maintenant des humanistes nous fait plutôt pencher vers la seconde hypothèse dans la mesure où elle correspond mieux à la genèse historique de l'humanisme. Mais il est évident, d'une part, qu'il est impossible de concevoir du côté des humanistes en cette fin du xve et au début du xvie siècle, une distinction trop tranchée entre philologie et théologie puisque, précisément, ils seront amenés à en prôner la réconciliation. D'autre part, le débat va considérablement s'obscurcir et se compliquer avec l'arrivée de Luther dont les rapports avec les humanistes sont complexes, ou de Bucer, Zwingli ou Mélanchthon qui, de formation humaniste, optent pour une compréhension radicalement nouvelle de l'Ecriture, au sens où elle veut atteindre la racine du message scripturaire.

Il convient, en préface à notre étude, de replacer l'humanisme dans sa démarche initiale et peut-être essentielle, avant de le voir confronté à l'Ecriture sainte car elle apparaîtra non comme son but mais comme son instrument privilégié.

LA BIBLE AU SOMMET DE LA PÉDAGOGIE

Au xvie siècle, si nous nous situons au niveau du langage, il n'y a pas d'Humanisme, il n'existe que des humanistes. Et qui sont-ils ? Des hommes, souvent des clercs, qui s'adonnent aux *studia humanitatis*, ces « lettres », ces *artes* qualifiés en un latin intraduisible de « liberales », « bonae » ou « humanae ». Derrière cette culture gréco-latine, païenne surtout mais aussi chrétienne des premiers siècles de l'Eglise, qui, pour eux, est l'*humanitas*, on doit entendre la *paideia* hellénique que Cicéron a ainsi traduite[4].

Les humanistes sont donc avant tout des professeurs comme Lefèvre d'Etaples, John Colet ou Guillaume Budé, des précepteurs ou conseillers de grands personnages comme Erasme ou Vivès, ou simplement des pères de famille bien pourvus socialement et financièrement comme Thomas More, bientôt homme d'Etat d'ailleurs.

Les humanistes sont donc mus par leur idéal de pédagogues, convaincus que tout peut s'enseigner, y compris la religion, la « piété » et cela depuis le jeune âge. Erasme devient vraiment le précepteur de son temps, de l'*Enchiridion* de 1505 à l' « Institution du Prince chrétien » (1516) destiné au futur Charles Quint, du *De pueris statim ac liberaliter instituendis* (1529) à « la Civilité puérile et honnête » de l'année suivante.

---

4. E. GARIN, *L'éducation de l'homme moderne*, trad. fr., Paris, 1968.

Or, une conviction très profonde des humanistes leur fait voir, selon un *topos*, un lieu commun de la tradition chrétienne, comme une échelle de disciplines et donc des auteurs, culminant dans la Bible qui ne peut avoir de place qu'au sommet puisqu'elle est la Parole de Dieu, révélée et inspirée.

Prenant pour modèle les diverses lettres que saint Jérôme adressa pour conseiller ses disciples ou ses amis dans leur recherche du savoir spirituel, les humanistes ont aimé à dresser un programme idéal d'éducation dont un des exemples les plus savoureux est donné par Rabelais en 1532 dans la lettre de Gargantua à Pantagruel. Les humanistes partent du modèle laissé par saint Jérôme dont toute la lettre 53 à Paulin de Nole, magnifique éloge de l'Ecriture, est implicitement marquée par la suprématie de la Bible sur toutes les sciences et la nécessité de trouver un guide pour y pénétrer adéquatement.

Erasme dans son célèbre *Enchiridion* suit la même démarche. A son soldat chrétien, prescrivant « un programme de vie plus que d'études », il recommande la prière et la science à la fois. « Je ne désapprouverais pas... qu'on s'essaye, comme par une sorte d'apprentissage dans les écrits des poètes et philosophes païens pourvu qu'on en tâte modérément et pour une saison... Aussi, cette nourriture bientôt dédaignée, dois-tu te hâter le plus possible vers la manne de la Sagesse céleste qui te nourrira et vivifiera amplement »[5].

Pour Lefèvre d'Etaples, le programme d'éducation qu'il dresse en 1506 au détour du commentaire d'un passage de la *Politique* d'Aristote, procède en ordre depuis l'étude des textes originaux des différentes disciplines (grammaire, poésie, rhétorique, histoire, arithmétique, musique, etc.) avec leurs commentaires autorisés, jusqu'à l'Ecriture sainte pour laquelle il existe aussi un itinéraire précis qu'il emprunte à Jérôme dans sa lettre 107 à Laeta, recommandant qu'elle guide sa fille prudemment du Psautier au Cantique des cantiques en passant successivement des livres sapientiaux au Nouveau Testament, et puis seulement ensuite aux Prophètes et aux livres historiques[6].

Dans le *De artium scientiarumque divisione* de Clichtove paru en 1500 et réédité en 1506[7], le disciple de Lefèvre montre, à la manière d'un *Didascalion* médiéval, la hiérarchie des sciences. Partant des « arts mécaniques », il aboutit à la métaphysique puis à la « théologie » telle qu'elle a été définie par ses auteurs qui sont les Prophètes et les Apôtres. « La théologie tend à la connaissance des choses célestes et de Dieu lui-même

---

5. Desiderius Erasmus Roterodamus, *Ausgewählte Werke*, éd. H. Holborn, München, 1933 (cité Holborn), 31-33. Trad. A.-J. Festugière, *Enchiridion militis christiani...*, Paris, 1971, pp. 99-100.
6. Ed. H. Estienne, fol. 123 v°-124 r°.
7. Ed. 1506, fol. c 2 v°. Cf. J.-P. Massaut, *Josse Clichtove, l'Humanisme et la réforme du clergé*, Paris, 1968, t. I, pp. 230-239.

d'une manière plus élevée (que la métaphysique), à partir des Saintes Ecritures, des oracles des prophètes, de l'autorité des paroles divines; elle est transmise par les écrits des saints apôtres et des prophètes »[8].

On doit remarquer que, si Lefèvre intégrait son programme dans un commentaire aristotélicien, Clichtove, quant à lui, fait suivre sa classification d'un éloge du Stagirite qui « a surpassé tous les autres » : d'ailleurs, lire Aristote convient tout particulièrement aux chrétiens « qui l'ont pris pour chef en matière scientifique et ont embrassé sa doctrine et sa manière de philosopher à l'exclusion des autres ».

Ce n'est pas sur le problème même de la place d'Aristote dans la pensée chrétienne que nous voulons attirer ici l'attention mais sur le parallèle matériel en quelque sorte établi entre l'étude d'Aristote et celle de la Bible. Pour en rester à l'humanisme français, au collège du Cardinal-Lemoine, Lefèvre et Clichtove travaillaient de concert à une restauration aristotélicienne : leurs publications communes en ce domaine remontent à 1496 et se poursuivent jusqu'aux environs de 1520. Ne peut-on penser dès lors que le travail pédagogique, fait par eux en particulier mais aussi ailleurs qu'à Paris, a inspiré celui qu'il convenait de faire sur l'Ecriture ? L'exemple que nous avons pris d'une page de l'Ecriture sainte glosée à la fin du Moyen Age[9] peut aisément être rapproché de l'enfouissement dans lequel se trouve le texte aristotélicien, avec les mêmes doutes qui sont formulés sur l'authenticité des traductions latines.

La restauration aristotélicienne a commencé en effet par un examen minutieux des traductions. Les manuscrits et surtout les compétences venus de Byzance en Italie ont permis des traductions nouvelles et meilleures. Gilles de Delft publie à Paris les versions de Bruni et d'Argyropoulos[10]. C'est Lefèvre d'Etaples qui donne un nouveau style à l'explication d'Aristote « pour l'utilité des étudiants qui s'initient à la philosophie », écrit-il dans ses Paraphrases de la « philosophie naturelle »[11]. « Lefèvre suit le philosophe chapitre par chapitre, explique les termes difficiles et les points obscurs de la doctrine dans un langage simple et juste sans recourir aux divisions et aux distinctions scolastiques »[12].

Dans le *Quincuplex Psalterium* de 1509 qui est le premier pas vers une activité qui, partiellement d'abord, exclusivement ensuite, sera consacrée à la Bible, Lefèvre utilise exactement les mêmes procédés pédagogiques, la même méthode qui fait passer l'étudiant ou le lecteur de l'analyse

---

8. Ed. 1506, fol. b 7 v°. Massaut, I, p. 237.
9. Cf. *supra*, p. 49.
10. A. Renaudet, *Préréforme et Humanisme à Paris*, Paris, 1953[2], 129-130.
11. E. F. Rice, *The Prefatory Epistles of Jacques Lefèvre d'Etaples and Related Texts*, New York, 1972, p. 1.
12. Renaudet, p. 147. Cf. E. F. Rice, « Humanist Aristotelianism in France : Jacques Lefèvre d'Etaples and his Circle », dans *Humanism in France*, éd. A. H. T. Levi, Manchester, 1970, pp. 132-149.

mot à mot à des synthèses successives. Si la terminologie diffère, la démarche est bien la même[13].

Tout se passe comme si devant la Bible glosée le professeur avait la même réaction que devant les textes d'Aristote encombrés de commentaires divergents[14]. Comment, disions-nous, devant certain volume de l'année 1503 comprenant le texte aristotélicien dans la traduction de Georges de Bruxelles avec les *Summulae* de Pierre d'Espagne et les questions de Thomas Bricot, ne pas penser aux différents niveaux de gloses et de commentaires qui entourent le texte de l'Ecriture ? En véritable humaniste, la même année 1503, Lefèvre s'écrie : « Jeunes gens ! puisez aux œuvres d'Aristote des eaux très pures comme à leur propre source : *ex proprio fonte.* » C'est bien l'appel *ad fontes* qu'on reconnaît ici[15].

Nul plus qu'Erasme — avec plus de véhémence et d'ardeur — ne s'est fait l'écho de cet appel. Dès l'*Eloge de la folie* de 1509, il s'oppose aux subtilités et aux labyrinthes des diverses et contradictoires scolastiques : elles occupent tout l'espace de la théologie et l'activité des théologiens qui n'ont plus le temps de lire l'Evangile ou saint Paul[16]. Le retour *ad fontes* se précise chez Erasme au fur et à mesure des années en une prééminence de la source par excellence : l'Ecriture. La Bible « avec ses quelques livres » est explicitement mise en contraste avec ces « énormes volumes »[17] contenant les obscures interprétations d'Aristote qui se combattent entre elles, pour le plaisir apparent des seuls commentateurs[18]. On verra par ailleurs comment pour Erasme la source, comme origine de toute lumière et innocence, est le Christ et sa philosophie[19].

Le cri : *ad fontes !*, pour Erasme, appelle à un recours au texte biblique, et exige donc à la fois une connaissance du monde de l'Antiquité qui lui est contemporain mais aussi une méthode « critique » pour purifier de toutes ses erreurs de transmission la lettre même de l'Ecriture sainte. En d'autres termes, le retour aux sources suppose l'appui des *bonae litterae*, des *studia humanitatis*.

Les différents plaidoyers érasmiens en faveur de l'Ecriture se trouvent dans ses manuels, ses introductions aux études dont, par son génie, Erasme a rehaussé le ton d'habitude plutôt morne. C'est donc à l'intérieur d'un effort pédagogique qu'il nous faut situer la nouvelle attitude

---

13. G. Bedouelle, *Le « Quincuplex Psalterium » de Lefèvre d'Etaples*, Genève, 1979, pp. 67-68.

14. G. Bedouelle, *Lefèvre d'Etaples et l'intelligence des Ecritures*, Genève, 1976, pp. 28 ss.

15. *Organon*, éd. 1503, Paris, Hopyl, fol. a i r°.

16. Erasme, *La philosophie chrétienne*, trad. P. Mesnard, Paris, 1970, pp. 79-81 ; *LB* IV, 465 C.

17. P. S. Allen, *Opus Epistolarum Erasmi* (cité Allen). Par exemple lettre 1183, p. 439, l. 39 ss.; lettre 1225, p. 560, l. 219 ss. Cf. J. W. Aldridge, *The Hermeneutic of Erasmus*, Winterthur, 1966, pp. 12 ss.

18. *Paraclesis* (1516), Holborn, p. 141, l. 21 ss.

19. *Ratio verae theologiae* (1519), Holborn, p. 203, l. 23. Cf. *infra*, Partie II, l'article d'André Godin, chap. 18, pp. 563 s.

humaniste par rapport à la Bible. On doit plus largement encore la rapprocher de la mise en perspective caractéristique de la Renaissance. Il a fallu prendre une distance pour s'apercevoir combien on s'était éloigné des sources : distance « critique » qui s'accompagne d'une certaine conscience de l'historicité, parallèle à la découverte de la « perspective » en peinture. Elle est nécessaire pour retrouver l'authenticité d'un texte, pour réhabiliter la lettre de l'Ecriture sainte avant même de retrouver un sens.

Tel est le plan que nous adopterons dans ce chapitre en distinguant le *texte* et le *sens*. L'intérêt humaniste pour le premier entraîne la découverte du second dont l'emploi au singulier étonne et gêne à une époque si habituée au déploiement des quatre sens. Il y a sur ces deux plans du texte et du sens un mouvement parallèle qui s'opère et manifeste le passage de la compréhension médiévale à la nouvelle herméneutique.

S'agissant du texte biblique, les humanistes vont tenter de le dégager de ses gloses pour le retrouver dans son originalité et sa nudité, mais c'est pour immédiatement l'éclairer à l'aide des interprètes de la Tradition, eux-mêmes réédités et mieux compris. Concernant le sens, les humanistes prendront, avec plus ou moins d'audace et de discernement, leurs distances par rapport aux multiples sens médiévaux pour s'attacher à un sens unifié dont la dénomination d'ailleurs variera. Mais cette approche de l'Ecriture n'a pour but que de leur permettre de s'approcher plus adéquatement d'une conception renouvelée du mystère chrétien.

I. LE TEXTE DE L'ÉCRITURE

Du texte glosé au texte nu

Dès le début du xvᵉ siècle, dans l'ambiance du premier humanisme italien, le pape Eugène IV († 1447) chargea Cyriaque (Kyriakos) d'Ancône (c. 1391 - c. 1455), ce marchand devenu ensuite agent du Saint-Siège, de rechercher en Orient les manuscrits grecs du Nouveau Testament et de les confronter au texte de la Vulgate[20]. C'était faire un pas de plus par rapport aux Correctoires médiévaux destinés à proposer de meilleures leçons des manuscrits latins.

Nicolas V († 1455) encouragea Gianozzo Manetti (1396-1459) qui avait donné des traductions d'Aristote, à produire des versions bibliques plus exactes[21]. De fait Manetti mit au point en 1457 une version nouvelle du Nouveau Testament qui se trouve encore conservée en manuscrit. Il en avait justifié la légitimité et l'opportunité dans une *Apologie* et entrepris la traduction d'un Psautier dédié à Alphonse d'Aragon[22] après avoir appris l'hébreu auprès d'un de ces juifs convertis dont nous verrons la présence discrète et indispensable au cours de ces pages.

En fait, le travail le plus « critique », avant la lettre, fut accompli par un précurseur de génie, Lorenzo Valla (1405-1457), contemporain de Manetti, se partageant comme lui entre Naples et Rome où ils furent tous deux secrétaires apostoliques. Valla nous intéresse ici non seulement par l'acuité de sa démarche philologique mais aussi parce qu'il fournit un relais entre l'humanisme italien du xvᵉ siècle et celui du siècle suivant par le biais de la découverte que fit Erasme des *Adnotationes in Novum Testamentum* en manuscrit.

Il paraît inutile de se pencher sur la personnalité même de ce savant, énigmatique et provocant, qui attira l'attention sur la plupart des fausses attributions médiévales : la Donation de Constantin; l'identification de l'auteur du corpus dionysien avec le disciple de Paul à Athènes;

---

20. L. Berra, « Per la biografia di Ciriaco d'Ancona », *Giornale Storico della Letteratura italiana*, 63 (1914), pp. 461-462; « Cyriacus of Ancona's Journeys... 1444-1445 », éd. E. W. Bodnar et Ch. Mitchell, dans *Memoirs of the American Philosophical Society*, 112, Philadelphia, 1976.

21. Ch. Trinkaus, *In our Image and Likeness*, Londres, 1970, II, pp. 571-578; S. Garofalo, « Gli Umanisti italiana del secolo xv e la Bibbia, *Biblica*, 27 (1946), pp. 354-363 et pour les textes pp. 367-375.

22. R. Marcel, « Les perspectives de l'*Apologétique* de Lorenzo Valla à Savonarole », dans *Courants religieux et humanisme à la fin du XVᵉ et au début du XVIᵉ siècle*, Paris, 1959, pp. 89-91.

celui de l'Epître aux Hébreux avec l'apôtre Paul lui-même, autant de soupçons sur l'authenticité qui occupent la controverse au XVIᵉ siècle. Mais il convient de remarquer surtout le souci de Valla de faire émerger dans son étude du Nouveau Testament la source pure de l'original grec.

La source grecque et le ruisseau latin

A de nombreuses reprises, Valla déclare vouloir remonter à la source grecque puisque le ruisseau latin lui semble encombré de limon et de saletés[23], un millénaire après l'époque de saint Jérôme. On sait maintenant que ses corrections du Nouveau Testament latin sur le grec ont connu deux versions. La première est intitulée *Collatio* et a pu être datée par son récent éditeur des années 1442-1443[24]. Sous cette première forme, le travail philologique de Valla fut âprement critiqué par son célèbre adversaire Poggio qui lui reprochait de vouloir corriger l'Ecriture. Valla se réclame au contraire de la « pietas » envers le texte sacré et perfectionne son œuvre, de manière plus prudente cependant, dans ce qu'on appelle depuis Erasme les *Adnotationes*, sans doute postérieures à 1453 après avoir rencontré à Rome des savants comme Bessarion ou Nicolas de Cues. Erasme éditera cette seconde version en 1505.

Quel est le but de l'entreprise ? Le premier des titres l'indique : une *collatio*, c'est-à-dire une comparaison, une confrontation exprimée dans la langue du latin classique. Les *Adnotationes* de la Vulgate du Nouveau Testament sont composées « ex collatione graecorum exemplarium » comme l'indique le titre repris par Erasme. Dans sa seconde Préface à la *Collatio*, Valla part de la constatation que certains passages du texte latin ne sont pas compatibles avec la « vérité grecque »[25], soit qu'ils en faussent l'interprétation, soit qu'ils ne soient pas assez clairs ou ne correspondent pas aux autres emplois du même mot dans l'original, soit enfin que l'équivalent latin choisi soit par trop inélégant.

Sans nous attarder à une analyse détaillée[26], nous pouvons prendre un exemple dans chacune de ces catégories énumérées et censurées par Valla. Il détecte plusieurs passages dans lesquels la Vulgate trahit l'original. On peut citer 1 Co 15, 51 où le latin fait dire pratiquement le contraire au texte grec. Traduisant « omnes quidem resurgemus, sed non omnes immutabimur » : « certes tous nous ressusciterons mais tous nous ne serons pas changés », Valla rétablit la négation dans le premier membre dont il modifie le verbe et l'enlève dans le second : « non omnes

---

23. Bâle, 1540 : In Pogium Antidotum IV : *Opera omnia*, éd. GARIN, Torino, 1962, pp. 339, 341.
24. *Collatio Novi Testamenti*, éd. A. PEROSA, Firenze, 1970, pp. XLVIII-XLIX.
25. Ed. PEROSA, p. 8.
26. Elle est faite en partie par BENTLEY, *op. cit.*, pp. 32-69.

quidem dormiemus, omnes autem immutabimur », ce qui veut pratiquement dire l'inverse de la Vulgate. Il faut noter d'ailleurs que Valla, confiant dans sa source première, préfère parfois la lecture d'un mauvais manuscrit grec à un meilleur dont le seul tort est d'être latin... C'est le fameux cas de Mt 6, 13*b* où, devant le silence de la Vulgate, Valla rétablit : « quia tuum est regnum et virtus et gloria in secula. Amen »[27], ou selon les *Adnotationes* : « quia tuum est regnum et potentia et gloria in secula. Amen »[28].

En deuxième lieu, la Vulgate peut n'être pas assez claire. C'est le cas de 1 Co 15, 10 où elle traduit : « non ego autem, sed gratia Dei mecum ». Or il y a un relatif dans le grec qu'il faut rendre. Valla propose donc : « non ego autem sed gratia Dei quae est mecum »[29]. Mais il se trouve que cette précision est ici fondamentale : suis-je en collaboration avec la grâce de Dieu comme l'implique la Vulgate telle qu'elle est lue par les partisans de la synergie entre le libre arbitre et la grâce; ou bien est-ce la seule grâce de Dieu qui m'accompagne ?

Une troisième sorte de cas est celle d'une règle que Valla fixe pour la validité de toute traduction : employer le même mot latin pour le même mot qu'utilise l'original. C'est tout le célèbre débat de la double traduction de *presbuteroi* rendu par *presbyteri* en Ac 15, 2 et *seniores* en 1 P 5, 1, dans une ambivalence porteuse de bien des conflits.

Enfin, dernière hypothèse qui est d'apparence plus anodine mais qui au contraire fit davantage scandale : l'incorrection de la langue. En de nombreux endroits, l'auteur des *Elegantiae latinae* propose des améliorations de style. Citons Mt 5, 29 ou Mt 18, 8 où il ne convient pas de dire : « bonus tibi est ad vitam ingredi debilem »... mais « melius »[30].

Nous avons retenu ces exemples parce qu'ils apparaîtront pour la plupart au XVIe siècle comme des textes sur lesquels s'affronteront des conceptions théologiques ou en tout cas des positions exégétiques différentes et conflictuelles.

Valla cherche donc à corriger la Vulgate mais en aucune manière n'entend proposer une meilleure édition du texte grec. Jamais il ne mentionne de variantes qu'il aurait trouvées dans des manuscrits et ses explications procèdent davantage de déductions faites à partir des homonymies de mots latins mal recopiés. Mais sa « critique » et même ses critiques vont au-delà des négligences des copistes : elles s'adressent au texte reçu lui-même.

Valla le fait d'autant plus hardiment qu'il estime une erreur d'attri-

27. Ed. PEROSA, p. 34.
28. *Opera omnia*, I, p. 810.
29. BENTLEY, *op. cit.*, p. 57.
30. J. CHOMARAT, « Les *Annotations* de Valla, celles d'Erasme et la grammaire », dans *Histoire de l'exégèse au XVIe siècle*, Genève, 1978, pp. 211-212.

buer la Vulgate à saint Jérôme[31]. De la comparaison de cette Vulgate aux traductions utilisées ou faites par Jérôme dans ses commentaires, Valla déduit, sans développer son argumentation, que le texte reçu dans l'Eglise, en ce qui concerne le Nouveau Testament, pourrait ne pas être de lui à moins que son œuvre n'ait été défigurée après lui. Valla se contente donc de parler du « Traducteur » *(Interpres)* sans vouloir trancher[32]. Ici encore le problème sera au premier plan de certaines disputes humanistes au siècle suivant.

L'œuvre de Valla marquait un tournant, car, même s'il s'en défendait, il privilégiait l'examen critique du texte « nu » considéré avec les moyens de la philologie. Erasme mesurera cet enjeu en décidant en 1505 de livrer à l'impression ce texte qu'on avait oublié. Il connaissait et appréciait Valla depuis les débuts de son apprentissage humaniste, en particulier par les *Elegantiae linguae latinae* qui, précisément, établissaient une distance de perspective en suggérant une histoire de la langue : ce fut une des manifestations de ce mouvement vers les sources caractéristiques de l'humanisme.

Lorsque Erasme découvre pendant l'été 1504 « un gibier pas du tout vulgaire » dans la bibliothèque des Prémontrés du Parc près de Louvain : le manuscrit des *Adnotationes* de Valla, il hésite un peu[33]. Ses affinités intellectuelles avec Valla sont patentes mais convenait-il de heurter les préjugés en ayant l'air de s'attaquer à un texte aussi vénérable que la Vulgate ? Cornelius Gérard l'en dissuade mais Christophe Fisher, protonotaire apostolique, l'y encourage vivement[34]. Erasme se lance donc dans l'entreprise et publie les *Adnotationes* à Paris chez Jean Petit en 1505.

Dans sa Préface, Erasme entend bien poser le problème herméneutique ou bien plutôt en donner le cadre : « La grammaire s'occupe des choses moindres mais sans lesquelles personne, fût-il le plus grand, ne peut aboutir. Elle traite de bagatelles mais qui commandent les choses sérieuses »[35]. « Il ne convient pas d'attribuer nos erreurs au Saint-Esprit. Autre est le prophète et autre le traducteur. » En 1516, il précisera dans une défense enflammée de Valla : « Cet *homo rhetoricus* a voulu rechercher ce qui dans l'Ecriture sainte est en désaccord ou en accord ou ce qui est fautif par rapport au texte grec. Des milliers de théologiens sont inca-

---

31. S. Camporeale, *Lorenzo Valla, Umanesimo e teologia*, Firenze, 1972, pp. 350-353. Ce problème d'attribution alimente la polémique avec Poggio.

32. *Opera omnia*, I, p. 268 : « Si je corrige quelque chose, je ne corrige pas l'Ecriture sainte mais la traduction et ainsi je ne suis pas injurieux *(contumeliosus)* mais plutôt pieux *(pius)*. »

33. Chomarat, art. cit., p. 217.

34. Allen, I, lettre 182, pp. 406-412.

35. Ed. 1505, fol. A 2 r°. Valla, *Opera omnia*, I, p. 802b.

pables aujourd'hui de le faire »[36]. Ce retour à la *veritas graeca* inaugure en fait le recours déterminé et programmé aux langues bibliques originales.

Les langues originales

Le grec. — Le retour au grec biblique a pu se faire en raison de la conjonction du renouveau d'intérêt pour les auteurs anciens, païens et chrétiens et de l'arrivée de ces hellénistes fuyant Byzance agonisante sous les coups des Turcs. Encore fallait-il une ou deux générations pour que leurs héritiers apparaissent et assument à leur tour une tâche qui répondait à une demande de plus en plus manifeste.

Prenons différents exemples. François Tissard (c. 1460-1508) est d'abord juriste et se rend à Bologne, la capitale incontestée du droit : il y découvre le grec avec Démétrios de Sparte. Revenu à Paris, il se fait l'avocat de la langue grecque et en fournit en 1507 les premiers instruments à l'Université si célèbre et si florissante... qui ignore le grec[37] ! Il lui procure ainsi un alphabet, des règles de ponctuation, une grammaire, celle de Manuel Chrysoloras. Il se met lui-même à enseigner au collège de Boncour et devant son peu de succès se tourne vers l'hébreu.

Ce n'était probablement pas le grec qui déplaisait mais sans doute le pédagogue puisqu'il fut remplacé par Jérôme Aléandre (1480-1542), le futur cardinal, arrivé en 1508 à Paris qui se mit à professer et obtint, lui, le succès mais sera vite accaparé par des tâches officielles.

Mais on ne voit pas qu'à Paris cet intérêt pour le grec se soit accompagné d'une étude approfondie de la langue du Nouveau Testament[38], qu'on tient peut-être pour inélégante mais divinement inspirée. Les maîtres sont souvent des juristes qu'intéressent les Pandectes et les auteurs classiques. Tel est le cas de Guillaume Budé (1467-1540), qui avait été l'élève de Jean Lascaris et qui, par ses *Commentaires sur la langue grecque* de 1529, devint un maître incontesté et précurseur. Cependant, dès 1508, avec ses Annotations aux Pandectes[39], Budé qui y parle de toutes sortes de choses, y déclare avoir comparé le texte de la Vulgate avec le manuscrit grec de l'abbaye de Saint-Victor et trouve que Valla a été bien trop discret dans son inventaire des différences...

On connaît l'importance de la rencontre d'Erasme avec John Colet pour sa vocation à l'érudition chrétienne[40]. Il quitte l'Angleterre au

---

36. LB VI, 519 DE (sur les Actes des Apôtres).
37. *Liber gnomagyricus* (1507).
38. E. DELARUELLE, « L'étude du grec à Paris », *Revue du XVIe siècle*, 9 (1922), pp. 51-62, 132-149.
39. RENAUDET, *op. cit.*, pp. 511-512.
40. E. HARRIS HARBISON, *The Christian Scholar in the Age of the Reformation*, Grand Rapids, 1983², pp. 62-67, 76-78.

début de 1500 avec la détermination de se mettre sérieusement à l'étude du grec que Colet lui-même ne connaissait pas. Il n'est pas impossible que l'impulsion spirituelle d'Erasme lui soit venue du dialogue avec le futur doyen de Saint-Paul, mais cette influence se double de la connaissance des hellénisants anglais. Thomas Linacre (c. 1460-1524), bientôt médecin du roi, est aussi l'un des premiers à s'intéresser au grec en Angleterre en même temps que William Grocyn (c. 1449-1519) qui l'enseigna à Oxford. Tous deux l'avaient appris en Italie : ils appartiennent à la génération des inspirateurs d'Erasme et de Thomas More. Ce dernier, dans sa retraite cartusienne, étudie le grec et publie, déjà en 1497 sans doute, quelques épigrammes avant de travailler avec son « jumeau » à la traduction du satiriste Lucien de Samosate.

Budé et Erasme, nous le verrons, seront à leur tour les inspirateurs de ces collèges de langues qui marqueront une étape décisive dans l'étude de la Bible. Mais il fallait attendre le mûrissement en quelque sorte de l'étude de l'hébreu dont la connaissance servait à l'Ecriture sainte, même si c'était la Kabbale qui la suscitait surtout à l'époque.

L'hébreu. — Au xve siècle, l'intérêt pour l'hébreu est inséparable de l'ambivalence des rapports entre chrétiens et juifs dans la seconde partie du Moyen Age, oscillant entre la défensive et la séduction, avec de toute manière une réelle fascination des Gentils pour le peuple de l'Ancien Testament. Si en 1477 le dominicain Peter Schwarz (Nigri) († 1481) s'intéresse à l'hébreu et écrit sa *Stella Meschiah*, c'est surtout dans l'optique d'une évangélisation des juifs que ce premier incunable en caractères hébraïques est publié[41].

Manetti ne sépare pas son intérêt pour la langue de la Bible de sa lutte contre le judaïsme. Il note solennellement la date exacte à laquelle il commence à lire la Bible dans le texte original — le dimanche 11 novembre 1442 — avec l'aide d'Emmanuel ben Abraham, de San Miniato[42], pour une étude qui l'amène à une traduction originale du Psautier, mais il n'en est pas moins l'auteur d'un *Adversus Judaeos* en dix livres[43].

A la fin du siècle, Pic de La Mirandole fut initié à l'hébreu par le célèbre Flavius Mithridate, personnage étrange, et par Paul de Heredia, qui étaient deux juifs convertis[44]. Mais il semble avoir été plus attiré par la Kabbale que par le texte biblique lui-même : une de ses treize thèses suspectées concernait le rôle de la Kabbale dans la recherche théologique[45]. En 1493, toutefois, ou peu avant sa mort prématurée, Pic préparait « un opuscule contre les calomnies des Hébreux contre la

41. QUÉTIF-ECHARD, *Scriptores Ordinis Praedicatorum*, I, pp. 861-863.
42. GAROFALO, art. cit., n. 20, p. 357.
43. *Ibid.*, pp. 359-363, 367-368.
44. F. SECRET, *Les kabbalistes chrétiens de la Renaissance*, Paris, 1963, pp. 1-5, 24-29.
45. W. G. CRAVEN, *Giovanni Pico della Mirandola. Symbol of his Age*, Genève, 1981, p. 48.

traduction de Jérôme et une défense contre eux de la traduction des Psaumes par la Septante »[46].

C'est par le *De rudimentis linguae hebraicae* que Jean Reuchlin publia en 1509 que les humanistes purent aborder le texte hébreu de la Bible. Reuchlin avait bien l'impression d'être un pionnier en procurant une méthode pour apprendre l'alphabet, une grammaire et un lexique qui surpassait le *De modo legendi et intelligendi Hebraeum* que Conrad Pellikan avait fait imprimer quelques années auparavant. Initié à Rome par le juif Obadiah Sforno à la langue hébraïque, Reuchlin l'apprit dans la Bible. Dès 1488 il s'était assigné le but précis de lire l'Ecriture dans sa langue originale qui a servi de base à l'inspiration divine et qui « était la plus douce de toutes »[47].

Les collèges de langues bibliques. — Puisque les citadelles officielles du savoir, c'est-à-dire les universités, ne semblaient guère séduites par le retour aux sources, il fallut bien se résoudre à en confier l'enseignement à des institutions spécialisées parallèles et d'une certaine manière concurrentes dans la mesure où les Facultés de théologie s'accordaient ou se voyaient reconnu un monopole sur tout ce qui touchait à l'Ecriture sainte : ce sera le cas à Paris et à Louvain. Il y a cependant l'exception du collège San Ildefonso d'Alcalá que nous retrouverons en évoquant sa *Polyglotte* : cet effort d'enseignement des langues s'insère dans une université dont il faut dire qu'elle est alors très récente et fondée par le cardinal Cisneros dans ce but précis. Ces grandes réussites ne doivent pas laisser dans l'ombre un essai suscité à l'initiative du Pape : s'il dura peu, il n'en est pas moins remarquable par sa précocité.

Le Collège des jeunes Grecs

L'année même de son élection, en 1513, le pape Léon X, le fils de Laurent le Magnifique et vrai Médicis par son goût du mécénat pour les arts et les lettres, confie à Jean Lascaris (1445-1535), qui avait été le protégé de Bessarion, et à son disciple Marc Musurus († 1517) de former un Collège pour l'enseignement du grec à Rome[48].

Musurus fut chargé d'amener de Grèce une dizaine de jeunes gens qui étudieraient le grec et le latin afin de pouvoir ensuite les enseigner aux Romains. Lascaris devint le recteur de ce collège : en compagnie de Musurus, il donnait les cours de grec tandis que Benedetto Lampridio de Crémone fut chargé du latin.

Une imprimerie fut instituée parallèlement au collège pour pallier

---

46. SECRET, *op. cit.*, p. 38.
47. L. GEIGER, *Johann Reuchlins Briefwechsel*, Tübingen, 1875, n° 15, p. 16.
48. G. ROSCOE, *Vita e Pontificato di Leone X*, 4, Milano, 1816, pp. 100 ss.

le manque de textes : on y édita de nombreux classiques grecs, mais il ne semble pas que l'intérêt se soit porté sur la Bible ou les Pères[49]. En raison des difficultés financières mais aussi de l'opposition des théologiens romains[50], le collège ne survécut pas longtemps à la mort précoce de Musurus. Il n'en demeure pas moins que cette initiative soulignait la nécessité d'un enseignement systématique des langues.

Le « *Collegium trilingue lovaniense* »

Par son testament daté de Malines le 22 juin 1517, le prévôt du chapitre d'Aire-sur-Artois, Jérôme de Busleyden, instituait à Louvain avec force précisions un collège où seraient enseignées les trois langues bibliques : l'hébreu, le grec et le latin. Après sa mort à la fin août, le projet fut en effet mis à exécution. Erasme qui venait de se fixer à Louvain lui apporta son soutien, et c'est par lui que nous nous rendons compte de l'importance que le nouveau collège pouvait revêtir dans le programme d'un retour à la Bible. En mars 1518 il parle de la fondation de Busleyden comme très remarquable *(pulcherrimum negocium)*[51] et comme l'un des moyens de quitter les marais boueux pour revenir à l'Ecriture.

D'une façon très significative, c'est sur l'utilité de ces trois langues pour la théologie que s'engagea une controverse autour de la fondation du nouveau collège qui commença à fonctionner comme effectivement trilingue le 1er septembre 1518 avec Adrien Barlandus pour le latin, Rutger Rescius pour le grec, et le juif converti Matthieu Adrien pour l'hébreu, qui de tous semble avoir eu le plus de prestige de par son expérience et sa compétence[52].

Alors que la nouvelle entreprise était encouragée par une *Oratio* sur la connaissance des différentes langues de Pierre Schade (Mosellanus), d'août 1518 à Leipzig, et que d'autres esprits soutenaient le programme qu'Erasme avait développé dans sa *Ratio seu Methodus* en faisant allusion au legs de Busleyden[53], et se félicitaient de la voir si clairement et promptement mise en pratique, les objections ne tardèrent pas à se manifester.

Jacques Latomus (Masson) (c. 1475-1544)[54] qui préparait un doctorat de théologie à Louvain écrivit un livre dédié au cardinal Guillaume de Croy, archevêque de Tolède, publié à Anvers en 1519 : « De trium

49. E. LEGRAND, *Bibliothèque hellénique*, Paris, 1885, t. I.
50. L. von PASTOR, *Geschichte der Päpste*, 4/1, Freiburg, 1923, pp. 476-477.
51. Au doyen Jean Robyns († 1532), ami de Busleyden : ALLEN, III, lettre 805, p. 260, l. 31.
52. H. DE VOCHT, *History of the Foundation and the Rise of the Collegium Trilingue Lovaniense*, I, Louvain, 1951, pp. 298-348.
53. HOLBORN, *op. cit.*, pp. 181-182.
54. On ne doit pas le confondre avec Barthélemy Latomus, cf. *infra*, p. 68.

linguarum et studii theologici ratione Dialogus » qui est une réfutation de Mosellanus et d'Erasme[55]. Les langues, selon lui, ne sont pas nécessaires à la théologie : elles furent utiles à un moment pour vérifier les traductions bibliques mais il est désormais possible de se fier à l'*exemplar* permettant de se reporter à une copie authentique. D'ailleurs, saint Augustin dont on cite les paroles pour encourager l'idéal des langues n'a-t-il pas écrit sur la Genèse et les Psaumes sans savoir l'hébreu ? Pour les théologiens, il faut certes recommander la lecture de la Bible, mais non son étude approfondie. Quant aux simples ils n'en ont nul besoin.

La réponse fut apportée par une *Oratio* prononcée en mars 1519 par Matthieu Adrien : elle sera imprimée à Wittenberg l'année suivante. Il cite Origène et son éloge de l'hébreu, les efforts de Jérôme pour apprendre les langues en dépit de son âge et enfin répétant les citations d'Augustin[56], il rappelle les fameuses prescriptions du concile de Vienne. Reprenant l'argumentation classique à partir du *titulus* de la Croix du Christ rédigé dans les trois langues (Jn 19, 20), il décrit aussi saint Jérôme dans sa tâche ininterrompue et inlassable pour perfectionner sa propre traduction, ce qui prétend répondre à l'argument de Latomus selon lequel il fallait considérer la Vulgate de Jérôme comme une version définitive.

Erasme, quant à lui, répondit quelques jours après par une *Apologia* contre Latomus (Anvers, 1519)[57] et développe l'idée des langues comme propédeutique nécessaire à la théologie et non comme une de ses composantes : un *progymnasma*.

Cet impossible dialogue avec les mêmes arguments répétés à satiété allait se dérouler jusqu'aux débuts de 1520. Grâce à l'intervention du cardinal Adrien d'Utrecht, du cardinal Guillaume de Croy lui-même alerté par son maître Jean-Louis Vivès arrivé à Louvain quelques années auparavant, l'université acceptait le collège trilingue le 12 mars 1520.

Le Collège des Lecteurs royaux

L'institution par François Ier d'un collège particulièrement voué aux langues, inspiré des exemples précédents ne semble pas avoir d'abord été dictée par l'étude de la Bible. Après les atermoiements d'Erasme puis l'échec de l'idée d'en confier la réalisation à Jean Lascaris, c'est Guillaume Budé (1467-1540) qui peut être considéré comme son vrai maître d'œuvre[58]. En 1529, il se plaint auprès du roi que « la philologie, comme une fille pauvre, est encore à marier » et lui rappelle sa

55. De VOCHT, I, p. 330.
56. *De civitate Dei*, 15, 13, 2; *De doctrina christiana*, III, 11.
57. *LB* IX, 79-106.
58. A. LEFRANC, *Le Collège de France*, Paris, 1932, pp. 29-30.

proposition d'ériger une communauté « consacrée à Minerve et aux Muses ».

En fait, dès l'institution des premiers lecteurs royaux en grec et en hébreu, c'est le problème de la concurrence sur l'étude de la Bible qui polarisera l'opposition de la Faculté de théologie de Paris qui entend bien se prévaloir de son monopole. La délibération des théologiens du 30 avril 1530 aux Mathurins, qui d'ailleurs sert de repère pour déterminer la création effective du Collège, se concentre de façon significative sur deux propositions[59] : « La Saincte Escripture ne se peult bonnement entendre sans la langue grecque, hébraïque et aultres semblables » déclarée téméraire et scandaleuse, tandis que la seconde : « Il ne se peult faire qu'ung prédicateur explique selon la vérité l'épitre ou l'évangile sans les dictes langues » est, quant à elle, « fausse et impie ». Selon A. Lefranc, cette délibération vise le nouvel enseignement de Pierre Danès et de Jacques Toussain pour l'hébreu, de François Vatable (Guasteblé) et d'Agathias Guidacerius pour l'hébreu.

Quatre ans plus tard, un procès en forme sera intenté à ces premiers lecteurs dont on a excepté Toussain parce qu'il commente seulement Aristote, mais auxquels on a ajouté Paul Paradis (Canossa) choisi en 1541, parce qu'il fait cours sur « les Proverbes de Salomon ». La plaidoirie de Béda, syndic de la Faculté, est parfaitement explicite[60] : tout en reconnaissant la qualité du savoir des personnages impliqués, il craint « que les professeurs desdictes langues qui peut estre n'entendent ni la théologie, ne taxent ou derogent à la translation de la Sainte Escriture dont use l'Eglise romaine ou occidentale et par icelle approuvée il y a environ onze cens ans »... Ne peuvent-ils « induire les auditeurs à douter de notre translation dont use l'Eglise, parce qu'ils disent : le grec et l'hébreu a ainsi » !

Quoi qu'il en soit de l'interdiction royale de continuer plus avant ce procès, les pièces nous prouvent l'importance de la Bible dans l'enseignement des Lecteurs. Guidacerius et Vatable avaient choisi l'étude des Psaumes comme objet de leur enseignement principal. D'ailleurs pouvait-on en effet créer une chaire d'hébreu sans viser la lecture de la Bible ? Au départ le collège est donc bilingue. Ce n'est qu'en 1534 que Barthélemy Latomus (c. 1495-1570) enseignera le latin, en 1538 que Guillaume Postel assurera la chaire des langues orientales alors que Oronce Finé est désigné pour les mathématiques dès le début du collège. C'est le départ de l'élargissement de la vocation à la fois universelle et spécialisée du futur Collège de France.

---

59. *Ibid.*, p. 32.
60. *Ibid.*, p. 45.

Les textes originaux

De quels textes originaux disposaient les humanistes pour l'étude de la Bible à la fin du xve siècle ? La situation reflète bien les choix ou plus exactement la situation religieuse de la fin du Moyen Age : il existait de nombreuses éditions de la Vulgate, mais peu correctes[61]; des textes de l'Ancien Testament en hébreu réalisées par les Juifs en diaspora à l'intérieur des Etats chrétiens, mais aucune impression de la Septante grecque.

Différents textes de la Vulgate latine, plus ou moins corrigés selon la valeur des manuscrits, furent imprimés. La plupart utilisent la recension parisienne issue de la révision dominicaine de 1226. C'est le cas des « Bibles de Gutenberg » dans lesquelles on a cru reconnaître le manuscrit *HS II 67*, de la bibliothèque de Mayence. Il y eut une autre version, plus utilisée, issue d'une Bible romane de 1471 sans doute confrontée à d'autres manuscrits, qu'on intitule « Fontibus ex graecis », premiers mots d'un avertissement en vers. La première édition, sans lieu ni date, semble avoir eu Bâle pour origine en 1478.

En tout cas, l'année suivante, Amerbach la publie sous son nom et l'annonce comme « emendata satis et decorata simul ». Elle comprend diverses annexes comme les Bibles que les imprimeurs vénitiens ont fait paraître peu de temps auparavant : elle connaîtra un grand succès comme les versions dérivées parues à Lyon et à Bâle chez Froben. Ce n'est qu'en juillet 1501 que Jean Petit à Paris fera paraître une Vulgate de ce type « Fontibus ex graecis » revue par Froben[62]. La *Parisiensis Parvi* est à l'origine de toute une série d'éditions à Paris et à Lyon jusqu'en 1526 et on peut donc la considérer comme une édition typique de notre période[63]. Mais en 1528 Henri Estienne se servira d'une autre recension médiévale.

Pour la version originale de ce que les chrétiens appellent Ancien Testament, il fallait avoir recours aux éditions préparées par les Juifs des communautés d'Italie et d'Espagne. Après des textes partiels (Psaumes, 1477), Pentateuque (1482), les Prophètes (1485), parut le texte massorétique édité sur les manuscrits allemands à Soncino, près de Mantoue, qui devait être le lieu du rayonnement de ces incunables hébraïques[64], grâce à une famille d'imprimeurs qui porta ce nom.

---

61. BTT, 4 (Laura-Light), « Versions et révisions du texte biblique », pp. 55-93.
62. Renaudet, *op. cit.*, p. 407.
63. Il faut mettre à part l'essai prudent et efficace que fit Bernardin Gadolo, camaldule de Murano qui améliore la version de la Vulgate accompagnant la Glose (1495, chez Paganino de Paganinis à Venise) : cf. H. Quentin, *Mémoire sur l'établissement de la Vulgate*, Rome, 1922, pp. 95-96. Voir p. 51.
64. *The Jewish Encyclopedia*, IX, pp. 463 ss. (art. « Soncino »).

Une autre version, de meilleure qualité, utilisant des manuscrits d'origine sépharade, fut publiée sans doute près de Naples en 1491 : c'est celle qu'acquit Conrad Pellikan en 1500 et qui se trouve actuellement à Zurich. Une édition en deux étapes (1492 et 1494, qui est la Bible complète) fut fournie par Gershom Soncino à Brescia et fut utilisée par Luther[65]. Tel était le texte disponible pour les humanistes.

Quant à l'édition complète de la Septante, il n'y en avait pas d'imprimée. Jean Crastonus (Crastone) avait fait une édition du Psautier (Milan, 1481) à laquelle il avait joint une traduction latine qui modifie timidement la Vulgate. Le *Melos David regis et prophetae* de ce religieux carme de Plaisance sera réimprimé en 1497 à Venise puis à Paris en 1512.

Cette absence de texte imprimé reflète la réputation de la version grecque d'être une traduction médiocre de l'original, reproche qu'on trouve encore chez Reuchlin et Luther. S'opposant en plusieurs endroits à la Vulgate, elle pose problème et on la soupçonne d'avoir été corrompue volontairement par les Juifs.

Ainsi un travail immense restait à faire pour donner aux savants humanistes des éditions qui fourniraient la base indispensable d'un *organon* biblique.

Un « organon » biblique

Les traductions latines de la Bible

Vers une amélioration de la Vulgate. — A partir de la version « Fontibus ex graecis », le dominicain Albert de Castello († 1522) publie à Venise en 1511 chez l'imprimeur de Giunta une Bible « diversitatibus textuum... incidentibus in margine positis »[66]. Utilisant un Correctoire déjà existant, même si le colophon parle d'un examen approfondi des meilleurs exemplaires tant anciens que nouveaux, il indique donc des variantes en marge, ce qui marque le début de la longue entreprise d'une critique de la Vulgate au XVIe siècle. Cette version connut de nombreuses éditions à Lyon et à Paris, différant seulement par les annexes.

La *Complutensis* dont nous parlerons prétend fournir une version améliorée d'après une révision sur des manuscrits anciens dont certains auraient remonté au IXe siècle. Il ne semble pas que le progrès réalisé par la *Polyglotte d'Alcalá* sur ce point précis ait été considérable.

Les éditions protestantes d'Osiander (Nuremberg, chez Jean Koberger, 1522 réimprimée en 1527) et de Jean Petreius (Nuremberg, 1527) qui furent vérifiées sur l'hébreu et le grec, indiquent en marge ou même

---

65. *WA. Deutsche Bibel*, XI/2, XX, n. 48.
66. QUENTIN, *op. cit.*, pp. 96-99. QUÉTIF-ECHARD, II, p. 48.

par interpolation quelques variantes. On en retrouve la trace dans les éditions des années 1532-1536 avec l'indication marginale : *non est in hebraeo*. Elles ne concernent donc pas directement notre présente enquête sur l'amélioration de la Vulgate, mais montrent bien la direction que beaucoup voudront suivre et à laquelle le concile de Trente résistera, de vouloir corriger le texte de la Vulgate d'après les originaux et non plus d'après les manuscrits anciens du texte attribué à saint Jérôme.

A cet égard, la position de Robert Estienne († 1559) est remarquable. Il décide en effet d'utiliser les exemplaires anciens[67] mais de tenir pour authentique la variante qui s'accorde le mieux avec l'hébreu ou avec le grec. Mais la base reste bien « tralatio nostra ». Tout un système de renvois, d'abréviations incorporant les astérisques et les obèles de la tradition d'Origène et de Jérôme, était utilisé.

Dans sa Bible complète de 1528 puis de 1532 comme dans son édition partielle de septembre 1528, Estienne introduisit les leçons jugées les meilleures dans le texte lui-même, tandis qu'il ajoutait, de 1528 à 1534, pour les expliquer des notes marginales de plus en plus nombreuses dont commencèrent à s'inquiéter les théologiens car une telle accumulation mettait en cause finalement la légitimité de la Vulgate. A la suite d'ailleurs des difficultés qui lui furent faites, Estienne indique en 1540 qu'ayant pris conseil de « nos théologiens », il s'est rallié à leur avis et a gardé le texte des anciennes éditions tout en indiquant dans la marge les variantes avec l'indication de leur provenance.

C'est ce que l'imprimeur parisien fera jusqu'en 1555, reproduisant dans l'édition de cette année une partie seulement des variantes sans autre indication mais en y intégrant la division du texte biblique en versets. Mais cette Bible n'est plus parisienne : elle est imprimée à Genève chez Conrad Badius. L'année suivante, la Vulgate n'aura plus qu'une place secondaire à côté de la version de Pagninus. En 1545, il est vrai, il avait déjà publié avec de nombreuses annotations la version de Leo Jud que Bibliander avait fait imprimer à Zurich deux ans auparavant[68].

Mais Robert Estienne avait déjà été condamné par la Faculté de théologie de Paris à cause de ses annotations et non des variantes, semble-t-il[69]. Dans une réponse enflammée et excessive de 1552, Estienne se justifie du reproche qu'on lui a fait « que j'avoye corrompu la Bible », « car ils appeloyent corruption tout ce qui estoit purifié de ceste bourbe commune à laquelle ils estoyent accoutuméz »[70].

---

67. Sur les manuscrits de Saint-Germain-des-Prés, de Saint-Denis et de Saint-Victor, utilisés par Estienne, voir QUENTIN, pp. 111-116.
68. Sur cette « Nompareille », voir D. BARTHÉLEMY, *Critique textuelle de l'Ancien Testament*, II, Fribourg/Suisse-Göttingen, 1986, pp. 32-36.
69. La Vulgate corrigée par Jean BENOIST parue chez Simon de Colines en 1541 fut également condamnée.
70. Texte français cité par QUENTIN, p. 119.

Après ce témoin remarquable de la correction de la Vulgate puisque Robert Estienne a donné des collations exactes, même si elles étaient incomplètes et a en définitive inauguré un apparat critique de type moderne, il nous faut maintenant indiquer comment s'est poursuivi l'effort d'amélioration du texte jusqu'aux versions qui serviront directement à la correction, officielle dans l'Eglise romaine, de la sixto-clémentine.

Bien que fort peu connue, il est une édition contemporaine de celles d'Estienne, qui a donné, selon Dom Quentin en 1922, un des meilleurs textes qui aient été publiés[71]. Il s'agit de la *Biblia juxta divi Hieronymi tralationem* publiée à Cologne en 1530 chez Eucher Cervicornus. Le travail en est attribué à un certain Gobelinus Laridius « savant en lettres hébraïques ». Le respect du texte de la Vulgate y est extrême puisque le réviseur n'a fait de modification qu'en cas où la variante des anciens manuscrits concordait à la fois avec la Septante et avec l'hébreu, ce qui ne concernait pas d'ailleurs, sauf de très rares exceptions, le Psautier. Au cas où le texte latin même ancien comportait des passages ignorés de l'original et de la traduction grecque, ils furent imprimés en plus petits caractères. Laridius semble avoir suivi les meilleurs manuscrits[72].

Les autres améliorations de la Vulgate s'inspirent de la décision du concile de Trente en 1546 de mettre au point une édition « *emendatissime* » de la Vulgate. Si les efforts officiels n'aboutiront qu'en 1590-1592[73], ils ont été précédés d'initiatives privées et s'appuieront sur elles. Il y eut d'abord la version de Jean Henten (Hentenius) en 1547. Ce hiéronymite devenu dominicain publie à Louvain chez Barthélemy Gravius. Son travail est fait d'après quatre Bibles imprimées et trente manuscrits latins anciens, mais contrairement à Estienne dont il tient le texte en bonne estime et qu'il suit souvent, il ne les a pas mentionnés. Henten ne se préoccupe pas de savoir dans quelle mesure la traduction est fidèle ou non aux originaux.

C'est pourtant son texte qui servira de base, nous le verrons, à la sixto-clémentine. La Bible d'Hentenius fut, en effet, réimprimée à Anvers par Plantin, puis à Lyon et à Venise avec un éloge de Thomas Manrique, maître du Sacré-Palais. Ce même texte mais une fois de plus amendé par le jeune Luc de Bruges, paraît à Anvers en 1574. Sa version est la première à être acceptée pleinement par la Faculté de théologie de Louvain. Si l'adresse au lecteur fait grief à Hentenius de n'avoir pas rapproché ses variantes des sources grecque et hébraïque, le nouveau réviseur ne touche pas non plus au texte de 1547, se contentant d'ajouter les modifications dans la marge. Pour la première fois, Luc de Bruges

---

71. *Ibid.*, p. 121.
72. *Ibid.*, pp. 125-127.
73. Voir *infra*, pp. 350-354.

mentionne l'importance des commentaires pour la compréhension des textes et non seulement leur utilité pour la recension des passages bibliques qu'ils intègrent.

En 1583, Luc de Bruges publie ses *Notationes* sur toute la Bible qui sont un résumé de son travail critique remarquable. L'ouvrage est dédié au cardinal Sirleto qui sera un des grands artisans de la mise au point de la sixto-clémentine.

On voit donc bien comment, durant tout le XVIe siècle, la révision de la Vulgate oscille entre une comparaison des meilleurs manuscrits du texte latin reçu, et un essai de critique biblique par recours aux originaux. La seconde méthode est évidemment plus conforme aux aspirations humanistes. Les plus audacieux et les plus savants n'hésiteront pas à prendre ce chemin.

Les versions nouvelles

Lefèvre d'Etaples

Comme il l'a fait fréquemment durant sa vie, c'est avec une audace réelle, mais discrète et tranquille, que Lefèvre d'Etaples propose une version nouvelle de certains textes consacrés par l'usage de la Vulgate, terme qu'il semble d'ailleurs avoir été un des premiers à utiliser dans le sens technique[74].

Certes, dans le *Quincuplex Psalterium* de 1509, il propose un *Psalterium conciliatum* qui correspond à une version du Psautier « gallican » incorporé dans la Vulgate en raison de son rôle liturgique, mais corrigée par Lefèvre d'après la version faite par saint Jérôme sur l'hébreu : ainsi l'humaniste de Saint-Germain-des-Prés compose une sorte d'harmonisation des textes latins sans recours direct à l'original qu'il ne peut maîtriser. Mais en décembre 1512, dans ses commentaires sur les épîtres pauliniennes, disposées sur deux colonnes, il propose la version de la Vulgate et la sienne propre, modestement imprimée en petits caractères.

Il se justifie de son initiative et récuse toute intention insolente, téméraire et audacieuse, voulant prouver dans ce but qu'il n'a commis aucun sacrilège puisque la Vulgate n'est pas, comme on le croit communément, l'œuvre de Jérôme. S'il ne montre pas lui-même un esprit trop critique en introduisant la lettre apocryphe aux Laodicéens à la suite de l'Epître aux Colossiens, et la correspondance entre Paul et Sénèque, il intègre dans sa propre traduction les principales remarques de Valla

---

74. A. ALLGEIER, « Haec vetus et vulgata editio », *Biblica*, 29 (1948), pp. 353-390. LEFÈVRE utilise l'expression dans le *Quincuplex Psalterium*, éd. 1513, fol. 188 v°, et dans la préface aux Epîtres pauliniennes, cf. RICE, *op. cit.*, p. 299, n. 11.

et se réfère constamment au texte grec. Sa version est donc une « intelligentia ex graeco » comme il avait en 1507 revendiqué d'avoir traduit lui-même le *De fide orthodoxa* de Jean Damascène. Soit par timidité, soit par incompétence, Lefèvre ne propose pas de traduction vraiment convaincante. Son importance est surtout historique[75].

D'ailleurs, comme pour sa version des Evangiles de 1522, la traduction des Epîtres n'a pas eu de grande notoriété : il n'y a pas eu d'édition de ses commentaires qui l'incorporaient entre 1517 et 1531, alors même qu'ils furent utilisés par Luther et critiqués en certains points par Erasme. Pendant cette dizaine d'années, décisives, parut le *Novum Instrumentum* d'Erasme et bien d'autres versions. Mais n'est-il pas caractéristique qu'à la fin de son *Apologia*, en 1516, Erasme ait tenu à rendre hommage à Lefèvre, son précurseur et à son travail en cette « affaire » comme l'un des meilleurs interprètes du texte néo-testamentaire[76] ?

Erasme

Si nous parlons maintenant du Nouveau Testament d'Erasme connu pour son texte grec, c'est qu'une opinion récente parmi ceux qui l'ont étudié met en valeur la version latine qui l'accompagne et son rôle de révision implicite de la Vulgate. Tel serait en effet le but premier d'Erasme, au moins en 1516 : il n'aurait pas voulu proposer une traduction nouvelle mais une révision approfondie du texte reçu[77], une néo-vulgate en quelque sorte.

En fait, il s'agit d'un processus complexe où l'accès aux manuscrits latins, la lecture des Pères puis ultérieurement l'intérêt pour l'original grec du Nouveau Testament servent à Erasme à établir une révision faite « avec religion ». Les choses s'éclaircissent un peu lorsqu'on reprend soigneusement la chronologie. Après la publication des *Adnotationes* de Valla en 1505, et surtout après avoir déclaré à Colet qu'il consacrerait désormais sa vie à l'Ecriture sainte au mois de décembre précédent, Erasme, en Angleterre, se met au travail sur le Nouveau Testament utilisant des manuscrits tant grecs que latins. Il aboutit, semble-t-il[78],

75. Le grand exégète Ch. H. GRAF l'a étudiée de près : *Essai sur la vie et les écrits de Jacques Lefèvre d'Etaples*, Strasbourg, 1842 (reprint Genève, Slatkine, 1970), pp. 29-34.

76. HOLBORN, *op. cit.*, p. 174.

77. H. J. DE JONGE, « Novum Testamentum a nobis versum. De essentie van Erasmus' uitgave van het Nieuwe Testament », *Lampas*, 15 (1982), pp. 231-248, cité et discuté par BENTLEY, *op. cit.*, p. 114. C'est aussi la position de M. A. Screech dans sa préface à Anne REEVE, *Erasmus' Annotations on the New Testament*, London, 1986, pp. xii-xiii.

78. Henri GIBAUD, *Un inédit d'Erasme : la première version du Nouveau Testament*, Angers, 1982. Mais Andrew J. BROWN, « The date of Erasmus' Latin translation of the New Testament », *Transactions of the Cambridge Bibliographical Society*, 3-4 (1984), pp. 351-358, a voulu montrer que sur les manuscrits de Pierre Meghen, les colophons de trois manuscrits indi-

à une première version, qui nous a été conservée dans des copies de Pierre de Meghen qui appartiendra à la *familìa* érasmienne entre 1516 et 1518 : il s'y serait employé en calligraphe de métier entre 1509 et 1513.

Cette première version copiée pour Colet et pour le roi Henry VIII qui vient de faire l'objet d'une édition critique serait « une ébauche magistrale »[79]. Les modifications par rapport à la Vulgate sont très importantes pour les épîtres pauliniennes et beaucoup moins conséquentes pour les écrits lucaniens et johanniques, en particulier pour l'Apocalypse qui n'a pratiquement pas été retouché. Erasme suit largement les corrections proposées par Valla mais sait aussi s'en distancer de façon originale.

Même si, du côté de son éditeur Froben, on a certainement voulu hâter les choses, et même si Erasme lui-même a reconnu que son *Novum Instrumentum* fut plus « précipité qu'édité »[80], il semble qu'on ait exagéré à la fois la pression de la concurrence de la *Complutensis* qui devait incessamment paraître, et les incorrections de la version publiée en mars 1516 à Bâle après la correction des épreuves par le jeune Œcolampade.

La version de 1519 qui sera utilisée par Luther, celle de 1522 sont encore modifiées. La quatrième édition de 1527 réintègre la Vulgate classique mais pas celle de 1536. Dès 1516, Erasme se livre à quelques audaces : la suppression de la mention trinitaire du *comma johanneum* (1 Jn 5, 7*b*-8*a*) est la plus connue de même que son rétablissement ultérieur[81]. Ne trouvant le passage dans aucun manuscrit grec, Erasme n'a pas retenu ce qui est considéré maintenant comme une glose de la Vulgate. Devant les observations scandalisées de ses détracteurs et très particulièrement Edward Lee en Angleterre dans ses *Annotationes* sur les *Annotationes*[82], et pour des raisons de prudence, sensible au fait qu'on ait évoqué à ce propos le danger d'un réveil de l'arianisme[83], se fondant sur le *Codex Britannicus* (manuscrit *Montfortianus*, Trinity College, Dublin), Erasme rétablit le texte incriminé en juin 1521 dans une édition séparée de sa version latine parue chez Froben puis dans le *Novum*

---

quant les dates ne concernent que la Vulgate; le texte érasmien a été ajouté et viendrait de l'édition de 1522, parfois de 1527. Pour une première discussion : G. MARC'HADOUR, « Un inédit d'Erasme, débat bibliographique », *Moreana*, 23 (1986), pp. 137-139.

79. GIBAUD, *op. cit.*, p. 3.

80. ALLEN, II, lettre 402, p. 226 (à Nicolas Ellenbog). Sur le déroulement de l'impression. BENTLEY, pp. 115 ss. Le *Novum Instrumentum* a été réédité anastatiquement avec une préface de H. HOLECZEK (Stuttgart, Frommann-Holzboog, 1986).

81. Avec un état de la nombreuse bibliographie, la meilleure analyse se trouve dans H. J. DE JONGE, « Erasmus and the *comma johanneum* », *Ephemerides Theologicae Lovanienses*, 56 (1980), pp. 381-389.

82. R. COOGAN, « The Pharisee against the Hellenist : Edward Lee versus Erasmus », *Renaissance Quarterly*, 39 (1986), pp. 476-506.

83. Bo. REICKE, « Erasmus und die neutestamentliche Textgeschichte », *Theologische Zeitschrift*, 22 (1966), pp. 254-265.

Testamentum de 1522. Il y eut ensuite, également en 1521, la traduction un peu provocante du terme *Logos* en *Sermo* au lieu du traditionnel *Verbum*. Erasme avait justifié ce choix par une longue annotation débordante de références patristiques[84], répondant en particulier à Henry Standish, l'évêque de Saint-Asaph.

L'édition du Nouveau Testament grec a été faite par Erasme essentiellement sur les manuscrits rapportés d'Orient par Jean de Raguse (Stojkovic) († 1443) que possédait la bibliothèque des dominicains de Bâle : il s'est surtout servi de la copie connue comme « Bâle 2 » qui correspond au texte utilisé couramment à l'époque dans l'Eglise byzantine[85]. Erasme aurait même voulu le remettre tel quel à l'impression mais fut finalement obligé de faire une collation et d'y intégrer des corrections. Ce texte publié en 1516 sera un peu modifié en 1519 au vu de nouveaux manuscrits trouvés en Flandre. Pour celui de 1522, il consulte l'édition aldine de 1518. Il n'utilisera les leçons de la *Complutensis* que pour celui de 1527. C'est à cette édition d'Alcalá qu'il empruntera les six derniers versets de l'Apocalypse (22, 16-21). En 1516, en effet, Erasme avait rétroverti le texte par une traduction personnelle faite sur la Vulgate, car il manquait dans le manuscrit grec emprunté par Reuchlin au monastère de Mayhringen en Bavière.

On a pu cependant montrer que dans le cas de certains versets difficiles Erasme s'est montré plutôt conservateur. Avec Jerry Bentley, citons la doxologie de Rm 6, 25-27 qu'il laisse à sa place traditionnelle ; la finale longue de Mc 16, 9-20 dont il omet simplement la *corona Marci* (v. 14-15) la jugeant apocryphe (contenue seulement dans les Freer Gospels de Washington)[86]. De tout·cela il se justifie dans le volume des *Annotationes* : ainsi également pour le début de Jn 8, il reconnaît qu'il manque dans beaucoup de manuscrits mais déclare s'en tenir au consensus de l'Eglise qui l'a jugé digne de l'Evangile *(comprobaverit)*[87]. On ne peut l'accuser dans ces cas ni de faire preuve de naïveté critique ni de manquer de sens de la Tradition, d'autant que les manuscrits qu'il a pu se procurer étaient finalement limités en quantité et en qualité.

Ainsi Erasme a-t-il proposé au monde humaniste pour le Nouveau Testament grec et latin ce qu'il appelle en 1516 un *Novum Instrumentum*, se distançant par là de l'appellation traditionnelle de *Testamentum*[88].

---

84. A. REEVE, *op. cit.*, pp. 218-220 (du texte). Cf. M. O'ROURKE, *Erasmus on Language and Method in Theology*, Toronto, 1977 et C. JARROT, « Erasmus' in Principio erat Sermo. A controversial Translation », *Studies in Philology* (Chapel Hill), 61 (1961), pp. 35-40.

85. A. BLUDAU, « Die beiden ersten Erasmus Ausgaben des Neuen Testament und ihre Gegner », *Biblische Studien*, VII/5, Freiburg-i-B., 1902. Cf. BENTLEY, *op. cit.*, pp. 125 ss., et J. HADOT, « La critique textuelle dans l'édition du Nouveau Testament d'Erasme », dans *Colloquia Erasmiana Turonensia*, II, Paris, 1972, pp. 749-760.

86. BENTLEY, *op. cit.*, p. 147.

87. REEVE, *op. cit.*, pp. 245-246.

88. ALLEN, VII, lettre n° 1858, p. 140, l. 519 ss. (à Robert Aldridge) du 23 août 1527.

En ce cas également, quel ne fut pas le tollé ! Si Erasme se résolut à abandonner son initiative dès 1519, elle n'en est pas moins intéressante. Elle établit d'abord une distinction entre son texte et celui de la Vulgate, reconnaissant implicitement qu'il n'en est quand même pas une simple révision. Mais elle indique également par l'ambivalence du mot en latin[89] comme il s'en explique en 1527 dans les *Annotationes*. Ce terme d'*instrumentum* est bien l'accord solennel que rend le mot *covenant* ou l'utilisation du mot en français quand on dit « instrument de ratification » d'un traité par exemple, mais il exprime aussi l'aspect d'outil, d'outillage, d'un *organon*. Mais curieusement l'historien de l'exégèse est plutôt amené à accorder ce titre à une autre version latine presque contemporaine, celle de Pagninus, en raison du rôle considérable qu'elle a pu jouer au XVIᵉ siècle.

Pagninus

Il nous faut en effet maintenant considérer la Bible latine traduite de l'hébreu par le dominicain Sanctes Pagninus (Santi Pagnini en italien) (1470-1536). Originaire de Lucques, entré au couvent de Fiesole puis assigné au couvent Saint-Marc de Florence alors dominé par la personnalité de Savonarole, Pagninus a probablement été inspiré et influencé par un rabbin converti au christianisme et devenu dominicain en 1492, Clément Abraham. Chargé d'enseignement du grec et de l'hébreu à Rome et encouragé par Léon X, Pagninus publia sa Bible latine traduite de l'hébreu au début de 1528 chez Antoine du Ry à Lyon pour le compte de deux libraires de Lucques et pour Giunta de Florence. Du Ry avait imprimé la grammaire hébraïque de Pagninus deux ans auparavant : le dominicain s'était installé à Lyon après 1523 et y restera jusqu'à sa mort[90].

Comme il l'écrit dans sa dédicace à Clément VII, cette Bible est une simple traduction « utriusque instrumenti »[91] : notons le terme érasmien. Pagninus y fait montre de sa soumission au « siège apostolique et à l'Université de Paris », mais ne manque pas de rappeler, lui aussi, l'encouragement donné à l'enseignement des langues orientales par le concile de Vienne en 1312.

Dans son Prologue, Pagninus fait un vibrant éloge de l'Ecriture sainte opposé aux « subtilités sur les relations et les quiddités » des diverses écoles philosophiques et théologiques : là encore on peut reconnaître un écho d'Erasme. Il en va de même pour son insistance à

---

89. Elle est semblable au choix du mot grec *Enchiridion* qu'Erasme avait fait en 1503.
90. Sur Antonio (en religion Sante ou Santi) Pagnini, voir QUÉTIF-ECHARD, *Scriptores...*, II, pp. 114*b*-118*a*, 824*b*, et Timoteo M. CENTI, « L'attività letteraria di Santi Pagnini (1470-1536) nel campo delle scienze bibliche, *Archivum Fratrum Praedicatorum*, 15 (1945), pp. 5-51.
91. CENTI, art. cit., p. 22, n. 64.

faire remarquer la corruption qui s'est introduite dans la version de saint Jérôme.

Cette version de Pagninus qui présente la particularité d'être numérotée en versets, ce qui est à proprement parler la première fois dans l'histoire de la Bible latine, même si, comme nous l'avons vu, ce sera le découpage de Robert Estienne qui sera finalement retenu, a pu rendre un énorme service grâce à sa littéralité, surtout valable pour l'Ancien Testament et son utilisation du Targum.

Les « livres hagiographiques qui ne sont pas dans le canon hébraïque » sont insérés entre les deux Testaments. Tout un ensemble d'annexes (vocabulaire des noms hébreux, araméens et grecs, remarques sur les manuscrits, Epitomé des livres historiques) complète le texte et en fait un véritable instrument de travail. Pagninus avait même prévu une série de six livres de notes critiques comme il l'annonce dans la lettre à Clément VII : ils ne furent jamais imprimés. Son immense *Isagoge* publiée en 1536 fournit, quant à elle, une sorte d'encyclopédie théologique de thèmes bibliques.

Telle quelle, la *nova translatio* de Pagninus a servi en fait de la base solide dont les traducteurs avaient besoin au début du xvie siècle. Revue par Arias Montano, elle est insérée dans la *Polyglotte d'Anvers*, et révisée par Vatable, dans la Bible d'Estienne de 1557, tandis que Michel Servet la publie en 1542. Elle figure comme instrument privilégié pour les premières versions en langue italienne (Brucioli, Santi Marmochini), française (Olivétan) et anglaise (Coverdale, la Bible de Genève et celle des évêques).

La Bible en hébreu. — Les humanistes sont redevables de la première édition faite par des chrétiens de la Bible hébraïque à l'imprimeur Daniel Bomberg († 1549)[92]. Des presses vénitiennes nouvellement installées de cet imprimeur chrétien d'origine anversoise est issue en effet à la fin de 1517 la *Biblia hebraica rabbinica cum utraque Masora et Targum cum commentariis rabinorum* en quatre volumes. Au texte hébreu s'ajoutaient le Targum dont il est l'édition princeps avec, pour chaque livre, un ou même deux commentaires dont ceux de David Kimhi et de Rashi[93].

Son maître d'œuvre était l'homme qui avait été le maître d'hébreu de Bomberg à Rome et qui, converti au christianisme, était entré chez les Augustins en 1506 : Félix de Prato[94] († 1557). Bomberg avait fondé son imprimerie hébraïque sur les recommandations de Félix lui-même.

Cette première Bible avait été doublée d'une autre édition destinée

92. *The Jewish Encyclopedia*, XII, pp. 295 ss. (art. « Typography »). Voir pp. 402 ss.
93. BARTHÉLEMY, *op. cit.*, p. 18*.
94. Sur Felix Pratensis, cf. D. A. PERINI, *Bibliographia Augustiniana*, II, Rome, 1929, pp. 100-102.

a Paulus that mit Timotheo.
    Vil leydens/ſampt ſeinem Silo.
b Als die figur dir anzeygt.
    Vberal creütz/creütz/war bereyt.

c Jaſon der frum wirt in vff nam.
d   Priſtillam mit fürt ſampt aquilam.
    Durchs landt zoch/lert/predigt/mit ſchal.
    Appollo epheſim vberal.

Heinrich Vogtherr l'Ancien
illustrateur du Nouveau Testament [1527]

à un public plus large et qui ne contenait que le texte biblique. Mais pour son public juif qui se méfiait de l'œuvre de convertis, Bomberg qui consacra son activité ultérieure à l'impression des Talmuds et en fixera la présentation et la pagination, publia en 1521 une autre Bible grâce aux soins des frères Adelkind, puis en 1525 une Bible massorétique éditée par Jacob ben Hayim ibn Adonya.

Plus tardivement, Sébastien Münster en 1535, puis Robert Estienne entre 1539 et 1544 publièrent aussi des Bibles hébraïques. Cependant dès 1520, nous le voyons, chrétiens et juifs possédaient donc des textes de l'Ecriture en hébreu en dehors même de la *Polyglotte d'Alcalá*.

La Septante. — L'édition princeps de la Septante fut réalisée par la *Polyglotte d'Alcalá*, mais elle parut après l'édition aldine qui fut entreprise par Alde Manuce l'Ancien († 1515) et achevée par son beau-père André Torresano d'Asola en 1519. Cette édition intitulée : « Sacrae Scripturis veteris novaeque omnia »... eut comme manuscrit de base celui de Bessarion conservé à Venise (Bibliothèque de Saint-Marc, manuscrit *Holmes* 68). La préface est adressée au cardinal Gilles de Viterbe[95].

L'idéal hexaplaire

En 1508, en présentant son *Quincuplex Psalterium*, Lefèvre d'Etaples s'adressant au cardinal Briçonnet entend se réclamer d'Origène pour justifier son entreprise de faire imprimer en synopse les quatre versions anciennes du Psautier latin et la sienne propre : « Pour que ce projet n'apparaisse pas trop novateur ou insolite, on peut dire qu'avant nous Origène a composé pour les Alexandrins un Psautier grec... Il s'en faut de beaucoup qu'on lui ait reproché cet ouvrage : même jusqu'à notre époque les louanges n'ont pas tari au sujet de cette œuvre »[96].

Cette référence à la grande entreprise d'Origène connue sous le nom d'*Hexaples* sert de référence prestigieuse et pour ainsi dire de fondement à l'idéal humaniste en matière de Bible. On va raffoler au XIVe siècle de ces présentations synoptiques. Nous avons vu que Lefèvre en avait fait un moyen commode pour donner aux étudiants à comparer les diverses traductions d'Aristote : ainsi en 1497 présentait-il *tres conversiones* de l'*Ethique à Nicomaque*, mais surtout en 1515, en synopse, la *Métaphysique*. C'est surtout le Psautier qui se prêtait à ce genre d'exercice, là où justement Origène avait déployé les six versions grecques en

---

95. Ant. A. Renouard, *Annali delle edizioni Aldine*, Paris, 1834 (reprint Bologne, 1953), pp. 84-85. Description : Darlow-Moule, II, n° 4594, pp. 576-577; Bibelsammlung-Stuttgart, n° C 5, p. 5. Voir pp. 95 ss.

96. Bedouelle, *Le Quincuplex Psalterium*, p. 31.

plus de l'hébreu et de sa translittération[97]. Après le succès dû aussi à la beauté de son impression par Henri Estienne, que connut le *Quincuplex Psalterium* en 1509 puis 1515, ce genre littéraire connut un énorme succès.

Signalons d'abord le Psautier octuple publié à Turin en 1516[98] par l'évêque dominicain Augustin Justiniani (1470-1536) qui devait enseigner l'hébreu à Paris quelques années plus tard. Il y eut la même année le Psautier quadruple des Amerbach à Bâle avec le grec de la Septante, l'original hébreu, et les deux dernières versions de Jérôme. En 1518, Jean Potken, prévôt de l'église Saint-Georges de Cologne, propose lui aussi un Psautier quadruple avec une *versio-chaldaea*. En 1530 encore, Sébastien Gryphe donnera un Psautier sextuple : l'hébreu avec ses trois traductions latines (celle de Jérôme, de Pagninus élaborée en 1520 et insérée dans sa Bible de 1528, et celle de Félix de Prato de 1515), avec le grec et enfin la Vulgate.

Cependant, l'entreprise la plus audacieuse et la plus prestigieuse qui incarne le mieux l'idéal hexaplaire au début du siècle reste la grande édition polyglotte de la Bible entreprise en 1502 sur la demande du cardinal Ximenes de Cisneros et qui sortit du collège « mayor » de San Ildefondo à Alcalá de Henares, collège trilingue avant celui de Louvain[99], puisque commencé à construire en 1502, il servit de cadre à la première année académique en octobre 1509.

C'est également le cardinal Ximenes qui fit acheter ou emprunter les manuscrits nécessaires[100]. On le voit en 1510 faire venir l'imprimeur Guillén de Brocar et recruter des savants qui enseignent et travaillent aux collations. Il n'est pas aisé de démêler à travers les dates la responsabilité de chacun.

Participèrent certainement à l'Ancien Testament les trois *conversos* : Pablo Coronel (1480-1534); Alfonso, le médecin d'Alcalá; et le grand hébraïsant, Alfonso de Zamora (c. 1474-1545). Les textes grecs furent confiés aux soins d'Antonio de Nebrija (1441-1522) qui publiera en 1516 ses « cas bibliques » *(Tertia quinquagena)* et une *Apologia* contenant des règles de critique pour corriger la Bible, mais Nebrija se retira au début 1514, protestant en particulier contre la décision d'introduire dans les *Interpretationes* des noms hébreux les étymologies de Rémi

97. M. Caloz, *Etude sur la LXX origénienne du Psautier*, Fribourg/Suisse-Göttingen, 1978, pp. 433 ss. Voir aussi A. Godin, *Erasme, lecteur d'Origène*, Genève, 1982, pp. 602-604.

98. L'entreprise fut jugée sévèrement par Erasme qui s'écriait : « Pourquoi pas six cents langues ? trois seulement ont de l'intérêt » *(Apologia ad Fabrum*, LB IX, 25 D), mais l'année suivante, en 1518, il se rétractait : Allen, III, lettre 906, p. 460, l. 483 et sa note.

99. M. Bataillon, *Erasme et l'Espagne*, Paris, 1937, pp. 11-47; éd. Mexico-Buenos Aires, 1950, I, pp. 26-51. B. Hall, « The Trilingual College of San Ildefonso and the Making of the Complutensian Polyglot Bible », dans *Studies in Church History*, 5, éd. G. J. Cuming, Leyde, 1969, pp. 114-146.

100. Hall, art. cit., pp. 127-130.

d'Auxerre, mort au début du xe siècle[101]. Si le célèbre « commandeur » Nuñez de Tolède, de l'Ordre de Saint-Jacques, arrivé en 1513 seulement, n'eut pas de rôle déterminant, il n'en fut pas de même de Demetrios Doukas, Crétois établi à Venise, arrivé à Alcalá en 1513, sans doute maître d'œuvre pour le grec et à ce titre auteur de la préface grecque, suivie de la traduction latine, qui est en tête du cinquième volume.

Enfin, il faut signaler la collaboration de Diego Lopez Zuñiga (Stunica) qui, quelques années plus tard, attaquera les commentaires bibliques d'Erasme et de Lefèvre d'Etaples; il semble avoir travaillé sur la Vulgate[102]. Juan de Vergara († 1557), également *converso*, a fait la traduction interlinéaire de certains livres de la Septante[103].

Le travail fut long et on se heurta à bien des obstacles. A la suite de conflits internes dans l'équipe des réviseurs, le cardinal Ximenes fit savoir qu'on devait s'en tenir à la règle suivante : on n'introduirait normalement de changements dans les textes reçus qu'au cas où il y aurait des témoins dans les manuscrits les plus anciens.

En raison de la mort du cardinal survenue huit mois seulement après l'impression de la dernière feuille de ce monument qui eut lieu le 10 juillet 1517, l'autorisation pontificale fut retardée. C'est ainsi que les six volumes, dont le cinquième contenant le Nouveau Testament était prêt déjà depuis janvier 1514, ne purent être diffusés qu'en 1521 à 600 exemplaires[104]. Un certain nombre périt dans un naufrage.

Il y avait quatre volumes pour l'Ancien Testament. La Vulgate représentant l'Eglise romaine, le roc, s'y trouve au centre entourée « par la Synagogue et par l'Eglise orientale » qui ont erré dans l'interprétation de l'Ecriture, comme dit le Prologue au Lecteur, c'est-à-dire sur sa gauche par le texte hébreu et sur sa droite par la Septante avec une traduction latine interlinéaire, avec en bas de la page, pour le Pentateuque, le Targum d'Onkelos accompagné sur sa gauche d'une *interpretatio latina*. Pour le texte hébreu, la *Complutensis* adopte une accentuation allégée[105].

Le cinquième volume contient le Nouveau Testament grec et la Vulgate latine. Les Actes des Apôtres sont placés après l'Epître aux Hébreux. Le grec ne comportait pas les esprits et n'avait pas tous les accents, pour se conformer à l'usage original comme il est expliqué dans la préface de Doukas. Dans ce volume qui compte remarquable-

101. « Epistola del Maestro de Lebrija al Cardenal », *Revista de Archivos, Bibliotecas y Museos*, 8 (1878), pp. 493 ss.

102. STUNICA, *Annotationes... adversus J. Fabrum Stapulensem*, fol. A 3.

103. M. BATAILLON, *Erasme et l'Espagne*, Paris, 1937, p. 43; éd. 1950, I, p. 47; BENTLEY, *Humanists and Holy Writ...*, p. 76.

104. Le premier volume porte le titre : *Vetus Testamentum multiplici lingua*, le cinquième *Novum Testamentum grece et latine* (reprint Roma, Universitas Gregoriana, 1983-1984).

105. *CHB* 3, p. 52.

ment peu de fautes typographiques, il n'y a que des références de concordance des passages dans la marge de droite, mais pas d'annotations sauf quatre (Mt 6, 13; 1 Co 13, 3; 15, 51 et sur le *comma johanneum*, dont aucune d'ailleurs n'est très développée)[106]. Ces quatre exemples permettent pourtant, selon Bentley, de porter un jugement sur l'audace et la science des biblistes d'Alcalá : « Ils possédaient d'impressionnants talents pour les langues comme l'analyse de Mt 6, 13 en témoigne. Mais ils refusent de les employer autrement qu'au service de l'orthodoxie latine traditionnelle »[107]. On peut ajouter que, dans sa majeure partie, la *Polyglotte* ne se livre pas à une révision systématique de la Vulgate, sauf quand il y a coïncidence entre la leçon du grec et les manuscrits latins les plus anciens, dans le sens de la recommandation de Ximenes. Il y a pourtant quelques cas où le grec impose de lui-même le changement, surtout en matière de conjugaison des verbes (par exemple Rm 1, 17 traduit : « justus autem ex fide vivet »). Il y a certainement dans l'optique des réviseurs du texte de la *Complutensis* un présupposé selon lequel le latin témoignait d'un texte plus sûr que des manuscrits grecs qui pouvaient être corrompus.

Le sixième volume, imprimé en 1515 contient plusieurs instruments de travail pour les biblistes : un dictionnaire hébreu-araméen-latin qui est probablement l'œuvre d'Alfonso de Zamora; une grammaire hébraïque inspirée de celle de David Kimhi; une « interprétation » des noms hébreux et grecs.

DU TEXTE NU AU TEXTE ÉCLAIRÉ

S'étant penchés sur un texte retrouvé ou qu'on espérait retrouver dans son originalité, les humanistes du début du xvie siècle ne s'en tiennent pas pour autant à une *Scriptura sola* avant la lettre, de fait avant que d'être de droit dans la Réforme allemande. Tous veulent comprendre le texte biblique, mais aussi le discuter, le scruter et surtout cherchent à l'éclairer. Ils ne le font pas par goût particulier de se référer à l'autorité de l'Eglise ou des « autorités » en général comme on les cite au Moyen Age, et même en général cette absence de référence systématique va éveiller les soupçons des théologiens. S'ils recourent aux Pères, ou cherchent à connaître les sources juives, ou se posent des problèmes d'authenticité, c'est par intérêt intrinsèque si l'on peut dire : pour mieux pénétrer la compréhension du texte et parvenir au sens.

106. J. H. Bentley, « New Light on the Editing of the Complutensian New Testament », *Bibliothèque d'Humanisme et Renaissance*, 42 (1980), pp. 145-156.
107. BENTLEY, *Humanists and Holy Writ, op. cit.*, p. 97 (à partir de notes manuscrites de la bibliothèque du collège San Ildefonso).

Le recours aux Pères

Dès 1505 dans l'*Enchiridion*, Erasme le recommande à son « soldat chrétien ». Il lui faut fréquenter les « anciens » interprètes de l'Ecriture : « Leur piété est plus éprouvée, leur savoir plus ample et plus ancien, leur discours également libre de sécheresse et de grossièreté et leur interprétation plus conforme aux mystères sacrés »[108]. Et Erasme avait évoqué un peu plus haut les quatre plus grands parmi ces Anciens, qu'il éditera d'ailleurs tous les quatre : Origène, Ambroise, Jérôme et Augustin.

Ce n'est donc pas par hasard que Noël Béda en 1526 reproche aux humanistes de déclarer préférer les grands fleuves issus de la source de la divine Sagesse à la scolastique qui en est plus éloignée et se diversifie en petits ruisseaux. Ils ont en main Origène, Tertullien, Cyprien, Basile, Hilaire, Chrysostome, Ambroise et Jérôme : « ita suis se verbis jactitant humanistae ». Béda savait qu'il touchait un point décisif pour caractériser la méthode biblique de Lefèvre et d'Erasme dans un ouvrage destiné à en faire la critique[109].

Autour de ces deux maîtres en effet s'organisent deux cercles patristiques, l'un français, l'autre germanique. Nous verrons comment il s'organise une sorte d'alternance des éditions entre Bâle et Paris : lorsque l'une des villes a l'initiative, elle est reprise par la seconde.

Pour Lefèvre d'Etaples, le but de ces éditions est très clairement de prendre les Pères de l'Eglise comme compagnons *(comites)* pour lire l'Ecriture : « Hilaire, Origène, Jérôme, Augustin, Grégoire de Nazianze, Jean Damascène et d'autres encore »[110]. En fait, Lefèvre confie à un petit groupe de disciples et d'amis de s'occuper des éditions, de rechercher les manuscrits et de les faire imprimer[111]. Le maître se réserve les écrits dyonisiens, la littérature pseudo-clémentine, les lettres d'Ignace d'Antioche, tandis que Clichtove publie le commentaire de Cyrille d'Alexandrie sur saint Jean en janvier 1509, qu'il complétera en 1520 des quatre derniers livres qui manquaient. En 1510, Robert Fortuné († 1528) dédie les œuvres d'Hilaire de Poitiers à l'évêque dominicain Yves de Mayeuc : elles comprennent un commentaire des Psaumes, et un autre de saint Matthieu découvert au couvent des Prêcheurs de Dijon par Guillaume Petit, confesseur du roi, qui semble avoir été un ardent partisan de ce renouveau patristique. Enfin, Josse

108. *Enchiridion*, HOLBORN, p. 33, l. 31-33.
109. *Annotationes in Fabrum Stapulensem... et in Erasmum*, Praefatio, fol. aa 1 v°.
110. *Politicorum libri*, éd. 1506 (Paris, H. Estienne), fol. 123 v°. Cf. G. BEDOUELLE, *Lefèvre d'Etaples et l'intelligence des Ecritures, op. cit.*, pp. 50 ss.
111. E. F. RICE, « The Humanist Idea of Christian Antiquity : Lefèvre d'Etaples and his Circle », *Studies in the Renaissance*, 9 (1962), pp. 126-141.

Bade imprime les œuvres de saint Basile dont l'*Hexameron* découvert par Lefèvre à Rome dans la version d'Argyropyle.

Quant à Erasme, il énumère à plusieurs reprises ces listes de noms de l'ère patristique : Origène, Basile, Chrysostome et Jérôme qui, déclare-t-il dans la *Ratio* font « couler comme un fleuve d'or »[112]. Puis à la fin de son texte, c'est une nouvelle énumération : Origène, Basile, Nazianze, Athanase, Cyrille, Chrysostome, Jérôme, Ambroise, Hilaire, Augustin aident à mieux lire l'Ecriture[113].

Il va donc s'employer à Bâle à un immense travail d'édition avec ses amis imprimeurs et sa *familia* : Cyprien en 1520, Hilaire en 1522, Arnobe sur les Psaumes la même année, en 1525 quelques traités d'Augustin, 1528, l'*Adversus Haereses* d'Irénée, puis en 1529 Ambroise paru pratiquement en même temps chez Froben, et à Paris chez Chevallon[114]. Nous n'avons, bien sûr, pas mentionné les trois grands, incontestables pour les humanistes : Jérôme, Augustin et Origène, dont il va publier à grand-peine les *Opera omnia* à Bâle, mais Paris les reprendra. Leur importance est telle pour épauler le mouvement biblique des humanistes qu'il convient de dire quelques mots de ces éditions.

Saint Jérôme. — Comme patron des biblistes, saint Jérôme mérite la première place. Non seulement parce que, de tous les Pères de l'Eglise, il est le premier à être édité par Erasme, mais parce qu'il est bien pour les humanistes le *divus litterarum princeps* comme l'appelle le colophon d'un manuscrit de Heidelberg[115] : en fait, il devient même le symbole de l'humanisme chrétien dès sa naissance dans l'Italie du xve siècle. « L'admiration des humanistes italiens pour Jérôme est un exemple singulier d'un phénomène culturel plus large, qui est la redécouverte et la réévaluation de l'Antiquité chrétienne, elle-même faisant partie de la redécouverte et de la réévaluation de l'art et des lettres antiques »[116].

Alors qu'Erasme s'est rallié à la bannière de saint Jérôme sous l'influence, semble-t-il, de Corneille Gérard, son ami et collègue[117], c'est avec toute une équipe qu'il se met dès son arrivée à Bâle en 1514 à l'édition des œuvres du moine de Bethléem. Il va lui-même se charger des lettres de saint Jérôme, tandis que les frères Amerbach dont leur père a voulu qu'ils soient trilingues, comme de bons produits de l'huma-

---

112. *Ratio seu Methodus...*, HOLBORN, p. 189, l. 32.
113. *Ibid.*, p. 295. C. AUGUSTIJN, *Erasmus von Rotterdam*, München, 1986, pp. 82-97.
114. J. C. OLIN, « Erasmus and the Church Fathers », dans *Six Essays on Erasmus*, New York, 1979, pp. 33-47. Pour l'utilisation dans les *Annotationes*, cf. E. RUMMEL, *Erasmus' Annotations on the New Testament*, Toronto, 1986, pp. 52-74.
115. E. F. RICE, *Saint Jerome in the Renaissance*, Baltimore, 1985, p. 102.
116. *Ibid.*, p. 85.
117. Denys GORCE, « La patristique dans la réforme d'Erasme », dans *Festgabe Joseph Lortz*, éd. E. ISERLOH et P. MANNS, Baden-Baden, 1958, I, pp. 233-276 (surtout consacré à saint Jérôme).

nisme, se chargent des commentaires bibliques qui feront finalement l'objet de cinq volumes paraissant à la suite des quatre composant la correspondance. Mais il ne faut pas oublier le travail de Konrad Pellikan; de Reuchlin; de Jean Cuno, le dominicain de Nuremberg, mort en 1513 avant l'achèvement de l'édition, comme en témoigne une note d'Erasme[118]; et enfin de Grégoire Reisch, le chartreux de Fribourg-en-Brisgau.

L'édition parut en 1516, en septembre, chez Froben; elle est donc pratiquement contemporaine du *Novum Instrumentum*, ce qui est significatif de la conception que l'humanisme a de Jérôme comme guide privilégié dans le domaine de l'Ecriture. Elle connut un grand succès. Un Index préparé par Œcolampade fut disponible en 1520. Une nouvelle édition bâloise de Froben fut publiée en 1524-1526, contemporaine, elle, de la grande controverse d'Erasme sur le libre arbitre avec Luther qui détestait Jérôme et ce qu'il représentait comme il le dit abondamment dans les *Propos de table* : peut-être ne le haïssait-il tellement qu'en raison de l'amour que lui portait Erasme[119]... Enfin, il y eut une édition révisée à Paris chez Claude Chevallon, en 1533-1534, avec une courte préface d'Erasme[120].

Pour ce dernier, Jérôme est d'abord le précieux et incomparable savant de l'Ecriture sainte, utile non seulement aux doctes mais également aux plus simples : ne le recommande-t-il pas, avec Jean Chrysostome, pour lire et méditer l'Epître et l'Evangile de la messe du dimanche, comme il le propose dans un de ses colloques[121] ? Jérôme aide à intérioriser, à s'assimiler l'Ecriture sainte : ne savait-il pas la Bible mot à mot, selon le trait qu'il relève dans sa *Vie de Jérôme* dont on se plaît à reconnaître le sérieux historique au-delà des légendes singulièrement enracinées dans l'iconographie du saint[122] ?

Saint Augustin. — Le parallèle Jérôme-Augustin est un exercice de style attrayant pour une époque si friande de rhétorique : Erasme et ses contemporains ne s'en sont pas privés d'autant qu'il correspondait de fait à deux tempéraments qui s'opposaient en ce début du XVIe siècle. Le *topos* se trouve développé avec maîtrise par Erasme dans toute la célèbre lettre à Jean Eck du 15 mai 1518[123] : le théologien d'Ingolstadt, réconcilié en cela avec son adversaire Luther, avait recommandé à

---

118. *Hieronymi Opera omnia*, Bâle, 1516, I, p. 139.
119. RICE, *Saint Jerome...*, p. 139 et n. 8, p. 249; et GORCE, p. 259.
120. L'édition de 1516 s'est fondée sur des essais précédents à Bâle (1492-1497) et à Lyon (J. Saccon en 1508). Elle sera très critiquée par Mariano Vittori qui commence à publier un texte renouvelé en 1565.
121. *Confabulatio pia*, *ASD* I, 3, p. 177, l. 1715-1723. Voir *infra*, A. GODIN, p. 566.
122. RICE, *Saint Jerome...*, p. 135. Cf. *Erasmi Opuscula*, ed. W. K. FERGUSON, La Haye, 1933, p. 151, l. 490.
123. ALLEN, III, lettre 844, pp. 330-338.

Erasme de lire saint Augustin. Erasme répond par un plaidoyer *pro Hieronymo* et l'un des arguments concerne précisément le rapport à la Bible vu dans l'optique humaniste : après tout, dit Erasme, Augustin a commencé à lire saint Paul à l'âge de trente ans tandis que Jérôme qui, lui, savait l'hébreu et le grec, a fréquenté et étudié l'Ecriture pendant trente-cinq ans d'affilée[124].

Il n'empêche, on le sait, qu'Augustin a exercé un attrait suffisamment puissant sur Erasme pour qu'il en publie aussi les *Opera omnia*. Mais cette fois-ci, il bénéficie d'une édition antérieure importante, en neuf volumes, que Jean Petri et J. Froben proposent en 1506. Elle sera rééditée en 1515 à Paris. Ce n'est donc qu'en 1527 pour les deux premiers volumes suivis de huit autres en 1529, que paraît la nouvelle édition érasmienne. Le cinquième volume est composé, après quelque hésitation pour l'intégrer telle quelle, par *La Cité de Dieu* que Vivès a publiée en 1522. En 1531, Claude Chevallon à Paris donnera une édition complète mais révisée par Jacob Haemer. On n'envisage pas ici les nombreuses éditions partielles qui se succèdent depuis la fin du xvᵉ siècle, en particulier celles d'Eusebius Corradus à Venise.

En suivant pas à pas les traces du *De doctrina christiana* dans l'œuvre d'Erasme depuis l'*Enchiridion* et jusqu'à la fin de sa vie, on a pu relever l'influence d'Augustin sur Erasme, à distinguer évidemment d'un augustinisme[125]. Dans la *Ratio verae theologiae*, en dehors d'oppositions sur des points secondaires, Erasme suivrait Augustin : « Il accepte les motifs divins par lesquels Augustin explique l'obscurité des Ecritures; il souligne avec Augustin l'importance des allégories dans l'interprétation de la Bible; il se fait le défenseur des trois langues mais comme Augustin, il se limite au latin et au grec et renonce à l'étude de l'hébreu »[126].

Ce serait en effet dans le domaine des règles herméneutiques qu'Erasme aurait le plus clairement utilisé Augustin mais il faut préciser immédiatement qu'il s'agit de la reprise des fameuses règles de Tichonius, ce donatiste cité largement au chapitre 30 du livre III du *De doctrina christiana* : on les retrouve en effet dans le troisième livre de l'*Ecclesiaste* publié en 1535 : il faut noter qu'il s'agit d'un traité sur la prédication chrétienne. Erasme fait son profit des différentes consignes données par Augustin pour l'étude d'un texte : règle de la foi; étude du contexte; comparaison des passages obscurs avec d'autres qui sont plus clairs[127], mais surtout il intègre les règles herméneutiques de Tychonius dans les termes mêmes d'Augustin, même s'il les élargit

124. *Ibid.*, p. 336, l. 204-208.
125. Ch. Béné, *Erasme et saint Augustin ou influence de saint Augustin sur l'humanisme d'Erasme*, Genève, 1969.
126. *Ibid.*, p. 280.
127. *Ibid.*, p. 405.

ou les critique. En ce sens, l'approche augustinienne serait centrale dans la manière érasmienne d'aborder la Bible. On a pu tenter de montrer que ces références sont plutôt rhétoriques et formelles[128] et que le véritable inspirateur d'Erasme pour la Bible demeurait Origène.

Origène. — Car il est un troisième personnage dans la comparaison érasmienne des Pères de l'Eglise déployée devant Jean Eck en 1518 : Erasme y déclare qu'il donnerait volontiers pour une seule d'Origène[129] ! Et en un autre endroit alors que, selon lui, nous l'avons vu, Jérôme avait assimilé sa Bible mot à mot, Origène la connaissait quant à lui, sur le bout des doigts[130] !

Nous savons bien l'origine de son admiration pour Origène. Elle vient du franciscain de Saint-Omer, Jean Vitrier, qui a joué un rôle spirituel considérable dans l'évolution d'Erasme. Or, ce dernier nous dit dans la biographie — éloge qu'il dresse de son maître dans la lettre de 1521 à Josse Jonas : « Sur les saintes Lettres, il n'admirait le génie d'aucun Père plus que celui d'Origène. Et comme en ironisant je m'étonnais qu'il se délectât aux écrits d'un hérétique, il me répondit avec une merveilleuse vivacité : 'Il n'est pas possible que le Saint-Esprit n'ait pas habité ce cœur d'où sont sortis tant de livres aussi savants, rédigés avec tant de ferveur !' »[131].

Or cette admiration héritée de Vitrier va, là encore, compromettre Erasme dans ses rapports avec les théologiens. Si Erasme « ironisait » en parlant d'hérésie pour Origène, il n'en va pas de même du très sérieux Béda qui attaque le Maître d'Alexandrie et le disciple précisément sur leur manière de traiter de l'Ecriture : « Comment Erasme pourrait-il sortir du labyrinthe des Ecritures en ses endroits discordants s'il suit Origène qui est celui qui a écrit de la façon la plus absurde *(absurdissime)* ? »[132].

Tel avait été aussi le cas de Jacques Merlin († 1541), docteur de Sorbonne qui, en même temps qu'il publiait en 1512 chez Josse Bade à Paris l'édition princeps des œuvres d'Origène en latin en quatre tomes, s'était senti obligé de les faire précéder d'une *Apologia pro Origene* : dix ans plus tard, après les rééditions de 1519 et de 1522, cette même année-là, Béda voulut faire imprimer une réfutation de l'*Apologie* de Merlin. Ce dernier en référa à la Faculté de théologie dont ils étaient tous deux des membres éminents : la dispute occupa plus

---

128. A. Godin, *Erasme, lecteur d'Origène*, Genève, 1982, p. 340.
129. Allen, III, lettre 844, p. 337, l. 252-254.
130. LB VIII, 438 B *(De vita et operibus Origenis)*.
131. Allen, IV, ep. 1211, p. 508, l. 24-29. C'est la traduction de A. Godin, *Erasme, Vies de Jean Vitrier et de John Colet*, Angers, 1982, p. 27.
132. Béda, *Annotationes...*, *op. cit.*, fol. clxxxv rº.

de cinquante réunions de la Faculté entre 1522 et 1527[133] ! Trois ans plus tard Josse Bade, rééditant les œuvres d'Origène, y inclut toujours la fameuse *Apologie*, qui comprend d'ailleurs plus de fleurs de rhétorique qu'un véritable plaidoyer[134].

Mais l'édition parisienne a été la base pratiquement inchangée, sauf exceptions, de l'édition érasmienne posthume publiée par Froben en septembre 1536. En effet, Erasme avait travaillé jusqu'au bout de ses forces à donner un texte aussi complet que possible de son cher Origène, l'*Adamantius* pour utiliser le surnom de l'Alexandrin dont son éditeur, bien sûr, s'enchantait. Il avait réparti les œuvres bibliques de l' « Adamantin » en deux volumes, à la différence de Merlin qui avait séparé les ouvrages philosophiques et apologétiques des homélies et commentaires. Cependant, dans l'édition de Bâle, le premier volume regroupe les textes sur l'Ancien Testament, et le second ceux sur le Nouveau[135]. Il semble que dans la présentation de l'édition Erasme ait centré « ses analyses sur Origène, interprète de l'Ecriture », par exemple dans sa description minutieuse du travail hexaplaire, la mise en situation exégétique du *Peri Archôn* ou encore son évaluation des commentaires scripturaires perdus[136].

S'il fallait montrer par un seul exemple l'importance d'Origène pour les grands débats scripturaires et théologiques du xvie siècle, il conviendrait évidemment de prendre ses commentaires sur le passage litigieux par excellence dans le débat immense qui s'instaure sur le libre arbitre de l'homme : Rm 9, 14-18 où Paul cite lui-même Ex 9, 16 sur l'endurcissement du cœur de Pharaon par Dieu dont Luther faisait un texte majeur en faveur de sa thèse. Dans le *De libero arbitrio* de 1524 puis ensuite dans le second *Hyperaspistes* (1527), Erasme recourt à l'interprétation origénienne dans le *Peri Archôn*[137]. Ce sera une occasion de plus pour Luther de réfuter l'autorité d'Origène. Nous voyons bien ainsi comment l'Alexandrin apparaît comme le champion de l'humanisme chrétien et sa réhabilitation dans la logique de ses tenants au xvie siècle.

**

Le recours aux Pères est un trait permanent de l'humanisme de la Renaissance : on peut dire qu'on le trouve réparti sur les trois géné-

---

133. Pour un résumé de la querelle et les références, J. K. Farge, *Biographical Register of Paris Doctors of Theology, 1500-1536*, Toronto, 1980, pp. 327-328.

134. D. P. Walker, Origène en France au début du xvie siècle, dans *Courants religieux et humanisme à la fin du XVe et au début du XVIe siècle*, Paris, 1959, pp. 107-108.

135. A. Godin, *Erasme...*, pp. 593 ss. (pour une analyse approfondie de l'édition).

136. *Ibid.*, p. 629.

137. *Ibid.*, pp. 476-482; 534-537. Voir aussi G. Chantraine, *Erasme et Luther, libre et serf arbitre*, Paris, 1981, pp. 146-147, 214.

rations qui le constituent historiquement. Il y a celle des pionniers à la fin du xve siècle, qui courageusement se lancent dans la collection des œuvres patristiques et les livrent pour la première fois à l'impression, autour des années 1480-1490. Il y a ensuite les premières éditions que nous pourrions appeler « critiques » : le mouvement correspond aux années que nous avons étudiées un peu plus précisément jusqu'autour de 1530 : il essaie d'améliorer les éditions précédentes comme de juger de l'authenticité des œuvres. Mais on doit aussi évoquer, comme nous l'avons fait en passant, la troisième vague, celle de 1565-1570, où le recours aux Pères prendra une autre tournure, plus apologétique dans le sens confessionnel. A la fin du xvie siècle en effet, tandis qu'auparavant la lecture des Pères était un lien qui unissait les humanistes et les premiers réformateurs, alors que le recours aux sources juives mais aussi les disputes proprement exégétiques que nous allons maintenant examiner sont passés à l'arrière-plan, il restera l'affrontement où la patristique, quel que soit le rôle théologique qu'on lui accorde, devient un élément décisif de la controverse[138].

Les sources juives : l' « affaire Reuchlin »

Dans son *De rudimentis hebraicis* de 1506, Reuchlin propose plus de deux cents corrections de la Vulgate[139]. Pourtant, malgré ses mérites en hébreu, la célébrité qu'obtint au xvie siècle l'humaniste de Pforzheim ne lui vint pas de son activité « critique » sur la Bible, mais de son rôle de « restaurateur de Pythagore » qui « de la mer infinie de la Kabbale a fait couler une rivière dans le domaine grec »[140] comme il l'affirme dans le *De arte cabalistica* de 1517. C'est bien la Kabbale juive qui l'intéresse au premier chef, mais en humaniste chrétien il veut y voir une source essentielle pour l'interprétation de l'Ecriture; cette prétention sera au cœur de la querelle que lui firent les théologiens.

Johannes Reuchlin, dit Capnion selon la transcription grecque de son patronyme (1455-1522), prit goût à l'ésotérisme juif au cours d'un voyage en Italie qui lui permit de rencontrer Pic de La Mirandole : il découvrit ainsi la parenté de la doctrine pythagoricienne et de la Kabbale des Juifs. Dans cette optique, il compose en 1494 le *De verbo mirifico*, longue enquête sur la théologie et l'étymologie des noms divins dans la Bible, inspirée des spéculations de la Kabbale. Dans le désir de montrer l'accomplissement des promesses de l'Ancien Testament

---

138. P. POLMAN, *L'élément historique dans la controverse religieuse du XVIe siècle*, Gembloux, 1932.
139. *Johann Reuchlins Briefwechsel*, éd. L. GEIGER, Tübingen, 1875, ep. 15, p. 16.
140. F. SECRET, *Les kabbalistes chrétiens de la Renaissance*, Paris, 1964, p. 60; Lewis SPITZ, *The Religious Renaissance of the German Humanists*, Cambridge (Mass.), 1963, pp. 61-80.

dans le Christ, il développe l'idée du Tétragramme rendu prononçable par l'insertion du *Shin* qui en fait le mot : Jeshua qui désigne le « Verbe merveilleux » en qui se récapitulent tous les pouvoirs des noms divins[141]. Il en fera de nouveau la démonstration dans le *De arte cabalistica*.

Ainsi, Reuchlin ne se contente pas de recommander l'étude de la langue hébraïque mais se sert aussi de la tradition juive comme modèle et source d'inspiration pour le christianisme. Les vrais kabbalistes, selon lui, ont bénéficié de l'inspiration divine : il applique au Christ les prophéties que les auteurs des ouvrages de la Kabbale destinaient au Messie à venir. Pic de La Mirandole avait déjà affirmé dans une de ses thèses condamnées en février 1487 qu'il n'y a pas « de science qui atteste mieux la divinité du Christ que la Magie et la Kabbale »[142].

Les sources juives fournissent bien ainsi une méthode d'interprétation de l'Ecriture sainte. Pour Reuchlin, les passages obscurs de l'Ancien Testament peuvent être tranchés par la Kabbale selon laquelle les lettres du texte ne désignent pas seulement les réalités mais sont ces réalités elles-mêmes. Reuchlin s'efforce dès lors à retrouver toutes les vérités révélées du christianisme dans la moindre lettre de l'Ecriture. Ainsi *Bereshit* contient pour lui en ses trois caractères hébraïques la désignation des trois personnes de la Trinité. C'était aller vers une sacralisation absolue du texte hébreu mais surtout proposer une nouvelle direction pour la lecture de l'Ecriture par les écrits du judaïsme que le Moyen Age finissant avait rejeté officiellement en condamnant le Talmud pour « blasphèmes anti-chrétiens » depuis la controverse de 1240.

L'attaque contre Reuchlin, on le sait, vint en 1510 de Cologne et des dominicains de la Faculté de théologie, ce qui est paradoxal si l'on se souvient qu'en 1502 l'humaniste avait composé un *De arte praedicandi*, manuel de prédication pour les dominicains de Denckendorf qui l'avaient accueilli pendant la peste. Les hostilités furent déclenchées à l'instigation du juif converti Pfefferkorn lorsque Reuchlin s'opposa à l'édit de l'empereur Maximilien ordonnant de « saisir et détruire » tous les livres juifs trouvés contraires à la foi chrétienne.

Il n'est pas nécessaire ici de rapporter les divers épisodes de l' « affaire Reuchlin »[143] (*Reuchlini negotium*, comme on dit dans la correspondance de l'époque), ni de retracer les retombées de la querelle, en particulier

---

141. SECRET, *op. cit.*, pp. 49-51 ; J. L. BLAU, *The Christian Interpretation of the Cabala in the Renaissance*, New York, 1944. Erasme se moque un peu de cette superstition de la lettre Shin, dans l'*Eloge de la folie*, LB, IV, 476b.

142. *Opera omnia Joannes Pici*, Bâle, 1557 (reprint Hildesheim, 1969), pp. 92-95. Cf. W. G. CRAVEN, *Giovanni Pico della Mirandola. Symbol on his Age*, Genève, 1981, p. 48.

143. J. H. OVERFIELD, « A New Look at the Reuchlin Affair », *Studies in Medieval and Renaissance History*, 8 (1971), pp. 165-207. L'article veut montrer qu'il n'y a pas de preuve que les théologiens de Cologne entendaient attaquer les humanistes en critiquant Reuchlin, comme a voulu le faire croire Hulten. Leur « antisémitisme » serait prépondérant.

cette ligne de partage trop claire qu'elle trace entre « hommes obscurs » et « hommes illustres ». Il suffit pour notre propos de remarquer qu'un des enjeux en cause était de savoir si on pouvait employer les sources juives pour l'interprétation chrétienne de l'Ecriture.

La défense que le franciscain Pierre Galatin (c. 1460-1540) fit des œuvres de Reuchlin en 1516[144] essaie de montrer que ces sources juives sont d'abord un moyen privilégié pour parvenir à la *veritas hebraica*. C'est pour lui une manière particulièrement efficace et irréfutable même d'enlever « aux Juifs menteurs » leur subterfuge habituel qui est de refuser notre version latine de la Bible et de corriger ainsi, pour le plus grand bien de la foi les passages si nombreux qui sont de fait corrompus en raison des injures du temps et de la faute des copistes. Galatin prend donc une position en regard de l'exactitude philologique.

Dans ce qui fut sa première position de repli, Reuchlin consentait, quant à lui, à ce qu'on brûlât les livres qui étaient nettement injurieux pour la foi chrétienne, mais adjurait qu'on gardât les autres en tant que nécessaires à l'intelligence de l'Ecriture. Mais il est certain que dans le *De verbo mirifico* l'utilisation de la Kabbale va nettement au-delà d'une pure connaissance des lettres hébraïques pour la compréhension du texte. La Faculté de théologie de Cologne, soutenue par celles, en particulier, de Louvain et de Paris, estimait bien plus radicalement qu'il y avait une hérésie dans l'approche de Reuchlin : c'était la légitimité de la source juive qui était mise en cause dans la contestation de l'*Augenspiegel* que Reuchlin avait composée pour répondre aux accusations de Pfefferkorn.

C'est bien sur ce terrain en fait que Reuchlin se tenait. Lorsqu'il profite de sa victoire éphémère de la sentence de Rome en 1516 qui l'innocente, pour publier l'année suivante le *De arte cabalistica*, il précise l'ampleur de ces sources qu'il défend et utilise. Il cite par exemple[145] « le livre hébreu intitulé *Iesirah*, de la création, attribué communément au patriarche Abraham : il est de la composition de Rabbi Akiba, estimé en son temps le plus sage et le plus docte de tous les Talmudistes. Le livre de *Hazoar* ou *Zohar* de la splendeur est de rabbi Simon ben Iohai, lequel pour le composer demeura en une vaste et obscure caverne durant vingt-quatre ans entiers... ». Suit encore toute une liste de ces ouvrages dont il retrace dans la première partie de son livre l'historique jusqu'à leur utilisation par Pic de La Mirandole.

La condamnation finale de Reuchlin, ou plus exactement la cassation de la décision de Spire qui l'avait libéré de toute accusation d'hérésie dès 1514, par Léon X auquel il semble avoir dédié en vain le *De arte*

---

144. Le *De arcanis catholicae veritatis* fut publié en 1518.
145. SECRET, *op. cit.*, p. 52, citant la traduction de Claude DURET dans son *Thresor de l'histoire des langues* (1613).

cabalistica, n'empêchera cependant pas tout à fait le recours aux sources juives. C'est au même Léon X que le cardinal Gilles de Viterbe (1465-1532) écrit dans son *Historia viginti saeculorum* : « Reçois ce mystère ignoré avant ton temps par les chrétiens et connu d'une élite d'Hébreux »[146]. A la demande du pape Clément VII, Gilles de Viterbe, à la fin de sa vie, médite sur les nombres, les lettres et les noms divins, dans une tradition dont François Secret a bien montré l'importance qu'elle revêt désormais dans le christianisme. Il n'empêche que l'affaire Reuchlin a manifesté par un clivage entre « théologiens » et « humanistes » combien la lecture de la Bible pouvait diviser. Il s'en fallait d'ailleurs pour que le camp humaniste fût unanime sur ce point.

La Bible au cœur des disputes humanistes

Bien avant l'affaire Reuchlin, mais au-delà également, et jusqu'à ce que les débats plus graves suscités par Luther et les autres Réformateurs mobilisent à leurs côtés ou à leur encontre les humanistes, ces derniers se passionnèrent pour des points d'authenticité ou d'exégèse. Certaines de ces disputes dégénérèrent en polémiques acerbes, usant les forces de chacun des protagonistes et celles de leurs amis. Nous ne pouvons évoquer avec quelque détail que deux d'entre elles où la Bible est directement en cause.

L'auteur de la Vulgate. — Les différences qu'on pouvait constater dans la Vulgate latine par rapport au texte hébreu ou grec, ou avec les citations que Jérôme utilisait dans ses propres commentaires scripturaires, de même que le style bien peu cicéronien du texte reçu dans l'Eglise romaine, ont engendré des soupçons quant à la personnalité de son auteur. Des auteurs médiévaux comme Roger Bacon († c. 1292) ou Richard Fitzralph, archevêque d'Armagh († 1360), ont senti qu'il y avait quelque difficulté à en attribuer la paternité à l'ermite érudit de Bethléem[147], comme ensuite Valla dans sa polémique avec Poggio.

Les humanistes qui le révéraient tant pouvaient difficilement ne pas se poser le problème au moment où, à la suite de Valla justement, ils commençaient à corriger la Vulgate d'après les originaux, ou bien proposaient leur propre version. Une fois de plus, c'est le calme Lefèvre d'Etaples qui prit les devants en 1512 dans sa courte *Apologia* précédant ses commentaires pauliniens : il veut y prouver que « l'ancienne traduction des épîtres de saint Paul qu'on lit partout n'est pas celle de

---

146. SECRET, *op. cit.*, p. 113. La *Scechinah*, éd. F. SECRET, Rome, 1959, est adressée par Gilles à Charles Quint pour lui révéler les arcanes (t. I, p. 70).

147. Sur toute la controverse, E. F. RICE, *Saint Jerome in the Renaissance*, Baltimore, 1985, pp. 173-199.

Jérôme » : elle est cette « Vulgate » dont Jérôme parle et dont il désigne l'auteur comme « latinus interpres », et lui est donc antérieure[148].

C'est ce que Lefèvre entend démontrer à l'aide des commentaires de Jérôme lui-même sur ces épîtres de saint Paul. Ainsi dit Lefèvre, si nous prenons l'exemple de Ga 5, 4, Jérôme déplore la lecture « Evacuati estis a Christo », pour proposer à la place : « a Christi opere cessastis ». Or la première formule se retrouve dans le texte « reçu ». Comment expliquer une telle contradiction si on suppose que Jérôme en est l'auteur car cela voudrait dire qu'il n'aurait pas corrigé le texte dans le sens qu'il indique lui-même. De deux choses l'une en effet : ou bien ses commentaires précédaient la traduction et il aurait dû en tenir compte en se souvenant de ses propres suggestions; ou bien ils la suivaient et on ne comprend pas comment il peut se blâmer lui-même sans le dire[149].

Certes, saint Jérôme a déclaré que, sur l'ordre du pape Damase, il a de fait corrigé le Nouveau Testament d'après le grec et l'Ancien d'après l'hébreu, mais selon Lefèvre cette version a probablement disparu (sauf pour les Psaumes qu'il a présentés dans ses diverses versions en 1509). Ni la traduction, en tout cas, des Epîtres pauliniennes, ni celle des Evangiles ne sont de saint Jérôme, ce qui permet à Lefèvre de sauvegarder la réputation d'exégète averti et de styliste élégant qui est celle du « très saint et très docte père »[150].

L'année suivante, en 1513, Paul de Middelburg (1446-1534), évêque de Fossombrone, dans le duché d'Urbino, depuis 1494, et engagé dans des controverses sur la date de la Semaine sainte, qui l'intéresse sans doute comme le professeur d'astronomie qu'il fut à Padoue, se saisit de l'affaire et étendit la critique à l'Ancien Testament, ce que Lefèvre n'avait pas fait formellement[151].

Erasme lui emboîta le pas; en 1516, dans l'*Apologia* du *Novum Instrumentum*, il estime qu'un consensus s'est établi sur ce point *apud eruditos*[152], ce qu'il confirme dans les termes les plus exprès à Antonio Pucci, le nonce apostolique en Suisse, qui lui avait courtoisement rendu visite à Bâle et auquel il écrit en août 1518 en justifiant son propre travail critique : « Je n'ébranle aucunement l'édition fameuse de la Vulgate dont d'ailleurs l'auteur n'est pas connu avec certitude, bien

---

148. Cf. J.-P. MASSAUT, *Critique et Tradition à la veille de la Réforme en France*, Paris, 1974, p. 131, n. 9.
149. Ed. Cologne, 1531, fol. aA iiii r°.
150. *Ibid.*, fol. aA vi r°.
151. Cf. ALLEN, II, ep. 326, p. 58 (notice); RICE, *op. cit.*, pp. 177-178. Le texte se trouve dans le « Paulina de recta paschae celebratione » (Fossombrone, 1513). Le bibliste Augustinus Steuchus († 1548) de Gubbio, préfet de la bibliothèque vaticane, répondit à Paul de Middelburg : ALLEN, lettre à Erasme, IX, l. 2513, pp. 292-293, l. 157-162. Il fut lui-même l'auteur d'un ouvrage défendant l'attribution à Jérôme en 1535.
152. HOLBORN, p. 156, l. 26.

qu'il soit reconnu pour vrai qu'elle n'émane ni de Cyprien, ni d'Ambroise, ni d'Hilaire, ni d'Augustin ni de Jérôme, mais je signale les endroits où il y a des altérations. J'attire l'attention sur les pages où de toute évidence, le traducteur s'est abandonné à la somnolence et j'explique ce qui est obscur et épineux »[153]. Il fut rejoint dans cette conviction par Sébastien Münster et par Jean de Campen[154].

Les réponses ne manquèrent pas et n'émanent pas de gens médiocres mais au contraire de savants fort estimables. Le premier en date fut Stunica (Lopez Zuniga) dont nous avons évoqué le rôle dans l'élaboration de la *Complutensis* : il répond essentiellement à Lefèvre et prenant le contre-pied de sa démonstration, l'intitule *Antapologia*[155]. Il relève en effet tous les exemples cités par Lefèvre pour montrer au contraire leur conformité avec le grec. Il explique également les différences et même les critiques qu'on trouve dans les commentaires de saint Jérôme par rapport au texte qui nous a été transmis. Selon Stunica, une chose est de discuter une traduction, d'en proposer une éventuelle amélioration, et une autre de choisir de la modifier, d'autant que le texte que Jérôme amendait était déjà vénérable. On peut estimer que saint Jérôme a donc voulu respecter au maximum le texte latin qui le précédait[156] à partir du moment où le sens général pouvait s'y refléter. L'*Antapologia* est suivie d'un traité de Stunica destiné à relever les erreurs *(errata)* de la traduction proposée par Lefèvre, ce qui sous-entend son peu de compétence pour juger de la validité de la Vulgate.

Si les auteurs favorables à donner à saint Jérôme son attribution traditionnelle ne vont pas jusqu'à estimer que la Vulgate est quasi inspirée comme le fait en 1525 Sutor (Cousturier) le Sorbonniste, la lutte des théologiens et biblistes continua. Relevons l'effort particulier du franciscain de Louvain Titelmans († 1537) dans son *Prologus* à la *Collatio* sur l'Epître aux Romains (Anvers, 1529) et surtout de Jean Nys, dit Driedo († 1535), théologien de Louvain également, dans son *De ecclesiasticis scripturis et dogmatibus* de 1533. Selon Driedo, Jérôme en rédigeant la Vulgate « a assumé un travail pour toute l'Eglise », et qu'elle est bien de lui malgré toutes ses obscurités et ses imperfections. C'est chez ce théologien d'ailleurs que le concile de Trente a puisé le mot *authentica* pour désigner la Vulgate[157], mais Driedo prend bien soin de préciser qu'elle ne l'est pas en toutes et chacune de ses phrases,

153. ALLEN, III, lettre 860, p. 381, l. 44-49. De fait, on attribue maintenant à Jérôme que la révision des Evangiles, tandis que le reste du Nouveau Testament serait l'œuvre de Rufin le Syrien, un ami de Pélage : cf. RICE, p. 258, n. 13, et *BTT* 2, p. 61.

154. RICE, p. 179.

155. *Annotationes Jacobi Lopidis Stunicae... adversus Jacobi Fabri Stapulensis errata*, Alcalá, 1519, fol. aa ii v°-a vi v°.

156. *Ibid.*, fol. a vi r°.

157. R. DRAGUET, « Le maître louvaniste Driedo, inspirateur du décret de Trente sur la Vulgate », dans *Miscellanea historica... A. De Meyer*, II, Louvain, 1946, pp. 836-854.

mais en ce que le contenu de la foi y est toujours clairement exprimé et sauvegardé; telle sera bien la position du concile[158].

Titelmans exigeait quant à lui pour employer le mot « authentique » qu'on désigne ainsi ce qui est conforme à l'original, mais il ne sous-estime pas l'importance de la tradition. La Vulgate a été priée, reçue, utilisée dans la défense de la foi pendant des siècles : elle mérite donc le respect[159]. C'était sortir d'une discussion de fait, qu'on pouvait prouver par une comparaison de textes de Jérôme. Mais on s'approchait d'un véritable enjeu qui, après Luther, devenait central et devenait ecclésiologique. L'argument de Tradition se trouvait ramené au premier plan et c'est bien ainsi également qu'il nous faut comprendre le fameux débat sur les Madeleines dans les Evangiles.

La querelle de la Madeleine. — Occasionnée par une innocente demande de la reine mère à son aumônier à l'occasion d'un pèlerinage à la Sainte-Baume en Provence où sainte Marie-Madeleine est vénérée, une querelle exégétique prit bientôt des dimensions européennes. Il s'agissait de savoir si la tradition liturgique, surtout occidentale, qui faisait de Marie de Béthanie (Jn 11 et 12, 1-8), de Marie de Magdala de qui le Christ avait expulsé sept démons et qui fut le témoin de sa résurrection (Jn 20, 11-18) et enfin la pécheresse de Lc 7, 36-50, un seul et même personnage, était bien légitime. Lefèvre d'Etaples, en effet, sollicité par l'aumônier de Louise de Savoie, se prononça dans une *Disceptatio* pour l'existence de trois femmes différentes[160].

Bien que conduite en termes relativement raisonnables, ce qui n'est pas le cas de toutes les controverses de l'époque où abondent souvent accusations d'hérésie et injures, l'affaire se développa entre 1517 et 1519 et un peu au-delà, se terminant d'ailleurs par une condamnation formelle de la solution fabrisienne lorsque la Faculté de théologie de Paris censura le 9 novembre 1521 un sermon prêché par un membre du cercle de Meaux, Martial Masurier[161]. Pendant toutes ces années, Luther faisait mûrir sa pensée enracinée dans l'Ecriture sainte d'une manière autrement décisive.

Il paraît pourtant impossible de faire de cette querelle un pur affrontement entre humanistes et scolastiques, bien que le clivage décelé au moment de l'affaire Reuchlin ait joué un certain rôle. En effet, Lefèvre fut soutenu par Clichtove qui se ralliera plus tard à l'orthodoxie la

---

158. Voir *infra*, pp. 342 ss.

159. RICE, p. 182.

160. G. BEDOUELLE, *Lefèvre d'Etaples et l'intelligence des Ecritures*, Genève, 1976, pp. 191-196; MASSAUT, *Critique et Tradition...*, pp. 67-70. Pour un exposé précis et complet : A. HUFSTADER, « Lefèvre d'Etaples and the Magdalen », *Studies in the Renaissance*, 16 (1969) pp. 31-60.

161. C. du PLESSIS D'ARGENTRÉ, *Collectio judiciorum de novis erroribus*, Paris, 1728, II, p. vii. Cf. aussi II, p. 13.

plus stricte, par Willibald Pirckheimer, de Nuremberg, séduit un moment par la Réforme, par Symphorien Champier, mais John Mair, scolastique s'il en fut, semble avoir aussi tenu l'idée qu'il y avait bien trois femmes différentes[162]. Dans l'autre camp se dressèrent Marc de Grandval et Noël Béda, tous deux de la Faculté de théologie de Paris, mais surtout celui qui pèse d'un grand poids en raison de son prestige, de son titre de chancelier de l'Université de Cambridge, de sa sagesse et de sa sainteté, John Fisher, évêque de Rochester († 1535)[163]. Quant à Erasme il s'étonne surtout que Fisher ait rattaché toute cette affaire *ad causam fidei*[164], alors que Lefèvre et Clichtove semblaient vouloir seulement ouvrir une discussion exégétique. Il est certain cependant que, si Fisher est surtout en cette affaire sensible au *consensus Ecclesiae*, Lefèvre en appelle essentiellement au texte de l'Evangile. Il s'agit bien pour lui de « discuter mais sans que les raisons invoquées ne découlent d'une autre source que de l'Evangile »[165]. Certes, on maniera la dialectique et on citera les témoignages divergents d'ailleurs, des Pères de l'Eglise, comme le fait surtout Clichtove, mais la condition pour qu'ils soient probants sera leur consonance à l'Evangile.

Il n'est nullement question ici d'un recours à la *Scriptura sola*, encore moins à un libre examen, mais d'un respect du texte dans la ligne humaniste. Lefèvre tient grand compte des visions d'Elisabeth de Schönau, une mystique du XIIe siècle — ce qui pourrait sembler contradictoire, mais la raison en est « qu'elles font merveilleusement écho aux mystères des Evangiles »[166]. S'il n'y a aucun doute que le choix final tant de Fisher que de Lefèvre corresponde chacun à une herméneutique mystique, le premier plus sensible à la merveilleuse aventure spirituelle d'une conversion spirituelle qui fait de la prostituée le témoin privilégié de la Résurrection du Christ, le second plus attentif à garder à Marie de Béthanie sa figure de la vie contemplative, il y a chez Lefèvre et chez Clichtove une vision de la Tradition qui ne peut faire l'économie d'une lecture attentive et précise des textes de l'Ecriture.

*
* *

Il y a bien d'autres débats entre humanistes au XVIe siècle dont l'origine vient d'une différence, d'une divergence d'interprétation scripturaire, à partir, cependant, de présupposés différents en matière d'ecclésiologie, de christologie ou même simplement de sensibilité religieuse...

162. MASSAUT, p. 66, n. 1.
163. J. ROUSCHAUSSE, *John Fisher, vie et œuvre*, Angers-Nieuwkoop, 1972, pp. 58-67.
164. ALLEN, IV, lettre 1068 (à Fisher), p. 192, l. 8.
165. LEFÈVRE, *Disceptatio secunda...*, Paris, 1519, fol. 3 vo.
166. *Ibid.* Cf. BEDOUELLE, *op. cit.*, p. 195, n. 22.

Ainsi la dissertation par laquelle Lefèvre d'Etaples, toujours en 1517, veut prouver la littéralité de la totalité des trois jours qui séparent la mort du Christ de sa résurrection (le *post tres dies* de Mc 8, 31), là où la tradition entend une synecdoque pour s'accorder avec le *tertia die* de Mc 10, 34, vient essentiellement de sa volonté perceptible déjà dans le *Quincuplex Psalterium* de donner sa réalité au « signe de Jonas » (Mt 12, 40)[167], pour articuler d'une façon qui le satisfasse les deux Testaments.

Dans sa « petite discussion » *(disputatiuncula)* de 1499 avec Erasme, John Colet ne peut admettre la réalité de l'angoisse mortelle de Jésus au moment de son agonie au Jardin des Oliviers, tandis que son contradicteur et ami y voit une appréhension tout humaine[168]. Il rejoint ici « l'esprit authentique de l'Incarnation », tandis que les timidités de Colet relèvent d'un « héroïsme stoïcien ou de l'angélisme platonicien »[169]. Erasme n'hésite pas à dire à son adversaire qu'il fait violence au texte scripturaire[170], se rendant bien compte que Colet manifeste ici sa tendance à l'annihilation de la nature[171]. Le rappel à l'Ecriture est aussi garantie de la théologie.

Telle est bien l'opinion de Lefèvre dans son débat fameux qui l'opposa longuement et assez durement à Erasme à propos du Ps 8, 6 repris par l'Epître aux Hébreux (He 2, 6 et 9)[172]. Lefèvre estimait que la *veritas hebraica* confirmait sur ce verset la christologie la plus respectueuse de la personne du Sauveur. Ainsi pour lui il ne convenait pas de lire avec la Vulgate : « Minuisti eum paulominus ab angelis », mais « Minuisti eum paulominus a Deo ». Il estimait cette version plus proche de la signification d'*Elohim*, dans la mesure où, attiré par la tradition de la Kabbale chrétienne, il accorde une valeur spéciale aux noms de Dieu. Mais en réalité il défend ici à la fois la concorde des Ecritures, établissant un parallèle précis du Psaume 8 avec l'Hymne aux Philippiens (Ph 2) et aussi avec la vision de l'Apocalypse (Ap 5, 11-13), où l'Agneau est adoré par les anges, et sa christologie. L'abaissement du

167. *De Maria Magdalena, triduo Christi... disceptatio*, Paris, 1518, fol. 47 v°. Pour la position d'Erasme qui, dans les *Annotations*, a ajouté un long passage en 1518, voir l'édition d'Anne REEVE, citée p. 74, n. 77, pp. 133-134.

168. *LB*, V, 1263-1294.

169. G. MARC'HADOUR, « Erasme et John Colet », dans *Colloquia Erasmiana Turonensia*, Paris, 1972, II, pp. 761-769; G. J. FOKKE, « An Aspect of the Christology of Erasmus of Rotterdam », *Ephemerides theologicae Losanienses*, 54 (1978), pp. 161-167.

170. ALLEN, I, lettre 111, p. 257, l. 95 (il faut interpréter, non rêver).

171. E. F. RICE, « John Colet and the Annihilation of the Natural », *Harvard Theological Review*, 45 (1952), pp. 141-163 (sans allusion au *De taedio Christi* d'ERASME).

172. Ce débat a été très étudié : M. MANN, *Erasme et les débuts de la Réforme française, 1517-1536*, Paris, 1934, pp. 23-46; H. FELD, « Der humanisten Streit um Hebräer 2, 7 (Psalm 8, 6) », *Archiv für Reformationsgeschichte*, 61 (1970), pp. 5-33; J. PAYNE, « Erasmus and Lefèvre d'Etaples as Interpreters of Paul », *ibid.*, 65 (1974), pp. 54-83; J.-P. MASSAUT, *Critique et tradition, op. cit.*, pp. 61-66; et du point de vue de Lefèvre, G. BEDOUELLE, *Le Quincuplex Psalterium...*, pp. 121-133.

Christ ne peut être conçu que par rapport au Père et nullement par rapport aux créatures, rejetant l'explication traditionnelle que c'est le Christ dans son humanité qui est ainsi humilié.

C'est pourquoi il accuse Erasme avec véhémence d'impiété lorsque ce dernier, prenant le contre-pied de son ami, estime au contraire, dans une lecture réaliste de la Passion et de l'Hymne aux Philippiens, que le Christ s'est mis plus bas que les plus méprisés des hommes[173], et dénonce ce qui serait à la limite un docétisme de l'humaniste parisien. Erasme ajoute que s'opposer d'une manière gratuite et inédite à la tradition quasi unanime lui semblait bien déraisonnable. Il touchait un point sensible de l'exégèse humaniste et sans doute de la sienne propre : la redécouverte émerveillée du texte ne les amenait-elle pas à restreindre indûment son sens dans leur propre perspective ?

173. *Apologia*, LB IX, 39 B et C.

II. LE SENS DE L'ÉCRITURE

Pour justifier la gigantesque entreprise de la Polyglotte d'Alcala le cardinal Ximenes écrivit au pape Léon X dans ce qui sert de Prologue à toute l'œuvre : « La surabondance et la richesse de l'Ecriture sainte sont telles qu'aucune traduction ne peut, par la simple connexion des mots, faire émerger les mystères très profonds de la divine sagesse »[174]. Et c'est pour cela même qu'il faut recourir aux textes originaux. Ainsi c'est pour mieux respecter la potentialité des significations, la fécondité inépuisable de la Parole, qu'il convient de la faire résonner dans sa langue inspirée.

Ce retour au texte sur lequel nous avons vu s'accorder les humanistes n'en demeure pas moins confronté au caractère plastique, malléable de l'Ecriture, à la facilité avec laquelle on la tord, on l'exploite, on lui fait dire ce qui convient à l'interprète ou au commentateur : n'est-elle pas comme un caméléon, un miroir, un véritable « nez de cire » ?

Le franciscain espagnol François d'Osuna (c. 1497-1541), auteur d'ouvrages spirituels très répandus, ne disait-il pas : « comme le caméléon, la Bible emprunte la couleur du milieu ambiant, et comme le miroir elle reflète l'image de tous les objets qu'on lui présente : ainsi en va-t-il de l'Ecriture dont un même texte s'applique aisément à des personnes différentes et à des circonstances très diverses »[175].

Une autre expression du temps fait de la Bible un « nez de cire ». La formule s'applique d'abord à la philosophie et se trouve chez Alain de Lille au XIIe siècle par exemple : lorsqu'il affirme « l'autorité a un nez de cire : elle peut être infléchie en sens divers »[176]. C'est exactement la même image qu'on trouve chez Vivès lorsqu'il veut défendre Aristote des interprétations tendancieuses[177].

Alors que les Réformateurs protestants vont s'opposer avec véhémence contre cette accusation qui menace d'une certaine manière la *claritas Scripturae*, comme le font Luther[178], Bucer[179] et ensuite Calvin

---

174. *Complutensis*, vol. I, fol. iii r⁰.
175. F. de Ros, *Un maître de sainte Thérèse. Le P. François d'Osuna*, Paris, 1937, p. 396 (la seconde partie de l'*Abecedario Espiritual* a été publiée en 1530 à Séville).
176. *De fide catholica*, I, 30; PL 210, col. 333.
177. *De causis corruptarum artium* (1531) (*Opera omnia*, Valencia, 1782), t. VI, p. 70 : « Aristote passe pour avoir un nez de cire que chacun infléchit à son gré. »
178. LUTHER, *WA* I, p. 507, l. 34.
179. *Epistola nuncupatoria*, sur le commentaire des Evangiles synoptiques, Strasbourg, 1528.

dans les sermons, on trouve chez Erasme le constat désabusé d'une interprétation flottante de la Bible au gré des démonstrations apologétiques ou même simplement « kérygmatiques ». N'indique-t-il pas dans un passage de l'*Eloge de la folie* aux théologiens qu'en ce domaine leur maître est saint Paul lui-même qui, comme le rapportent les Actes des Apôtres, a tronqué la citation qu'il faisait aux Athéniens en leur parlant du « Dieu inconnu » : « Chacun sait que les théologiens ont le droit de disposer des Ecritures, d'en étirer ou rétrécir le texte à leur gré comme une peau de chagrin »[180].

Cette constatation amère explique la distance prise par l'humanisme par rapport aux méthodes de l'herméneutique médiévale. L'œuvre monumentale du P. Henri de Lubac, *Exégèse médiévale. Les quatre sens de l'Ecriture* (1959-1964), a montré comment, pendant plus d'un millénaire, on s'est appuyé sur quatre colonnes qui soutenaient toute la lecture biblique.

Bien que la classification n'en soit pas toujours nette et que le nombre des sens de l'Ecriture ait oscillé entre plusieurs symbolismes numériques, les sens de l'Ecriture se ramènent habituellement à quatre au Moyen Age, comme l'exprime le fameux distique attribué à Augustin de Dacie (Aage de Danemark) († 1282)[181] :

> *Littera gesta docet, quid credas allegoria*
> *Moralis quid agas, quo tendas anagogia*

De ces quatre sens, l'herméneutique médiévale s'est servie comme d'un instrument de musique, comme d'une cithare à quatre cordes capable de traduire en mélodie l'ensemble des partitions. La *littera* qui enseigne les faits est le sens historique mais aussi la lettre du texte, donc le fondement de l'Ecriture au sens technique du mot mais déjà parfois théologique, passant du texte copié et transmis au message religieux. Dans le déploiement du sens ou des sens spirituels, l'allégorie s'appuie sur la foi; la tropologie ou le sens moral se tourne vers l'agir chrétien et donc vers la charité; l'anagogie enfin, ou sens des réalités d'en haut ou à venir, aspire et tend vers l'eschatologie, et plus largement se fonde sur l'espérance.

C'est bien dire qu'il y a là comme une symphonie théologique jouée sans relâche et apparemment sans fatigue par la théologie patristique et surtout monastique jamais lasse de correspondances mystiques et de symbolisme numérique. A partir du moment où les techniques philosophiques, et surtout les concepts logiques, sont mis au service de la théologie universitaire, on constate malgré tout la décadence de

---

180. Trad. P. MESNARD, *La philosophie chrétienne*, op. cit., p. 95.
181. Sur le distique : F. CHÂTILLON, dans *L'homme devant Dieu. Mélanges offerts au P. de Lubac*, II, Paris, 1964, pp. 17-28.

l'instrument des quatre sens qui va être précisément utilisé d'une manière plus mécanique, plus matérielle et technique. Ce n'est pas dire qu'à l'époque scolastique on confonde les méthodes : autre est la *quaestio* ou le *quodlibet* pour commenter les *Sentences* du Lombard ou bâtir une *somme de théologie*, autre est le commentaire biblique : les grands docteurs du xiiie siècle ont utilisé l'une et l'autre de ces démarches sans les mélanger.

Les deux siècles suivants éviteront moins la confusion : nous avons vu comment dans la prédication du début du xvie siècle on n'hésite pas à préférer les quatre causes aristotéliciennes aux quatre sens de l'Ecriture pour parler de l'Evangile...

Mais ce qui semble surtout patent dans l'utilisation répétitive des quatre sens, quand elle existe est que la méthode a perdu à la fois souplesse et richesse. Souple l'instrument l'était dans la mesure où il n'était pas question au départ de l'appliquer systématiquement à tout et n'importe quel texte biblique : la systématisation va être telle qu'on voudra bientôt découvrir chacun des sens dans le moindre verset, et même dans chaque mot de l'Ecriture, au prix, bien entendu, d'un effort d'imagination qui ne craint pas l'artificialité. Riche et féconde, la méthode des autres sens l'était dans son rapport à une théologie vivante ou plus précisément théologale, dans une relation organique, intrinsèque avec les trois vertus : foi, espérance et charité. Le raidissement occasionné par une systématisation à outrance va nécessairement évacuer ce caractère théologique qui était d'abord christologique puis ecclésial.

« Après avoir occupé le centre de la vie chrétienne, elle (la doctrine des quatre sens) s'est survécue trop longtemps, une fois sa sève épuisée, hors de l'exégèse vivante aussi bien que de la théologie ou de la spiritualité vivante pour qu'on n'en ait pas fini, là même où on la pratiquait encore, par en perdre l'intelligence »[182].

Il était donc normal que les grands esprits du xvie siècle prennent à la fois leurs distances vis-à-vis de l'instrument herméneutique médiéval, et essayent d'en retrouver l'esprit profond. Nous assistons alors à un curieux mouvement de systole et de diastole, de contraction et de dilatation, de resserrement et d'expansion de la part de ceux qui ont la charge ou le goût d'exposer le message biblique. Devant la tendance qu'avait l'exégèse médiévale à moduler, à disperser aussi peut-être, la compréhension du texte en de multiples niveaux, les commentateurs bibliques du début du xvie siècle, des humanistes pour la plupart ou du moins des « modernes » dans le domaine de l'Ecriture, comme Cajetan, ont en un premier temps la volonté de restreindre, de refuser la pluralité des sens pour les unifier. Mais dans un second temps ils veulent retrouver en quelque sorte la plénitude ainsi perdue et élar-

---

182. H. de LUBAC, *Exégèse médiévale*, I/1, Paris, 1959, p. 118.

gissent leur présentation du donné biblique : ce sens unifié devra jouer un rôle unifiant. Nous prendrons quelques exemples, parmi les plus connus, d'auteurs proposant cette démarche.

Lefèvre d'Etaples et la concorde

Lorsque Lefèvre d'Etaples (c. 1460-1536) s'installe en 1508 à l'abbaye de Saint-Germain-des-Prés, on ne peut guère prévoir que l'humaniste connu pour ses éditions et commentaires d'Aristote va s'intéresser à la Bible d'une façon ininterrompue jusqu'à la fin de sa vie, ni qu'à partir de 1518 son activité de bibliste deviendra même exclusive de toute autre.

Or cette vocation à la Bible, si l'on peut dire, naît d'une interrogation sur le sens de l'Ecriture. Dans la Préface du *Quincuplex Psalterium*, sa première œuvre sur la Bible, que nous avons déjà évoquée, il décrit combien il a été étonné de voir les moines de Saint-Germain-des-Prés dégoûtés de leur psalmodie dont ils étouffent la puissance et le souffle spirituels « par je ne sais quel sens littéral » qui les laissent tristes et découragés[183].

C'est alors que pour leurs semblables que rebute le Psautier Lefèvre propose une herméneutique qui se fonde sur la coïncidence du sens littéral et du sens spirituel et devient le « vrai » sens littéral de l'Ecriture : « Appelons littéral celui qui est en accord avec l'esprit et que l'Esprit-Saint nous montre »[184].

De même que dans son enseignement aristotélicien il avait pris ses distances avec les commentaires médiévaux et avec les gloses, Lefèvre, pour l'Ecriture sainte, s'en méfie et particulièrement se tient en retrait du quadruple sens. On peut même dire qu'il le rejette assez clairement dès 1509, date de la première édition du *Quincuplex* : « Ainsi le sens littéral et le sens spirituel coïncident, non celui qu'on appelle allégorique ou tropologique, mais celui que visait le Saint-Esprit parlant par le prophète »[185]. On ne saurait être plus clair.

Cependant, dans sa seconde édition, en juin 1513, Lefèvre a ajouté une incise rectificatrice, qu'il met entre parenthèses et qui sonne comme un faible démenti : « Ce n'est pas que je veuille nier les autres sens

---

183. *Quincuplex Psalterium*, Paris, H. Estienne, 1509. La seconde édition, Paris, 1513, a été réimprimée en fac-similé, Genève, Droz, 1979 (THR, 170) (que nous citons). Pour la préface, nous utilisons notre traduction et commentaire : G. Bedouelle, *Le « Quincuplex Psalterium » de Lefèvre d'Etaples. Un guide de lecture*, Genève, 1979 (THR, 171) (pour le passage cité, p. 23, l. 25-26). On trouve aussi le texte de la Préface dans E. F. Rice, *The Prefatory Epistles of Jacques Lefèvre d'Etaples and Related Texts*, New York-London, 1972, pp. 192-201.
184. Bedouelle, *op. cit.*, p. 24, l. 110-111.
185. *Ibid.*, p. 25, l. 114-115.

allégorique, tropologique ou anagogique, spécialement là où l'objet le réclame »[186]. Il y a là peut-être chez lui une appréciation moins négative du sens quadruple médiéval : telle est aussi la doctrine contenue dans son ouvrage publié quelques mois auparavant, à la fin de 1512 : les commentaires pauliniens. Lefèvre y affirme que les quatre sens ne doivent pas être cherchés dans toute l'Ecriture, ce qui était devenu, nous l'avons vu, le travers de l'exégèse de la fin du Moyen Age, mais qu'il pouvait être utile pour certains passages déterminés[187]. En fait, Lefèvre lui-même surtout dans les commentaires sur les Evangiles de 1522 glissera souvent vers l'allégorie.

Mais en 1513 il y a aussi la prudence qui joue car si nous ne sommes qu'au début de l'affaire Reuchlin en Allemagne, les commentaires pauliniens de Lefèvre, justement, ont attiré l'attention par la nouveauté de leur ton mais surtout par la traduction nouvelle et personnelle qui accompagne le texte reçu de la Vulgate.

L'herméneutique de Lefèvre opère donc volontairement une sorte de recentrage qui est d'ailleurs affirmé sans ambiguïté : les Pères de l'Eglise, précise la Préface du *Quincuplex*, ont traité du Psautier remarquablement, mais « ils n'ont pas cherché un seul sens, alors que, nous, avant tout *(praecipue)*, nous l'avons fait : celui de l'Esprit-Saint et celui du prophète ». Il est intéressant de voir que ce sens littéral-spirituel, comme nous pourrions l'appeler, n'est pas étranger à ce que propose Nicolas de Lyre cité avec faveur dans le Psautier de Lefèvre; il est vrai également que ce dernier emprunte beaucoup à Paul de Burgos dont les *Additiones*, nous l'avons vu, se situent en réaction contre Nicolas. C'est que l'un et l'autre auteur servent à Lefèvre de référence et de caution en ce qui concerne l'hébreu que lui-même ne possède pas.

Nous trouvons donc chez Lefèvre la recherche d'un sens unifié de l'Ecriture : elle n'a pas cessé au cours de son itinéraire spirituel et elle l'amène à une lecture strictement christologique. En 1524 encore, dans sa Préface au Psautier latin, augmenté des variantes de l'hébreu et du « chaldéen », Lefèvre écrit avec lyrisme et enthousiasme : « Le Christ est l'Esprit de toute l'Ecriture. Et l'Ecriture sans le Christ est écriture seule et la lettre qui tue »[188]. Ainsi comme il l'affirme quelques lignes auparavant : « L'Esprit-Saint ne laisse absolument rien dans l'ombre pour tous les siècles et prêche tous les mystères du Christ »[189]. La lecture de la Bible — de toute la Bible — sans la dimension christologique

---

186. *Ibid.*, p. 23, l. 40-41.
187. Sur Galates 4, 24 : *Commentarii D. Pauli epistolarum*, Paris, H. Estienne, 1515, fol. 152 r⁰ et v⁰. Cf. G. BEDOUELLE, *Lefèvre d'Etaples et l'intelligence des Ecritures*, Genève, 1976 (*THR*, 152), pp. 182-185.
188. « A Jean de Selve », *Psalterium David...*, Paris, Simon de Colines, 1524. Cf. BEDOUELLE, *Lefèvre d'Etaples...*, p. 215-216, l. 70-71; RICE, *op. cit.*, p. 476.
189. BEDOUELLE, *Lefèvre...*, p. 214, l. 42; RICE, p. 473.

QVINCVPLEX
Pſalterium.

G allicum.
R homanum.
H ebraicum.
V etus.
C onciliatum.

Prępon̄tur quæſubter
adijciuntur.

Lefèvre d'Etaples : *Quincuplex Psalterium*
Henri Estienne, 2e éd., 1513

n'est pas possible[190]. Toujours Lefèvre est à la recherche d'un sens « plus divin », sans cesse il est soucieux d'appliquer un « principe de dignité », accordant la préférence à ce qui est le plus « digne » théologiquement comme interprétation, au moins selon ses critères.

Ce retour au centre à la « sola veritas » qui est le Christ sauveur, selon l'expression de la préface aux commentaires des Evangiles composés à Meaux en 1522[191], participe au grand mouvement de l'humanisme chrétien comme Erasme qui le manifeste par ses écrits contemporains. Mais par sa systématisation, cette herméneutique de Lefèvre ne va pas sans excès, ou du moins sans rétrécissements.

Tout se passe en effet comme si le cadre trop étroit, même s'il est central pour l'appréhension du mystère chrétien, n'arrivait pas à rendre compte de la surabondance de l'Ecriture, comme si parfois il faisait plier l'interprétation, et qu'on ait perdu la souplesse et l'ingéniosité du quadruple sens médiéval rejeté précisément pour ses risques de dispersion.

Des exemples peuvent en être pris dans le commentaire des Psaumes : la perspective du sens uniquement christologique oblige Lefèvre à exclure quelques textes qu'il commente. Ainsi le Psaume 7 n'est pas pris en considération par lui car il n'y voit qu'une « prière humaine et privée »[192]. Plus étonnant encore est le cas du Psaume 50 (selon la Vulgate), le *Miserere*, l'un des plus célèbres de la tradition liturgique et spirituelle. Lefèvre n'y trouve « pas de prophétie et il n'y a pas grande interprétation à y chercher »[193]. Pourquoi ? Parce que ce Psaume faisant allusion au péché, la clef d'interprétation de Lefèvre l'empêche de pouvoir l'entendre pleinement et exclusivement du Christ qui s'est fait homme « en toute chose excepté le péché ».

A l'inverse, positivement, la philologie et la théologie se retrouvent, s'emboîtent ou même se confondent dans l'herméneutique de la Kabbale où, dans les mots inspirés, les lettres hébraïques expriment par elles-mêmes le divin : Lefèvre consacre de longs développements aux noms de Dieu qui satisfont cette passion de l'unité dont on peut reconnaître l'origine néo-platonicienne chez l'éditeur du Pseudo-Denys et de Nicolas de Cuse.

En raison même des limites que sa méthode lui impose, Lefèvre doit lui donner toute son ampleur et redéployer le sens littéral-spirituel pour lui conférer un rôle unifiant. Ce sens retrouvé devient pour lui en effet celui de la concorde. « C'est l'accord, la concorde, des Ecritures

---

190. Ph. E. HUGHES, *Lefèvre, Pioneer of Ecclesiastical Renewal in France*, Grand Rapids, 1984, pp. 55-64.

191. BEDOUELLE, *Lefèvre...*, p. 154, l. 104; RICE, p. 437.

192. *Quincuplex Psalterium*, éd. 1513, fol. 9 r⁰.

193. *Ibid.*, fol. 77 v⁰.

qui, en ce qui nous concerne, est notre guide »[194], écrit-il toujours dans la Préface du *Quincuplex Psalterium* : cette « *concordia* dont il fait d'ailleurs un élément d'analyse scripturaire du Psautier par un jeu de références croisées, de renvois à travers toute la Bible, devient chez lui un vrai principe d'interprétation : elle lui permet de faire saisir l'articulation des deux Alliances divines, l'ancienne et la nouvelle, dont le rapport est bien classiquement qualifié du passage du voilé au dévoilé, du clos à l'ouvert. Car précisément il faut pénétrer : la clef, c'est le Christ : il est « la clef de David ».

Le Christ médiateur, notre réconciliation, est donc celui qui nous ouvre les Ecritures comme principe de concorde. L'unité de la Bible se fait autour du Verbe, et c'est là, de façon fort profonde, assumer l'incarnation du sens littéral-spirituel et lui donner toute sa densité théologique. En 1512, un des disciples de Lefèvre, Alain de Varennes, de Montauban, avait dédié à son maître un *De harmonia dialogus*, éloge allégorisant du *Quincuplex* : on y perçoit bien le désir profond de retrouver l'harmonie de l'Ecriture qui est l'image de l'harmonie céleste[195].

On ne saurait unifier davantage. D'une manière plus absolue qu'Erasme, et avant lui, en ce qui concerne l'Ecriture en tout cas, Lefèvre tente une démarche audacieuse où il veut réconcilier les *nova* et les *vetera* dont parle l'Evangile comme le lui rappelle Alain de Varennes. On n'a peut-être pas assez remarqué combien Lefèvre était, de 1509 à 1512, un précurseur même chez les humanistes; et un novateur dans sa lecture du Psautier et des épîtres de saint Paul. Car s'il y a chez lui l'art de retrouver l'essentiel qui est la lecture christologique, évidemment traditionnelle dans l'Eglise, il y a aussi ces *nova* qui pourraient aboutir à exclure de l'Ecriture elle-même tout ce qui ne concorde pas avec l'Evangile, lui-même trop personnellement et trop étroitement conçu. Erasme, quant à lui, n'hésitera pas à donner valeur, mais d'une façon qui les distingue et les subordonne, à la lettre mais aussi à l'allégorie.

Erasme et l'allégorie

Pour Erasme, l'Ecriture manifeste sa grandeur par sa surabondante richesse : elle possède une pluralité de significations que les quatre sens traditionnels n'épuisent pas[196]. Nous pouvons aborder l'herméneutique d'Erasme en considérant sa position en rapport à la doctrine

---

194. BEDOUELLE, *Le Quincuplex...*, p. 25, l. 127-128.
195. *Ibid.*, p. 210-213.
196. ALLEN, I, lettre 111, p. 255, l. 15-19 (à Colet, octobre 1499 (« en passant et à propos d'autre chose »...).

traditionnelle pour voir ce qu'il en conserve et comment surtout il la redéploie après avoir unifié son approche autour de l'allégorie.

Nous ne pouvons entrer ici dans les discussions autour de sa position herméneutique entre « la lettre et l'esprit » car Erasme n'a pas cessé d'être à la recherche de son équilibre : Pour lui en un premier temps la compréhension grammaticale de la Bible est le fondement sur lequel doivent être bâties l'allégorie et la tropologie. « Mais à partir de l'*Enchiridion* (1503) ce point de vue est modifié, Erasme mettant l'accent sur l'esprit plutôt que sur la lettre dans l'interprétation biblique. L'Erasme de la maturité, de la Préface du *Novum Testamentum* de 1515 à l'*Ecclesiastae* de 1535, cherche un compromis entre une interprétation ou trop littérale ou bien trop spirituelle. Il combine un équilibre difficile entre les deux traditions de l'exégèse biblique, celle, hiéronymienne, de la philologie et de l'histoire, et celle, origénienne, spirituelle et platonisante »[197]. Telle est bien la toile de fond de sa position sur les sens de l'Ecriture.

Le premier temps est celui de la réticence et de la prudence. Erasme ne rejette pas la doctrine des quatre sens mais ne lui fait guère de place. Peut-être pour ménager aux yeux des théologiens une si antique institution, mais aussi plus probablement par manque d'intérêt, Erasme ne s'attaque pas à la vieille méthode alors qu'il lui arrive d'égratigner la Glose ou Nicolas de Lyre.

Il faut noter cependant qu'à la diatribe contre l'exégèse médiévale que lui envoie Wolfgang Capiton en septembre 1516 dans laquelle le futur réformateur de Strasbourg que « d'autres fils que les quatre sens sont nécessaires pour pénétrer dans le labyrinthe de l'Ecriture »[198], Erasme ne répond pas sur cet argument dans la célèbre lettre sur le nouvel âge d'or[199], alors même que son correspondant attendait son avis sur ce point précis. Il n'y a pas plus de réaction à l'affirmation centrale de Capiton selon laquelle, si on veut scruter l'Ecriture, on doit rechercher un sens qui soit un.

L'année suivante dans la *Ratio (seu Methodus compendio perveniendi ad veram theologiam)*, Erasme se fait plus critique. Il expose avec une certaine distance et sans doute insensibilité la théorie des quatre sens qui n'est pas suffisante selon lui pour embrasser *(circumspicere)* l'Ecriture du regard[200]. La fonction propre à chacun des sens traditionnels est bien décrite mais de manière assez plate et dédaigneuse pour arriver déjà à l'exaltation de l'allégorie origénienne.

---

197. J. B. PAYNE, « Towards the Hermeneutics of Erasmus », dans *Scrinium Erasmianum*, II, éd. J. COPPENS, Leyde, 1969, p. 49; E. W. KOHLS, « Die Neuentdeckung der Theologie des Erasmus », dans *Colloque érasmien de Liège*, Paris, 1987, 239-250.

198. ALLEN, II, lettre 459, p. 337, l. 136-161. Cf. A. GODIN, *Erasme lecteur d'Origène*, Genève, 1982, p. 283, n. 87.

199. ALLEN, II, lettre 541 (à Capiton; 26 février 1517).

200. HOLBORN, p. 284, l. 2-18.

Enfin, à la fin de sa vie, dans l'*Ecclesiastes*, Erasme entre bien davantage dans les détails. Il se livre à une sorte d'historique des quatre sens, en en expliquant le développement par rapport au sens spirituel[201]. Il ne retient pas du tout l'attribution de leur invention à tel ou tel Père de l'Eglise comme la tradition le voulait[202], mais en fournit un exemple. Il ne prend pas celui du mot Jérusalem si classique, mais le chapitre 18 de la Genèse : la visite des anges à Abraham qui lui sert à illustrer la vertu d'hospitalité et le sens topologique de l'Ecriture.

Mais Erasme, avec bon sens, montre que, selon le contexte et même le texte, il convient parfois de s'en tenir à la lecture littérale, mais que parfois aussi il faut bien recourir directement à l'allégorie pour comprendre le sens de tel verset : telle la fameuse phrase sur « les eunuques pour le Royaume de Dieu » (Mt 19, 12).

Il rejette donc ce qui lui paraît forcé dans la tradition médiévale et en particulier dans l'usage des quatre sens dont il attribue plutôt, sinon l'invention, du moins la systématisation aux *néoterici* où il englobe certainement les scolastiques. Il faut d'ailleurs ajouter qu'Erasme n'a guère plus d'indulgence, le cas échéant, pour les Pères de l'Eglise, comme Ambroise ou Hilaire lorsqu'ils manquent à la mesure, à la sobriété, à la *sobria mediocritas*[203] qui apparaît pour lui composée de deux qualités : la simplicité et aussi l'utilité, cette *ophéléia* origénienne qu'il vante tant : penser au profit spirituel de l'auditoire[204].

C'est ainsi que, dans un deuxième temps, Erasme privilégie l'allégorie. Il manifeste sa préférence par la définition qu'il en avait donnée au moment de sa description des quatre sens : « Il y a allégorie chaque fois que nous appliquons l'Ecriture au Christ et à son corps mystique, l'Eglise militante »[205]. Cette fonction, très proche de celle qu'assigne saint Augustin au lecteur des Psaumes, montre qu'Erasme confie à l'allégorie un rôle unifiant dans son herméneutique.

La recherche de l'unité est la démarche essentielle : faire passer le lecteur de la Bible, en vue de l' « utilité » pour sa vie chrétienne, de la lettre au mystère, de ce qui est composé, composite et multiple à l'unité, à la simplicité, selon les recommandations de la cinquième règle de l'*Enchiridion* évoquant l'échelle de Jacob (Gn 28, 12) : « Elève-toi... du corps à l'esprit, du monde visible à l'invisible, de la lettre au mystère, des sensibles aux intelligibles, des composés aux simples »[206].

---

201. Il semble admettre la légitimité : de Lubac, *Exégèse médiévale* IV/2, p. 450. En sens contraire, Godin, *op. cit.*, p. 327, n. 196.
202. De Lubac, *Exégèse médiévale*, I/1, pp. 26-32.
203. *LB* V, 1043 B.
204. Godin, *op. cit.*, pp. 330-331.
205. *LB* V, 1035 A.
206. Holborn, p. 88, l. 25-27 (trad. de A.-J. Festugière, *Enchiridion militis christiani*, Paris, 1971, p. 164). Cf. G. Chantraine, « *Mystère* » et « *Philosophie du Christ* » *selon Erasme*, Gembloux, 1971, pp. 335-355.

Cette règle pour la conduite générale de l'esprit, pourrait-on dire, s'applique *a fortiori* pour l'interprétation de l'Ecriture. Il en va de même pour l'analogie par laquelle Erasme décrit la lecture paulinienne de la Bible : Paul a abrogé la loi judaïque, « rapportant tout à l'allégorie »[207]. C'est qu'en effet l'allégorie vient de l'Ecriture même : elle est la manière dont l'Esprit-Saint parle en balbutiant avec nous, comme dans les paraboles évangéliques, ce qui la distingue de tout allégorisme, de toutes les fallacieuses allégorisations engendrées par nos fables et nos imaginations.

L'allégorie est là pour nous faire comprendre qu'il y a un seul but, un seul *scopus*, à atteindre qui est le Christ lui-même. Les références à cette conviction sont nombreuses tant dans les œuvres que dans la correspondance. « Un seul but est à atteindre qui est le Christ et sa doctrine très authentique, très pure », dit-il dans la lettre à Paul Volz qui est la Préface à l'*Enchiridion*[208]. L'herméneutique est donc inscrite, enracinée dans la « philosophie du Christ ». Les sens de l'Ecriture se ramènent tous à ce sens du Christ.

Mais il y a un troisième moment qui fait se redéployer l'allégorie mise au centre de l'interprétation pour qu'elle puisse exprimer la variété et la richesse des harmoniques[209]. On trouve en effet dans la *Ratio* une analyse des fondements de l'allégorie : pourquoi le croyant doit-il faire cette démarche pour passer du caché à l'explicite ? Dans un célèbre passage dont on peut trouver les éléments dispersés dans le *De doctrina christiana* de saint Augustin[210] dont on a pu montrer l'importance pour Erasme[211], ce dernier déploie les raisons profondes de l'obscurité de l'Ecriture.

Par l'allégorie, l'Ecriture d'abord nous révèle le mystère relatif au Christ annoncé par les paroles des prophètes. En second lieu, il secoue notre paresse par une certaine difficulté à vaincre et nous amener ainsi à un fruit plus abondant *(gratior fructus)*, ou bien encore que le mystère restant voilé pour les fauteurs d'impiété et pour les profanes, il ne décourage pas pour autant ceux qui sont mus par la piété; ou bien, en dernier lieu, que, l'Ecriture devant être manifestée à la fois aux doctes et aux ignorants, on parte des choses les plus connues de ces derniers, comme on le voit dans la pédagogie d'un Socrate »[212].

---

207. ALLEN, III, lettre 980, p. 606. Il s'agit de la lettre à Luther où Erasme exhorte le Réformateur à la réserve et à la prudence (30 mai 1519). Le contexte n'est pas celui de l'herméneutique.
208. ALLEN, III, lettre 858, p. 370, l. 325-326.
209. HOLBORN, p. 211, l. 29-31. J. CHOMARAT, *Grammaire et rhétorique chez Erasme*, I, Paris, 1981, pp. 568-579 (et les analyses concernant lecture, commentaires et paraphrases).
210. *De doctrina christiana*, liv. II, chap. VI, pp. 7-8.
211. Ch. BÉNÉ, *Erasme et saint Augustin*, Genève, 1969.
212. HOLBORN, p. 259, l. 31, 260, l. 10. Cf. PAYNE, art. cit., p. 39, et A. RABIL, *Erasmus and the New Testament : The Mind of a Christian Humanist*, San Antonio, 1972, pp. 110-111.

Ces mots clefs de *fructus* et de *pietas*[213] indiquent comment la démarche herméneutique d'Erasme, suggérée ici à partir des sens de l'Ecriture, est profondément axée sur l'agir chrétien, sur l'activité morale. Lorsque Erasme parle de l'allégorie au sens restreint du terme, il constate qu'elle ne peut pas s'appliquer à tout mais qu'au contraire la tropologie, elle, y est « presque » partout présente : chaque passage s'y adapte[214].

Il est vrai que, si l'interprétation de l'Ecriture est en relation organique avec la « philosophie du Christ », on doit y reconnaître les traces de la conversion chrétienne elle-même. C'est la transformation du chrétien plutôt que son raisonnement qui fait le disciple du Christ. C'est pourquoi la *philosophia Christi* est ce que le Seigneur lui-même a appelé « nouvelle naissance », restauration de la nature humaine originellement bonne. *Vita magis quam disputatio... transformatio magis quam ratio*[215] !

Ainsi la véritable herméneutique sera comme une conversion, comme une nouvelle naissance, car l'autorité de l'interprétation sera en dernière instance mesurée à la réalité vécue à partir de l'Ecriture[216]. Il y a un lien entre la sainteté de vie d'un docteur et son interprétation reçue d'en haut. Et c'est pourquoi aussi, alors que tous ne peuvent être savants, « tous peuvent être appelés théologiens ».

CAJETAN ET LE « NOUVEAU » SENS LITTÉRAL

A la différence d'Erasme si peu engagé dans la vie active, ce n'est qu'après une longue carrière de professeur et théologien, de supérieur religieux et de diplomate, que le dominicain Thomas de Vio, dit Cajetan (1468-1534), s'est ensuite exclusivement consacré à l'Ecriture sainte : il le fait alors systématiquement et presque exhaustivement puisqu'il a commenté tous les livres bibliques, à l'exception du *Cantique*, des Prophètes (sauf quelques chapitres d'Isaïe) et, pour le Nouveau Testament, de l'Apocalypse[217].

Ce théologien scolastique, qui se montre d'ailleurs indépendant de saint Thomas qu'il a si longuement commenté, peut être rangé, pour cette dernière période de son existence, parmi les humanistes, même si sa connaissance personnelle des langues bibliques pouvait laisser à désirer : il en avait du moins le goût et sut se servir de la collaboration

---

213. Sur la *pietas*, J.-P. MASSAUT, *Critique et tradition...*, Paris, 1974, pp. 64-66.

214. *Enarratio super psalmum*, II, LB V, 201 D; *Ecclesiastes*, LB V, 1050 A.

215. *Paraclesis*, HOLBORN, p. 144, l. 35, p. 145, l. 9.

216. J. W. ALDRIDGE, *The Hermeneutic of Erasmus*, Winterthur, 1966, p. 127, LB V, 1047 A.

217. *Cardinalis Cajetani in Scripturam Commentarii*, 5 vol., Lugduni, J. et P. PROST, 1639, donne une édition complète des œuvres bibliques de Cajetan.

d' « hébreux » qui l'aidèrent dans ses traductions de l'Ecriture et dans ses interprétations[218].

Dès le début de son intérêt pour la Bible qui commence d'abord par les Psaumes composés en 1527 à Rome — où il sera surpris par le sac de la ville — puis immédiatement ensuite par les Evangiles de Matthieu et de Marc, Cajetan affirme son choix exclusif du sens littéral. Il l'exprime clairement aux dépens des sens spirituels traditionnels.

Dans son commentaire des Psaumes qu'il publie à Venise en 1530[219], Cajetan se plaint en effet que ses prédécesseurs se soient contentés de rechercher les « sens mystiques » et n'aient pas élucidé le sens littéral, si important pour un texte si constamment chanté et récité dans l'Eglise. Cette option pour le sens littéral est répétée avec solennité au début de chacun de ses commentaires : elle est l'axe de son herméneutique[220] et correspond bien à la volonté humaniste que nous avons détectée chez Lefèvre d'Etaples et chez Erasme de retourner au centre de l'interprétation scripturaire qui ne peut être qu'un.

Ainsi pour Cajetan, chaque Psaume n'a qu'un seul thème, ce qu'il appelle une « unique matière » : il forme un tout. L'interprète ne doit donc pas considérer chaque verset indépendamment des autres mais le rapporter, le rattacher à l'idée centrale : *ad unum*. Il est probable que Cajetan rejette l'herméneutique pointilliste de la Glose et des Postilles. Bien plus, il considère qu'on ne peut en aucun cas mêler les sens scripturaires : il ne faut pas « sauter d'un genre à un autre », d'un sens à un autre[221].

Cajetan montre ainsi sa volonté de lire l'Ecriture au moyen d'un sens unificateur. Mais il aboutit à formuler des règles qui, dans leur rigueur, sont peu conformes à la tradition ecclésiale. Ainsi, dans son analyse des Psaumes messianiques, le cardinal Cajetan déclare que, lorsque David parle à la première personne en affirmant quelque chose qui ne s'est pas vérifié dans sa propre histoire mais dans le Christ, c'est alors seulement qu'on peut lui donner la dimension christologique et messianique. Cette position ne va pas sans difficulté comme l'a bien remarqué son adversaire Catharin qui proposera à la censure de la Sorbonne certaines des œuvres exégétiques du cardinal de Saint-Sixte, après la mort de ce dernier.

Certes, dit Catharin, un Psaume qui ne peut être entendu *ad litteram*

---

218. A. F. von GUNTEN, « La contribution des Hébreux à l'œuvre exégétique de Cajetan », dans *Histoire de l'exégèse au XVIᵉ siècle*, Genève, 1978, pp. 46-83.

219. A. ALLGEIER, « Les commentaires de Cajetan sur les Psaumes », *Revue thomiste*, 17 (1934-1935) (Cajetan), pp. 410-443.

220. Voir les citations recueillies par U. HORST, « Der Streit um die hl. Schrift zwischen Kardinal Cajetan und Ambrosius Catharinus », dans *Wahrheit und Verkündigung (Festschrift Michael Schmaus)*, Paderborn, 1967, pp. 551-577 (pp. 556-557).

221. Ed. 1639, t. III, p. 3. ALLGEIER, p. 420.

de David peut l'être du Christ, mais la réciproque n'est pas exacte : on ne peut dire que ce qui doit s'appliquer à David ne puisse l'être aussi au Christ[222]. Il y a dans l'herméneutique plusieurs niveaux que Cajetan, semblable en cela à Lefèvre lorsqu'il traite du Psautier, semble ainsi s'interdire.

Comme Lefèvre aussi, dans cette définition trop étroite du sens littéral, Cajetan se prive de commenter les textes bibliques les plus poétiques, comme le Cantique et les Prophètes dans l'Ancien Testament — bien qu'il ait tenté de le faire sur les premiers chapitres d'Isaïe — et pour le Nouveau, de l'Apocalypse. Du dernier livre du canon de l'Ecriture, Cajetan dit expressément dans la préface de ses commentaires pauliniens adressée à Charles Quint qu'il ne peut y trouver un sens littéral qu'il appelle ici de manière très significative, le *sensus germanus* : le vrai sens, le sens authentique[223].

En fait, Cajetan, et c'est bien le mouvement que nous avons reconnu chez Lefèvre et surtout chez Erasme, ne peut s'en tenir à une définition trop étroite du sens littéral. Il propose même dans la Préface au Pentateuque un « nouveau » sens littéral. Il ouvre ainsi la possibilité d'un déploiement original et plus riche de la littéralité qu'il ne se contente donc pas de réhabiliter. Il en donne les caractéristiques et les frontières qui ne seront pas jugées assez strictes par les théologiens.

En effet, déclare Cajetan, ce nouveau sens doit se trouver en consonance — nous dirions en homogénéité — avec le texte commenté *(consonus)* ; il ne peut s'éloigner *(dissonus)* ni de l'Ecriture sainte prise dans son ensemble, ni de la doctrine de l'Eglise ; mais il peut bien être différent *(alienus)* « du torrent des saints docteurs »[224]. On a reproché à Cajetan, avec véhémence souvent, dès le xvie siècle cette dernière proposition dont on doit voir qu'elle est formulée de façon prudente : « autre » ne veut pas nécessairement dire : « contraire ». Néanmoins les théologiens, parmi lesquels les dominicains comme Cano ou Catharin ne furent pas les derniers, ont vu dans cette déclaration un mépris à l'égard du consentement unanime des Pères.

Cajetan semblait d'ailleurs leur donner raison en appliquant lui-même ses propres principes. Ainsi pour Gn 2, 21, propose-t-il un « nouveau » sens littéral. La création d'Eve à partir de la côte d'Adam ne doit pas, dit-il, être prise à la lettre : mais selon une parabole (et non une allégorie)[225]. On voit donc par cet exemple que le « nouveau » sens littéral est celui de la « vraie » signification.

222. Horst, p. 575 (pour Cajetan, éd. 1639, t. III, p. 3).
223. Th. A. Collins, « Cardinal Cajetan's Fundamental Biblical Principles », *The Catholic Biblical Quarterly*, 17 (1955), pp. 363-378 (pp. 366-367). (La préface se trouve dans l'édition, Paris, 1571.) Pour un passage similaire, éd. 1639, t. V, p. 400.
224. Ce passage décisif a été commenté par Collins (pp. 370-371), par Horst (p. 558) et par von Gunten (pp. 52-53), éd. 1639, t. I, Praefatio.
225. Ed. 1639, t. I, p. 22. Horst, pp. 573-574.

Chez Cajetan, en effet, il n'y a pas mépris de la tradition, mais d'abord une volonté humaniste, d'un humanisme qui tient compte déjà de l'événement Luther, de regarder le texte biblique avec un regard neuf, semblable à celui qui lui fait créer des néologismes latins pour mieux rendre l'original hébreu dans sa traduction de l'Ecriture[226].

En second lieu, il y a chez lui un désir d'approfondissement de la position de son maître saint Thomas d'Aquin dont le choix en faveur du sens littéral est marqué dès le début de la *Somme de théologie*. Il n'y a rien de *nécessaire à la foi*, y lit-on, qu'on trouve dans le sens spirituel et qui ne soit clairement *(manifeste)* exprimé ailleurs dans l'Ecriture selon le sens littéral. Car tous les sens autres que le sens littéral sont fondés sur lui : « sur l'unique sens littéral »[227].

Mais il faut remarquer que ce sens est chez Thomas d'Aquin déjà relié à la foi. Il n'est pas impossible que Cajetan, qui fut l'interlocuteur de Luther à la diète d'Augsbourg en 1518, ait voulu retrouver par là la vraie intuition que le Réformateur visait en parlant de la « clarté de l'Ecriture ». Il n'en est pas moins vrai que saint Thomas continue à faire une large place aux sens spirituels traditionnels et que l'accent exclusif sur le « nouveau » sens littéral pouvait entre 1530 et 1540 apparaître comme subversif, comme le semblait également la position de Cajetan sur le canon de l'Ecriture[228].

Dans cet essai de revenir au texte comme aux convictions profondes de la tradition médiévale, Cajetan dans ses commentaires de grande qualité théologique, inaugure la recherche de la Réforme catholique — qui tient compte de la nouvelle herméneutique.

*
* *

Lorsque, en effet, vers les années 1520, c'est-à-dire dix ans avant les commentaires bibliques de Cajetan, commencent les querelles théologiques avec Luther et ses partisans, l'humanisme d'un Thomas More, lui, fait appel à la tradition : il est vrai qu'il semble avoir tenu « Master Lyre »[229] en bonne estime bien avant le choc de la nouvelle herméneutique allemande.

C'est ainsi que dans sa défense du dominicain Catharin, attaqué par Luther, More, dans la seconde édition de la *Responsio ad Convicia Martini*

---

226. Von GUNTEN, p. 75, n. 57. Sur Gn 1, 20, Cajetan dit : « oportuit novum verbum effingere » (éd. 1639, t. I, p. 10).
227. *Summa theologiae*, Ia, qu. 1, art. 10, ad. 1. Voir D. JANZ, « Cajetan : a Thomist Reformer ? », *Renaissance and Reformation* (Toronto), n. s. 6 (1982), pp. 94-102.
228. Cf. *infra*, pp. 335 s.
229. G. MARC'HADOUR, *The Bible in the Works of Thomas More*, Nieuwkoop, 1971, II, Part IV, pp. 41-43.

Lutheri où il prend le nom de G. Rosseus, fait appel à la nécessité de multiples sens contre la réduction opérée par le Réformateur : « Il arrive souvent que le message (de l'Ecriture), exprimé en termes ambigus, soit trop obscur pour qu'en émane un sens unique. En ce cas, les meilleurs théologiens du passé — les plus savants et les plus saints — ont pris l'habitude de proposer un choix de sens différent en attendant que le sens précis se dégage »[230].

Ce texte est fort intéressant parce qu'il annonce le grand débat sur la *claritas Scripturae* qui oppose catholiques et partisans de la foi nouvelle, mais aussi parce qu'il ne renonce pas tout à fait à découvrir ultimement, voire ultérieurement, ce sens un, unificateur aussi, dont l'humanisme avait fait son idéal. More y joindra, à la différence d'Erasme, mais aussi de Cajetan, nous l'avons vu, le rôle joué par l'unanimité des docteurs.

More défend donc l'allégorie et les autres sens spirituels. Dix ans plus tard, contre Tyndale, cette fois, mais sans oublier Luther, More réaffirme la pluralité spirituelle contenue dans l'allégorie : « Luther et Tyndale veulent éliminer toutes les allégories et tous les sens autres que littéral. Mais Dieu, dont l'esprit prolifique a composé l'Ecriture, a su lui-même qu'il se trouverait d'âge en âge de saintes âmes pour en tirer, sous son inspiration, mainte allégorie édifiante »[231]. L'année précédente More avait cependant rappelé à John Frith les méfaits de l'allégorisme.

Mais nous sommes déjà dans les conflits théologiques où l'interprétation de l'Ecriture joue un rôle déterminant. Or l'accusation la plus grave de part et d'autre est la distorsion de la Bible dont on s'accuse mutuellement. Si Luther accuse l'Eglise romaine d'avoir confisqué les clefs de l'Ecriture, More dans sa réponse au Réformateur lui reproche de faire violence à la Bible, de se trouver, paradoxalement, « en guerre avec la Bible »[232] dont il se réclame. Les théologiens insinueront que les humanistes ont là aussi préparé le terrain à la Réforme : il est sûr en tout cas que le biblisme des humanistes a modifié radicalement le rapport à l'Ecriture sainte au début du XVIe siècle.

---

230. *Responsio*, I, 10. *The Complete Works of Thomas More*, éd. J. M. HEADLEY, Yale, 1969, p. 126. Trad. de G. MARC'HADOUR, *Thomas More et la Bible, La place des livres dans son apologétique et sa spiritualité*, Paris, 1969, p. 464.

231. *Confutation of Tyndale's Answer* (1533), *English Works* (1557), VI, 643 D. Trad. de G. MARC'HADOUR, *Thomas More...*, p. 467.

232. *Responsio*, I, 10.

CONCLUSION : LE BIBLISME DES HUMANISTES

Pour illustrer le changement d'univers intellectuel qui s'est opéré entre la fin du xv⁰ siècle et la fin du premier tiers du xvi⁰ siècle grâce à cette sensibilité humaniste que nous avons voulu décrire dans son rapport à la Bible, nous pouvons recourir de nouveau, parallèlement aux exemples que nous avions choisis dans l'introduction de cette partie, au traitement que les prédicateurs faisaient subir aux péricopes scripturaires du Jeudi saint[233].

Nous prendrons deux cas en fait contemporains des textes aux distinctions multiples qui suivent les *Artes praedicandi* et sont moins vides de contenu théologique et pastoral qu'on l'a parfois prétendu. Néanmoins, le contraste avec des sermons réellement prononcés ou fabriqués pour un homéliaire, en langue vulgaire cette fois, va être éclatant grâce au retour à l'Evangile qui montre ici ses fruits.

Le premier exemple est celui de l'homéliaire contenu dans le manuscrit 300 de la bibliothèque municipale de Saint-Omer, publié par André Godin et attribué par lui de manière séduisante et convaincante à Jean Vitrier, le maître d'Erasme[234]. Le second appartient au cercle fabrisien de Meaux.

***

De tous les sermons de Saint-Omer, ceux de la Semaine sainte sont les plus sûrement attribuables au « frère Varrier »[235] qui serait donc ce Vitrier dont Erasme nous a laissé dans sa lettre à Jonas un célèbre portrait « en prédicateur » où l'on devine en filigrane celui de leur inspirateur commun : Origène. Erasme met en relief sa préparation par la prière, sa manière d'enchaîner dans un même développement l'épître et l'évangile du dimanche, et surtout sa sobriété.

Dans la lettre à Juste Jonas du 13 juin 1521, Erasme indique précisément le contraste de la manière de Vitrier avec celle des prédicateurs de son temps, avec l'artificialité de « leurs subdivisions d'une froideur glaciale ». « Ses sermons ne comportaient pas de divisions alors que c'est la façon de faire habituelle, comme s'il n'était pas permis de faire autrement... Chaque homélie qu'il prononçait était remplie d'Ecriture sainte.

---

233. Cf. *infra*, pp. 27 ss.
234. A. Godin, *L'homéliaire de Jean Vitrier*, Genève, 1971.
235. Sans doute prononcés après 1498. Cf. Godin, *op. cit.*, p. 3.

EVANGElium secūdum Matthæum.

L Iber generationis IESV Christi, filij Dauid, filij Abraham.

Abraham genuit Isaac. Isaac autem genuit Iacob. Iacob autē genuit Iudam & fratres eius.

Iudas autem genuit Phares & Zaram de Thamar . Phares autem genuit Efron. Efron autem genuit Aram. Aram autem genuit Aminadab. Aminadab autē genuit Naasson. Naasson autem genuit Salmon. Salmon autem genuit Booz de Rahab . Booz autem genuit Obed ex Ruth. Obed autem

---

ΕΥΑΓΓΕΛΙΟΝ
χτ̄ Ματθαῖον.

Βίβλος γρμέσεως Ιησοῦ Χριστοῦ , ψοῦ Δαβὶδ, ψ̄ Αβεαάμ.

Αβεαὰμ ἐγέννησε τ̄ Ισαάκ. Ισαὰκ δὲ ἐγέννησε τὸν Ιακὼβ. Ιακὼβ δὲ ἐγέννησε τὸν Ιȣδαν κỳ τȣς ἀδελφοὺς αὐτȣ̄.

Ιούδας ἢ ἐγέννησε τ̄ Φαρὲς κỳ τ̄ Ζαρὰ ἐκ τ̄ Θάμαρ. Φαρὲς δὲ ἐγέννησε τ̄ Εσρώμ. Εσρώμ δὲ ἐγέννησε τὸν Αεάμ.

Αεὰμ δὲ ἐγέννησε τ̄ Αμιναδάβ. Αμιναδὰβ δὲ ἐγέννησε τὸν Ναᾳσσών. Ναασσὼν δὲ ἐγέννησε τὸν Σαλμών.

Σαλμὼν δὲ ἐγέννησε τ̄ Βοὸζ ἐκ τῆς Ραχάβ. Βοὸζ δὲ ἐγέννησε τ̄ Ωβὴδ ἐκ τῆς Ρούτ̄. Ωβὴδ δὲ

EVANGE-lium secūdum Matthæum.	
L Iber generationis IE SV Christi, filii Dauid, filii Abraham.	Har.1.5 Luc.3.c.24
¦ Abraham genuit Isaac. ¦Isaac autem genuit Iacob. ¦Iacob autē genuit Iudam & fratres eius.	Gene.21.a.1 Gene.25.d.24. Gen.29.d.35
¦Iudas autem genuit Phares & Zarā è Thamar. ¦Phares autē genuit Esrom . Esrom autem genuit Aram.	Gen.38.g.27 1.Par.2.a.5 ruth 4.d.18
Aram autem genuit Aminadab . Aminadab autē genuit Naasson.Naasson au tem genuit Salmon.	
Salmon ′autem genuit Booz è Rachab. Booz autē genuit Obed èRuth.Obed autē a.iii.	

Il ne pouvait rien prêcher d'autre. *Amabat quod loquebatur* »[236]. Cet amour de la Parole de Dieu se sent encore dans ces notes qui nous sont parvenues.

Pour établir un double parallèle avec les auteurs que nous avions cités dans leurs homélies sur 1 Co 11 et sur Jn 13, nous prendrons à la fois le sermon proposé par l'homéliaire pour « le joeudy absolut après diner », et celui qui fut ou devait être prononcé à la Fête-Dieu car il concerne naturellement directement l'Eucharistie.

Jeudi saint, le soir : Jn 13[237]

L'autel au soir du Jeudi saint est dépouillé et lavé. Il figure « nostre cueur », qui doit être lavé par « bons desirs et bonnes œuvres », et aussi par le sacrement de pénitence. C'est le sens du lavement des pieds.

L'institution du Nouveau Testament est ainsi faite un saint sacrement « pour sacrifier à Dieu jusques en la fin du monde » (citation textuelle en français de Jn 13, 4-9).

Saint Pierre montre l'honneur que nous devons porter à Notre Seigneur qui manifeste avant sa Pâque comment donner un amour « qui ne soit pas du monde ».

Judas quitte la table et le diable entre en lui après avoir mangé « la souppe que Nostre Seigneur lui donne ». La robe que le Christ laisse pour faire le lavement des pieds, c'es son corps (sa mort). L'eau du bassin sont « ses œuvres et ses parolles » tandis que le bassin lui-même représente les saints docteurs qui ne laissent rien tomber de cette doctrine, de cette eau qui lave « nostre cueur ». « L'eau va jusques où elle aime. »

Le prêtre absout mais c'est le Seigneur qui agit. La foi permet que se relève l'homme déchu, elle nous donne la force de surmonter les épreuves de la mort de nos proches. Mais il y a également ceux qui écoutent la Parole de Dieu mais à qui cela ne sert de rien.

Jésus reprend ensuite sa robe (immortalité). Il s'assied de nouveau (après l'ascension). Par le commandement de se laver les pieds les uns aux autres qu'il laisse à ses disciples, le Seigneur entend que nous nous aidions « l'ung l'aultre à sauver ».

On peut donc voir comment Vitrier va à l'essentiel, en se tenant à l'intérieur du récit évangélique dont il suit le cours et qu'il commente ici du moins sans aucune subdivision comme Erasme l'en félicitait. Chaque détail du texte cependant revêt encore une signification allégorique mais en relation avec les mystères centraux du christianisme (Mort du Christ; Résurrection; Ascension). L'épisode de Judas est évoqué avec la plus grande sobriété : il est vrai qu'il suit celui du lavement des pieds mais nous devons nous souvenir combien il était central pour les autres auteurs.

C'est donc bien le mystère du salut dont se préoccupe le sermon : le relèvement baptismal avec le thème de l'eau et le commandement de la charité qui permet de s'*aider* « l'ung l'aultre à se sauver ». En peu de

---

236. GODIN, *op. cit.*, pp. 30-31. ALLEN, IV, lettre 1211, p. 50.
237. GODIN, *op. cit.*, pp. 149-151.

mots sont ainsi réaffirmées la foi sacramentelle, la charité et même la Tradition de ceux qui ont su transmettre le message sans rien en laisser tomber, comme un bassin bien étanche.

L'homélie pour la Fête-Dieu dont le thème est 1 Co 11, 26[238] : « Chaque fois que vous mangez ce pain et buvez cette coupe, vous annoncez la mort du Seigneur jusqu'à ce qu'il vienne », est plus détaillée que le sermon du Jeudi saint.

Le mystère du sacrement de l'autel nous dépasse infiniment mais il y a la grâce de Dieu « laquelle ne deffault point quand on fait son mieulx ».

1⁰ La foi dans le sacrement

Tous courent à la procession de la Fête-Dieu mais on ne dirait pas toujours qu'ils y croient vraiment, En Espagne, il y a vingt ou trente ans, Musulmans et Juifs disaient que l'Eucharistie est le point le plus difficile de la foi chrétienne car ici l'œil est abusé.

C'est pourquoi Jésus a dit de ne pas profaner les choses saintes (Mt 7, 6). Mais il ne s'agit nullement des incroyants mais des pécheurs.

On ne peut croire au mystère de l'autel sans une profonde humilité (Ps 118, 92 et 93).

2⁰ C'est l'Ecriture sainte qui amène à croire.

Il y a des miracles pour confirmer la vérité de l'Eucharistie : ainsi ces abeilles à qui un Sarrasin avait donné une hostie pour la profaner et qui lui fabriquèrent un tabernacle (!). Mais cependant « plus noble est l'Escripture que tout », confirmée qu'elle est par les martyrs et les docteurs.

Il faut donc exposer les Ecritures pour fortifier la foi mais en priant Dieu « qu'il ouvre le sens pour les entendre ». Donc il convient de le faire pour le texte du jour tiré de saint Paul devenu par grâce spéciale « noble et grant predicateur de foy ».

Après la citation en français de 1 Co 11, 23-24, Vitrier commente : « Le Christ mue la substance du pain en sa chair. » Ainsi le pain est changé en son corps : ce n'est plus du pain car il est la Vérité qui ne peut nullement faillir.

Seuls peuvent accomplir cela — ce qui est un autre miracle — les apôtres qui assistaient à la dernière Cène et leurs successeurs. Certains prétendent que la Vierge Marie se trouvait aussi présente mais ce sont de pures conjectures. Le Christ prononce les mêmes paroles pour le vin (citation des lieux parallèles : Mt 26, 28; Lc 22, 20).

Qu'est-ce que ce Testament (Ps 88, 35; Lc 1, 72; He 9, 20) ? C'est la promesse de vie éternelle, ratifiée par la passion et la mort du Christ.

Par l'autorité apostolique de Paul, nous apprenons que cette « vive » mémoire de la Passion durera jusqu'au Jugement. C'est vraiment le pain des anges (Ps 77, 25).

3⁰ Comment se comporter envers ce sacrement ?

On doit s'éprouver avant de manger ce pain (1 Co 11, 28). Vitrier annonce trois points :

  1. On doit croire et pour cela prier et entendre « l'Escripture et les sermons ».

  2. On doit garder son corps en sanctification (sans péché charnel ou ivresse).

---

238. *Ibid.*, pp. 185-190.

3. On doit être en paix avec son prochain car le sacrement est appelé en vérité communion.

Il faut également avoir grande révérence du sacrement autant qu'on en avait pour l'Arche d'Alliance dans l'Ancien Testament (Ex 25) qui contenait la verge d'Aaron, les livres de la Loi et aussi la manne dont le peuple s'était nourri au désert (He 9, 4). Et sur l'autel il y a bien plus puisqu'il s'agit du Corps du Christ.

Conclusion : Za 13, 1 : il y aura une source ouverte pour la maison de David en vue de la purification de ses péchés (il semble que la péroraison soit inachevée dans le manuscrit de saint Omer).

L'exposé est d'une grande richesse doctrinale et d'une parfaite orthodoxie. Il est précis sans être technique même si le mot de substance est utilisé, mais le ton reste lyrique et ardent. L'exemple des infidèles met en relief la spécificité de la foi chrétienne. Mais il faut remarquer, après un récit légendaire du miracle des abeilles dont l'authenticité n'est pas mise en doute, l'appel enflammé à l'Ecriture « plus noble que tout », surtout si elle est représentée par un texte de saint Paul instruit par une grâce inouïe de Jésus-Christ lui-même.

Le problème de la communion de ceux qui sont indignes, qui préoccupait tant les autres prédicateurs contemporains comme nous l'avons vu et qui est en effet appelé par 1 Co 11, 27 est ici traité de manière positive et parénétique. Il faut croire, mener une vie pure, pieuse et pacifique. Le parallèle avec l'Ancien Testament qui évoque la manne dans l'Arche d'Alliance (Ex 16, 34) reprenant ce que dit He 9, 4, ajoute à la richesse scripturaire.

Reprenant la plus ancienne tradition, Vitrier affirme qu'à la fois Ecriture et Eucharistie peuvent devenir nourriture spirituelle de la foi, sans qu'il y ait, dans ce sermon du moins, une « minimisation » du sacrement[239]. Ce qui est nouveau cependant est l'exaltation de la Parole de Dieu qui est un trait typiquement lié à cette époque à l'humanisme chrétien.

Cet éloge de l'Ecriture existe aussi, mais d'une manière plus sobre que chez Vitrier, et pour ainsi dire plus contrainte, sans doute par la prudence propre aux années qui suivent la diffusion en France des écrits de Luther, dans l'homéliaire qui est issu du cercle de Briçonnet et de Lefèvre d'Etaples à Meaux[240]. Comme il n'existe dans ce recueil aucun sermon pour le Jeudi saint ni pour la fête du *Corpus Christi*, on n'y trouve pas de commentaire ni de Jn 13 ni de 1 Co 11. Nous prendrons

---

239. *Ibid.*, p. 25.
240. « J. Lefèvre d'Etaples et ses disciples », *Epistres et Evangiles pour les cinquante et deux dimanches de l'an*, éd. G. BEDOUELLE et F. GIACONE, Leyde, 1976, p. 90.

notre exemple dans le début du chapitre 6 de saint Jean tel qu'il est commenté pour le cinquième dimanche après l'octave de l'Epiphanie[241].

C'est Dieu qui nourrit l'âme et le corps, comme le dit David (Ps 142, 9-10; Ps 22, 1-2). Le « lieu de la pasture de Dieu », c'est la Sainte Ecriture.

Jésus éprouve la foi de Philippe en demandant : où achèterons-nous du pain pour un si grand nombre ? (réf. à Ps 146, 9). Ne soyons pas comme les apôtres qui ne croyaient pas encore que celui qui a créé le monde par sa parole, pouvait aussi bien le recréer et le nourrir de cette manière choisie par le Christ.

Les cinq pains d'orge représentent le Pentateuque, qui ont une écorce rugueuse comme l'orge, qui est la Loi, mais entendue spirituellement dans la foi. Ils sont parfaite nourriture : « le juste vivra par la foi » (Ma 2, 4).

Les deux poissons sont l'Ancien et le Nouveau Testament et, comme les poissons, ils ne peuvent vivre sans leur milieu propre qui est l'eau, car le chrétien ne peut vivre sans la foi. Il faut donc se nourrir de la Sainte Ecriture et de la foi car les doctrines humaines le font mourir.

Sans la moindre allusion à l'Eucharistie qui était traditionnelle concernant le Discours sur le pain de vie, de Jn 6, et rejoignant par là une conviction de Luther, le texte de l'homélie se concentre lui aussi sur l'Ecriture sainte avec un accent très marqué sur la foi du chrétien. La citation d'Habacuc 2, 4, repris par le fameux passage de Rm, 1, 17 pouvait apparaître une référence à Luther aux yeux des théologiens qui examinèrent le texte de l'homéliaire.

L'allégorie traditionnelle des poissons et du pain est elle-même associée à une affirmation d'une *fides sola* explicite dans la mesure même où l'Ecriture sainte est rendue compréhensible et assimilable seulement par la foi, et opposée aux doctrines humaines, selon une phrase qui fut condamnée comme sentant l'hérésie par la Faculté de théologie de Paris.

On est ainsi arrivé à une nouvelle herméneutique qui sera rendue plus manifeste encore dans la seconde édition de Pierre de Vingle vers 1531 qui ajoutera au texte une phrase vraiment luthérienne : « tout ce qui n'est point faict en foy est péché ». Une nouvelle problématique est désormais ouverte au XVIe siècle dont la Bible sera aussi le miroir.

Guy BEDOUELLE.

---

241. *WA* VI, p. 502.

LA BIBLE DE 1530 A 1600

4

Les deux derniers tiers du siècle

L'histoire de la Bible en Europe occidentale, des environs de 1530 à la fin du siècle, ne peut être dissociée de l'histoire générale. A la croissance démographique correspond un marché élargi à plus de lecteurs potentiels. L'invention et la recherche d'un équilibre européen se font sous couvert d'affrontements qui mêlent revendications dynastiques et motivations religieuses[1]. La vie des groupes religieux s'en trouve modelée. Des contraintes sociales s'exercent et l'emprise des Eglises sur les fidèles ne favorise pas toujours la lecture de la Bible[2].

De plus, si l'évolution sociale et culturelle rend caduque l'opposition du clerc lettré au laïc illettré, la distinction des clercs et des non-clercs ne manque pas de ressurgir; de nouvelles frontières sont tracées au sein même du groupe des lisants.

En 1530, à la diète d'Augsbourg, les princes et conseils de nombreux territoires et villes d'Empire confirment leur option luthérienne en présentant à l'empereur divers documents confessionnels : la *Confession d'Augsbourg*, la *Confession des Quatre Villes* (Strasbourg, Constance, Memmingen, Lindau), *Fidei Ratio* zwinglienne. L'Ecriture, ou l' « Evangile »

---

1. Voir G. LIVET, *L'équilibre européen de la fin du XVe siècle à la fin du XVIIIe siècle*, Paris, PUF, 1976 [L'Historien 28].
2. Voir Richard GAWTHROP, Gerald STRAUSS, « Protestantism and Literacy in Early Modern Germany », *Past and Present* 104 (1984), pp. 31-55.

qu'on y discerne, y sont désignés comme la source et la norme de doctrines et de disciplines, de préceptes et de rites, invoquées pour provoquer la réforme d'institutions jugées défaillantes ou corrompues par des traditions et des conduites « humaines ». Ces instances seront désormais interprétées selon « l'analogie de la foi » réformée[3]. La question majeure de l'exercice par les fidèles de leurs droits de lecteurs est posée : elle ne recevra jamais de réponse simple.

Autour de 1560, cette histoire connaît une inflexion majeure, aux lendemains donc du retrait de Charles Quint et du traité de Cateau-Cambrésis. Après l'*Intérim* (1549), la paix d'Augsbourg (1555) fige la situation confessionnelle allemande : les polémiques internes au luthéranisme se multiplient. Le protestantisme réformé « à la genevoise » commence à s'établir dans le royaume de France, le Palatinat, l'Europe centrale, l'Ecosse. L'anglicanisme se définit dès les premières années du règne d'Elizabeth Ire (1558-1603). Le mouvement auquel Menno Simons (1496-1561) donne son nom se consolide dans la durée. Le concile de Trente (1546-1563) enfin définit les traits d'une Eglise catholique moderne.

Les divergences d'interprétation et d'usages de l'Ecriture se multiplient autant que les groupes ecclésiaux et sectaires, ou les cheminements plus personnels. Les sites d'éditions de la Bible se disséminent, les travaux bibliques prolifèrent, le conflit des interprétations s'approfondit, malgré des essais pour le réguler.

Des traditions confessionnelles s'élaborent et s'expriment par la *Catholica expositio ecclesiastica...* (1560) du réformé A. Marlorat, la catholique *Bibliotheca sancta* de Sixte de Sienne (1565) et la *Clavis Scripturae* du très orthodoxe luthérien Flacius Illyricus (1567)[4].

Trois indices balisent la fin du siècle : les éditions « sixtine » en 1590, « sixto-clémentine » en novembre 1592 de la *Biblia Sacra vulgatae aeditionis*; la publication en 1598 du *Iesu Christi Domini Nostri Novum Testamentum*, dernière édition d'un Nouveau Testament gréco-latin annoté que Théodore de Bèze (1519-1605) corrige de sa main; l'envoi enfin par Galilée de sa très célèbre lettre à Marie-Christine de Lorraine, grande duchesse de Toscane, en 1615[5]. Amplifiant le thème, cher aux protestants, de l'accommodation de la révélation divine à la condition morale et intellectuelle des hommes, il y définit aussi l'une des tâches du

3. Tous ces textes ne sont pas traduits : *a) La Confession d'Augsbourg*, trad. franç. de P. JUNDT, Paris, Le Centurion; Genève, Labor et Fides, 1979; *b)* « Confessio Tetrapolitana » bearbeitet von B. MOELLER, *Martin Bucers Deutsche Schriften*, Bd. 3 : *Confessio Tetrapolitana und die Schriften des Jahres 1531*, hrsg. von R. STUPPERICH, Gütersloh, Gütersloher Verlagshaus Gerd Mohn; Paris, PUF, 1969, pp. 13-185; *c)* « A Charles, empereur des Romains... », exposé de la foi de Huldrich ZWINGLI, trad. par J.-F. GOUNELLE, *EThR* 56 (1981), pp. 377-402.

4. Voir pp. 252 ss.

5. Voir pp. 273 ss. et 505 ss. Lettre de Galilée : trad. par F. RUSSO, *Galilée. Aspects de sa vie et de son œuvre*, Paris, PUF, 1968, pp. 331-359.

XVIIᵉ siècle : fonder en méthode le lien du verbe divin et de la rationalité scientifique.

A la fin du siècle encore, et ceci est horrible, la violence s'introduit dans l'histoire de la Bible avec une intensité rarement atteinte auparavant[6].

DE 1530 A 1600 : UN PROGRÈS ?

De 1530 à 1600, l'évolution est complexe. L'essentiel de notre exposé porte sur des milieux chrétiens, et on sera attentif à la modification, au cours de ces sept décennies, du rapport de la religion à la culture, des Eglises à la société globale, en même temps que se multiplient les manières d'être chrétien. L'exploit herméneutique que serait l'expression « du » sens véritable — *sensus germanus* — n'est pas réalisé au cours de ces années : les biblistes du XVIᵉ siècle le croient possible, mais ils se reprochent mutuellement de déguiser leur échec en réussite.

Les mutations qui affectent la société européenne et perturbent les pastorales et les ecclésiologies, les rites et les éthiques prennent de l'ampleur : beaucoup de gens cherchent donc dans l'Ecriture des réassurances ou des solutions à des situations inédites. Ce sont là autant de motifs de relectures et réécritures de la Bible en forme de traductions, commentaires, prédications ou disciplines, traces du « travail » qui s'opère dans les sociétés du XVIᵉ siècle.

L'histoire de la Bible au cours des deux derniers tiers du XVIᵉ siècle ne peut pas être écrite selon un schéma « progressiste » de cumul des connaissances et d'affinement des méthodes. Les auteurs de la fin du siècle restent en effet souvent en retrait de leurs prédécesseurs par leurs réticences dans des problèmes d'attribution d'écrits bibliques (Epître aux Hébreux, Apocalypse) ou de critique textuelle (péricope de la « femme adultère », *comma johanneum*). Dans le même temps, la décléricalisation de l'accès à la Bible ne prend qu'une ampleur relative.

Il faut encore compter, tout au long de cette période, avec une permanence des savoirs traditionnels : réactualisés, ils restent contemporains des innovations qu'ils infiltrent ou accompagnent.

Certes, le très rudimentaire *Mamotrectus* ne fait plus que s'empoussiérer sur les étagères[7], mais la *Bible historiale* est encore rééditée en 1545, longtemps après la publication des traductions fabrisiennes et genevoises[8]. La *Bible glosée*, accompagnée de la *Postille* de Nicolas de Lyre,

---

6. Voir pp. 301 ss.
7. Ce *Liber omnibus ecclesiasticis tam secularibus quam religiosis summe necessarium...* a encore été réédité à Paris en 1521.
8. *Chambers*, nᵒˢ 117-124, recense, en laissant planer quelques incertitudes deux rééditions de la *Bible abrégée* (nᵒˢ 117, 118) et six de la *Bible historiale* (nᵒˢ 119-124) — toutes parisiennes —,

est également réimprimée et traduite[9]. Les éditeurs répondent à une demande, satisfont des habitudes et des attentes dont ils n'ont pas la maîtrise.

Aux politiques de diffusion s'opposent des stratégies d'interdiction momentanément efficaces. L'édition de la version genevoise du Nouveau Testament par Oudin Petit, en 1565, est « la première traduction en langue vivante publiée à Paris depuis 1545-1546, et le premier Nouveau Testament 'parisien' depuis 1525 »[10].

De plus, les rituels catholiques sont des conservatoires liturgiques de formes et interprétations traditionnelles du texte biblique. Les mémoires collectives et individuelles ne se modifient pas aisément.

Une précision : la diffusion des travaux exégétiques de Denys le Chartreux, la confection par Lauret d'un dictionnaire d'allégories peuvent servir une cause passéiste, mais la rédaction de dossiers patristiques est souvent l'élément majeur d'une argumentation en faveur de propositions nouvelles.

BIBLE ET HISTOIRE DU LIVRE

Durant ces soixante-dix ans, les éditions de textes et de travaux bibliques sont très nombreuses. J.-P. Lenhart, dépouillant la *Bibliotheca Sacra* de J. Le Long, compte 80 Bibles latines complètes, éditées par des protestants dans des villes catholiques et mises à l'Index, 58 dans des sites protestants... 158 Nouveaux Testaments, 149 Psautiers[11]. B. T. Chambers a décrit près de 500 éditions de Bibles ou de Nouveaux Testaments en langue française entre 1530 et 1600 ! La *Polyglotte d'Alcalá* a été tirée à 600 exemplaires; la *Polyglotte d'Anvers* l'est à 1 200 exemplaires. C'est là une fourchette minimale : il s'agit en effet d'éditions coûteuses en plusieurs et lourds volumes.

La proportion des Bibles et travaux bibliques dans l'ensemble de la production imprimée devient moindre au cours du siècle. Histoire du livre et histoire de la Bible restent liées : la production biblique sert au prestige d'éditeurs et imprimeurs qui sont aussi des militants, tels Robert

---

alors que des *Bibles* et *Nouveaux Testaments* de type genevois sont publiés à Lyon (n°s 114, 115, 116; 125-127). La *Bible* de Lefèvre avait été rééditée à Anvers, en 1541 (n° 85), et le *Nouveau Testament* seul en 1544 (n° 111).

9. L'une des rééditions les plus remarquables en est *Biblia sacra cum Glossis, interlineari & ordinaria, Nicolai Lyrani Postilla & Moralitatibus, Burgensis Additionibus, & Thoringi Replicis*, Lugduni [chez Anthoine Vincent, 7 vol. in-fol.], M.D.XLV. Voir p. 50.

10. *Chambers*, n° 359.

11. *Bibliotheca Sacra*, Halle en 1778-1785, voir *Bibliographie* : 4. « La Bible... »; John M. LENHART, « Protestant Latin Bibles of the Reformation from 1520-1570. A Bibliographical Account », *Catholic Biblical Quarterly* 8 (1946), pp. 416-432.

Estienne et Christophe Plantin. Les procédés de fabrication, la technique typographique, l'art de la mise en page évoluent : la lisibilité s'en trouve mieux servie; les prix peuvent baisser; cartes et illustrations s'ajoutent aux autres « aides à la lecture ».

Nous ne traiterons de cette double histoire qu'occasionnellement et imparfaitement : le lecteur voudra bien se reporter aux ouvrages usuels, ainsi qu'aux travaux plus spécifiques de M. H. Black et J.-F. Gilmont[12].

LA PRÉSENTATION DU TEXTE ET DE SA PÉRIPHÉRIE

Les éditions des écrits bibliques des deux derniers tiers du xvie siècle sont le plus souvent explicitement datées et localisées. La présence d'un ensemble de pièces hétérogènes aux confins du texte biblique est la règle. Typographie et mises en page permettent d'éviter toute confusion entre les pièces éditoriales et le texte biblique. Une exception, les éditions sixtine et sixto-clémentine de 1590 et 1592 du texte latin : dans ces volumes, l'impression de la *scriptura sola* renvoie discrètement à un intense travail de rédaction d'un texte artificiel désigné par l'autorité ecclésiastique comme texte de référence.

Les versets

La numérotation des versets — dans le corps du texte, ou en marge — constitue certainement une innovation commode. Dans sa forme « classique », elle est attribuée à Robert Estienne. Il l'a introduite dans un Nouveau Testament gréco-latin de 1551, un Nouveau Testament français de 1552, puis dans une Bible française en 1553. De là l'usage filtre vers les Bibles latines.

L'innovation n'est pas totale. Les éditeurs juifs comptaient les sec-

---

12. Orientation bibliographique sommaire : L.-N. MALCLÈS, *Les sources du travail bibliographique*, Genève, Droz, 1965; *Manuel de Bibliographie*, 4e éd. revue et augmentée par André LHÉRITIER, Paris, PUF, 1983; André LABARRE, *Histoire du livre*, Paris, PUF, ⁴1985 [Que sais-je ? 620]; *Histoire de l'édition française*, « Le Livre conquérant (du Moyen Age au milieu du XVIIe siècle) », s.l., Promodis, t. I, 1982. Ces indications permettent de reconstituer une bibliographie d'histoire du livre. Histoire du livre « et » histoire de la Bible : M. H. BLACK, « The Evolution of a Book-Form : The Octavo Bible from the Manuscript to the Geneva Version », *The Library*, mai 1961, pp. 15-28; « The Printed Bible », *Cambridge History of the Bible (The) : The West from the Reformation to the Present Day*, Cambridge, at the University Press, 1963, pp. 408-475; J. F. GILMONT, « Printers by the Rules », *The Library*, 6th Series, 2 (1980), pp. 129-155; « La fabrication et la vente de la *Bible d'Olivétan* », *Musée neuchâtelois*, 3e série, 22e année (1985), pp. 213-224. Ces articles importants donnent les moyens « d'aller plus loin ».

tions et les versets du texte hébreu. Les éditeurs et traducteurs du Psautier, les commentateurs des livres bibliques numérotaient aussi des unités textuelles. Désormais, un système presque « standard » va s'imposer. Ce mode de division du texte se surajoute donc aux chapitres découpés par Etienne Langton, aux indications de sections (A, B, C), aux divisions héritées d'Eusèbe pour les Synoptiques... Les divers systèmes sont souvent maintenus simultanément.

Le repérage chiffré des versets rend plus aisée la manipulation des Concordances, et l'identification des citations. Il a aussi des inconvénients, car, n'étant pas le fruit d'une analyse littéraire, il occulte souvent des suggestions plus intéressantes marquées par la création de paragraphes... Le mode de citation s'en trouve altéré : on indique une « référence » précise, au lieu d'appeler la récitation d'une péricope entière. Mais le temps de la complicité de ceux qui connaissaient la Bible latine par cœur commence à s'estomper.

Mise en page

Editeurs et imprimeurs décident des formats, de l'encre, des polices de caractères, de la disposition des textes, de la foliotation et de la pagination.

Il ne s'agit pas là seulement de problèmes techniques. On aide ainsi à distinguer les arguments et résumés du texte proprement dit, à dissocier les Apocryphes de livres jugés plus canoniques, à prévoir un usage liturgique ou personnel.

Le Cantique des cantiques est l'exemple le plus spectaculaire et le plus constant d'une collaboration intellectuelle des rédacteurs et fabricants : la typographie permet en effet, y compris dans les Bibles de Genève, de distribuer les diverses hymnes entre un « époux », une « épouse », des « jeunes filles » : ainsi est canalisée la lecture d'un « devis mystique damour spirituel et divin, entre Christ Lespoux & Leglise son espouse » (Olivétan).

La « table des matières »

Editions en langues originales, Bibles latines, traductions en langues vivantes, ne relèvent pas de la même conception. Un inventaire comparé des pièces qui accompagnent le texte biblique permet de marquer les grandes lignes d'une évolution dans la conception des Bibles.

Trois types de volumes seront examinés : *i*) trois éditions du texte latin traditionnel; *ii*) une traduction latine nouvelle; *iii*) des traductions françaises.

i) Editions du texte latin traditionnel. — Trois témoins : *a)* la *Biblia cum summariorum apparatu pleno quadruplicîôque repertorio insignita*... éditée à Lyon, par Jean Sacon en 1515[13]; *b)* la *Biblia sacra utriusque Testamenti iuxta veterem translationem...*, imprimée à Nuremberg, par J. Petreius en 1529[14]; *c)* l'édition de 1593 de la *Vulgate sixto-clémentine*, qui succède immédiatement à l'*editio princeps*.

[Lyon, Jean Sacon, 1515]

J. Sacon a aggloméré pratiquement tout ce que les éditeurs antérieurs, vénitiens et bâlois notamment, avaient rassemblé en vue de l'édition de leurs bibles latines in-octavo[15]. (Pour simplifier l'exposé, les diverses pièces seront affectées d'un numéro qui servira lorsque des comparaisons seront faites.)

La Bible de J. Sacon est imprimée en *caractères gothiques.*

A. La page de titre

Le libellé du titre (1) est publicitaire et informatif.

Une vignette (2) qui représente Jérôme au travail : les traits iconographiques majeurs s'y trouvent (livres sur un pupitre, coiffe de cardinal, lion, colombe); un « cartouche » l'identifie clairement : « HIERONIMO ». On est donc dans la lignée des éditions qui attribuent explicitement toute la Vulgate à Jérôme[16].

L'Hexastichon publicitaire de Matthieu Sambucelli enfin (4) : l'emprunt aux bibles bâloises (J. Froben, 1509) est dissimulé par un remaniement du sixième vers : « *... Omine felici quam Basilea premit | Omine felici quae tibi terra patet.* »

B. Pièces introductives

— Exhortation aux lecteurs épris d'Ecriture divine et de richesses véritables (4) : apologie de la Bible, aux connotations moralisantes (voir J. Froben, 1491).

13. Elle est décrite dans la *Bibliographie lyonnaise...* de J. BAUDRIER, 12e série, p. 337. Les divers éléments peuvent en être identifiés grâce aux indications rassemblées par Dom Henri QUENTIN, « Aperçus sur les progrès de la critique du texte (1450-1592) », *Mémoire sur l'établissement du texte de la Vulgate*, Ire Partie : « Pentateuque », Rome, Desclée & Cie; Paris, J. Gabalda, 1922, pp. 74-208. — Traduction du titre complet : « La Bible. Avec une série complète de Sommaires et un Index quadruple. Imprimée avec le plus grand soin, notamment pour ce qui est du Lexique des mots hébreux jusqu'ici si fautif et erroné. En marge sont ajoutées des indications de chronologie universelle, ainsi que les éléments d'une concordance avec des textes du droit canon et de l'Ecriture sainte. »

14. Traduction du titre : « Sainte Bible comprenant les deux Testaments, conforme à la traduction ancienne dont se sert encore l'Eglise latine. Le texte en a été très fidèlement établi à partir d'une consultation des éditions les plus anciennes autant que les plus récentes. Lorsqu'on observait des variantes, on s'est reporté aux sources, c'est-à-dire qu'on a fait usage des textes hébreu et grec. »

15. Voir M. H. BLACK, *op. cit.*

16. Autres indices de ce maintien, malgré toutes les contestations : *Novi Testamenti totius editio Hieronymo interprete ad vetustissimorum exemplariorum fidem* [P. QUENTELL, Cologne, 1529]; *Sanctum Iesu Christi Evangelium D. Hieronymo interprete* [*ibid.*, apud Ioan. Ruremundanum, 1538] : insistance d'autant plus frappante qu'il s'agit du Nouveau Testament.

— Avertissement de l'imprimeur aux lecteurs (5) : il vante la qualité de son édition.

— Diverses tables des matières :
— répartition (6) des livres de l'Ancien et du Nouveau Testament en une double série d'écrits « juridiques, historiques, sapientiaux et prophétiques » (voir J. Froben, 1491) ;
— table I (7) : liste versifiée des livres bibliques (lue par dom Quentin dans un manuscrit du xvᵉ siècle) ;
— table II (8) : liste alphabétique des livres bibliques, avec indication de leur place dans le volume qui est folioté ;
— table III (9) : deux cents vers mnémoniques (cf. Bevilacqua, Venise, 1494 ; lus par dom Quentin dans un manuscrit du xiiiᵉ siècle) ;
— table IV (10) : table alphabétique des chapitres, par Gabriel Bruno (Venise, 1492) ;

— Histoire des traductions de la Bible (11) : « Notandum quod translatores & interpretes biblie multi fuerunt... »[17].
— Les quatre sens (12) (Bâle, 1487). Encore traduit par Jean Eck, dans *Alt und new Testament*, 1538 : « Vom verstand der hailigen gschrift. Man findet in der gschrift viererlai verstand... »[18].

C. Le texte biblique (13)

— Ordre des livres (13/i). Les livres bibliques sont présentés comme dans la Bible de l'Université de Paris.
— Texte (13/2). Dom Quentin l'écrit : il s'agit de celui de l'*editio princeps* de Mayence, de l'Université de Paris donc, « la plus récente et la moins pure de toutes nos recensions de la Vulgate »[19]. A la suite des éditions de Albert de Castello (Venise, 1511), quelques variantes textuelles sont indiquées en marge, introduites par : « *Alias* ».
— Sommaires des chapitres (13/3) : comme dans la Bible de Ulm, 1490.
— Repères marginaux (13/4) : « A, B, C » (Venise, 1484).
— Renvois aux textes de droit canonique (13/5)[20].
— Héritage « hiéronymien ».

Des parties de la Bible, des livres bibliques sont introduits par des Préfaces, Prologues, Arguments (14).
Aucun essai de tri ni de classement des vraies et fausses attributions hiéronymiennes. Les deux prologues du livre de Job sont imprimés : l'un fait référence à la révision hexaplaire (« *Si autem fiscellam iunco texerem...* »), l'autre à la traduction sur l'hébreu (« *Cogor per singulos...* »). On retrouve aussi les textes identifiés comme monarchiens, marcionites, pélagiens qui introduisent les épîtres, et l'introduction à l'Apocalypse signée par Gilbert de La Porrée[21].

17. Ce texte présent dans les *Bibles glosées* avec *Postille* de Nicolas de Lyre est imprimé à Bâle en 1487, repris dans la *Polyglotte d'Alcalá*. Il inclut un éloge appuyé de Jérôme repris dans la « classique » édition par Gobelinus Laridius de *Biblia iuxta divi Hieronymi Stridonensis tralationem*, Cologne, 1530.
18. Voir p. 213.
19. *Op. cit.*, p. 94.
20. Un exemple : en marge de Ps 21, 1 : « De conse, di. 2, c. », c'est-à-dire : *Décret de Gratien*, Tertia Pars : de consecratione, distinction 2, causa 51 : « Quomodo Christus simul sit immolatus et quomodo cottidie immolatur, item in Psalmo 20 » (corriger : 21).
21. Se reporter à *Préfaces de la Bible latine*, Namur, Godenne, 1920; Maurice E. Schild, *Abendländische Bibelvorreden bis zur Lutherbibel*, Gütersloh, Gütersloher Verlagshaus Gerd

D. *Pièces terminales*

— Une forme « longue » des *Interpretationes hebraicorum nominum* (15), repérée par Black dès 1471.

— Le poème attribué à Me François Gotti (16) : *Tota biblia compendiosissime per rithmos descripta...*

Ces pages sont l'expression d'une culture biblique commune que les éditeurs et auteurs des années 1530-1600 vont réaménager et corriger. J. Sacon aurait encore pu ajouter les « canons eusébiens » précédant les évangiles, et surtout les Tables (17) indiquant les lectures pour tous les dimanches et jours de fête de l'année.

Ce long détour par la *Biblia* de J. Sacon suffit cependant pour apprécier l'audace ou le souci d'économie des éditeurs plus récents.

[Nuremberg, J. Petreius, 1529]

J. Petreius perturbe cet agencement complexe, au confluent de la tradition et des questionnements d'Erasme, de Carlstadt et de Luther. La méthode est habile : l'éditeur offre d'actualiser les connaissances d'un client qu'il ne veut pas offusquer.

Il choisit des *caractères romains*.

Toute mention de Jérôme disparaît du libellé du titre (1, 2). Le texte édité est celui que reçoit l'Eglise latine — son intérêt est « régionalisé ».

Une seule pièce introductive éditoriale (voir J. Sacon, 4 et 5).

Petreius justifie sa méthode d'établissement du texte, emprunté pour l'essentiel à l'édition d'Osiander, à Nuremberg en 1522. Il est corrigé sur l'hébreu et le grec, donc se prétend meilleur que les précédents (voir J. Sacon, 13/2). Et surtout, il traite en termes moqueurs tant des Prologues (J. Sacon, 14) que des Apocryphes (voir J. Sacon, 6-10). En regroupant les uns en tête des Ancien et Nouveau Testaments, les autres en fin de l'Ancien, « à la luthérienne », il les dévalorise, sans qu'on puisse l'accuser de les supprimer[22]. De plus, il pose le problème du canon en citant les attributions par Kimhi des divers livres de la Bible[23] et le canon hébreu. Les sommaires des livres et des

Mohn, 1970 [QFRG 39]; Eugene F. RICE Jr., *Saint Jerome in the Renaissance*, Baltimore and London, The John Hopkins University Press, 1985 [The John Hopkins Symposia in Comparative History 13].

22. PETREIUS : « ... Nous avons conservé l'ordre traditionnel des livres, mais nous avons disposé les Apocryphes de façon à rendre aisée leur élimination. Prologues, Arguments, Sommaires et autres fadaises de ce genre : ces pièces embarrassent le lecteur appliqué plus qu'elles ne l'aident. Nous ne sommes pas allé jusqu'à les supprimer, mais nous les avons entassées en tête de chacune des deux grandes parties du volume : on peut donc aisément les laisser tomber. Un lecteur plus goinfre que gourmet ne sera donc privé de rien; plus exigeant et raffiné, il saura sans peine supprimer ce qui ne sert à rien. Il en tirera un avantage certain car il aura alors en mains un livre très facile à manier... » (fol. *aa* 1 v°-*aa* 2 r°).

23. Fol. *aa* 2 r° : Moïse : Pentateuque jusqu'à Dt 34, 5 et Job. Josué : Dt 34, 5-12, et Jos. Samuel : 1 et 2 S, Jg, Rt. Esaïe : Es, Pr, Ct, Qo. Jérémie : Jr, 1 et 2 R, Lm. Les hommes de la grande synagogue : Ez, les 12 Prophètes, Dn, Est. David et 10 prophètes : Ps.-Esdras : Esd, 1 et 2 Ch.

chapitres, les introductions aux Evangiles sont très restreints : à comparer avec les nᵒˢ 13/3 et 4 de la *Bible* de Jean Sacon. Il n'y a pas d'équivalents — ou très courts — aux autres pièces[24].

[Rome, 1593]

L'édition de la Vulgate de 1593 est le prototype d'une tradition nouvelle fondée sur l'*editio princeps* : *Biblia Sacra Vulgatae Editionis*, Romae, Ex typographia Apostolica Vaticana, 1592.

La page de titre renvoie aux décisions récentes du concile de Trente et au travail des commissions. Une gravure représente le pape qui, sous le soleil et la colombe, remet la Bible à l'Eglise. Ap 10, 9 est cité : « *Accipe et devora* ». Présentation austère et théologique qui rompt avec « J. Sacon, nᵒ 1-3 ».

Les pièces introductives sont en nombre restreint, certaines ont un statut « officiel » : Préface de R. Bellarmin, texte du décret tridentin, attestation de Clément VII *(« Ad perpetuam rei memoriam »).*

La préface de R. Bellarmin aborde des sujets traités dans les diverses pièces introductives de la Bible de 1515 : histoire du texte, canon... :

« *In hac editione nihil non canonicum, nihil adscitium.* » Cette phrase annonce le rejet en fin de volume — décision « critique » et concession à la tradition — de la Prière de Manassé et de 3 et 4 Esdras (avec pagination nouvelle de 1 à 23).

Les Prologues hiéronymiens sont imprimés, après classement et tri : le « Prologue casqué » vient d'abord, suivi de l'Epître 52 « ad Paulinum ». Ils sont moins nombreux qu'en 1515, et pour le Nouveau Testament les éditeurs ont retenu les notices du *Catalogus scriptorum ecclesiasticorum.*

Une pièce terminale se trouvait déjà dans la Bible de 1515, sous une forme qui a été améliorée tout au long du siècle : *Hebraicorum, Chaldaeorum, Graecorum Nominum Interpretatio.*

Loin du « fatras » du début du siècle, les éditeurs ont encore recueilli deux « aides à l'emploi » mises au point dans les décennies précédentes : la Table des textes de l'Ancien Testament cités dans le Nouveau *(Index Testimoniorum a Christo et Apostolis in Novo Testamento citatorum ex Veteri...),* dont l'intérêt est herméneutique; un *Index biblicus* qui s'adresse surtout aux catéchètes, prédicateurs et controversistes.

ii) Une traduction latine nouvelle : Zurich, 1543[25]. — Cette Bible latine est réalisée par une équipe de biblistes zurichois : Leo Jud, le maître d'œuvre, Th. Bibliander, P. Cholinus, C. Pellikan... H. Bullinger (avec l'aide de Bibliander ?) peut avoir dirigé l'agencement des pièces éditoriales.

---

24. Fol. *aa* 2 vᵒ : « *Ordo librorum sacrae Scripturae, qui hucusque servatur in veteri translatione ab ecclesia recepta* », suivi de « *Ordo librorum Veteris Instrumenti, quem hactenus servant Iudaei* ». Les prologues hiéronymiens se lisent aux fol. *aa* 3 rᵒ-fol. *bb* 5 vᵒ. On trouve encore les *Summaria omnium librorum & capitulorum Bibliae* (fol. *bb* 6 rᵒ-*cc* 8 rᵒ); *Summarium et concordia quatuor evangelistarum secundum ordinem rei gestae* (fol. *cc* 8 rᵒ-*dd* vᵒ); *Summa universae Scripturae* (fol. *dd* vᵒ).

25. *Biblia Sacrosancta Testamenti Veteris & Novi e sacra Hebraeorum lingua Graecorumque fontibus, consultis simul orthodoxis interpretibus, religiosissime translata in sermonem Latinum* [Zürich, Froschauer, 1543].

On rencontre successivement :

1. Une pièce de type traditionnel : *Encomium Scripturae sanctae quae verbum Dei est* (chaîne de citations bibliques) — à comparer avec « J. Sacon, n° 4 », moins biblique.

2. Une première préface non signée (Bullinger et/ou Bibliander) : elle explique comment le travail est conçu et réalisé, Leo Jud étant décédé avant la mise au point finale : *De operis huius instituto & ratione ad Christianum Lectorem Praefatio* (voir n° 5). Fait significatif, la première phrase fait référence à Jérôme.

3. Une seconde préface : *De omnibus sanctae Scripturae libris eorumque praetantia & dignitate*. Elle traite de problèmes d'introduction : « Biblia », problèmes de canon et de présentation des écrits bibliques, analyse thématique des divers livres, les Apocryphes, Ecriture et Philosophie.

D'autres textes (Préfaces aux Apocryphes, au Nouveau Testament) ont été insérés, mais la tendance est à en limiter le nombre.

On observe que, si le corpus des pièces annexes est nouveau, la rupture n'est pas totale. Jérôme est évoqué, et bien entendu il faut aussi traiter des mêmes problèmes.

iii) Traductions en langue vivante. — Trois Bibles françaises permettent de prendre la mesure d'une évolution analogue à celle que l'on vient de repérer, mais des « marques confessionnelles » s'ajoutent :

a | La Bible Qui est toute la Saincte escripture... [Neuchâtel, 1535].
b | La Saincte Bible, Contenant le Vieil et le Nouveau Testament... [Lyon, 1582].
c | La Bible, qui est tout la Saincte Escriture du Vieil et du Nouveau Testament... [Genève, 1588][26].

Le libellé du titre (1) reste long : descriptif et publicitaire :

[*a*] *La Bible Qui est toute la Saincte escripture. En laquelle sont contenus, le Vieil Testament et le Nouveau, translatez en Francoys. Le Vieil, de Lebrieu : et le Nouveau, du Grec.*
Aussi deux amples tables lune pour linterpretation des propres noms : lautre en forme Dindice, pour trouver plusieurs sentences et matieres.
[+ citations bibliques, adresse typographique].
[*b*] *La Saincte Bible, Contenant le Vieil et le Nouveau Testament, traduicte de Latin en Françoys par les Theologiens de l'Université de Louvain, comme appert par l'Epistre suivante, d'un des premiers Docteurs d'icelle.*
Avec une docte Table faicte Françoise de la Latine de M. Jean Harlemius Docteur en ladicte Université, de la Compagnie de Jesus.
[+ adresse typographique, et indication de Privilège].
[*c*] *La Bible, qui est toute la saincte Escriture du Vieil et du Nouveau Testament : autrement l'Ancienne et la Nouvelle Alliance.*
Le tout reveu et conferé sur les textes Hebrieux et Grecs par les Pasteurs et professeurs de l'Eglise de Genève.
[+ adresse typographique].

26. *a* = *Chambers*, n° 66, *Bible d'Olivétan*, par Pierre de WINGLE; *b* = *Chambers*, n° 467, une forme de la *Bible des théologiens de l'Université de Louvain*, par Jean PILLEHOTTE; *c* = *Chambers*, n° 515, *Bible des pasteurs et professeurs de l'Eglise de Genève*.

Dans les deux cas les plus récents, la traduction est « signée » (substitut à Jérôme ?) : la traduction est un travail « personnel ».

On n'examinera pas ici la traduction elle-même. Dans tous les cas, elle est accompagnée de notes, sommaires, références à des textes parallèles...

Pièces introductives :

Dans les trois cas, un « Privilège » faux en 1535, réel en 1582, équivalent en 1588 (voir 5)[27].

Suivent, dans la *Bible d'Olivétan*, des textes nombreux. A sa propre présentation : « La bonne coustume... » et son « Apologie du Translateur » (4, 11), ne répond plus qu'un seul texte en 1588 : « A tous vrais amateurs de la vérité de Dieu » (par J. Calvin) en 1588, et la reprise de l' « Epistre de Sainct Jerosme à Paulin » en 1582.

En 1535, on retrouve des pièces versifiées en tête et en fin du volume, en latin et en français (de Bonaventure Des Périers notamment) : rien de tel en 1582 ni 1588 (3).

Trois textes, en 1535, introduisent l'Ancien Testament, les Apocryphes, le Nouveau Testament — signés de W. F. Capiton, Olivétan, J. Calvin (expansions théologiques du nº 12 de Jean Sacon ?). Ils n'ont pas d'équivalent en 1582, un seul en 1588 : « Préface montrant comment Christ est la fin de la Loy ».

Dans les trois volumes, les livres sont énumérés. « La Somme... » ou « Le Sommaire » se retrouvent en 1582 et 1588 : à situer dans la longue histoire, ouverte par la *Biblia* de Robert Estienne (1532), de « La Somme de l'Ecriture sainte »[28].

Une *Interprétation des noms...* se retrouve dans les trois cas (15); un *Index* en 1535, 1582 et 1588.

La *Bible de Louvain* est plus riche en aides à la lecture : elle inclut en effet deux chronologies.

Au nombre des marques de différenciation confessionnelle, on placera : le libellé du titre (*La Bible...* en 1535, 1588, *La Saincte Bible...* en 1582); la place des Apocryphes, rassemblés ou disséminés; les approbations officielles en 1582, et — toujours en 1582 — l'emprunt aux Bibles latines des deux « Tables des tesmoignages », et la « Table des Evangiles et Epistres » lus aux offices.

Ces descriptions mériteraient d'être affinées. Elles confirment la double « tendance séculaire » : viser une présentation plus fonctionnelle et sobre de *La Bible*; faire intelligemment du Jérôme sans Jérôme, ou bien discerner le blé et l'ivraie dans les séries composites de textes qui parviennent au XVIe siècle.

---

27. B. ROUSSEL, « Un privilège pour la *Bible d'Olivétan* (1535) ? Jean Calvin et la polémique entre Alexander Alesius et Johannes Cochlaeus », *RFHL*, 55e année, nº 50 (1986), pp. 232-261.

28. Voir J. QUACK, *Evangelische Bibelvorreden von der Reformation bis zur Aufklärung*, Gütersloh, Gütersloher Verlagshaus. G. Mohn, pp. 117 ss.

LES MUTATIONS DU TEXTE BIBLIQUE DE 1530 A 1600

La présentation de *La Bible* change donc. « Le Texte » lui-même n'échappe pas à toute histoire.

Comme le Mercure de la *Farce des Théologastres*, les biblistes ont encore bien des raisons de trouver « Le Texte » :

> « ... embrouillé,
> Gratiné, noircy, enrumé »[29].

Ils vont donc continuer de le « traiter » sur des modes très différents selon qu'il s'agit de l'hébreu, du grec, du latin ou des traductions en langue vivante.

i) Le texte hébreu. — Rappelons que depuis 1525 la tradition hébraïque du texte biblique est fixée dans les Bibles rabbiniques éditées à Venise dès 1515, notamment celle que Jacob ben Chayim établit pour Bomberg en 1524-1525[30]. Les commentateurs préfèrent ces textes vénitiens à celui de la *Polyglotte d'Alcalá* à l'accentuation incertaine, et que compléteront les éditeurs de la *Polyglotte d'Anvers* (1572).

Le texte lui-même ne sera plus guère changé. Par contre, les travaux d'Elie Lévita rendront plus accessible la Massore. Les études sémitiques progresseront en milieu chrétien, comme le goût pour compléter les collections de Targums. Les hébraïsants genevois, ceux du Collège royal, Gilbert Génébrard inclus, les rédacteurs de la *Polyglotte d'Anvers* font bénéficier un grand nombre de biblistes moins doués des progrès de leurs connaissances[31]. A la fin du siècle, on attribuera un « oscar » du pittoresque à Elie Hutter, professeur à Leipzig, qui voulut, dans sa Bible hébraïque de 1603, adopter une typographie « pédagogique » mettant en valeur les consonnes radicales, suppléer le cas échéant à leur élision, et permettre l'identification rapide des affixes et suffixes.

---

29. *La Farce des Théologastres* (vers 1530), dans Edouard FOURNIER, *Le théâtre français avant la Renaissance (1450-1550)*..., Paris, Laplace, Sanchez & Cⁱᵉ, s.d.

30. Ce volume, qui intègre la Massore, clôt une longue série d'impressions de Bibles hébraïques décrites par Christian D. GINSBURG, *Introduction to the Massoretico-critical Edition of the Hebrew Bible*..., New York, Ktav Publishing House Inc. (1896) = 1966 (voir notamment n⁰ 23, pp. 956-976).

31. Voir pp. 262 ss. ; 269 ss.

ii) La Septante [LXX] : *texte grec de l'Ancien Testament :*

[Avant 1530]

— *Éditions :* L'histoire des éditions du texte de la LXX au xvie siècle est bien connue[32]. Les publications de *psautiers polyglottes*[33] confirment ce que tout le monde est censé savoir : le Psautier latin reçu est le fruit d'une révision hiéronymienne des LXX. Le rapport de la Vulgate latine à l'hébreu et au grec n'est donc pas simple, c'est une évidence.

En 1530, trois éditions de la Bible en grec peuvent être lues. Elles sont d'inégales valeurs, et, rappelons-le, une édition plus récente ne se substitue pas à celle qui est antérieure.

Première à paraître, l'édition aldine en 1518[34].

Complétée par le Nouveau Testament érasmien, elle semble répondre au vœu de disposer d'un texte grec de toute l'Ecriture, et ses éditeurs n'ont pas étendu au-delà de Venise l'aire de collecte des manuscrits. Ceci dit, c'est un très beau livre ! Une pudeur ? Le Cantique des cantiques n'est pas indiqué dans la « Table des matières », du moins dans l'exemplaire que nous avons consulté.

Deuxième édition : la LXX de la *Polyglotte d'Alcalá*[35].

Un texte de type « lucianique » y est établi, accompagné d'une traduction latine juxta-linéaire. Les éditeurs de la *Polyglotte d'Anvers* (1572), puis Arias Montano (1584) reprendront ce texte, révisé quand il leur paraît trop contaminé par l'hébreu.

Troisième édition, souvent méconnue : par W. Köpfel, à Strasbourg en 1526[36].

L'éditeur strasbourgeois complète ainsi un Nouveau Testament publié en 1524. Curieusement, fier d'avoir ajouté le Josippon à la suite des Maccabées, il tient deux propos difficilement conciliables : il annonce

---

32. Consulter : *i)* T. H. Darlow and H. F. Moule, *Historical Catalogue of the Printed Editions of Holy Scripture in the Library of the British and Foreign Society* [London, 1903-1911]. Reprinted with the permission of the British and Foreign Bible Society, London, New York, Kraus Reprint Corporation, 1963. T. II : *Polyglots and Languages other than English*; *ii) Die Bibelsammlung der Württembergischen Landesbibliothek Stuttgart*, 1. Abt., Bd. 3 : *Griechische Bibeldrucke...* Beschrieben von Stefan Strohm unter Mitarbeit von Peter Amelung, Irmgard Schauffler und Eberhard Zwink, 1984.

33. *Psalterium Graeco-Latinum Cum Canticis* : [*Melos david regis et Prophetae*] [Milan, Giovanni Crastone, 1481]; Augustinus Iustiniani Genuensis, praed. ord., *Psalterium Hebraeum, Graecum, Arabicum & Chaldaeum cum tribus latinis interpretationibus & glossis* [Gênes, Petrus Paulus Porrus, 1516]; Ioannes Potken, *Psalterium in quatuor linguis hebraea, graeca, chaldaea, latina* [Cologne, 1518].

34. [*Panta ta Kat'Exokên Kaloumena Biblia Theias Dêladê Graphês Palaiste kai Neas*] *Sacrae Scripturae Veteris Novaeque Omnia*, Venetiis, in Aedibus Aldi & Andrae Soceri [1518].

35. [*Biblia Polyglotta Complutensis*] [Alcalá de Henares, Arnaldo Guillermo de Brocardo (1514-1517), en fait 1522].

36. [*Tês Theias Graphês Palaias Dêladê kai Neas Panta*] *Divinae Scripturae Veteris Novaeque Omnia* [Strasbourg, W. Köpfel (Cephalaeus), 1526].

avoir corrigé l'édition aldine dont il dépend, mais conseille d'avoir recours à l'hébreu en cas de difficulté d'interprétation[37].

— *Histoire du texte de la LXX :* Elle est « bien » connue. La *Lettre d'Aristée* est en effet aisément accessible, en latin, de même que le texte de Flavius Josèphe[38]. On ne prête pas attention à l'annotation du *De Civitate Dei*, XVIII, 42 par laquelle J.-L. Vivès [Bâle, Froben, 1522] suggère une date tardive de cet écrit[39].

De plus, la masse des prologues hiéronymiens est, on l'a dit, constamment réimprimée. Le dossier de la polémique entre Augustin et Jérôme voit sa présentation améliorée avec les grandes éditions de textes patristiques, munies d'Index commodes. Les anthologies — textes du *Corpus Iuris Canonici*, citations par des auteurs intermédiaires — sont une autre source d'informations.

La chronologie des versions grecques postérieures à la LXX est celle qu'on lit dans la *Biblia cum summariorum apparatu* lyonnaise : Aquila, Symmaque, Théodotion — dont on fait des portraits peu aimables — ont précédé la « Quinta », la « Sexta » et Lucien[40].

L'héritage patristique est recueilli : Epiphane, Eusèbe, Augustin, Jérôme...

— *Valeur et autorité du texte de la LXX. Paul de Middelburg :* La question de l'autorité de la LXX est posée dans la perspective d'un débat — réel ou imaginaire — avec les Juifs, ou quand il faut trancher entre les affirmations contradictoires des diverses versions.

Mathématicien et astronome, Paul de Middelburg en énonce les termes dès 1513 : il sera cité tout au long du siècle, sous son nom épiscopal : Paulus Forosempronianus, Paul de Fossombrone[41].

---

37. Voir p. 258 v°; pp. 259 r°-263 r° : « Annotatiunculae diversorum quorumdam locorum, ex Aldinis & scriptis in graecia vetustissimis Bibliis congestorum » [*Triton Biliôn Meros. Apocryphoi...* (p. 442) : Iôsippou...].

38. ARISTÉE, *Contenta in hoc Opuscula. Vetus editio Ecclesiastae. Olympiodorus in Ecclesiasten inserta nova tralatione interprete Zenobio Acciaolo Florentino. Aristeas de LXXII legis hebraicae interpretatione interprete Matthia Palmerio* [Paris, Henri Estienne, 1512]; Flavius JOSÈPHE, *Josephus « de Antiquitatibus » ac « de Bello Judaico »* [Venise, Gregorius de Gregoriis, 1510] (XII, 2 = fol. xciii r°-xcv v°). — *Flavii Josephi Hebraei Historiographi clariss. opera, ad multorum codicum latinorum, eorumque vetustissimorum fidem recognita & castigata, quorum catalogus est qui sequitur... Interprete Ruffino presbytero. Cum Indice & annotatiunculis, per quas cui quid respondent in Bibliis, quidve non, facile dinosci potest* [Paris, Nicolas Savetier, 1528] (XII, 2 = fol. cxx v°-cxxii r°).

39. Johannes Ludovicus VIVES, *Divi Aurelii Augustini... De Civitate Dei Libri XXII...,* XVII, 42 : « Circumfertur libellus eius [i.e. Aristea] nomine de LXX. interpretibus, conficus, ut puto, ab aliquo recentiore. »

40. *Biblia cum Summariorum Apparatu...* [Lyon, Jean Sacon, 1515] (fol. dd 9 r°-v°).

41. Paul de Middelburg [= Paulus Forosempronianus] (*1455-15 décembre 1534). [Voir Giuseppe CAPPELLETTI, *Le Chiese d'Italia dalla lore origine sino ai nostri giorni,* Venezia, Giuseppe Antonnelli, 1845, vol. III, p. 276 : « Fossombrone ».] « Paul de Middelburg y est évêque de 1494 à 1534. La discussion sur la LXX se trouve dans *Paulina de recta Paschae celebratione et de Die passionis Domini Nostri Iesu Christi* [Impressum Forosempronii per spec-

L'occasion en est la fixation de la date de Pâques : une révision des chronologies bibliques et ecclésiastiques est alors proposée. L'indication chronologique de Mc 16, 9 fait difficulté : « *Surgens autem Iesus mane prima sabbati.* » Paul de Middelburg comprendra : « Un des jours qui suivent le sabbat... » Ce qui autorise une conciliation avec les autres indications synoptiques.

Mais, auparavant, il aura repris l'entier dossier des versions. Il conteste que la traduction latine lue dans les églises soit l'œuvre de Jérôme : clairement, le Nouveau Testament ne l'est pas, et l'Ancien Testament a été corrompu lors de sa tradition[42]. L'intérêt du texte de la LXX n'est pas plus grand. Lucien d'Antioche a brouillé le texte original édité dans les *Hexapla* origéniennes. Les scribes, de plus, ont multiplié les fautes au cours des copies successives.

Ce faisant, Paul de Middelburg emploie alors un terme dont la valeur va évoluer au cours du siècle : « *authentica* ». Il tient pour « authentique » le texte qui reproduit fidèlement l'original[43].

— *La pratique exégétique* : Aucune généralisation n'est possible : l'argument philologique est rarement dirimant.

Lefèvre d'Etaples (*1480-1536). — Il ne sait pas l'hébreu. Dans le *Quincuplex Psalterium*, il multiplie les déclarations en faveur de la *veritas hebraica* qui se trouve être, en l'occurrence, latine et hiéronymienne, et il porte des jugements sévères sur la LXX[44].

Erasme[45]. — Mc 1, 1 : Erasme traduit : « Sicut scriptum est in prophetis », conformément à « son » texte grec. Il annote le texte latin : « ... in Esaïa propheta. » La citation de Ml 3, 1 est commentée en référence à Jérôme, identifié à la *veritas hebraica* : « *Ecce ego mitto angelum meum & praeparabis viam ante faciem meam.* » Erasme note que la LXX conduit à traduire : « ... *mittam...* », et Marc a ajouté : « (faciem) *tuam* 'car il identifie autrement le locuteur'. Dans le texte prophétique, Christ lui-même parle; dans Marc, c'est le Père qui s'adresse au Fils ». Puis il continue par des propos qui disent bien sa solution d'ensemble : les évangélistes savent l'hébreu et disposent de la LXX; mais ils citent de mémoire, moins soucieux du mot à mot que du sens qu'ils entendent respecter.

Luther. — Il est tout à fait apte à une comparaison des textes, et sait se référer à l'hébreu par ses propres moyens. En 1519, alors qu'il fait un cours

tabilem virum Octavium Petrutium 1513...]. — « *Secunda pars* operis dominicae passionis & resurrectionis diem indagat & Iudaeorum super hoc argumenta confutat » : *Liber primus* argumentum Iudaeorum ex signo Jonae prophetae deductum continet & difficultatem eius ostendit, necnon & solutionem eius affert. — *Liber secundus* continet objectiones nonnullas contra responsionem datam et solutionem ipsarum affert, necnon et aliam solutionem ad principem argumentum proponit [= fol. B (5) v⁰-C 8)) v⁰].

42. Il conforte par ses arguments, et aggrave les conclusions de L. Valla, Erasme et Lefèvre.

43. Un exemple d'emploi : [Il s'agit des révisions de Symmaque et Theodotion] « Horum ergo translationes non erant authenticae in his saltem in quibus ab originali dissonabant... » (Liber secundus...).

44. *Quincuplex Psalterium* [Paris, H. Estienne, 1513]; reprint Genève, Droz, 1979 [THR 170]. Voir Guy BEDOUELLE, *Le « Quincuplex Psalterium » de Lefèvre d'Etaples. Un guide de lecture*, Genève, Droz, 1979, pp. 121-133 sur Ps 8 6 [THR 171]. Textes de Lefèvre sur la LXX dans le *Quincuplex Psalterium* : pp. 15 v⁰, 26 v⁰, 54 r⁰, 74 v⁰...

45. Voir Jacques CHOMARAT, *Grammaire et rhétorique chez Erasme*, Paris, Société d'Edition « Les Belles-Lettres », 1981, pp. 667-672 [Les Classiques de l'Humanisme]. Exemple lu dans... *Opera omnia*, [Leyde, 1705], t. VI, col. 151-152 EF.

sur les Psaumes, il doit expliquer l'énigmatique : « Sela » (Ps 3, 3). Après avoir reconstitué le dossier des interprétations (LXX, Augustin, Jérôme, Paul de Burgos, Lefèvre d'Etaples, Reuchlin), il conclut, sur un mode très augustinien :

« Pour ma part, j'en resterai pour l'instant à la solution des LXX [*i.e.* *diapsalma/pausa*] ; ils ont donné de ce passage une interprétation, puis-je le dire, inspirée par Dieu, et cela bien qu'ils s'éloignent souvent du sens propre des mots (Luther donne alors d'autres exemples Ps 2, 12...)[46].

Agacio Guidacerio (1477-1540)[47]. — Il est l'auteur (1524, 1531) d'un commentaire du Cantique des cantiques par lequel il entend faire mieux qu'Origène[48]. Il édite le texte hébreu, le compare avec les traductions latine et grecque, avant d'en donner un commentaire allégorique antiluthérien. Le texte massorétique ponctué est l'archétype.

Dans le meilleur des cas, les trois textes s'accordent : il y a unanimité pour désigner l'unité de l'Eglise (Ct 6, 9). En Ct 1, 12 et 5, 4 le Grec, même s'il ne s'accorde pas en tous points à l'hébreu, a le mérite d'être plus convenable que le latin. La métaphore de l'amour conjugal « ne dépasse pas certaines limites » ! En effet (Ct 1, 12) le Seigneur ne « se couche pas » à table, comme les Romains (Vg : ... *in accubitu suo*) ; il se met à table, assis et appuyé sur le coude gauche *([en anaklisei]*). Et il ne faut imaginer aucun attouchement entre la main de l'amant et le ventre de l'aimée (Ct 5, 12). Vg : « *Venter meus intremuit ad tactum eius* » ; LXX : « *Venter meus resonuit in ipsum.* »

Parfois le latin et le grec s'accordent contre l'hébreu, mais autour de mots difficiles ou ambigus : les bijoux de 1, 12. Mais « [Sunamith] » (Ct 7, 1) est tout à fait fautif : cette corruption de « Hassulamith » voile le rapport avec la racine « Salem », indispensable pour le commentaire. Ct 2, 15 : le grec est fautif car il ne répète pas l'équivalent de « renards ». Or Israël avait souffert du fait d'un « grand renard » (Pharaon) et de « petits renards » (des maîtres fourbes) ; aujourd'hui l'Eglise doit se défaire d'un « grand renard » (l'empereur turc qui vient de saccager deux belles vignes : Belgrade et Rhodes), et de « petits renards » (les luthériens).

[Après 1530]

— *Editions* : A Bâle (1545) et Anvers (1572) sont publiés des textes repris de l'édition vénitienne dans le premier cas, de la *Polyglotte d'Alcalá* dans le second[49].

46. Martin LUTHER (1483-1546), *Operationes in Psalmos (1519-1521)*. Teil II : *Psalm 1 bis 10 (Vulgata)...* hrsg. und bearb. von Gerhard HAMMER und Manfred BIERSACK..., Köln/Wien, Böhlau Verlag, 1981 [Archiv zur Weimarer Ausgabe der Werke Martin Luthers. Texte und Untersuchungen, Bd. 2], pp. 130, 10 ss ad Ps 3, 3 « Sela ».

47. Professeur d'hébreu à Rome sous Léon X, il perd ses livres lors du sac de Rome (1527) et vient alors à Paris. Voir *Encyclopaedia Judaica* 7 (1971), p. 970.

48. Cité d'après la deuxième édition : *Canticum Canticorum Selomonis nuper ex hebraeo in latinum per Agathium Guidacerium Calabrum Romae versum explanatumque, nunc vero Parisiis beneficio Christianissimi Regis Francorum Francisci linguae sanctae assertoris maximi rursus editum*, Parisiis, ex officina Gerardi Morrhii Campensis..., M.D.XXXI.

49. *a) Divinae scripturae, veteris ac Novi Testamenti omnia*, innumeris in locis nunc demum & optimorum librorum collatione, & doctorum virorum opera, multo quam unquam antea

L'édition romaine de 1587, fruit des décisions tridentines, est une édition « critique ». Morinus et Nobilius ont cherché de bons manuscrits (le B notamment) et ont étendu leur enquête à Florence et Venise. Des citations patristiques complètent cette édition. On ne la dissociera pas de sa traduction latine. Le texte est établi de façon quelque peu rocambolesque : à partir de citations patristiques pré-hiéronymiennes, ou « à la manière de » ces auteurs quand il le fallait[50] !

D'autres éditions ne présentent que peu d'intérêt[51].

— *Histoire du texte* : Les mêmes informations qu'auparavant sont réitérées. Le dossier patristique est actualisé : par S. Pagnini[52] dans un sens favorable à Jérôme; sous une forme plus traditionnelle, quand la *Postille* de Nicolas de Lyre est rééditée, avec la *Bible glosée*, à Venise, en 1588[53]. *De Civitate Dei* annoté par J.-L. Vivès est réédité en 1542, sans plus de précisions.

Indice d'un intérêt pour ce qui fut à l'origine une traduction faite pour la communauté juive, Azariah de Rossi traduit en hébreu la *Lettre d'Aristée*, qui figure alors dans son ouvrage très contesté avant même de paraître en 1574 : *Me'or Einayim*[54].

— *Signification culturelle de la LXX* : Précisément, tout au long du XVIᵉ siècle, la LXX est surtout désignée et discutée comme un texte « chrétien » du fait de son emploi par les auteurs néo-testamentaires et de sa réception par l'Eglise.

Deux auteurs ont réfléchi plus que d'autres à l'importance culturelle de la Bible d'Alexandrie.

Martin Bucer (1491-1551), dominicain avant de devenir réformateur de Strasbourg, érasmien en matière d'étude des textes, s'y intéresse

emendatiora in lucem editae [Bâle, J. Herwagen, 1545] (avec dans certains exemplaires une préface dévalorisante par Mélanchthon, fol. *2 rᵒ : « Philippus Melanchthon pio lectori »); *b) Biblia sacra, hebraice, chaldaice, graece et latine* [Anvers, Plantin, 1572] (dans la *Polyglotte*).

50. Texte grec : [*E palaia diatheke kata tous ebdomekonta diauthentikas...*] *Vetus Testamentum iuxta septuaginta ex auctoritate Sixti v Pont. Max. Editum*, Romae, ex Typographia Francisci Zannetti, 1587. Traduction latine : *Vetus Testamentum secundum LXX latine redditum et ex auctoritate Sixti v. pont. max. Editum...*, Romae, In aedibus Populi Romani, apud Georgium Ferrarrium, 1588.

51. *a)* [Johannes DRACH] : *Bible polyglotte*, incompl., Wittenberg et Leipzig, 1563-1565; *b)* [David WOLDER] : *Biblia Sacra Graece, Latine & Germanice...* [Hambourg, 1596]; *c) Tês Theias Graphês Palaias Dêladê Kai Neas Diathêkês* [Francfort-s.-M., Hér. de A. Wechel, Cl. et J. André, 1597]; *d)* [HUTTER Elie], *Biblia Sacra Ebraice, Chaldaice, Graece, Latine, Germanice Italice* [Nuremberg, 1599].

52. Santi PAGNINI o.p. († 1536 ?), *Isagogae ad sacras literas Liber unicus* [Lyon, Hugues de la Porte, 1536] : « cap. V : De auctoritate lxx interpretum, quae salvo honore hebraicae linguae omnibus sit interpretibus praeferenda », « cap. XII : Septuaginta interpretum aeditionem non esse puram, sed corruptam violatamque & in illa multa deesse ».

53. *Index Alphabeticus ex interpretationibus super vetus et Novum Testamentum...* : « *Septuaginta interpres divisos per cellulas transtulisse legem veterem mendacium esse astruitur* » : fol. 20 rᵒ-vᵒ, 188 rᵒ C...

54. (Y. D.), « Rossi Azariah (Bonaiuto) Ben Mose dei (*ca* 1511-*ca* 1578) », *Encyclopaedia Judaica* 14 (1971), pp. 315-318.

lorsqu'en 1528 il interprète « le jour de Yahvé » de Sophonie 3, 8. Ce « jour » est en fait un long processus de diffusion progressive de la connaissance du vrai Dieu : il commence avec la déportation babylonienne, et est accéléré par la traduction de l'Ancien Testament en grec[55].

Augustinus Steuchus, défenseur des solutions traditionnelles, reconnaît bien des écarts entre la LXX et le texte hébreu. Quand il n'en minimise pas la portée, il les attribue au désir des traducteurs d'établir un lien entre la tradition juive et la culture philosophique hellénistique. Ainsi leur traduction de Gn 1, 2 : « [*aoratos kai akataskeuatos*] » donne-t-elle la bonne définition du chaos originel, mal comprise par les philosophes et les poètes par la suite[56].

— *Valeur et autorité de la LXX* : L'exégète et réformateur zurichois H. Zwingli porte, en 1529, le jugement le plus favorable sur le texte de la LXX : il a l'assurance d'y lire le témoin d'un texte hébreu non ponctué, c'est-à-dire non corrompu par les rabbins de Tibériade. Ses notes, issues des cours de la *Prophezei*[57], témoignent de ce choix (Gn 2, 1 ; 2, 2 ; 3, 15 ; Es 52, 15 en sont de bons exemples). Il rompt en cela avec ses collègues rhénans Œcolampade, Bucer...[58]. A la fin du siècle, Théodore de Bèze fera siens des propos de tonalité zwinglienne sur l'usage par la LXX d'un texte non ponctué[59].

Sixte de Sienne, en 1566, porte à plusieurs reprises un jugement négatif sur la LXX. La question de chronologie posée par Gn 5 lui donne l'occasion de regretter la corruption de la LXX. Mais par ailleurs il attribue aux « soixante-dix » tout l'Ancien Testament, préférant suivre l'avis de la majorité des Pères que s'associer à l'opinion d'hérétiques judaïsants[60].

55. Martin BUCER (1491-1551), *Tzephaniah, quem Sophoniam vulgo vocant, prophetarum epitomographus, ad ebraicam veritatem versus & commentario explanatus* [Strasbourg, J. Herwagen, 1528], Ad So 3, 9, fol. 61 v°.

56. Augustinus Eugubinus STEUCHUS (Steuco) (De Gubbio) (ca 1496-1548) (évêque de Kisami, bibliothécaire au Vatican). Cf. Th. FREUDENBERGER, *Augustinus Steuchus*, Münster, 1935, pp. 375-390 [RGST 64/65] ; *Recognitio VT ad Hebraicam veritatem* [Venise, A. Alde und A. Soter, 1529 ; Lyon, Seb. Gryphe, 1531]. Réédité dans *A. S. E. Episcopi Kisami... Opera omnia quae iam extabant, a R.P. Ambrosio Morando Bononiensi... summo labore ac studio ac in tres tomos divisa* [Venise, D. Nicolini, 1591] [Paris, M. Sonnius, 1578], t. I, fol. 87 v° ss.

57. Voir pp. 219 s. ; 519 ss.

58. Huldreych ZWINGLI (1484-1531), *Farrago Annotationum in Genesim, ex ore Huldrychi Zuinglii per Leonem Iudae et Casparem Megandrum exceptarum* [Zurich, Froschauer, 1527] ; *In Exodum alia Farraginis Annotationum particula, per Leonem Judae et Casparem Megandrum ex ore Zuinglii et aliorum Tiguri Deuterotarum comportata* [Zurich, Froschauer, 1527], *Complanationis Isaiae Prophetae, foetura prima, cum apologia qur quidque sic versum sit, per Huldrychum Zuinglium* [Zurich, Froschauer, 1529] = Z XIII (1944, ³1982), n°ˢ 1, 2 ; XIV (1959), n° 5 (CR C et CI).

59. Théodore de BÈZE (1519-1605), *Iesu Christi Domini Nostri Novum Testamentum sive Novum Foedus, cuius Graeco contextui respondent interpretationes duae, una, vetus, altera Theodori Bezae. Eiusdem Th. Bezae annotationes...* [Genève, Hér. de Eust. Vignon, ⁴1598], I, 134, 20 ss. *a-b* sur Mt 27, 9 ; I, 144, 1 ss. *a* sur Mc 1, 2 ; II, 391, 35 ss. *b* sur Hb 2, 7.

60. SIXTE DE SIENNE, *Bibliotheca Sancta* (1566), 2ᵉ éd. 1575. Liv. V, « Annotatio 68 » sur Gn 5 : « *Anni illustrium virorum perperam a LXX supputati* ». Pour montrer la gravité de l'erreur,

Dans la suite du siècle, les controverses confessionnelles vont influer sur le débat. Du côté catholique, avec N. Sanders[61], R. Bellarmin[62] et A. Possevin[63], on va revenir sans discussion à la solution patristique et augustinienne sur la LXX. En milieu protestant, on y verra la première d'une série de traductions, à apprécier selon des critères philologiques. W. Whitaker précisera qu'elle n'est en aucun cas « authentique », ce qui en fin de siècle veut dire qu'elle n'est pas « inspirée »[64].

— *La LXX et la théorie de la traduction* : La période 1530-1600 est un temps de traductions. Il n'est donc pas étonnant que les textes se multiplient sur la façon de rendre le lexique, la syntaxe, les tournures de l'hébreu dans une langue non sémitique. La LXX est alors une occasion de recherches et un réservoir d'exemples. Ainsi sous la plume de Sebastian Münster en 1534-1535 et de Peter Cholinus, quand il introduit la traduction des Apocryphes dans la Bible latine des Zurichois, en 1543.

— *La pratique exégétique* : La pratique de Jean Calvin paraît exemplaire. Il s'attache par principe, on le sait, au texte hébreu. Mais... !

Jr 23, 23 : les traducteurs grecs ont été totalement fous *(« crasse fuisse hallucinatos »)* de traduire : « Je suis un Dieu qui s'approche. »
Le texte grec de Ps 71, 15 : « Je ne connais pas les 'lettres' », est le fait d'êtres qui sont *fanatici*. Voilà qui va encourager les anabaptistes. Par contre, en Es 9, 5 : « ... Père du siècle à venir », l'addition de à venir » est heureuse. A propos de Ps 15, 4, Calvin qui traduit bien l'hébreu a des motifs spirituels et pastoraux d'opter pour le sens que donnent la LXX et le latin !
La citation du Ps 8, 6 en He 2, 7 est l'occasion d'un long développement : *i)* l'hébreu doit être traduit : « *Quia minuisti eum paululum a Deo* »; *ii)* mais on

Sixte de Sienne énumère 26 exemples de chronologies différentes qu'il en fait dépendre. Voir aussi Liv. VIII : « *De translationibus sacrae Scripturae Haeresis 13* », pp. 718-737 (précisément pp. 720-727).
61. Nicolas SANDERS (*1530-1581), *De visibili Monarchia Ecclesiae Libri Octo* [Louvain, 1571], p. 365, § 97 : « De Septuaginta duobus Interpretibus » : « L'Eglise grecque a veillé sur ses textes autant que l'Eglise latine sur les siens. »
62. Robert BELLARMIN s.j. (1542-1621), *De controversiis christianae fidei adversus huius temporis haereticos*, Ingolstadt, 1586-1593. « De Verbo Dei. Liber secundus, cap. xiv : « De interpretatione LXX Seniorum » (ed. Venise, 1599, pp. 79-83).
63. Antonio POSSEVINO s.j. (1533/1534-1611) : *a)* *Bibliotheca Selecta de Ratione Studiorum ad Disciplinis & ad Salutem omnium gentium procurandam...* [édition utilisée : Cologne, J. Gymnicus, 1607 I. I. Liber secundus : « qui est de Divina historia, sive Scriptura Sacra », pp. 46-111 : cap. 18 : « De versione Septuaginta Interpretum »; c. 19 (Réponse à León de Castro) et 20 (sur la version latine de la LXX, Rome, 1587); *b)* *Apparatus sacer ad Scriptores Veteri et Novi Testamenti, eorum Interpretes. Synodos & Patres Latinos et Graecos, horum Versiones. Theologos scholasticos, quique contra haereticos egerunt. Chronographos & Historiographos ecclesiasticos, eos, qui casus conscientiae explicarunt, alios qui Canonicum ius sunt interpretati, Poëtas sacros, Libros pios quocumque idiomate conscriptos, tribus Tomis distinctus* [Venise, « apud Societatem Venetam », 1606]. Cf. I, 127 : « Aristeas »; III, 204-207 : « Septuaginta ».
64. William WHITAKER (1548-1595), *Disputatio de Sacra Scriptura contra huius temporis papistas, imprimis Robertum Bellarminum Jesuitum... & Thomas Stapletonum* [Herborn, 1600]. — « Controversiae primae Quaestio secunda, de editione Scripturarum authentica. Caput Tertium : De Hebraeorum librorum versione Graeca interpretum Septuaginta », pp. 102-108.

ne peut reprocher aux LXX d'avoir traduit par *anges*; *iii)* mais, traducteur d'un texte de l'Ancien Testament, Calvin suit l'hébreu; *iv) Paul* en He 2, 7 n'eut pas scrupule à changer les mots. Son objectif, comme celui des apôtres, est de montrer que son enseignement s'appuie sur une parole divine. *v.* He 2, 9 : Paul adapte son propos au Christ. Il ne fait pas l'exégèse du texte psalmique, mais l'accommode à cette fin : il s'agit de l'abaissement de Christ qui sera suivi de son élévation et de celle de tous les membres de son corps. Le texte vétéro-testamentaire est adapté pour étayer l'argument christologique[65].

iii) Le texte grec du Nouveau Testament[66]. — Son établissement contrarie une attente car la « source » néo-testamentaire continue de se dérober.

iv) Le texte latin de la Bible[67]. — De 1530 aux alentours de 1550 deux voies continuent d'être empruntées : l'une sera abandonnée, l'autre délaissée. Une méthode de troisième type, « critique », est adoptée non sans résultats.

La première voie consiste à prétendre corriger le texte de la Vulgate, attribuée ou non à Jérôme, sur le grec et l'hébreu. Osiander et Petreius, en 1522 et 1527 s'y étaient essayés. Isidore Clarius suit encore cette voie en 1542, à ses risques et périls[68].

En fait, la lecture de la *Polyglotte d'Alcalá* ne pouvait que convaincre de la faiblesse méthodologique d'une méthode, pourtant recommandée dans le *Corpus Iuris Canonici*[69]. Les éditeurs avaient alors imprimé une traduction juxtalinéaire de la LXX, qui n'était pas la Vulgate. A dater de ce jour, il faut l'obstination d'un Augustinus Steuchus pour minimiser des désaccords textuels dont on dit qu'ils n'affectent pas le sens[70]. Les

65. J. CALVIN (1509-1564), références des exemples cités et de quelques autres. *J. Calvini Opera...* : 31, 146 (Ps 15, 4) ; 31, 286 (Ps 29, 1); 31, 569 (Ps 59, 11); 31, 658 (Ps 71, 15); 32, 302 (Ps 122, 1). — 33, 366 (Job 7, 20); 34, 313 (Job, 22, 20). — 36, 197 (Es 9, 5); 36, 481 (Es 28, 24). — 38, 437 (Jer 23, 23). — 31, 92 sur Ps 8, 6 et Hb 2, 7.
66. Voir pp. 273 ss.
67. Bonnes pages de Basil HALL dans « Biblical Scholarship : Editions and Commentaries », *The Cambridge History of the Bible : The West from the Reformation to the Present Day...*, pp. 64-76; voir aussi Dominique BARTHÉLEMY, « Excursus : I. Robert Estienne éditeur de la Bible; II. La Bible de Vatable aux prises avec l'Inquisition espagnole; III. La Bible française de Robert Estienne *(suite)* ; IV. La Bible de Benoist ; V. La Bible de Louvain; VI. La Bible de Châteillon », *Critique textuelle de l'Ancien Testament. 2 : Isaïe, Jérémie, Lamentations...*, Fribourg, Editions Universitaires; Göttingen, Vandenhoek & Ruprecht, 1986, pp. *29-*55 [Orbis Biblicus et Orientalis 50/2].
68. *Vulgata aeditio Veteris ac Novi Testamenti, quorum altera ad Hebraicum, altera ad graecam veritatem emendata est... adiectis scholiis...* [Venise, P. Schoeffer, 1542].
69. *Décret de Gratien* : Prima pars, Distinctio IX, causa VI : « Libris veterum ebrea volumina, novis greca auctoritatem impendunt » : « Ut veterum librorum fides de ebreis voluminibus examinanda est, ita novorum greci sermonis normam desiderat (= Jérôme, Ep. 28). Cf. *Corpus Iuris Canonici*, ed. Aem. FRIEDBERG, Leipzig, B. Tauchnitz, 1879, Bd. I, col. 17.
70. Augustinus STEUCHUS, *Recognitio Veteris Testamenti ad Hebraicam veritatem...* [Venise, 1529; Lyon, 1531].

premières des célèbres Bibles latines de Robert Estienne (1528, 1532) montrent, par des annotations, que leur éditeur était lui aussi tenté de jeter un regard sur les textes hébreu et grec.

La seconde voie consiste à réaliser une traduction latine nouvelle de la Bible. C'est ce que font, livre par livre, d'innombrables commentateurs. Erasme avait donné l'exemple avec le *Novum Instrumentum* de 1516, et il avait immédiatement suscité bien des oppositions[71]. Le dominicain S. Pagnini publie une Bible complète en 1527-1528 : sa traduction sera un texte de référence pour de multiples traductions en langue vivante, et, révisée, elle traversera le siècle[72]. S. Münster, en 1534-1535 publie une seconde Bible latine nouvelle[73] : elle est révisée, rééditée, associée à des textes de la *Polyglotte d'Alcalá* et au *Nouveau Testament* d'Erasme en 1539, reparaît encore en 1546.

Entre-temps, nous l'avons dit, les Zurichois éditent leur propre Bible latine en 1543 : associée par R. Estienne à la Vulgate, elle est encore publiée, avec toutes les autorisations requises, à Salamanque en 1584-1585.

Sébastien Castellion (1515-1563) est l'auteur d'une quatrième version :

> *Biblia interprete Sebastiano Castalione, una cum eiusdem annotationibus...* [Bâle, J. Oporin, 1551].

Applaudie par F. Furio[74], elle est honnie des calvinistes. Castellion a voulu écrire en bon latin, et il a multiplié les néologismes à connotations théologiques.

Avant de devoir défendre cette traduction en 1562[75], il en avait annoncé les principes dans son *Moses latinus ex hebraeo factus...*, paru en 1546[76]. En évitant toute « *peregrinitas* » et « *obscuritas* », il a voulu montrer que Moïse était le fondateur des arts libéraux, et faire qu'on le comprenne (fol. β 1 r⁰-v⁰). Il

---

71. Voir pp. 74 ss. — Le terme *instrumentum*, pas plus que celui de *Codex Sacer*, ne s'imposera pour désigner le volume « Bible ». Tertullien et Augustin les avaient employés. Après Erasme, S. Pagnini, en 1527, retient dans le libellé du titre la formule : « Habes in hoc Libro... utriusque instrumenti novam translationem. » Erasme avait expliqué son choix dans une longue lettre à Robert Aldridge, de Cambridge, en date du 23 août 1527. « Testament », explique-t-il, ne peut désigner un écrit que par synecdoque. Le parchemin qui porte la trace d'un testament en est « l'instrument ». Quand le Seigneur disait (Lc 22, 20) : « ... voici le calice du Nouveau Testament », aucun livre du Nouveau Testament n'existait. Le terme *instrumentum* réapparaîtra parfois, surtout dans le cours d'introductions, où, de H. Bullinger à Flacius Illyricus, on débat de l'unicité, ou de la pluralité, des alliances de Dieu avec l'humanité *(foedera, pacta)* et du rapport entre l'Ancien et le Nouveau Testament qui en témoignent.

72. Voir pp. 77 s.

73. Sur S. Münster, voir pp. 215 ss.

74. Voir pp. 474 ss.

75. *Sebastiani Castellionis suarum translationum bibliorum et maxime novi foederis defensio* [Bâle, 1562].

76. *Moses latinus ex hebraeo factus, et in eundem Praefatio qua multiplex eius doctrina ostenditur & Annotationes, in quibus translationis ratio, sicubi opus est, redditur, & loci difficiliores explicantur... Videbis, lector, Mosem nunc demum & latine loquentem & aperte* [Bâle, J. Oporin, août 1546].

est donc souvent passé, comme il convient en latin, du discours direct à l'indirect; il a renoncé à transcrire les noms propres. Ce qui conduit à sa célèbre note sur la traduction du tétragramme par « *Iova* »[77].

E. Tremellius et F. Junius[78] seront les auteurs de la dernière traduction latine nouvelle de l'Ancien Testament du XVIᵉ siècle (1575-1579), importante pour comprendre les révisions genevoises de la traduction française. La traduction du Nouveau Testament par Théodore de Bèze y sera jointe pour obtenir une Bible complète, telle celle de 1581[79].

La troisième voie enfin, celle qui conduira à la *Vulgate sixto-clémentine* de 1592, consiste à collecter les manuscrits du texte latin, les classer, avant de corriger les éditions courantes. D'où des libellés du titre de ce type : *Biblia ad vetustissima exemplaria castigata* ou *recognita & emendata*, les termes décrivant l'opération de collationnement pouvant être diversement combinés. Dom Quentin a décrit les premières tentatives, peu appréciables dans leur résultat.

Robert Estienne est, avec raison, fréquemment désigné comme celui qui, dès 1528 et 1532, aide à franchir des pas décisifs. En 1532, il paraît cependant encore hésiter[80]. Il dit au lecteur avoir tiré parti de sa lecture de manuscrits de saint Denis et de saint Germain, mais il signale par des signes diacritiques (obèles, astérisques...) des divergences avec l'hébreu, le grec, ou avec des traductions alternatives, souvent empruntées à des commentaires de l'école « rhénane ». L'édition de 1540 présente un véritable apparat critique. La « Nompareille » de 1545, « petit bijou de finesse et d'exactitude typographique » (D. Barthélemy), juxtapose

---

77. *Moses Latinus*, p. 476. « Iova » est le très saint nom de Dieu. Il est dérivé du verbe qui signifie « être », comme Moïse lui-même le dit à propos du buisson ardent. C'est un nom d'une majesté telle que les Juifs, quand il fallait le lire, lisaient « *Adonai* », c'est-à-dire « Seigneur ». C'est pourquoi je pense que les Septante ont traduit [*kurion*], imités en cela par les apôtres. Ils inculquaient en effet une religion, non une langue. Nous, parce que la vie est brève, nous devons veiller à conjoindre la langue à la religion. Nous ne pensons pas qu'il soit interdit de suivre ceux qui sont des experts en matière de langage, et ont la même conception de la vie que nous, pour travailler à la traduction du nom propre qui est donné à Dieu en hébreu, afin de ne léser en rien sa majesté. Nous ne voyons pas pourquoi il en irait de ce seul nom autrement que de tous les autres noms propres, en quelque langue que ce soit. Nous abandonnons à leur superstition judaïsante ceux qui nient qu'il soit convenable de traduire ainsi le saint nom. Si Dieu a jugé convenable de l'écrire, il est convenable que nous le lisions. Car il n'a pas écrit des choses qu'il ne faudrait pas lire. Quant à ceux qui disent que ces points voyelles qui lui sont joints ne lui appartiennent pas, on les réfutera aisément en citant les mots composés « Iosaphat, Ioram, Halleluia, Esaias... ». Et en Exode 3, 2 le *genius* qui apparaît à Moïse ne peut être que « le Fils » dont il est question dans un passage de livre 8 des *Oracles sibyllins*, traduits par Castellion, qui les cite alors...

78. Voir pp. 270 ss. G. Genebrard sera leur adversaire.

79. *Testamenti Veteris Biblia sacra sive Libri canonici... latini recens ex hebraeo facti... scholiis illustrati ab Immanuele Tremellio & Francisco Junio. Accesserunt... Libri Apocryphi... latine redditi & notis... aucti a Francisco Junio. Multo omnes... emendatius editi... quibus etiam adiunximus Novi Testamenti Libros ex sermone graeco a Theodoro Bezae in latinum conversos.*

80. *Biblia. Breves in eadem Annotationes, ex doctiss. interpretationibus & ex Hebraeorum commentariis...* [Paris, 1532, in-fol.].

en format in-8⁰, la Vulgate et la traduction zurichoise : c'est elle qui finit d'exaspérer les censeurs de Sorbonne.

Robert Estienne ne devait pas s'en tenir là : La *Biblia* in-folio de 1540 est rééditée en 1546. En 1557, en trois volumes, il publie le texte de la Vulgate et celui de Pagnini, révisé ; la version des Apocryphes faite par Claude Baduel ; la première version du Nouveau Testament par Théodore de Bèze. Il y joint les annotations attribuées à Vatable[81]. Une formule souvent reprise, la traduction de Pagnini, révisée, ou dans d'autres cas, la *Biblia latina* de Zurich, étant désignées comme *tralatio nova*. C'est à Louvain que sera pris le relais du travail critique[82].

UNE VAGUE DE NOUVELLES TRADUCTIONS EN LANGUE VIVANTE

Amorcé en 1522 et 1523 par Martin Luther et Jacques Lefèvre d'Etaples, ce mouvement s'amplifie après 1539 : il est l'une des caractéristiques majeures de ces décennies, ce qui justifiera qu'on y revienne fréquemment dans la suite de ce livre[83].

Vers 1530, peu avant que disparaissent S. Pagnini, J. Lefèvre d'Etaples et Erasme, la rédaction et la diffusion de traductions en langues vivantes — établies sur les textes hébreu et grec — sont la grande affaire qui mobilise savants, imprimeurs et... censeurs. P. H. Vogel en a réalisé un tableau chronologique impressionnant[84]. Des travaux entrepris depuis plusieurs années touchent à leur fin, et des Bibles complètes sont publiées. Elles supplantent les modèles hérités des générations antérieures et elles sont autant de prototypes que viendront améliorer des remaniements successifs.

Quelques premières dates marquantes d'une séquence remarquable :

1530 : *La saincte Bible en Françoys...*, par J. Lefèvre d'Etaples, à Anvers[85]; *Il Nuovo Testamento di Greco nuovamente tradotto in lingua Toscana per A. Brucioli...*[86].

1530-1531 : *Die gantze Bibel der ursprünglichen Ebraischen und Griechischen waarheyt nach, auffs aller treüwlichest verteütschet*, à Zurich (in-8⁰, in-fol.)[87].

---

81. D'après B. HALL, *op. cit.*, p. 71. Consulter aussi Elizabeth ARMSTRONG, *Robert Estienne, Royal Printer. An Historical Study of the elder Stephanus*, Cambridge, University Press, 1954; 2ᵉ éd., Sutton Courtenay Press, 1986.
82. Voir pp. 350 ss.
83. Voir pp. 443 ss. ; 463 ss. ; 533 ss.
84. Paul Heinz VOGEL, *Europäische Bibeldrucke des 15. und 16. Jahrhunderts in den Volkssprachen. Ein Beitrag zur Bibliographie des Bibeldrucks*, Baden-Baden, Verlag Heitz GmbH, 1962, p. 121-123 [BBAur V].
85. *Chambers*, n⁰ 51.
86. VOGEL, p. 97, n⁰ *5. A Venise, Lucantonio Giunta, in-8⁰.
87. Fac-similé de l'édition de 1531 en format réduit, Zürich, Theologischer Verlag, 1983, suivi de Hans Rudolf LAVATER, « Die Froschauer Bibel 1531. Das Buch de Zürcher Kirche », pp. 1359-1421.

1534 : *Biblia, das ist, die gantze Heilige Schrifft Deutsch*. Première édition complète de la traduction de Martin Luther[88]. La même année paraît une concurrente catholique de la Bible luthérienne préparée par Johann Dietenberger o.p. (*ca* 1475-1537) : *Biblia beider Allt und Newen Testamenten*, à Mayence[89]. 1535 : *Biblia. The bible that is the holy scrypture...*, la Bible de M. Coverdale[90]. *La Bible Qui est toute la Saincte escripture...*, dite la *Bible d'Olivétan*, prototype des Bibles genevoises[91]...

Chacune de ces traductions surgit sur un marché captif, ce qui peut expliquer des diffusions clandestines et limitées. Il faut compter en effet avec l'attribution, ou le refus, par les autorités ecclésiastiques ou civiles, de droits d'imprimer et de distribuer. Les attitudes adoptées par l'Eglise catholique en la matière sont présentées dans un « dossier » qui restitue l'ampleur et la complexité du débat[92].

LE CANON DES ÉCRITS BIBLIQUES

Après 1530, les listes et les désignations des écrits qui n'étaient pas dans le canon hébreu peuvent encore varier. Une note complémentaire l'indique[93]. Mais après les observations de Carlstadt et les décisions de Martin Luther d'une part, du concile de Trente d'autre part, il y a moins de flottement quant à leur liste et leur statut. Les protestants impriment les Apocryphes à part; Sixte de Sienne fixe une terminologie catholique; les théologiens en débattent autour du « lieu » du primat de l'Ecriture ou de l'Eglise.

Le débat n'est cependant pas tout à fait éteint et les classifications peuvent encore être discutées. En 1579, François du Jon (Junius) traduit les Apocryphes, dans la Bible qu'il édite en commun avec E. Tremellius. Il dit alors souhaiter agencer les Apocryphes — livres à lire en privé — en « livres historiques » d'une part, « instructifs » d'autre part... Et il n'a aucune estime pour III Maccabées.

Elie Hutter (encore lui !) réimprime l'Epître aux Laodicéens dans un Nouveau Testament en douze langues qu'il édite à Nuremberg en 1599. Depuis Lefèvre d'Etaples, cette épître était tombée en oubli.

Le Siracide est fréquemment publié, car prisé pour son moralisme : à Bâle en 1551, 1555, 1560 avec des notes de J. Camerarius (1500-1574), ami de Mélanchthon et réorganisateur des Universités de Tübingen et Leipzig; à Helmstedt en 1580; à Franecker en 1596, annoté par J. Drusius.

---

88. VOGEL, p. 29, n° *41, à Wittemberg, chez Hans Lufft.
89. VOGEL, p. 44, n° *175, chez Peter Iordan.
90. VOGEL, p. 59, n° *10.
91. *Chambers*, n° 66; fac-similé, Torino, éd. A. Meynier, 1987.
92. Voir pp. 463-486.
93. Voir pp. 152-156 ; 337-342.

R. Bellarmin a recueilli l'anecdote de la femme qui, entendant la lecture de Si 25, interrompt le clerc pour dénoncer ce chapitre comme « diabolique ». Bellarmin n'en conclut pas au « sexisme » du Siracide, mais à la nécessité de ne pas donner la parole aux femmes en matière biblique[94].

Le dossier des Pseudépigraphes ne sera qu'entrouvert ici. Théodore Bibliander publie le *Protévangile de Jacques* en 1552[95]. Les *Testaments des Douze Patriarches* dont la traduction latine par Robert Grosseteste circule depuis longtemps sont republiés — en latin — à Haguenau (1532) et Paris (1549); en traduction française à Paris en 1549 et 1577[96]. Ils sont parfois cités avec d'autres textes bibliques.

DE 1530 A 1600 : LES ACTEURS DU CHANGEMENT

De 1530 à 1600, une évolution se fait. Commentateurs, rédacteurs, traducteurs, éditeurs, imprimeurs sont les acteurs de cette histoire, comme aussi les lecteurs, étudiants, clercs, laïcs... — ils sont le « marché » — dont on essaie de prévenir les réactions, satisfaire les goûts, modeler les habitudes.

En amont du livre imprimé et vendu, le groupe-auteur. Ce « collectif » rassemble des disparus (Jérôme) auxquels les livres rendent la voix, des biblistes contemporains, des fabricants. Ils sont toujours dans un rapport étroit — cherché ou subi — avec des institutions politiques : il faut obtenir des privilèges, des autorisations préalables, la levée des censures. Entre ces auteurs, des liens d'amitié ou de répulsion, des dépendances et des filiations. Un chapitre visera à mettre de l'ordre dans la masse des documents sur lesquels se fonde l'histoire de la Bible entre 1530 et 1600 et en révéler la variété[97].

A plusieurs reprises, censeurs, institutions de contrôle de la production et de régulation des usages seront évoqués. Ils sont présents en permanence. L'histoire de la traduction de Pagnini et des annotations de Vatable atteste leur relative vigilance.

La traduction de Pagnini est en effet très tôt révisée par Michel Servet, placée donc entre des mains hétérodoxes, ce qui contribue à la rendre suspecte[98].

---

94. *Disputationes...* [Venise, 1599], p. 116 : « Istudne verbum Dei ? immo potius verbum Diaboli est ! »

95. *Protevangelion sive de natalibus Jesu Christi & ipsius matris Virginis Mariae sermo historicus divi Jacobi minoris...* [Bâle, J. Oporin, 1552]. Sur Bibliander, voir pp. 247 ss.

96. *Les testamens des douze patriarches, enfans de Jacob... Traduits par Robert Grosseteste, eveque de Lincoln* [Paris, François Girault, 1549, in-16]; *Les testaments des douze patriarches, enfans de Jacob... le tout revu et corrigé sur le vieil original outre les précédentes* [Paris, Martin le Jeune, 1577, in-16].

97. Pp. 157-197 : « Des Livres ».

98. *Biblia Sacra ex Santis Pagnini tralatione, sed ad Hebraicae linguae amussim novissima ita recognita & scholiis illustrata, ut plane nova editio videri possit. Accessit praeterea liber interpre-*

Entre 1566 et 1571, elle est remise à l'honneur par les éditeurs de la *Polyglotte d'Anvers* : il devront s'en justifier. Arias Montano, qui en fait grand usage, devra affronter encore la mise à l'Index[99].

D. Barthélemy a reconstitué récemment la longue histoire des annotations de Vatable, jusqu'à leur impression à Salamanque, à la suite de la traduction latine de Zurich, et ce avec l'accord de l'Inquisition[100].

Nous avons cependant pris le parti de ne pas survaloriser l'importance et l'effet des interventions de censeurs. Nous n'écrirons donc pas l'histoire de la Bible entre 1530 et 1600 en commençant par lire la *Collectio judiciorum de novis erroribus* de Ch. du Plessis d'Argentré ou les *Index* et les règles de leur application. Les censeurs contribuent à définir les conditions du travail des biblistes, à le freiner : ils ne le déterminent pas totalement. Ils sont des acteurs parmi d'autres : leur pouvoir n'est pas illimité. Après des épisodes difficiles, voire tragiques, ils n'ont pas le dernier mot.

Les profils des « lecteurs » restent en règle générale plus flous. Ils peuvent être assemblés en églises ou en conventicules. Ils sont souvent des auditeurs, car analphabètes partiels ou totaux, attentifs donc aux prédications et conversations, ou des personnes par trop désargentées pour s'offrir une Bible. Ils développent parfois des lectures, communautaires ou individuelles, qui échappent à l'intention des rédacteurs et éditeurs originels[101].

Bernard ROUSSEL.

---

tationum Hebraicorum, Arabicorum, Graecorumque nominum, quae in sacris literis reperiuntur, ordine alphabetico digestus, eodem authore, Lugduni, apud Hugonem a Porta MDXLII. Cum privilegio ad annos sex. [Colophon : « Lugduni. Excudebat Gaspar Trechsel. Annon MDLXII »] [In-fol.]. Voir J. BAUDRIER, *Bibliographie lyonnaise...*, t. 12, pp. 256-257 (Trechsel, Gaspard); John A. FULTON, *Michael Servetus, Humanist and Martyr*, with a Bibliography of his Works and Census of known copies, by M. E. STANTON, New York, Herbert Reichner, 1953, nᵒˢ 26, 27 et 28 (rééd. en 1545) de la *Bible* avec les *Postilles* de Nicolas de LYRE.

99. Voir pp. 262-269.

100. D. BARTHÉLEMY, *op. cit.*, pp. 34-44. Il s'agit de : *Biblia Sacra cum Duplici Translatione & Scholiis Francisci Vatabli nunc denuo a plurimis, quibus scatebant, prioris repurgatis, doctissimorum Theologorum, tam almae Universitatis Salmanticensis quam Complutensis iudicio, ac Sanctae & generalis Inquisitionis iussu* [Avec privilège royal, à Salamanque par Gaspard de Portonariis, Guillaume Rouillé et Benoît Boyer].

101. Voir pp. 283-305 : « Des Lecteurs ».

Note complémentaire

QUELQUES LISTES ET DÉFINITIONS DES APOCRYPHES

1. Andreas Carlstadt

Source : *De Canonicis Scripturis Libellus D. Andreae Carolstadii Sacrae Theologiae Doctoris & Archidiaconi VVittenbergensis*, Wittenbergae apud Ioannem Viridi Montanum, anno Domini M.D.XX, fol K2 r⁰ :

1. Sapientiae
2. Ecclesiastici
3. Iudith
4. Tobiae
5-6. Duo Machabeorum

(Hi sunt Apocryphi. i. extra canonem hebraeorum tamen agiographi).

1-2. Posteriores duo, Esdre inscripti
3. Baruch
4. Oratio Manasse
5. Bona pars tertii capitis Danielis
6. Duo postrema capita Danielis

(Hi libri sunt plane apocryphi, virgis censoriis animadvertendi).

2. *Biblia Latina*, Lyon, J. Sacon, 1515

Liber Genesis
...
Liber... paralipomenon liber secundus.

Incipit oratio manasses regis iuda cum captus teneretur in babylonem : quod non est in hebreo : nec est de textu biblie.

Esdre primus
Neemie qui est Esdre secundus

Esdre tertius
Esdre quartus. Nicolaus de lyra dicit...
Tobie
Judith

Hester

Librum hester variis translatoribus constat esse

Job
...
Cantica

Liber Sapientiae apud hebraeos nusquam est...
Liber iesu filii sirach qui Ecclesiasticus appellatur
Oratio iesu filii sirach
Oratio Salomonis

Esaias propheta
Hieremias
Threni

Oratio hieremie : Recordare domine...
Liber Baruch prophete. Liber iste qui baruch nomine pernotatur in hebreo canone non habetur...
Incipit exemplum epistolae eiusdem quam misit hieremias...

Ezechiel
Daniel

(cf. fol. *bb* VI v° : ... in quo agitur... de historia susanne de destructione bel atque interfectione draconis)

Osee
...
Malachias

Machabeorum libri duo.

3. *Die Zürcher Bibel, 1531*

Source : *Die gantze Bibel der ursprüngliche Ebraischen und Griechischen waarheyt nach/ auffs aller neüwlichest verteüschet,* Getrückt zú Zürich bey Christoffel Froschauer, im Jahr als man zalt M.D.XXXI.

Das erst Búch Mose
...
Das ander búch der Chronica
Das erst búch Esdre
Esther.

[fol. CCXLI v°. Diss sind die búcher die bey den alten unnder Biblische geschrifft nit gezelt sind/ ouch bey den Ebreern nit gefunden].

Das drit Búch Esdre
Das vierdt Búch Esdre das die Ebreer nit habend
Hie facht an das búch der Weyszheit/ das komlich Ein lob der weyßheit mag genennt werden
Das Búh *(sic)* Ecclesiasticus/ das man nennen mag/ die weysen sprüch/ Jesu deß suns Sirach
Das Búch Tobie
Der Prophet Baruch
Hie facht an das Búch das Judith heiszt
Diese sind die Capitel die im Búch Hester in Hebreischem Text und Biblischer gschrifft nitt gefunden werden/ Doch habends die Griechischen Tolmetschen/ auch die Latiner/ deßhalb wir sy auch hienaach inn Tütsch habend wollen setzen/ das niemants nichts mangle
Das erst Búch Machabeorum
Das ander Búch der Machabeern
Das dritt Búch der Machabeern
Volgt die schön histori Susannah : der haußfrawen Joiakim
Das XIII. Cap. Dan. den Latineren
Volgt die histori vom Bild zú Babel/ Beel genannt...

End deß ersten teyls deß Alten Testaments mit sampt den Búchern der gschrifft gemäß/ doch nit als Biblisch/ oder in gleychem werd/ bey den Hebreern gehalten werdend. Getruckt...

Das ander teyl des Alten unnd des Neüwen Testaments.

...

4. *Bible d'Olivétan*, 1535

Source : *La Bible Qui est toute la Saincte escripture*... [Neuchâtel, Pierre de Wingle, 1535] [= CHAMBERS, n° 66, p. 88].

Malachie

[fol. AAA 1 r°]
Le volume de tous les livres Apocryphes contenus en la translation commune/ lesquelz navons point trouvez en Ebrieu ny en Chaldee...

Le troysiesme livre de Ezra
Le quatriesme libre de Ezra
Le livre de Tobiah
Le livre de Jehudith
Le livre de Sapience
Le livre de Jesua filz de Sirach/ qui est appelle Ecclesiasticque
Le livre du prophete Baruch
Lepitre de Jeremiah chap. VI
Le premier livre des Machabees
Le second livre des Machabees
Reste de lhistoire de Esther en poursuyvant au X. chapitre
Le Canticque des troys enfans mis en la fornaise
Lhistoire de Susanne
Lhistoire de lidole Bel et du dragon
Loraison de Manasseh Roy de Jehudah/ quand il estoit detenu captif en Babylone.

5. Martin LUTHER (1545)

Source : *Biblia : das ist : Die gantze Heilige Schrift : Deudsch Affs new zugericht. D. Mart. Luth*... Gedruckt zu Wittemberg / Durch Hans Lufft. M.D.XLV.

...

Ende des Propheten Maleachi.

Apocrypha : das sind Bücher so der heiligen Schrifft nicht gleich gehalten/ und doch nützlich und gut zu lesen sind/ Als nemlich/.

I. Judith... VIII Stücke in Daniel :

Das Buch Judith
Die Weisheit Salomonis
Das Buch Tobie
Das Buch Jesus Syrach
Der Prophet Baruch
Das Erste Buch Maccabeorum
Das Ander Buch der Maccabeer
Stücke in Esther
Historia von der Susanna und Daniel
Vom dem Bel zu Babel

Vom Drachen zu Babel
Das Gebet Asarie : Dani. III
Der Gesang der Dreien Menner im Fewr. Dan. iii aus dem Griechischen
Das Gebet Manasse/ des Königes Juda/ Da er gefangen war zu Babel.

Ende der Bücher des alten Testaments.

6. Sixte de Sienne

Source : *Bibliotheca Sancta*, ²1575.

[Liber Primus]
...
Scriptores Deuterocanonici (p. 24) :

Esther (accepté par les Hébreux)
Tobias
Iudith
Baruch
Epistola Ieremiae
Sapientia Salomonis
Sapientia Sirach sive Ecclesiasticus

Oratio Azariae (Danielis supplementum)
Hymnus Trium Puerorum
Sosannae Historia
De Dracone Belis

Maccabaeorum Primus
Maccabaeorum Secundus.

De secundo ordine scripturarum Novi Testamenti :

Marci caput ultimum
Lucae historia de sudore Christi (Lc 22)
Ioannis historia de muliere in adulterio... (Jo 8)
Pauli epistola Ad Hebraeos
Iacobi Epistola
Ioannis Epistola secunda
Ioannis Epistola tertia
Iudae Epistola
Apocalypsis, id est Revelatio Ioannis.

De Scriptis Apocryphis divinae scripturae insertis (obscuri autores & ambigua autoritas) (p. 32) :

Libri Secundi Paralipomenon Accessio (Oratio Manassae)
Esdrae Liber Tertius
Esdrae Liber Quartus
Libri Esther Appendix
Libri Iob Appendix
Psalterium Auctarium (cf. Athanase, *Contra Goliath Psalmus CLXI*)
Libri Ecclesiastici Additamentum (Oratio Salomonis)
Lamentationum Ieremiae Praefatiuncula
Maccabaeorum Liber Tertius
Maccabaerorum Liber Quartus.

[Liber Secundus]

De libris, scriptoribus et scriptis quorum in s. voluminibus fit mentio (p. 42-43) :
[Trois classements sont proposés :
I. Transcriptae. Abbreviatae. Allegatae;
II. Historicae. Mysticae;
III. Indubitatae. Apocryphae].

Apocrypha :

Hebraeorum Evangelium
Barptolomei Evangelium
Iacobi Apostoli Missa
Hermae Libri Tres (Pastor, Ecclesia, Similitudines)
Barnabae Epistola
Helda & Medad Vaticinia
Clementis Epistolae
Iosephi Oratio
Apostolorum Canones
Testamentum Duodecim Patriarchum
Petri Praedicatio
Iasonis & Papiscis Altercatio.

(id est, obscura & ambigua sunt, de quorum autoribus & autoritate dubitatur, vel de quibus ambigitur, an scriptoribus qui in sacris literis memorantur tribuenda sunt. [Dans l'Eglise primitive, ils étaient lus à des fins d'édification, pour leur valeur morale ou pour confirmer la foi.])

Pseudepigrapha hoc est falso inscripta, ea sunt, quae diversi heretici sub nomine virorum tam illustrium quam obscurorum, quos passim divinae literae nominant, malitiose finxerunt, ut ex eorum ementitis titulis fidem autoritatemque erroribus suis concilient.

...
Libri Seth filli Nohe
Scriptura Cham Filii Nohe
Abrahae Revelatio
Mosis Ascensio
Iamnes & Mambres Volumen
Heliae Apocalypsis
Esaiae Ascensus
Salomonis Incantationes
Iesu Christi De Occultis Sapientia ad Petrum et Paulum Libri
Pauli Raptus
Pilati Acta
Iudae Iscarioti Evangelium.

Cf. la discussion « scholastique » par le puritain W. WHITAKER, *Disputatio de Sacra Scriptura...*, Herborn Nassoviorum, 1600, Controversiae I, Quaestio I, cap. 7-15.

5

Des livres

I. — L'ACCÈS A LA DOCUMENTATION

Une documentation « innombrable »

Editer

Quelques chiffres.

Le Nouveau Testament érasmien est publié plus de 200 fois entre 1516 et 1599, 45 éditions étant antérieures à 1530. On en compte « encore 16 dans la dernière décennie du siècle; [ainsi que] plus de 160 éditions des *Paraphrases* sur un ou plusieurs livres, publiées indépendamment du texte et de ses traductions »[1].

La multiplication des lieux d'impression et des éditeurs, la ramification croissante des réseaux de diffusion sont, au cours du xvie siècle, une évidence. Cependant l'augmentation du nombre des titres et de la croissance des tirages va de pair avec une proportion qui va se réduisant dans l'ensemble de la production imprimée. On se gardera donc de

---

1. D'après Ferdinand Van der Haeghen, *Bibliotheca Erasmiana – Répertoire des œuvres d'Erasme* [Gand, 1983], Nieuwkoop, B. de Graaf, 1961 : 1re série, pp. 143-151 [*Paraphrasis in...*]; 2e série, pp. 57-65 [*Novum Testamentum*. Editiones erasmicae].

désigner trop naïvement le xvɪᵉ siècle comme le « siècle de la Bible » par excellence.

Des enquêtes récentes permettent quelques premières conclusions.

M. U. Chrisman a récemment étudié « l'édition protestante à Strasbourg (ville libre d'Empire) de 1519 à 1599 »[2]. Elle représente 19 % (1 086 titres) des ouvrages imprimés de 1480 à 1599. 65 % des travaux bibliques paraissent entre 1523 et 1528 : traductions allemandes et commentaires en latin. C'est le temps de développement du mouvement évangélique. « L'édition biblique est insignifiante dans les décennies qui suivirent 1550. » L'échec relatif de l'*Interim* fait que Strasbourg vit alors sous un régime d'orthodoxie doctrinale et disciplinaire luthériennes.

B. T. Chambers a recensé les éditions de Bibles et de Nouveaux Testaments en langue française[3]. Elle a compté (nᵒˢ 15 à 547) quelque 229 imprimeurs et éditeurs de Bibles françaises entre 1500 et 1599, en 26 lieux différents, dont 14 extérieurs au Royaume de France. De 1500 à 1519 (nᵒˢ 15 à 25), on compte 10 éditions de deux types de Bibles *(Bible abrégée, Bible historiale)* en trois lieux : Paris (7 éd.), Lyon et Rouen. De 1560 à 1569 (nᵒˢ 260 à 416), au cours des « dix glorieuses » de l'édition biblique française, 154 éditions de Bibles et de Nouveaux Testaments, réformées, mais aussi « catholiques », en 7 lieux : Genève et Lyon surtout, puis Paris, Rouen, Caen, Saint-Lô, Orléans et Anvers. De 1590 à 1599 (nᵒˢ 522 à 547), 25 éditions de 8 origines : Lyon, Paris, Niort et La Rochelle, Anvers, Liège, Nuremberg et Genève.

Les conflits religieux expliquent nombre de ces variations; on ne saurait rien dire d'une éventuelle saturation du marché.

Vendre

Que vend-on ? et à qui ?

Les catalogues et inventaires de bibliothèques privées ou institutionnelles, s'ils ne satisfont pas toutes les curiosités, permettent cependant d'identifier des acheteurs et de repérer des pressions de la demande.

Premier exemple : l'étude des bibliothèques pastorales du Palatinat par B. Vogler[4], soumises au poids du conformisme et des censures.

Il s'agit des inventaires (1580-1585) des bibliothèques de 56 pasteurs luthériens, et de ceux, plus tardifs (1609), postérieurs à un changement confes-

---

2. Myriam U. Chrisman, *Lay Culture, learned Culture : Books and social Change in Strasbourg (1480-1599)*, New Haven (Conn.), Yale University Press, 1982. — « Polémique, Bibles, doctrine : l'édition protestante à Strasbourg (1519-1599) », *BSHPF* 130 (1984), pp. 319-344.

3. Bettye Th. Chambers, *Bibliography of French Bibles...* — Les indications chiffrées sont notre fait : elles incluent une inévitable marge d'erreur, puisqu'il faut tenir compte des éditions perdues ou difficilement identifiables.

4. Bernard Vogler, *Vie religieuse en pays rhénan dans la seconde moitié du XVIᵉ siècle (1556-1619)*, Lille, Serv. de Reproduction des Thèses, Université de Lille III, 1974, 3 vol. — Voir chap. V : ɪɪ et ɪɪɪ, pp. 331-431. — Du même : « Brenz und die pfälzischen Pfarrbibliotheken um 1600 », *Blätter für Württembergische Kirchengeschichte* 70 (1970), pp. 279-283.

sionnel, de 54 pasteurs réformés. Les uns possédaient de 7 à 311 volumes, les autres de 16 à 318 : indice d'une formation du clergé qui va s'améliorant, avec de grandes disparités entre les individus.

Melanchthon est au premier rang par les *Loci communes*... et — en cinquième position — son commentaire de l'Épître aux Romains. Les écrits exégétiques de J. Brenz (1490-1570), édifiants et doctrinalement sûrs, sont aussi très achetés. Éditions et explications de la Genèse et des Psaumes semblent les mieux vendues en milieu luthérien avec les *Summarien über die ganzen Bibel* (1545) du collaborateur de Luther, Veit Dietrich († 1549).

On observe aussi que les choix des acheteurs de commentaires du Nouveau Testament sont dispersés : plus de Bullinger que de Théodore de Bèze et de Matthias Flacius Illyricus, « boycotté ».

Les inventaires de bibliothèques de clercs et laïcs français sont fort nombreux, mais d'un usage malaisé[5].

Dans l'enquête de A. H. Schutz sur des livres français la part des travaux bibliques est des plus réduites.

Les *Paraphrazes* d'Erasme apparaissent une fois (Jean de La Rogeraye, procureur en Parlement [nº 179 du 26 juin 1539]). Les *Postilles en françoys (et exposition des epistres)* sont mentionnées parmi les livres de Catherine Jacyer, femme de Jean Le Féron, avocat en la court de Parlement (nº 113, daté du 19 mars 1548), et du libraire Pierre Ricouart (nº 175, du 15 février 1519)...

Les relevés de A. Labarre sembleraient confirmer l'étroitesse du marché des ouvrages en langue française et l'archaïsme ou le conservatisme des acquéreurs laïcs.

1 531 titres d'ouvrages religieux, sur un total de 3 050. Dans ce nombre, 120 exemplaires de textes bibliques complets ou partiels et 32 titres de commentaires[6]. Parmi ces derniers ouvrages, 8 volumes de « *Postilles* » sont désignés comme des éditions en français, sans précision sur leur auteur. 2 appartiennent à des clercs (nᵒˢ 380, 793), un troisième à un magistrat. Les autres, et ceci vaut d'être noté, à : Jean Trucquet, pâtissier (nº 216, du 11 mars 1534); Pierre Gorin, marchand (nº 261, du 3 juin 1537); Mahieu Prevost, mercier (nº 321, du 16 mars 1542); Marie Delewarde, femme de David Le Prevost, hôtelier (nº 659, du 7 janvier 1562); Eustache Gavin, marchand (nº 684, du 6 août 1563). Jean Mouret, docteur en théologie rémois, possède un remarquable fonds d'hébraïsant chrétien et d'amateur de lecture patristique. Parmi les 94 ouvrages recensés, des travaux de S. Münster, des rééditions d'ouvrages de S. Pagnini, le commentaire des *Livres historiques* par le controversé Martin Borrhaus (Cellarius) (1499-1564)[7].

5. Voir les *Bibliographies* jointes aux études de A. H. Schutz, *Vernacular Books in Parisian Private Libraries of the Sixteenth-Century according to the Notarial Inventories*, Chapel Hill, The University of North Carolina Press, 1955 [University of North Carolina Studies in the Romance Languages and Literatures, 25]; — Albert Labarre, *Le Livre dans la vie amiénoise du XVIe siècle*, Paris, Béatrice Nauwelaerts; Louvain, Editions Nauwelaerts, 1971 [Publications de la Faculté des Lettres et Sciences humaines de Paris-Sorbonne, Série Recherches, t. 66; Travaux du Centre de Recherches sur la Civilisation de l'Europe moderne, fasc. 10].

6. A. Labarre, *op. cit.*, pp. 158-162 et 181-182. Plus précisément : 53 Bibles entières, 5 Anciens Testaments, 18 Nouveaux Testaments, 13 textes séparés de l'AT et 10 du NT.

7. Labarre, *op. cit.*, pp. 319-332 : (Six cas singuliers) E = Jean Mouret, Docteur en Théologie, 1565.

Les rayons d'Antoine IV Ebrard de Saint-Sulpice, archevêque de Cahors de 1576 à 1600, sont moins chargés[8].

30 titres d'éditions du texte biblique et de commentaires, sur un total de 485, mais des livres très difficilement identifiables. Du Pagnini encore, mais aussi la *Bibliotheca Sancta* de Sixte de Sienne et d'autres auteurs tout à fait présentables à un évêque, si l'on accepte les identifications de N. Marzac : la *Conciliatio locorum communium totius Scripturae sacrae qui inter se pugnare videntur* de Seraphinus Cumiranus (n° 117; Anvers, 1557); l'*Expositio in Genesim juxta quadruplicem Sacrae Scripturae sensum* de Guillaume Pépin (n° 195 ; Paris, 1528)... L'archevêque a acquis, ou s'est vu offrir, des ouvrages d'hébraïsants de sa génération, professeurs au Collège royal : un Genevois d'une part, *Joannes Mercerii, Regii Professoris, Commentarii in Librum Job...*, Genève, Henri Estienne, 1583 (n° 332); Gilbert Génébrard d'autre part, *Isagogé sive Alphabetum rabbinicum et Introductio ad legendos Hebraeorum commentarios...*, Paris, 1587 (n° 394).

Bien connues encore sont les bibliothèques de travail de « biblistes » tels Pierre-Robert Olivétan, et un théologal d'Autun, Claude Guilliaud[9].

Acheter, mais à quel prix ?

Claude Guilliaud, quand il achetait ses livres, en notait les prix : ces indications restent assez énigmatiques, tant il est difficile d'établir des rapports avec d'autres biens[10].

Le chanoine a acquis pour 3 sous le *Manuale ad usum parisiensem* (Paris, S. Vostre et A. Vérard [1504] = S. 35), un in-8° « fonctionnel » d'une centaine de folios. Le moins cher des ouvrages sur la Bible acquis par le « sorbonicus », ainsi signe-t-il le livre (ce qui nous renvoie aux années 1530), a coûté 5 sous : *Sermones super Apocalypsim*, in-4° de 130 folios, édité à Lyon, s.d. (= P. 369). Dans le bas de l'échelle encore : François Titelmans, *De auctoritate libri Apocalypsis*, Anvers, M. Hillenius, 1530 : cet in-8° de 80 folios qui réfutent des suggestions érasmiennes a coûté 8 sous (= S. 49).

Les plus grosses dépenses ont été consenties pour les éditions patristiques bâloises, toutes in-folio : « Augustin », 1528-1529, 10 vol., 36 livres (= P. 41) ! « Jérôme », 1525-1526 : six des neuf volumes ont coûté 16 livres et 5 sous en 1527 (= P. 217); « Chrysostome », 1530, 5 vol. pour 15 livres et 10 sous

8. Nicole MARZAC, *The Library of a French Bishop (Cahors) in the late XVIth Century*, Paris, CNRS, 1974 (Ms 170/323, University of California, Los Angeles).
9. Sur la Bibliothèque d'Olivétan, voir la lettre de Christophe Fabri à Jean Calvin, du 5 septembre 1539 (répartition des livres laissés par Olivétan qui vient de disparaître mystérieusement), A.-L. HERMINJARD, *Correspondance des Réformateurs dans les pays de langue française...*, Genève-Bâle-Lyon, H. Georg; Paris, G. Fischbacher, 1883, t. 6 (1539-1540), n° 816, pp. 13-27. — Sur Guilliaud, B. ROUSSEL, « La formation biblique du clergé d'Autun entre 1540 et 1550 : Bucer plagié, le chanoine Guilliaud censuré. Recherches nouvelles sur Claude Guilliaud (1493-1551), théologal d'Autun », *Horizons européens de la Réforme en Alsace...*, pp. 313-337.
10. M. PELLECHET, *Catalogue des livres de la Bibliothèque d'un chanoine d'Autun, Claude Guilliaud (1493-1551)*, Paris et Autun, 1890 [Mémoires de la Société eduenne, NS, t. 18] (cité P.); A. GILLOT et Ch. BOËLL, « Supplément au Catalogue de la Bibliothèque de C. Guilliaud », *Mémoires de la Société eduenne*, NS, t. 38 (1910), pp. 219-292.

(= S. 14); « Ambroise », 1527, 4 vol. pour 6 livres et 10 sous (= S. 14). Guilliaud avait acheté les sept volumes de la *Glossa in Bibliam* de Nicolas de Lyre, imprimée à Lyon par J. Maréchal en 1520, pour 11 livres (= S. 34).

S. Pagnini, *Thesaurus linguae sanctae* [Lyon, S. Gryphe, 1529] : 45 sous et 6 deniers tournois [= S. 38]; — [Erasme], *Testamentum Novum* [Bâle, Froben, 1527, in-fol.] : 2 livres et 10 sous [P. 380] comme pour les *Annotationes* de la même année [= P. 48]; l'édition de 1532 du Commentaire des Psaumes par M. Bucer a coûté 3 livres et 10 sous [= P. 167], mais 20 sous les *Commentarii in quatuor Evangelia* [(Meaux), S. de Colines, 1522] par J. Lefèvre d'Etaples [= S. 22]...

Leur dangerosité rendait-elle les livres plus coûteux : trois exemples ne permettent pas de l'affirmer.

Les commentaires par Cajetan (Thomas de Vio) des épîtres pauliniennes, et des quatre évangiles, dans leur édition parisienne de 1532, ont coûté à Guilliaud 26 et 32 sous (= P. 402 et 403). L'édition de 1535 du *Commentarius in S. Pauli epistolam ad Romanos* de l'évêque de Carpentras J. Sadolet est vendue 30 sous [= P. 361]. Enfin *La Bible en Francoys* publiée « A l'enseigne du Rochier » chez Sulpice Sabon en 1544 [= P. 51] n'a coûté que 25 sous, prix qui semble normal pour un in-4° de plus de 1 000 folios : or il s'agit, comme l'a établi B. T. Chambers, de « la première Bible protestante imprimée à Lyon (dans la version genevoise), et qui inclut plusieurs traits prudemment réformistes dans sa présentation »[11].

Des produits de longue durée ?

Deux bibliothèques, l'une académique, l'autre ecclésiastique, encouragent à dire que bien des « bons » ouvrages, ou reconnus comme tels dès leur parution, étaient conservés longtemps.

L'Académie de Genève, site de formation d'une tradition biblique réformée, conserve (en 1572), entre autres, les travaux d'Œcolampade[12]. L'Eglise d'Issoudun a été « dressée à la genevoise » en 1556, et le catalogue de sa bibliothèque établi en 1679.

Y. Gueneau y a relevé 143 titres « bibliques » sur un total de 532 ouvrages (136 auteurs profanes) : commentaires de Denys le Chartreux, de Conrad Pellikan (1532-1539) et de ses collègues de l' « école rhénane d'exégèse »[13].

---

11. *Chambers*, n° 109.
12. Alexandre GANOCZY, *La Bibliothèque de l'Académie de Calvin. Le catalogue de 1572 et ses enseignements*, Genève, Librairie Droz, 1969 [Etudes de Philologie et d'Histoire 13].
13. Yves GUENEAU, « L'inventaire de la bibliothèque de l'Eglise réformée d'Issoudun au XVIIe siècle », *BSHPF* 131 (1985), pp. 71-103. L'A. a reconstitué dans la note 2 (p. 71) une utile bibliographie « des autres inventaires de bibliothèques protestantes du XVIIe siècle».

UNE DOCUMENTATION AUX LIMITES IMPRÉCISES

En deçà des commentaires : traités, libelles et lettres

Des exégèses nourrissent des conflits qui s'expriment dans des libelles, des lettres, des traités : *Psychopannychia* de Calvin (dès 1534), polémique sur l'Eucharistie et le Baptême[14]. On ne saurait négliger la lecture des confessions de foi et de leurs commentaires, ni bien entendu les volumes des sermons et les recueils de cantiques.

Œuvres des non-conformistes et dissidents

La production des « non-conformistes », des « dissidents »... est accessible en grande partie par des feuilles volantes, procès-verbaux, courts traités.

Ainsi les dessins du maraîcher Clément Ziegler, interprétations graphiques des grands thèmes bibliques[15], ou le compte rendu des trois demi-journées de discussion que le « spiritualiste » David Joris et les disciples du visionnaire Melchior Hofmann eurent à Strasbourg, fin juin 1538[16].

De façon générale, les bibliographies d'auteurs « dissidents » recensent une multiplicité de courts exposés, polémiques ou édifiants[17].

14. Voir par ex. la série de textes rassemblés par Robert STUPPERICH, *Die Schriften der Münsterischen Täufer und ihrer Gegner*, Bd. 1 : *Die Schriften Bernhard Rothmanns*; Bd. 2 : *Schriften von katholischer Seite gegen die Täufer*; Bd. 3 : *Schriften von evangelischer Seite gegen die Täufer*, Münster..., 1970-1983 [Veröffentlichungen der Historischen Kommission Westfalens, 32].

15. Sur Clément Ziegler, ses dessins et ses traités dont le premier paraît en 1524, Rodolphe PETER, « Le maraîcher Clément Ziegler », *RHPR*, 34 (1954), pp. 255-282. Deux reproductions (« La naissance de l'homme nouveau », et « L'homme malade de ses péchés »), d'après *Ein merklichen verstand iber das geschriben buchlin von der sellickeit aller menschen sellen* (1532), dans *Anabaptistes et Dissidents au XVIe siècle*, pp. 120 et 130. (*Bibliographie : 12* : Spiritualistes et anabaptistes.)

16. « Gespräch von David Joris mit den Straßurger Hofmannnianern... », *Quellen zur Geschichte der Täufer*, Bd. 15 : *Elsaß, III. Teil : Stadt Straßburg (1536-1542)*, Gütersloh, Gütersloher Verlagshaus G. Mohn, 1986, pp. 156-238, n° 836 [QFR 53].

17. Les « écrits religieux » de Hans Denck, rédigés en 1526-1527, consistent en cinq courts traités, qui se présentent parfois comme une succession d'aphorismes, saturés de citations bibliques. Ils sont édités dans Hans DENCK, *Schriften*, 2. Teil : *Religiöse Schriften*, hrsg. von W. FELLMANN, Gütersloh, 1956 [QFR 24 = QGT VI, 2]. Se succèdent ainsi : « Was geredt sei, dass die Schrift sagt » (pp. 26-47); « Vom Gesetz Gottes » (pp. 48-66); « Wer die Wahreit wahrlich lieb hat » (pp. 67-74); « Von der wahren Liebe » (pp. 76-86); « Ordnung Gottes » (pp. 87-103). — Au nombre des 27 écrits de Melchior Hoffmann, quatorze peuvent être retenus comme relevant plus particulièrement de la Bible (Klaus DEPPERMANN, *Melchior Hoffmann. Soziale Unruhen und apokalyptische Visionen im Zeitalter der Reformation*, Göttingen, Vandenhoeck & Ruprecht, 1979, pp. 345-349) : si les Commentaires du Cantique des cantiques de 1529 (n° 7 = in-4°, f° 1a-4b + A1a-Q4b) et de l'Apocalypse, 1530 (n° 11 = in-8°, f° A1a-Z8b) sont relativement développés, bien d'autres traités sont aux dimensions de la littérature pamphlétaire.

Textes juridiques

Indications bibliques et dispositions disciplinaires ou légales, sur le port des armes, le mariage et le prêt à intérêt, sont souvent liées.

Ainsi, le 8 août 1572, le Conseil de Genève autorise un taux des prêts de 8 %. L'intérêt économique exigeait un taux de 10 %, l'amour du prochain 5 % (pour compenser l'inflation) : le juste milieu vertueux est conforme à un *Avis* de la Compagnie des Pasteurs, fruit de l'exégèse par Théodore de Bèze du Sermon sur la Montagne[18].

Les lettres sont, bien entendu, une source de première importance pour l'histoire de la Bible.

Pseudonymes, fausses adresses, anonymat

En ce qui concerne la Bible et les travaux bibliques, ces ruses et ces silences répondent parfois à des motifs particuliers.

Pseudonymes

La ruse la moins déroutante, car tôt éventée ! Dans la première moitié du xvie siècle, on aime latiniser, ou helléniser son nom, en jouant sur des étymologies hasardeuses, empruntant parfois à des racines hébraïques !

En 1529 et 1532, Martin Bucer commente le Psautier sous le nom de « Aretius Felinus ». La séquence pourrait être celle-ci : « Martin / Mars / grec : Arês / latin : Aretius »; « Bucer / en dialecte : Butzer/Putzer/Putzen / association de l'idée de 'nettoyage' au 'chat' / latin : Felinus (de chat) » — Elémentaire mon cher Watson[19] !

Objectif : faciliter la diffusion dans le Royaume de France d'un commentaire dont l'auteur prétendait être un humaniste lyonnais.

18. *J.C.D.N. Novum Testamentum... eiusdem Th. Bezae Annotationes...* [Genève, 1565], *ad loc.; Registres de la Compagnie des pasteurs de Genève*, t. III *(1565-1574)*, p. 82; *Les Sources du Droit du Canton de Genève*, t. III *(1551-1620)*..., Arau, 1933, p. 300 (n° 1143) [Les Sources du Droit suisse 22].

19. R. G. Hobbs, *An Introduction to the Psalms Commentary of Martin Bucer*, thèse Strasbourg, 1971, vol. I, pp. 110-118. — Voir également « Le Félin et le Dauphin : Martin Bucer dédie ses commentaires sur le Psautier au fils de François Ier », *RFHL*, numéro spécial : *Le Livre et la Réforme*, 55e année, n° 50, pp. 217-243.

Fausses adresses

Plus embarrassantes !

Ainsi *Le nouveau testament...* « Imprimé a Turin pour Francoys Cavillon demourant a Nice sur la riviere de Gennes »[20]. B. T. Chambers le confirme : toutes les indications de la page de titre sont fausses ! Le livret inclut une traduction par Lefèvre d'Etaples de 1524. Faut-il suggérer 1525 (Chambers), 1532 (E. Droz) ? Dans un cas, l'imprimeur pourrait être François Carcan, beau-frère de Claude Nourry, lui-même beau-père du célèbre « imprimeur-militant » Pierre de Wingle ; si la date tardive est retenue, Pierre de Wingle peut se voir attribuer cette édition.

Fonction d'une telle fausse adresse : tourner les interdictions que cherche à imposer la Faculté de Théologie de Paris en août 1525, ou bien échapper aux perquisitions qui menacent dès juillet 1531[21].

Dérouter la censure

Plus ambiguë, ou plus plaisante, l'occultation de segments du texte biblique, jugés par trop compromettants.

Charles Langellier édite en 1543 un volume intitulé : *Les Epistres de Monseigneur Sainct Paul, glosées par un vénérable Docteur de la faculté de Théologie.* Il s'identifie clairement : « Ilz se vendent à Paris, par Charles L'Angelié. » Sous des apparences innocentes, Langellier imprime une traduction française du Nouveau Testament qui doit beaucoup aux traductions genevoises.

Aux corrections « théologiques » insérées dans le texte, s'ajoute une ruse destinée à déjouer l'agent d'une éventuelle perquisition. Ici, le « texte » tient compte du geste de celui qui feuillette d'un coup de pouce le livre qu'il tient dans sa main gauche : ce sont les dernières pages qui tombent sous les yeux les premières. Au f⁰ 199 recto et verso, au texte qui correspond à Hébreux 13, 17 et 13, 24, on lit : « Saluez tous vos prelatz », « Obéissez à vos prélats ». Une page plus haut, le même terme grec — *êgoumenos* — est traduit différemment : « Ayez mémoire de vos conducteurs (He 13, 7 — fol. 198 recto) ». Il est très probable que l'imprimeur fait apparaître *in fine* le « mot signal » qui contribue à détourner tout soupçon d'hétérodoxie[22].

---

20. *Chambers* n⁰ 41.

21. Précisons : les théologiens de la Faculté de Théologie de Paris prennent l'initiative de ces prohibitions, suivies d'effet, quand le Parlement parisien s'y associe. Dans le débat qui oppose J. K. Farge à F. M. Higman, nous limitons, comme ce dernier, la capacité de la Faculté à définir et imposer une « orthodoxie ». Francis M. Higman, *Censorship and the Sorbonne...*, pp. 23-35. — James K. Farge, *Orthodoxy and Reform in Early Reformation France. The Faculty of Theology of Paris (1500-1543)*, Leiden, E. J. Brill, 1985 [SMRT 32]. — *Index des Livres interdits...*, I : *Index de l'Université de Paris (1544...)*, pp. 51 ss.

22. Ce texte des épîtres s'inscrit dans une série de publications moins problématiques, recensées par Philippe Renouard, *Répertoire des Imprimeurs parisiens, Libraires... depuis l'Introduction de l'Imprimerie à Paris (1470) jusqu'à la fin du XVIe siècle... Avertissement... Liste chronologique* par Jeanne Veyrin-Forrer et Brigitte Moreau, Paris, M.-J. Minard, 1965.

Anonymat total

Prudence, exil, mais aussi conviction et désintéressement du rédacteur, expliquent la circulation de textes anonymes, issus souvent d'un travail rédactionnel intense.

Divers indices de critique interne, fragiles donc !, permettent parfois des conjectures. Ainsi peut-on établir des chaînes rédactionnelles qui vont d'une édition originale en allemand à sa traduction latine — toutes deux signées —, puis à une traduction française anonyme. Tel est le cas de *Lecclesiaste Preschant que toutes choses sans dieu sont vanite,* édité par Simon du Bois, protégé de Marguerite de Navarre. C'est une traduction-adaptation d'un commentaire de J. Brenz, édité en allemand en 1528 (fondé sur la traduction de Luther), traduit en latin en 1529, avant de passer par les mains d'Olivétan qui prépare ainsi sa *Bible* de 1535 [23].

De tels cas sont fréquents là où les affrontements religieux sont les plus indécis et vifs. Textes bibliques et commentaires sont en effet un matériau de choix aux mains des propagandistes.

Occultation des références

Identifier leurs sources n'est pas un souci majeur des auteurs du XVIe siècle — avant 1550 notamment.

Continuons de feuilleter *La Bible qui est toute la Saincte escripture...* Sans dire mot, Olivétan puise largement dans le plus récent — le meilleur ? — commentaire qui ait été produit dans son voisinage confessionnel et intellectuel : M. Bucer sur les Psaumes, J. Œcolampade et H. Zwingli sur Esaïe, W. F. Capiton sur Habaquq, F. Lambert sur le Cantique des Cantiques.

A la fin du siècle par contre, Théodore de Bèze nomme les auteurs qu'il critique ou suit : R. Estienne (ad Mt 1, 11), G. Génébrard (ad Mt 2, 4), J. Mercier (ad Mt 3, 7), ... E. Tremellius (ad He 11, 17) et bien sûr l'adversaire S. Castellion *(passim !).* Bien entendu le lecteur a encore de quoi exercer sa perspicacité.

---

23. Repères bibliographiques : *i) WADB* 10 (traduction de Luther); *ii) Bibliographia Brentiana,* nᵒ 26; *iii)* et *iv)* (textes latins, 2 éditions) = *Bibliographia Brentiana,* nᵒˢ 28 et 32; *v)* G. CLUTTON, « Simon du Bois of Paris and Alençon», *Gütenberg-Jahrbuch,* 1937, pp. 124-130, nᵒ 30; J.-M. ARNOULT, *Répertoire bibliographique des livres imprimés en France au XVIᵉ siècle,* 25ᵉ livraison, 4 : « *Alençon*», Baden-Baden, V. Koerner, 1976, pp. 8-12 [BBAur 65], « Alençon», nᵒ 14; *vi)* = *La Bible Qui est toute la Saincte escripture...,* fol. cxxxiii rᵒ-cxxxv rᵒ; *vii)* Commence alors la série des Bibles « genevoises »... recensées par B. T. CHAMBERS.

Pages de titre

Elles doivent beaucoup à l'éditeur, à son sens de la publicité, sa volonté d'informer le lecteur et de tenir compte de ses goûts[24].

L'observation de quelques-unes d'entre elles paraît indiquer une évolution.

Dans la première moitié du siècle, seules les traductions latines nouvelles sont clairement attribuées (Pagnini et S. Münster) :

En tibi Lector Hebraica Biblia Latina planeque nova Sebast. Munsteri tralatione... [Bâle, 1534][25].

Si la *Bible allemande* de Luther (1534) est « signée »... les *Bibles allemandes* zurichoises et les *Bibles françaises* de cette époque ne donnent pas le nom du traducteur :

Die gantze Bibel der ursprünglichen Ebraischen und Griechischen waarheyt nach| auffs aller treülichest verteütschet... [Zurich, 1531].
La sainte Bible. en Francoys, translatee selon la pure et entiere traduction de sainct Hierome, conferee et entierement revisitee, selon les plus anciens et plus correctz exemplaires... [Anvers, 1530].

Cette réticence s'atténue ensuite, aux risques de l'auteur quand il s'agit d'une « révision » de la Vulgate telle :

Vulgata aeditio Veteris ac Novi Testamenti... adiectis scholiis... authore Isidoro Clario... [Venise, 1542].

En 1546, le nom de J. Calvin apparaît sur la page de titre d'un *Nouveau Testament* genevois, et les traductions latines et françaises de Sébastien Castellion [Bâle, 1546 — *Moses Latinus* —, Bâle, 1551 (lat.) et 1555 (fr.)] portent son nom.

Vers la fin du siècle, les travaux bibliques d'érudition sont signés :

Est autem interpretatio syriaca Novi Testamenti hebraeis typis descripta plerisuae etiam locis emendata, eadem latino sermone reddita. Autore Immanuele Tremellio... [Genève, 1569].

La coutume s'instaure alors d'identifier clairement l'auteur collectif d'une édition nouvelle, ou son commanditaire et garant :

Biblia Sacra. Quid in hac editione a theologis Lovaniensibus praestitum sit... praefatio indicat... [Anvers, 1583].
Vetus Testamentum iuxta Septuaginta ex auctoritate Sixti V... [Rome, 1587].

---

24. La première Bible française munie d'une page de titre développée date de 1510 environ, cf. *Chambers*, n° 18.
25. *Burmeister*, n° 119.

La Bible, qui est toute la Saincte Escriture... Le tout reveu et conféré sur les textes Hebrieux et Grecs par les Pasteurs et Professeurs de l'Eglise de Genève... [Genève, 1588].

Biblia Sacra Vulgatae Editionis... ad Concilii tridentini praescriptionem emendata et a Sixto V P.M. recognita et approbata... [Rome, 1590].

Une enquête systématique et exhaustive révélerait l'évolution du sens du « convenable » et de l' « acceptable » dans la présentation des Bibles; elle livrerait aussi des indications sur l'évolution du statut des Ecritures et des travaux bibliques dans la société.

MANUSCRITS ET IMPRIMÉS

Au siècle du développement de l'imprimerie, on recherche les manuscrits, et on en produit. Manuscrits et imprimés sont, au XVIe siècle, associés de bien des façons.

Notices d'acquéreurs

Traces modestes autant qu'intéressantes !

De premiers acquéreurs de la « *Bible d'Olivétan* » inscrivaient ou faisaient imprimer leurs noms sur la page de titre[26].

Sur la dernière page d'un exemplaire des *Epistres de Monseigneur Saint Paul...* imprimées par Charles Langellier, le possesseur (« la main » est du XVIe siècle) promet une récompense à qui lui ramènerait le livre, en cas de perte :

« ... je prie bien // fort celuy ou celle qui le // trouvera & luy rendra // et lors les rendra // contens... et luy beniray le Seigneur // ... »

Annotations de lecteurs

Nombreuses, elles sont éditées quand il s'agit de lecteurs de renom, tels Luther et Zwingli[27].

---

26. Gabrielle BERTHOUD, « Premiers possesseurs de Bibles d'Olivétan », *Musée neuchâtelois*, 3e série, 23 (1986/3), pp. 109-116. Six bourgeois de Neuchâtel et deux de Berne ont fait imprimer leurs noms « accompagnés de quelques bouts rimés... au bas de la page de titre ». Indication manuscrite du nom de famille de Malingre, collaborateur d'Olivétan, de Michel de Blonay, et, plus tardif, autographe de Conrad Gesner.

27. Walter KOEHLER, « Aus Zwinglis Bibliothek. Randglossen Zwinglis zu seinem Büchern », *ZKG* 45 (1927), pp. 243-276.

Corrections et révisions

Des commissions d'édition consignent leurs débats sur des exemplaires de référence, et dans des rapports : ainsi ont fait des commissions préparatoires à l'édition de la Vulgate post-tridentine[28] ; G. Rörer (1492-1557) rédige les procès-verbaux des sessions du « groupe de Wittenberg », édités dans les *M. Luthers Werke*[29].

Préparations de cours et de commentaires imprimés

Exemple le plus célèbre : le cours de Martin Luther sur l'épître aux Romains : professé en 1515-1516. Découvert tardivement au Vatican, il est édité en 1908[30].

Les cours donnés par Pierre Alexandre, pasteur à Londres, entre 1548 et 1553, 1560 et 1563, sont moins connus[31]. Traces encore de préparation de cours dans un exemplaire de la *Biblia* de Robert Estienne (1532), et des manuscrits de Claude Guilliaud[32].

Notes de cours

Les biblistes sont fréquemment des enseignants dont des étudiants prennent les cours en notes.

Des Annotations de François Vatable, professeur au Collège de France (mort en 1547), imprimées en 1545 dans une *Bible latine* de Robert Estienne, ont une histoire mouvementée[33].

---

28. Une Bible anversoise de 1583 porte des notes du travail de la Commission Carafa (1587-1590).

29. Reproductions nombreuses dans Hans Volz, *Martin Luthers deutsche Bibel...*, Hamburg, Friedrich Wittig, 1978, pp. 81-110 [= Die Mitarbeiter Luthers]. — Edition dans *WADB* 3, pp. 167-577; 4, pp. 1-278 et 311-418.

30. *Anfänge reformatorischen Bibelauslegung*, hrsg. von J. Ficker, Bd. 1 : *Luthers Vorlesung über der Römerbrief (1515-1516)*, 1. Teil : « Die Glosse »; 2. Teil : « Die Scholien », Leipzig, Dieterich, 1908. Voir *WA* 56 (et 57 pour des notes de cours).

31. Indications recueillies par Philippe Denis : au Corpus Christi College, *Annotationes... in quinque priora capita Evangelii secundum Marcum*; à Paris (BN), *Expositio in Evangelium (Johannis) incompleta*. B. Rekers a aussi recensé de nombreux manuscrits exégétiques de B. Arias Montano (voir *B. Arias Montano...*, pp. 191-196).

32. Nouveau Testament annoté (lectura parisienne, *ca* 1530 = A. Gillot et Ch. A. Boell, *Supplément...*, n° 46); Bible interfoliée et notes sur Jean (conférences au chapitre d'Autun), Autun, BM Ms 54/1 et 2.

33. Récit de « La Bible de Vatable aux prises avec l'Inquisition espagnole », par Dominique Barthélemy, *Critique textuelle de l'Ancien Testament...*, Fribourg, Editions Universitaires..., 1986, pp. *34-*43.

Le Ms Fds Lat. 433 de la Bibliothèque nationale de Paris retient les notes prises aux cours de François Vatable par Jérôme della Rovere[34] : « Liber Laudum Davidis regis et // prophetae // Anno Domini mdxlvi xiiii Cal. martii. // a viro doctissimo atque optimo // Francisco Vatablo // professore Regio // exponi coeptus. »

Assistons au cours de rentrée !

Vatable propose d'abord une traduction inédite du Psaume 1 :

« Beatus ille vir qui non ambulavit in consilio impiorum, et in via peccatorum non stat; et in coetu samniorum non sedet... »

Une rature sur « ambul-avi-t » semble indiquer une hésitation d'étudiant : Vatable, à la différence de la Vulgate et du « iuxta Heebraeos » hiéronymien (« ... abiit, ... stetit, ... sedit »), met au présent les verbes du texte hébreu. Ce qui a pu dérouter l'auditeur qui a mémorisé la forme habituelle.

Suivent des « Annotationes » et l' « Expositio ». Lemme après lemme, Vatable justifie sa traduction, et l'explique, en citant l'hébreu.

« 'Beatus ille vir' : felix ille vir. *Ad verbum* : Beatitudines sunt illius viri. /ish/ dicit, id est vir, et non /Adam/ [référence au texte hébreu], quae vox hominem significat, quoniam /ish/ a virtute ac fortitudine, nempe qui fortiter resistit impietati, infirmitati, tentationi, peccato ac diabolo... »

Plus rébarbatives, mais tout aussi instructives, les traces manuscrites des « disputes » tenues à l'Académie de Genève[35].

Travaux personnels

Des manuscrits de travaux personnels inédits subsistent en grand nombre.

[Frère Louis]

En 1543 dans un couvent franciscain du sud-est de la France, il explique les épîtres pauliniennes. Illustrant son manuscrit de dessins à la plume qui relient la vie conventuelle à des détails du texte, il cite les Pères et Erasme et tance volontiers ses collègues[36].

[Jean Boulaese]

Auteur à succès du *Miracle de Laon,* et copiste d'œuvres de Guillaume Postel, il a un jour affronté le difficile texte d'Osée. La trace est donc conservée de ses hésitations à traduire et expliquer le texte[37].

---

34. Fol. 1-103, sur les Ps 1 à 16.

35. Pierre FRAENKEL, *De l'Ecriture à la Dispute. Le cas de l'Académie de Genève sous Théodore de Bèze,* Lausanne, 1977 [= Cahiers de la R*ThPh* 1].

36. Marseille, BM Ms 53 : « Venerabilis in Christo D. Fratris Ludovici a portu massiliensis ordinis fratrum minorum conventualium ac conventus aquensis, In epistolas Pauli divi apostoli christi ad Romanos et ad Corinthios expositio. »

37. Aix-en-Provence, Bibliothèque Méjanes, Ms 54, pp. 31-58. Professeur d'hébreu au Collège de Montaigu, J. Boulaese est l'auteur de *Le thresor et entière histoire de la triumphante victoire du corps de Dieu sur l'esprit maling Beelzebub obtenu à Laon l'an 1566,* souvent réédité.

Osée 1, 1 :

« Verbum Domini quod fuit (factum est) ad Hoscheeam // filium Beer j.
in diebus Huz. Huziiáah. Josham. Achaz // Jechizkiiah regum Jehoudah, et
in diebus Jarobe- // aam filij Joasch regis Iisraêl... [p. 31]. »

Puis l'érudit cherche à expliquer :

« Principium verbj Dominj (seu principium loquutionis // Dominj,
principium loquendum dominum fuit, principio // loquutionis Domini,
principio loquutus est domi- // nus), hoc est quum primo incoepit loquj Deus
cum // Hoscheaa (de spe gentilium) ut diceret... »

Une glose française peut apparaître :

1, 3 : « Et ivit et accepit ipsam Gomer filiam Diblam (deux // masses de
figues) et concepit et peperit illi filium... »

Travaux de dissidents

Expulsions et condamnations privaient bien des auteurs des moyens
matériels pour publier leurs textes. Les volumes successifs de la *Bibliotheca Dissidentium* le rappellent :

Les *Collectanea in Epistolam Pauli ad Romanos ex meditationibus et praelectione*... de Valentin Crautwald (*ca* 1490-1545) sont à Wolfenbüttel ; les *Annotationes* de Casiodoro de Reina, traducteur (1569) de la Bible, et qui erre entre
l'Espagne, Londres et Francfort, sont à Genève[38].

L'ampleur des pertes et des destructions est confirmée par les travaux
présentés à de nombreux colloques, et les *Quellen zur Geschichte der Täufer*[39]
permettent la mise à jour de bien des vestiges bibliques du XVIe.

ACCÉDER AUX TRAVAUX BIBLIQUES IMPRIMÉS

Les acheter, lors de ventes aux enchères, se fait à des prix exorbitants : une « *Bible d'Olivétan* », superbement reliée il est vrai, a vu sa mise
à prix fixée à 600 000 FF, et un exemplaire de la *Biblia Sacra...*, révisée
par Michel Servet, était présenté à l'achat pour 3 800 FF.

---

38. Sur V. CRAUTWALD, Peter C. ERB, *Bibliotheca Dissidentium* 6 (1985), pp. 9-70 (voir
p. 44, n° 3) ; Casiodoro de Reina, A. Gordon KINDER, *Bibliotheca Dissidentium* 4 (1984),
pp. 99-153 (voir p. 144, n° 2).
39. Voir : *Les Dissidents du XVIe siècle entre l'Humanisme et le Catholicisme* (*Strasbourg,
5-6 février 1982*)... et *Anabaptistes et dissidents au XVIe siècle*, dont les Actes sont édités à
Baden-Baden (et Bouxwiller, pour le second), Editions Valentin Koerner, 1983 et 1987
[Bibliotheca Dissidentium Scripta et Studia 1 et 3]. — La collection des « Actes anabaptistes »
est intégrée à celle des *Quellen und Forschungen zur Reformationsgeschichte*, Gütersloh, Gütersloher
Verlagshaus Gerd Mohn.

La chance était une compagne familière des érudits du XIXe siècle, temps des donations et des inventaires : N. Weiss connut fréquemment ce bonheur[40]. A la fin du XXe siècle, il arrive encore qu'une enquête habile et méticuleuse soit favorisée par un recolement, un accès aux rayons enfin accordé.

Les conditions de la recherche de travaux bibliques anciens sont en cours de mutation.

Sont en effet en voie d'établissement, ou en projet, des « catalogues automatisés » de bibliothèques, tel le *Catalogue automatisé des ouvrages anonymes (1501-1800)* du Département des Livres imprimés de la Bibliothèque nationale de Paris [« Bible », rappelons-le, est l'exemple par excellence d'une « entrée » d'anonyme !], et des « banques de données » peuvent être consultées. Les catalogues d'expositions créent l'occasion de découvrir des livres[41]. Des « bibliographies spécialisées » permettent de viser l'exhaustivité, à propos d'un pays, d'un type d'ouvrage ou d'un auteur. On aura tôt fait d'observer cependant combien les auteurs catholiques et les biblistes de la seconde moitié du XVIe siècle sont rarement étudiés, sauf dans des ouvrages anciens (bibliographies d'ordres religieux, monographies datant souvent du XIXe siècle...)[42].

Les enjeux confessionnels, pédagogiques et culturels, des études bibliques font que les adversaires compilent souvent des répertoires, réédités, et souvent augmentés. Bibliographies spécialisées, ou sections d'ouvrages encyclopédiques, ils sont soit riches en « trésors », soit hantés de « fantômes ». Présentons quelques-uns de ces « usuels ».

GESNER Conrad (1516-1558), *Bibliotheca instituta et collecta primum a Conrado Gesnero. Deinde in Epitomen redacta. Tertio recognita per Josiam Simlerum, postremo amplificata per Joh. Jac. Frisium* [Zurich, 1re forme en 1545; rééd. par J. J. F. en 1583].

SIXTE DE SIENNE, *Bibliotheca Sancta*, Venise, [1]1566.

POSSEVINO Antonio s.j. (1533/34-1611), *Apparatus Sacer ad Scriptores Veteris et Novi Testamenti, eorum Interpretes, Synodos & Patres Latinos et Graecos, horum Versiones, Theologos scholasticos... Chronographos & Historiographos ecclesiasticos, eos, qui casus conscientiae explicarunt, alios qui Canonicum Jus sunt interpretati, Poëtas sacros, Libros pios quicumque idomate conscriptos, tribus Tomis distinctus*, Venise, 1606.

DRAUDIUS Georg, *Bibliotheca classica sive Catalogus officinalis, in quo singuli singularum Facultatum ac Professionum libri qui in quavis fere lingua exstant quique intra hominum fere memoriam in publicum prodierunt secundum artes, disciplinas, recensentur* [Francfort, 1611, 1625].

---

40. Voir les très nombreuses chroniques de celui qui fut longtemps le secrétaire de la Société de l'Histoire du Protestantisme Français.

41. Penser aux expositions « locales », comme celle qui fut organisée à la Bibliothèque de la Ville de Neuchâtel, en 1980, à l'occasion du 450e Anniversaire de la Réformation de cette ville : *Bible et foi réformée dans le Pays de Neuchâtel, 1530-1980* : sections IV : « Bible et pays de Neuchâtel »; V/2 : « Le Psautier en pays neuchâtelois », avec une bibliographie des psautiers neuchâtelois; VI : « Les exégètes neuchâtelois ».

42. Très utile orientation à travers les bibliographies spéciales concernant le XVIe siècle, par *Bibliotheca Bibliographica Librorum Sedecimi Saeculi*, edidit F. G. WAGNER. *Bibliographisches Repertorium für die Drucke des 16. Jahrhunderts*, Aureliae Aquensis, Verlag Heitz GmbH, 1960 [BBAur 3].

[Du même] *Bibliotheca Exotica, sive Catalogus officinalis librorum perigrinis linguis usualibus scriptorum. La Bibliothèque universelle contenant le Catalogue de tous les livres qui ont été imprimés ce siècle passé aux langues Françoise, Italienne, espaignole depuis l'an 1500 jusques à l'an présent 1624* [Francfort, 1625].

BELLARMIN Robert s.j., *De Scriptoribus ecclesiasticis...* [continué pour la période 1500-1660 par André du SAUSSAY], Paris, 1663.

SIMON Richard, *Histoire critique des versions du Nouveau Testament, où l'on fait connaître quel a été l'usage de la lecture des livres sacrés dans les principales églises du monde*, Rotterdam, 1690.

[Du même] *Histoire critique des principaux commentateurs du Nouveau Testament, depuis le commencement du christianisme jusques à notre tems...*, Rotterdam, 1693.

LE LONG Jacques, *Bibliotheca Sacra in binos syllabos distincta*, Paris, 1709 et 1723.

... *Bibliotheca Sacra post Jacobi Le Long et C. F. Boerneri iteratas curas ordine disposita, emendata, suppleta continuata ab A. G. Marsh* [Halle, 1778-1785].

WALCH Johann Georg, *Bibliotheca Theologica selecta...*, Iéna, 1757-1765.

HURTER H. s.j., *Nomenclator Literarius Theologiae Catholicae, theologos exhibens aetate, natione, disciplinis distinctos.* Editio Tertia emendata et plurimum aucta, Oeniponte (Innsbrück), Libraria Academica Wagneriana, vol. II : « Aetas Media, 1109-1563 », 1906; vol. III : « Aetas recens, 1564-1663 », 1907.

Depuis deux décennies l'histoire de l'exégèse des textes bibliques s'est développée. Elle engendre des travaux de qualité inégale, édités dans des collections telles « Beiträge zur Geschichte der Biblischen Exegese » et « Beiträge zur Geschichte der Biblischen Hermeneutik ». Des commentateurs font une place croissante à la *Wirkungsgeschichte* des textes : ainsi Ulrich Luz sur le Sermon sur la Montagne[43].

II. — UNE TYPOLOGIE DES TRAVAUX BIBLIQUES

SIXTE DE SIENNE ET LA LITTÉRATURE EXÉGÉTIQUE

Sixte de Sienne (1520-1569), commentateur bien connu des décisions tridentines, est aussi l'auteur d'une *Ars interpretandi sacras Scripturas absolutissima* / [Méthode complète d'interprétation des Ecritures saintes], matière du Livre III de la *Bibliotheca Sancta*[44]. Ce Livre III a pour fonction d'introduire un répertoire des exégètes catholiques (Livre IV) et un inventaire des questions exégétiques controversées (Livres VI à VIII), mais cette *Ars interpretandi* a été également éditée de façon autonome[45].

---

43. Ulrich LUZ, *Das Evangelium nach Matthäus*, 1 Teilband : *Mt 1-7*, Benziger Verlag, 1984 [Evangelisch-Katholischer Kommentar zum Neuen Testament Bd. I/1].

44. John. W. MONTGOMERY, « Sixtus of Siena and Roman Catholic Bible Scholarship », *ARG* 54 (1963), pp. 214-234.

45. Rappelons que Sixte de Sienne n'a pas eu la vie paisible d'un homme d'études. Né de parents juifs, devenu franciscain, il étudie sous la conduite de Ambrosius Catharin o.p. (*ca* 1484-1553). Puis il rencontre de sévères difficultés avec l'Inquisition qui obtient sa condam-

C'est là une des nombreuses « Introduction à l'Ecriture » publiées au xvɪᵉ siècle, dont quelques-unes sont recensées dans une note complémentaire[46].

Sixte de Sienne lie option herméneutique, forme et fonction des commentaires. Il définit les sens « mystique » et « littéral », et étudie leur exposé dans les 24 types de travaux bibliques qu'il recense. A sa façon, il définit « comment » le commentaire s'articule au texte, « ce » à quoi il fait référence, et « le message » qui est adressé aux destinataires contemporains du commentateur.

Ce regard qu'un bibliste du xvɪᵉ siècle porte sur la production exégétique ancienne et contemporaine invite à adapter ce cadre à notre besoin de classer des milliers d'ouvrages.

Actualisation et réemploi de la typologie de Sixte de Sienne[47]

[A] Etablissement et édition du texte :

— « *Stigmatica Methodus (2)* | *Interprétation des points et accents du texte hébreu* »

Zwingli et Olivétan (*ca* 1525-1535) se méfiaient du travail des Massorètes, alors même que la majorité des éditions imprimées étaient vocalisées et accentuées[48]. Flacius Illyricus énonce, vers 1540, la thèse légendaire de la voca-

___

nation et son incarcération. M. Ghislieri (devenu le pape Pie V en 1566) le soustrait à la rigueur de ses juges. Prédicateur intervenant dans la politique pontificale à l'encontre des juifs, Sixte de Sienne, alors admis dans l'ordre des Dominicains, publie une première fois la *Bibliotheca Sancta* à Venise en 1566. Elle est rééditée de très nombreuses fois : en 1575 (Francfort), 1576 et 1586 (Cologne), 1591 (Lyon), 1610 (Paris), 1626 (Cologne), 1742 (Naples). *L'Ars interpretandi...* est éditée séparément à Cologne en 1577 et 1588 (cf. MONTGOMERY, *op. cit.*, p. 225, n. 57). — La traduction du titre des huit livres de cette œuvre majeure informe sur sa conception d'ensemble : I. Liste, répartition et autorité des Livres saints; II. Les écrits et les écrivains dont il est fait mention dans les Livres saints; III. Méthode d'interprétation des Livres très saints; IIII. Les exégètes catholiques des Livres saints; V. Annotations et censures contre des exégètes de l'Ancien Testament; VI. Annotations et censures contre des exégètes du Nouveau Testament; VII. Etude et réfutation de ceux qui s'en prennent aux Livres du Nouveau Testament; VIII. Etude et réfutation de ceux qui s'en prennent aux Livres de l'Ancien Testament.

46. « Introductions à la Bible » : voir pp. 192 ss.

47. Quelques précisions sur l'établissement des notices : — La terminologie de Sixte de Sienne est maintenue, mais l'inventaire de Sixte est remanié (un numéro rappelle la place primitive des rubriques). — Les indications bibliographiques restent volontairement sommaires. — A propos des auteurs, consulter les *Dictionnaires* et *Encyclopédies* mentionnés dans la Bibliographie générale de ce volume. La *Bibliotheca Sancta* est citée dans sa deuxième édition (Francfort, 1575).

48. Voir la description de vingt-quatre éditions imprimées (1477-1525/28) dans C. D. GINSBURG, *Introduction to the Massoretico-Critical Edition of the Bible* [1897], New York, 1966 : ont été publiés sans points ni accents un Psautier en 1477 (nᵒ 1, Bologne), et un Pentateuque en 1490 (nᵒ 8, Ixar); avec des points, mais sans accents, les Hagiographes en 1486-1487 (nᵒ 4, Naples) et le Pentateuque en 1487 (nᵒ 5, Faro). Les accents de la *Polyglotte d'Alcala* (nᵒ 19) font problème, on le sait; mais les éditions des « Bibles rabbiniques » de Venise, in-fol. ou in-4ᵒ, sont toutes ponctuées et accentuées (nᵒ 20 = 1516-1517; nᵒ 21 = in-4ᵒ¹, 1516-1517; nᵒ 22 = in-4ᵒ², 1521; nᵒ 23 = 1524-1525; nᵒ 24 = in-4ᵒ, 1525-1528). Font parfois exception

lisation originelle du texte biblique. Sixte adopte la conviction de J. Perez de Valencia — *Prologi in Psalterium*, 6e traité — mais réfute toute idée d'une perversion volontaire et anti-chrétienne du texte biblique par les Massorètes[49].

— « *Notariaca Methodus (7)* | *Adjonction de sigles diacritiques* »

Un usage « perdu »[50] ? Les éditeurs de textes du xvie siècle usent volontiers de signes alphabétiques ou numériques, comme autant d'appels de notes et de signes diacritiques.

Robert Estienne adopte, dans la *Biblia* de 1532, un système de sigles emprunté aux conventions origéniennes : « — obèle = lacunes par rapport au texte hébreu; — astérique = additions; — ce à quoi il faut ajouter des abréviations : Chald. = Targum... ».

Les éditeurs usent aussi de la typographie par exemple pour signaler au lecteur des divergences avec le texte reçu, comme dans les éditions du Nouveau Testament par Arias Montano, à Anvers, en 1583[51].

[B] *Instruments de travail* :

— « *Lexicê Methodus (9)* | *Compilation et rédaction de Dictionnaires et Lexiques* »

[Dictionnaires] :

S. Pagnini est le « modèle » des auteurs contemporains de dictionnaires. Plus encore que J. Reuchlin qui conserve un rang d'initiateur, S. Pagnini, S. Münster et P. Fagius ont en effet assuré la réception des travaux lexicographiques des rabbins médiévaux[52].

---

quelques passages de Nombres 7, les vv. 19-23, 27-28, 29, 31-35, 37-41, 43-47, 49-53, 55-59, 61, 67-71, 73-77, 80-81. Olivétan, en 1535, prenait argument de cette économie de vocalisation, portant sur des formules répétitives, pour dévaluer le travail des massorètes (*La Bible qui est toute la Saincte escripture...*, fol. *iii v°, col. *b*).

49. Elie Levita traduit par S. Münster : *Accentuum Hebraicorum Liber unus, ab Elia Iudaeo aeditus, & iam diu desideratus. item liber Traditionum ab eodem conscriptus cui uberrima accessit praefatio, quae totam hebraicae linguae explicat rationem, traditque ea quae Grammaticae hactenus desse videbantur...*, Basileae apud Henricum Petrum, 1539 (*Masoret ha-Masoret* avait été oublié en 1538) [K. H. Burmeister, *S.M. Bibliographie*, n° 156]. — Sur Paul Fagius (1504-1549), qui illustre tardivement l'« école rhénane d'exégèse » (voir pp. 215 ss.) avant de mourir peu après son arrivée à Cambridge, cf. J. Friedman, *The most ancient Testimony...*, Athens (Ohio), 1983, pp. 42 ss. et 99-118. — Le commentaire de Jacques Perez de Valencia sur le Psautier est un des fondements de la culture des biblistes du xvie siècle. Il est encore réédité à Paris par Jehan Petit, en 1535. Sur le travail des massorètes, cf. fol. xviii r° (éd. de 1535), ad Y.

50. *Bibliotheca Sancta*, pp. 157 ss. Un exemple emprunté à Sixte (p. 158, col. *a*, C-D) : « (Delta) Diavolos » indique que les phrases en tête desquelles il est placé doivent être comprises comme parlant du diable (Gn 3, 4, Job 40, 10.11.14).

51. « Texte grec du Nouveau Testament entre les lignes duquel on a placé la traduction latine communément reçue. Quand cette traduction s'écarte de la valeur des mots grecs pour en restituer la signification globale plutôt que la teneur littérale, elle est imprimée dans la marge. On lui substitue alors en pleine page une autre traduction respectueuse du mot à mot; œuvre de Benito Arias Montanus de Séville, elle est signalée au lecteur par l'emploi d'un autre corps de caractères typographiques. »

52. Aryeh Grabois, « L'exégèse rabbinique », BTT 4, p. 233-260; et *infra*, pp. 418 ss. J. Reuchlin (1455-1522) publie le *De Rudimentis Hebraicis* (éléments de grammaire et lexique) en 1508; consulter également R. G. Hobbs, *An Introduction to the Psalms Commentary of Martin Bucer*, vol. 1, pp. 230 ss.; J. Friedman, *The Most Ancient Testimony...*, Athens (Ohio), 1983, pp. 71-98 et 264 ss.

Un premier ouvrage de S. Pagnini, imprimé à Rome en 1523, reste rare[53] :

Enchiridion expositionis vocabulorum Haruch, Thargum, Midrascim, Berescit, Scemoth, Vaicra, Midbar Rabba et Multorum Aliorum Librorum...

Sous sa forme originelle ou abrégée, un autre instrument élaboré par le savant dominicain reste apprécié tout au long du siècle :

THESAURUS LINGUAE SANCTAE... Sebastianus Gryphius excudebat Lugduni anno MDXXIX[54].

La *Bibliographie* des travaux de Sébastien Münster (1489-1552) par K. H. Burmeister et les inventaires de bibliothèques disent l'importance des dictionnaires qu'il a rédigés :

DICTIONARIUM HEBRAICUM, nunc primum aeditum & typis excusum. Adiectis Chaldaicis vocabulis non parum multis... [Bâle, J. Froben, 1523, in-8º].

Rééditions, avec corrections et additions : Bâle, 1525, 1535, 1539, 1548 et 1564. Depuis la troisième édition, la page de titre indique l'une des sources principales : le « *Livre des racines* » de David Kimhi.

DICTIONARIUM CHALDAICUM, non tam ad Chaldaicos interpretes quam Rabbinorum intelligenda commentaria necessarium, per Sebastianum Munsterum ex Baal Aruch & Chal[deis] bibliis atque Hebraeorum peruschim congestum [Bâle, J. Froben, 1527, in-4º].
DICTIONARIUM TRILINGUE, in quo scilicet latinis vocabulis in ordinem alphabeticum digestis respondent Graeca & Hebraica : hebraicis adiecta sunt magistralia & Chaldaica... [Bâle, H. Petri, 1530, puis 1543 et 1562 avec des additions][55].

Les travaux de Paul Fagius viendront compléter cette série, qui se développe en même temps que la rédaction de grammaires, la traduction et l'édition de textes rabbiniques[56].

Cependant, l'édition, à Wittenberg et en 1557, du *Dictionarium*

---

53. Nous n'avons pas transcrit la partie des titres qui est libellée en caractères hébreux. Sur Santi Pagnini o.p. (1470-1536) : P. ALLUT, *Etude biographique et bibliographique sur Symphorien Champier*, Lyon, 1859, pp. 259-260; F. VIGOUROUX, « Pagnino Santes », *DB* 4 (1908), col. 1949-1950; Timoteo M. CENTI, « L'attivita letteraria di Santi Pagnini (1470-1536) nel Campo delle Scienze Bibliche », *AFP* 15 (1945), pp. 5-51; B. M. BIERMANN, « Pagninus Santes... », *LThK* 7 (1962), col. 1349.

54. « Trésor de la langue sacrée, tel est le titre qu'il nous a plu de donner à ce lexique Hébreu. Car de même qu'il est facile de retirer d'un coffre les biens les plus précieux, ainsi peut-on retrouver dans le même ouvrage tant la valeur des mots, que les significations les moins évidentes des expressions de l'Ecriture Sainte, extraites de divers commentaires rabbiniques. » Editions abrégées du *Thesaurus* par R. Estienne, à Genève en 1548; dans la *Polyglotte d'Anvers* en 1572. Jean Mercier, Antoine Chevalier et Bonaventure Bertram en compilent une nouvelle édition, corrigée et augmentée publiée à Lyon en 1575, puis rééditée en 1577 et 1614.

55. K. H. BURMEISTER, *Sebastian Münster. Eine Bibliographie mit 22 Abbildungen*, Wiesbaden, Guido Pressler, 1969, nᵒˢ 17-22; nᵒ 23; nᵒˢ 24, 25 et 26.

56. Pour les grammaires, L. KUKENHEIM, *Contributions à l'histoire de la grammaire grecque, latine, hébraïque à l'époque de la Renaissance*, Leyde, E. J. Brill, 1951.

Hebraicum Novum de Johannes Forster marque une réaction contre un accueil jugé trop empressé du savoir des savants juifs :

> *Dictionarium Hebraicum Novum, non ex Rabbinorum commentis nec ex nostratum doctorum stulta imitatione descriptum, sed ex ipsis Thesauris Sacrorum Bibliorum et eorundem accurata locorum collatione depromptum, cum phrasibus Scripturae Veteris et Novi Testamenti diligenter annotatis* [Bâle, 1557][57].

Une péripétie dans l'histoire des dictionnaires ! L'invention par Elie Hutter, prolifique éditeur de Bibles polyglottes, du « cube alphabétique », aussi aisé d'emploi qu'hasardeux dans sa théorie et ses résultats[58].

Partant de la conviction que toutes les racines du lexique hébreu sont tri-littères, E. Hutter propose le mode d'emploi suivant : — chercher, dans un volume aux pages quadrillées, la, ou les pages, au coin supérieur droit desquelles est inscrite la première consonne de la racine recherchée; — chercher la colonne verticale où est inscrite la seconde consonne de la racine, et la ligne horizontale porteuse de la troisième; — dans le carré d'intersection sont données les valeurs des diverses formes prises par la racine originelle[59].

[Interprétation des noms propres] :

L'enjeu de ces recherches classiques, aux résultats parfois pittoresques, varie selon les auteurs. Dans la tradition médiévale, les étymologies fondent des allégories car :

> « ... L'essentiel des mystères que recèlent l'un et l'autre Testaments réside dans les étymologies obscures des noms propres de personnes ou de choses... » (« Ad lectorem », *Polyglotte d'Alcalá*, v° de la page de titre).

---

57. « Un nouveau Dictionnaire Hébreu. Il n'emprunte pas aux élucubrations des rabbins, ni à leur imitation imbécile par des savants bien de chez nous [S. Münster !], mais est rédigé à partir des seules précieuses indications des Livres saints et d'une compilation correcte des textes. On a soigneusement annoté les citations de l'Ancien et du Nouveau Testaments. » — Deux appréciations portées sur le travail de J. Forster : *i)* B. HALL, dans *Cambridge History of the Bible : The West from the Reformation to the Present Day...*, Cambridge, 1963, pp. 46-47; *ii)* J. FRIEDMAN, « ... It is quite possible that Forster's greatest contribution was not in the area of Hebraica per se but in most clearly expressing the polemical character of Wittenberg Hebraica and in elucidating Luther's ideas on the subject... » (*The most ancient Testimony...*, pp. 169-171).

58. Edition consultée (avec profit ?) : *Cubus alphabeticus sanctae Ebraeae linguae vel lexici ebraici Novum Compendium/ /, in Tabulas Alphabeticas ita digestum...* [Hamburg, J. Wolf, 1588].

59. Deux indications complémentaires. — Certains dictionnaires sont restés manuscrits, à usage personnel ou d'un petit groupe : ainsi le *manuscrit d'un Lexicon Manuale Hebraicum* rédigé par Wolfgang Musculus, un temps élève des Strasbourgeois M. Bucer et W. Capiton, est-il conservé à Berne (Comm. J. Rott). — Nous ne pouvons traiter ici des autres types de dictionnaires utilisés par les exégètes du xvie siècle : *Calepin* (1502...), *Thesaurus linguae latinae* de R. Estienne (1531, 1536); *Dictionnaires grecs* de Suidas (1499... 1544), Ammonius (1512, 1524), *Lexicon* d'Hesychius (1514, 1521), *Thesaurus linguae graecae* d'H. Estienne (1572); série des lexiques gréco-latins (Dasypodius), sans omettre un ouvrage tel le *Dictionnaire de huit langages : Grec, Latin, Flamand, François, Italien, Espagnol, Anglais et Aleman*, édité à Lyon par Michel Jove, encore que son format — in-16 — le désignât à l'attention des voyageurs, plus qu'à celles des traducteurs !

En milieu protestant, il s'agit plutôt de tout traduire selon la « lettre » des textes, puisque les auteurs bibliques eux-mêmes attribuent une valeur étiologique aux noms propres.

Les auteurs rivalisent d'abord dans la recherche du « meilleur » système de transcription :

Exemple d'une telle recherche de transcription, sans enjeu théologique... entre plus de mille : il porte sur le nom des trois filles de Job (Job 42, 14) :

— *Bible historiale* :	Jour	Cassile	Cornustibe
— Lefèvre d'Etaples :	le jour	Casia	Cornustibii
— Pagnini (1529) :	Iemimáh	Chesihah	Chérenhaphúc
— *Zürcher Bibel* (1531) :	Tag	Armut	Alle vólle (!)
— *Vulgate* (Estienne, 1532) :	Diem	Cassiam	Cornu stibii
— (en marge) :	Iemima	cesia	Cerem haphuc
— Simon Du Bois (*ca* 1532) :	Lemimah	Kesiah	Kerenhapuch
— Olivétan (1535) :	Jemimah	Kariah	Kerenhapuc
— Luther (1545) :	Jemima	Kezia	Kerenhapuch

Les solutions traditionnelles se retrouvent dans les « *Interpretationes nominum hebraicorum* » qu'intègrent la plupart des Bibles latines. Ph. Melanchthon tient à bien rééditer les *Hieronymi Ecloga de locis Hebraicis*, à Wittenberg, en 1526.

Puis trois auteurs rénovent une tradition que les travaux ultérieurs viendront compléter, modifier, sans les altérer vraiment :

Aurogallus (Goldhahn) Mattheus, professeur d'hébreu à Wittenberg de 1521 à 1543 :

De Hebraeis urbium, locorum populorumque nominibus e Veteri Instrumento congestis... [Wittenberg, 1526].

S. Pagnini ajoute à sa *Biblia* de 1528 un long fascicule. Il prend soin de multiplier les entrées, à l'intention du lecteur de la Vulgate, qui n'est pas accoutumé aux transcriptions nouvelles. Cette « Interprétation » des noms propres sera plagiée, abrégée, critiquée par la quasi-totalité des auteurs postérieurs, à commencer par Olivétan.

Althamer Andreas (luthérien, un temps associé à la Réforme en Brandebourg) :

Sylva Biblicorum Nominum, qua virorum, mulierum, populorum, civitatum, montium, fluviorum & eiusmodi locorum propria vocabula, quorum in sacris Bibliis mentio explicatur [Nuremberg, 1530].

Si Pagnini accumule les étymologies possibles, Aurogallus — imité en cela par Althamer — préfère donner des indications précises et « historiques ».

De son côté Robert Estienne avait, dès 1528, remodelé les « *Interpretationes* » traditionnelles, sans en changer fondamentalement la teneur :

*Hebraea, Chaldaica & Graeca nomina virorum, mulierum, populorum, urbium, ido-
lorum, fluviorum, montium caeterorumque locorum quae in Bibliis Veteris Testamenti sparsa sunt cum interpretatione latina et Indice in Vetus & Novum Testamentum*[60].

Christophe Plantin ne sera pas le dernier à venir occuper ce créneau
avec un *Onomasticon Sacrum*, édité à Anvers en 1565[61].

[Vocabulaires bibliques] :

Sixte de Sienne cite en exemple pour « *Lexice methodus particularis |
Eléments de vocabulaires bibliques* » les travaux de H. Pinto sur Esaïe et du
chanoine C. Guilliaud sur les épîtres pauliniennes.

Chez ce dernier, la « dictio » : explication des emplois d'un terme dans
l'Ecriture, ou justification du choix de l'une des valeurs en cas de polysémie,
vient clore des parties de commentaires à l'architecture complexe[62].

Ces dossiers mettent en œuvre le principe de l'interprétation de
l'Ecriture par elle-même ; ils fondent les exposés sur les « lieux communs »
en vue de disputes académiques ou de controverses confessionnelles.

— « *Syllabica Methodus (3) | Rédaction de répertoires alphabétiques* »

Il s'agit là d'un instrument de travail essentiel, pour interpréter
l'Ecriture par elle-même, prêcher ou polémiquer.
La classification de E. Mangenot est reprise dans la « note complémentaire : Concordances »[63].

I) Les « Concordances réelles » (1) « indiquent ou reproduisent intégralement tous les passages scripturaires qui traitent d'un sujet déterminé ».
Elles peuvent avoir la forme d' « Index » placés à la fin des Bibles, ou édités
séparément (2). Certaines renvoient aux textes du *Corpus Iuris Canonici* (3),
ou peuvent être des « Concordances marginales » (4).

---

60. Repris dans la *Biblia Sacra...*, éditée par Jean Benoist, et imprimée par Simon de
Colines une première fois en 1541.
61. J.-Chr. WOLF, *Historia Lexicorum hebraicorum quae tam a Iudaeis quam christianis ad
nostra usque tempora in lucem vel edita...* [Wittenberg, 1705], pp. 228 ss. : « Appendix exhibens
continuam Lexicorum Biblicorum sive Onomasticorum sacrorum seriem, in quibus nomina
locorum, hominum aliarumque rerum propria Hebr., Gr., Chald. & c. exponuntur. » On y
retrouve recensées, outre les œuvres déjà citées, celles de R. Estienne (1528, 1534, 1540...),
Andreas Placus (1543)...
62. *Collatio in omnes Divi Pauli Apostoli epistolas, iuxta eruditorum sententiam facta...* [Lyon,
Seb. Gryphe, 1542 pour la première édition]. — La première *conciliatio* porte sur « selon la
chair » lu dans Rm 1, 3 et 2 Cor 5, 16. Première *dictio* dans *op. cit.*, pp. 10-11 : « Justificari »,
avec des références marginales à 32 passages bibliques ; « prophetae », « Nomen »... « Bar-
baros »... ; la dernière, p. 458 sur Hb 11 : « Argumentum », « Substantia »...
63. E. MANGENOT, « Concordances », *Dictionnaire de la Bible* VIII (1895), 832-905. Voir
la note complémentaire pp. 194 ss.

II) Les « Concordances verbales » recensent les mots de la Bible selon l'ordre alphabétique : elles sont plus ou moins exhaustives, et il peut s'agir (III) de Concordances recensant les mots hébreux, grecs, ou des traductions en langues modernes.

[C] *Résumés et anthologies bibliques*

— « *Epitome Methodus, Breviarium, Compendium (5) | Abrégés, Résumés* »

Résumés ou Bibles abrégées remédient, aux dires de Sixte de Sienne, aux longueurs du texte biblique. Une historienne, E. Droz, y lit des substituts aux traductions interdites, dit-elle, par le concile de Trente[64].

Il peut s'agir de sommaires en tête des chapitres des livres bibliques, parfois édités séparément pour des raisons pédagogiques et théologiques :

Martin Luther, *Kurtze Erclerung über den Propheten Danielem darin man aller Cappiteln kurtze Summarien finden* [Francfort, 1541].

Pour la *Bible* entière :

Gerhardus Lorichius, *Epitome, hoc est... breviarium textus Glossematon in omnes Veteris Instrumenti libros* [Cologne, 1546]

et :

Epitome... in omnes Novi Testamenti libros [Cologne, 1546].
Luc Osiander, *Enchiridion capitum biblicorum*, Tübingen, 1593.

Une intention édifiante peut accompagner le souci doctrinal :

Guillaume Le Saulnier, *Les decades de l'Esperant, qui est un Sommaire et briesve interpretation de chascun chapitre des epistres de St Paul* [Rouen, 1550].

Des récits ou des « *biographies* » bibliques relèvent de cette classe :

Les figures du Nouveau Testament de Charles Fontaine [Lyon, 1554].
Les figures de la Bible de Guillaume Guéroult [Lyon, 1564],

ou encore, pour rester dans le domaine français,

de Jean Filleau, *La Saincte Bible, reduite en epitome, par l'histoire divine et sacree de Sévère Sulpice* (2e éd., Paris, 1563).

Ici l'attrait des belles histoires relaie le souci de l'étude biblique. Une attente que peuvent satisfaire les rééditions de la *Vita Christi* de Ludolphe le Saxon (*ca* 1300-1378). Traduite en français par le franciscain Guillaume Le Menand, imprimée à Lyon une première fois en 1487, elle est rééditée par Arnoul et Charles Langelier en 1543-1544. Texte composite, il peut concurrencer des Bibles[65].

64. E. Droz, « Bibles françaises après le concile de Trente (1546) », *Journal of the Warburg and Courtauld Institute*, 28 (1965), pp. 209-227.
65. Voir J. Renouard, *L'officine des Langelier, libraires parisiens (1536-1562). Bibliographie de leurs éditions*, Paris, Diplôme d'Etudes supérieures, 1916, pp. 38-39. — Libellé du titre d'après l'exemplaire conservé à Mons (Belgique) : « Le grand Vita Christi translate de Latin en François / Et nouvellement reveu et diligentement corrigé / et aussi reduict de quatre

— « *Ecloga sive Excerptum Methodus (6)* | *Anthologies bibliques* »

Pierre d'Epinac (1549-1595), archév. de Lyon, *Instruction des curez et vicaires,
pour faire le prosne. Extraits des Saintes Ecritures et des anciens Pères et Docteurs
de l'Eglise catholique* [Lyon, Jean Pillehotte, 1589].

Deux autres types d'anthologie à noter :

i. « Harmonia » :

Il sera longuement question plus loin des « Harmonies, ou des Synopses,
des Evangiles » auxquelles Sixte fait tout naturellement référence[66].

Des « Harmonies » d'autres parties de la Bible sont volontiers éditées :
notamment des *textes sapientiaux*, à des fins catéchétiques, et des *épîtres pauliniennes* réduites ainsi en un corpus unique de doctrine et d'éthique. Ainsi :

Denys le Chartreux, *Monopanton unum ex omnibus D. Pauli epistolis per locos
communes digestis* [Lyon, 1547...].

Jean Mercier (professeur au Collège royal) / Daneau Lambert (théologien
réformé), *Harmonia sive Tabulae in duos Salomonis libros Proverbia et Ecclesiasten
utilissimae, ex quibus pulcherrima partitione intelligitur, quid ex iis ad Physicam,
quid ad Ethicam et Legem Dei, quid ad orationem Dominicam, quid denique ad
Oeconomicam et Politicam Philosophiam referri debeat...* [Genève, 1573].

*Excellens Proverbes pour donner instruction à toute sorte de personnes, composés par
le roy Salomon et rediits en lieux communs, selon l'ordre alphabetique pour le
soulagement des lecteurs* [Montauban, Denis Haultin, 1593].

ii. Plus systématique, le classement par « Lieux communs » :

Ce mode d'exposé est illustré par Philippe Mélanchthon dès 1521, ou
par Jean Eck, *Enchiridion locorum communium adversus Lutherum et alios hostes
Ecclesiae* dès 1525.

Lire aussi la célèbre préface de Luther à l'épître aux Romains, tôt traduite
en latin, puis en français ou en anglais[67].

Dès lors, ce genre est pratiqué à diverses fins, académiques, ou plus
ecclésiastiques :

Andreas Bodenstein von Karlstadt (*ca* 1480-1541), *Loci communes Sacrae
Scripturae, Basileae, ordine alphabetico per D. A. B. Carolostadium publice
disputandi* [1541].

---

parties en deux selon les deux volumes dicelluy en Latin pour la consolation dung chascun
qui veult lyre et spirituellement profiter en la vie de Jesuchrist. Sur lesquelles parties et
volumes a este aussi de nouveau composee une table generalle / en laquelle sont par ordre
tous les dymenches et festes solennelles de toute l'annee / avec le Commun des Sainctz / pour
bien trouver facilement levangile dung chascun dymenche ou feste recite en la messe selon
tous usages de Leglise / specialement de Romme et de Paris / ainsi quil appert en ladicte
table / laquelle est en la fin du second volume. »

66. Voir ci-dessous, pp. 274 ss.
67. F. M. Higman, « Les traductions françaises de Luther (1524-1550) », *Palaestra Typographica...*, Aubel, 1984, pp. 11-46 (notamment pp. 21-22); texte de la version française :
« Declaration d'aucuns motz, desquelz use souvent sainct Pol en ses epistres », pp. 47-56.

Flores Bibliae, sive Loci communes omnium fere materiarum ex Veteri ac Novo testamento excerpti, atque alphabetico ordine digesti, nuncque demum castigati [Lyon, G. Rouville, 1554, in-16][68].

[D] *Commentaires*

— « *Commentatio* [gr. *upomnêmata*] | *Notes à propos d'un texte* »

Sixte de Sienne désigne d'abord par ce terme des notes prises en cours de lecture et préparant à la rédaction d'un texte mieux ordonné. Il sait aussi que c'est là la désignation générique de nombreuses formes de travaux bibliques.

Le terme originel apparaît encore sur un ouvrage du théologien de Iéna Victorinus Strigel (1524-1569), *Hypomnêmata in omnes Psalmos David* [Leipzig, 1563], mais il a perdu son sens premier.

Le classement des Commentaires peut se faire en fonction de divers traits : — le rapport au texte; — le rapport au lecteur; — l'identité du destinataire; — la présentation typographique et le choix des niveaux de langue sont d'autres indices, parfois ambigus.

— « *i. Partitio (4)* | *Etablissement d'un plan du texte* »

Autour de 1530, les auteurs, à la suite d'Erasme, tiennent à mettre en évidence les articulations logiques du discours prophétique et apostolique : une manière de faire fi de clefs d'interprétation extérieures au texte. Ph. Melanchthon, H. Bullinger, Martin Bucer[69] vont passer maîtres dans cet art de la « partitio ». Le procédé s'affine dans l'explication des épîtres, de l'épître aux Romains surtout, car on la tient comme le modèle et le résumé de tout traité théologique.

En 1536, Bucer analyse ce texte paulinien comme un « discours judiciaire ». L' « Exorde » (1, 1-17) est suivi de deux grandes parties.

La première est doctrinale (1, 18-11, 36) : elle forme comme un macro-syllogisme (1, 18-3, 31) « prouvant » que la justification est conjointe au don de la foi; le confirment des preuves de genres divers : exemple d'Abraham (4, 1-4, 25); déductions à partir de la définition du concept de « foi » (5, 1-5, 21)... Les chapitres 9 à 11 ont valeur de « coronis » (témoignages, précisions), cette partie systématique peut alors se conclure (11, 33-36).

La seconde partie est moins strictement ordonnée : c'est un traité d'éthique : la description des vertus chrétiennes (12-13) s'achève en exhortation (14, 1-15, 13).

De 15, 14 à 16, 27 : conclusion.

Encore ne s'agit-il là que des grandes unités du texte, recomposées après que le commentateur l'a pulvérisé en plusieurs dizaines de sections élémentaires à l'architecture complexe : micro-syllogismes, exemples...[70].

---

68. 56 « entrées » : « *Abstinentia, Acceptio personarum, Acedia...* Unctio, Voluntas Dei, Votum ».

69. Dès la 2e édition du Commentaire des *Psaumes* (1532), il en identifie le genre littéraire. Voir R. G. Hobbs, *An Introduction to the Psalms Commentary of Martin Bucer*, thèse Strasbourg, 1970, vol. I, pp. 287 ss. et n. 41.

70. Exemple — simplifié ! — de Rm 1, 18-25 (premiers moments de la démonstration du premier syllogisme de l'épître (1, 18-3, 31)). La sixième « section » (1, 18-20) s'analyse en

Inconvénients : — Quintilien et Cicéron sont mieux connus que la rhétorique vétéro-testamentaire ou hellénistique; — après Rm 3, 31, il semble bien que Paul n'ait plus rien à dire de bien important ! Calvin, dès 1539, reconnaît que ce corset blesse le texte : sans renoncer à en mettre au jour la « dispositio », il se montrera plus respectueux des « périodes » pauliniennes.

A la fin du siècle, et en milieu réformé, le goût de la « partitio » raffinée paraît très vivace : il y a à cela des raisons scolaires.

Aretius Benedictus, *Isagogê ad lectionem epistolarum Pauli, qua compositionis oeconomia et germana dispositio indicatur* [Lausanne, 1579].
Johannes Piscator, *Analysis logica singulorum librorum et capitum...* [sur les livres bibliques; cf. l'édition de 1658 de ses œuvres complètes].

— « *ii. Collectanea, Collectio, collecticia Methodus (20) | Recueils d'extraits des auteurs antérieurs* »

« Rhapsodie hagiographique » de citations de textes de l'Ecriture :

Un « best-seller », en latin, allemand et français :

Othon Brunfels, *Les prières et Oraisons de la Bible, faictes par les Saincts Peres, et par les hommes et femmes illustres, tant de l'ancien que du Nouveau Testament* [8 éditions en français de 1529 à 1541].

Et les *Homélies* (1550) d'Heinrich Helmesius o.f.m. († *ca* 1560) que Sixte de Sienne admire[71].

« Rhapsodie ecclésiastique », composée de citations d'auteurs ecclésiastiques.

Thomas d'Aquin avait encore valeur d'exemple avec :
Catena aurea in quattuor Evangelia... [Lyon, 1470]
imitée et actualisée dans :

[Françoys du Puy, † 1524], *Cathena aurea super psalmos* [Paris, 1520, 1534].
Veteris cuiuspiam theologi graeci in D. Pauli ad Romanos exegesis. Ex graecis sacrae interpretibus desumpta. Ioanne Lonicero interprete [Bâle, 1537].
Aloysius Lippomanus, *Catenae... In Genesim, in Exodum...* [Paris, 1546, 1550].
Jodochus Lorichius O. Cart (*ca* 1540-1612), *Bibliae Totius brevis... elucidatio... ex veterum et recentiorum Patrum et Glossis... N. Lyra* [Cologne, 1563].
Paolo Comitoli s.j. (1544-1626), *In Job catena Patrum* [1586][72].

---

une « propositio » (1, 18*a*), éclairée par sa « causa » (1, 18*b*) et objet d'une « probatio » en deux temps (1, 19*a* et 1, 19*b*-20). La septième « section » (1, 21-25) consiste en une « explanatio » qui se décompose en une « propositio » (1, 21-22) suivie d'une « probatio » (1, 23-25). Voir B. Roussel, *Martin Bucer, lecteur de l'épître aux Romains*, thèse Strasbourg, 1970, vol. II, excursus 2/2; B. Girardin, *Rhétorique et Théologique...*, Paris, 1979, pp. 369-387.
71. *Bibliotheca Sancta*, p. 257.
72. En latin, à partir de plus de vingt auteurs grecs.

Sans oublier les chaînes « réformées » d'A. Marlorat[73].

Sixte, qui connaît encore des « chaînes » ou « centons » d'auteurs non chrétiens, distingue de la « rhapsodie » le « syllegma », résumé des auteurs utilisés : il nomme à ce propos Haymon de Halberstadt († 853) auquel on attribuait alors nombre de gloses et commentaires médiévaux, réédités à Cologne autour de l'année 1530.

Quant à l' « abbreviatio », elle est le résumé par un auteur ancien d'un autre auteur ancien : le plus cité est Théophylacte « le Bulgare » (XIᵉ siècle), abréviateur de Jean Chrysostome, bien connu d'Erasme et réédité au cours du siècle.

Pour des motifs évidents — prouver leur accord avec la tradition la moins suspecte et la plus respectueuse de l'Ecriture —, et dès qu'ils donnent quelque ampleur à leurs travaux, les exégètes du XVIᵉ siècle citent des « rhapsodies » ou des « abbreviationes » et rédigent leurs propres « syllegmata / dossiers patristiques ».

— « *iii. Annotationes (10) | Annotations* »

Forme privilégiée, et en principe la plus discrète, de l'intervention d'un auteur « moderne » en marge du texte biblique : il s'agit de résoudre une difficulté ponctuelle, sans priver le lecteur de sa propre tâche.

L'histoire des « annotations » au XVIᵉ siècle est paradoxale. L. Valla et Erasme avaient opté pour la concision, critique non voilée de l'enfouissement du texte dans les Bibles glosées médiévales. L'édition de 1598 des *Annotations* de Théodore de Bèze montre que Nicolas de Lyre a été « réinventé » : outre les annotations imprimées sur deux colonnes et qui peuvent être des plus longues, des notes marginales se développent jusqu'à entourer le texte et se prolonger sur toute la largeur de la page ! Une exception remarquable : l' « editio princeps » de la Vulgate sixto-clémentine[74].

Les annotations peuvent servir à des fins polémiques, et porter sur tout ou partie de la Bible :

Hieronymus Emser (1478-1527), *Annotationes des höchgeleertten und Christlichen doctors H. E. über Luther new testament* [Cologne, 1528].
Commentaria Bibliorum et illa brevia quidem ac catholica... Chunradi Pellicani... qui & Vulgatam commentariis inseruit aeditionem, sed ad hebraicam lectionem accurate emendatam [Zurich, 1533-1538].
Georges Witzel (1501-1573), *Annotationen der gantzen Heiligen Bibel* [Leipzig, 1536].
Gaspar Olevian (1536-1587), *In Epistolam D. Pauli apost. ad Galatas notae, ex concionibus Oleviani excerptae et a Theodoro Beza editae* [Genève, 1578].

---

73. Voir pp. 254 ss.
74. Voir pp. 350 ss.

— « *iv. Coacervatio (21)* | *Accumulation d'exégèses diverses* »

Un exemple clair :

Guillaume Pépin o.p. († 1533), *Expositio in Genesim iuxta quadruplicem Sacrae Scripture sensum, literalem scilicet, moralem, allegoricum et anagogicum* [Paris, 1528] ; les « quatre sens » y sont indiqués dans le voisinage l'un de l'autre.

Sixte connaît une seconde forme de « coacervatio », accumulation de textes sur un thème : elle est proche du type d'ouvrage suivant :

— « *v. Inquisitio (19)* | *Problèmes* »

et

— « *vi. Thematica expositio (22)* | *Exégèse thématique* »

Ce sont des écrits à la limite du pamphlet, du traité, du plaidoyer :

Pierre Doré, polémiste anti-luthérien (*ca* 1500-1569), *Dialogue de la justification chrétienne entre Notre Seigneur Jésus Christ et la Samaritaine* [Paris, 1554].

A cette documentation, il faut encore ajouter :

— les volumes de « Pandectes » : collections de textes bibliques classés systématiquement, en rubriques que peuvent précéder de brèves introductions :

Othon Brunfels, *Liber Pandectarum Veteris et Novi Testamenti Libri XII* (Strasbourg, 1527)[75].
Simon du Corroy, *Pandecta Legis evangelicae* [Lyon, 1547],

— les essais de « conciliationes » de textes apparemment contradictoires :

[Attribuée à un mystérieux Hermannus Bodius, avec de très nombreuses références à des textes bibliques], *Unio Dissidentium, omnibus unitatis et pacis amatoribus utilissima, ex praecipuis Ecclesiae Christiane doctoribus...* [2e éd., Cologne, 1533][76].
Andreas Althamer, *Diallagê, hoc est Conciliation locorum Scripturae* [1527].
Seraphinus Cumiranus, *Conciliatio locorum communium totius Scripturae sacrae qui inter se pugnare videntur* [Paris, 1556].

— « *vii. Sciographica, picturalis expositio (12)* | *Cartes et illustrations* »[77]
— « *viii. Tabellaria expositio (13)* | *Exposé par tableaux* »

Pour ne rien dire ici des illustrations des Bibles, rappelons que très tôt commentateurs et éditeurs ont cherché à faire référence à des cartes,

---

75. On en connaît 12 rééditions latines de 1528 et 1576, et 6 éditions allemandes, de 1528 à 1544.
76. Indice de succès, sa traduction dès 1527 : *L'union de toutes discordes : qui est ung livre tres utile a tous amateurs de paix et de verite : extrait des principaulx docteurs de leglise chrestienne : par le venerable docteur Herman Bodium, predicateur de la parolle divine,* Anvers, Martin Lempereur, 1527 ; 2e partie en 1528 ; autres éditions en 1532, 1533, 1539, 1551 : cf. F. M. HIGMAN, *Censorship...,* p. 84 ; *Index des Livres interdits* I, pp. 144 ss., n° 37.
77. Voir pp. 682 ss.

des schémas ou des descriptions modernes[78]. A partir de 1544, ils peuvent consulter la *Cosmographia* de S. Münster. Robert Estienne insère une carte dans la *Biblia Latina* de 1540, des gravures du Tabernacle et du Temple dans la *Bible française* de 1553.

Quelques autres travaux :

Jean de Buter, *De Arca Noe, cuius formae capacitatisque fuit libellus* [Lyon, 1544].
Biblia Sacra, ad vetustissima Exemplaria castigata, necnon figuris & chorographis descriptionibus illustrata... [Lyon, 1549].
Adrichomius Christianus, *Theatrum terrae Sanctae...* [Cologne, 1600].

La présentation en colonnes peut apparaître dans le cours des commentaires. De véritables tableaux sont composés pour élucider des questions complexes, comme la chronologie de la Passion, que Théodore de Bèze essaie d'expliquer de façon figurée en annotant Mt 26, 17.

— « *ix. Enarratio (14) | Exposé public* »

Sixte de Sienne pense aux « prédications publiques », « homélies » simples, ou « conciones / sermons » plus élaborés. Les recueils de sermons sont souvent les œuvres les plus lues des « grands » biblistes du xvie siècle, qu'ils portent sur la liste des péricopes dominicales, des « suites » (« Décalogue », « Notre Père »), ou, pratique « réformée » typique, des livres entiers.

Sermon très diffusé, qui consiste en un « dossier » biblique sur une question très controversée :

Andreas Bodenstein von Karlstadt, *Ein Sermon vom Stand der Christglaubigen Seelen, von Abrahams schoß und Fegfeuer | der abgeschyden Seelen* [Wittenberg, 1523].

Lefèvre d'Etaples et ses compagnons avaient donné en modèle :

Epistres et Evangiles pour les cinquante et deux dimenches de l'An[79].

Bucer tint à traduire en latin, et à l'intention des Français, les *Enarrationes* de Luther :

[Enarrationes] in Epistolas & Evangelia, ut vulgo vocant, lectiones illas quae in Missa festis diebus ex historiis Evangelicis & scriptis Apostolicis solent recitari [Strasbourg, 4 tomes 1525-1526][80].

Exemple d'une double série « calvinienne » :

Harmonia ex tribus Evangelistis composita, Matthaeo, Marco et Luca : adiuncto seorsum Johanne, quod pauca cum aliis communia habeat, cum Joh. Calvini commentariis [Genève, 1555].
[Sermons sur l'Harmonie evangélique, Genève, à partir de 1558][81].

---

78. Dans les Bibles françaises, après 1559 notamment.
79. Voir pp. 103 ss.
80. Benzing nº 1148. Elles complètent les *Enarrationes M. Lutheri in Epistolas D. Petri duas et Iudae unam* [Strasbourg, 1524] [Benzing, nᵒˢ 1733-1735].
81. Voir *CO* 45, pp. iii ss.; *CO* 46, pp. iii ss.

A la fin du siècle :

Ecclesiastes Solomonis concio ad populum habita, de vita sic instituenda ut ad veram aerternamque felicitatem perveniatur, Theodori Bezae paraphrasi illustrata [Genève, 1588][82].
Sermons sur l'histoire de la passion et sépulture de Notre Seigneur Jésus Christ... [Genève, 1592].

— « *x. Collatio (15) | Dialogue* »

Il peut s'agir d'un dialogue réel, rapporté par l'un des participants, ou d'une véritable mise en scène, qui emprunte aux méthodes catéchétiques. L'accent est déplacé du texte en direction du destinataire, plus encore que dans les formes précédentes.

Jacques Sadolet (1477-1547), évêque de Carpentras, *In Pauli Epistolam ad Romanos Commentariorum Libri Tres* [Lyon, 1535; 1536][83].
Nicolas Grenier, *Le Bouclier de la Foy, en forme de Dialogue extraict de la Sainte Ecriture, des saints Pères et plus anciens docteurs de l'Eglise* [Paris, 1548][84].

— « *xi. Meditatio (16) | Exégèse édifiante* »

Une pratique courante, en ambiance de réveil spirituel :

Marcello Cristoforo († *ca* 1527), *Exercitationes in septem primos psalmos* [Rome, 1523].
J.-L. Vivès, *Meditatio de Passione Christi in psalmum 37* [Bruges, 1529].
Michel Grelet, cordelier et gardien du couvent d'Angoulême, *Briesve exposition du Pater Noster* [Angoulême, 1567].
Théodore de Bèze, *Chrestiennes Méditations*, Genève, 1582.

[E] Paraphrases et traductions

— « *Poema (17) | Paraphrases poétiques* »

Des « chantz ecclesiastiques » de septembre 1541 (treize psaumes de Marot, cinq de Calvin...) à « l'intégrale » de 1562[85], la réussite genevoise ne doit pas faire oublier l'extraordinaire diversité des paraphrases poétiques de la Bible, et pas seulement du Psautier, qui sont publiées au XVIᵉ siècle[86].

---

82. C.-à-d. *Sermon prêché publiquement sur l'Ecclesiaste de Salomon : comment faut-il se conduire pour parvenir à la béatitude véritable et éternelle. Accompagné d'une paraphrase par ...*
83. Jacques Sadolet renvoie à une conversation, dans un jardin de Rome, avec son frère Jules. Le texte est fragmenté par des : « ... inquit...; Tum ego... ». La première édition déplut aux théologiens de Paris.
84. Un « mal allant » et un « bien allant » opposent leurs explications de textes bibliques à propos de points controversés, tel celui de la traduction de la Bible en langue vivante (fol. 83 rº ss).
85. Clément MAROT et Théodore de BÈZE, *Les Psaumes en vers français avec leurs mélodies.* Fac-similé de l'édition genevoise de Michel Blanchier, 1562. Publié avec une introduction de Pierre PIDOUX, Genève, Librairie Droz, 1986 [TLF 338].
86. Voir ci-dessous M. A. Screech, pp. 613 ss.

Jean de Gaigny, *Psalmi Davidici septuaginta quinque in lyricos versus, servata ecclesiasticae versionis veritate et hebraeorum varietate redacti...* [Paris, 1547].
Théodore de Bèze, *Canticum Canticorum Solomonis, latinis versibus expressum* [Genève, 1584].
Joannes Carpenteius, *In vaticinia Isaiae prophetae... Heroico carmen...* [Anvers, 1588].
André von Hoye, *Ezechiel propheta, paraphrasi poetica illustratus* [Douai, 1598].

— « *Paraphrasis, Ecphrasis, Metaphrasis (8)* | *Paraphrases en prose* »

Sixte distingue la « libre traduction », dont il voit un modèle dans le Targum, d'une paraphrase plus élaborée qui est soit une réécriture de l'ensemble du texte, le sens étant restitué « sub copiosa quadam breviloquentia » — comme chez François Titelmans —, soit un texte dans lequel les segments du texte biblique restent identifiables — comme chez Rainer Snoy de Gouda.

Ceci ne dit rien de « la particularité de la paraphrase ». J. Chomarat, lecteur assidu d'Erasme, définit plus précisément ce dont il s'agit.

« [La paraphrase] 'ne change pas la personne' : comme dans une traduction, on est censé y entendre l'auteur même, saint Paul par exemple, alors que dans le commentaire *stricto sensu* il y a une deuxième voix distincte, celle de l'exégète ; en outre devant un passage difficile l'annotateur peut proposer plusieurs hypothèses, justifier son choix entre elles ou même laisser la question en suspens, tandis que dans la paraphrase une seule interprétation est possible et l'abstention interdite. Tous ces traits font la nouveauté du genre : Erasme en avait conscience »[87].

On comprend mieux pourquoi tant d'auteurs du XVIᵉ siècle se firent auteurs de Paraphrases des textes bibliques, et trouvèrent tant de lecteurs. Pour les uns, le texte biblique représentait un modèle prestigieux, et était porteur d'un défi à leur art ; pour les autres, la lisibilité de la source de la piété était assurée, et promis parfois le plaisir de sa lecture.

La validité de la distinction par Sixte de Sienne apparaîtra dans notre comparaison de diverses traductions de Ps 22, 1-19[88].

— « *Translatio (1)* | *Traduction* »

De la paraphrase à la traduction, il y a plus qu'un passage du « iouxte la sentence » au « iouxte la lettre », et fréquemment la frontière est imprécise[89].

Les grandes éditions polyglottes du début du XVIᵉ siècle ont déjà été mentionnées : ce sont des témoins de la passion des gens du XVIᵉ siècle

---

87. J. CHOMARAT, *Grammaire et Rhétorique chez Erasme*, Paris, 1981, p. 587. — Editions des paraphrases d'Erasme recensées dans *Bibliotheca Erasmiana*, I, pp. 142 ss.
88. Voir pp. 449 ss.
89. Voir p. 452 s.

pour les langues. Quelques titres rappelleront ici la multiplicité des directions dans lesquelles on s'engagera plus tard dans le siècle :

Biblia graeca et latina... [Bâle, N. Brylinger, 1550].
La Sainte Bible, Latine-Française [Lyon, Sebastien Honorati, 1560][90].
Est autem interpretatio syriaca Novi Testamenti, hebraeis typis descripta plerisque etiam locis emendata, eadem latino sermone reddita. Autore Immanuele Tremellio... [Genève, H. Estienne, 1569].
Biblia sacra hebraice, graece & latine. latina interpretatio duplex est, altera vetus (sancti Eusebii Hieronymi), altera Nova (Santis Pagnini), cum annotationibus Francisci Vatabli... [éd. Corneille Bertram, Genève, 1586].
Biblia sacra, graece, latine & germanice, opere Davidis Wolderi... cum versionibus & annotationibus Xantis Pagnini, Martini Lutheri et Theodori Bezae... [Hamburg, 1596, 3 vol. in-f°].
...

Après 1530, une forme nouvelle de travail biblique ?

Deux rubriques de Sixte de Sienne n'ont pas été intégrées à cette actualisation de sa typologie : la 18e, « Epistola », et la 23e « Scholastica ».

D'une part, il eût fallu citer en effet les très nombreuses correspondances où il est question des textes bibliques. D'autre part, Sixte cite des ouvrages qui sont aussi des manuels pour académies, collèges et séminaires.
Il ne mentionne ni les réécritures pour le théâtre, ni les œuvres musicales : des silences auxquels il est porté remède dans ce volume[91].

Après 1530, innove-t-on ? Erasme, dans le premier tiers du siècle, avait donné l'exemple d'*Annotations* d'un type nouveau. Erudites, elles visent à mettre au jour ce qui caractérise un auteur; et elles exigent souvent du lecteur qu'il use de sa capacité à juger et décider. Ensuite, Erasme est réédité et pillé. Il n'est pas vraiment imité : ainsi Théodore de Bèze, lui aussi très savant, clôt les débats, plus qu'il ne les laisse ouverts[92].

Un genre typique de travaux bibliques des années 1530-1600 paraît être l'agglomération de modes de commentaires, auparavant dispersés dans divers ouvrages, et dès lors réunis dans un volume de forme composite : une façon de couler de nouvelles exigences et connaissances dans des formes classiques qui s'en trouvent remodelées.

---

90. Elle conjoint le texte latin, révisé, de Pagnini, à une traduction française genevoise. A la fin du Nouveau Testament (fol. 126 r°), ce « Sixain de l'Imprimeur » : « Pour aider à tous ceux qui désirent entendre / L'un & l'autre langage, & quant & quant apprendre / Le chemin de salut : pour clorre aussi la bouche / Au calomniateur : & pour bailler courage / De travailler apres à ceux ausquels attouchez / A la gloire de Dieu j'ay dressé cest ouvrage. »
91. Voir pp. 635-658 (M. Soulié) ; 659-681 (P. Veit).
92. Voir pp. 431 ss.

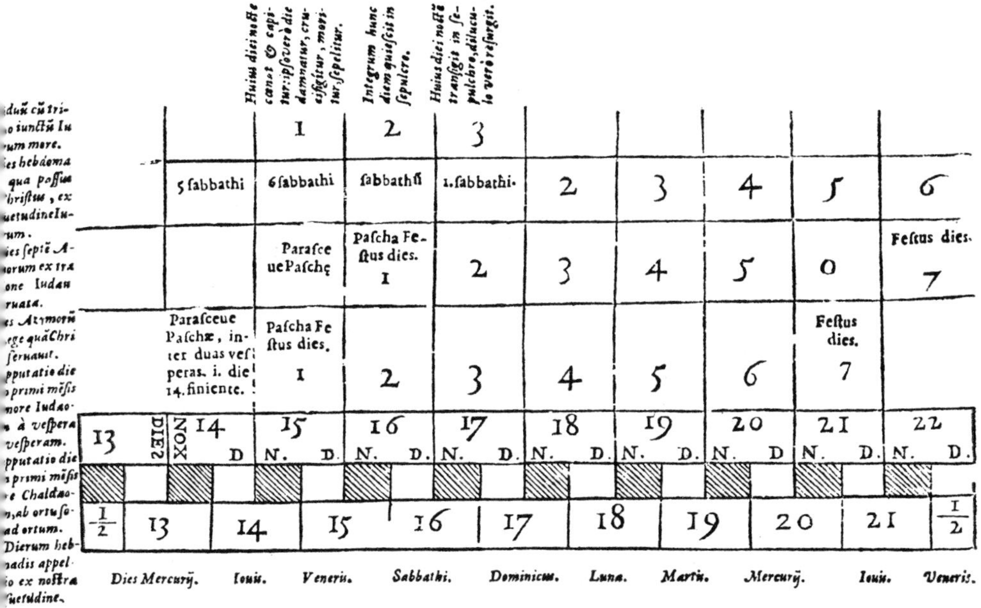

Left margin text (partially cut off):

duæ cū tri-
o iunctū Iu-
rum more.
es hebdoma
qua poſſis
briſtus, ex
uetudine Iu-
rum.
ies ſeptē A-
norum ex tra
one Iudæu
ruata.
es Azymorū
ege quā Chri
ſernauit.
pputatio die
o primi mēſis
more Iudæo-
à veſpera
veſperam.
pputatio die
o primi mēſis
e Chaldæo-
m, ab ortu ſo-
ad ortum.
Dierum heb-
nadis appel-
io ex noſtra
uetudine.

Column headers (vertical Latin text):

- Huius diei noctē cœnat & capi- tur: ipſo verò die damnatur, cru- cifigitur, mori- tur, ſepelitur. — **1**
- Integrum hunc diem quieſcit in ſepulcro. — **2**
- Huius diei noctē tranſigit in ſe- pulchro, diluculo verò reſurgit. — **3**

	5 ſabbathi	6 ſabbathi	ſabbathū	1. ſabbathi.	2	3	4	5	6
		Paraſce ue Paſchę	Paſcha Fe- ſtus dies. 1	2	3	4	5	0	Feſtus dies. 7
	Paraſceue Paſchæ, in- ter duas veſ- peras. i. die 14. finiente. 1	Paſcha Fe- ſtus dies.	2	3	4	5	6 Feſtus dies.	7		

13	DIES NOX 14	15	16	17	18	19	20	21	22
	D. N.	D. N.	D. N.	D. N.	D. N.	D. N.	D. N.	D. N.	D.

½	13	14	15	16	17	18	19	20	21	½

Dies Mercurij.	Iouis.	Veneris.	Sabbathi.	Dominicus.	Lunæ.	Martis.	Mercurij.	Iouis.	Veneris.

Chronologie de la Passion, *Novum Testamentum...*
Théodore de Bèze, 1598

Francis Titelmans, franciscain de Louvain, et Martin Bucer, théologien strasbourgeois, illustrent cette manière de faire.

L'un est catholique, critique des humanistes et jaloux des universitaires; l'autre, « luthérien », ne cesse d'avouer sa dette envers Erasme et contribue à créer une Université. L'un est arc-bouté dans la défense du texte reçu et de l'herméneutique traditionnelle; l'autre doit inventer la conciliation de la théologie luthérienne et du respect du texte, seul accès à la Révélation. Ils ont en commun leur prolixité, et le succès de leurs publications. Leurs commentaires sont également composites.

[*Titelmans*]

Il adresse son commentaire des Psaumes au grand public par l'intermédiaire des prêtres[93]. Le texte est long : près de 40 000 signes pour le seul Ps 22 (= Vg 21), sources des prochaines références :
L' « elucidatio » du Ps 22 se divise en plusieurs parties.

Un *argumentum* donne la clef de l'interprétation du Psaume : « Il est très évident que ce Psaume se rapporte à Christ en personne. Les saints Evangiles le prouvent... »
Aucune référence à une possible lecture « historique » : L'auteur évite d'ouvrir un choix qui conduirait à s'en remettre à la décision du lecteur.
Suit une *paraphrase*, sous le titre « elucidatio ».
La « lettre » du texte est présente dans la marge, où est réimprimé, verset après verset, le texte latin du Psaume. En pleine page est donné le « sens spirituel ». Allégorie : la doctrine est enracinée dans le texte biblique. Tropologie : les traits pathétiques sont amplifiés, aux fins d'émouvoir « chrétiennement » le lecteur.
Des *annotationes* ensuite (au nombre de 5, sur les v. 3, 6, 15, 24, 22). Les choix retenus dans la paraphrase sont justifiés, les autres options énumérées. Une allégorie peut être longuement commentée : celle du « ver », né de la boue et de l'eau, « signe » de la conception virginale et de l'abaissement du Christ.
Enfin, rassemblées en fin de chacun des deux tomes : *des Annotations* qui traitent des divergences entre textes hébreu, grec et latin. Les solutions ne sont pas d'un ignorant. Si texte latin et texte hébreu divergent, cela peut être dû à la polysémie fréquente des expressions hébreu. Il y a aussi place pour un argument obscurantiste : « Les variantes textuelles ont Dieu pour auteur, il n'a pas à en rendre compte »; ou apologétique : les citations de l'Ancien Testament dans le Nouveau s'accordent à la forme latine du texte, mais rien n'est dit de la LXX !

Dans ces pages, Titelmans fait montre de son érudition : il peut citer Justiniani, Felix de Prato, faire référence au Targum... Le livre est donc

---

93. *Elucidatio in omnis Psalmis iuxta veritatem vulgatae et ecclesiae usitate latinae editionis, quae & ipsa integra ex adverso correspondet. Quibus Psalmis singula argumenta virtutem Elucidatio in omnis Psalmis iuxta veritatem vulgatae et ecclesiae usitate latinae editionis, quae & ipsa integra ex adverso correspondet. Quibus Psalmis singula argumenta virtutem ipsorum complectentia praeponantur* (titre d'après l'édition de Lyon, G. Rouville, 1573). W. Klaiber a recensé 26 éditions de l'*Elucidatio*, publiées de 1531 à 1573, à Anvers, Paris, Cologne, Lyon et Venise (nᵒˢ 3092-3111), à côté de 18 éditions de l'*Elucidatio in omnes epistolas apostolicas*.

fait d'un matériau hétéroclite, puisé à des sources d'âge différent, en même temps que sont désamorcées les questions majeures qu'il pouvait appeler. Savoirs traditionnels et acquisitions nouvelles y sont confrontés plus que fusionnés.

[*Martin Bucer*]

Martin Bucer, Strasbourgeois, coordonne mieux les divers moments du travail exégétique.

Ses célèbres explications de l'épître aux Romains[94] sont doublement encylopédiques : — le texte paulinien est étudié sous tous ses aspects ; — l'étude biblique se déploie de l'étude personnelle au cours de la prédication à la dispute confessionnelle[95], car l'épître aux Romains traite de l'ensemble de la « philosophie chrétienne ».

Ce volume de grand format est long : 507 folios (près de 2 500 000 signes). Bucer réalise un vaste programme en coordonnant diverses approches du texte correspondant à nombre des « types » distingués par Sixte de Sienne.

Il met au jour, on l'a vu, la *dispositio*, la stratégie argumentative de Paul.

Puis des *interpretationes*, en fait des annotations, sont rédigées sur chacune des 71 sections : moment de l'analyse grammaticale et lexicale qui donne accès au sens naturel *(sensus germanus)* du texte.

La traduction paraphrasante, *metaphrasis*, s'en trouve éclairée : il devient possible de jalonner le champ sémantique des concepts majeurs de la théologie bucérienne.

Un *dossier patristique* peut suivre : démonstration de connaissances, mais surtout manière de situer les choix religieux contemporains dans la tradition de l'Eglise ancienne.

Les *observationes* appliquent les conclusions du travail exégétique aux lecteurs et auditeurs contemporains : elles sont autant d'embryons de prédications.

Conciliationes et *quaestiones* préparent aux disputes et colloques.

Bucer veut rivaliser à la fois avec Jean Chrysostome, Augustin, Thomas d'Aquin et Erasme, et puise dans la tradition juive[96]. Cette ambition et ce rêve de conciliation marquent la génération des exégètes du deuxième tiers du siècle. Critiqué par Calvin pour sa trop grande

---

94. Stupperich, *Bibliographia Bucerana*, n° 55 *(Metaphrases et Enarrationes perpetuae in epistolam D. Pauli Apostoli...)* [Strasbourg, 1536] = « Libres traductions et commentaires suivis des épîtres de l'apôtre Paul. L'argumentation, la réflexion et le lexique de l'apôtre y sont étudiés en détail, en référence à l'autorité de l'Ecriture sainte et en toute loyauté à l'égard de l'Eglise universelle, tant ancienne que contemporaine. »

95. Le libellé du titre apporte une précision complémentaire : « En quarante-deux passages, on a procédé à la conciliation de textes apparemment contradictoires, et résolu des questions doctrinales majeures qui sont aujourd'hui au centre des controverses religieuses. Tout est dit sans hargne et avec équité, en vue de rétablir par tous les moyens possibles la concorde ecclésiastique. »

96. Voir pp. 222 ss.

prolixité, Bucer, après Titelmans, parcourt à frais nouveaux toutes les étapes du projet exégétique. Plus tard dans le siècle, ces étapes seront distinguées avec plus d'attention. Mais le souci d'orthodoxie fera obstacle au développement de formes réellement nouvelles de commentaires bibliques, qui auraient accordé, dans la voie ouverte par Valla et Erasme, le primat aux questions de philologie et de style, sinon d'histoire.

Bernard ROUSSEL.

NOTES COMPLÉMENTAIRES

UN CHOIX D'INTRODUCTIONS A LA BIBLE

[*NB*. — Les titres sont donnés en forme abrégée, les indications bibliographiques sont restreintes. — Renvois : F. = J. K. FARGE, *Biographical Register*...; K. = W. KLAIBER, *Katholische Kontroverstheologen*... — Pour les préfaces aux Bibles, cf. J. QUACK, *Evangelische Bibelvorreden von der Reformation bis zur Aufklärung*, Gütersloh, 1975.]

1514. IACOBUS PEREZ DE VALENCIA o.e.a. obs., *Centum ac quinquaginta Psalmi Davidici*... [Lyon] : « Prologi in Psalterium ».

1516-1535. ERASME, [Introductions aux livres du Nouveau Testament : *Paraclesis, Ratio seu Methodus*...].

1517. RICHARD DE SAINT-VICTOR († 1173), *Allegoriarum in utrumque Testamentum Libri Decem* (Ed. par J. Clichtove) [Paris] [F. 101].

1521. BODENSTEIN VON KARLSTADT Andreas (*ca* 1480-1541), *Welche Bücher heilig und Biblisch seind*... [Bâle]; — CLICHTOVE Josse (*ca* 1472-1543), *Epitome compendiariaque collectio in libros Veteris et Novi Testamenti per ordinem capitum cuiuscunque libri desumpta* (2 vol. Manuscrit BN Ms Lat 525) [F. 101].

1522-1534. LUTHER Martin, [Préfaces aux Livres bibliques].

1522. SCHATZGEYER Kaspar o.f.m. (1463-1527), *Scrutinium divinae scripturae pro conciliatione dissidentium dogmatum* [K. 2762; hrsg. Ulrich Schmidt, Corpus Catholicorum 5 (1925)].

1523 ? *Epistre chrestienne tresutile a ceulx qui commencent lire la saincte escripture, affin que en lysant la saincte parolle de dieu, ilz soient edifiez, congnoissant la consummation de toute lescripture, que sommairement icy est declairee*... [Simon Du Bois].

1527. DIETENBERGER Johannes o.p. (*ca* 1476-1537), *Tractatus de canonicis scripturis* [K. 843].

1530-1531. *Die gantze Bibel*... [Zürich] : « Ein kurtze vermanung unnd eynleytung an die Christenlichen läser diser Biblischen bücher. »

1531. DRIEDO Johannes (*ca* 1480-1535), *De ecclesiasticis scripturis* [Louvain] [K. 855].

1532. CENEAU Robert, évêque d'Avranches (1483-1560), *De liquidorum leguminumque mensuris, ex variis S. Scripturae et authorum veterum ac recentiorum locis congestae observatiunculae*... [Paris] († 1535, Strasbourg, M. Apiarius, « Addita est collatio earum ad mensuras urbis argentinensis... ») [F. 89] [K. 636]; ESTIENNE Robert (éd.), « Haec docent sacra Bibliorum scripta », *Biblia...* [fol. *iii r⁰-v⁰].

1534. HANER Johann [† 1544 ?], *Prophetia vetus ac nova, hoc est vera scripturae interpretatio de syncera cognitione Christi deque recta in illum fide J. H.* [Leipzig] [K. 1424].

1535. CALVIN Jean, « A tous amateurs de Jesus Christ et de son evangile », *La Bible qui est toute la Saincte escripture...* [Neuchâtel].

1536. PAGNINI Santi o.p. († 1536), *Isagogae ad Sacras Literas Liber Unicus; Isagogae ad mysticos Sacrae Scripturae sensus Libri XVIII* [Lyon].

1538. BULLINGER Heinrich, *De Scripturae sanctae authoritate, certitudine, firmitate et absoluta perfectione...* [H. Bullinger, Bibliogr. n⁰ 111].

1543. AMBROSIUS CATHARINUS POLITUS o.p. (*ca.* 1484-1553), *Claves duae ad aperiendas Sacras Scripturas* [K. 128].

1545. HOFMEISTER JOHANNES o.e.s.a. (*ca* 1509-1547), *Canones ad interpretandas sacras Bibliorum Scripturas* [Mayence] [K. 1556].

1546. [Concile de Trente] : CALVUS Johannes, gén. des Francisc. de strict. obs., *Apologia pro libris canonicis* [CT XII, 473-483]; SERIPANDO Girolamo o.e.s.a. (1493-1563), *De libris Sacrae Scripturae* [CT XII, 483-496]...

1549. AMBROSIUS CATHARINUS POLITUS, *Regulae intelligendi Sacras Scripturas* [K. 128]; FABRI Johann, évêque de Vienne, Autriche (1478-1541), *Enchiridion sacrae Bibliae* [K. 1053].

1550. BIBLIANDER Theodor (*ca* 1504-1564) [Zurich], *Quomodo legere oporteat sacras Scripturas, praescriptiones propheticas, apostolicas, theologicas. Compendium quoque doctrinae christianae...*

1552. COCKBURN Patrick, *De vulgari sacrae scripturae phrasi libri duo : quorum prior de peccato in Spiritum sanctum (quod alias ad mortem et irremissibile vocant) tractat; posterior vero difficillimos quosque et obscurissimos utriusque instrumenti locos, hactenus a multis male intellectos, & peius adhuc interpretatos, summa cum diligentia & fidelitate explicat* [Paris]; HIRSCHPECK Joh. Chrys. († 1558), *Theses de Abusu Scripturae divinae...* [K. 1543].

1558. LINDANUS Guilielmus (1525-1588), *De optimo Scripturae interpretandae genere...* [K. 1875]; HOSIUS Stanislas (*ca* 1503-1579), *De expresso Dei verbo...* [K. 1604].

1560. HELMESIUS Heinrich o. min. († *ca* 1560), *De Verbo Dei libri tres* [Cologne] [K. 1494].

1561. *La difference des Ecritures et Docteurs et l'intelligence des saints sacrements, vu et approuvé par la Faculté de Théologie* [Lyon].

1565. STAPLETON Thomas (1535-1598), professeur à Douai et Louvain, *Apologie intreating of the true... understanding of the Holy Scripture* [Anvers] [K. 2954].

1567. FLACIUS Mathias (1520-1575), théologien strictement luthérien, *Clavis Scripturae* [Strasbourg, Francfort].

1583. LAURET Hyeronimus o.p., *Sylva allegoriarum totius sacrae Scripturae, mysticos eius sensus et magna etiam ex parte literalis complectens, syncerae theologiae candidatis perutilis ac necessaria* [Paris].

1600. WHITAKER William (1548-1595), théologien puritain, *Disputatio de Sacra Scriptura contra huius temporis papistas...* [R. Bellarmin et Th. Stapleton] (= De numero canonicorum librorum Scripturae; — De editione authentica Scripturarum et versionibus sacrisque vernaculis; — De authoritate Scripturae; — De perspicuitate Scripturae; — De interpretatione Scripturae; — De perfectione Scripturae contra non scriptas traditiones).

DES CONCORDANCES

I. — CONCORDANCES RÉELLES

1. *Concordances réelles*

Compendium Biblicum quod aureum alias Bibliae Repertorium nuncupatus [Paris, 1497].

Antoine de BROICKWY, *Concordantiae breviores omnium fere materarium ex sacris Bibliorum libris* [Cologne, 1550; Paris, 1551...].

[J. BENOIST], *Concordantiae novae utriusque Testamenti, iuxta tropos et phrases locosque communes distinctae, cunctis sacrocum litterarum studiosis vece commentariis profuturae, quales nemo hactenus est agressus... a Ioanne Benedicto... concinnatae* [Paris, 1562].

[G. BULLOCK], *Oeconomia methodica concordantiarum Scripturae sacrae authore Georgio Bulloco* [Anvers, 1572...].

Guillaume ALLOT, *Thesaurus Bibliorum omnem utriusque vitae antidotum secundum utriusque instrumenti veritatem et historiam succincte complectens* [1579, 1581...].

En allemand :

Pierre PATIENT, *Concordantz über die ganze Bibel aus die Dolmetschung Luthers gerichtet* [Francfort, 1571].

2. *Index*

Une confusion doit être évitée avec des pièces du type de celles que l'on trouve dans les Bibles latines de Robert Estienne dès 1532 et dont nous traduisons le libellé :

Index des témoignages vétérotestamentaires cités par Christ et les apôtres dans le Nouveau Testament. Leur présentation permet aux lecteurs croyants de saisir sans peine le vrai sens que le Christ, seul véritable exégète, leur donne et que l'Esprit accorde aux apôtres de transmettre. Ils discerneront aussi à quelle fin apôtres et évangélistes ont fait ces citations.

Deuxième Index où nous avons recensé les témoignages de l'Ancien Testament que l'on repère dans le Nouveau Testament. Il s'agit moins de citations que d'allusions : les référer aux textes auxquels elles paraissent empruntées éclairera beaucoup les lecteurs chrétiens.

Edition analogue, en volume séparé et polyglotte :

Parallela sacra, hoc est locorum Veteris Testamenti cum iis quae in Novo citantur cuniuncta commemoratio, ebraice & graece. I. Drusius transcripsit, convertit in latinum & notas adiecit [Franecker, Aegidius Radaeus, 1588, in-4°].

Les Index dont il s'agit ici sont des listes alphabétiques de mots. Parmi les premiers imprimés, ceux du franciscain Gabriel Brunnus, dès 1496. Les Index sont très souvent joints aux traductions, et leurs « entrées » servent des fins catéchétiques et polémiques confessionnelles.

Ainsi dans la « Bible d'Olivétan », *La Bible qui est toute la Saincte escripture...* (fol. xcv r°-cv r°), après une très jolie introduction par le compilateur Matthieu Gramelin : « Comme les auettes songneusement recueillent les fleurs odorantes / pour faire par naturel artifice le doulx miel : aussi aye ie les principales sentences contenues en la Bible... » :

Indice des principales matières contenues en la Bible | en laquelle les lecteurs pourront trouver et practicquer plusieurs lieux communs.

De « Abomination » : « Abomination sont devant Dieu les idoles et ymages / devant lesquelles le peuple sencline Deutero. vii. d. & xxvii. c », à « Zalousie » : « La femme zalouse et yvrogne. Ecclesiastiq. xxvi. b », sont accumulées des rubriques qui permettent d'endoctriner, d'exhorter, et, bien sûr, de discuter : « Messe » : « Ce mot : Messe / n'est point en la Bible translatee par S. Jerosme : ny en nulle autre qui soit. Et pourtant [c'est pourquoi] ie nen scauroye que noter / fors que renuoyer le Lecteur a la Cene de nostre Seigneur Jesus Christ. »

Quatre ans auparavant les éditeurs de la version zurichoise (*Die gantze Bibel...* [Zurich, 1531], fol. A r⁰-A vii r⁰) avaient fait de même : « *Hie nach volgt ein kurtzer Zeiger der fürnemsten hystorien / unnd gemeinsten articklen des Alten unnd Neüwen Testaments / dem einfaltigen Läser vast nütz unnd dienstlich.* »

Ces *Index* peuvent être parfois édités séparément, du fait de leur intérêt pour la prédication, l'enseignement et la polémique.

Ainsi, outre ceux, de la main de Mathieu Gramelin, qui sont édités à Lyon en 1545 :

Indice ou Table des principales matières contenues en toute la Bible, ensemble un brief recueil des Sommaires d'icelle. En tout diligemment reveu et augmenté de beaucoup outre les précédens, pour le soulagement de ceux qui désirent y profiter [Genève, imprimé par J.-B. Pinereul, pour Jean Durant, 1560].

En 1537, Conrad Pellikan adjoint un *Index Bibliorum*, au terme de ses *Commentaria*; il sera traduit en anglais en 1550.

Très polémique encore est la liste des points de controverse qui clôt la version anglaise du Nouveau Testament réalisée au Séminaire des exilés catholiques à Douai, en 1582 (*The New Testament of Jesus Christ, translated faithfully into English...* [Reims, Jean Foigny, 1582], fol. Bbbbb iii r⁰-Eeeee ii r⁰) :

An ample and particular Table directing the reader to al Catholike truthes, deduced out of the holy Scriptures, ans impugned by the Adversaries,

de « Absolution of a Priest » à « Zeale against heretikes ».

Enfin, plus classiques dans leur conception, et copieux, les *Index* analytiques ouvrent ou terminent les deux parties de l'édition de 1598 du Nouveau Testament gréco-latin et annoté de Théodore de Bèze :

Index rerum et verborum quae in Annotationibus in Evangelistas et Acta Apostolorum continentur
Index posterior in Annotationes in Epistolas et Apocalypsin (= fol. a r⁰-b v r⁰ et CCCcc i r⁰-DDDdd v r⁰ du *Iesu Christi D.N. Novum Testamentum...*) [Genève, aux frais des héritiers de E. Vignon, 1598]. Il s'agit de pages de 3 colonnes de plus de 80 lignes !

Condition typographique de l'utilité de ces *Index* : la précision et l'exactitude. Dans l'exemple retenu, où sont inventoriés des termes tant latins que grecs, les renvois sont faits à la page, la colonne et la ligne... sans trop d'erreurs, on peut le dire !

3. *Concordances renvoyant au « Corpus Juris Canonici »*

Pendant le premier quart du siècle sont couramment rééditées, séparément, ou incluses dans des Bibles, des concordances qui permettent de se reporter au *Corpus juris canonici* :

Concordantia Bibliae et canonum per Joh. Nivicellensem abbaten [Bâle, 1500].

4. Concordances marginales

Elles sont l'extension de l'indication des canons eusébiens dans la marge des Evangiles. E. Mangenot indique que des « parallèles » sont notés en marge de tous les textes du Nouveau Testament dès 1489, de l'Ancien Testament dès 1491.

Un ouvrage est rédigé sur la base de textes parallèles habituellement notés dans les marges :

Parallela sacra, hoc est locorum Veteris testamenti cum iis quae in Novo citantur coniuncta commemoratio, ebraice & graece. I. Drusius transcripsit, convertit in latinum & notas adiecit [Franeker, 1588].

II. — CONCORDANCES VERBALES LATINES

Sixte de Sienne attribuait à Hugues de Saint-Cher le modèle « standard » de Concordance latine dont héritait le XVIe siècle : l'histoire en est, on le sait aujourd'hui, plus complexe (voir M. A. et R. H. ROUSE, à propos de la « troisième Concordance », *BTT* 4, pp. 115-122).

En 1496, Sebastien Brant édite à Bâle, chez Froben, des

Concordantiae maiores Bibliae tam dictionum declinabilium quam indeclinabilium diligenter visae cum textu ac secundum veram orthographiam emendatae,

qui seront ensuite rééditées, révisées, améliorées, et souvent de format in-4°, c'est-à-dire maniables.

Il joignait dans ce volume, en deux parties, les mots déclinables et les invariables.

J. Herwagen à Bâle, en 1561 :

Sacrorum utriusque Testamenti librorum absolutissimus Index quas Concordantias maiores vocat, tu vel maximas appellare licet.

En 1555, Robert Estienne avait fondu les deux parties en une seule liste :

Concordantiae Bibliorum utriusque Testamenti Veteris et Novi novae et integrae, quae re vera Maiores appellare possis ab integro ex ipso textu excerptae ac multis partibus auctiores superioribus...

Elle est plagiée à Anvers, chez Plantin, en 1561 et 1581 :

Concordantiae Bibliorum utriusque Testamenti, Veteris et Novi perfectae et integrae. Quas re vera Maiores appellare possis. Opus sacrarum litterarum studiosis apprime utile, nunc tandem, post omnes quae praecesserunt editiones, multis depravatis locis commode restitutis & castigatis summo studio ac labore illustratum.

Après la parution de la Vulgate sixto-clémentine :

Concordantiae Bibliorum, id est Dictiones omnes quae in Vulgata aeditione latina Veteris et Novi Testamenti leguntur, ordine digestae et ita distinctae ut maximae et absolutissimae (quae offert haec editio) Concordantiae dici possit. Opus sacrarum literarum studiosis non minus utile quam necessarium. Nunc tandem post omnes, quae hactenus prodierunt editiones, a multis mendis repurgatum, necessariis distinctionibus illustratum, vocum multarum numero locupletatum, aliisque subsidiis ornatum, quae subiecta ad Theologiae studiosos admonitio demonstret [Chez les héritiers de A. Wechel, 1600].

(Les homonymes sont séparés, et les Apocryphes donnent lieu à une liste séparée « Subiunctis suo quoque loco Apocryphorum librorum dictionibus ».)

III. — Concordances verbales en d'autres langues

[*Hébreu*]

Après 1523, les biblistes peuvent consulter la *Concordance hébraïque* de Isaac Nathan ben Qalonymos, préparée dès le milieu du xve siècle et enfin éditée par Bamberg à Venise *(Meir Nativ)*.

Les racines y sont classées alphabétiquement, et les références au texte tiennent compte de la division du texte de la Bible latine en chapitres[97].

Le Strasbourgeois Martin Bucer est l'un des premiers à en faire grand usage quand il commente les Psaumes, en 1529.

[*Grec*]

Une *Concordance grecque du Nouveau Testament* est publiée à Bâle :

Novi Testamenti Concordantiae graecae — [en gr.] Sumphonia ê Sullexis tês Dia-thêkês tês kainês... Xysti Betuleii... industria collectum inque lucem editum [Bâle, J. Oporin, 1546].

En 1594, Henri Estienne rédige une

Concordantia Testamenti Novi Graeco-latina.

[*Autres langues*]

Jean Schröter rédige une Concordance sur le Nouveau Testament de Luther, à Strasbourg en 1524, et Leonard Brunner en 1546 sur toute la Bible.

Concordances anglaises du Nouveau Testament en 1540, puis 1550.

97. Voir pp. 407 ss.

6

Des auteurs

Conjonctures et généalogies

Après les livres, les auteurs : seront nommés ici quelques-uns de ceux qui paraissent avoir donné à l'histoire de la Bible en Europe occidentale son rythme et son allure, et ce de 1530 à 1600.

Quatre « conjonctures exégétiques » seront d'abord définies. L'une prend forme autour de Martin Luther entre 1512 et 1546. La seconde a pour pôles Strasbourg, Bâle et Zurich : foyer éclaté de ce que nous désignerons comme « l'école exégétique rhénane » florissante de 1525 à 1545 environ. J. Brenz, H. Bullinger, J. Calvin et leurs collègues la prolongent. La quatrième se définit autour de l'apparition, entre 1560 et 1570, de traditions exégétiques confessionnelles, réformée, catholique et luthérienne.

La plupart de ces auteurs sont protestants : souvent proches d'Erasme et des humanistes, et ils émulent bien des auteurs catholiques. Une « conjoncture tridentine » sera évoquée plus loin dans ce livre[1].

Sa documentation contraint aussi l'historien à observer des séries significatives, d'une plus longue durée : s'y mêlent dépendances et innovations : — rédaction de la *Polyglotte d'Anvers*; — établissement du

---

[1]. Voir pp. 327 ss. — Essai de chronologie : B. Roussel, « L'Epître aux Ephésiens de Laurent Valla à Sixte de Sienne et Théodore de Bèze : quelques aspects de l'histoire des écrits bibliques au XVIᵉ siècle », *Les Règles de l'interprétation...*, pp. 172-194.

texte biblique; — résolution du problème synoptique; — traduction de la Bible.

Il sera alors temps de rejoindre les lecteurs que tant d'auteurs peuvent souhaiter pour tant de livres.

I. — « CONJONCTURES EXÉGÉTIQUES »

M. Luther et « le Groupe de Wittenberg »

Le 19 octobre 1512, Martin Luther (1483-1546) commence d'enseigner « la Bible » dans la jeune Université de Wittenberg. Sa formation antérieure l'y a préparé. Jusqu'à sa mort, il enseignera l'exégèse et fera œuvre de traducteur.

Sources et travaux

Etudiant dans un maître-livre l'interprétation des Evangiles par Luther, G. Ebeling a dressé l'inventaire des sources à consulter sous onze rubriques :

(1) Les cours bibliques; (2) Les prédications occasionnelles ; (3) Les séries de prédications; (4) Les Postilles (schémas de prédications); (5) Les écrits exégétiques; (6) Les citations bibliques (dans les divers écrits dont elles forment souvent la trame, leur introduction, leur agencement, leurs explications); (7) Les Disputes; (8) Les dédicaces des Bibles et autres ouvrages; (9) Les « Propos de Table »; (10) Les lettres; (11) La Bible allemande[2].

Son œuvre biblique n'est en effet pas un « secteur » autonome de la production de M. Luther. Son évolution religieuse et sa théologie s'y forgent et s'y expriment[3]. On ne peut donc éviter de consulter l'ensemble de ces écrits de Luther, dont l'édition critique dite « de Weimar » [*WA*], commencée en 1883, inclut les 15 volumes de « *la Bible allemande / Die Deutsche Bibel* [*WADB*] », édités à partir de 1906[4].

2. Gerhard EBELING, *Evangelische Evangelienauslegung...*, 1962, pp. 11-43.
3. Voir M. LIENHARD, *Martin Luther. Un temps, une vie, un message*, Paris, Le Centurion; Genève, Labor et Fides, [2]1983, *passim*.
4. Voir pp. 213 ss. et *Bibliographie* : 6.

Les grandes étapes de la carrière d'un bibliste

Avant 1512. — Martin Luther, entré au couvent des Augustins d'Erfurt en juillet 1505, est ordonné prêtre en avril 1507. A Wittenberg, Erfurt, puis de nouveau Wittenberg, il poursuit des études et obtient, en octobre 1512, le grade de docteur en théologie. Il enseigne désormais dans une Université princière, vers laquelle les étudiants vont affluer de toute part, et qu'il contribue à réformer dès 1518.

Le cours habituel des études, les exigences du provincial Staupitz, l'application de Luther lui-même, font qu'il acquiert dès ce temps-là une connaissance très précise de la Bible. Il a aussi l'occasion de croiser des gens très au fait des travaux et orientations humanistes.

De son temps de formation, Luther gardera une grande familiarité avec le texte latin de la Bible et une connaissance approfondie de la tradition exégétique patristique et médiévale.
Il apprend à lire les textes en hébreu et en grec[5].
La prédication requiert aussi que soient maîtrisés les problèmes de la diglossie commune aux intellectuels et clercs d'alors : emploi du latin dans les heures d'études, usage d'un dialecte allemand dans d'autres situations de communication. On ne sait si Luther a beaucoup lu une édition de la traduction allemande de la Bible imprimée dès 1466 par Johann Mentelin († 1478). Cette version d'un auteur resté anonyme, faite sur le latin, fut rééditée 14 fois, jusqu'en 1518.

De 1512 à octobre 1517. — « Professeur de Bible » à Wittenberg, Luther enseigne sur les Psaumes — *Dictata super Psalterium* — d'août 1513 à Pâques 1515[6]; sur l'épître aux Romains (août 1515-septembre 1516), l'épître aux Galates (octobre 1516-mars 1517), l'épître aux Hébreux (avril 1517-mars 1518).

Philippe Melanchthon est nommé professeur de grec à Wittenberg en 1518 : ce qui peut expliquer que dès lors Luther enseignera souvent sur des textes vétéro-testamentaires.

Ce sont là, on le sait, des années de profonds débats intérieurs et de révision critique de la théologie reçue. Luther rompt progressivement avec la théologie qui lui fut enseignée, mais se distancie de façon alors moins perceptible des biblistes humanistes.

---

5. Dans une lettre du 29 mai 1522 à Johannes Lang, Luther dit avoir acheté dès sa parution le *De Rudimentis Hebraicis* de J. Reuchlin. On ne sait quand il a annoté une *Bible hébraïque*, imprimée à Brescia en 1494.
6. La chronologie des cours de Luther a d'abord été établie par Hans von SCHUBERT et Karl MEISSINGER, « Zu Luthers Vorlesungstätigkeit », *Sitzungsberichte der Heidelberger Akademie der Wissenchaften. Philosophische-Historische Klasse*, 9. Abhandl., 1920, pp. 1-47. — H. Bornkamm, H. Volz et d'autres biographes l'ont ensuite précisée.

Il connaît les travaux de Lefèvre d'Etaples et d'Erasme[7]. De premières références au texte grec, suggérées vraisemblablement par le *Novum Instrumentum* de 1516, apparaissent à propos de Rm 8, 15 et 9, 8[8].

Il critique la distinction traditionnelle d'un « sens littéral » et d'un « sens mystique » qui se déploie en « allégorie (doctrine), anagogie (eschatologie), tropologie (morale) ». A la façon de Lefèvre, il identifie, dans sa lecture des Psaumes, un sens « littéral-christologique ».

A cette date, dans leur forme, les cours de Luther restent traditionnels.

Le texte biblique, parfois spécialement imprimé pour la circonstance, est éclairé par une double glose, interlinéaire et marginale. Suivent des développements, les « scolies » : le cours sur l'épître aux Romains illustre cette pédagogie. Vraisemblablement Luther dictait aux étudiants ces divers éléments de commentaire.

Luther met en avant le binôme : sens littéral - sens tropologique.

La reconnaissance et le traitement des particularités du texte biblique (langue, syntaxe, style, contexte de rédaction...) préparent à l'expression de son immédiate pertinence pour le lecteur chrétien. Du cours sur les Psaumes à celui sur l'épître aux Hébreux, l'accent est mis sur le sens tropologique[9]. Les divers textes sont référés à un *scopus* (un objectif) — « hors-texte » —, le Christ.

Spécificité du texte biblique : il met le lecteur en « présence de Dieu »; abolir la distance entre les auteurs bibliques et le lecteur moderne est alors possible.

Une double rupture s'annonce :

— Avec les humanistes qui cherchent dans la source biblique les thèmes d'une philosophie chrétienne à dominante moralisante, plus que les indications de la mise en scène d'un drame dont le lecteur se retrouve acteur.

— Avec d'autres « luthériens » qui trouvent difficile de dire avec Luther que le sens du texte est exclusivement de « signifier » Christ; ils y trouveront aussi des indications liturgiques et éthiques.

Luther étudie l'hébreu et le grec. Entre 1517 et 1521 il publie, dans les volumes de *Postilles*, ou en ouvrage séparé, ses premières traductions allemandes de textes bibliques : notamment les « Psaumes de pénitence (Ps 6, 32, 38, 51, 102, 130, 143) » et le *Magnificat*.

D'octobre 1517 à décembre 1522 :

C'est le temps des « Disputes » décisives (octobre 1518, Augsbourg : Luther vs. Cajetan; juin 1519, Leipzig : Luther vs. Eck). Le problème de

---

7. Voir pp. 74 ss.
8. *MLO* 11, pp. 115 et 130.
9. Voir LIENHARD, *op. cit.*, pp. 45 et 53, sur le thème de la *fides Christi* dans les *Dictata super Psalterium* et le *Cours sur l'Epître aux Hébreux*.

l'autorité en matière de théologie et d'ecclésiologie est clairement posé, d'autant plus que le « procès Luther » oblige ce dernier à légitimer ses attitudes et positions. Les Universités (Cologne, Louvain, Paris) censurent; Léon X condamne (*Exsurge Domine*, le 15 juin 1520), puis excommunie le 3 janvier 1521. Les « écrits de 1520 » ont mobilisé l'opinion publique.

A Worms, où Luther comparaît les 17 et 18 avril 1521, Charles V et son entourage entendent une déclaration « biblique », aussi célèbre que fréquemment travestie en expression d'objection de conscience ou proclamation du droit au libre examen :

« Le porte-parole impérial me demandait donc une réponse simple et sans cornes : voulais-je rétracter [mes écrits] ou non ?

« Puisque votre S. Majesté et vos seigneuries demandent une réponse simple, je vous la donnerai sans cornes ni dents.

« Voici : à moins qu'on ne me convainque [autrement] par des attestations de l'Ecriture ou par d'évidentes raisons — car je n'ajoute foi ni au pape ni aux conciles seuls, puisqu'il est clair qu'ils se sont souvent trompés et qu'ils se sont contredits eux-mêmes — je suis lié par les textes scripturaires que j'ai cités et ma conscience est captive des paroles de Dieu; je ne puis, ni ne veux me rétracter en rien, car il n'est ni sûr ni honnête d'agir contre sa propre conscience. [En allemand] Je ne puis autrement, me voici, que Dieu me soit en aide »[10].

Les décisions prises à Worms obligeront Luther à chercher refuge à la Wartburg sous la protection de son prince, Frédéric de Saxe : un château qui va devenir le haut lieu de la traduction du Nouveau Testament en allemand.

Auparavant, à Wittenberg, Luther avait à nouveau enseigné sur les Psaumes. Imprimées, ces leçons portent le titre de *Operationes in Psalmos* : elles sont interrompues au Ps 20, le 29 mars 1521, par le départ pour Worms[11].

Au temps des *Operationes*, Luther rompt avec la forme traditionnelle des commentaires : il ne répartit plus l'explication entre gloses et scolies. Tout en mettant en évidence le plan du Psaume entier, il explique de façon exhaustive les unités textuelles « élémentaires » qu'il distingue, et dont la longueur varie, du demi-verset à plusieurs versets. Il a acquis une maîtrise plus complète de l'hébreu, et rompt de façon nette avec la tradition[12].

10. « Le Discours de Martin Luther devant la Diète de Worms, le 18 avril 1521 en présence de l'empereur Charles Quint » [trad. R.-H. ESNAULT], dans Martin LUTHER, *Œuvres*, t. II, Genève, Labor et Fides, 1966, pp. 313-316 (cit. pp. 315-316), d'après *WA* 7, 831, 16-835, 19. — Texte d'autres versions du discours, *ibid.*, 838, 1-9 (latin), et 867-877 (traductions allemandes contemporaines : *Deutsche Reichstagsakten, Jüngere Reihe*, Bd. 2 [Gotha, 1899], Göttingen, 1962, pp. 545-569, 588-594). — Sur l'histoire de la tradition de ces propos, voir le récit et les notes bibliographiques de Martin BRECHT, *Martin Luther. Sein Weg zur Reformation (1483-1521)*, Stuttgart, Calwer Verlag, 1981, pp. 431-453.

11. Les *Operationes in Psalmos* sont en cours d'édition. Voir *Bibliographie*.

12. Les éditeurs des *Operationes* ont rédigé pour chaque psaume une introduction qui identifie : A) *les commentaires antérieurs du même texte* que Luther peut avoir rédigés auparavant; B) les *sources* les plus importantes; C) le *plan* du commentaire; D) un *sommaire* de l'exégète du texte par Luther; E) des *notanda*.

Il arrive à Luther d'hésiter sur la méthode d'interprétation et d'en faire part à ses auditeurs. Ainsi, dans le cours de l'explication du Psaume 3, passe-t-il explicitement d'une interprétation christologique à une lecture historique du Psaume[13].

C'est encore dans cette série de cours que Luther fixe le sens qu'il donne alors à la locution « justice de Dieu » :

« 'Justice de Dieu' : ... Il faut que désormais nous retenions la signification véritablement biblique *(vere canonica)* de cette expression. Ce n'est pas l'attribut qui fait que 'en soi, Dieu est juste' et donc condamne les impies — ce que l'on maintient trop communément —, mais, comme le dit saint Augustin dans le *De Spiritu et Littera*, la justice 'dont Dieu revêt l'homme qu'il justifie'. Il s'agit alors de 'la miséricorde', de 'la grâce justifiante' qui nous valent d'être tenus pour justes par Dieu, ce dont l'apôtre parle en Rm 1, [17], ... 3, [21]... On a dit justice 'de Dieu' et 'la nôtre', parce qu'elle est don de sa grâce; on désigne aussi comme 'œuvre de Dieu' ce qu'il produit en nous, 'parole de Dieu', ce qu'il nous dit, 'vertus de Dieu', celles qu'il engendre en nous... »[14].

Luther s'en souvient lors de la rédaction, en 1545, d'une *Préface* à l'édition de ses Œuvres latines. Il y raconte, en des termes que la légende luthérienne retiendra, son passage de « la haine » qu'il éprouve pour l'interprétation « philosophique » de l'expression, « au paradis » que lui ouvre le fruit de ses travaux exégétiques, quand il comprend enfin que la « justice de Dieu » est celle du « Dieu miséricordieux qui nous justifie par la foi ». Toute son approche de l'Ecriture s'en trouve changée[15].

Mi-décembre 1521 donc, la Wartburg : c'est là que commence par le Nouveau Testament l'histoire de la traduction luthérienne de la Bible en allemand, peut-être programmée dès novembre 1520.

Luther traduit quotidiennement l'équivalent des trois premiers chapitres du second Evangile. Il utilise la deuxième édition du *Novum Instrumentum* érasmien (1519), à laquelle sont jointes une version latine et des annotations. Il révise avec Philippe Melanchthon son manuscrit terminé en février 1522.

Melchior Lotther « le Jeune » termine le tirage de 3 000 exemplaires de l'ouvrage en septembre 1522 *(Septembertestament)*. L'Epître aux Laodicéens n'y figure pas; le Livre des Actes est placé après le IVe Evangile, les épîtres aux Hébreux, de Jacques, de Jude et l'Apocalypse placées en fin de volume[16].

Dès le 7 novembre, le prince de la Saxe « non électorale » Georges fait interdire sur ses terres la diffusion de *Das Newe Testament Deutsch*,

---

13. *Operationes in Psalmos*, p. 120, 8 ss., pp. 153, 26-155, 27. — Voir B. ROUSSEL, « Etude critique : une édition nouvelle des *Operationes in Psalmos* », RHPR 64 (1984), pp. 271-278.

14. *Operationes*, pp. 255, 11-259, 3 : une note retrace la longue histoire de la recherche par Luther du sens de l'expression « justice de Dieu ».

15. *WA* 54, 185, 12-186, 21.

16. Texte dans *WADB* 7; nombreux fac-similés : Wittemberg-Berlin, 1918; Leipzig, 1972; Ann Arbor, 1972; Stuttgart, 1978.

illustré par Lukas Cranach « l'Ancien » et ses élèves, et auquel sont jointes de célèbres préfaces[17].

La Préface de l'Epître aux Romains sera très vite traduite en français et diffusée sous le titre : *La Déclaration d'aucuns mots desquelz use souvent sainct Pol en ses epistres*[18].

Une première révision du texte est éditée dès décembre 1522[19].

La préparation de « Biblia, das ist, die gantze Heilige Schrifft Deudsch », 1522-1534[20]. — Douze années — un laps de temps très long ! — vont s'écouler avant l'édition d'une première Bible complète, traduite par Luther et ses collaborateurs.

Luther, dans ce temps, rompt avec nombre de ses contemporains qui sont eux-mêmes en position « critique » à l'endroit du catholicisme. La question biblique est alors constamment posée : un bref inventaire des « cibles » le montrera.

— Les « enthousiastes » — tel Thomas Müntzer — sont parmi les premiers visés : Luther les accuse de dévaluer la Parole au profit d'inspirations personnelles.

— Erasme : le débat des années 1524-1525 sur « le 'libre' ou le 'serf' arbitre » porte sur les thèmes les plus fondamentaux de l'anthropologie chrétienne, et la notion même de « révélation »[21].

— Les acteurs des soulèvements de 1524-1525 (« la guerre des paysans »).

---

17. Martin LUTHER, *Œuvres*, t. III, Genève, Labor et Fides, 1963, p. 257-262 [= *WADB* 6, 2-11]. — Trois passages de la Préface de 1522 sont particulièrement connus. 1) Toute préface et noms d'auteurs sont superflus. Un scrupule que J. Calvin partagera en 1535 : la *Bible d'Olivétan* doit paraître sans privilège. — 2) Rompant avec les présentations habituelles, Luther déclare « rejeter la classification des livres du Nouveau Testament en livres légaux, historiques, prophétiques et sapientiaux... ». Et Luther d'introduire alors la définition de l'unique « Evangile » : « mot grec [qui] signifie en allemand 'bon message, bonne histoire, bonne nouvelle, bonne proclamation, qui fait chanter, parler et se réjouir'... Cet évangile de Dieu et ce Testament nouveau sont une bonne information et une nouvelle proclamée à travers le monde entier par les apôtres, et nous parlant d'un vrai David qui a combattu le péché, la mort et le diable et qui les a vaincus... ». — 3) Enfin, le paragraphe, qui fit longuement scandale : « Quels sont les véritables et les plus nobles livres du Nouveau Testament ? » — L'évangile de Jean et I Jean, les épîtres aux Romains et aux Galates... y sont mis en avant, et l'épître de Jacques et l'Apocalypse dévalorisées. — Sur ces Préfaces et leurs réécritures, dans le contexte de l'histoire des Préfaces bibliques, Maurice E. SCHILD, *Abendländische Bibelvorreden bis zur Lutherbibel*, Gütersloh, Gütersloher Verlagshaus Gerd Mohn, 1970, pp. 166 ss.

18. F. M. HIGMAN, « Les traductions françaises de Luther (1524-1550) », *Palaestra Typographica...*, Aubel (Belgique), P.-M. Gason, 1984, pp. 11-56.

19. Fac-similé partiel : Ann Arbor, 1972.

20. Pour évoquer vingt ans de l'histoire de la Bible de Luther, nous empruntons — en les résumant à l'extrême — les informations rassemblées par H. VOLZ, en tête de la réédition de *Die gantze Heilige Schrifft Deudsch, Wittenberg 1545*, München, Rogner & Bernhard, 1972 et dans *Martin Luthers Deutsche Bibel. Entstehung und Geschichte der Lutherbibel...*, Hamburg, Friedrich Wittig Verlag, 1978.

21. M. LIENHARD, *op. cit.*, pp. 149-161.

Luther leur reprochera de fonder par des références évangéliques des revendications et propositions d'ordre social, économique et juridique[22].

— Les « légalistes » : ils font de la Bible un « code » d'indications disciplinaires, liturgiques ou éthiques. Il s'oppose à Carlstadt (1522), qui voulait « presser le pas » des réformes à Wittenberg, et à la publication de l'Ordonnance ecclésiastique, *Reformatio ecclesiarum Hessiae* (20 octobre 1526), à la rédaction de laquelle François Lambert a pris part. Des textes bibliques y fondent les articles d'un nouveau « droit canonique », alors qu'en la matière Luther tient à ce que la seule règle soit celle de l'amour fraternel[23].

— Dès 1526 encore se développe le conflit sur la Cène. L'un de ses arguments initiaux est l'identification par Zwingli, Œcolampade et Bucer d'un « trope » dans l'expression : « Ceci est mon corps », entendu : « Ceci signifie mon corps ». Le débat porte en fait sur l'approche du texte biblique tout entier. Pour Zwingli en effet, la Bible, l'Ancien Testament notamment, constitue une pièce de littérature d'autant plus belle qu'elle est une succession quasi ininterrompue de « tropes et de figures »[24]. Expliquer la Bible, c'est d'abord par l'identification des figures rhétoriques, en travailler la sémantique.

Luther a alors repris son enseignement à Wittenberg. La maladie ou les épidémies l'interrompent, mais aussi des événements politico-religieux majeurs : ainsi part-il résider à Coburg, pendant que siège la Diète d'Augsbourg (printemps 1530).

Le calendrier des cours est connu. Résumons.

Printemps 1524-été 1526 : « *petits Prophètes* »; — 30 juillet-7 novembre 1526 : *Ecclésiaste;* — mai à août 1527 puis Pâques 1528-12 février 1530 : Esaïe (un cours interrompu par des leçons sur I Jean, Tite, Philémon, I Timothée); — 7 mars 1530-22 juin 1531 : Cantique des Cantiques; — 3 juillet-12 décembre 1531 : Galates. Luther enseignera encore sur Genèse (3 juin 1535-août 1543), janvier-Carême 1544, puis enfin printemps 1544-17 novembre 1545, un enseignement entrecoupé de leçons sur des Psaumes et des chapitres d'Esaïe.

Ces cours sont parfois édités (Jonas, Habacuc, Zacharie, entre 1526 et 1528). Une fois, Luther s'efface devant un collègue. Il accepte que le commentaire de Johannes Brenz (1499-1570) sur l'*Ecclésiaste* soit édité à Haguenau en 1528, par Johann Setzer; le sien ne le sera qu'en 1532.

La traduction de l'Ancien Testament et son édition ne progressent que fort lentement. Luther a recours très régulièrement à ses collaborateurs, dont Philippe Melanchthon, Matthieu Aurogallus et George Spalatin.

---

22. Gotfried MARON, « Bauernkrieg », *TRE* V (1980), pp. 319-338; M. LIENHARD, *op. cit.*, p. 413-428 (= XXII : « Luther et la guerre des paysans »).

23. *WA* Briefe 4, 157-158, n° 1071. — Comparer la Préface rédigée par M. Luther à la *Unterricht der Visitoren an die Pfarrherrn im Kurfürstenthum zu Sachsen (1528)* / *Instruction donnée aux pasteurs à l'occasion de la « visite » des églises de la Saxe électorale* d'une part, et d'autre part la *Reformatio Ecclesiarum Hassiae...* / *Ordonnance de réforme des églises de la Hesse, conforme à la norme si sûre des paroles de Dieu, promulguée par le Très Clément Prince Philippe de Hesse, lors du Synode tenu à Homberg le 20 octobre 1526.* Textes dans *Die Evangelischen Kirchenordnungen des XVI. Jahrhunderts*, hrsg. von Dr. jur. Emil SEHLING, I/1 [Leipzig, 1902], pp. 149-151, et VIII/1 [Tübingen, 1965], pp. 43-65.

24. « Huldrichi Zuinglii ad pium lectorem praefatio in apologiam complanationis Isaiae », *Z* 14 [= CR 91], pp. 89, 5-92, 20.

Das Allte Testament deutsch, en fait le Pentateuque, sort des presses de Melchior Lotter, au cours de l'été 1523. La page de titre porte, c'est exceptionnel !, le nom de « M. Luther ».

Das Ander teyl des alten testaments (Juges-Esther) paraît début 1524. Les livres poétiques, *Das Dritte teyl des alten testaments*, sont disponibles en octobre 1524. Il s'agit d'ouvrages in-folio quant au format, illustrés par L. Cranach et ses élèves.

Le *Psautier* est édité séparément en format in-8º en 1524, précédé d'une introduction qui est tout à la fois éloge et mode d'emploi :

« ... Quant à moi, j'estime qu'il n'y a jamais eu et qu'il ne pourra jamais y avoir sur la terre de livre d'exemples ou de légendes des saints qui surpassent en distinction le psautier... Le psautier devrait déjà nous être précieux et cher pour cette seule raison qu'il annonce très clairement la mort et la résurrection du Christ, et qu'il figure son royaume et l'état et la vie de la chrétienté tout entière »[25].

Entre janvier et mars 1531, nouvelle révision, avec Melanchthon, Aurogallus, Caspar Cruciger, Justus Jonas, et Georg Rörer dont les notes ont été conservées et éditées : elle conduit à l'édition d'avril 1531.

Le Nouveau Testament est lui aussi fréquemment révisé : étapes particulièrement importantes, celles qui mènent aux éditions de 1529-1530 (avec de nouvelles préfaces) et 1533, dans laquelle ces Préfaces reçoivent leur forme définitive.

Des concurrents apparaissent, pendant que le groupe de Wittenberg peine à la tâche.

Indice de difficultés, Hans Lufft, qui sera désormais l'éditeur des Bibles de Wittenberg, publie à la fin de l'été 1528 la traduction du seul livre du prophète Esaïe. Mais quelques mois auparavant (avril 1527) Peter Schöffer, de Worms, avait publié *Alle Propheten nach Hebraischer sprach verteuscht*, œuvre des « spirituels » Ludwig Hätzer († 1529) et Hans Denck († 1527). L'ouvrage est réédité douze fois entre 1527 et 1531.

Le même imprimeur imagine alors d'éditer une « Bible allemande composite » en 1529 : le volume inclut les « trois parties » de l'Ancien Testament précédemment publiées par Luther, le volume des Prophètes de Hätzer et Denck, les Apocryphes dans une version de Leo Jud, Alsacien établi à Zurich, et un Nouveau Testament luthérien.

Encore quelques mois et Christoph Froschauer à Zurich, Wolfgang Köpfel à Strasbourg adoptent des solutions analogues.

Evénements et maladie retardent encore le travail. Luther traduit et parfois édite séparément les derniers livres prophétiques (Daniel, 1530), réunis en mars 1532 dans *Die Propheten alle Deudsch*. S'il traduit, en 1529, la Sagesse de Salomon, puis, en 1533, le Siracide, Luther s'en remet à Melanchthon (1 et 2 Macchabées) et J. Jonas pour traduire les Livres apocryphes.

Un intense travail de révision, de regroupement des illustrations conduit enfin à l'édition, en septembre 1534, des 900 folios de *Biblia, das*

---

25. *WADB* 10/2, p. 94-97; traduit dans *MLO* III, p. 263 ss.

ist, die gantze Heilige Schrifft Deudsch. Mart. Luth. Wittemberg. Begnadet mit Kürfurstlicher zu Sachsen freiheit. Gedruckt durch Hans Lufft. M.D. XXXIIII.

Le 1er avril précédent, un imprimeur de Lübeck, Ludwig Dietz, avait sorti, à l'instigation de J. Bugenhagen, une Bible complète, rédigée en « niederdeutsch ».

Luther traducteur

Luther a rédigé, au cours de ces années, deux textes qui paraissent expliquer sa « théorie » de la traduction : *Ein Sendbrief vom Dolmetschen...* (1530), *Summarien über die Psalmen und Ursachen des Dolmetschen* (1531-1532)[26]. Ils permettent de s'orienter dans un débat ouvert dès 1522, jamais clos depuis et au cours duquel l'hagiographie a parfois été la cause d'un oubli et d'une erreur.

Oubli : la « Bible de Luther » est une Bible traduite par Luther *toujours* entouré de conseillers critiques et attentifs.

Erreur : les salles où ils travaillent ne sont pas analogues aux légendaires cellules de l'île de Pharos, où les LXX auraient miraculeusement traduit en grec les écritures juives. Il vaut mieux citer Jérôme et ne pas confondre « traduire » et « prophétiser ».

La traduction est bien un « travail ».

Les langues sources sont connues, et Luther ne prétend pas en avoir la maîtrise totale.

Textes hébreux et grecs sont d'autant plus soigneusement lus et annotés que leur mémoire « offre » aux traducteurs de Wittenberg les solutions de la version latine, plus que celles des anciennes versions allemandes.

« Homme de paroles », Luther l'est, en latin et en allemand — on souhaiterait écrire « en allemand*s* ».

Le bilinguisme « latin/allemand » et les diverses productions dans l'une ou l'autre langue renvoient à des situations de communication très diverses : Luther a écrit au pape, aux théologiens et à ses étudiants en latin; en allemand, il s'est adressé aux princes, aux nobles, aux « paysans révoltés », aux simples fidèles et à leurs enfants. Il a envoyé des lettres dans les deux langues aux destinataires les plus divers, et il usait volontiers d'un sabir germano-latin pour converser avec ses proches. Prédicateur, il a appris à s'adresser à la foule, tout en suscitant des émotions et des réactions individuelles. S'il faut « admirer » Luther, c'est peut-être parce que traducteur il sut rester, comme en d'autres occasions, un « grand communicateur ».

---

26. *WA* 30/II, pp. 632-646 (= *MLO* VI (1964), pp. 205-244 : « Épître sur l'art de traduire et sur l'intercession des saints »; *WA* 38, pp. 9-69.

Au-delà des aphorismes trop simples, Birgit Stolt a récemment indiqué le chemin d'une appréciation mesurée de la pratique luthérienne de la traduction[27].

Comme H. Bornkamm l'avait noté : en le traduisant, Luther « christianise » l'Ancien Testament. Ce qui renvoie au refus de Luther de se laisser contraindre par la grammaire, à la façon des rabbins[28]. B. Stolt y voit la reprise d'une règle pédagogique, attribuée à Caton l'Ancien : « *Rem tene, verba sequentur* / *Tiens toi au sujet, les mots suivront.* » Son expérience religieuse et la théologie qui l'exprime sont le « sujet » dont traite la Bible que traduit Luther. « Luther » est bien à l'un des foyers du « cercle » qui circonscrit son interprétation en forme de traduction. Le regretter est vain; vérifier qu'il y a cohérence est plus intéressant.

Le célèbre passage de *L'art de traduire...* dans lequel Luther défend sa traduction de Rm 3, 28 peut être rappelé :

« So halten wyrs nu / das der mensch gerechtfertiget werde / on zu thun der werck des gesetzs / alleyn durch den glawben / ... » *(Septembertestament).*

Les adversaires lui reprochent l'insertion de « alleyn ». Et Luther d'expliquer :

Il ne faut pas regarder ce texte « comme la vache un nouveau portail » (Luther !).

Dans un premier temps Luther s'interroge sur « la langue » paulinienne : « *on zu thun* » appelait en contrepartie un « *solum fide* » (plutôt que « *sola fide* ».

On est ici au niveau de la « res ». Et il faut bien observer qu'en traduisant, Luther fait bien plus qu'ajouter un mot. Il ouvre le verset par l'adjonction d'un mot-outil : « *so* »; il modifie la construction du verset tout entier, et renonce à traduire mot à mot des locutions pauliniennes. H. Bluhm observe en outre que ces observations doivent être référées à des modifications qui affectent le contexte dans son ensemble[29].

On n'oubliera pas qu'en de nombreux autres passages Luther veille à rendre « mot à mot » l'expression biblique : il requiert alors de son lecteur l'apprentissage des règles de la langue et de la sémantique bibliques. « Théologiquement » c'est un même choix qui est maintenu, mais il conduit à des décisions inverses en matière de traduction.

---

27. Birgit Stolt, « Luthers Uebersetzungtheorie und Uebersetzungpraxis », *Leben und Werk Martin Luthers...* Voir n. 7 — et également les remarques rapides, mais précises, et la *Bibliographie* de Klaus Dietrich Fricke, « 'Dem Volk aufs Maul schauen' : Bemerkungen zu Luthers Verdeutschungsgrundsatzen », *Eine Bibel — viele Uebersetzungen. Not oder Notwendigkeit ?* Hrsg. von Siegfried Meurer, Stuttgart, Evangelisches Werk, 1978, pp. 98-110 [Die Bibel in der Welt Bd. 18].

28. *WA* 38, 11, 13-17.

29. Heinz Bluhm, *Luther Translator of Paul. Studies in Romans and Galatians*, New York, Berne..., Peter Lang, 1984, p. 106 ss.

Luther de s'interroger alors sur la façon dont son lecteur prendrait « la parole » :

> « L'usage de notre langue allemande implique que, lorsqu'on parle de deux choses dont on affirme l'une en niant l'autre, on emploie le mot *solum* (seulement) à côté du mot « pas » ou « aucun »... Ce ne sont pas les lettres de la langue latine qu'il faut scruter pour savoir comment on doit parler allemand, comme le font ces ânes; mais il faut interroger la mère dans sa maison, les enfants dans les rues, l'homme du commun sur le marché, et considérer leur bouche pour savoir comment ils parlent, afin de traduire d'après cela; alors ils comprennent et remarquent que l'on parle allemand avec eux »[30].

Une référence à un usage idiomatique allemand conclut la solution d'une difficulté linguistique et théologique.

Birgit Stolt pose également la question de l'apport de Luther à la langue allemande. Elle le fait à partir de la double tradition d'un « Propos de Table » :

> « Je ne m'en tiens pas à une langue allemande particulière, mais je parle celle de tout le monde; ainsi peut-on me comprendre en Haute- comme en Basse-Allemagne. Je m'exprime à la façon de la Chancellerie saxonne, elle qu'imitent tous les ducs et rois d'Allemagne; toutes les villes d'Empire, les princes écrivent sur le modèle de la Chancellerie de notre Electeur. C'est donc la langue la plus usitée en Allemagne »[31].

Luther s'insère, pour ce qui est du style et de l'expression, dans tout un mouvement de littérature de propagande, parfois religieuse, et s'adresse au plus grand nombre. Ce faisant il cherche à éviter les termes et les graphies trop particuliers à sa région. Alors que de son temps il y avait trois variantes de la langue littéraire — « niederdeutsche, ostmitteldeutsche, südostlichedeutsche », par ses traductions, il fait que la seconde d'entre elles acquiert une reconnaissance à l'échelle de tout le territoire. Ainsi bien des Allemands apprirent à « dire » des convictions et des émotions, et à enrichir leur pratique de leur propre langue. Un effet multiplié quand la traduction « de Luther » fut elle-même traduite en d'autres langues du Nord et du Nord-Ouest européens.

Le « *groupe de Wittenberg* » *de 1535 à 1546*

La Bible de 1534 est, au cours de ces années, rééditée : en 1535, 1536, 1538/9, et au début de l'été 1540. De nouvelles séries d'illustrations apparaissent alors, ainsi qu'une distinction tripartite bien marquée, caractéristique des Bibles protestantes (Livres du Canon hébraïque,

---

30. « L'art de traduire... », *MLO* VI, p. 195.
31. *WATR* 2, 639, 28-640, 2 (nº 2758 *b*). B. Stolt, *op. cit.*, p. 250, cite la traduction allemande de ce propos par Aurifaber, *WATR* 1, 524, 40-525, 1 (nº 1041).

Apocryphes, Nouveau Testament), et une impression du texte sur deux colonnes.

Le travail de révision prend une plus grande ampleur entre juillet 1539 et l'été 1541. Johannes Mathesius en a fait le récit[32], et Georg Rörer en a consigné les résultats. Le « groupe de Wittenberg » au complet y concourt.

J. Mathesius fait apparaître successivement six personnes.

Philippe Melanchthon (16 février 1497-19 avril 1560), neveu de J. Reuchlin, est attentif au texte grec.

Melanchthon est à la charnière de deux orientations. « Humaniste », il est non seulement le « praeceptor Germaniae », mais le maître de nombreux autres biblistes qui s'initient par ses livres à la rhétorique et la dialectique, découvrent l'intérêt des dossiers patristiques, et lui empruntent une façon nouvelle de traiter de « lieux communs » *(Loci communes)* doctrinaux. Proche de Luther, il a la charge redoutable d'en présenter et défendre les thèmes majeurs, que ce soit aux Diètes d'Empire, dans des colloques théologiques ou à l'Université. Ses écrits exégétiques comptent parmi les « sources » des biblistes de l' « école rhénane »[33].

Caspar Cruciger (1er janvier 1504-16 juin 1548), professeur et prédicateur à Wittenberg, se reporte à l'hébreu et au Targum.

Johannes Bugenhagen (24 juin 1485-20 avril 1558), professeur et pasteur, a en charge le texte latin.

Il faut encore compter avec la présence de Matthäus Aurogallus (ca 1490-10 novembre 1543), qui enseigne l'hébreu à Wittenberg depuis 1519, d'un autre hébraïsant, Johannes Forster (1495-1556), de Justus Jonas (5 juin 1493-9 octobre 1555), le juriste qui traduisit bien des œuvres de Luther en latin (ce qui permit parfois leur traduction en français), et bien entendu de Georg Rörer (1er octobre 1492-24 avril 1557), secrétaire de séances — on l'a dit — avant d'être éditeur et correcteur des épreuves.

Le fruit du travail des correcteurs est incorporé dans les éditions de septembre 1541 et de l'automne 1543. La première, dont les Sommaires incluent quelques additions, retient l'attention par la qualité de sa présentation : de plus grand format que les précédentes et plus chère, elle est aussi tirée à moins d'exemplaires (1 500 au lieu de 2 000 environ).

Bien que l'édition de mars 1545, la dixième, soit la dernière à laquelle Martin Luther mit la main de son vivant, H. Volz reconnaît comme « luthériennes » les corrections qui apparaissent dans le texte des trois premières épîtres pauliniennes (Rm, 1 Cor, 2 Cor 1-3) d'une édition à laquelle G. Rörer mit la dernière main et qui fut vendue à partir de l'été 1546[34].

---

32. H. VOLZ, *op. cit.*, p. 105*, n. 278, faisant référence à Johannes MATHESIUS (1504-1565), pasteur de St. Joachimsthal après 1545, *Ausgewählte Werke*, Bd. 3 : « Luthers Leben in Predigten » [prédications prononcées entre 1562 et 1565], hrsg. von G. LOESCHE, Prag, ²1906, 316, 5-32.

33. Voir *Bibliographie* : 7.

34. VOLZ, *op. cit.*, p. 116*.

Cette pratique de la « révision » d'une édition « prototype » par un groupe de biblistes est l'un des traits distinctifs de l' « école de Wittenberg » dont on observe également qu'elle s'oppose de plus en plus nettement à l' « école rhénane » sur le chapitre de la référence à la tradition exégétique juive[35].

Les bibles allemandes catholiques

Les travaux bibliques du « groupe de Wittenberg » ont encouragé la rédaction de Bibles « catholiques » par des biblistes et polémistes contemporains adversaires théologiques de Luther[36].

On en connaît trois « séries ».

S'il s'oppose, en 1522, à la diffusion des Nouveaux Testaments de Luther, Georges de Saxe encourage son secrétaire Hieronymus Emser (1478-1527) à les « corriger » — dès 1523 —, puis à produire une édition plus conforme à la tradition. Paraît alors, à Dresde, en 1527, chez Wolfgang Stöckel, *Das naw testament nach lawt der Christlichen kirchen bewerten text, corrigirt, und widerumb zu recht gebracht.*

Le dominicain Johann Dietenberger (1475-1537), actif à Trèves, Francfort, Coblence puis Mayence, commence par réviser le Nouveau Testament de Emser — dès 1529. Puis, il répond aux traductions par Luther de l'Ancien Testament, en préparant une *Bible* dédiée à l'archevêque-électeur Albert de Brandebourg, à Mayence, chez Peter Jordan : *Biblia | beider Allt unnd Newen Testamenten | fleissig | treülich unnd Christlich | nach alter | inn Christlicher kirchen gehabter Translation | mit außlegung etlicher dunckeler ort | unnd besserung viler verrückter wort und sprüch | so biß anhere inn andernn kurtz außgangnen theutschen Bibeln gespürt und gesehen. Durch D. Johan Dietenberger | new verdeutscht. Gott zü ewiger ehre | unnd wolfarth seiner heiligen Christlichen Kirchen*[37].

---

35. Sur l'attitude de Luther et de ses proches à l'endroit du judaïsme au cours de cette décennie, voir le dossier et les remarques de M. Lienhard, *op. cit.*, chap. XII : « Luther et les Juifs », pp. 259-274, et de J. Friedman, *The Most Ancient Testimony*, chap. 9 : « The Basel-Wittenberg Conflict », pp. 164-176. — Synthèse par H. O. Oberman, *Wurzeln des Antisemitismus. Christenangst und Judenplage im Zeitalter von Humanismus und Reformation*, Berlin, Severin und Siedler, ²1981.

36. Consulter Karl Heinz Musseleck, *Untersuchungen zur Sprache katholischer Bibelübersetzungen der Reformationszeit*, Heidelberg, C. Winter, 1981 [Studien zum Frühneuhochdeutschen 6]. — Voir aussi Paul Heinz Vogel, *Europäische Bibeldrucke des 15. und 16. Jahrhunderts in den Volkssprachen. Ein Beitrag zur Bibliographie des Bibeldrucks*, Baden-Baden, Verlag Heitz GmbH, 1962 [BBAur 5], pp. 42-45 (= « Nichtlutherische Deutsche Bibeldrucke »).

37. « Bible des deux Testaments, l'Ancien et le Nouveau. Soigneusement, fidèlement et chrétiennement traduite selon l'ancienne traduction conservée dans les églises chrétiennes. Quelques passages obscurs sont expliqués, et corrigés de nombreux mots et expressions incorrects que l'on a repérés disséminés dans d'autres bibles allemandes récemment éditées... »

P. H. Vogel recense 18 rééditions de cette Bible, à Cologne, entre 1540 et 1597[38].

En 1537 enfin, Jean Eck (1486-1543) publie à Ingolstadt *Bibel — Alt und new testament | nach dem text in der hailigen kirchen gebraucht | durch doctor Johann Ecken, mit fleiß | auf hohteutsch | verdolmetscht*[39]. J. Eck emprunte à H. Emser le Nouveau Testament et adapte le texte de « sa » Bible à la forme d'allemand parlée autour de lui.

K. A. Musseleck aboutit à des conclusions qui ont l'intérêt d'étayer des conclusions de portée plus générale sur l'attitude des catholiques à l'endroit des traductions en langue vivante[40].

Rares sont en effet les oppositions aux traductions de Luther que pourrait expliquer la seule volonté de faire pièce à ses choix d'interprétation.

Pour marquer leur différence, les trois auteurs substituent à des mots et expressions de Luther des emprunts aux Bibles préluthériennes, ou retiennent des solutions plus conformes au texte latin traditionnel. Ceci, joint à quelques notes, fait que le lecteur — laïc — interprétera ces textes en accord avec la tradition de l'Eglise.

Il faut évidemment tenir compte de ces éditions de Bibles allemandes catholiques lors de l'étude du problème de l'autorisation, ou de l'interdiction, de la lecture de la Bible au XVIe siècle.

NOTE COMPLÉMENTAIRE

LES VOLUMES DE LA BIBLE ALLEMANDE DANS L'ÉDITION DE WEIMAR

[*D. Martin Luthers Werke. Kritische Gesamtausgabe. Die Deutsche Bibel*]

NB. — On trouvera ci-dessous, traduite de l'allemand, une table des matières très sommaire des volumes de la série WADB. Les textes — dont le nom des éditeurs n'est pas mentionné — sont tous annotés. Nous n'avons retenu qu'un petit nombre des très nombreuses et érudites pièces annexes.

Tenir le plus grand compte des dates de publication.

1. [1906]
Travaux préliminaires
Brouillons de la main de Luther. AT : Juges - Cantiques.

---

38. P. H. VOGEL, *op. cit.*, pp. 44-45, nos *176-*193. Auparavant sont signalées 16 rééditions ou republications du Nouveau Testament, entre 1528 et 1551, dont une édition en « niederdeutsch », à Rostock, en 1530, *ibid.*, nos *159-*174.

39. Rééditée à Ingolstadt en 1550 et 1558, P. H. VOGEL, *op. cit.*, p. 45, nos *195 et *196.

40. K. A. MUSSELECK, *op. cit.*, pp. 223-227 : « III. Unterschiede in den katholischen Bibelübersetzungen gegenüber dem Luthertext, die nicht in der Benutzung bestimmter Vorlagen begründet sind. *Ad 7 :* Unterschiede auf Grund der Interpretation des Textes » : l'A. relève à ce propos peu d'exemples, dont Rm 4, 4-5; Mt 23, 11; Rm 1, 25; 2, 20; 4, 13; 1, 32; 2, 15...

2. [1909]

Brouillons...   : Proph., Sg, Si.
Bibliographie des Bibles allemandes de Luther (1522-1546) (p. 201-727).

3. [1911]

Annotations manuscrites de Luther sur le Psautier de 1528.
Procès-verbaux de travaux de révision :
    du Psautier de 1531,
    de la Bible (1539-1541).
Notes de M. Luther sur l'AT, 1539-1538.

4. [1923]

Procès-verbaux des travaux de révision (Fin).
Annotations d'exemplaires personnels.

5. [1914]

Vulgate « révisée », 1529.

[A partir du volume 6, l'édition critique des traductions allemandes de la Bible par Martin Luther reproduit les textes de la première édition (page de gauche) et de celle de 1546 — NT —, ou de 1545 — AT — (page de droite). Un apparat critique informe des variantes intermédiaires. Des notes complètent ces volumes.]

Quelques introductions et compléments :

6. [1929]

O. Brenner et K. Drescher, « Notes d'introduction générale à la traduction de la Bible, notamment au Nouveau Testament » (p. XVII-XXVIII).
O. Albrecht, « Introduction historique et théologique » (p. XXIX-XCVI).

7. [1931]

O. Albrecht, « Introduction » (p. IX-XLIV).
Les 21 gravures de Cranach : Introduction, reproduction (p. 479-523).
H. Dreger, « Lexique » (p. 661-688).

8. [1954] - 12 [1961]
Chacun de ces volumes est introduit par H. Volz qui traite systématiquement, en fonction du texte édité, de l'histoire des éditions, de l'histoire de la traduction.

9/1. [1939]

A. Schleiff, « Introduction » et « explications théologiques et exégétiques » (p. IX-XXXVII), 495-569.

Edition du texte des traductions :

6. [1929]

Nouveau Testament / 1 (1522-1546) : Evangiles - Actes.

7. [1931]

Nouveau Testament / 2 (1522-1546) : Epîtres - Apocalypse.

8. [1954]

Ancien Testament / 1 (1523-1545) : Pentateuque.

9/1. [1939]

9/2. [1955]

10/1. [1956]

10/2. [1957]

11/1. [1960]
Prophètes

11/2. [1960]

12. [1961]
Apocryphes

/ 2 (1524-1545) : Josué - 1 Rois.

(1524-1545) : 2 Rois - Esther.

/ 3 (1524-1546) : Job - Psaumes
[Psaumes = 1524-1528 // 1531-1545].

/ (1524-1545) Proverbes - Cantique.

/ 1 (1528-1545) : Esaïe - Ezéchiel.

/ 2 (1530-1545) : Daniel - Malachie.

(1533-1545).

A noter encore :

8.

« Postfaces » de G. RÖRER aux Bibles de Luther imprimées à Wittenberg de 1541 à 1551.

10/2.

P. 149-289 : La *révision du Psautier latin* par M. LUTHER, de 1529 à 1537.

Dans le t. 60 de série de l' « Edition critique », publié en 1980 :

— Notes manuscrites de Luther, éditées par H. VOLZ et H. BLANCKE :
  — en marge du *Novum Testamentum* et des *Annotationes* d'Erasme, 1527 (p. 192-227) ;
  — dans l'exemplaire de l'Ancien Testament hébreu (Soncino, 1494) que possédait Luther (p. 240-307).
— Compléments et corrections à la Bibliographie des éditions de la traduction de Luther en haut-allemand (voir le T. 2 de la série Die Deutsche Bibel, p. XX-XXVIII, et 201-727).
— Liste des manuscrits de Luther (p. 416-426).
— Histoire des Editions des Œuvres de Luther du XVIe au XIXe siècle (p. 429-606).
— Bibliographie des éditions des Œuvres de Luther (p. 607-637).

UNE « ÉCOLE RHÉNANE D'EXÉGÈSE » (CA 1525-CA 1540)

Une école ?

Cette « école » — dont la première pierre ne fut jamais posée ! — existe par le réseau dense de relations, les activités analogues, l'accumulation d'œuvres aux traits communs de ses maîtres, biblistes de Strasbourg, Bâle et Zurich[41].

Quelques noms : Conrad Pellikan (1478-1556), franciscain hébraïsant optant pour les églises nouvelles; Sebastian Münster (1488-1552) — Bâlois après 1529 —, renommé pour ses lexiques et grammaires autant que pour sa *Cosmographia* (dès 1544); Johannes Œcolampade (1482-1531), prédicateur de la cathédrale de Bâle puis enseignant; Huldreych Zwingli (1484-1531), réformateur de Zurich; Wolfgang Fabricius Capiton (1478-1541) et Martin Bucer (1491-1551), stratèges du « mouvement évangélique » strasbourgeois[42]...
Autres silhouettes, plus discrètes : celles de l'helléniste Simon Grynée à Bâle, ou encore des hébraïsants strasbourgeois Jean Rabus et Elie Schadée.

L'œuvre et l'influence de cette « école » éclairent une bonne part de l'histoire de la Bible au XVIe siècle.

Elle bénéficie des enseignements d'Erasme, et se situe dans la mouvance luthérienne. L'étude de l'Ancien Testament conduit à une meilleure connaissance du judaïsme, sans grande portée toutefois sur le comportement à l'égard des juifs contemporains[43]. La réflexion sur la Loi, biblique, ecclésiastique, civile, y est une constante.

Synchronismes

Quatre synchronismes permettent de mieux en percevoir les traits originaux.
Les travaux du « *groupe de Wittenberg* » ont déjà été présentés.

L'édition des travaux exégétiques de Denys le Chartreux. — Elle se fait pour l'essentiel entre 1531 et 1535 : G. Chaix a récemment établi les conditions et l'ampleur de cette entreprise que prolongent de nombreuses rééditions[44]. Denys le Chartreux — Denis Rickel (*ca* 1402-1471) — paraît parfois venir au-devant des questions de lecteurs modernes. Le commentaire d'Esaïe en donne maints exemples[45].

Thomas de Vio — Cajetan — (1469-1534). — Il publie ses « commentaires bibliques » entre 1527 et 1534[46].

41. B. ROUSSEL, « De Strasbourg à Bâle et Zurich : une 'école rhénane' d'exégèse (*ca* 1525-*ca* 1540) », RHPR 68 (1988), pp. 19-39.
42. Ces auteurs seront étudiés ensemble. Première orientation bibliographique à la suite du tableau, p. 232, et dans notre *Bibliographie* : 8 (sous les noms de R. G. HOBBS, J. FRIEDMAN, M. de KROON. J. MÜLLER, B. ROUSSEL).
43. L'appel à la conversion du juif est réitéré d'un bout à l'autre de cette période : comparer le texte « fraternel » de W. CAPITON placé en tête de la *Bible d'Olivétan* : « V. F. C. a nostre allié & confedere le peuple de lalliance de Sinaï », à l'*Advertissement aux Juifs sur la venue du Messie*, édité par Du PLESSIS-MORNAY à Saumur en 1607.
44. Gerald CHAIX, *Réforme et Contre-Réforme catholiques. Recherches sur la Chartreuse de Cologne au XVIe siècle*, Salzburg, Institut für Anglistik und Amerikanistik Universität Salzburg, 1981 [Analecta Cartusiana 80].
45. *D. Dionysii Carthusiani Enarrationes piae ac eruditae in quatuor prophetas (quos vocant) maiores*, 1re édition par P. QUENTEL, Cologne, mai 1531. Voir ad Es 1, 1-14; 48, 15-17.
46. Voir la « Bio-Bibliographie établie par M.-J. CONGAR », *Revue thomiste* 39 = NS t. 17 (nov. 1934-févr. 1935), pp. 3-49. Voir pp. 111 ss.

Une hâte qui surprend autant que l'étendue du champ ainsi couvert. La Faculté de Théologie de Paris ne tarde pas à s'émouvoir.

Pourquoi ? Certes, Cajetan, bien conseillé, « corrige » le texte latin traditionnel, mais on ne peut dire que cela ait ensuite de grandes conséquences pour l'interprétation qu'il retient. S'agirait-il de démontrer qu'il peut aussi bien faire que d'autres — Erasme ?, M. Bucer...[47] ?

S. Pagnini et Fr. Vatable au Collège de France[48]. — La version latine de Pagnini sera fréquemment associée aux notes de Vatable dans des éditions de la Bible au XVIe siècle. Après 1545, il semble bien que ces travaux sont apparus, en milieu réformé par exemple, complémentaires autant que compatibles avec ceux des biblistes rhénans.

Theophrast von Hohenheim (Paracelse). — Autre « concurrent » (1493-1541), médecin et philosophe, il a beaucoup écrit sur la Bible. Il en déchiffre le texte comme il interrogera les réalités de la nature : il veut mettre au jour les secrets de l'histoire et du monde. De nombreux manuscrits transmettent ses commentaires de textes bibliques, et ils posent de nombreux problèmes d'établissement du texte et de lecture.

Le commentaire du Psautier — le plus long de ces textes — paraît dater des environs de 1530. Depuis plus de cinq ans, Paracelse porte sur l'Ancien Testament une appréciation plus positive qu'auparavant.

Les Psaumes, rédigés par David « *in persona Christi* », annoncent un renversement des valeurs. Paracelse qui dénonce les lectures doctorales n'est pas provocant en tout : il est attaché au texte latin et s'en prend avec vigueur aux hébraïsants et traducteurs en langue vivante, pratique une lecture parfois typologique, parfois tropologique[49].

Traits communs

Les biblistes de l'école rhénane, proches par l'âge, ont acquis une culture humaniste qui leur est commune. Leurs relations ne sont pas de « maître à disciple », sauf à l'endroit de C. Pellikan, leur « homme-

---

47. Un aveu. *Commentarii in Essaiam Prophetam...* (1re éd. Rome, été 1534. Trad. d'après l'édition de 1545, p. 178) : « J'ai l'intention d'établir le sens littéral du texte d'Esaïe conformément à la vérité hébraïque, comme je l'ai déjà fait pour d'autres livres de l'Ancien Testament. Je sais que c'est là une tâche qui dépasse mes capacités, et je reconnais que ce serait un projet téméraire si je ne comptais sur la grâce divine... (*NB* : Cajetan avait deux experts à ses côtés, l'un juif, l'autre chrétien !) S'il m'arrive de me tromper sur le sens naturel, que d'autres corrigent. Nous sommes en effet membres les uns des autres. » Son commentaire mêle volontiers les indications bibliques au discours théologique. Ainsi à propos de Qo 7, 16 : « Noli esse iustum multum... » » « [L'Ecclésiaste] interdit l'excès tant dans l'acte de justice que dans l'acte de sagesse. Il ne veut pas dire ('nec est sensus') que le péché s'introduirait par excès dans les actes vertueux... mais il veut dire ('sed est sensus') que l'excès transforme un acte vertueux en vice : être trop juste ou vouloir en savoir trop relève du vice, non de la vertu. L'acte de justice ou de sagesse doit se conformer à une certaine mesure, au-delà de laquelle il est n'est plus un acte vertueux, mais vicieux... »
48. Pagnini : voir T. M. CENTI, o.p., « L'attivitá letteraria di Santi Pagnini (1470-1536) nel campo delle scienze bibliche », *Archivum Fratrum Praedicatorum* 15 (1945), pp. 5-51. — Histoire de la version de Pagnini, rééditée avec les notes de Vatable : voir D. BARTHÉLEMY, *Critique textuelle de l'Ancien Testament. Rapport...*, 2 : *Introduction. (2) Origines des corrections et Excursus* : I : « R. Estienne éditeur de la Bible » ; II : « La Bible de Vatable aux prises avec l'Inquisition espagnole », pp. *16-*71.
49. Voir la *Bibliographie* : 9.

ressource » qui a publié dès les premières années du siècle son *De modo legendi et intelligendi Hebraeum*. Une correspondance serrée prolonge des liens établis au cours de multiples conférences et conciliabules. Leur amitié, parfois contrariée, reste forte[50]. Elle s'exprime dans des *Préfaces* et *Prologues*[51], et l'édition posthume des travaux de collègues décédés[52]. Tous restent à distance du « groupe de Wittenberg », en matière d'accueil des exégètes juifs[53].

De plus, M. Bucer, H. Zwingli, J. Œcolampade, W. F. Capiton « inventent » un type nouveau d'églises urbaines, où ils jouent le rôle exposé de « pasteurs/docteurs »[54]. La compétence du bibliste le désigne pour exercer de hautes charges au sein de l'Eglise :

> « Il a plu à la Sagesse éternelle de faire qu'il y ait des chefs religieux *(religionis quosdam antistites)* et des diffuseurs des mystères célestes... Que les autres les considèrent comme des fonctionnaires *(tamquam publicos magistros)* chargés d'enseigner la philosophie céleste, qu'ils les écoutent, et leur obéissent comme à des parents spirituels, qu'ils s'adressent à eux quand il faut dénouer une difficulté, et qu'ils accueillent avec reconnaissance la réponse qui leur sera faite en référence aux paroles de Dieu »[55].

On comprend qu'un Eckhart zum Drübel, hobereau de Hindisheim, dans la proximité de Strasbourg, ait pu — en 1538 — dire son opposition aux nouveaux clercs en les traitant de « Schrifftbieger, Buchstabengrübler undt Schulzanker / gens qui tordent l'Ecriture, maniaques de la lettre, fous de querelles d'école »[56].

---

50. Ne pas oublier une rubrique « courrier du cœur » ! Allusion aux mariages successifs de Wibrandis Rosenblatt (1504-1564) avec J. Œcolampade (décédé le 23 novembre 1531), son deuxième mari déjà, puis avec W. F. Capiton (décédé le 4 novembre 1541), avec M. Bucer (décédé en 1551) enfin.

51. Voir Zwingli, *Apologia complanationis Isaiae*, Z 14 (= CR 91), p. 87, 31-88, 3.

52. Edition posthume des commentaires d'Œcolampade sur Jérémie et Ezéchiel par Capiton. MILLET, n° 514 (septembre 1533); n° 526 (vers mars 1534).

53. Voir *Die Briefe des Sebastian Münster (1526-1550)*, hrsg. und übersetzt von K. H. BURMEISTER, Frankfurt, 1964. Elles peuvent exprimer une admiration réciproque au sein de la *sodalitas* des biblistes (lettre du 6 avril 1539 à H. Bullinger, à la suite de sa publication du *De versione Bibliorum*, celles qui s'adressent à C. Pellikan, n°s 11, 13, 21, 25). Certaines renvoient à la frontière entre les biblistes rhénans et leurs collègues de Wittenberg. Le 6 avril 1539 (à Bullinger n° 8), une allusion est faite aux critiques par Melanchthon du caractère littéral de la version latine de l'Ancien Testament par S. Münster. La mention de G. Postel dans la lettre à C. Pellikan du 2 septembre 1544 (n° 21) permet de rappeler une appréciation de Luther, *Schem Hamphoras* (1543; *WA* 53, 647) : « Sanctes [Pagnini] et Münster ont traduit la Bible avec une application incroyable et une attention inimitable, et ils ont souvent fait du beau travail. Mais ils accordent trop de place aux rabbins, et font trop peu de cas de l'analogie de la foi du fait de cette trop grande dépendance. »

54. Pour une approche sociologique de ces biblistes, on peut se fonder, *mutatis mutandis*, sur les remarques de J.-P. WILLAIME, *Profession : pasteur. Sociologie de la condition du clerc à la fin du XXe siècle*, Genève, Labor et Fides, 1986, pp. 49-81 (chap. II : « Le pasteur comme type particulier de clerc ») [Histoire et Société 11].

55. Pellikan, *Commentaria*, fol. A 3 v°.

56. Gustave KOCH, *Eckhart zum Drübel, témoin de la Réforme en Alsace*, thèse Strasbourg, Université des Sciences humaines, 1987. — Traité VIII : *Anzeige, Bericht und Antwort...*, lignes 58-59.

Les « rhénans » opposent un front commun aux « anabaptistes » et « spiritualistes » et autres « dissidents » ; ils prennent leurs distances à l'endroit de Luther en matière eucharistique[57].

La stratégie qu'ils devaient mener dans un environnement urbain n'est pas sans rapport avec leur goût pour l'Ancien Testament. Les écrits prophétiques suggèrent des normes et des exemples pour préparer les décisions du Magistrat et « moraliser » la vie publique. Pour édifier « le peuple » et détourner son agressivité vers des combats spirituels : les Psaumes.

Exégèse et enseignement

« L'école rhénane » d'exégèse prend forme autour d'une pratique de type académique et universitaire. L'objectif en est moins la formation initiale des clercs que leur « formation continue ». Après les innovations doctrinales, liturgiques et disciplinaires, il faut inculquer au clergé les bons mots et les bonnes manières, et au-delà endoctriner le « grand public ».

A Bâle, l'environnement est réellement scolaire et académique; C. Pellikan, avant son départ pour Zurich, et J. Œcolampade y interviennent, l'un au couvent, l'autre à l'Université[58].

Quant aux Zurichois et Strasbourgeois, ils ont inventé — « réinventé », disaient-ils — la *Prophezei*[59].

A Zurich, sa création est décidée dès le 29 septembre 1523; elle est ouverte le 19 juin 1525, après que le réformateur eut été élu *Schulherr scholasticus*. Elle est un lieu académique et spirituel; les traductions allemandes ou latines de la Bible s'y préparent, et bien des propos qui y sont tenus sont édités sous le nom de Zwingli, ou intégrés dans la Bible allemande de 1530-1531.

---

57. Voir *Croyants et sceptiques au XVIᵉ siècle. Le dossier des Epicuriens. Actes du Colloque organisé par le GRENEP (Strasbourg, 9-10 juin 1978)*, publiés par Marc LIENHARD, Strasbourg, Librairie Istra, 1981 [Société savante d'Alsace et des Régions de l'Est. Collection « Recherches et Documents », t. 30]; B. ROUSSEL, « Martin Bucer tourmenté par les 'Spiritualistes'. L'exégèse polémique de l'épître aux Ephésiens (1527) », *Anabaptistes et Dissidents au XVIᵉ siècle...*, pp. 413-447. Bel exemple de *rabies theologica*, le refus fréquent de citer explicitement la traduction « anabaptiste » [!] de Hans DENCK et Ludwig HÄTZER, *Alle propheten nach Hebraischen sprach verteütschet*, Gedruckt zu Augspurg durch Silvanum Ottmer, 1527.

58. A Bâle, on enseigne alternativement une semaine sur l'Ancien Testament, une semaine sur le Nouveau Testament. Un cours sur la Genèse commence le 7 août 1531. A S. Münster la philologie; le commentaire théologique revient à Œcolampade; Phrygio suggère l'application homilétique. En Nouveau Testament, Grynée explique le texte grec, à partir du 14 août 1531, sur l'évangile de Matthieu [voir *Briefe und Akten zum Leben Oekolampads...* Bearb. von Ernst STAEHELIN, Leipzig, M. Heinsius Nachfolger, 1934, Bd. II (1527-1593) nᵒˢ 900, 904, 905].

59. Philippe DENIS, « La prophétie dans les Eglises de la Réforme au xviᵉ siècle », *RHE* 72 (1977), pp. 289-316 : il suit l'histoire de cette pratique jusque dans les églises de réfugiés et dans les situations anglaises tardives. Voir pp. 519 ss. — Sur la « Prophezei de Zurich », Hans Rudolf LAVATER, « Die Froschauer Bibel 1531. Das Buch der Zürcher Kirche », *Die Zürcher Bibel 1531*, Zürich, Theologischer Verlag, 1983, pp. 1360-1422 (« Prophezei und Druckerherr », 1 : « Die Prophezei » — avec un calendrier), pp. 1383-1387. R. G. HOBBS, « Zwingli and the Study of the Old Testament... », p. 145.

A Strasbourg, la *Prophétie* souhaitée par M. Bucer dès le 6 mai 1526 sur le modèle zurichois apparaît moins savante et l'institution traverse difficilement les années 1530-1534.

Orientations intellectuelles

De nombreux textes permettent de définir les positions majeures que tiennent les auteurs de l' « école rhénane » : les introductions de Bucer aux diverses éditions de son Commentaire du Livre des Psaumes, ou de son Commentaire de Sophonie; la « préface en forme d'apologie » par laquelle Zwingli ouvre l'explication de sa propre traduction d'Esaïe; la Préface de Conrad Pellikan à ses *Commentaria Bibliorum* (1533); l'avertissement « au lecteur bon chrétien » placé en tête de... *Hebraica Biblia Latina planeque nova tralatione... adiectis insuper e Rabinorum commentariis annotationibus*, par S. Münster (1534-1535)[60].

Les études vétéro-testamentaires[61]

Leur part est grande dans l'activité des biblistes rhénans, sur un terrain dont Erasme est absent et qui est le champ clos des débats herméneutiques majeurs.

— Contre les tenants du sens double [sens littéral / sens spirituel (allégorique, tropologique, anagogique)] l' « école rhénane » y privilégie une exégèse qui reconnaît son plein droit à l'histoire — vs. Denys le Chartreux !
— Contre les tenants d'une lecture « naïve » des textes, l'Ancien Testament crée l'occasion de prouver qu'une méthode d'interprétation est indispensable — vs. certains « anabaptistes » ou vaudois.
— Contre ceux qui interprètent et critiquent le système chrétien à partir de son substrat vétéro-testamentaire et juif, il sera « démontré » que seuls les chrétiens ont la clef des écritures anciennes — vs. Michel Servet.
Il y a plus encore. J. Friedman a raison d'associer ce travail à la « nostalgie » qui pousse à interroger des sources plus anciennes que les écrits du christianisme primitif, différentes de celles qui donnent accès à l'antiquité classique.

Les « rhénans » s'interdisent toute recherche d'une fusion des « sagesses », comme peut en avoir rêvé Michel Servet, après Pic de La Mirandole[62]. Ils ne seront pas cabbalistes chrétiens. La rhétorique et la dialectique « classiques » sont des outils utiles, sans plus. L'inter-

---

60. Bucer : *Bibliographia Bucerana* n° 22. Réimprimé en 1554, n° 22 à n° 25 (édition princeps de 1529); n° 25*b* (édition de 1532). — Zwingli : Z 14 (Zürich 1959; = CR 91), pp. 85-103. — K. H. BURMEISTER, *Sebastian Münster Bibliographie...*, n° 119.
61. Voir ci-dessous l'exposé de G. DAHAN, pp. 401 ss.
62. Lire les propos liminaires de J. FRIEDMAN, *Michael Servetus : a Case Study in total Heresy*, Genève, Libr. Droz, 1978 [THR 163].

prétation de l'Ancien Testament sera réglée selon « l'analogie de la foi » : position commune à des exégètes chrétiens qui aspirent à « hébraïser » aussi bien que les Juifs sans pour autant « judaïser ».

Le « *travail* » *exégétique*

Ecouter Pellikan :

« Voilà comment je fais pour parvenir au sens premier de l'Ecriture sainte. Je ne me contente pas de mon intelligence et de mon savoir-faire. Je ne m'abandonne pas non plus à des révélations secrètes, comme si j'attendais qu'un esprit scripturaire voletant dans les nuées vienne mettre ma raison en branle, en me faisant bénéficier dans mon sommeil d'une inspiration spéciale de la part de la divinité. Par contre, je sais que l'âme de l'Ecriture est enclose dans le corps de la lettre, et que sa moelle est disposée dans ses os. Je veux l'en extraire. Je commence donc par demander à Dieu de m'aider; puis je tends toutes les fibres de mon esprit et de mon corps; je tiens compte autant qu'il m'est possible de l'ensemble des données, en donnant aux normes de la foi et de l'amour fraternel, dans l'adhésion publique aux dogmes de l'Eglise catholique »[63].

Notons ici deux traits : — Le « sens » réside, à l'état latent, « dans » le texte dont il doit être extrait. — Les dogmes de l'Eglise sont en accord avec les données scripturaires (la trinité, la christologie...) : l'exégète consent à l'autorité de l'Ecriture « et » de cette tradition.

Le texte de l'Ecriture est difficile — entendre du point de vue « littéraire » — : les formules du *De Servo arbritio* de Luther (difficulté grammaticale / clarté théologique) ne sont pas reprises.

Aux dires de Pellikan, la fonction des obstacles est double : — spirituelle, elle contraint à la prière; — intellectuelle : elle stimule un travail poursuivi dans la prière et l'espérance d'une pleine révélation[64].

Hébraïser

Donc, c'est évident, bien savoir l'hébreu.

Dans la réception d'une exigence somme toute banale, C. Pellikan, S. Münster, W. F. Capiton et leurs collègues apportent « un plus ». Etudiants des grammairiens et lexicographes médiévaux, et d'enseignants contemporains (rabbins de Worms, Elie Levita...), ils deviennent les maîtres de leurs collègues.

La Bibliographie des « Grammaires » et des « Lexiques » édités par Münster inclut par le jeu des rééditions, parfois posthumes, 26 numéros, pour les années 1520-1570[65].

---

63. *Op. cit.*, fol. B 2 r°.
64. Pellikan, *op. cit.*, fol. A 4 v°.
65. K. H. Burmeister, *op. cit.*, A : « Hebraistischen Schriften », *a)* Grammatischen Schriften = n°⁸ 1-16; *b)* Lexicographische Schriften = n°⁸ 17-26. — Inventaire sommaire par

Ils ont conscience d'être meilleurs que « Jérôme, Nicolas de Lyre et Paul de Burgos, Johannes Reuchlin, Sanctes Pagnini, Martin Luther et Augustinus Steuchus »[66].

Des exigences identiques et une même fierté valent pour le grec du Nouveau Testament.

Ces savants enseignants sont « formateurs de formateurs » : ils communiquent leur savoir par des traductions.

S. Münster en 1534-1535, Leo Jud et ses collègues en 1543, sont les auteurs de versions latines de la Bible, des livres d'études donc, dont la fonction est autre que celle de la Bible en allemand. J. Œcolampade, M. Bucer, W. F. Capiton, H. Zwingli placent en tête de leurs commentaires ou annotations une version latine du texte.

M. Bucer rédige des paraphrases accessibles au grand public, et rétablit dans le corps du commentaire le *ad verbum*, ou bien renvoie aux travaux des collègues[67].

S. Münster et, en 1543, P. Cholinus s'expliquent sur les hébraïsmes[68]. Une « sensibilité » érudite aux particularités grammaticales, stylistiques et rhétoriques de l'hébreu est en effet commune à ce groupe d'exégètes.

La tradition juive

S. Münster :

« De nombreux passages de l'Ecriture sont si obscurs et compliqués qu'on ne peut bien les comprendre sans recours à la tradition juive, n'en déplaise aux aboiements de ces dédaigneux (A. Steuchus ? Luther ?).

« Lecteur chrétien ! Ni le texte retenu par les rabbins, ni leurs commen-

---

L. KUKENHEIM, *Contributions à l'histoire de la grammaire grecque, latine et hébraïque à l'époque de la Renaissance*, Leiden, E. J. Brill, 1951. — Exemples : 1501. C. Pellikan, *De modo legendi et intelligendi Hebraeum*; 1518. W. F. Capito, *Hebraicarum Institutionum libri duo*; 1520. S. Münster, *Proverbia Salomonis... Epitome Hebraicae Grammaticae...*; 1523). *Dictionarium Hebraicum...*; 1524. *Institutiones Grammaticae in Hebraeam linguam...*; *Chaldaica Grammatica...*; *Compendium Hebrae Grammaticae ex Eliae Iudaei...*; 1527. *Dictionarium Chaldaicum...*; 1530. *Dictionarium Trilingue...*; 1535. *Isagoge elementalis...*; 1536. *Hebraicae grammaticae praecipua illa pars quae est de verborum coniugationis...*; 1542. *Opus Grammaticum Consummatum...*

66. S. MÜNSTER, *op. cit.*, fol. α 4 v°. — Augustinus Steuchus (*ca* 1496-1548) est alors connu comme un défenseur « savant » de la valeur de la version latine reçue (*Recognitio Veteris Testamenti ad hebraicam veritatem...*, Lyon, S. Gryphe, 1531).

67. *Tzephaniah...*, fol. 10 v°.

68. S. MÜNSTER, *op. cit.*, fol. β 4 v°. — P. CHOLINUS, *Biblia Sacrosancta Testamenti Veteris & Novi e sacra Hebraeorum lingua Graecorumque fontibus, consultis simul orthodoxis interpretibus religiosissime translata in sermonem latinum*, Tiguri excudebat C. Froschoverus, anno 1543. — Œuvre d'un « collectif » zurichois, sa parution clôt d'une certaine manière une période de grande activité de l' « école rhénane ». A la mort de Leo Jud, Theodor Bibliander, éditeur du Coran en 1543, termine la traduction de l'Ancien Testament [cf. fol. α 4 r°]. Cholinus traduit les Apocryphes, et — en collaboration avec R. Gwalther — le Nouveau Testament. C. Pellikan établit la Concordance, instrument recommandé par Augustin, grâce auquel « l'Ecriture s'interprète elle-même » [fol. α 6 r°]. H. BULLINGER y a inséré un long prologue : *De omnibus sanctae Scripturae libris eorumque praestantia & dignitate.*

Une page du *Cubus alphabeticus...* de Elie Hutter (1598)

taires ne te causeront de préjudice, pour peu que tu aies appris à bien connaître le Christ; mieux, tu en tireras profit, qu'il y ait accord ou divergence entre eux et nous »[69].

Des propos auxquels M. Bucer et W. F. Capiton auraient souscrit sans réserve. Leur auteur sait de qui il parle. Dans la même préface il se dit lecteur du *Seder Olam*, comme des travaux de David Kimhi (RaDaK, *ca* 1160-1235) de Narbonne, fils de Joseph Kimhi (*ca* 1105-1170), le maître du *peschat*, dont le *Sefer-ha-Shorashim* est très largement utilisé — et encore de Moses ben Nahman (RaMBaN, 1194-1270), Moïse ben Jacob de Coucy, le prédicateur itinérant du XIIIe siècle... Comme ceux de Pagnini, ses Grammaires, Dictionnaires et Lexiques empruntent largement aux devanciers juifs[70].

Dans deux domaines cependant des réticences se font jour; elles peuvent s'enfler en divergences et brouilles.

— *Etablissement du texte*. — C. Pellikan et H. Zwingli ne valorisent pas systématiquement le texte massorétique au détriment de la LXX : ponctuation et accentuation du texte originel leur paraissent autant de « traditions humaines » suspectes, et après « l'éclipse talmudique » les maîtres juifs de l'exégèse médiévale n'ont pas le prestige que leur ancienneté confère aux LXX[71].

— *Exégèse soupçonnée d'être judaïsante*. — Capiton est au centre de la controverse la plus célèbre, quand il trouve dans Osée l'occasion de discerner que le temps est proche du rassemblement eschatologique des Juifs en Palestine[72].

On tire donc profit des écrits rabbiniques, mais, le plus souvent, sans sympathie pour leurs auteurs.

---

69. S. MÜNSTER, *op. cit.*, fol. β 2 r°; β 3 r°.

70. Voir Aryeh GRABOÏS, « Etudier la Bible. 4 : L'exégèse rabbinique », *Le Moyen Age et la Bible*, sous la direction de Pierre RICHE et Guy LOBRICHON, Paris, Beauchesne, 1984, pp. 233-260 [Bible de Tous les Temps 4].

71. Zwingli : « De Septuaginta interpretibus iudicium; De Hebraicarum literarum studio », *H.Z. ad pium lectorem praefatio in apologiam complanationis Isaiae*, CR 91 (= Z 14), pp. 95, 24-103, 28. — Pellikan : « A propos de ses annotations] Quand le sens de l'hébreu reste ambigu, je préfère l'autorité des anciens aux modernes, et choisis de douter avec Jérôme et les LXX, plutôt que prétendre décider avec les juifs modernes » [*op. cit.*, fol. B 3 r°]. — « Accueillir, avec discernement s'entend, seulement les remarques grammaticales de juifs est plus sûr et permet d'aller plus avant dans de meilleures conditions. Pour ce qui est du sens des Ecritures saintes, il faut le traquer par une soigneuse étude comparée des textes, en se servant des auteurs grecs et latins qui émergent de la masse des livres. On ne méprisera pas les auteurs les plus récents qui se débrouillent bien dans les commentaires hébreux, ne s'arrêtent pas à leurs avis et traditions futiles, en extraient ce qui est utile à la cause chrétienne, et ont déjà publié des commentaires conformes à la tradition des apôtres et de l'Eglise » [*op. cit.*, fol. A 4 v°, une page qui vise ceux qui font trop grand cas des traditions talmudiques]. S. Münster peut avoir informé Zwingli des conclusions de Elie Levita, imprimées seulement en 1538. Voir Gérard E. WEIL, *Elie Levita, Humaniste et Massorète (1469-1549)*, Leiden, E. J. Brill, 1963 [Studia Post-Biblica 7].

72. R. G. HOBBS, « Monitio amica : Pellican à Capiton sur le danger des lectures rabbiniques », *Horizons européens de la Réforme en Alsace...*, pp. 81-93.

Ainsi S. Münster voit-il dans Balaam la « figure » des rabbins : « il prédit l'avenir, sauf le sien propre », c.-à-d. qu'il conjoint son propre aveuglement à la lumière dont il est porteur[73].

Le choix de l'exégèse typologique

Etablir le texte hébreu ou grec des écrits bibliques; faire droit à son sens « premier » grâce aux biblistes juifs; libérer la théologie chrétienne de ses humeurs métaphysiques; faire que le lecteur reconnaisse que le sens de sa propre histoire est déjà révélé dans l'histoire biblique, et que les promesses et commandements adressés à Israël ou aux premiers chrétiens le lui sont également.

Un mode d'interprétation répond à ces exigences : l'exégèse typologique.

Au sein de l' « école », M. Bucer en est l'un des maîtres : il le prouve dans ses commentaires du Psautier; il s'en explique dans une page très claire du commentaire du IVe Evangile[74]. L'exégèse typologique y est ici conçue comme l'exégèse « chrétienne » par excellence. Elle est réflexion sur l' « histoire biblique », à la différence de l'interprétation allégorique qui est travail sur les « signes textuels » référés à d'autres signes verbaux ou conceptuels, signifiés qui acquièrent à leur tour valeur de signifiants.

A priori théologique : l'histoire est riche en indices de sa conduite par Dieu, et ces marques sont plus claires que celles laissées sur les créatures. Ce Dieu est un Dieu trinitaire, et le Verbe a part à cette seigneurie. L'histoire d'Israël inclut des événements, qui ont leur propre signification, mais aussi une « valeur ajoutée » : ils préfigurent et annoncent une révélation plus claire et plus définitive, et sont autant de « types ». Il appartient à l'exégète de les identifier.

Bucer est très précis quant à l'art et la manière de procéder.

— Prouver la proportion et la ressemblance entre le « type » et la réalité annoncée, et le mode de leur relation : Adam est le « type » inverse de Christ; d'Abraham au croyant, le trait significatif est « la foi ».

— Pour ce faire, distinguer dans l'Ecriture ce qui est « histoire », « prophétie » ou « Loi ». Il faut donc traiter différemment chaque genre littéraire.

Histoire : seuls quelques personnages et événements peuvent être référés sans risques majeurs à Christ ou des situations du Nouveau Testament ou de l'Eglise. On joue sur les rapports du moins au plus, de l'extérieur à l'intérieur, pour expliquer la relation typologique, entre par exemple « Canaan et le Royaume des cieux, Moïse et Christ »...

Prophétie : distinguer la prédiction d'un avenir de l'annonce d'événements qui sont eux-mêmes signes d'autres séquences de l'histoire du salut.

---

73. S. Münster, *op. cit.*, fol. α 5 r°, faisant allusion à Nb 22, 1 ss. et 31, 8.
74. Voir R. G. Hobbs, « How firm a Foundation : Martin Bucer's historical Exegesis of the Psalms », *Church History* 53 (1984), pp. 477-491. — Lire, à propos de Jn 3, 15 : « Is sicut Moses exaltavit, etc. », *De typicis expositionibus scripturae*, le texte (1553) reproduit dans *L'Alsace au siècle de la Réforme (1482-1621)*, Textes et documents présentés par Jean Lebeau et Jean-Marie Valentin, Nancy, Presses Universitaires de Nancy, 1985, pp. 137-144.

Loi : dissocier les commandements qui ont une valeur éternelle, qu'il faut réitérer, des prescriptions circonstancielles qu'il faut délaisser ou réinterpréter.

Par ailleurs, Bucer n'accepte comme « allégories » légitimes que celles qui sont attestées dans la Bible (le serpent d'airain, Sara et Agar). Encore tend-il à les assimiler à des « types ».

Zwingli donne une excellente leçon d'exégèse typologique dans son commentaire de Es 40.

Comme Œcolampade, il intitule ce chapitre : « Cyrus ». Mais il se fonde sur une étymologie fautive : écartant la vocalisation rabbinique, il établit la parenté : « Cyrus // Kurios »[75] :

Son nom promet que Cyrus sera « rédempteur » des fils d'Israël comme Christ sera libérateur du monde.

Zwingli observe alors une « anagogie »[76]. Le prophète montre qu'il y a un seul Dieu, et une seule Eglise. Mais les premiers membres de celle-ci ont trahi, l'Eglise peuplée de païens sera plus nombreuse, après la venue de Christ sur la terre. Sur ce fonds commun, s'instaure le rapport typologique :

« Comment pourrait-il passer plus aisément à une mention de Christ qu'en élevant son propos du rappel de la libération de Babylone dont Cyrus sera l'auteur ['de liberatione *Kurou*'] à la rédemption des âmes par le Seigneur ['ad animarum redemptionem *Kuriou*'] au prix de la vie du Seigneur Christ ? On voit comment des prophéties de Christ sont incluses dans ce qui a trait à Cyrus. »

Et d'ajouter que les actes de Cyrus sont autant d' « ombres » des actes du Christ[77].

Cinq motifs expliquent ce choix :

— Faire droit à l'histoire, lieu d'intervention de Dieu, et *magistra vitae*. Ainsi Bucer commence-t-il son explication de chaque Psaume par l'identification des circonstances concrètes de sa composition.

— Rompre avec une pratique trop peu régulée de l'allégorie, soupçonnée de servir à tout. Tout texte, tout terme n'est pas le support d'une multiplicité de significations. Moment donc de polémique anti-catholique. Zwingli est moins négatif que Bucer à l'endroit des allégories[78].

— Définir l'unité du corpus biblique : la foi chrétienne est la clef de son intelligibilité. Mais il n'appartient pas à la « théologie » de l'emporter sur la « grammaire » : l'objectif est de prouver que l'étude du texte impose l'interprétation. Moment donc d'apologétique à l'intention des juifs.

— L'exégèse « typologique » dévalorise le moins possible l'Ancien Testament. Elle en permet l'appropriation chrétienne, et indique au juif la voie de sa conversion espérée.

---

75. Z 14, 99, 7-9.
76. Au sens littéral, le terme désigne le fait de hâler un bateau sur la berge : l'exégète « tire » un texte « vers le haut », le fait « changer d'élément » quand il accède du corporel au spirituel, de l'extérieur à l'intérieur... Une autre comparaison classique est empruntée à la technique du monnayage : « type » et « antitype » se correspondent comme la matrice et son empreinte dans le métal.
77. Z 14, 327, 20-32.
78. Voir son commentaire d'Es 4, 1-2, et l'analyse linguistique qu'il y développe, Z 14, 148, 6-152, 19.

— Elle met en pratique le principe de « l'interprétation de l'Ecriture par elle-même » : elle exige d'ailleurs des instruments de travail spécifiques, Concordances et Index[79].

L'autorité des Ecritures

C. Pellikan :

« Il n'est pas un dogme ecclésiastique — qu'il s'agisse de la nature de Dieu, ou de l'éthique — qui n'ait un fondement clair quelque part dans l'Ecriture. C'est à partir de ce texte que ceux qui acceptent de discuter honnêtement lèveront toute ambiguïté et obscurité »[80].

Un propos qui éclaire d'abord ce qu'on attend de l'étude du Nouveau Testament, conduite, faut-il le préciser, avec un souci de compétence et de méthode égal à celui qui est requis pour l'Ancien Testament.

Elle a d'abord pour fin la formulation du « noyau de sens » à la lumière duquel l'Ancien Testament est lu et sur lequel est reconstruite la théologie. En clair, « la justification par la foi » : trait luthérien accueilli en appareil érasmien pourrait-on dire ! Avec un goût marqué pour décrire les conséquences éthiques de la justification.

Elle vise aussi à indexer le « lieu scripturaire » qui fonde les prescriptions liturgiques, disciplinaires et morales majeures.

Rayonnement

Un tableau présente sommairement « la Bible commentée au sein de l'école rhénane ». Le rayonnement de l' « école rhénane » est figuré

---

79. Une page-programme de BUCER, *Tzephaniah* (fol. 37 v°) : « [en marge : Comment bien interpréter les écrits prophétiques]. Quand on veut lire correctement les écrits prophétiques, il faut étudier la langue sacrée : c'est d'une utilité stupéfiante, pour ne pas dire qu'il s'agit d'une condition préalable. On s'abstiendra de toute propension en faveur de ce que l'on nomme les allégories. Des auteurs anciens et modernes s'y sont amusés, parfois au prix de la vérité. Par contre, on accédera sans aucun mal au sens vrai si l'on respecte un trait commun à tous les prophètes. Ils dénoncent l'irréligion de leurs contemporains. Ils annoncent alors aux réprouvés la colère par laquelle Dieu les anéantit, et aux élus qu'ils sont libérés de leurs ennemis et de tous les maux dont ils sont accablés. Cette prédication est telle qu'on voit se dessiner avec une grande précision et sans obscurité deux réalités : — dans les saints, ceux que la colère divine purifie comme on le fait de l'or, on entrevoit l'image de tous les saints à venir, des chrétiens notamment; — dans leurs ennemis par contre, on discerne 'le type' des impies qui s'en sont toujours pris aux fidèles, aux sujets du royaume de Christ surtout. La libération des fidèles est l'esquisse d'un salut qui est de tout temps, mais qui est donné aux fils de Dieu d'une manière sans précédent lors de l'exaltation de Christ et par sa médiation; ce salut reste offert de nos jours et il demeure objet d'espérance. Bien voir que le texte traite de la prédication du royaume de Christ, au-delà de ce que les prophètes peuvent dire à leurs contemporains, c'est en faire une très bonne lecture. Quand on y veille et qu'on y porte une attention sans détours, on s'aperçoit que les prophètes n'ont rien écrit qui ne s'applique avec une totale vraisemblance à Christ et à son Église » [Trad. B. R.].

80. *Op. cit.*, fol. A 5 r°.

TABLEAU

LA BIBLE COMMENTÉE DE L' « ÉCOLE RHÉNANE »

La typographie met en relief le nom des livres bibliques commentés. Le *numéro* qui suit la mention des auteurs renvoie à la notice correspondante dans les *Bibliographies*. Les « instruments de travail » (grammaires, lexiques...) ne sont pas recensés, faute de place : cf. les *Bibliographies* des œuvres de S. Münster, W. F. Capiton, C. Pellikan.

	BÂLE	STRASBOURG	ZURICH	[HAGUENAU]
1524	PROVERBES (Münster 137)			
1525	ESAÏE (Œcolampade 109) ROMAINS (Œcolampade 111) CANTIQUE (Münster 139) ECCLÉSIASTE (Münster 140)			
1526	MALACHIE (Œcolampade 132, en all.)	« PSALTER wol verteutscht... » (Bucer 12)		
1527	AGGÉE + ZACHARIE + MALACHIE (Œcolampade 137)	HABABUK (Capiton 23) EVANGILES[1] (Bucer 14)	GENÈSE (Zwingli 80) EXODE (Zwingli 84)	
1528		EPHÉSIENS[1] (Bucer 17) « HOSEA der Prophet » (Capiton 27) OSÉE (Capiton 27) [De operibus Dei] (M. Borrhaus 1) JEAN[1] (Bucer 20)		*JOB[1] (Brenz 21) *JEAN[1] (Brenz 22)

1529-
1538

1529

1530

1531

1532-
1539

1532

1533

*« The English Primers... »

PSAUMES¹ (Bucer 25)

DANIEL (Ecolampade 162)

JOËL + MALACHIE (Münster 128 ;
*+ D. Kimhi)
*« The Psalter of David in Englishe »

EVANGILES² (Bucer 28)

AMOS (Münster 129 ;
*+ D. Kimhi)

PSAUMES² (Bucer 25 b)

JOB (Ecolampade 168)

JEAN (Ecolampade 171)
JÉRÉMIE + LAMENTATIONS
(Ecolampade 172)

ESAÏE (Zwingli 89)

« Die gantze Bibel..., Zurich »

PHILIPPIENS (Zwingli 98)
JÉRÉMIE (Zwingli 99)

« Commentaria Bibliorum »
(C. Pellikan)

PSAUMES (Zwingli 102)
I JEAN (Bullinger 37)
HÉBREUX (Bullinger 38)

*ECCLÉSIASTE² (Brenz 32)
*JOB² (Brenz 36)

*AMOS (Brenz 62)

TABLEAU. — *LA BIBLE COMMENTÉE DE L' « ÉCOLE RHÉNANE »* (suite)

	BÂLE	STRASBOURG	ZURICH	[HAGUENAU]
1534	Ezéchiel (Œcolampade 173) Hébreux (Œcolampade 175)		Jacques (Zwingli 103) Romains (Bullinger 42) Actes (Bullinger 43) Nahum (Bibliander) Evangiles + Epîtres (Zwingli 104) Hébreux (Megander) 1 Jean (Megander) 1, 2 Pierre (Bullinger 52) 1 Corinthiens (Bullinger 53)	
1534-1535	« *Hebraica Biblia Latina… Nova*[1] » (Münster 119)			
1535	Osée + Joël + Amos + Abdias + Jonas + Michée (1, 1-2, 13) (Œcolampade 181) Esaïe (Münster 127 — *+ D. Kimhi *« *La Bible qui est toute la Saincte escripture…* » [Bible d'Olivétan] *« Coverdale's Bible »		2 Corinthiens (Bullinger 71) Galates + Ephésiens + Philippiens + Colossiens (Bullinger 72)	*Juges + Ruth (Brenz 76)

GENÈSE (Ecolampade 184)		
	ROMAINS (Bucer 55)	EPÎTRES (Bullinger 84)

1537

1538   MARC (O. Myconius)

1539   ROMAINS (Calvin)   APOCALYPSE (Sebastian Meyer)

1541-1542   « *Biblia Sacra...* » [Münster, Erasme (Münster 122)]

1542-1547

[P. Fagius]
Precationes Biblicae... (1542)
Sententiae Morales Ben Syrae... (1542)
Tobias Hebraice... (1542)

[P. Martyr, cours à Strasbourg...]
JÉRÉMIE (ed. 1619)
12 PROPHÈTES
GENÈSE (ed. 1569)
EXODE
LÉVITIQUE
[E. Tremellius]

1543   « *Biblia Latina*, Zurich »[1] (L. Jud, Th. Bibliander, Cholinus, R. Gwalther, C. Pellikan)

1544   MATTHIEU (W. Musculus)

...

(*Voir sources bibliographiques du tableau, page suivante.*)

Sources bibliographiques du Tableau :

[Martin BORRHAUS (Cellarius)] :
BACKUS Irena, *Martin Borrhaus (Cellarius)*, Baden Baden, Ed. Val. Koerner, 1981 [BBAur 8 = Bibliotheca Dissidentium 2].

[Johannes BRENZ] :
Bibliographia Brentiana... Bearb. von W. KÖHLER, [Berlin, 1904], Nieuwkoop, B. de Graaf, 1962.

[Martin BUCER] :
Bibliographia Bucerana unter Mitwirkung von Erwin STEINBORN, zusammengestellt und bearbeitet von Robert STUPPERICH, Gütersloh, C. Bertelsmann Verlag, 1952 [= Schriften des Vereins für Reformationsgeschichte Nr. 169, Jahrgang 58, Heft 2, pp. 37-96].
KÖHN Mechtild, « Bucer-Bibliographie 1951-1974 [I : Quellen; II : Sekundärliteratur; III : Nachdrucke] », *Bucer und seine Zeit. Forschungsbeiträge und Bibliographie.* Hrsg. von Marijn De KROON und Friedhelm KRÜGER, Wiesbaden, Franz Steiner Verlag, 1976. [VIEGM 80].
LARDET Pierre (en collab. avec I. BACKUS et P. FRAENKEL), « Vers une nouvelle bibliographie bucérienne : résultats d'un premier inventaire », *Martin Bucer Apocryphe et Authentique : Etudes de Bibliographie et d'Exégèse,* par I. BACKUS, P. FRAENKEL, P. LARDET, Genève, Lausanne, Neuchâtel, 1983, pp. 3-26 [= Cahiers de la *RThPh* 8].

[Heinrich BULLINGER] :
Heinrich Bullinger Werke. Erste Abt. : *Bibliographie,* Bd. 1 : *Beschreibendes Verzeichnis der gedruckten Werke von Heinrich Bullinger,* bearb. von Joachim STAEDTKE, Zürich, Theologischer Verlag, 1972.

[Wolfgang Fabricius CAPITO] :
STIERLE Beate, *Capito als Humanist,* Gütersloh, 1974 [QFAG 42].

[Paul FAGIUS] :
Voir FRIEDMAN Jerome, *The most ancient Testimony. Sixteenth-Century Christian-Hebraica in the Age of Renaissance Nostalgia,* Athens (Ohio), Ohio University Press, 1983, pp. 99-118 et 164.

[Pierre MARTYR] :
ANDERSON Marvin W., *Peter Martyr. A Reformer in Exile (1542-1562). A Chronology of biblical Writings in England and Europe,* Nieuwkoop, B. de Graaf, 1975 [BHaRa 10].

[Sebastian MÜNSTER] :
BURMEISTER Karl Heinz, *Sebastian Münster. Eine Bibliographie mit 22 Abbildungen,* Wiesbaden, Guido Pressler, 1964.

[Johannes ŒCOLAMPADIUS] :
STAEHLIN Ernst, *Oekolampad-Bibliographie. Verzeichnis der im 16. Jahrhundert erschienenen Oekolampaddrucke* [= Basler Zeitschrift für Geschichte- und Altertumskunde 17 (1918), pp. 1-119], 2. unveränd. Auflage, Nieuwkoop, B. de Graaf, 1963.

[Conrad PELLIKAN] :
ZÜRCHER Christoph, *Konrad Pellikans Wirken in Zürich (1526-1556),* Zurich, Theologischer Verlag, 1975 [Zürcher Beiträge zur Reformationsgeschichte 4].

Huldreych ZWINGLI :
FINSLER Georg, *Zwingli-Bibliographie Verzeichnis der gedruckten Schriften von und über Ulrich Zwingli* [Zürich, 1897], Nieuwkoop, B. de Graaf, 1962.
LOCHER Gottfried W., *Die Zwinglische Reformation im Rahmen der europäischen Kirchengeschichte,* Göttingen und Zürich, Vandenhoeck & Ruprecht, 1979 [« Quellen und Darstellungen », p. 7-16].

par la mention de traductions de Bibles en langue vivante allemande, anglaise ou française.

L'impossibilité de tracer des frontières trop étanches est claire. Les commentaires, très luthériens, de J. Brenz sont édités à Haguenau. De lecture aisée, proches du genre homilétique, portant parfois sur des livres bibliques qui ne sont pas encore commentés par « nos » auteurs, ils sont, comme commencent de l'être les écrits de H. Bullinger, parmi les travaux les plus lus, fréquemment présents dans les inventaires de bibliothèque. Ce que Denys le Chartreux est en milieu « catholique », J. Brenz et H. Bullinger le sont — *mutatis mutandis* — en milieu protestant. Les mentions des noms de P. Fagius, P. Martyr et J. Calvin, J. E. Tremellius, suggèrent qu'il y a, à cette école, une « descendance ».

Ces livres renvoient à des lieux d'enseignement et une intense activité de prédication. Strasbourg, Bâle et Zurich sont des sites de refuge, d'apprentissage, de propagande et d'envois de « missionnaires », un rôle que Genève jouera bientôt. Il y a donc rencontres, circulation des personnes... Au cœur de ces villes, l' « école rhénane » a contribué à leur renom et a bénéficié de leur importance pour jouer un rôle majeur dans l'histoire de l'exégèse au second tiers du xive siècle.

L'aire de réception des pratiques bibliques « luthériennes » *stricto sensu* s'en est trouvée limitée; la diffusion des traditions recueillies dans les ouvrages de Denys le Chartreux, freinée. La formation de H. Bullinger et J. Calvin s'en est nourrie. Les études sémitiques de la suite du xvie siècle y trouvent stimulation et matériau de base.

Son influence s'exerce par la descendance des traductions-prototypes des années 1530-1540.

Quand, entre 1560 et 1570, naissent les « orthodoxies exégétiques », nombre d'impulsions données aux études bibliques par l' « école rhénane » sont éteintes. Mais les livres de J. Œcolampade, M. Bucer... sont cités, les *Dictionnaires* de Münster consultés. Dans ses commentaires, J. Mercier, professeur au Collège de France, copie Œcolampade à pleines pages, à la suite de Jérôme, Thomas d'Aquin, Nicolas de Lyre, des exégètes juifs et avant ses propres remarques.

Les inventaires des bibliothèques du docte rémois Jean Mouret (1565, recueilli par A. Labarre), de l'Académie de Genève (1582, étudiée par A. Ganoczy), de l'Eglise réformée de Paris entre 1626 et 1664 (J. Pannier), du Consistoire de Beaune (J. Fromental) ou de l'église d'Issoudun (Y. Gueneau[81]) au xviie siècle attestent la « fortune » des travaux des biblistes des bords de l'Ill, du Rhin et de la Limmat.

---

81. Yves GUENEAU, « L'inventaire de la bibliothèque de l'Eglise réformée d'Issoudun au xviie siècle », *BSHPF* 131 (1985), pp. 71-103.

LA GÉNÉRATION DE J. BRENZ, H. BULLINGER ET J. CALVIN

Continuité et désenchantement

1546 : première session du concile de Trente; 1549 : interim d'Augsbourg; 1559 : premier Synode national des Eglises réformées dans le Royaume de France... Le milieu du siècle est celui de la fixation des divisions confessionnelles et des affrontements à l'échelle de l'Europe.

Wolfgang Musculus (1497-1563), Lorrain que l'on retrouvera à Zurich, porte alors un diagnostic désenchanté sur la situation « biblique » dont il est le témoin :

« ... Les études de ceux qui s'adaptent à ce monde qui va disparaître n'ont pas d'avenir. L'un cherche l'argent, l'autre je ne sais quels honneurs, d'autres cherchent à bien gagner leur vie, comme on dit : ils abandonnent les études bibliques pour rechercher des chaires d'études littéraires profanes. Cela se voit même dans des Académies évangéliques, et on trouve fort peu de gens qui acceptent de suivre des cours bibliques »[82].

Une nouvelle génération va cependant prolonger les impulsions reçues de l' « école rhénane ».

Points communs

Johannes Brenz (1499-1570), prédicateur à Schwäbish-Hall jusqu'en 1548, puis organisateur de l'église du Wurtemberg, est un théologien luthérien : c'est à ce titre qu'il fera partie de la délégation qui se rend, en 1552, au concile de Trente[83]. Inlassable commentateur et prédicateur, J. Brenz va vulgariser et populariser la théologie biblique du « groupe de Wittenberg ».

Heinrich Bullinger[84], élu le 9 décembre 1531 successeur de Zwingli

---

82. Wolfgang MUSCULUS, *In Mosis Genesim plenissimi Commentarii, in quibus veterum & recentiorum sententiae diligenter expenduntur* [Bâle, chez les Hervagen, 1554], f° α 2 r (Dédicace à Philippe de Hesse).

83. James Martin ESTES, *Christian Magistrate and State Church : the Reforming Career of Johannes Brenz*, Toronto, Toronto University Press, 1982. Martin BRECHT, « Brenz, Johannes (1499-1570) », *TRE* VII (1981), pp. 170-181. — Bibliographie des Œuvres de J. Brenz : *Bibliographia Brentiana. Bibliographisches Verzeichnis der gedruckten und ungedruckten Schriften und Briefen des Reformators Johannes Brenz. Nebst einem Verzeichnis der Literatur über Brenz, kurzen Erläuterungen und ungedruckten Akten.* Bearb. von W. KÖHLER [Berlin, 1904], Nieuwkoop, B. de Graaf, 1962. — Sur l'usage des écrits de J. Brenz : Bernard VOGLER, « Brenz und die pfälzischen Pfarrbibliotheken um 1600 », *BFWK* 70 (1970), pp. 279-283.

84. Fritz BÜSSER, « Bullinger, Heinrich (1504-1575) », *TRE* VII (1981), pp. 375-387. — Bibliographie des Œuvres de H. Bullinger : *Heinrich Bullinger Werke*, Erste Abteilung : *Bibliographie*, Bd. 1 : *Beschreibendes Verzeichnis der gedruckten Werke von H. Bullinger*, bearb. von Joachim STAEDTKE, Zürich, Theologischer Verlag, 1972.

à Zurich, et Jean Calvin[85], qui revient en septembre 1541 à Genève, après trois ans de séjour strasbourgeois, s'opposent à Brenz sur des questions théologiques majeures : la Cène, la question des rapports de l'Eglise et du Magistrat, le refus par Brenz du recours à la peine de mort contre les « hérétiques ».

Ils ont cependant en commun des éléments communs de formation — ils sont lecteurs d'Erasme, de Mélanchthon, d'Œcolampade —, se rencontrent et s'écrivent fréquemment, sont des « hommes trilingues » (hébreu, grec et latin) soucieux de s'exprimer aussi dans leur langue maternelle.

Leur œuvre exégétique est de grande ampleur, élaborée en même temps qu'ils déploient une activité intense de diplomatie ecclésiastique et politique.

Lisons par exemple une *Vie de Calvin*, pour l'année 1549 :

« ... L'an 1549 mourut sa femme au mois de Mars. Au mois de May, luy et M. Guillaume Farel firent de compagnie un voyage à Zurich, afin de coucher par escrit un bon accord entre les Ministres, Pasteurs et Docteurs de l'Eglise de Zurich, et ceux des Eglises de Geneve et Neufchastel, touchant la nature, la fin, usage et fruict des Sacremens.

« ... A son retour de Zurich, il se trouva mal d'une défluxion sur l'espaule, qui le fascha longtemps : sans toutefois qu'il delaissast aucune partie de son ministere, ou des escrits qu'il avoit commencez. Cest annee-la il preschoit les Dimanches au matin l'*Epistre aux Hebrieux*, et l'ayant achevee il print les *Actes des Apostres*... Au sermon du soir le Dimanche il preschoit les *Pseaumes*, prenant seulement ceux qui n'estoyent pas encore traduits en rythme..., et en estoit au 40. Les autres jours de la sepmaine il preschoit *le Prophete Ieremie*. En leçons de Theologie il exposoit aux escoliers, Ministres et autres auditeurs le *Prophete Isaïe*... Les vendredis en la Congregation, on proposoit l'*Epistre aux Hebrieux*, apres laquelle on print les *Canoniques*. Quant à ses escrits, la mesme annee il mit en lumiere son Commentaire sur l'*Epistre à Tite* et sur l'*Epistre aux Hebrieux*. L'an 1550... »[86]

Dans de telles circonstances, la distinction des écrits par genres reste incertaine.

Les conflits sur la Cène obligent à traiter de christologie, et donc à mêler exposés dogmatiques et références à l'Ecriture ; on le sait, l'*Institution de la Religion Chrestienne* de J. Calvin est, dès sa première forme, présentée comme une introduction à l'Ecriture :

« Combien que la saincte Escriture contienne une doctrine parfaicte, à laquelle on ne peut rien adjouster... toutesfois une personne qui n'y sera pas fort exercité[e] a bon mestier de quelque conduicte et addresse pour sçavoir

---

85. W. Nijenhuis, « Calvin, Jean (1509-1564) », *TRE* VII (1981), pp. 568-592. — François Wendel, *Calvin, source et évolution de sa pensée religieuse*, 2e éd. revue et complétée, Genève, Labor et Fides, 1985 [Histoire et Société 9]. — Voir *Bibliographie*.

86. *CO* 21, col. 71-72 : *Vie de Calvin par Nicolas Colladon* [en fait « deuxième biographie », rédigée en 1565 par Théodore de Bèze ; voir Daniel Ménager, « Théodore de Bèze, biographe de Calvin », *BHR* 45 (1983), pp. 231-255].

ce qu'elle y doibt chercher, à fin de ne [s']esgarer point çà et là, mais de tenir une certaine voye, pour attaindre tousjours à la fin où le Sainct Esprit l'appelle... J'exhorte tous ceux qui ont reverence à la parolle du Seigneur, de lire [cest œuvre], et imprimer diligemment en mémoire, s'ilz veulent, premièrement avoir une somme de la doctrine chrestienne, puis une entrée à bien proffiter en la lecture tant du vieil que du nouveau Testament »[87].

Introduire et réviser des traductions de la Bible

Brenz, Bullinger et Calvin ne sont pas à proprement parler des « traducteurs » de la Bible, mais ils s'y intéressent de fort près.

J. Brenz insère ses propres traductions dans ses commentaires et il est l'auteur d'*Argumenta et sacrae scripturae summa librorum Veteris videlicet et Novi Testamenti*, maintes fois réédités et traduits[88].

H. Bullinger participe de près aux éditions zurichoises de traductions.

En 1534, il publie : *De Testamento seu Foedere Dei unico & aeterno H. B. brevis expositio*[89]. Y apparaît le thème de l'alliance unique de Dieu avec les hommes, antérieure à toute différenciation religieuse.

1538 : *De Scripturae sanctae auctoritate, certitudine, firmitate et absoluta perfectione...*, libelle offert à Henri VIII, réédité en 1544 et 1561, traduit en allemand en 1562, en anglais en 1579[90].

Quand, en 1539, l'éditeur zurichois Froschauer édite une Bible latine composée des traductions de S. Münster (AT) et Erasme (NT), Bullinger rédige des pages qui seront largement diffusées : *De omnibus sanctae Scripturae libris, eorumque praestantia & dignitate, H. B. Expositio, ad Lectorem Christianum*. Reprises dans la traduction latine inédite de 1543, elles sont rééditées encore deux fois avant 1550. Entre 1540 et 1638, 11 versions allemandes en sont recensées, en tête de Bibles allemandes, et deux versions anglaises, en 1550 et 1563[91].

Jean Calvin, de même, s'intéresse de très près aux éditions bibliques. Il rédige un « faux privilège » au verso de la page de titre de la *Bible d'Olivétan*, puis une Préface au Nouveau Testament. Dès 1543, il apparaît comme réviseur

---

87. Jean CALVIN, *Institution de la Religion Chrestienne*, texte établi et présenté par Jacques PANNIER, t. I, Paris, Société les Belles-Lettres, 1956, pp. 3 et 5 (traduction de 1541).

88. Première mention dans *Bibliographia Brentiana* : n° 135 (= 1544); première traduction en allemand, n° 169 (= 1549). A ne pas confondre avec l'une des multiples versions de *La Somme de l'Ecriture sainte* recensées par Jürgen QUACK, *Evangelische Bibelvorreden von der Reformation bis zur Aufklärung*, Gütersloh, Gütersloher Verlagshaus G. Mohn, 1975, pp. 117-129, [QFRG 43].

89. *Bibliogr. Verzeichnis*, n⁰ˢ 54-61. 1ʳᵉ éd. à Zürich, en 1534; trad. all. en 1534, 1537, 1539, 1549, 1558.

90. *Bibliogr. Verzeichnis*, n⁰ˢ 111 et 112 (= 1544, augmenté d'une réponse à J. Cochlaeus), 565-567.

91. *Bibliogr. Verzeichnis*, n° 114, en tête de *Biblia sacra utriusque Testamenti...*, rééditions = n⁰ˢ 114-128. Traductions anglaises, *ibid.*, n⁰ˢ 622 et 623. — 1543 : n° 115. Le « Diaire » de Bullinger y est cité : « Dum Tiguri aedenda erat Biblia ex versione Leonis Judae, Theod. Bibliandri, Petri Cholini et Rod. Gualtheri operi hanc praefationem praefixi. » Bullinger y écrit en outre l'histoire de cette édition : *De operis huius instituto & ratione ad Christianum lectorem Praefatio* (fol. α 2 r. ss.).

du texte français du Nouveau Testament, de la Bible entière à partir de 1545[92]. Il ne cessera plus dès lors d'encourager les travaux d'établissement du texte et de traductions[93].

Une stratégie de production bilingue

Quand ils sont rédigés en latin, la plupart des travaux de J. Brenz sont traduits en allemand — et *vice versa*; J. Calvin a également fait sienne une « politique de la langue ». De plus, traductions en anglais et en néerlandais ne sont pas rares. Les commentaires de Bullinger échappent à ce qui est une règle pour ses autres traités.

Des exemples :

Le cas du *commentaire de l'Ecclésiaste* par J. Brenz a déjà été présenté[94]. Un Job paraît en 1527 en latin — lui aussi traduit et adapté en français et, en 1529, en allemand; Ruth : latin en 1535, allemand en 1536; Philémon : latin en 1544, allemand en 1545, etc.

Calvin : Romains : latin en 1540, français en 1543; 1 Corinthiens : latin en 1546, français en 1547; 2 Corinthiens : français en 1547, latin en 1548; ... Pentateuque : latin en 1563, français en 1564.

L'œuvre exégétique de J. Brenz et H. Bullinger

Si les 517 écrits que J. Brenz publie de son vivant ne sont pas des commentaires bibliques, le volume de ses travaux bibliques est impressionnant : près de 100 rubriques dans la Bibliographie, en tenant compte des rééditions et traductions.

En fait la série des livres commentés est moins impressionnante que chez Bullinger et Calvin. Genèse en est absente (par déférence pour Luther ?), mais Exode et Lévitique y figurent. Brenz fut organisateur d'églises et prédicateur : est-ce un motif de son intérêt pour les « livres historiques » d'une part (Juges, Esdras, Actes) et les histoires édifiantes ou les textes sapientiaux ou épîtres pastorales (Ruth, Esther; Job, Ecclésiaste; Philémon) ? On observe que seuls Esaïe, Osée, Amos pour les livres prophétiques, Jean très tôt (1529), Luc plus tardivement (1538), pour les Evangiles, Galates (et Ephésiens longtemps inédit), pour les grandes épîtres pauliniennes, donnent lieu à une prédication. Les Psaumes ne sont publiés qu'à partir de 1565, et Apocalypse ne fut pas édité au XVIe siècle[95].

---

92. *Chambers*, n°s 105 et 128.

93. *Chambers, passim.* — Ne pas confondre ces traductions genevoises de la Bible avec les textes, repris de commentaires, que E. REUSS et A. ERICHSON ont rassemblés sous le titre : *La Bible française de Calvin* dans les volumes 56 et 57 des *I. Calvini Opera*.

94. Voir p. 165.

95. Les *Opera* de J. BRENZ ont été éditées en 8 tomes à Tübingen entre 1576 et 1590; une « Studienausgabe » est en cours depuis 1970, sous la direction de M. BRECHT et G. SCHÄFER, à Tübingen, J. C. B. MOHR : « Schriftaulegungen », Teil I : *Homiliae vel Sermones nonnulli in Prophetam Danielem*. Hrsg. von M. BRECHT, E. Willy, GÖLTENBOTH, Gerhard

H. Bullinger a commencé par commenter le Nouveau Testament[96].

En 1537, il peut réunir dans un volume d'explication des épîtres pauliniennes et canoniques des travaux publiés depuis 1532[97]. Puis, entre 1542 et 1546, il étudie les quatre évangiles. Les six livres d'explications des Actes étaient parus en 1533. Bullinger est donc à même de publier en 1554 un recueil d'explications du Nouveau Testament, à l'exception de l'Apocalypse[98].

En 1557 paraît le texte latin des *Cent sermons sur l'Apocalypse de Jésus-Christ*. Ce sera un « best seller », tant les commentaires du dernier écrit néo-testamentaire par des théologiens de ces milieux-là sont rares. Ils sont traduits une première fois en allemand en 1558, en français la même année, en anglais en 1561, en néerlandais en 1567[99].

Suivront des prédications sur Jérémie (1557) et les Lamentations (1561), sur Daniel (1565) et les Psaumes 130 et 133 (1574).

En 1548, Bullinger avait établi une chronologie de la période néo-testamentaire, suivie en 1565 d'une chronologie de la période vétéro-testamentaire[100].

La vigilance avec laquelle les censeurs français recensent les écrits de J. Brenz et H. Bullinger dans les divers Index atteste leur diffusion et leur succès[101].

L'œuvre exégétique de Jean Calvin[102]

Les commentaires. — Comme Bullinger, Calvin commence par commenter des épîtres : Romains, préparé à Strasbourg, publié en 1540

SCHÄFER, 1972; Teil 2 : *Explicatio Pauli ad Romanos*, Bd. 1. bearb. von St. STROHM, 1986. — Voir également : Johannes BRENZ, *Kommentar zum Brief des Apostels Paulus an die Epheser nach der Handschrift der Vaticana Cod. Pal. lat. 1836*, hrsg. von W. KÖHLER, Heidelberg, Carl Winter, 1935 [Abhandlungen der Heidelberger Akademie der Wissenschaften. Philos.-histor. Klasse, Abhandlung 10]; *Commentarii in Apocalypsim*, hrsg. von K. BERGER und M. BRECHT, *BWKG* 78 (1978), pp. 24-45; *Der Prediger Salomo. Fak-simile-Neudruck der ersten Ausgabe Hagenau 1529...*, Stuttgart-Bad Cannstatt, Friedrich Frommann Verlag (Günther Holzboog), 1970. — Pour ordonner ces écrits, Martin BRECHT, « Die Chronologie von Brenzens Schriftauslegungen und Predigten », *BWKG* 64 (1964), pp. 53-74.

96. Les *Heinrich Bullinger Werke* sont en cours de publication, sous la direction scientifique de Fritz BÜSSER [Zürich, Theologischer Verlag] depuis 1973. Des microfiches de ses œuvres sont éditées par Inter Documentation Company, Zug (Suisse). Pour suivre les travaux contemporains sur H. Bullinger et l'édition des œuvres, consulter la revue *Zwingliana*.

97. *Bibliogr. Verzeichnis*, n° 84, avec maintes rééditions.

98. *Bibliogr. Verzeichnis*, n° 274; 2ᵉ édition en 1561.

99. *Bibliogr. Verzeichnis*, nᵒˢ 327-334 (latin); 335-340 (allemand); 341-351 (français); 355-356 (anglais); 352-353 (néerlandais).

100. *Bibliogr. Verzeichnis*, i : nᵒˢ 176-178 = *Series et Digestio temporum et rerum descriptarum à beato Luca in Actis Apostolorum...*; ii : nᵒˢ 430-432 = *Epitome temporum et rerum ab urbe condito, ad primum usque annum Iothan Regis Iudae... Una cum VI. Tabulis Chronicis, a temporibus Iothan usque ad excidium urbis Hierosolymitarum deductis, potissimum pertinentibus ad Expositionem Danielis Prophetae...*

101. J. M. de BUJANDA, *Index des Livres interdits*, I : *Index de l'Université de Paris...* : J. Brenz, pp. 135-141 (nᵒˢ 26-32), p. 157 (n° 155) et p. 159 (n° 58); H. Bullinger, pp. 151-156 (nᵒˢ 44, 45, 47, 48, 49, 51 et 52).

102. Voir la *Bibliographie* : 10.

(latin). Suivent les commentaires de 1 et 2 Corinthiens (1546-1548), Galates, Ephésiens, Philippiens, Colossiens...

Les commentaires des épîtres pauliniennes sont publiés en un seul volume en 1551 (latin; français en 1556), des épîtres canoniques en 1551 (latin et français). Ces commentaires sont fréquemment, pas toujours, édités après avoir été enseignés, pris en notes (par Nicolas des Gallars, fréquemment), revus par Calvin. T. H. L. Parker en établit la liste et l'histoire.

A ce moment-là — 1551 —, Calvin travaille sur Esaïe (presque un évangile !), avant de se consacrer aux évangiles de Jean (1553), puis à l'*Harmonia/Concordance* des synoptiques (1555, latin; 1556, français)[103].

L'année où finissent d'être édités les Commentaires sur les Actes (1552-1554), Calvin revient à l'Ancien Testament : Psaumes (1557, latin; 1558, français); Osée (latin, 1557); « petits prophètes » (1559, latin; 1560, français); Daniel (1561, latin; 1562, français); Pentateuque (1563, latin; 1564, français); Jérémie et Lamentations (1563, latin; 1565, français); Josué (1564, latin et français); Ezéchiel (latin et français, 1565) — ces deux derniers titres sont édités après la mort de Calvin.

On note l'absence d'écrit sur l'Apocalypse.

Au-delà des commentaires. — Le travail exégétique est pour J. Calvin — comme pour ses collègues — l'accompagnement quasi quotidien d'autres tâches : les commentaires n'en sont pas les expressions exclusives.

D'autres écrits doivent être consultés.

Institution de la Religion chrestienne : elle est présentée, on l'a dit, comme une introduction à l'Ecriture.

Les *Congrégations*, conférences sur l'Ecriture faites le vendredi aux pasteurs de la Compagnie de Genève.

Le texte de plus de 1 500 *sermons*, sténographiés sur-le-champ, par Denis Raguenier, entre 1549 et 1560; série à consulter pour étudier comment Calvin « taillait le pain de l'Ecriture »[104]. Elle est parfois parallèle à celle des *cours*, eux-mêmes dictés ou pris en notes avant d'être révisés par leur auteur.

Des *lettres* rédigées parfois dans des conditions tragiques. Ainsi, le 22 août 1553, Calvin critique-t-il, en s'adressant aux jeunes prisonniers Denis Péloquin et Louis de Marsac, la façon dont Michel Girard, autre étudiant détenu, fit face à ses juges :

« Estant interrogué du franc arbitre, pour monstrer qu'il n'y a en nous aucun pouvoir de bien faire, il allègue le dire de sainct Paul au 7 des Romains : 'Je ne fay pas le bien que je veux...' or il est certain que S. Paul ne parle point là des incredules qui sont du tout desnuez de la grâce de Dieu, mais de luy et des autres fidèles... Il faloit doncques adjouster pour declairation : Si les fidèles sentent toute leur nature contraire à la volonté de Dieu, que sera-ce

---

103. Sur la place de cette *Harmonia* dans l'histoire des « synopses », voir ci-dessous, p. 279.

104. Richard STAUFFER, *Dieu, la création et la Providence dans la Prédication de Calvin*, Berne..., 1978. — « L'homilétique de Calvin », *Interprètes de la Bible...*, Paris..., 1980. — Il faut consulter, outre les *Calvini Opera*, les *Supplementa Calviniana* [édités à Neukirchen-Vluyn, depuis 1936]; à ce propos, Richard STAUFFER, « Les sermons inédits de Calvin sur le livre de la Genèse », *RThPh*, 1965, pp. 26-36. — Chronologie des Sermons de Calvin sur l'AT dans T. H. L. PARKER, *Calvin's Old Testament Commentaries...*, pp. 12-13.

de ceux qui n'ont que pure malice et rébellion. Comme il dit au 8e chapitre... »[105].

Des *traités* : ainsi la réfutation des « généthliaques », dans l'*Advertissement contre l'Astrologie judiciaire*, fait référence au commentaire de Gn 1, 14 par Théodoret de Cyr[106].

Les *Actes de procès* également :

Le 25 décembre 1551 Jérôme Bolsec est banni pour « avoir proposé opinion faulse et contre les sainctes escriptures et la pure religion Evangelicque... »[107].

Prélude à l' « affaire Michel Servet », dont il est clair, aux yeux de Calvin, « qu'il lacère la Parole de Dieu arbitrairement et de façon perverse, qu'il se moque éperdument de la religion chrétienne, sauf quand cela rend service à son ambition »[108].

Jean Calvin et la Bible

Insertion dans « l'école rhénane » :

Exigence de compétences linguistiques et historiques, adoption de l'exégèse « typologique » de l'Ancien Testament, quand les textes eux-mêmes ne contraignent pas à l'allégorie, finalité « ecclésiale » de l'exégèse, polémique contre les pratiques explicatives des « littéralistes » et des catholiques, souci plus diffus de fonder sur des indications scripturaires les règles disciplinaires, éthiques et liturgiques... : autant d'orientations communes que ne contredisent pas les orientations doctrinales peu ou prou divergentes du luthérien J. Brenz, du zwinglien H. Bullinger et de J. Calvin.

« *La différence des Escritures et des Docteurs* ». — Pour l'auteur — catholique — d'un traité anonyme du milieu du XVIe siècle qui porte ce titre, cette différence est relativisée.

Car « ce qui est és sainctes Escritures, pour estre briesvement dit, nous est enveloppé, caché et obscur, et à cause de nostre ignorance, rudesse, imbécillité et defaut de bon entendement et iugement, par ces Docteurs de l'Eglise nous est desvelopé, manifesté, amplement déclaré et accomodé à leurs affaires et aux nostres, à nos intentions, doutes & nécessitez... Ce qu'ilz ont dict, et qu'ont approuvé leurs successeurs, et que n'ont reiecté les Conciles et les congrégations des Chrestiens et de l'Eglise... nous est & doit estre comme la voix du sainct Esprit parlant par leur bouche, car de luy provient tel bien et tout autre... »[109].

Calvin est, quant à lui, convaincu d'une altérité totale des Ecritures et de leurs commentaires.

---

105. *Lettres de Jean Calvin*, recueillies pour la première fois et publiées d'après les manuscrits originaux par Jules BONNET : *Lettres françaises*, t. 1, Paris, Libr. Ch. Meyrueis et Cie, 1854, pp. 399-404 (texte pp. 402-403).

106. Jean CALVIN, *Advertissement contre l'Astrologie judiciaire*, édition critique par Olivier MILLET, Genève, Librairie Droz, 1985, pp. 79-80 et n. 128 [TLF 329].

107. *CO* 8, 247.

108. *CO* 8, 495.

109. Cité d'après le volume conservé à la Bibliothèque Mazarine, 34613³, fol. 292 r.

Première tâche : retrouver le sens des propos bibliques dans le contexte où ils furent entendus une première fois, et pour cela tenter d'écrire l'histoire des écrits bibliques.

Le « Sermon sur la montagne » [Mt 5-7 et pll.] est « un brief sommaire de la doctrine de Christ, recueilli de plusieurs et divers sermons d'icelluy » puisque « l'intention de tous les deux Evangélistes [Matthieu et Luc] a esté de recueillir une fois en un lieu les principaux points de la doctrine de Christ appartenans à la règle de bien et sainctement vivre »[110].

La rhétorique et le style de chacun des écrivains bibliques seront étudiés.

Condition *sine qua non* : seul un exégète linguiste et cultivé peut prétendre expliquer un tel texte « ancien »[111]. Le « don de prophétie » n'exclut pas apprentissage et étude.

Calvin critique les « anabaptistes » et les catholiques qui enfreignent les règles de l'étude des textes — ils sont « pré-érasmiens » peut-on dire !

Les anabaptistes, dans leur hâte d'actualiser les énoncés scripturaires, oublient d'éclairer un segment textuel par son contexte immédiat et lointain. Raison pour laquelle ils peuvent prétendre que Jésus-Christ a interdit toute forme de serment [cf. Mt 5, 33 ss.].
Première erreur : les anabaptistes ne lient pas : « Ne jurez aucunement » aux mots qui suivent immédiatement : « ne par le ciel... ne par la terre ». Il s'agit de dénoncer « des façons de jurer obliques », et non de prohiber tout serment : « Dont nous recueillons que ce mot *Aucunement* ne se rapporte pas à la substance, mais à la forme. »
Deuxième erreur : « Par quoy les Anabaptistes monstrent une lourde bestise... quand s'attachans obstinéement à un mot, ils passent à clos yeux toute la suite du propos; ... il faut rapporter à l'intention de la Loy ce que dit l'expositeur d'icelle. »
Conclusion : « Quand il y a juste occasion qui nous y contreint, non seulement la Loy permet de jurer, mais aussi le commande expressément. Ainsi donc, Christ n'a voulu autre chose dire, sinon que tous juremens sont illicites, lesquels profanent par quelque abus le sacré Nom de Dieu »[112].
Les catholiques définissent des unités significatives trop restreintes, avant de les insérer dans un système de signes qui n'est plus celui du corpus textuel : alors naît l'allégorie illicite.
Ainsi de « *la montagne* » de Mt 5, 1 :
« Laissons aussi là ceste subtile spéculation, de ceux qui enseignent que Christ par une allégorie a mené ses disciples en la montagne, pour eslever leurs esprits en haut, loin des affaires et solicitudes de ce monde »[113].
Calvin associe l'allégorie à la spéculation : le propos de Jésus-Christ est moins d'amener ses auditeurs « en haut » que « d'accoustumer les siens à porter la croix », moins à « spéculer » qu'à « obéir ». Le segment signifiant — une

---

110. *Commentaires sur l'Harmonie évangélique* ad Mt 5, 1 [Toulouse 1802, t. I, p. 117].
111. Pour ce qui est de la rhétorique paulinienne, voir la « dispositio » de l'épître aux Romains discernée par Calvin, et restituée par B. GIRARDIN, *Rhétorique et Théologique...*, pp. 369-387.
112. *Ibid.*, pp. 132-133.
113. *Ibid.*, p. 117.

« figure de langage » de Mt 5, 1-2 — est moins l'indication topographique que l'hébraïsme : « *Après avoir ouvert sa bouche, les enseignait...* » :

« Ces mots superflus sentent la façon de parler des Hébrieux... [ici] ceste locution emporte quelque chose d'avantage, et signifie qu'on met en avant quelque propos notable et d'importance, en bonne ou mauvaise part. »

Une leçon d'exégèse. — L'explication du Décalogue donnée dès la première édition de l'*Institution de la Religion chrestienne* en est une...

Les versets d'Ex 20 forment un discours élaboré : « Les préceptes de Dieu contiennent quelque chose de plus que nous n'y voyons exprimé par parolles. » Pour éclairer la synecdoque sans ajouter « de gloses humaines », il faut considérer « à quelle fin » chaque précepte a été donné, en jouant par exemple de la formation de propositions contradictoires : défense/commandement ».

La « somme » de chaque commandement — la prescription dans toute son ampleur — apparaît alors.

Contexte : observer la distinction de deux Tables, et référer la seconde à la première, car l'auteur du Décalogue n'enseigne pas une éthique sociale autonome.

Intertexte : il est multiple. Il est d'abord défini par la mise « hors-Décalogue » de ce qui est improprement désigné comme le premier commandement : « *Je suis l'Eternel ton Dieu...* » Il s'agit de référer les prescriptions à leur auteur qui, « en tant qu'il est législateur spirituel, ne parle pas moins à l'âme qu'au corps ».

Mais l'intertexte est aussi déterminé par le rapport de l'Ancien au Nouveau Testament. Le Dieu de la Loi est le Dieu de Jésus-Christ : la réalisation de ce qui est ordonné est promise au croyant[114].

Il inclut enfin toutes les fausses interprétations qui attendent d'être critiquées.

Méthodiquement conduite, l'interprétation respecte la « différence » des Ecritures; aucun commentaire imprudent ne vient, aux dires de Calvin, les contaminer, serait-ce sous prétexte d'une appropriation immédiate.

L'ordre voulu par Dieu. — La Bible, aux dires de Calvin, n'est pas née des hasards de l'histoire des religions. C'est même pour mettre un terme à l'histoire des religions que Dieu a voulu qu'il y ait des Ecritures. La plume humaniste de Calvin se fait alors outil de théologien :

« Car si on regarde combien l'esprit humain est enclin et fragile pour tomber en oubliance de Dieu, combien aussi il est facile à décliner en toutes espèces d'erreurs, de quelle convoitise il est mené pour se forger des religions estranges à chaque minute, de là on pourra voir combien il a esté nécessaire que Dieu eust ses registres authentiques pour y coucher sa vérité, à fin qu'elle ne périt point par oubly, ou ne s'esvanouit pas par erreur, ou ne fust corrompue par l'audace des hommes »[115].

114. *Institution de la Religion chrestienne* [édition par J. Pannier], t. I, chap. III : « De la Loy ».

115. *Institution de la Religion chrestienne*, édition critique avec introduction, notes et variantes publiée par J.-D. Benoit, Paris, Librairie philosophique J. Vrin, 1957, Tome Premier, p. 89 (= Livre I, chap. VI, 3).

Récits, témoignages et discours sont écrits par des auditeurs/auteurs situés avec précision dans le temps et l'espace, au sein d'une situation linguistique spécifique.

Les rédacteurs des Ecritures ont usé de toutes les ressources du langage commun. Ils se plient en cela à un ordre divin.

Deux propositions sont en effet indissociables.

D'une part, « quand Dieu a voulu instruire les hommes avec profit, ... il a usé du moyen et aide de sa parolle... »[116].

Par égard pour la mémoire humaine, la parole initiale est fixée ensuite dans l'écrit.

D'autre part, la réussite de cette communication exigeait qu'elle soit totalement intelligible, adaptée, « accommodée » aux conditions spirituelles et intellectuelles des destinataires.

La présence d'anthropomorphismes dans certains écrits conduit Calvin à s'exclamer :

« Car qui sera l'homme de si petit esprit qui n'entende que Dieu bégaye, comme par manière de dire, avec nous, à la façon des nourrices pour se conformer à leurs petits enfans ? Parquoy telles manières de parler n'expriment pas tant ric à ric quel est Dieu en soy, qu'elles nous en apportent une cognoissance propre à la rudesse de nos esprits, ce que l'Escriture ne peut faire qu'elle ne s'abaisse, et bien fort, au dessous de la maiesté de Dieu »[117].

Parole de Dieu et Ecriture. — On n'ouvrira pas ici le débat sur la « révélation naturelle » de Dieu et l'aptitude des hommes à l'accueillir. Calvin est particulièrement précis sur un point : une connaissance salutaire de Dieu n'est acquise que par la médiation de l'Ecriture.

D'une part, on l'a dit, Dieu a voulu qu'il en soit ainsi. Calvin, qui fait la part belle à « l'humanité » du parler biblique, multiplie les expressions les plus fortes pour qualifier les Ecritures comme autant de sources « sûres », sans pour autant proposer de modèle théorique aux « théopneustes » des siècles futurs. Il lui suffit d'écrire que Dieu « a voulu que les révélations qu'il avoit commises en la main des Pères comme en depost fussent enregistrées »[118].

Plus important est de « recevoir révéremment tout ce que Dieu y a voulu testifier de soy ».

Une proposition herméneutique majeure doit contrôler toute interprétation des textes : elle est en forme de restriction. La Bible ne fonde aucune métaphysique sacrée : elle ne répond pas à la question : « Qui est Dieu ? », mais révèle « quel est Dieu » à l'égard de sa créature révoltée et malheureuse.

---

116. *Ibid.*
117. *Ibid.*, p. 145 (= Livre I, chap. xiii, 1 du texte de 1560); le texte parallèle de 1541 était plus concis et direct : « Car, qui est celuy de si petit entendement qui ne voye bien que nostre Seigneur s'attribue ces choses pour condescendre à nostre capacité, comme une nourrice bégaye avec son petit enfant pour se démettre à sa rudesse ? » [Editions des Belles-Lettres, t. II, p. 50].
118. *Ibid.*, p. 88 (Livre I, chap. vi, 2).

« ... Dieu ne se baille point droictement et de près à contempler, sinon en la face de son Christ, laquelle ne se peut regarder que des yeulx de la foy »[119].

Autant que ses collègues de l' « école rhénane », Calvin considère que les écrits bibliques, par mode de prophéties, promesses, témoignages, renvoient leur lecteur à la personne et l'œuvre de Jésus-Christ sur lequel convergent tous les livres : ceci est très précisément développé dès la « Préface » au Nouveau Testament de 1535.

De façon plus radicale, il développe le thème de « la similitude du vieil et nouveau Testament » :

Car « l'alliance faicte avec les Pères anciens, en sa substance et vérité est si semblable à la nostre, qu'on la peut dire estre une mesme avec icelle; seulement elle diffère en l'ordre d'estre dispensée »[120].

A ce point, théologie trinitaire — traditionnelle —, volonté d'établir l'unité du corpus biblique, et règles d'interprétation christologique forment un ensemble cohérent.

Une difficulté surgit néanmoins : en matière de discipline et de liturgie, plus encore que de réflexion théologique, Calvin paraît souvent hésiter dans le mode de légitimation d'une règle ou d'un usage. Parfois prévaut la référence à « ce qui est écrit / ce qui n'est pas écrit », parfois domine la recherche raisonnée de ce qui est compatible, ou non, avec le sens attribué à l'œuvre de Jésus-Christ. Il s'agit ici d'un « biblicisme » certain, là d'une conclusion théologiquement argumentée, « à la manière de Luther ».

L'usage de l'Ecriture. — L'explication du texte est nécessairement longue. D'un côté, les auteurs bibliques : ils sont les premiers destinataires saisis par la Parole divine; d'un autre côté, la communauté ecclésiale que la prédication met en présence d'un impératif, d'une exhortation, fondés sur une référence à l'œuvre salvifique de Jésus-Christ.

Elle amène à rompre avec l' « onto-théologie »; elle est appel et exigence adressée aux auditeurs, et rend, sous couvert d'un appareil théologique et ecclésiastique, sa dimension « pragmatique » à la « sémantique biblique » (G. Vincent).

Tout texte biblique ne s'applique pas nécessairement à tout lecteur, en toute situation. Le lecteur se convainc-t-il de la « vérité » de l'Ecriture ? Calvin désigne cette réussite d'une exégèse bien conduite, comme l'effet du « témoignage intérieur du saint Esprit ». N'est validé que ce qui est analogue aux expressions et attitudes scripturaires[121]. Le travail d'interprétation touche alors sa fin.

---

119. *Institution de la Religion chrestienne* [1541], p. 79 (= chap. I : « De la congnoissance de Dieu »).
120. *Ibid.*, t. III, p. 8 (= chap. 7).
121. *Institution de la Religion chrestienne* [édition J. D. Benoit], t. I, pp. 96-99 (= Livre I, chap. vii, 4 et 5).

Calvin s'en explique à propos du passage tant cité de 2 Tim 3, 16 :

« '*Toute l'Escriture est divinement inspirée*'. [Paul] loue l'Escriture à cause de l'authorité puis après de l'utilité qui en revient.

« Pour monstrer l'authorité, il dit *qu'elle est inspirée Divinement*... Et c'est le principe qui discerne nostre religion de toutes autres ; asçavoir que nous sçavons que Dieu a parlé à nous, et sommes certainement asseurez que les Prophètes n'ont pas parlé de leur propre sens : mais comme organes et instrumens du S. Esprit, qu'ils ont annoncé ce qu'ils avoyent receu d'enhaut. Quiconque donc voudra proufiter és sainctes Escritures, qu'il arreste premièrement ceci en soy-mesme, que la Loy et les Prophètes ne sont point une doctrine qui ait esté donnée à l'appétit ou volonté des hommes, mais dictée par le saint Esprit...

« *Proufitable à enseigner... convaincre et corriger*... Ceste est donc la principale science, La Foy en Christ : puis après s'ensuit l'institution de régler la vie : conséquemment vienent les aiguillons des exhortations et répréhensions. En ceste sorte, quiconque sçait bien user des Escritures comme il appartient, à cestuy-là rien ne défaut de ce qui appartient à salut et à bien vivre »[122].

L'ampleur et la qualité de l'œuvre de Jean Calvin ont séduit bien des admirateurs ou énervé bien des détracteurs. Si la quasi-canonisation de la « Bible de Luther » n'a pas d'équivalent dans la culture francophone, Calvin n'échappe cependant pas toujours à l'hagiographie.

Situer Calvin au nombre des exégètes de l' « école rhénane » et relever quelques traits problématiques de sa conduite exégétique, voilà qui permet d'en parler avec mesure.

D'évidence, la « différence des Ecritures et des Docteurs » n'est pas entièrement établie : Calvin explique lui aussi les écrits bibliques à la lumière des dogmes trinitaires et christologiques et de quelques autres notions forgées par la tradition.

B. Girardin est conduit à s'interroger *in fine* sur « la détermination du théologique par le rhétorique ».

G. Vincent, qui relève des enfreintes de Calvin aux règles qu'il s'est imposées à lui-même, adopte une attitude claire :

« Déjouer la tentation... de tenir la théologie de Calvin pour la forme par excellence de toute théologie... [La reconnaître] pour paradigmatique, si l'on veut bien entendre par là qu'en elle s'illustre un 'style' théologique original »[123].

Calvin n'est pas le bibliste le plus savant et le plus « fidèle » du xvie siècle. Il exprime et met en œuvre ses orientations de façon claire, habile et cohérente. Homme d'études et prédicateur, pasteur et responsable ecclésiastique, organisateur de l'église genevoise, et intervenant à l'échelle de l'Europe, il a donné au geste exégétique une grande ampleur et trouvé à conjoindre l'étude biblique à la réflexion du systématicien et l'exigence du moraliste. Il est l'un des biblistes éminents du xvie siècle. Il « ponctue » les travaux de deux générations de l' « école rhénane ».

---

122. *Commentaires sur le Nouveau Testament*, t. IV [Toulouse, 1894], p. 246.
123. B. Girardin, *op. cit.*, p. 359 ; G. Vincent, *Exigence éthique et interprétation dans l'œuvre de Calvin*, Genève, Labor et Fides, 1984 [Histoire et Société, 5].

W. Musculus, Th. Bibliander, les collègues genevois de Calvin

Wolfgang Musculus :

Le Lorrain W. Musculus (1497-1563), d'abord bénédictin et collègue de Matthieu Zell à Strasbourg, réside longuement à Augsbourg (1531-1547). Il est ensuite l'un de ces nombreux théologiens et hommes d'Eglise que l'Interim de 1549 contraint à de nouveaux voyages : pour lui, à Zurich, puis Berne.

Ses travaux exégétiques sont fréquemment réédités, et volontiers consultés, par Calvin notamment[124]. Ses écrits bibliques sont plus nombreux, et plus remarqués, que ceux de l'irénique successeur d'Œcolampade à Bâle, Oswald Myconius (1488-1552), qui fit aussi un séjour à Zurich[125].

W. Musculus explique d'abord les évangiles : Matthieu, avec comparaison « synoptique », 1544; Jean, dès 1545. Sur le tard, il explique les épîtres pauliniennes : Romains (1556), puis, en trois étapes, la série de 1 et 2 Corinthiens (1559) à 1 Timothée (1564).
Ce sont cependant ses études de textes vétéro-testamentaires qui paraissent avoir été les plus remarquées : les Psaumes (1550), le Décalogue (1553), la Genèse (1554), Esaïe (1557)[126].
Les censeurs français ne l'ont pas oublié : trois titres sont prohibés[127].

Traducteur d'œuvres patristiques (Commentaires de Jean Chrysostome en particulier), W. Musculus est soucieux de défendre son droit, contre tout « vedettariat » et la tentation d'officialiser certains travaux au détriment des autres.

« Sit unicuique sua versio libera, libera sit & mea / liberté de traduire pour tous, liberté de traduire pour moi !
[Et Musculus de poursuivre, sur un ton « érasmien » :] « La même liberté doit être accordée à tous. Au lecteur éclairé et attentif de faire connaître son appréciation »[128].

---

124. Paul ROMANE-MUSCULUS, « Catalogue des œuvres imprimées du théologien Wolfgang Musculus », *RHPR* 43 (1963), pp. 260-278; 46 (1968), p. 212. La deuxième des six rubriques établies par l'A. recense les « Commentaires sur l'Ecriture sainte », nos 9 à 18. Les *In Evangelistam Matthaeum Commentarii...* (no 9) sont réédités sept fois entre 1544 et 1611; les *Commentarii in Psalmos...* (no 11), six fois entre 1550 et 1618.
125. *In Evangelium Marci docta et pia expositio...* [Bâle, 1538]; *Ein trostliche unnd diser Zyt fast dienstlich. usslegung des CL Psalmen* [Berne, 1546]. Voir M. KIRCHHOFER, *Oswald Myconius, Antistes der Baslerischen Kirche*, Zürich, Drell, Füssli und Compagnie, 1812.
126. Traduction partielle du commentaire des Psaumes en anglais (*Catalogue*, no 11 *a*); les excursus de l'explication sur le Psaume 15 « De juramento », « De usura », sont traduits l'un en hollandais (1555), l'autre en français et en allemand (1557, 1593) (*Catalogue*, nos 11 *b* et 11 *c*).
127. *Index des Livres interdits...*, t. I, p. 219, nos 179-181.
128. *In Genesim...* (*Catalogue*, no 13), p. 7.

La facture de ses commentaires les apparente à ceux de M. Bucer (étude du texte dans ses diverses formes : hébreu, grec, latin, explication, élucidation de questions, observations).

Son essai de définition de quatre niveaux de compréhension du texte, évidemment rédigé contre le « quadrige médiéval », pourrait figurer sur un programme de toute l' « école rhénane » :

« Pour étudier avec profit les écritures saintes, il faut, je le pense, atteindre quatre niveaux de compréhension :

« Premier niveau : la compréhension des mots pris séparément. » [Elle exige de connaître les langues bibliques, pour éviter de dépendre des décisions d'autrui.]

« Second niveau : la signification du texte en son entier » [ponctuation, syntaxe, plan].

« Troisième niveau : comprendre l'esprit du locuteur, qu'il s'agisse de Dieu, d'un prophète ou d'un évangéliste. J'appelle 'esprit' la raison, l'intelligence, l'intention et la volonté du locuteur »[129].

« Quatrième niveau : saisir l'utilité de chaque passage de l'Ecriture... »

W. Musculus fait, lui aussi, référence à 2 Tim 3, 16 ss. Trait commun à l' « école rhénane », et bien au-delà de ses frontières : l'explication du texte n'est complète que lorsqu'elle conduit à fonder les articles de foi ou des exhortations.

Mérite de W. Musculus : il identifie ses sources plus volontiers que nombre de ses contemporains .

En tête de son commentaire d'Esaïe, il recense 63 noms dont certains, il est vrai, restent énigmatiques (« Judaei... »). 23 sont ceux d'auteurs juifs, exégètes, auteurs de Targums. On observe la mention, outre des Pères, d'auteurs médiévaux : Grégoire, Pierre Lombard, Thomas d'Aquin, Bernard de Clairvaux, Nicolas de Lyre et Paul de Burgos. Bien évidemment, les contemporains sont là, mais, observons-le, pour être éventuellement discutés, non pour « figer » une tradition : S. Pagnini, J. Reuchlin, S. Münster, M. Luther, M. Bucer, J. Œcolampade, les traducteurs « allemand » et « zurichois ».

Théodore Bibliander. — Théodore Bibliander (Buchmann; *ca* 1504-1564) est à Zurich dès 1531. En conflit avec Pierre Martyr Vermigli, il cesse d'y enseigner en 1560. Au sein du groupe zurichois, ses hardiesses effraient parfois[130].

Auteur d'un commentaire sur Nahum en 1533[131], c'est en grammairien qu'il rend de précieux services à ses collègues de la *Prophezei*. Sa grammaire

---

129. « Tertia est, qua loquentis vel Dei, vel Prophetae, vel Evangelistae spiritum intelligant. Spiritum autem voco rationem, mentem, consilium ac propositum loquentis. »

130. Comme pour O. Myconius et W. Musculus, il manque une monographie récente. Il faut encore consulter Emil EGLI, *Analecta Reformatoria*, t. II, Zurich, Zürcher & Furrer, 1901. P. 30 ss. : « Der Leser der Heiligen Schrift »; p. 135 : une chronologie des cours bibliques professés par Bibliander, de fin 1531 (2 Chroniques) à l'été 1556 (Ecclésiaste).

131. *Propheta Nahum iuxta veritatem Hebraicam, latine redditus per Th. B. adiecta exegesi, qua versionis ratio redditur, et authoris divini sententia explicatur* [Zurich, Froschauer, juillet 1533].

hébraïque est publiée en deux temps (1535 et 1542), et la publicité en est bien faite :

« Lecteur, je ne veux pas être cru sur parole : cours toi-même le risque de parcourir, ne serait-ce qu'une fois, cette grammaire. Tu jureras alors que cet auteur était né pour rendre l'hébreu accessible... Essaie d'abord, puis achète. Salut ! »[132].

La *Ratio fidelis* de 1545 indique quelque intérêt pour l'Apocalypse[133].

Bibliander rédige d'autres « instruments de travail » :

Dans sa *Chronologie*, il ne résiste pas au plaisir de mentionner quelques grands faits de l'histoire de la Bible :

« [Tabula XIII] Anno mundi 5495 - Christi. 1516 : *Psalterium* Arabica lingua editum Genuae per episcopum Justinum [Justiniani] »[134].

Il avait publié en 1548 un livre étonnant, inquiétant pour son entourage à cause de son « universalisme » : le *De ratione communi omnium linguarum & literarum commentarii*[135].

C'est un éloge de la connaissance des langues et de leur emploi, « eloquentia & sapientia arctissime coniunctas esse... / l'art de s'exprimer et la sagesse vont très étroitement de pair »[136].

Il y développe une « histoire des langues » et de leur dérivation à partir de l'hébreu, qui le conduit à affirmer une convergence des religions du monde dont les oppositions ne sont qu'apparentes. Illustration de ce propos, la présence, en fin de volume, de quelques textes — bibliques et chrétiens — fondamentaux, transcrits en diverses langues, et qui sont comme le « noyau commun » des diverses religions : Exode 20, Cantique de Syméon, Symbole des Apôtres; Notre Père...[137].

Utopie prolongée par la publication, en 1550, d'un « Dossier » biblique et patristique sur les règles de lecture de l'Ecriture[138]. Il est conclu par un plan d' « explication universelle et globale » de l'Ecriture[139]. Plusieurs savants, représentants des diverses langues, toutes apparentées est-il rappelé, en éta-

---

132. *Institutionum grammaticarum de lingua hebraea Liber unus* [Zurich, 1535] : ouvrage offert à Oswald Myconius « praeceptori suo colendissimo », nouvel indice des bonnes relations entre biblistes de cette région; *De optimo genere grammaticarum Hebraicarum Commentarius* [Bâle, 1542].

133. *Ad omnium ordinum reipublicae Christianae principes, viros, populumque christianum, Relatio fidelis Th. B. quod a solo Verbo filioque Dei tum exacta cognitio praesentium temporum et futurorum, atque ipsum etiam Antichristi, maximae pestis totius orbis.*

134. P. 218 de *Temporum a condito mundo usque ad ultimam ipsius aetatem supputatio, partitioque exactior. Universae quidem historiae divinae, ecclesiasticae & exterae Latinorum, Graecorum, Aegyptiorum, Chaldaeorum, Germanorum & aliarum gentium accomodata, praecipue tamen divinis libris prophetarum & apostolorum Domini Iesu Christi. Quam scribebat Theodorus Bibliander, ecclesiae Tigurinae minister, ut res insigniores D.N.J.C. & eius ecclesiae, nec non hostium, in XV Tabulas propositae rectius accomodari... Accessit locuples rerum & verborum memorabilium Index* [Bâle, J. Oporin, 1558].

135. La deuxième partie du titre ne saurait être négligée : ... *cui adnexa est compendiaria explicatio doctrinae recte beateque vivendi & religionis omnium gentium atque populorum, quam argumentum hoc postulare videbatur.*

136. *De ratione communi...*, p. 189, Liber XXIII.

137. *Ibid.*, pp. 224 ss. Langues retenues, pour un ou plusieurs textes : hébreu, araméen, grec, arménien, arabe, latin, copte, allemand, illyrien, italien, français, espagnol, islandais, anglais, polonais.

138. *Quomodo legere oporteat sacras Scripturas, ... praescriptiones propheticae, apostolicae, theologicae, imperatoriae et pontificiae. Compendium quoque doctrinae christianae, ex divi Augustini libris collectum, additum est* [Bâle, J. Oporin, 1550].

139. Au terme de la « Somme augustinienne », p. 189, projet de « catholica & universalis explicatio ».

bliraient le texte et en expliqueraient tous les mots et expressions difficiles, ceci au bénéfice des lecteurs de tous pays. Puis 24 rubriques sont définies, entre lesquelles ces savants répartiraient la somme du savoir nécessaire pour bien comprendre les textes bibliques[140].

Allant plus avant dans l'étude des « religions du Livre », Bibliander édite, malgré bien des réticences de son entourage, et dans une perspective polémique, la première « impression de la traduction latine du Coran dans l'Histoire »[141].

Parmi les partisans de cette édition, pour les motifs les plus divers (polémique, information) : Martin Luther, Philip Melanchthon, Martin Bucer, Caspard Hedio, Heinrich Bullinger, Conrad Pellikan, Oswald Myconius et Martin Borrhaus; un adversaire, Sébastien Münster. On ne sait quel fut l'avis de Jean Calvin, informé par J. Oporin.

Des Genevois. — Jean Calvin n'eut pas, à Genève, de collègues semblables, tout au moins avant la venue de Théodore de Bèze[142] et des premiers professeurs de l'Académie, après 1559.

Il trouva cependant à Genève, y appela ou sut y retenir des personnes qui, par leur fortune, leur savoir-faire de traducteurs ou d'imprimeurs, leur dévouement à noter et réviser des textes, contribuèrent à faire de Genève un lieu de formation et de propagande bibliques. L'ampleur des catalogues d'imprimeurs tels Jehan Girard, Jehan Michel ou Michel Du Bois le prouve[143].

Traducteur-adaptateur : Antoine du Pinet :

Familière et brieve exposition sur l'Apocalypse (extraits de F. Lambert et S. Meyer), dès 1539[144]; peut-être encore *Exposition de l'histoire des dix lépreux* [J. Girard], de M. Luther, et l'*Exposition sur les deux epistres aux Thessaloniciens* [Michel Du Bois] de H. Bullinger[145]. Nombreuses sont les traductions d'écrits exégétiques de Luther, Bucer, Bullinger, Œcolampade[146].

---

140. La 15e rubrique est dite « d'anthropologie » : classement méthodique des personnages bibliques, notamment des « types » de Christ, et des auteurs de livres bibliques.

141. Pour l'histoire de cette édition, son analyse, consulter Victor SEGESVARY, *L'Islam et la Réforme. Etude sur l'attitude des Réformateurs zurichois envers l'Islam (1510-1560)*, Lausanne, Editions l'Age d'Homme, 1977. Notamment, pp. 161-199 = chap. VIII : « L'édition du 'Recueil' de Bibliander en 1543 », et pp. 271-272 = Annexe II : « Table des matières du 'Recueil' de Bibliander ».

142. Voir ci-dessous pp. 427 ss.

143. Jean-François GILMONT, « Bibliotheca Gebennensis. Les livres imprimés à Genève de 1535 à 1549 », *Genava*, NS 28 (1980), pp. 229-251. — A compléter par *Cinq siècles d'Imprimerie genevoise. Actes du Colloque international sur l'histoire de l'imprimerie et du Livre à Genève (27-30 avril 1978)*, publiés par J.-D. CANDAUX et B. LESCAZE, Genève, Société d'Histoire et d'Archéologie, 1980.

144. GILMONT, *op. cit.*, 1539, n° 9; 1543, n° 15; 1545, n° 16.

145. *Ibid.*, 1539, n° 11; 1540, n° 4.

146. *Ibid.*, 1540, n° 3 : M. BUCER, *Exposition de Levangile selon S. Matthieu* [J. MICHEL]; n° 8 : J. ŒCOLAMPADE, *Exposition sur la premiere epistre de S. Jehan* [J. MICHEL]; ... 1545, n° 21 : M. LUTHER, *Exposition sur les deux epistres de S. Pierre et sur celle de S. Jude* [J. GIRARD].

Les collègues et amis Guillaume Farel et Pierre Viret laissent quelques travaux « bibliques ».

G. Farel, *La tressaincte oraison que Jesus Christ a baillée à ses Apostres* [J. Girard]; de P. Viret, *Petit traicté de la salutation angélique* [J. Girard], *Exposition familiere de l'oraison de nostre Seigneur Jesus Christ, et des choses dignes de consyderer sur icelle, faite en forme de dialogue* [J. Girard, 1548][147].
Nicolas des Gallars est le traducteur et secrétaire de Calvin.
Il est l'auteur d'une Préface et d'annotations dans un *Nouveau Testament* que Jacques Berthet publie à Genève en 1555; elles seront fréquemment rééditées[148].
Il faut compter encore avec Laurent de Normandie, bailleur de fonds et diffuseur; en 1562 la versification et mise en musique des Psaumes sera enfin terminée[149].

Les censeurs français tiendront un compte précis de toutes ces publications !

Quelques exégètes catholiques

Contradictions. — S. Pagnini et Fr. Vatable ont déjà été mentionnés à maintes reprises[150].

Pagnini est porteur d'une contradiction typique qui s'avoue en 1536, quand sont éditées à Lyon ses *Isagogae ad sacras literas Liber unicus et Isagogae ad mysticos sacrae Scripturae sensus Libri XVIII*. Hébraïsant et lexicographe apprécié, il y rénove la culture biblique héritée (en reconstituant des dossiers patristiques sur nombre de questions « d'introduction »), et la pratique de l'exégèse, mais n'en modifie pas l'économie fondamentale : de meilleures étymologies et dérivations doivent permettre de mieux « allégoriser ».
La même observation pourrait être faite à propos d'Augustino Steucò et Ambroise Catharin, défenseurs éclairés des solutions traditionnelles, obnubilés eux aussi par les nécessités de la polémique

---

147. *Ibid.*, 1541, n° 9; 1544, n° 38. Voir Jean-François GILMONT, « L'œuvre imprimé de Guillaume Farel », *Actes du Colloque Guillaume Farel (Neuchâtel, 29 septembre-1er octobre 1980*, publiés par P. BARTHEL, R. SCHEURER, R. STAUFFER, Genève, Lausanne, Neuchâtel, 1983, t. II, pp. 105-145; — Jean BARNAUD, *Pierre Viret, sa vie et son œuvre (1511-1571)*, Saint-Amans, G. Carayol, 1911, pp. 677-696 (= Bibliographie des ouvrages de P. Viret).
148. Voir *Chambers* n° 212.
149. Se reporter à Heidi-Lucie SCHLAEPFER, « Laurent de Normandie », *Aspects de la propagande religieuse...*, Genève, Libr. Droz, 1957, pp. 176-230 [THR 28]; plus généralement à P. CHAIX, A. DUFOUR, G. MOECKLI, *Les livres imprimés à Genève de 1550 à 1600*, Genève, Libr. Droz, nouv. édition revue et augmentée par G. MOECKLI, 1966 [THR 86]. — Voir encore Clément MAROT et Théodore de BÈZE, *Les Psaumes en vers français avec leurs mélodies. Fac-similé de l'édition genevoise de Michel Blanchier, 1562*, publié avec une introduction de Pierre PIDOUX, Genève, Droz, 1986 [TLF 338].
150. Voir pp. 77 ss. ; 146, 168 s.

contre les « luthériens » et ceux, tels Cajetan, qui paraissent trop s'en rapprocher en matière biblique[151].

Exégètes à Paris. — Paris a abrité, pendant toutes ces années-là, de nombreux biblistes éminents. Ils connaissent bien Erasme, sont aptes à se référer à l'hébreu et au grec, et sont parfois très bien informés de textes des « rhénans », bucériens surtout.

Un premier visiteur unit ainsi compétence et polémique : Agathius Guidacerius.

Sa version commentée du Cantique des Cantiques inclut une étude comparée très précise, des textes et traductions de cet écrit et de nombreux traducteurs « protestants », à commencer par Olivétan, s'en serviront. Puis, et ceci est très caractéristique, l'explication tourne à la dénonciation des luthériens par une réassertion éclairée d'une interprétation allégorique[152].

A des degrés divers, des docteurs de la Faculté de Théologie de Paris suivront, avec des compétences inégales, un chemin analogue. Un ouvrage récent de T. H. L. Parker permet de mieux connaître nombre d'entre eux[153].

Philibert Haresche (docteur en 1526) accorde une grande importance à expliquer l'épître aux Romains au plus près du sens littéral.
Nicolas Legrand offre à Marguerite de Navarre une « enarratio » de l'épître aux Hébreux rédigée dans l'espoir d'être utile aux chargés de cours bibliques.
A l'occasion de citations de textes vétéro-testamentaires, il développe une « théorie » du double sens littéral — historique et typologique —, accorde une grande place aux textes patristiques, cite Origène, parfois en l'approuvant, et dénonce à l'occasion Cajetan[154].
Le dossier de Claude Guilliaud, docteur parisien et théologal d'Autun, ne sera pas réouvert ici : rappelons que ce bon bibliste fut censuré et contraint à corriger ses livres[155].
Jean d'Abres (Arboreus), docteur en 1536, paraît, plus que d'autres, déchiré entre son loyalisme ecclésiastique et son admiration pour les initiateurs de la « nouvelle exégèse ». Dans sa *Theosophia*, il recense les interprétations

---

151. Steuchus EUGUBINUS (1494/98-1548), *Recognitio veteris Testamenti ad Hebraicam veritatem* [Venise, 1529...]; Ambrosius CATHARINUS (*ca* 1484-1553), o.p., *Annotationes in Commentaria Caietani...* [Lyon, 1542], et *Claves duae ad aperiendas... Scripturas sacras* [Lyon, 1543].
152. *Canticum Canticorum Selomonis nuper ex hebraeo in Latinum per Agathium Guidacerium Calabrum Romae versum, explanatumque, nunc vero Parisiis beneficio Christianissimi Regis Francorum Francisci linguae sanctae assertoris maximi rursus versum...* Parisiis ex officina Gerardi Morrhii Campensis... M.D.XXXI.
153. T. H. L. PARKER, *Commentaries on the Epistle to the Romans 1532-1542*, Edinburgh, T. & T. Clark, 1986.
154. J. K. FARGE, *Biographical register of Paris Doctors of Theology (1500-1536)...*, pp. 221-222, n° 235 : Philibert HARESCHE, *Commentarii breves dilucidi in epistolam divi Pauli ad Romanos* [Paris, 1536]; pp. 257-258, n° 284 : Nicolas LE GRAND, *In divi Pauli epistolam ad Hebraeos enarratio... qua errores qui... hac infelici et deflenda tempestate succrevere... refelluntur* [Paris, 1537]; *In epistolam Divi Pauli ad Romanos aeditio...* [Paris, 1546].
155. FARGE, pp. 213-216, et ci-dessus, p. 160.

possibles du « logion » matthéen sur le divorce, dit son admiration pour Erasme, avant de conclure :

« ... Magis tamen mihi amica est veritas ! »[156].

Le cardinal Jacques Sadolet, évêque de Carpentras, eut maille à partir avec la Faculté parisienne parce qu'il expliquait l'épître aux Romains en faisant montre d'un semi-pélagianisme minimal. Comme dans ses dissertations sur certains Psaumes, il fait preuve d'une grande culture dans sa rédaction de faux dialogues exégétiques[157].

Jean de Gaigny, autre docteur parisien, de rang plus éminent que ses collègues déjà cités, est un autre exemple d'érudition brillante à l'occasion. Docteur en 1532, chancelier de l'Eglise de Paris, et de l'Université en 1546, il peut faire œuvre de poète ou de spirituel, et rédige tant en latin qu'en français. Lecteur des Psaumes, il sait critiquer la LXX, et se référer à Félix de Prato; commentateur des épîtres pauliniennes ou des Evangiles, il « discute » avec Martin Bucer, ou réfute l'*Unio Dissidentium* qu'il préfère désigner comme l'*Unitorum Dissidium*[158] !

Ainsi donc les exégètes « rhénans » émulèrent-ils aussi des biblistes des bords de Seine exposés à tentations et contradictions. Des connexions, un débordement des frontières confessionnelles : ce sont autant d'indices de la passion d'étudier et de chercher dont brûle encore cette génération.

LA GÉNÉRATION DES TRADITIONS

Vers 1560

Le « second XVIe siècle » commence vers 1560, période dure à vivre pour les Européens.

Quelques dates : — Paix d'Augsbourg de 1555 : la situation politique et confessionnelle est provisoirement stabilisée dans l'Empire. — 1558 : accession au trône de Philippe II d'Espagne, d'Elisabeth Ire d'Angleterre. — Avril 1559 : traité de Cateau-Cambrésis. La tourmente se lève dans le Royaume de France après le bref règne de François II, au temps de la régence de Catherine de Médicis. Un équilibre européen ne s'établit que difficilement.

Des créateurs religieux disparaissent : Ignace de Loyola en 1556, Menno Simons et Caspar Schwenckfeld en 1561, J. Calvin en 1564.

---

156. FARGE, pp. 6-7, n° 1. Les tomes de la *Theosophia*, sorte de dictionnaire alphabétique et thématique des difficultés exégétiques, démontrent de bonnes connaissances, mises en œuvres dans divers commentaires (Ecclésiaste, Cantique, Evangiles, Epîtres) : Arboreus peut avoir été pour les prédicateurs français ce que J. Brenz fut pour ceux du Wurtemberg et du Palatinat. — Citation de *Theosophia*, t. I, fol. 48 r°, « Adulterium ».

157. Sources : *Jacobi Sadoleti Cardinalis et Episcopi Carpentoractensis... Opera quae extant omnia...* [Vérone, 1737], = Ridgewood (New Jersey), The Gregg Press Inc., 1964, 4 vol. — Eléments de Bibliographie et d'analyse dans Bernard ROUSSEL, « Martin Bucer et Jacques Sadolet : la concorde possible, automne 1535 ? », *BSHPF* 122 (1976), pp. 507-524.

158. FARGE, *op. cit.*, pp. 177-183.

Des identités confessionnelles s'affirment par des *Confessions de Foi* et *Disciplines*; la dernière session du concile de Trente se clôt fin 1563. Les querelles intra-luthériennes, nées vers 1556, vont durer au moins jusqu'à l'adoption d'une *Formule de Concorde* en 1577; le *Catéchisme de Heidelberg* (réformé) et les *Trente-neuf Articles* anglicans sont publiés en 1563...

Une autre « conjoncture » de l'histoire de la Bible au xvie siècle prend forme.

Assurer l'intégration des groupes religieux dans la société, former un « clergé » à la prédication et la controverse doctrinale dans des séminaires et des académies, pratiquer une pastorale renouvelée, inculquer les catéchismes, contrôler le respect de disciplines... autant de contraintes et de tâches qui engendrent des « traditions ». Leur formation va de pair avec un intense travail « biblique » : il faut en effet autoriser, vérifier, défendre des formes renouvelées du christianisme. Des églises adverses font face à de mêmes défis sociologiques et culturels : concurrentes, elles adoptent, on l'a souvent observé, des profils et des méthodes analogues.

Dans la « conjoncture » nouvelle, des biblistes opèrent un tri dans le legs des générations précédentes et travaillent au profit de leur groupe confessionnel plutôt que sur l'entier horizon culturel. Le temps des orthodoxies naissantes n'est cependant pas uniformément gris : un dynamisme certain s'exerce en matière de traductions et d'éditions du texte.

Une conviction herméneutique commune aux divers groupes confessionnels mérite d'être rappelée : elle sous-tend en effet une créativité exégétique dont le souci de répétition n'aura jamais raison. Les traducteurs et exégètes ne se représentent pas comme des « producteurs de sens »; ils se voient plutôt en « mineurs de fond » qui n'en finiront jamais d' « extraire » le sens latent dans le texte biblique. Ils sont convaincus que « du sens » reste toujours hors de leur portée, tant les Ecritures en regorgent. Ainsi laissent-ils constamment ouverte la possibilité d'être surpassés et critiqués : c'est là une ouverture du système orthodoxe par les biblistes, qui en est la blessure et la chance.

Même « les pasteurs et professeurs de Genève » en conviennent, qui cherchent cependant dans « les articles de nostre foy » une réassurance contre les progrès du savoir et l'exubérance de l'Ecriture en significations :
« Prians le lecteur de bien comprendre nostre intention, et de la prendre de bonne part, n'ayans rien moins pretendu qu'à préjudicier à aucun de ceux qui ont escrit ou escriront ci-après sur les livres de la saincte Bible, pourveu que leurs expositions soyent conformes aux articles de nostre foy, sans forcer la suite et naïsve propriété des mots de l'Escriture. Ayant esté très bien remarqué par saint Augustin, qu'entre autres excellences de l'Escriture sainte, celle-ci n'est à oublier, qu'un mesme passage est si abondant en doctrine de vérité, qu'il peut recevoir plusieurs interpretations, toutes vrayes et bonnes, et si conformes au passage qu'on expose, qu'on ne peut faillir de les prendre et approuver toutes, et qu'on se trouve bien empesché à choisir la plus convenable, tant s'en faut que les epicuriens et mocqueurs, desquels il n'y a que trop grand

nombre aujourd'hui au monde, en doivent ou puissent prendre occasion de reprendre d'incertitude ceste Parole, en laquelle seule gist le thrésor de la vraye verité »[159].

Trois auteurs donnent forme, entre 1561 et 1570, à cette conjoncture biblique : Augustin Marlorat, Sixte de Sienne, Matthias Flacius Illyricus.

Augustin Marlorat

Augustin Marlorat (*ca* 1506-1562), ex-prieur au couvent des Augustins de Bourges, sera pasteur en Suisse, avant d'être l'un des missionnaires envoyés en France. Membre de la délégation réformée au Colloque de Poissy (septembre 1561), pasteur à Rouen, il y est arrêté et condamné durant l'automne 1562[160].
Les auteurs de *La France protestante* attribuent 13 titres à A. Marlorat : à commencer par des *annotations* incluses dans un *Nouveau Testament* que Abel Clémence publie à Rouen en 1561, puis dans la *Bible* éditée par François Perrin, Genève, 1563[161].

Il a de plus rédigé en latin des ouvrages d'un genre particulier. Le premier est daté : « Vevey, aux calendes de juin 1559 »; les autres sont édités entre 1561 et 1564 — certains sont donc posthumes. Ils se présentent comme des anthologies de commentaires d'auteurs antérieurs sur la Genèse, les Psaumes, Esaïe et le Nouveau Testament[162].

Catholica Expositio Ecclesiastica. — A quelques détails près, le libellé de leurs titres inclut des expressions très caractéristiques, ainsi :

« Explication catholique et ecclésiastique du Nouveau Testament. Un ministre de la Parole de Dieu, théologien chevronné, l'a composée à partir d'écrits de tous les théologiens confirmés dont le Seigneur a fait don à ses diverses églises. Autrement dit, on trouve là une anthologie d'explications du Nouveau Testament, c'est-à-dire une compilation d'emprunts faits à des théologiens confirmés. Elle est très habilement rédigée en un commentaire suivi et peut remplacer une bibliothèque exégétique des mieux fournie »[163].

---

159. « Préface à la Bible [Genève, 1er mars 1988] », *Registres de la Compagnie des Pasteurs de Genève*, t. V *(1583-1588)*, publié... par Olivier LABARTHE et Micheline TRIPET, Genève, Librairie Droz, 1976, p. 347 (pp. 340-351).
160. Voir *Histoire Ecclésiastique des Eglises Réformées au Royaume de France* (Livres 4 — Poissy — et 8 — Rouen — (éd. P. VESSON)), Toulouse, Société des Livres Religieux, 1882, t. 1, pp. 267 ss., et t. 2, pp. 170 ss.; indications moins fragmentaires, avec bibl., dans : Eugène et Emile HAAG, *La France protestante* 5 (1857), pp. 256-259; H. R. GUGGISBERG, *RGG³* 4 (1960), Sp. 776; R. KINGDON, *Geneva and the Coming of the Wars of Religion in France (1555-1563)*, Genève, Librairie Droz, 1956, pp. 98, 101...; Alexandre GANOCZY, *La Bibliothèque de l'Académie de Calvin...*, pp. 84-85...
161. *Chambers*, n° 280 et n° 308.
162. Une *Bibliographie* précise reste à établir. Consulter *La France protestante*, n°s III, IV, V et VIII.
163. *Novi Testamenti catholica expositio ecclesiastica. id est...* [H. Estienne, 1570]. — Exemples de variantes de libellé des titres. — A. Marlorat est identifié dans *Esaïe*, 1564 : « Augustinus

« *Expositio* » : il y a bien commentaire suivi de tout le texte.

« *Catholica* » : — des auteurs anciens sont cités (Ambroise, Theophylacte, Œcumenius...); — « ... que le Seigneur a donnés à *ses* Eglises » : la liste des auteurs contemporains retenus confirmera qu'il s'agit d'une catholicité « protestante » : luthérienne, zwinglienne, bucérienne, calvinienne...

« *Ecclesiastica* » : les préfaces précisent qu'il s'agit d'instruire ceux qui devront propager une « sana et simplex expositio » — c'est-à-dire une exégèse conforme à la confession de foi réformée.

Deux indices de l'importance de ces volumes :

— Leur poids : chaque livre est bien une bibliothèque. L'édition de 1570 de la *Novi Testamenti Catholica Expositio* compte 672 + 686 pages, divisées en deux colonnes qui totalisent 93 lignes de 60 signes environ : près de 15 millions de signes, les trois quarts de la contenance d'un « disque dur » d'ordinateur personnel !

— Le nombre de leurs rééditions : Nouveau Testament, 1561, 1564, 1570; Psaumes 1562, 1565, 1584, 1585) et traductions, partielles ou complètes en néerlandais (Nouveau Testament, 1567; Genèse, 1591), en anglais (Jude, 1564; Apocalypse, 1574; 2 et 3 Jean, 1580; Jean, 1575)...

A. Marlorat n'invente pas. Il imite le genre de la « chaîne exégétique », tissu de citations patristiques, et la technique des controversistes contemporains tel Jean Eck.

Ce dernier avait identifié, en tête de l'*Enchiridion locorum communium adversus Lutheranos et alios hostes Ecclesiae*, dont la première édition est de 1525, des « garants » choisis parmi les théologiens contemporains de son camp[164].

Qui Marlorat cite-t-il ?

Pour l'Ancien Testament, le critère confessionnel de sélection est assoupli à propos d'hébraïsants compétents tels S. Pagnini et Augustinus Eugubinus Steuchus, déjà identifié comme défenseur de la version latine traditionnelle. Ils apparaissent dans l'*Expositio* sur la Genèse, ainsi que Fr. Vatable, encore cité à propos des Psaumes.

Les Pères de l'Eglise sont étonnamment peu présents (Ambroise, Augustin, Chrysostome, Theophylacte, Œcumenius, Primasius... mais non Origène !).

Les annotations d'Erasme sont bien entendu utilisées. On peut d'ailleurs se demander si Erasme et Fr. Vatable ne bénéficient pas, du fait de leur réputation chez les biblistes, d'une « déconfessionnalisation » que facilitent les censures dont ils sont les cibles ?

Les biblistes protestants les plus divers sont convoqués.

Quelques noms.

Le « groupe de Wittenberg » : M. Luther, lui-même (sur l'épître aux Galates); Ph. Melanchthon, J. Jonas (1493-1555), Veit Dietrich, l'auteur de

---

Marloratus, Verbi Dei minister in sacris litteris exercitatissimus, ex theologis omnium huius seculi praestantissimis excerpsit »; — *Nouveau Testament*, Genève, E. Vignon, 1585 : « ... in unum corpus non minus ingeniose quam laboriose concinnatus. »

164. Voir *Enchiridion... (1525-1543)*, hrsg. von P. FRAENKEL, in Verbindung mit dem Institut d'Histoire de la Réformation, Genf, Münster W., Aschendorff, 1979 [cc 34], pp. 105*-109* : « Literaturverzeichnis 3. Werke der im 'ex libris' angeführten Gewährsleute », et pp. 1-2 : « Liste von Gewährsmännern ».

Summarien uber die ganze Bibel (1545); J. Brenz; J. Bugenhagen, Fr. Lambert, Erasme Sarcer (1501-1559), Johann Spangenberg (1484-1550), Josse Willich (1501-1552), C. Cruciger... Thomas Naogeorgus (Kirchmeyer; 1511-1572), Petrus Artopoeus (1520-1566).

Les exégètes de l' « école rhénane » sont bien présents : C. Pellikan, J. Œcolampade, H. Zwingli, M. Bucer, Martin Cellarius (Borrhaus), Pierre Martyr et aussi Sebastien Meyer (1465-1545).

Des « Zurichois » : H. Bullinger, W. Musculus, Gaspar Megander (1495-1549).

Les « Genevois » bien sûr, avec Jean Calvin, Nicolas des Gallars et Pierre Viret, mais pas encore Théodore de Bèze.

A. Marlorat, rédacteur d'une *Catholica expositio...*, n'accorde quasiment pas d'espace... aux catholiques. Pour ce qui est des « bons théologiens » — protestants s'entend —, on dirait aujourd'hui qu'il « ratisse large ».

A qui Marlorat donne-t-il le dernier mot ? — Ses livres sont, rappelons-le, des anthologies de citations.

Les auteurs de référence sont identifiés par une lettre en « petite capitale » placée en « exposant », à la gauche de l'initiale de la citation : « ᴮ » = Martin Bucer; « ᶜ » = Calvin...

Lorsque Calvin a commenté le texte de référence, A. Marlorat agence sa chaîne pour lui laisser le dernier mot : ainsi à propos du Sermon sur la Montagne.

Dans d'autres cas, l'Apocalypse par exemple — que Calvin n'a pas commentée —, il retient une explication dont l'allure générale concorde avec le droit fil de la réflexion calvinienne[165].

---

165. A. Marlorat cite : — l'évêque d'Hadrumète, Primasius (vɪᵉ siècle), dont le commentaire (*MPL* 68, 407-936), imprimé à Cologne, Paris et Bâle entre 1535 et 1544, doit beaucoup à Tyconius et Augustin; — François LAMBERT, *Exegeseos F. L. ... in sanctum Divi Ioannis Apocalypsim Libri VII. In Academia Marpurgensi praelecti* [Marbourg, Franz Rhode, 1528; rééd. Berne, Nikolas Brylinger, 1539] (R. BODENMANN, *Bibliotheca Lambertiana...*, n° 17a-17 bis e); — Sebastien MEYER, *In Apocalypsim Iohannis Apostoli D. Sebastiani Meyer ecclesiastae Bernensis* [S. Meyer avait succédé à Berthold Haller]. *Commentarius, nostro huic saeculo accomodus, natus et aeditus* [Zurich, Ch. Froschauer, 1539]; — A. Du PINET, auteur d'une *Exposition sur l'Apocalypse de Sainct Jean l'apôtre...* plusieurs fois éditée et adaptation des commentaires des deux auteurs précédents, souvent dénoncés : voir F. M. HIGMAN, *Censorhip and the Sorbonne...*, p. 93 (XII, 1), p. 114 (A 35), p. 138 (C 193); — *Index des Livres interdits...* t. I : *Index de l'Université de Paris 1544...* : nombreuses rubriques sous les noms de F. Lambert, S. Meyer et A. Du Pinet à cause d'une actualisation dont l'Eglise romaine est la cible. — Autres sources nommées : P. VIRET et H. BULLINGER, pour ses *In Apocalypsim Iesu Christi... conciones centum* [Bâle, J. Oporin, 1557], tôt traduites en français (*H. Bullinger Bibliographie*, Bd. 1 : *Beschreibendes Verzeichnis...*, nᵒˢ 327-356). — S. MEYER est le plus sollicité. L'exégèse chiliaste de Ap 20, 1-6 est écartée, et la page de l'*Institution de la Religion chrétienne* dans laquelle J. Calvin s'en prend au « badinage des Chiliastes » peut être conciliée avec le commentaire que compile Marlorat (voir *Institution de la Religion chrestienne. Livre Troisième*, ch. 25, par. 5, entrelaçant des phrases rédigées en 1539 et 1559 — textes latins — et 1541 et 1560 — textes français, éd. J. D. BENOIT, III, pp. 480-481).

Sixte de Sienne : *Bibliotheca Sancta, Livres 4 à 8*

Sixte de Sienne réapparaît ici comme l'auteur d'un *Index* au sens « expurgatoire » du terme : il s'agit d'informer et d'exclure.

C'est dans ce rôle qu'il se présente à Pie V, pape « restaurateur de la littérature chrétienne », dans un chaleureux message qui clôt la préface de la *Bibliotheca Sancta*[166].

Les bons auteurs. — Le livre 4 présente un *Inventaire des auteurs d'explications catholiques* [c.-à-d. acceptables], *de l'Ecriture, du IIIe siècle avant Jésus-Christ à nos jours,* avec une évaluation de leurs travaux.

La rédaction de tels répertoires n'est pas un fait nouveau. Ainsi peut-on consulter un *Répertoire de tous les auteurs qui ont écrit ou composé sur les saints livres bibliques, auteurs anciens autant que modernes, qu'ils aient été édités ou que leurs manuscrits subsistent dans des bibliothèques privées,* dont le colophon indique : « Basileae, ex Aratri officina, anno M. D. XLVI, 22 Ianuarii », et long de 8 feuillets in-8⁰ [167].
Dans un avertissement au lecteur, le rédacteur anonyme, qui se dit bibliothécaire, annonce un objectif pédagogique[168].

Les listes établies par Sixte de Sienne sont bien plus longues ; 41 auteurs sur la Bible entière (18 dans le document bâlois), 134 commentateurs des Psaumes (contre 76)... Relativement complètes donc, mais non exhaustives. Plus tard, A. Possevin voudra mieux faire[169].

Sixte fait place à des biblistes de moindre renom : tels les docteurs de Sorbonne Nicolas Le Grand et Philibert Haresche, deux franciscains auteurs de commentaires publiés entre 1535 et 1540[170]. Au contraire de A. Marlorat, Sixte de Sienne recense de très nombreux auteurs médiévaux, que le réformé feint d'ignorer totalement.

Critiques. — Les Livres 5 et 6 de la *Bibliotheca Sancta* sont une suite d'annotations critiques (264 pour l'Ancien Testament), classées suivant le texte biblique — Ancien, puis Nouveau Testament —, sur des propos d'autres commentateurs.

---

166. « ... sanctissimo christianae Bibliothecae reparatori... » Edition de Francfort, 1575, fol. 5 r⁰, un texte daté d'octobre 1566.
167. *Catalogus autorum omnium quotquot in sacros Biblicos Libros aliquid commenti aut elucubrati sunt ; nec veterum tantum, sed & recentiorum, quum typis evulgatorum, tum in privatis bibliothecis latitantium.*
168. Deux exemples. — Parmi les commentateurs de toute la Bible recensés selon l'ordre alphabétique, on lit — dans une liste de 18 noms — des mentions de la Glose ordinaire, Haymon (de Halberstadt), Nicolas de Lyre, Denys le Chartreux, Hermann Bodius, Conrad Pellikan, Augustinus Steuchus, Rodolphe Gwalther... ; — commentateurs du Pentateuque : Origène, Hugues (de Saint-Cher), Pierre de Riga, François Vatable, les traductions de Martin Luther et S. Castellion... !
169. Voir p. 171.
170. FARGE, nᵒˢ 235 et 284.

Premier visé — à propos de Gn 1, 1 —, Cajetan, pour son explication du pluriel « elohim », dénoncée par A. Catharin comme judaïsante. Sixte de Sienne établit l'orthodoxie trinitaire du cardinal, en faveur de qui il plaide fréquemment.

D'autres pages sont de défense de la version latine.

Sixte se fait plus polémique, quand il décèle un énoncé luthérien dans l'expression maladroite d'un auteur catholique. Ainsi Livre 7, annotation 210 sur Jn 14, 16 : Dominique Soto est cité pour répliquer au franciscain Johannes Wild (1495-1554), prolixe controversiste anti-luthérien, jugé contaminé[171] !

Les Livres 7 et 8 sont plus agressifs à l'endroit de gens totalement « indignes », « imitateurs de Cham », qui pervertissent les simples lecteurs et ont nom Luther, Zwingli, Œcolampade, Bodius, Calvin, Illyricus[172]. Des problèmes néo-testamentaires, puis vétéro-testamentaires sont étudiés.

Les développements prennent la forme de traités de controverse. Les objections des hérétiques sont citées avant d'être réfutées. Selon un schéma classique, Sixte de Sienne cherche la source des erreurs dans un lointain passé, pour aboutir aux adversaires contemporains luthériens, anabaptistes, *servetani* / disciples de Servet...

Le Livre 8 se clôt sur une longue défense des traductions reçues par l'Eglise (LXX, Vulgate), agrémentée d'une attaque contre les versions protestantes.

Sixte de Sienne évite de trancher dans des questions disputées (extension et modalités du travail des LXX et de Jérôme), tout attaché qu'il est à expliquer et défendre les décisions tridentines de 1546[173].

La seconde partie de la *Bibliotheca Sancta* est bien un « Index », que complète un « Guide de lecture », un instrument de travail pour que soit comprise et respectée, à la lumière de la tradition, l'orthodoxie tridentine.

Matthias Flacius Illyricus

« *Serpent croate* ». — Les pasteurs luthériens n'escortèrent pas au cimetière de Francfort le corps de M. Flacius Illyricus (1520-1575), décédé dans le dénuement et sous le coup d'un ordre d'expulsion. Il fixe pourtant la « tradition » luthérienne dans ses derniers travaux...

Matija Vlacic — Matthias Flacius — est « Illyricus » parce que né à Albona (aujourd'hui Labiin, en Istrie)[174].

---

171. *Bibliotheca Sancta*, pp. 559-561.
172. *Bibliotheca Sancta*, « Avant-propos » aux livres 4 à 8, pp. 355-357.
173. *Bibliotheca Sancta*, « Lib. 8 : Heresis 13 », pp. 718 ss. : « De translationibus... »
174. Rudolf KELLER, *Der Schlüssel zur Schrift. Die Lehre vom Wort Gottes bei M. Flacius Illyricus*, Hamburg, Lutherische Verlag, 1984.

De Venise à Bâle, puis Tübingen et Wittenberg, il poursuit sa formation d'hébraïsant, helléniste et latiniste, et rencontre enfin Luther et Melanchthon qui le traitera plus tard de « serpent croate ». Désormais, sa devise : « standhaft bleiben », est celle d'un luthérien de la plus stricte obédience.

En 1543, il avait rédigé un mémoire au titre révélateur : « *Quod sacra scriptura integre, non tantum consonantibus, sed et vocabulis inde ab initio scripta fuerit* / Le texte de l'Ecriture sainte a été dès l'origine intégralement mis par écrit, avec ses consonnes mais aussi avec ses voyelles. »

Plus tard, dans le bruit et la fureur qui accompagnent la mise en place de la politique des *Interim* (1549), Flacius, militant devenu proscrit, erre de Magdebourg à Iéna, de Ratisbonne à Anvers, Strasbourg, puis Francfort-sur-le-Main. Polygraphe, ses imprudences dans l'expression de la doctrine du péché originel le brouillent méchamment avec les luthériens bon teint.

Il récapitule dans deux gros volumes publiés en 1567 et 1570 une théologie biblique, exprimée jusque-là dans de multiples pamphlets et traités : la *Clavis Scripturae* (1567), et un *Novum Testamentum* accompagné d'une *Glossa compendiaria* (1570)[175].

La *Clavis* s'ouvre sur un répertoire alphabétique de mots et expressions bibliques qui appellent explications. Suivent un dictionnaire des noms hébreux et trois Index (mots, phrases, versets). Le volume — 5 millions de signes environ ! — est conçu pour être aisément consulté.
La deuxième partie — environ 3 millions de signes ! — énonce, en plusieurs traités, des règles générales d'interprétation de l'Ecriture[176].
Le manuscrit d'une *glose* sur l'Ancien Testament est conservé à Wolfenbüttel.
La *Glossa* sur le Nouveau Testament emprunte au texte grec établi de façon critique par Robert Estienne en 1550, et Flacius y corrige la version latine érasmienne. S'il n'use pas de la méthode des « lieux théologiques », il amplifie de façon très systématique des *Annotations*, comme à pareille époque Théodore de Bèze.

Erudits, ces volumes ne sont point iréniques. Flacius lutte pied à pied contre la dévalorisation de l'Ecriture par C. Schwenckfeld, et l'approche catholique. Pour ce faire, il reprend des traits de l'herméneutique luthérienne, non sans les durcir.

175. Titres complets : 1 / *Clavis Scripturae Sanctae, seu de Sermone sacrarum literarum autore M.F.I. — Pars prima, in qua singulatim vocum atque locutionum S. Scripturae usus ac ratio alphabetico ordine explicatur* [Bâle, J. Oporin, mars 1567]; *Altera Pars Clavis Scripturae, seu de Sermone Sacrarum literarum plurimas generales regulas continens. Authore M.F.I.* [Basileae, per Paulum Quecum, 1567]. — 2 / *Novum testamentum Iesu Christi Filii Dei ex versione Erasmi innumeris in locis ad Graecam veritatem genuinumque sensum emendata. Glossa compendiaria Matthiae Flacii Illyrici Albonensis in Novum Testamentum. Cum multiplici indice tum ipsius sacri textus, tum etiam glossae* [Bâle, Petrus Perna, 1570].
176. Table des matières sommaire : 1. Introduction à la lecture des Ecritures; 2. Avis des Pères; 3. Les parties du discours; 4. Les figures et les formes d'argumentation; 5. Le style biblique; 6. Questions bibliques diverses; 7. Critères et règles d'une approche de la vérité céleste. Reprint de *De ratione cognoscendi Sacras Literas*, hrsg. L. GELDSETZER, Düsseldorf, Stern Verlag Janssen, 1969.

Les clés de l'Ecriture :

L'Ecriture est un labyrinthe. S'y retrouve celui qui sait que le *scopus* en est le Christ promis, attendu, venu.

Elle est expression de la révélation de Dieu, par des auteurs qui usent de genres littéraires divers : « Dieu s'adresse en effet aux hommes, non comme à des anges, mais comme à des créatures corporelles qui ont des yeux et des oreilles : il a donc institué le ministère extérieur et transmis le livre sacré de sa révélation » [*Clavis* II, 1, 7]. Autrement dit : la Révélation est « immédiate », au profit des prophètes, et en Jésus-Christ; elle est « médiate » pour l'ensemble de l'humanité. Flacius accentue le thème de l'accommodation divine pour fonder et le principe scripturaire et sa méthode exégétique.

Schwenckfeld et le pape éloignent le fidèle de la Bible, pour l'adresser à des révélations d'un autre type : ils sont donc des imposteurs diaboliques.

Indispensable, l'Ecriture est pleinement suffisante. S'il ne récuse pas tout autre savoir, rhétorique et philosophique, Flacius ne leur accorde qu'une place subalterne, « celle d'Agar aux côtés de Sara ».

Dans l'Ecriture, tout est vrai. Un double syllogisme est supposé l'établir :

1. [*Ancien Testament*]

Tout ce que Dieu dit est vrai.

Moïse et les Prophètes disent : « Nos propos sont autant de 'dits' du Dieu qui s'exprime par nous. »

Donc : « Nos propos et nos écrits, qu'ils traitent de Dieu et de la création, ou du service de Dieu par les hommes... sont totalement véridiques. »

2. [*Nouveau Testament*]

Tout ce que l'Ancien Testament et les prophètes ont annoncé du Messie et d'autres événements est vrai (cf. le syllogisme précédent).

Notre Jésus est exactement la personne qui est décrite par les prophètes comme étant le Messie.

Donc... cet homme Jésus est bien le Messie véritable[177].

A cette date, Flacius utilise moins abruptement qu'en 1543 un argument historique dont la fonction est de renforcer l'autorité de l'Ecriture et de l'isoler des autres formes de littérature :

« Les voyelles, ou, comme on dit, les points adjoints aux consonnes, ont été inventés dès l'origine (peut-être par Adam lui-même). Depuis ce temps, tous les auteurs des Livres saints ont rédigé avec un soin scrupuleux et attentif, en faisant usage tant des consonnes que des voyelles. Quant à ceux qui sont d'un avis contraire, non seulement ils sont dans le faux, mais ils font en plus courir un grand danger aux consciences et à l'Eglise qui ne s'édifie que lorsqu'on met une confiance sans faille dans la Parole de Dieu »[178].

Autre affirmation fondamentale : la connaissance et le respect des règles littéraires ne suffisent pas. Il faut que le binôme « Loi-Evangile » soit clairement compris :

« Unique clé de toute l'Ecriture et de la Théologie : savoir qu'un double type de doctrine et un double chemin du salut y sont inclus. L'un contredit

---

177. Parmi de nombreux énoncés de ce type, on a retenu ici *Glossa*, fol. ***5 v°.

178. *Clavis*, Tractatus 6 : « Les points diacritiques et les voyelles sont de tout temps utilisés en hébreu. »

totalement l'autre, mais leur concorde s'établit quand l'inférieur cède la place à celui qui le dépasse »[179].

Discerner ce qui, dans l'Ecriture, relève de la Loi et de l'Evangile, c'est expliquer l'Ecriture par elle-même, en référence à « l'analogie de la foi » : multiplier les travaux de concordance, et se référer constamment au *scopus*, l'œuvre de Christ. Mieux, l'Ecriture intègre elle-même un segment textuel qui en est comme le résumé, et le critère d'explication : Gn 1-4, où Flacius retrouve l'entière « histoire du salut », de la Création à la Rédemption.

Bien évidemment, saisir le sens de l'Ecriture n'est pas décrit comme un succès de l'exégète, mais comme un don de l'Esprit saint, qui en est l'auteur et l'interprète.

L'agressivité de Flacius est constante.

Il introduit la glose sur le « Sermon sur la Montagne » par une dénonciation des exégètes catholiques, « adversaires aveugles » et « séducteurs médiocres » qui attribuent à Jésus une législation nouvelle en forme de conseils et de préceptes, et donc dévaluent l'ancienne[180].

Dans les annotations qui suivent, Flacius met en œuvre la distinction de la Loi et de l'Evangile.

« La Loi est donnée par Moïse, la grâce, par Christ... Christ n'est donc pas venu pour apporter une loi plus exigeante, et il n'est pas un législateur. Il acquiert la grâce et la faveur divine pour sauver sans contrepartie le pécheur »[181].

Il faut donc lire dans le « Sermon » une interprétation correcte de la Loi dans toutes ses exigences : elle oblige le croyant à découvrir en lui la malédiction de son incapacité à s'y conformer et à recourir à l'Evangile.

Scopus de la Loi et de l'Evangile, le sacrifice du Christ :

« [Loi] Christ accomplit la Loi à notre place en s'y soumettant et acquittant le sacrifice expiatoire requis par le péché et sa malédiction; [Evangile] il nous impute l'accomplissement de la loi et engendre en nous la capacité de nous y conformer »[182].

Bon usage de textes parallèles : le « connais-toi toi-même » auquel les Béatitudes conduisent est éclairé par l'échec du « jeune homme riche » (Mt 19, 16 ss.).

Le « Sermon sur la montagne » est bien une description de l'histoire spirituelle du fidèle : de la contrition à la foi, puis à la sanctification : compendium de catéchétique et pastorale luthériennes.

La *Glossa* renvoie sans cesse à diverses parties de la *Clavis*, ce qui accentue le caractère systématique des travaux de Flacius.

La génération des traditions

A. Marlorat, Sixte de Sienne, M. Flacius s'intègrent bien dans l'environnement historique et ecclésiastique des années 1560-1570. Ils en dépendent, ils y contribuent. Ils ont en commun l'invention de groupes

---

179. *Clavis*, Tractatus 1.
180. *Glossa*, p. 23 — désignant nommément les « Parisiens » Jean de Gaigny et J. Benoit.
181. *Ibid.*, p. 24.
182. *Ibid.*, p. 25.

de référence, l'exclusion de contemporains, la réitération d'orientations prises *avant* eux, par M. Luther, J. Calvin, le concile de Trente.

A. Marlorat accumule un matériau sélectionné qu'il souhaite substituer aux désordre, lacunes et surprises des rayonnages de bibliothèques.

Sixte de Sienne est soucieux de conjoindre les travaux contemporains aux décisions tridentines, et en deçà à la tradition médiévale et patristique. Pour cela il importe de résoudre au mieux des conflits internes à l'Eglise catholique, et d'identifier les hérétiques.

Matthias Flacius Illyricus réaffirme les grands thèmes luthériens, au sein d'ouvrages de technologie exégétique.

Tous se disputent l'accès le plus pertinent et théologiquement convenable à des Ecritures dont ils respectent l'autorité et connaissent la difficulté. Tous trois développent, chacun de son côté, une « théorie de l'interprétation », et s'opposent à ceux qu'ils soupçonnent de n'en point avoir, les « anabaptistes ».

Horizon commun : la formation des clergés de leurs églises respectives, dans une perspective de controverses. D'où la taille, la disposition et le mode d'emploi de leurs écrits. Ils réalisent bien l'une des conditions d'existence des systèmes d'orthodoxie, ils n'en formulent pas à eux seuls, loin de là, l'entière teneur. S'ils font « école », il s'agit alors moins d'un « centre de recherches sur le Livre » que d'un « conservatoire de patrimoines confessionnels régionaux ».

II. — TRANSMETTRE ET INNOVER

Recueil du savoir : la « Polyglotte d'Anvers »

Fin 1571 : Christophe Plantin termine l'impression de la *Biblia Sacra, Hebraice, Chaldaice, Graece et Latine*[183].

183. Indications bibliographiques : Léon Voet, in collab. with Jenny Voet-Grisolle, *The Plantin Press (1555-1589). A Bibliography of the Works printed and published by Christoph Plantin at Antwerp and Leiden*, Amsterdam, Van Hoeve, 1980-1983, n° 644. — Consulter encore : [C. Ruelens et A. De Backer], *Annales plantiniennes depuis la fondation de l'imprimerie plantinienne à Anvers jusqu'à la mort de Ch. Plantin (1554-1589)* [1866], New York, B. Franklin, 1967 [Burt Franklin Bibliography and Reference Series n° 127]. — E. Mangenot, « Polyglottes », *Dictionnaire de la Bible* V (1922), col. 513-529. — Colin Clair, *Christopher Plantin*, London Cassell and Company Ltd, 1960. — L. Voet, « De Antwerpse Polyglot-Bijbel », *Noordgow, Cultureel Tidjschrift van de Provincie Antwerpen*, 1973, pp. 33-52. — Frederico Perez Castro et L. Voet, *La Biblia Poliglota de Amberes*, Madrid, Fundación Universitaria Española, 1973. — Sur B. Arias Montano : B. Rekers, *Benito Arias Montano (1527-1598)*, London, The Warburg Institute, University of London / Leiden, E. J. Brill, 1972 (avec Bibliographie et Documents). — C. Güttierez, « Arias Montano, Benito », *Diccionario de Historia Eclesiastica de España* I (1972), pp. 90-92.

« *Nos, laus Deo, omnia absolvimus quae ad Biblia regia pertinent.* / Loué soit Dieu, nous venons d'en terminer avec la Bible du Roi ! (Christophe Plantin). »

Marcel Bataillon, en 1937, y admirait l'accumulation de « toute la science des catholiques, des hérétiques et des rabbins, ... mise en œuvre pour élever ce monument »[184].

Depuis la *Polyglotte d'Alcalá* n'avaient paru que des éditions polyglottes partielles (*Psalterium Sextuplex*, S. Gryphe, Lyon, 1530; « Pentateuque » de E. B. G. Soncino, Constantinople, 1546 et 1547), ou inachevées (*Biblia* par Johannes Drach, à Wittenberg et Leipzig, 1563-1565). Après 1572, paraîtront des rééditions, diversement conçues, de parties de la *Polyglotte*, puis les volumes de Elie Hutter à la fin du siècle.

Préparation

C. Plantin n'improvise pas.

Il est déjà l'éditeur de Bibles en hébreu, syriaque, grec, latin, néerlandais et français. Il multiplie les éditions dans les formats les plus divers, du folio au in-24, et ce, dans des langues diverses[185].

Ces éditions sont les « multiplicateurs » d'innovations élaborées ailleurs.

La Bible latine de 1559 reprend l'édition de Barthélemy de Grave, Louvain, 1547, elle-même dépendante des éditions de Robert Estienne, 1538-1540. Plantin y conjoint l'indication des versets, selon l'usage banalisé par le même Robert Estienne en 1555. La *Bijbel* — en néerlandais — de 1566 dépend de l'édition de Van Winghe, 1548. Les Bibles françaises de René Benoist, après 1566, font partie du fonds anversois. Un même type de dépendance s'observe avec l'édition des *Hebraea, Chaldaica, Graeca et Latina nomina... quae in Biblia leguntur* — autre emprunt à R. Estienne.

Une originalité éditoriale en 1566 : la première édition séparée, in-4°, des Apocryphes en grec.

La mise en chantier de la *Polyglotte* n'est pas aisée.

Plantin lui-même est suspect d'hétérodoxie, du fait de ses liens avec la « Famille d'Amour »[186], et Anvers, si elle reste une ville privilégiée pour les rencontres, est déjà prise dans l'engrenage de soulèvements et de répressions.

En 1566, Plantin avait cherché des aides en Allemagne : il pouvait y montrer le tirage de quelques premières feuilles.

---

184. Marcel BATAILLON, *Erasme et l'Espagne. Recherches sur l'histoire spirituelle du XVIᵉ siècle*, Paris, Droz, 1937, p. 789.

185. Ainsi — d'après la *Bibliography* de L. Voet qui rassemble un grand nombre d'informations bibliographiques, commerciales — la Bible hébraïque, non vocalisée, in-24 de 1573 (n° 633, pp. 330-331); le Nouveau Testament syriaque — en caractères hébreux de 1575 (n° 668); la Bible latine in-8° de 1574 (n° 686), qui dépend de la révision louvaniste de la Vulgate, et inclut les *Variae Lectiones* de F. Lucas, qui seront développées en *Notationes in Sacram Bibliam*, dans la Bible in-folio de 1583 (n° 690, pp. 7-117).

186. Une mise au point récente : Alastair HAMILTON, *The Family of Love*, Cambridge, James Clarke & Co, 1981 (chap. IV : « The Antwerp Humanists. 'Plantin's Religion' », pp. 65-70).

Espoirs déçus. L'Allemagne désormais peut recéler un concurrent redouté : Emmanuel Tremellius — « juif calviniste » selon un mot de Granvelle — qui fera paraître en 1569 un *Nouveau Testament syriaque*, avec traduction latine et transcription en caractères hébreux[187].

Philippe II, encouragé par son secrétaire Gabriel de Zayas, promet des subventions. Il ne tiendra pas tous ses engagements, et Plantin se trouvera momentanément ruiné, une fois les 1 200 exemplaires sortis de presse.

Effet bénéfique de l'appui royal : l'envoi à Anvers du « Jérôme espagnol », Benito Arias Montano (1527-1598), comme maître d'œuvre et coordonnateur.

Plantin avait acheté en 1566 des caractères hébreux à Cornelis Van Bomberghen, neveu du célèbre Daniel Bomberg, naguère installé à Venise. Il acquerra d'autres matrices de lettres hébraïques auprès du Parisien Guillaume Le Bé, et demandera encore au Lyonnais Robert Granjon la taille d'autres caractères.

Les auteurs des préfaces et des traités, les rédacteurs de textes et censeurs sont d'âges, nationalités et confessions fort divers. Ils donnent là un bel exemple de coopération et d'intégration des informations recueillies sur une aire fort vaste.

Réalisation

La *Polyglotte* incorpore des matériaux hétéroclites. Elle est, par certains aspects, la réédition, revue et augmentée, de la *Polyglotte d'Alcalá*.

Arias Montano l'explqiue en portant sur elle une appréciation critique exprimée dans le *Prologue* et la *Préface* du premier volume : *De divinae Scripturae dignitate, linguarum usu & Catholoci Regis Consilio*. La nouvelle édition maintiendra, à la différence de l'ancienne, *tous* les accents et signes qui sont une part du texte hébreu. Arias Montano bénéficie des travaux de Elie Lévita sur la Massore. Seront également imprimés les Targums « d'Uzziel » sur les livres prophétiques, et la paraphrase des Hagiographes attribuée à Joseph l'Aveugle. Plus généralement, l'aire de collecte des manuscrits est étendue d'Alcalá à Venise, de Rome à Constantinople. La chance permet à Andreas Masius d'acquérir à Rome un manuscrit de la Paraphrase araméenne, annoté par les Espagnols et tenu pour perdu. Le récit en est fait en tête du second volume, au cours de la *In chaldaicarum Paraphraseôn Libris et Interpretationibus Praefatio*. Bref, « rien n'est négligé qui puisse contribuer à la valeur et au grand attrait de l'œuvre »[188].

La *Polyglotte* doit beaucoup aux suggestions et travaux de Guillaume Postel (1510-1581). Personnalité controversée, il intervient par élèves interposés : Guy Lefèvre de la Boderie (1541-1598) et Nicolas, son frère (1550-1613)[189].

187. *Est autem interpretatio syriaqua Novi Testamenti, hebraicis typis descripta, plerisque etiam locis emendata, eadem latino sermone reddita. Aitore Immanuelle Tremellio... cum etiam Grammatica Chaldaica et Syria calci operis adiecta est* [Genève, H. Estienne, 1569].

188. T. I, f° xx 6 v°.

189. Indications fondamentales dans François SECRET, *Les Kabbalistes chrétiens de la Renaissance*, Paris, Dunod, 1964 [coll. Sigma 5].

Guillaume Postel

Guillaume Postel fait donc ici une entrée discrète dans cet ouvrage.

Il est du nombre des biblistes voyageurs. En 1538, il ramène de son premier voyage à Constantinople une grammaire qui serait « le premier manuscrit samaritain à avoir pénétré en Europe » et publie la *Linguarum duodecim characteribus differentium alphabetum Introductio*, « l'un des premiers essais de philologie comparée »[190].

Professeur au Collège royal, après un séjour vénitien et la rencontre de Mère Jeanne, et avant son « Immutation », il retourne en Palestine, en 1549-1550, et y rencontre des Samaritains. Il partagera ses trouvailles avec J.-J. Scaliger. Les textes samaritains commencent donc d'être connus. Scaliger éditera en 1584 un « calendrier samaritain », et, en 1616, Achille Harlay de Sancy, ambassadeur de France, rapportera de Constantinople un *Pentateuque samaritain* dont il fera don à la Bibliothèque de l'Oratoire.

Mais l'essentiel de l'œuvre de G. Postel se développe au contact de la kabbale, et c'est à son propos qu'il entraîne nombre de ses interlocuteurs et lecteurs.

Parmi eux, et en ne retenant que des Français : outre les frères Guy et Nicolas Lefèvre de la Boderie, Jean Boulaese, Blaise de Vigenère (1523-1596). Il s'attire l'hostilité de beaucoup, dont Gilbert Génébrard.

G. Vajda, cité par F. Secret, définit ainsi la kabbale : « Un produit qui suppose, outre l'ancien ésotérisme juif, le corps intégral des écrits talmudiques et midrashiques, ainsi que la quasi-totalité des spéculations théologico-philosophiques de la période judéo-arabe »[191].

En traiter modifiait le propos de ce livre[192].

Dans la *Polyglotte d'Anvers*, G. Postel « transparaît » dans l'annonce que Guy Lefèvre de la Boderie fait à Philippe II de l'accomplissement de Abdias 3, 20 — dans l'*Introduction au Nouveau Testament syriaque* : « Tzarphat » et « Sepharad » sont à comprendre de la France et de l'Espagne : l'une triomphe de l'hérésie, les bateaux de l'autre vont de par le monde entier[193].

190. Philippe De Robert, « La naissance des études samaritaines en Europe aux xvie et xviie siècles », *Etudes samaritaines. Pentateuque et Targum, exégèse et philologie, chroniques...*, textes réunis par J.-P. Rotschild et Guy D. Sixdenier, Louvain/Paris, E. Peeters, 1988, pp. 15-26 [coll. de la *Revue des Etudes juives*].

191. F. Secret, *op. cit.*, p. vi, citant G. Vajda, *Introduction à la pensée juive du Moyen Age*, Paris, 1947.

192. Lire, pour s'en convaincre : *G. Postel (1510-1581) et son interprétation du candélabre de Moyse en hébreu, latin, italien et français*, avec une introduction et des notes par François Secret, Nieuwkoop, B. de Graaf, 1966. — Orientation bibliographique : Marion L. Kuntz, *Guillaume Postel, Prophet of the Restitution of All Things. His Life and Thought*, The Hague/Boston/London, Martinus Nijhoff Publishers, 1981 [Archives internationales d'Histoire des Idées 98]. « Bibliography », pp. 178-233.

193. T. V, f⁰ + 3 r⁰.

Les quatre premiers volumes de la « Polyglotte »

Il s'agit de : I. Genèse - Deutéronome ; II. Josué - Paralipomènes;
III. Esdras - Ecclésiastique; IV. Esaïe - Malachie; Macchabées. Leur
présentation est classique.

Les deux pages du livre ouvert sont divisées en quatre colonnes — quand
le texte hébreu existe : Hébreu et Vulgate, Version latine de la LXX et LXX.
La paraphrase chaldéenne et sa traduction latine sont imprimées dans la partie
inférieure, chacune sur une page.

Autant que l'on puisse en juger, les rédacteurs ont établi le texte hébreu
à partir de la *Polyglotte d'Alcalá* et des *Bibles rabbiniques* vénitiennes; pour la
LXX, ils ont aussi utilisé un Pentateuque trouvé dans la bibliothèque de
Thomas More, des manuscrits de la Bibliothèque vaticane, et l'édition aldine
de 1518.

Le projet initial était plus ambitieux, et il avait l'aval des censeurs
louvanistes — qui ne refusent pas tout travail rédactionnel — Augustin
Hunnaeus, Cornelius Reyneri, Jan Willems (Harlemius). Italiens et
Espagnols y font obstacle.

Il s'agissait d'imprimer la traduction de Pagnini, que l'on tenait pour
littérale, en regard du texte hébreu. Cette mise à l'écart de la Vulgate fut
refusée. Revue par B. Arias, Francis Raphelenghius, le gendre de Plantin,
et les frères Lefèvre de la Boderie, la traduction du dominicain trouvera
place au t. VI.

Novum Testamentum

Le volume V — *Novum Testamentum* — associe les textes grecs et
latins à la *Peschitto* — version syriaque —, accompagnée d'une traduction
latine et d'une transcription en hébreu.

Andreas Masius en est le rédacteur, avec l'appui de Arias Montano qui,
en 1562, avait commencé de s'intéresser au texte syriaque, alors qu'il se trouvait
à Rome au titre de la délégation espagnole au Concile. Le texte de base est
celui de l'édition de J.-A. Widmannstetter (1555), complété par un manuscrit
prêté par Daniel Bomberg. La dette est reconnue quand il faut rendre compte
des lacunes du texte (Jn 8, 1-10, 2 Pi...).

Après le concile : rééditer Pagnini, améliorer la Vulgate

Quelques-unes des difficultés que les biblistes doivent surmonter
aux lendemains du concile de Trente se rencontrent à propos des
volumes VI et VII.

Le volume VI contient des traductions des textes bibliques; le volume VII, des lexiques et grammaires, pour le grec, le syriaque, l'hébreu (par A. Masius, Guy Lefèvre de la Boderie, Fr. Raphelenghius). Arias Montano cherche à prévenir les critiques dans deux préfaces au volume VI :

1. ... *in Novi Testamenti Graeci latinam interpretationen e verbo expressam ad christianissimum lectorem Praefatio.*

Il justifie la méthode retenue lors de l'impression de la traduction latine du Nouveau Testament, et à laquelle il aura encore recours[194].

Ce texte latin est imprimé parallèlement au texte grec. Le fonds en est la Vulgate. Certains segments de textes cependant, imprimés en caractères italiques, sont préférés à ceux de la Vulgate qui sont alors rejetés en marge. Arias Montano s'en explique. Son propos n'était ni de modifier la Vulgate, ni d'en donner une forme variante (« *corrigere* aut *emendare* »). Il la tient pour la plus sûre des traductions, bien que le texte originel ait souffert des conditions de sa tradition. Si donc elle ne s'écarte pas de la « *sententia* / de la signification » du texte grec, elle s'affranchit parfois « *a dictionum graecarum proprietate* / de la valeur spécifique des termes grecs ». Un scrupule de philologue autorise la recherche d'équivalents précis du grec, et l'emploi de binômes synonymiques, le calque de termes techniques, ou même des néologismes. Exemples :
— Ep 4, 19 : « [apêlgêkótes] » sera rendu « desperantes... dedolentes ».
— « [proseuxai] » sera toujours traduit « preces », alors que la Vulgate propose « preces, orationes ».
— Néologisme : « [pepoithêsis] (Ph 3, 4) » sera traduit « confisibilitas »...

Le résultat est un texte d'études : la lecture des deux traductions latines et du texte grec permet d'accéder au plus près « du sens de l'Ecriture sainte, de l'intention et de la pensée du Saint-Esprit dont elles proviennent ».

2. ... *in latinam ex hebraica veritate Veteris Testamenti interpretationem ad christianae doctrinae studiosos.*

Motif de l'emploi — pour l'Ancien Testament — de la traduction, révisée, de Pagnini.

Le dominicain a excellé dans le rendu des tropes et propriétés de l'hébreu, langue de la révélation.

Arias Montano réfute deux objections opposées à l'édition d'un texte qui serait « comme de l'hébreu latin » : — une précision plus grande permet d'écarter les interprétations hérétiques; — la fécondité de l'Ecriture, lourde d'un sens double, n'est respectée que par un retour à l'hébreu.

Mais, ajoute-t-il prudemment, la correction du texte de Pagnini s'impose quand il s'écarte trop « des mystères de la foi catholique ».

---

194. *Novum Testamentum Graece cum vulgata interpretatione latina graeci contextus lineis inserta* [Anvers, Plantin, 1583].

Ainsi en Job 19, 25-26 — texte difficile par excellence ! — :
— Pagnini :
« *Et ego novi redemptorem meum vivum & novissimum, qui super terram surget, & post pellem meam contritam vermes contriverunt hanc carnem & de carne mea videbo Deum.* | *Et moi je sais que mon rédempteur est vivant, et il est le dernier qui se lèvera sur la terre, et derrière ma peau déchiquetée les vers ont déchiqueté cette chair, et dans cette chair qui est la mienne je verrai Dieu.* »
— Aria Montano :
« *Ego scio... quod in novissimo de terra surrecturus sum, & rursus circundabor pelle, & oculi mei conspecturi sunt.* | *Je sais... qu'au dernier jour je ressurgirai hors de terre, je serai de nouveau recouvert de peau, et mes yeux verront à nouveau.* »

Les refus et les réticences des commissions romaines, sous le pontificat de Sixte V surtout, montrent qu'elles n'ont pas été aisément convaincues.

Ce mauvais accueil en haut lieu fut mal vécu tant par Plantin que par Arias Montano.

En septembre 1572, Grégoire XIII accordera une première approbation — l'impression des volumes s'était terminée fin 1571. Mais il faudra encore compter — en 1574 — avec les interventions de León de Castro, hébraïsant de Salamanque, auprès de la Curie puis de l'Inquisition, avec les réticences de G. Lindanus aux Pays-Bas, avec enfin les réserves que la Congrégation du concile, présidée par R. Bellarmin, réitère en janvier 1576.

Juan de Mariana s.j. accorde enfin, au titre de l'Inquisition, l'autorisation requise en août 1577. Il le fait en multipliant les remarques critiques (trop grand cas fait des auteurs juifs, pas assez de la Vulgate, trop de hâte...).

Apparatus (volume VIII)

La désapprobation de Juan de Mariana vise particulièrement le dernier des huit volumes : l'*Apparatus* qui inclut des traités d'Arias Montano, un *Index Biblicus* établi par J. Harlemius, des listes de variantes des Targums, du texte hébreu et grec, des Annotations de Sirlet sur les *Psaumes*..., ainsi que des lettres, textes d'approbation...

La préface du premier traité de Arias Montano — *Communes et familiares hebraicae linguae idiotismi* — fait l'éloge des hébraïsants du passé, puis exhorte à étudier l'hébreu[195].

Suivent deux introductions à la sémantique biblique : *Joseph, sive de Arcano sermone, Jeremias, sive de actione, de habitu et gestu.*

Les autres traités sont des « aides à la lecture » : *Thubalcain* (les mesures), *Phaleg* (topographie), *Chanaan* (les douze tribus), *Chaleb* (le partage de la terre promise), plans de l'*Arche* et du *Temple, Aaron* (vêtements et ornements), *Daniel* (chronologie).

---

195. T. VIII, fol. Ai v°.

Une encyclopédie biblique

La *Polyglotte d'Anvers*, œuvre collective et récapitulation de travaux antérieurs, en est bien une. Arias Montano a beau jeu de remercier ceux qui y ont contribué « par la préparation de la copie, le collationnement des textes, les traductions, l'illustration, les modifications et corrections ».

Et Guy Lefèvre de la Boderie, s'estimant mal payé, se plaint :

> « Mais il ne faut pas que l'Espaigne se vante
> d'emporter seule entre toutes les prix
> en ce labeur de Flandre entrepris.
> Donc qu'Arias l'Espaignol ne s'enyvre
> tout seul pour tous de l'honneur de ce livre.
> Seul plus que tous il est d'autorité,
> mais plus que tous il n'a pas mérité »[196].

Le matériau rassemblé est disparate; des collaborateurs sont hétérodoxes; des textes ont été recherchés en dehors de l'Espagne et des Pays-Bas; les aides comme les critiques viennent de tous les azimuts : il s'agit bien d'une œuvre aux dimensions de l'Europe[197].

On le raconte : la Bible d'Anvers aurait été offerte au Grand Mogol. Là ne se limite pas son succès. De nombreux éléments en seront fréquemment réédités. Les textes de l'*Apparatus* seront republiés à Leyde, en 1593, sous le titre *Antiquitatum Judaicarum Libri IX*. Mis à l'Index en 1607, ils seront insérés, au xviie siècle, dans les *Critici Sacri*[198].

Mobilité des biblistes

« Recherché : professeur d'hébreu »

Les voyages des hébraïsants des trois premières décennies du siècle sont bien connus.

On ne redira donc pas ici les déplacements de J. Reuchlin, de C. Pellikan, ni ceux qui conduisent Daniel Bomberg et Jacob ben Chayyim à Venise en 1524-1525[199].

G. Weil, K.-H. Burmeister et J. Friedman permettent de suivre Elie Lévita, S. Münster et P. Fagius dans leurs quêtes — contraintes ou

---

196. REKERS, *op. cit.*, p. 54, n. 1, reprenant un poème de G. Lefèvre, cité par M. Sabbe.
197. León de Castro, en même temps qu'il fait campagne contre la *Polyglotte*, met en difficulté les biblistes espagnols les plus célèbres de cette génération, dont Luis de León (voir REKERS, *op. cit.*, pp. 104-130 = chap. V : « Montano's disciples in Spain »).
198. *Critici Sacri sive Doctissimorum Virorum in SS Biblia Annotationes & Tractatores*, Londini, excudebat Jacobus Flesher, 1660, t. VIII, pp. 523-737; 2e édition à Francfort-s.-M., chez B. C. Wustius, J.-Ph. et J.-N. André, 1696.
199. Voir pp. 64 ss.; 90 ss.; 402 ss.

volontaires — d'un lieu où travailler en sécurité ou dans leurs itinétaires de formation.

E. Levita va des environs de Nuremberg en Italie (Padoue, Rome, Venise) où le rencontrent nombre de ses élèves : le diplomate Georges de Selve, Guillaume Postel, Johann Albrecht Widmanstetter (1506-1577), recteur de l'Université de Vienne et éditeur de la version syriaque du Nouveau Testament (1555), Egide de Viterbe qui l'héberge à Rome (1524-1527), avant qu'il ne retrouve l'entreprise de D. Bomberg, et plus tard les presses de Paul Fagius à Isny (1539/40-1544).

Les aléas de l'histoire religieuse pèsent aussi très lourdement sur Paul Fagius (Buechlin, 1504-1549), qui, de son Palatinat natal, passe à Strasbourg et Isny, pour ensuite aller enseigner à Cambridge.

Sa biographie intellectuelle et spirituelle, comme les contraintes d'une activité qui se situe dans un cadre académique, expliquent la fréquence des déplacements de S. Münster. De Heidelberg à Louvain, Fribourg puis Rouffach (1509) pour y rejoindre C. Pellikan; à Bâle (1511) — il est alors franciscain —, puis Pforzheim, Worms, Tübingen (1514-1518), et de nouveau Bâle (1519) et Heidelberg (1521); l'Université de Bâle enfin (1529).

Trente ans plus tard, il est peu d'Universités sans hébraïsants de qualité.

Les professeurs genevois

Les professeurs d'hébreu de l'Académie ouverte à Genève, à la fin de 1559, sont de beaux exemples de la mobilité des savants[200]. Venu de Lausanne à Genève, Théodore de Bèze y joue le rôle de « chasseur de têtes ».

En 1554 déjà, il aurait aimé retenir Jean-Emmanuel Tremellius (1510-1580) à Lausanne[201]. Connu pour ses traductions latines de l'Ancien Testament (1575-1579) et de la version syriaque du Nouveau Testament (1569), J.-E. Tremellius, né juif à Ferrare, catholique en 1510, rejoint Pierre Martyr à Strasbourg en 1541. Successeur de P. Fagius à Cambridge (1549), il revient sur le continent à la mort d'Edouard VI (Heidelberg, 1561-1570). Les querelles entre luthériens et calvinistes l'obligeront à partir pour Sedan.

C'est donc Raoul-Antoine Chevallier (1507-1572), né normand et mort à Guernesey, qui donne à la *Schola publica*, trois matinées par semaine, des cours d'Ancien Testament, Calvin enseignant le Nouveau l'après-midi[202]. Elève de

---

200. Quelques indications dans Robert MARTIN-ACHARD, « Aperçus sur l'enseignement de l'Ancien Testament à l'Académie et à l'Université de Genève », *RThPh*, vol. 118 (1986/IV), pp. 373-388.

201. Voir la lettre de Tremellius à J. Calvin du 8 septembre 1554, *CO* 15 (= CR 43), col. 228-229, nᵒ 2008.

202. Des indications autobiographiques dans la dédicace à Théodore de Bèze des *Rudimenta hebraicae linguae* [Genève, J. Crespin, 1560; 6 rééditions jusqu'en 1592], éditée dans *Correspondance de Théodore de Bèze*, t. 3 (1559-1561), pp. 31-33, nᵒ 153 du 1ᵉʳ décembre 1559. — Voir également *La France protestante* ²III (1884), col. 308-312. — Charles BORGEAUD,

François Vatable à Paris, il l'est aussi de P. Fagius en Angleterre, avant de revenir à Heidelberg. Il va (1554) en Suisse, où il est pasteur en 1557. A cette date, Robert Estienne souhaite qu'il collabore avec Théodore de Bèze à l'annotation de la Bible[203]. Après une crise qui affecte les églises vaudoises, il effectue, en 1559, un bref séjour à Strasbourg, puis, entré à l'Académie genevoise, il y enseigne jusqu'en 1567. On le retrouve encore à Cambridge, avant qu'il ne trouve refuge à Guernesey.

Un auditeur de Vatable au Collège de France a donc rencontré la « Swiss Connection » des « *hebraissantes* », comme les nomme Théodore de Bèze. Son remplaçant à l'Académie, Corneille Bertram [Bertramus] (1531-1594), est élève du successeur de Vatable au Collège royal, Jean Mercier.

Né à Uzès, J. Mercier enseigne à Paris dès 1546, et sa renommée y est grande. Les troubles de 1562 l'obligent à chercher refuge à Venise, haut lieu de sa discipline; il en revient en 1570 et meurt en Languedoc. Théodore de Bèze le tient en haute estime, et l'écrit dans la préface du Commentaire de Job par J. Mercier. Il apprécie qu'il ne soit pas « perverti par les prébendes comme put l'être Vatable », et observe qu'il peut expliquer les passages les plus difficiles de l'Ancien Testament « *christiane* | en restant fidèle à une herméneutique chrétienne », et sans avoir recours aux allégories[204].

C. Bertram, né à Thouars, connaît également une existence tourmentée, de Paris à Toulouse, de Cahors à Chancy (1562), de Genève à Francfort (1589) et Lausanne. Outre des grammaires et des travaux sur les textes araméens, il est l'auteur d'un *De politia judaica tam civili quam ecclesiastica, iam inde a suis primordiis, hoc est ab orbe condito...* (1574 — plusieurs fois réédité) qui retient l'attention des Genevois à plus d'un titre. Il est surtout le contemporain de la mise en chantier d'un labeur collectif qui aboutira aux éditions de la révision de *La Bible, qui est toute la Saincte Escriture... par les Pasteurs et Professeurs de l'Eglise de Geneve* en 1588, pour laquelle il prévoit aussi des illustrations[205]. Il sera remplacé par Pierre Chevallier, « indigène » genevois.

Ces indications disent bien la circulation des biblistes en un temps tourmenté, sur une aire très large, de Cambridge à Venise, de Paris à Francfort, de Strasbourg à Genève.

La sociologie de ce milieu reste à faire. On observe que Raoul-Antoine Chevallier devient le gendre de J.-E. Tremellius, et que C. Bertram épouse une nièce de la première femme de Théodore de Bèze; et encore que J. Mercier et C. Bertram collaborent à une réédition corrigée et augmentée du *Thesaurus* de S. Pagnini, occasion d'une « circulation » du savoir d'une génération à l'autre.

Histoire de l'Université de Genève, I : *L'Académie de Calvin (1559-1798)...*, Genève, Georg & Cie, 1900, pp. 63 ss. — Henri VUILLEUMIER, « Les hébraïsants vaudois du XVIe siècle », *Recueil inaugural de l'Université de Lausanne*, 1892.

203. *Correspondance de Théodore de Bèze...*, t. 2, pp. 72-74, n° 97 du 15 juillet 1557.

204. *Ioannis Mercerii Regii quondam in Academia Parisiensi literarum Hebraicarum Professoris Commentarii in Librum Job. Adiecta est Theodori Bezae Epistola, in qua de huius viri doctrina & istorum Commentariorum utilitate disseritur* [Genève, E. Vignon, 1573], fol. *ii r°-*iii r°.

205. *Chambers*, n°s 515-518; *Registres de la Compagnie des Pasteurs de Genève*, t. V..., *passim* et pp. 331-351, Annexes, n°s 67 à 71; *La France protestante* ²₇ (1879), col. 450-455; C. BORGEAUD, *op. cit.*, pp. 102 ss.

Le palmarès établi par Gilbert Génébrard

Gilbert Génébrard (1537-1597) fut bien l'un des bons hébraïsants français de la seconde moitié du xvie siècle. Grammairien, commentateur, il évalue assez férocement ses collègues, qui sont aussi des adversaires confessionnels : rappelons que Génébrard fut ligueur, et un temps évêque d'Aix-en-Provence[206].

Ainsi conteste-t-il leur capacité à bien comprendre les écrits rabbiniques — ceci dans les premières pages de l' [*Eisagôgê*] *ad legenda & intelligenda Hebraeorum & Orientalium sine punctis scripta*, publiée en 1587.

De son propre aveu, Johannes Campensis « devine plus qu'il ne lit les écrits des rabbins ». S. Münster n'en a qu'une connaissance médiocre. R.-A. Chevallier prouve sa totale incompétence quand il qualifie l'écriture rabbinique de « mutilée », et continue, tant d'années après Elie Levita, de prétendre que la ponctuation a été enseignée par Moïse. Chéradame a le tort d'assimiler l'hébreu non ponctué à des « contractions ». Elie Levita pense que l'apprentissage ne peut être méthodique.

Génébrard peut alors définir sa précellence : la connaissance de l'hébreu rabbinique est une discipline à part entière; elle peut être acquise méthodiquement et enseignée de façon systématique, compte tenu qu'en matière grammaticale il faut toujours tenir compte des exceptions. D'où ce *Manuel*, que complète un traité de métrique hébraïque[207].

Traducteur des *Seder 'Olam Rabba* et *Seder 'Olam Zuta*, G. Génébrard aurait pu aussi évaluer les travaux de ses prédécesseurs en matière d'histoire juive : Paul Eber (1511-1569), luthérien (crypto-calviniste !) auteur de l'édifiante *Contexta populi judaici historia...* (1548) maintes fois éditée en français à partir de 1561 (*L'estat de la religion et république du peuple judaïque...*); B.-C. Bertram qui légitime la séparation « à la genevoise » des compétences du Magistrat et du Consistoire dans *De politia judaica tam civili quam ecclesiastica* (Genève, 1574; 1580); Carolus Sigonius, auteur catholique de *De Republica Hebraeorum Libri VII* (Bologne, 1582), à ranger aux côtés des travaux de J.-J. Scaliger.

---

206. Consulter B. Heurtebize, « Génébrard, Gilbert », *Dictionnaire de la Bible* III (1899), col. 171-172. Ses travaux bibliques mériteraient une étude. Génébrard s'intéresse aux exégèses des rabbins dont il établit des traductions : *Trium rabbinorum Salomonis Jarchi, Abraham Ben-Ezrae et anonymi commentaria in Canticum Canticorum in latinam linguam conversa a G. Genebrardo cum eius commentario* [Paris, 1562]. — *Joel propheta cum Chaldaea paraphrasi et commentariis Salomonis Jarhii, Abraham Aben Ezra et Davidis Kimchi, latine. Interp ete G. Genebrardo cum eius enarratione* [Paris, 1563]. Il commente les Psaumes : *Psalmi Davidis*, 1577; *Davidis Calendario hebraeo, syro, graeco, latino argumentis et commentariis...*, 1592. Adversaire de Théodore de Bèze (« Beza a paganismo ad Calvinismum transiit / Beza e Calvinismo ad paganismo rediit »), il publie *Canticum Canticorum... versibus iambicis et commentariis explicatum adversus trochaicam Theodori Bezae interpretationem* [Paris, 1585]. Il contribue à la rédaction d'une chronologie : *Chronographia in duos libros distincta... Prior est de Rebus veteris populi autore G. Genebrardo... Liber Secundus... de Rebus gestis a Christo nato ad nostra usque tempora Ar. Pontaco Burdegalensi autore* [Louvain, 1570]. Il est aussi le traducteur de Flavius Josèphe : *Histoire de Flave Josephe, sacrificateur hébreu, mise en français... et illustrée de chronologies, figures, annotations et tables* [Paris, 1578].

207. G. Génébrard, *op. cit.*, fol. xx 3 v°.

PROGRÈS DES CONNAISSANCES ET INNOVATION

Les éditeurs du texte du Nouveau Testament[208]

Le *Novum Testamentum* de la *Bible polyglotte d'Alcalá* est, on le sait, le premier à avoir été imprimé : le colophon en est daté du 10 janvier 1514[209]. Mais l'édition bâloise du *Novum Instrumentum* érasmien est la première à être diffusée dès février 1516[210]. En manière de concurrence éditoriale, Erasme l'a emporté. Mais le texte espagnol paraît le meilleur aux yeux des critiques qui ne peuvent cependant pas identifier avec précision les manuscrits à partir desquels il est établi.

La quatrième édition du Nouveau Testament érasmien paraît en 1527 : elle tient compte de quelques éléments textuels retenus dans la *Polyglotte* : ce sont les variantes « T., *d, e, f* » recensées par E. Reuss : elles concernent surtout l'Apocalypse, dont Erasme avait d'abord retenu un texte peu sûr[211].

Une évolution s'amorce. Elle se fera moins discrète au fur et à mesure que seront franchies d'autres étapes majeures de l'histoire du texte du Nouveau Testament : des informations de valeur bénéficient, en ce domaine, du privilège d'exterritorialité nationale et confessionnelle.

Simon de Colines, en 1534, conjoint des formes textuelles « espagnoles » et « érasmiennes » à des trouvailles attestées dans les manuscrits « minuscules 119 et 120 » du XIIe siècle[212]. En 1550, Robert Estienne, encore parisien à cette date, publie l' « édition royale », in-folio, du Nouveau Testament[213]. L'apparat critique est rédigé en tenant compte de la *Polyglotte d'Acalá* et de quinze manuscrits. Il ne sera pas censuré.

Théodore de Bèze accumulera les variantes d'une édition à l'autre de son

---

208. Description bibliographique la plus récente des éditions du texte grec — à l'exception des Bibles polyglottes — dans *Die Bibel sammlung der württembergischen Landesbibliothek Stuttgart*, 1. Abt., Bd. 3 : *Griechische Bibeldrucke...*, 1984. — Pour établir avec quelque précision l'histoire de l'établissement du texte grec du Nouveau Testament, on se reportera encore avec grand profit à l'étude de 1 000 variantes par Eduard REUSS, *Bibliotheca Novi Testamenti Graeci cuius Editiones ab initio typographiae ad nostram aetatem impressas quotquot reperiri potuerunt collegeit, digessit, illustravit Eduardus Reuss Argentoratensis*, Brunsvigae, apud C. A. Schwetschke et Filium (M. Bruhn), 1872, chap. I à IX.

209. Voir ci-dessus pp. 81 ss. Consulter Jerry H. BENTLEY, *Humanists and Holy Writ. New Testament Scholarship in the Renaissance*, Princeton (New Jersey), Princeton University Press, 1983 [*Bibliographie*, pp. 221-237]. Chap. 3 : « The Complutensian New Testament », pp. 70-111.

210. BENTLEY, *op. cit.*, pp. 112-193 = chap. 4 : « Desiderius Erasmus : Christian Humanist ».

211. E. REUSS, *op. cit.*, pp. 23-24 et 36.

212. D'après Léon VAGANAY, *Initiation à la critique textuelle du Nouveau testament*, 2e édition, entièrement revue et actualisée par Christian-Bernard AMPHOUX, Paris, Les Editions du Cerf, 1986, pp. 191-192.

213. Elizabeth ARMSTRONG, *Robert Estienne, Royal Printer. An historical Study of the elder Stephanus*, Cambridge, UP, 1954, pp. 136-138.

Nouveau Testament gréco-latin annoté (en 1565, 1582, 1589, 1598). Il tire à son tour bénéfice des travaux des prédécesseurs, les Estienne notamment. Il tient compte de manuscrits qui sont venus entre ses mains : « D.05 » [Codex Bezae du Ve siècle] et « D.06 » [Codex] Claramontanus du VIe siècle. A partir de 1582, il fait aussi référence à la version syriaque traduite en latin par E. Tremellius [Genève, 1569], et à la version arabe partiellement éditée par Junius [Leyde, 1578][214].

Les éditeurs de la *Polyglotte d'Anvers* enfin (1569-1572) tiendront compte des diverses éditions alors accessibles.

Une précision : les Elzevier, de Leyde, éditent en 1633 un texte qu'ils vantent ainsi : « *Textum habes nunc ab omnibus receptum* / C'est là le texte admis par tous. » Une phrase qui n'a d'autre valeur que d'être un slogan de « publicité non informative » !

Un objectif, dont on rêvait, n'est pas atteint : retrouver la forme originelle de la « *fons* / source » du christianisme primitif. Une coopération savante se noue entre des générations de biblistes qui la cherchent, malgré les barrières nationales et confessionnelles. Les variantes s'accumulent : la méthode n'est pas trouvée pour les classer et choisir.

Osiander et l'invention de l' « Harmonie évangélique »[215]

Andreas Osiander (1496-1552) est bien connu comme un théologien d'abord proche de M. Luther, dénoncé ensuite pour les propos qu'il tient sur la justification. Entre 1522 et 1529, il a édité un texte critique de la Bible latine de bonne renommée[216].

Invention. — En 1537, Osiander publie une *Harmonie évangélique*, d'un type nouveau, bien défini par le libellé du titre :

« Les quatre livres de l'Harmonie évangélique, en grec et en latin. L'histoire évangélique y est présentée sous la forme d'un texte suivi composé à partir des textes des quatre évangélistes, d'une façon telle qu'aucun mot n'en est

---

214. Sur les travaux de Théodore de Bèze sur le texte grec, et son influence : Irena BACKUS, *The Reformed Roots of the English New Testament. The Influence of Theodore Beza on the English New Testament*, Pittsburgh (Pa), The Pickwick Press, 1980, pp. 1-42 [The Pittsburgh Theological Monograph Series 28].

215. Dietrich WÜNSCH, *Evangelienharmonien im Reformationszeitalter. Ein Beitrag zur Geschichte der Leben-Jesu-Darstellungen*, Berlin/New York, W. De Gruyter, 1983 [AKG 52]. Cette monographie, source des remarques qui suivent, inclut une très précieuse *Bibliographie* des Harmonies et Synopses éditées au XVIe siècle.

216. *Bibliographia Osiandrica. Bibliographie der gedruckten Schriften Andreas Osianders d. Ä (1496-1522)...*, bearbeitet von Gottfried SEEBASS, Nieuwkoop, B. de Graaf, 1971, nos 1.1 (1522) à 1.4 (1529). — A la fin du siècle, il trouve un héritier en matière de critique textuelle : Lucas Osiander est en effet le rédacteur de *Sacrorum Bibliorum... secundum Veterem seu vulgatam translationem ad fontes hebraici textus emendata ac brevi ac perspicua explicatione illustrata, insertis etiam praecipuis Locis Communibus in lectione sacra observandis* [Tübingen, G. Gruppenbach, 1589-1592].

λεία σ8. καὶ ἔπιν αὐτῷ ὁ ἰησῦς. ἀμίω λίγω σοὶ, σήμερον μετ’ ἐμοῦ ἔσῃ
ἐν τῷ παραδείσῳ. ἰω δὲ ὡσεὶ ὥρα ἕκτη.

Κεφάλαιον λᾱ.

γ
γνομένης δὲ ὥρας ἕκτης σκότος ἐγένετο ἐφ’ ὅλην
τὴν γῆν, ἕως ὥρας ἐννάτης. καὶ ἐσκοτίσθη ὁ ἥλιος.
καὶ τῇ ὥρᾳ τῇ ἐννάτῃ ἀνεβόησεν ὁ ἰησῦς φωνῇ μεγά
λῃ, λέγων. ἠλεὶ ἠλεὶ λαμὰ σαβαχθανί. ὅ ἐστι μεθερ
μηνευόμενον. ὁ θεός μυ, ὁ θεός μυ, εἰς τί με ἐγκατέλιπες; καὶ τι
νὲς τῶν ἐκεῖ παρεστηκότων ἀκούσαντες, ἔλεγον, ὅτι ἰδοὺ ἡλίαν
φωνεῖ οὗτος. μετὰ τῦτο εἰδὼς ὁ ἰησῦς ὅτι πάντα ἤδη τετέλεσαι, ἵνα
τελειωθῇ ἡ γραφὴ, λέγει. διψῶ. σκεῦος ὖν ἔκειτο ὄξυς μεσὸν, καὶ εὐ
θέως δραμὼν εἷς ἐξ αὐτῶν καὶ λαβὼν σπόγγον, πλήσας
τε ὄξυς, καὶ περιθεὶς καλάμῳ προσήνεγκε τῷ σόματι αὐτῷ,
καὶ ἐπότισεν αὐτόν, λέγων. ἄφετε, ἴδωμεν εἰ ἔρχεται ἡλίας καθελεῖν
αὐτόν. οἱ δὲ λοιποὶ ἔλεγον. ἄφες, ἴδωμεν εἰ ἔρχεται ἡλίας σώσων αὐ
τόν. ὅτε ὖν ἔλαβε τὸ ὄξος ὁ ἰησῦς, εἶπε. τετέλεσαι. καὶ πάλιν
κράξας φωνῇ μεγάλῃ ὁ ἰησῦς, εἶπε. πάτερ, εἰς χεῖράς σου παραθή
σομαι τὸ πνεῦμά μου. καὶ ταῦτα εἰπὼν, κλίνας τὴν κεφαλὴν
παρέδωκε τὸ πνεῦμα. καὶ ἰδοὺ τὸ καταπέτασμα τοῦ ναοῦ
ἐσχίσθη μέσον εἰς δύο ἀπ’ ἄνωθεν ἕως κάτω, καὶ ἡ γῆ ἐσείσθη, καὶ

A. Osiander, l'*Harmonie évangélique* : le texte
(La mort de Jésus : Mt 27, 45 ss. ; Mc 15, 33 ss. ; Lc 23, 44 ss. ; Jn 19, 28 ss.)

omis, rien d'étianger n'y est inséré, le plan n'en est pas perturbé, tout est à
sa place. Des lettres et des signes servent au repérage de chaque élément :
on peut donc voir au premier coup d'œil ce qui est propre à chacun des évangélistes, ce qu'il peut avoir en commun avec un ou plusieurs autres, qui sont
alors identifiés »[217].

C'est un livre d'étude : le texte biblique est donné en grec et en latin
— et des annotations y sont jointes.

A. Osiander affronte là deux questions fréquemment réitérées depuis
le *Diatessaron* de Tatien et le *De consensu evangelistarum* d'Augustin, et
posées avec une insistance nouvelle au xvie siècle.

La première est d'ordre littéraire : comment traiter les divergences observées entre les textes des Evangiles ? Depuis Tatien et Augustin, sauf à en faire
un argument dans la polémique antichrétienne ou anti-biblique, on avait
appris à circonscrire la difficulté. En présence de traditions parallèles, on
procédait autant que faire se peut soit à une addition (ex. : les sept paroles de
la croix !), soit à une « fusion », en privilégiant un texte, au préjudice des
autres. Le sentiment était communément partagé que des divergences formelles, c'est-à-dire textuelles, n'interdisaient pas de rechercher un « consensus »
sur le fond.

La seconde question est plus fondamentale : les Evangiles sont-ils des
récits « historiques » dignes de foi des faits et gestes de Jésus ? Autrement dit,
et à l'époque de l' « *ad fontes* » ceci a une profonde résonance, les Evangiles
ouvrent-ils accès à la connaissance de la vie de Jésus autant qu'à celle de sa
doctrine ?

A vingt ans de distance, A. Osiander « commence » son travail très
précisément là où Erasme « conclut » l'*Exhortation au lecteur chrétien*,
introduction au *Novum Instrumentum* de 1516 :

« ... Mieux vaudrait faire dans les livres saints l'apprentissage de la grande
théologie des temps futurs... Il suffit qu'on nous montre quelque part la
trace laissée par les pieds du Christ pour que nous nous prosternions devant
elle, pour que nous l'adorions... Tandis que les statues n'expriment que
l'apparence du corps... ces écrits nous restituent l'image vivante de son esprit
sacrosaint : c'est le Christ lui-même qui parle, qui guérit, qui ressuscite, et il est
si bien présent que nous le verrions moins nettement s'il apparaissait à nos
yeux de chair »[218].

Osiander associe une « théorie » du texte biblique à la rédaction très
méthodique de l'*Harmonie*. Ce faisant, il est, au xvie siècle, le défenseur
de l' « inspiration littérale », voire de la théopneustie.

---

217. D'après *Bibliographia Osiandrica*, p. 108, no 24.1 : *Harmoniae Evangelicae Libri IIII
Graece et Latine...* [Bâle, J. Froben et N. Episcopius, août 1537].
218. Traduction Pierre MESNARD, *BHR* 13 (1951), pp. 26-42 (texte pp. 35-42, cit. p. 42).
— Pour une analyse de ce texte, cf. Gerhard B. WINCKLER, *Erasmus von Rotterdam und die
Einleitungsschriften zum Neuen Testament. Formale Strukturen und theologischer Sinn*, Münster W.,
Aschendorff, 1974 [RST 108].

Les évangélistes ont écrit sous la dictée de l'Esprit saint, et leurs écrits ont des qualités quasi divines : aucun détail n'en est superflu, car aucun n'est « accidentel » :

« [Une conviction m'a toujours habité.] Les quatre évangélistes n'ont pas fait qu'appliquer leur savoir-faire à leur travail rédactionnel; ils ont aussi bénéficié d'une impulsion de l'Esprit saint; ils n'ont donc inséré dans leurs écrits aucun mot, aucune lettre même, qui n'aient pour fondement la vérité historique la plus sûre et la garantie de l'Esprit saint »[219].

Puisque « *in Deum non cadit accidens* / Rien d'accidentel ne survient en Dieu », le rédacteur de l'*Harmonie* respecte scrupuleusement l'ordonnancement des événements par les quatre évangélistes — l'*akoluthie*.

A chaque récit correspond un épisode de la vie de Jésus.

« Rien n'est mieux établi que ceci : quand les évangélistes introduisent dans leur relation des faits des indications chronologiques et topographiques différentes, des personnages divers, c'est pour évoquer et conter des événements multiples, même s'ils nous paraissent semblables au point de pouvoir être assimilés l'un à l'autre »[220].

En 4 livres et 181 chapitres, Osiander recompose donc un ministère de Jésus d'une durée de trois ans.

Un système de 17 signes permet d'identifier l'origine de chaque segment du texte.

Des difficultés subsistent : — récit des tentations [Mt 4, 1-11; Mc 1, 12-13; Lc 4, 1-13]; — appel et mission des Douze [Mt 10, 1...]; — séquence de la crucifixion [Mt 25, 23 ss...]. Le récit des apparitions du ressuscité prend aussi une allure fort complexe [Mt 28, 1 ss...].

Imitations et critiques. — L'*Harmonia evangelica* d'A. Osiander est bien l'ouvrage autour duquel il faut « suivre » la position et la résolution du problème synoptique tout au long du xvie siècle.

Il y a à cela quatre raisons.

i. « Avant » Osiander sont édités des livres qui dépendent de la tradition occidentale du *Diatessaron* de Tatien, ou bien reproduisent et imitent le *Monotessaron* de Gerson, témoins des deux façons de rencontrer le problème synoptique.

Certains sont célèbres, tels ceux de O. Luscinius dans un cas, et populaires, tel le texte rédigé en allemand par G. Erlinger[221]. Certes la *Vita Iesu Christi* de Guillaume de Branteghem paraît en 1537, et le *Tetramonon, sive Symphonia*

---

219. *Harmonia*, fol. Bα 2b, cité par Wünsch, *op. cit.*, p. 93.
220. *Ibid.*, p. 96, citant *Harmonia*, fol. B1 cc 5b.
221. Dans la lignée de la tradition occidentale de Tatien, Wünsch recense des éditions de 1507, 1524, 1532, notamment : *Evangelicae historiae ex 4 evangelistis perpetuo tenore continuata narratio, ex Ammonii Alexandrini fragmentis quibusdam, e Graeco per Ottomarum Luscinium versa* [Augsbourg, 1523; traduction allemande en 1524]. — Un « à la manière de » Gerson : *Evangelion Christi. Die menschwerdung und das leben Christi, auch die leere, wanderwerk und verheyssung, durch die vier evangelisten beschriben, in ein evangelion gezogen, sie solichs nach ordnung ergangen ist* [par Georg Erlinger, Westheim am Main, 1524; 1530... avec utilisation de la traduction allemande de Luther].

& concentus quatuor evangeliorum in unam historiam evangelicam de Gabriel Dupuyher-
bault en 1547, donc « après » Osiander. Mais cette tradition paraît bien près
de s'éteindre, comme est sans lendemain le très original essai, dont la clé est
géographique et non plus chronologique, que représente *Das Nüw testament
kurtz und gründlich in ein ordnung und text, die vier evangelisten, mit schönen figuren
durchauß gefuert sampt den anderen apostolen* édité par Jakob Beringer en 1526
(rééd. en 1529, 1532), réalisé autour de 26 « Figuren », édition catholique qui
ne renonce pas à utiliser la version de Luther[222].

ii. Mal accueilli à Wittenberg, le livre d'Osiander est souvent
réédité ou adapté.

A Anvers (1538, 1540); Venise (1541); Paris (1544, 1545, 1564); Bâle
(1561); Genève (1551, 1553); et traduit en allemand (Francfort, 1541)[223].
La présentation par Robert Estienne de l'adaptation qu'il publie, en latin
et à Genève en 1551, est très complète :
« Harmonie évangélique. On trouve là l'Exposé et la Table de la mise en
ordre des récits transmis par les quatre évangélistes par Andreas Osiander,
auteur très scrupuleux d'une *Harmonie évangélique*. On trouvera ici de très brefs
résumés de chaque péricope : des références (chapitres et versets) du texte de
chaque péricope évangélique sont indiquées. Quand une péricope ne se trouve
que dans un Évangile, on n'en a cité que les premiers mots, en indiquant le
verset jusqu'où il faut poursuivre la lecture. Les péricopes empruntées à deux,
trois ou quatre évangélistes sont intégralement citées. Des lettres de corps
réduit identifient, en tête des citations, les évangélistes dont les paroles suivent :
a = Matthieu; *b* = Marc; *c* = Luc; *d* = Jean. Une seule lettre indique que le
texte qui suit ne se trouve que chez l'évangéliste ainsi identifié. Une série de
plusieurs lettres désigne les évangélistes chez qui on retrouve les mots ou
phrases cités. Quelques très rares citations de Actes 1 et 2 et de 1 Corinthiens 15
sont faites à la fin du Livre IV : nous avons donc ajouté *f* pour les Actes,
et *g* pour la première épître aux Corinthiens »[224].
D. Wünsch désigne encore trois auteurs qui plus tard dans le siècle, et à
des fins polémiques, adapteront le système d'Osiander : ce sont Laurent
Codmann et Georg Wirth, précédés par l'âpre adversaire de Calvin, Charles
Dumoulin, qui publie à Paris en 1565 sa *Collatio et Unio quatuor evangelistarum
Domini Nostri Jesu Christi, eorum serie et ordine absque ulla confusione, permistione
vel transpositione, servato cum exata textus illibati recognitione*[225].

iii. Osiander « traverse » le siècle d'une autre façon : par les « contre-
modèles » qui vont lui être opposés.

Lorsqu'en 1549 Cornelius Jansen « l'Ancien » (1510-1576) publie une
Concordia evangelica il paraît tout à la fois imiter Osiander et s'en séparer[226].

---

222. WÜNSCH, *op. cit.*, pp. 72 ss.
223. *Bibliographia Osiandrica...*, nos 24.2.1 à 24.11.
224. *Bibliographia Osiandrica*, pp. 114-115, n° 24.9.
225. WÜNSCH, *op. cit.*, pp. 180 ss. — Laurent CODMANN, *Harmonia evangelistarum. Das
ist gründtliche und eygendtliche Vergleichung der gantzen evangelische Historie* [Francfort, 1586];
Georg WIRTH, *Vita vel evangelium Iesu Christi, Dei et Mariae filii, salvatoris mundi, ex quatuor
evangelistis ita conscriptum, ut aequuus & pius Lector nihil vel in ordine, vel in rebus ipsis iure desi-
derare possit* [Francfort, 1594].
226. WÜNSCH, *op. cit.*, pp. 204 ss. — Il s'agit de *Concordia evangelica in qua praeterquam
quod suo loco ponuntur quae evangelistae non servato recensent ordine, etiam nullius verbum aliquid*

Il l'imite par son souci de tenir compte de « tous » les éléments des quatre Evangiles, et par sa méthode d'indexation des citations. Il s'en distingue quand il reprend le texte latin de la Vulgate, contrôlé sur le grec, et renonce à respecter la séquence des événements établie par chacun des évangélistes.

On relève donc deux divergences majeures. L'une est théologique : Jansen ne fait pas sien le « fondamentalisme » d'Osiander, puisqu'il ne respecte pas l'*akoluthie* des textes évangéliques. L'autre est historique et littéraire : Jansen reconstruit un seul événement à partir de traditions analogues. Ce qui lui permet de respecter les présentations plus traditionnelles de la vie de Jésus.

L'influence de Jansen se propage par des travaux présentés souvent en forme de « synopse » — ce qu'Osiander tenait à éviter avant tout ! —, au nombre desquels ceux de Jean Buisson († 1595) et Alanus Copus († 1578)[227].

iv. La série des *Harmonies* inclut encore des ouvrages qui s'opposent aux modèles d'Osiander et de Jansen.

Parmi eux, de Jean Calvin, *Harmonia ex tribus Evangelistis composita, Matthaeo, Marco et Luca : adiuncto seorsum Johanne, quod pauca cum aliis alia communia habeat* [Genève, R. Estienne, 1555][228].

Calvin n'y fait pas œuvre d'historien : il met en avant l'évangile de Matthieu, et son principal souci reste pastoral et dogmatique, en résolvant les « contradictions » d'une façon très augustinienne.

Inversement, G. Mercator (1512-1594) est mû par le souci d'assigner au ministère de Jésus — long de cinq ans et marqué par neuf passages à Jérusalem — des repères chronologiques fermes : c'est un souci d'historien, plus que de théologien, qui s'exprime là. Sa sensibilité aux problèmes posés par le texte conduit Mercator à adopter une présentation en « synopse »[229].

Tradition d'une traduction : la Bible en français

B. T. Chambers a établi un répertoire des Bibles en langue française : chronique passionnante dont les héros sont des traducteurs et

---

omittitur, literis autem omnia sic distinguuntur, ut quid cuiusque proprium, quid cum aliis et cum quibus commune etiam ad singulas dictiones mox deprehendatur [Louvain, Barthélemy Grave, 1549; rééditions à Anvers (1558), Dillingen (1576), Cologne (1592)].

227. Plus précisément : Alanus COPUS, *Syntaxis historiae evangelicae. In qua res Domini Nostri Jesu Christi quo ordine gestae fuerunt, ipsis quatuor Evangelistarum verbis ita partite et distincte collocatis, narrantur, ut quid singulorum proprium, quid duorum pluriumve et quorum commune sit, sub aspectum Lectoris statum cadit* [Louvain, J. Fouler, 1572]. — Johannes RUBUS, *Historia ac Harmonia evangelica seu quatuor evangelistae in unum historiae corpus congesti...* [Douai, Jean Bogard, 1575]. — En fait Wünsch recense encore six autres émules de Jansen, de Matthieu de Castro à Thomas Beauxamis.

228. Rééditée dans *I. Calvini Opera* 45 (= CR 73); traduite la même année avec en titre l'expression : *Concordance qu'on appelle Harmonie...*

229. WÜNSCH, *op. cit.*, pp. 231 ss. : Simon du Corroy (1547), Jörg Vögeli (Ms. 1553), Jean Calvin (1555), Christoph Freisleben (1557), Reinhard Lutz (1561), Johannes Bugenhagen/Paul Krell (1566), Georg Siegel (1583 ?), Gerhard Mercator (1592), Heinrich Bünting (1588)... — Gerhard MERCATOR, *Evangelicae historiae quadripartita Monas, sive Harmonia quatuor Evangelistarum in qua singuli integri, inconfusi, impermixti et soli legi possunt, et rursum ex omnibus una universalis et continua historia ex tempore formari. Digesta et demonstrata per G. M.* [Duisbourg, 1592].

rédacteurs, des éditeurs et des commanditaires, réformés et catholiques, le plus souvent officiels et institutionnels[230]. Nous la suivrons à grands pas de 1535 à 1588, c'est-à-dire de l'édition par Pierre de Wingle, en juin 1535, de *La Bible Qui est toute la Saincte escripture* — la « Bible d'Olivétan » —, à celle, voulue par la Compagnie des Pasteurs de Genève et les Eglises de France, de *La Bible... Le tout reveu et conferé sur les textes Hebrieux et grecs par les Pasteurs et Professeurs de l'Eglise de Genève*[231].

Il s'agit donc d'une série des Bibles traduites sur les textes hébreu et grec.

A Genève, le titre en reste immuable, à quelques détails près : expression du vœu de s'insérer dans une tradition. De la page de garde au colophon, le lecteur est en présence d'une « population » de textes dont les « individus » sont d'un âge et d'une longévité très différenciés (pièces introductives et annexes, traductions des écrits bibliques).

Aucun des concepteurs et rédacteurs de 1535 ne prend part à l'entreprise de 1588. On ne peut pas dire de *La Bible...* de 1588 qu'elle soit « une réédition » de celle de 1535 : un propos qui convient aux Bibles allemandes, de M. Luther, J. Dietenberger ou J. Eck. La « Bible d'Olivétan » cependant est plus qu'une « source » lointaine de celle de 1588.

L'image de la « généalogie » convient donc. Il y a transmission visible et subreptice à la fois des traits d'un aïeul à un petit-fils. Mais ce dernier intègre et les apports des autres parents, et ce qui fait son irréductible spécificité.

Pendant près de cinquante ans, des biblistes ont élaboré, critiqué, transformé, transmis un ensemble à « très haute valeur ajoutée » — *La Bible...* — sans jamais faire totalement table rase du produit antérieur, sans jamais non plus l'imiter servilement, puisqu'il est possible d'identifier les « nœuds » de cette histoire. En cela les traducteurs des Bibles françaises illustrent bien notre propos sur les « continuités » et les « dynamiques » qui recoupent « à la perpendiculaire » toutes les périodisations que l'on peut suggérer.

Deux raisons majeures l'expliquent : l'appartenance au groupe linguistique français, l'insertion dans une tradition réformée ou catholique. Elles sont à la base de bien intéressants effets de cumul et de dédoublement.

Cumul : il est clair que l'effort des Genevois pour diffuser des Bibles entières, Nouveaux Testaments et Psautiers relève de leur stratégie de propagande « réformée ».

Dédoublement : quand en 1566 René Benoist souhaite informer de la même manière le milieu catholique, il puise le matériau français là où il se trouve, à Genève. B. T. Chambers identifie ainsi les antécédents genevois du volume que Sébastien Nyvelle imprime à Paris :

« Amalgame de pratiquement toutes les révisions antérieures. La dépendance est la plus grande avec la Bible de [c.-à-d. éditée par] Nicolas Barbier

---

230. Bettye Th. CHAMBERS, *Bibliography of French Bibles. Fifteenth- and Sixteenth-century French-Language Editions of the Scriptures*, Genève, Librairie Droz, 1983 [THR 192].

231. *Chambers*, nᵒˢ 66 et 515-518. Rappelons que cette bibliographie inventorie plus de 550 éditions !

et Thomas Courteau (1562), pour le texte et les résumés placés en tête des livres bibliques, avec la Bible d'Etienne Anastase (1562) pour les résumés des chapitres; les notes marginales empruntent aux Genevois Des Gallars et Marlorat (cf. les Bibles de N. Barbier et Th. Couteau de 1562, et de François Perrin de 1563), avec quelques additions inédites pour fustiger les hérétiques. »

Condamnée par la Sorbonne, cette version resurgit dans la Bible franco-latine de 1568, et sert de base à la « Bible de Louvain » éditée par C. Plantin à Anvers, en 1578[232].

Subsistent de 1535 à 1588 : — une approche des problèmes de la traduction dont les racines plongent dans les travaux de l' « école rhénane » d'exégèse; — la division tripartite, empruntée à Luther (1534) : écrits canoniques de l'Ancien Testament, Apocryphes, Nouveau Testament; — la conception, mais non le texte de diverses pièces annexes — exception faite de la Préface de J. Calvin : « Dieu, le créateur très parfait... », maintenue pratiquement sans interruption, et avec quelques variantes seulement dans toutes les éditions[233].

Généalogie. — La séquence généalogique (1535-1588) de la Bible française peut être résumée ainsi dans ses grands traits, grâce aux recherches de B. T. Chambers[234].

La « *Bible d'Olivétan* » (1535) [n° 66] a valeur de prototype. Dès 1536, son auteur entreprend de la réviser partiellement.

La « *Bible à l'Epée* » (1540) [n° 82] est le fruit d'une révision par les pasteurs Antoine Marcourt, Jean Morand, Henri de la Mare : elle servira de base à nombre d'éditions « crypto-protestantes » imprimées à Lyon (à partir de 1544) [n° 109], mais ne s'imposera que peu de temps à Genève.

Les diverses parties du volume évoluent à des vitesses différentes :

En 1543 [n° 105], Calvin semble avoir révisé une première fois le Nouveau Testament. La *Bible* de 1546 [n° 128] est revue par Calvin.

En 1551 [n° 150], la traduction est renouvelée pour les Psaumes (avec l'aide de Louis Budé) et les Apocryphes (Théodore de Bèze). Le temps des « premières » se poursuit : un Nouveau Testament de 1551 [n° 156] inclut une forme nouvelle de la célèbre préface calvinienne, et Robert Estienne publie en 1552 [n° 167] une première *Bible franco-latine*, où des emprunts sont faits aussi à l'*Harmonia* d'Osiander. Le Nouveau Testament latin est érasmien; la distinction des versets apparaît.

La *Bible* de 1553 [n° 172], avec versets et illustrations, inaugure une nouvelle série, même si le texte du Nouveau Testament n'en est pas inédit. A Lyon, à la même date [n° 177], révision innovante de la « *Bible à l'Epée* » de 1540.

Désormais, il est peu d'éditions qui n'intègrent une amélioration, un changement sur une édition antérieure : « Supputation des temps » dans une *Bible* de 1555 [n° 208]; annotations de Des Gallars en marge

---

232. *Chambers*, pp. 365-367, n° 371.
233. Texte introduit, réédité de façon critique et annoté dans « *La vraie piété* ». *Divers traités de Jean Calvin et Confession de foi de Guillaume Farel*, textes présentés par Iréna BACKUS et Claire CHIMELLI, Genève, Labor et Fides, 1986, pp. 13-38 [Histoire et Société 12].
234. Il convient de se reporter à sa *Bibliography*... pour retrouver les chaînons manquants de notre résumé, et une description des volumes mentionnés.

d'un *Nouveau Testament* de 1555 [nᵒ 212]; abandon de toute prudence rédactionnelle dans une *Bible* lyonnaise de 1558 [nᵒ 242].

A partir de 1559, B. T. Chambers note la multiplication des aides pédagogiques.

En 1560 [nᵒ 261] Robert Estienne publie une *Bible* où on lit sa révision de l'Ancien Testament, et la version « Calvin-Bèze » du Nouveau Testament « qui fera autorité jusqu'en 1588 ».

Les *Bibles* de 1563 voient apparaître en supplément la traduction versifiée des Psaumes [nᵒ 307], ou des annotations de A. Marlorat [nᵒ 308].

La *Biblia Latinogallica* de 1568 [nᵒ 395] associe pour la première fois la version française genevoise à la version latine de Pagnini : un instrument de travail qui peut être utile alors qu'est mise en chantier la révision globale de 1588 [nᵒˢ 515 à 518].

Dans le même temps commence, on l'a dit, la dérivation catholique des *Bibles* genevoises.

1566 [nᵒ 371], « Bible de René Benoist »; *Nouveau Testament* franco-latin, avec la Vulgate [nᵒ 378]; 1568 [nᵒ 399], *Bible franco-latine*, éditée par René Benoist; 1573 [nᵒ 430], premier *Nouveau Testament* « de Louvain », précurseur de la première « *Bible de Louvain* » publiée en 1578 [nᵒ 439], dont la descendance est nombreuse.

Successions des révisions, emprunts croisés, passage des frontières confessionnelles : la lignée des traductions françaises de la Bible qui ont pour texte-source l'hébreu et le grec renvoie bien à des générations de « biblistes » qui se transmettent exigences, savoirs et intentions d'une façon quasi ininterrompue des années 1530 à la fin du siècle, et au-delà.

Un milieu vivant

Mobilité des chercheurs, circulation de l'information entre les éditeurs du texte du Nouveau Testament, attrait et répulsion pour le travail d'Osiander, enchevêtrement quasi inextricable des apports des traducteurs de la Bible française : le milieu des biblistes est « vivant », c'est-à-dire qu'il est un milieu d'échanges et de transformations.

Dans le même temps sont recherchées des réponses à des questions majeures.

— Comment poursuivre au sein des Académies la tâche des humanistes biblistes du début du XVIᵉ siècle ? — Comment s'assurer du contact avec la « source » néo-testamentaire ? — Les Evangiles ont-ils une valeur historique ? — La division confessionnelle est-elle dirimante quand il est question de la Bible ?...

Il est temps désormais de penser aux lecteurs de tant d'éditions de la Bible et de tant de travaux bibliques !

Bernard Roussel.

7

Des lecteurs

Une tendance irréversible

A la fin du premier tiers du XVIᵉ siècle, toute personne qui en a les capacités financières et culturelles peut acquérir une Bible, le catalogue des éditions disponibles ne cessant de s'allonger. Aucune interdiction générale ne viendra plus renverser une évolution désormais irréversible.

Au terme de ces pages, nous avons tenu à recenser quelques lieux et formes d'attestation de cette évolution au plus près de l'histoire religieuse[1]. L'entière « Seconde Partie » de ce livre en traite de façon thématique[2].

Vers 1530, une contradiction subsiste encore : l'invitation à lire l'Ecriture est étendue au plus grand nombre, et dans le même temps certains mettent encore en doute l'aptitude des laïcs à y répondre. Ces invitations et réticences rappelées, les voies de la décléricalisation de l'accès à l'Ecriture seront indiquées. Puis nous dirons l'extension que prennent des conflits qui atteignent la dimension la plus tragique à la fin du siècle.

---

1. Voir « Eloge... », pp. 463 ss.
2. Voir pp. 487 ss. A rapprocher de Jacques SOLE, *Les mythes chrétiens de la Renaissance aux Lumières*, Paris, Albin Michel, 1979 [L'Aventure humaine]; Claude-Gilbert DUBOIS, *La conception de l'Histoire en France au XVIᵉ siècle (1560-1610)*, Paris, A.-G. Nizet, 1977.

Invitations et refus

— *Vaincre l'oisiveté*

Le « Prologue » de *Le premier volume de la bible en francoiz*, Bible encore réimprimée à Paris, met en avant un motif, traditionnel autant qu'irréfutable, en faveur de la diffusion la plus large de la traduction de la Bible :

« ... Et pour ce que oysivete est ennemye de lame, il est necessaire a toutes gens oyseulx par maniere de passe temps lire quelque belle hystoire... Et a ete la translation faicte nompas pour les clercz, mais pour les lais & simples religieux & hermites qui ne sont pas litterez comme ilz doivent, aussi pour autres bonnes personnes qui vivent selon la loy de Jesuchrist, lesquelz par le moyen de ce livre pourront nourrir leurs ames de divines hystoires et enseigner plusieurs gens simples et ignorans... »[3].

Ce vœu qu'Erasme fait sien[4] va traverser le siècle.

— *Joh. Cochlaeus*

C'est là un bruit de fond : des polémistes confessionnels vont d'autant plus élever la voix que leurs propos ne sont plus guère crédibles. Ils contribuent ainsi à la manipulation des opinions publiques et aux choix des décideurs.

J. Altenstaig, en 1517, écrit du « laïc » qu'il est « un inculte, un incompétent, un débile, aussi inerte qu'une pierre ».
Johannes Cochlaeus, en 1533, brode longuement sur ce thème : « ... Comment des laïcs incultes qui lisent chez eux une traduction pourraient-ils en comprendre le texte sans être guidés [par des prêtres instruits des travaux des Pères], alors qu'ils sont mus à cela par un mauvais dessein ? Ou bien, en effet, ils veulent en discuter avec les prêtres et avoir raison contre eux, ou bien ils s'érigent en juges entre les catholiques et les luthériens avant de désigner ceux qui, à leur avis, comprennent le mieux le texte. Le Saint-Esprit coopérera-t-il à tant de malice et d'orgueil volontaires ? Certainement pas, car Dieu 'résiste aux orgueilleux et fait grâce aux humbles' (Jc 4, 6). Il faut le dire : ce n'est pas Dieu, mais le Diable, qui peut instruire de tels laïcs »[5].

---

3. *Chambers*, n° 45, fol. a1 v° (1529).
4. *Paraclesis*, trad. P. MESNARD, BHR 13 (1951), p. 37.
5. Johannes ALTENSTAIG, *Vocabularius Theologicus, complectens vocabulorum descriptiones, diffinitiones et significationes ad theologiam utilium* [Haguenau, 1517], Anvers, 1576 : notice *laicus*; Johannes COCHLAEUS, *An expediat laicis legere Novi Testamenti libros lingua vernacula ?* [Dresde, 1533], fol. 2 v°-3 r°. Opinions partagées par les évêques réunis au concile provincial de Sens (1528) et Alphonse de CASTRO, « Concilium Senonense : Decreta Fidei IV », *Mansi...*, 32, 1164 CD; *Adversus omnes haereses* [Paris, 1534], fol. xxviii r°-v°.

— *Pierre Viret*

Pierre Viret, alors pasteur à Lausanne, voit là l'expression d'une réticence catholique généralisée à « s'abreuver de l'Ecriture » :

« ... Silz y vont quelquefoys boire, ce sera comme le chien au Nile. Ilz ne feront que lecher leaue hastivement, comme silz avoyent peur dy toucher, & qu'il y eust des crocodiles. Ils y toucheront comme chat sur brase... »[6].

Entre l'école, l'église et le foyer

La crainte de Cochlaeus a un motif précis.

Elle vise des lecteurs qui ne seraient pas rompus aux finesses de l'interprétation. Ils pourraient donc dissocier le « biblique » — ce qu'ils lisent dans les écrits vétéro- et néo-testamentaires — d'une part, le « chrétien », ou l' « ecclésiastique » d'autre part. Ceci, au détriment d'énoncés doctrinaux, préceptes éthiques, rites et coutumes dont le fondement dans l'Ecriture n'apparaîtrait plus clairement.

De l'église au domicile, de la messe à la veillée, du latin à la langue maternelle, du sermon à la conversation, on redoute l'effet des distances géographiques, horaires, linguistiques, relationnelles. Elles sont autant d'intervalles et d'occasions d'échanges non régulés; le doute et la critique peuvent s'y insinuer jusqu'à éroder un assentiment jusque-là global et sans murmure.

Vers 1530, ces réticences et moqueries ne suffisent plus à équilibrer trois pressions qui combinent leurs effets.

La première s'exerce de façon très diffuse. Au terme du premier tiers du siècle, le partage des savoirs et de la culture est entré dans les faits. Il n'est, pour s'en convaincre, que d'entrer dans les ateliers d'imprimeurs, les collèges et les universités, les cours princières et les conseils des villes. L'appropriation des droits à lire la Bible et à l'interpréter prend une valeur symbolique très forte : elle couronne en effet l'évolution qui détruit ce que l'on ressentait comme un monopole des clercs.

Il faut ensuite mesurer avec précision les seconde et troisième impulsions : celle qu'impriment au mouvement pour la lecture de la Bible les artisans d'un « réveil » du christianisme traditionnel; celle qui va de pair avec l'invention d'un christianisme non clérical.

« Réveil » et lecture de la Bible

Les acteurs d'un « réveil » religieux portent un diagnostic sombre sur la situation morale et spirituelle de leur temps. Leur insatisfaction

---

6. Pierre VIRET, *Disputations chretiennes en maniere de deviz, divisees par dialogues... avec un epître de Jean Calvin* [Genève, Jean Girard, 1544], p. 23.

émotionnelle, affective et spirituelle, devenue insupportable, suggère une analyse « évangélique » de la situation :

> « Helas, nous avons trop este sans nous contenter de la doctrine... de toute lescripture sainte et parolle de Dieu. Et qui pis est, la delaissant pour embrasser la doctrine des hommes, [nous] sommes tombez en tel aveuglement que a juger le bien, mal, et le mal, bien; lumiere, tenebre, et tenebres, lumiere »[7].

Seul remède : le retour à l'Ecriture, au « trésor » de la « parolle de Dieu » resté trop longtemps enfoui. La lecture du Livre répond à une double nostalgie : celle d'un transfert au temps originel; celle de la réfection d'un « moi » corrompu, par une « parolle » adressée d'En-haut.

Les pratiques de lecture de la Bible sont alors ravivées et stimulées.

Des femmes et l'Ecriture

Bien connues sont « plusieurs bourgeoises de la cité [de Metz]... lesquelles estoient notées de faire congrégation ensemble ». On est alors en 1525.

> « ... Elles se disoient estre evangeliennes, en tenant et lisant des evangiles auxquels elles donnoient une glose toute a leur guise et plaisir, en desprisant toute aultre institution et ordonnance de nostre mere, sainte Eglise »[8].

Prises sur le fait, ces dames messines seront modérément tancées par un tribunal de ville où siégeaient leur mari et leurs frères !

Un « dit » attribué à Etienne Lecourt, prêtre à Alençon vers 1530, et le « ministère féminin » exercé par Oisille — Marguerite de Navarre — à Notre-Dame de Sarrance laissent deviner la dissémination de ces foyers de « réveil ».

Etienne Lecourt :

> « La sainte Ecriture a été longtemps cachée sous le latin; mais maintenant, Dieu a voulu qu'elle soit mise en français, et doresnavant les hommes et les femmes l'entendront, et les femmes feront les offices des evêques, et les evêques les offices des femmes, car elles prescheront la sainte Ecriture, et les evêques broderont en chambre avecques les damoiselles »[9].

---

7. *Lecclesiaste Preschant que toutes choses sans Dieu sont vanite* [Alençon, vers 1530], fol. cxlvii r°.

8. *Les chroniques de la ville de Metz... recueillies par J.-F. Huguenin* [Metz, 1838], p. 823.

9. Charles DU PLESSIS D'ARGENTRÉ, *Collectio Judiciorum de novis erroribus...*, vol. II, Paris, 1778, p. 97, « Propositio 9 ». Sur le milieu d'apparition de tels propos : Bernard ROUSSEL, « Marguerite de Navarre, les débuts de la Réforme et les troubles d'Alençon (1530-1534) », *Bulletin de la Société d'Histoire et d'Archéologie de l'Orne*, t. 105/4 (décembre 1986), p. 87-106 (Bibl.).

Quant à Oisille, elle ouvre la journée de ses compagnons par des cours bibliques car

« ... (en) la lecture des sainctes lettres... se trouve la vraie et parfaite joie de l'esprit, dont procède le repos et la santé du corps »[10].

Ce sont là trois formes analogues de lectures et partages. L'anticléricalisme en est un trait plus moqueur que virulent. Des femmes y prennent part : en se saisissant de la Bible, elles mettent en cause la double opposition des ordres et des sexes jusque-là constitutive de la société chrétienne : « clercs *vs* laïcs », « hommes *vs* femmes ».

Au royaume d'Henri VIII, on aurait vu là quelque survivance de lollardisme, bientôt nourrie de luthéranisme. Ici, on parle d' « évangélisme non schismatique »[11].

Le geste des femmes qui s'approprient le droit de lire publiquement la Bible a valeur de provocation. Les polémistes en feront un lieu commun, sur le mode de la réprobation bien sûr.

Elles sont cependant moins nombreuses qu'ils ne le disent.

Parmi ces dames, la poétesse Elisabeth Cruciger (?-1535), Catherine Zell-Schütz (*ca* 1497-1562), associée aux combats de son mari, et la pamphlétaire Argula vom Grumbach (*ca* 1490-1554) ont un intérêt très précis pour la Bible[12].

La lecture des *Actes anabaptistes* et de diverses « Histoires des Martyrs » met en effet en évidence le lien du « féminisme » et de la dissidence.

Ainsi les Alsacienne Barbara Kieffer, Barbara Bruder et Magdalena Baltner qui discutent du « baptême » en 1536.

Ou encore Mathinette du Buisset, de Bouvigny (« bourgade prochaine d'Orchies ») : elle est enterrée vive en 1542, l'un des « deux genres de supplice usitez en ladite ville [de Tournay] aux laïcs [noter l'expression] », pour « avoir maintenu en pareille constance & integrité la Parole de Dieu »[13].

10. MARGUERITE DE NAVARRE, *L'Heptaméron*, texte établi... par Michel FRANÇOIS, Paris, Flammarion, 1967, p. 7 et 87.

11. Sur « l'évangélisme non schismatique » : Francis M. HIGMAN, *Censorship and the Sorbonne...*, p. 37-45.

12. Rainer WOHLFEIL, *Einführung in die Geschichte der deutschen Reformation*, München, C. H. Beck, 1982, p. 105 ; Paul A. RUSSELL, *Lay Theology in the Reformation. Popular pamphleteers in Southwest Germany (1521-1525)*, Cambridge, Cambridge University Press, 1986, p. 185-211 (= chapter VI : « Female pamphleteers; the housewives strike back »). — Sur C. Zell : Marc LIENHARD, « Catherine Zell, née Schütz », *Bibliotheca Dissidentium...*, I, Baden-Baden, Ed. Valentin Koerner, 1980, p. 97-125 [Bibliotheca Bibliographia Aureliana 79]. — En 1523, Argula von Grumbach, correspondante de Spalatin et lectrice de Luther, rédige un pamphlet pour défendre un jeune luthérien incarcéré à la demande des universitaires d'Ingolstadt. Ce texte est saturé de références bibliques : « Christliche Schrift einer ehrbaren Frau vom Adel in der sie alle christlichen Stände und Obrigkeiten ermahnt, bei der Wahrheit und dem Worte Gottes zu bleiben und solches aus christlicher Pflicht ernst zu handhaben », *Klassiker des Protestantismus*, Bd. III : *Reformatorische Verkündigung und Lebensordnung*, hrsg. von Robert STUPPERICH, Bremen, Carl Schünemann Verlag, 1963, p. 289-299 [Sammlung Dieterich Bd. 268].

13. Consulter la série de « Quellen zur Geschichte der Taüfer » insérée dans la collection *Quellen und Forschungen zur Reformationsgeschichte*, Gütersloh, Gütersloher Verlagshaus Gerd

« Le pain de l'Ecriture »

Geste typique des groupes informels nés du « réveil » évangélique : la lecture communautaire de la Bible. Traducteurs, éditeurs,
diffuseurs sont souvent au nombre des militants.
    Métaphore usuelle : l'Ecriture est « nourriture ».
    A plusieurs titres.

    Lue à mi- ou haute voix, elle contraint le lecteur à articuler, à « mâcher »
les mots.
    Les membres du conventicule resserré autour du lecteur ou de la lectrice
sont comme des convives autour d'une table. C'est précisément cette forme de
socialité non liturgique ni canonique qui inquiète les clercs.
    Cette lecture « nourrit » l'unité spirituelle du groupe car « ... [la parolle]
conjoinct les cueurs dune multitude, et tellement les unit, que ilz ne sont que
ung, et beaucoup mieulx que les clouz conjoignent les aez [= les ais] »[14].
    L'épître liminaire d'un Nouveau Testament lyonnais de 1529 lie très claire-
ment lecture communautaire et expérience religieuse : « Car Chrestiens ne
doibvent aux machometistes ressembler qui leurs escriptures cachent a leur
povoir [c. à d. autant qu'ils le peuvent]... [pour] mieulx en la memoire incorporer le pain celeste, que Dieu nous doint [= nous accorde de] si bien mascher
que par union invisible & secrete spirituellement en luy uniz, & luy a nous,
sans fin nous puissons demourer »[15].

    L'analogie eucharistique est voulue.

    Elle est clairement figurée par le frontispice, œuvre de Heinrich Vogtherr,
de la page de titre de *Das nüw testament kurtz und gründtlich in ein ordnung und
text...* imprimé à Strasbourg en 1527 par J. Beringer. Jn 6 est explicitement évoqué, ce qui justifie la réflexion de D. Wünsch : « Das Neue Testament ist
nicht Lesestoff, sondern Lebensbrot / le Nouveau Testament n'est pas un
livre à lire, mais un pain de vie »[16].

Mohn. — Nul besoin d'aller très loin dans le volume *Elsaß*, III. Teil : *Stadt Strasburg, 1536-
1542...* [QGT 15, 1986], pour voir comparaître Barbara Kieffer, Barbara Bruder et Magadalena
Baltner qui discutent du baptême contre les pasteurs strasbourgeois, ce qui ne peut se faire
sans références à la Bible (p. 30-31, n°s 723 et 726, du 18 juillet et du 1er août 1536). Ce ne
sont là que deux exemples entre plusieurs dizaines. — Autre source de récits, l'*Histoire des
Martyrs persecutez et mis a mort pour la verite de l'Evangile, depuis le temps des Apostres jusques à
présent (1619)* par Jean CRESPIN; son histoire éditoriale est complexe. Exemple cité lu dans
l'*Edition nouvelle précédée d'une Introduction par Daniel Benoît et accompagnée de Notes, Tome
Premier*, Toulouse, Société des Livres religieux, 1885, p. 362.
    14. *Lecclesiaste preschant...*, fol. cxlvi v°.
    15. « Epistre exhortatoire » placée en tête d'une impression du Nouveau Testament
dont l'éditeur est mal identifié (Claude Nourry, Pierre de Wingle ?), *Chambers*, p. 69, n° 50.
Texte cité par E. Eugénie DROZ, « Pierre de Wingle, l'imprimeur de Farel », *Aspects de la
propagande religieuse...*, pp. 38-78 (cit. pp. 44-45).
    16. Frontispice décrit par Frank MULLER, « Les premières années de l'activité de Heinrich
Vogtherr à Strasbourg », *Revue d'Alsace*, 113 (1987), pp. 229-250. Ce Nouveau Testament
relève d'un type particulier d'*Harmonie évangélique* (D. WÜNSCH, *op. cit.*, pp. 72 ss.).

De tels lecteurs disent ne pas « interpréter » le texte biblique.

La réalité est plus complexe : les disciples de Lefèvre d'Etaples parviennent à une lecture simple et « syncère » d'une façon qui n'est pas naïve, après avoir, par exemple, établi le sens « prophétique-christologique » des Psaumes.

Après le « Réveil »

Un tel « réveil » ne se prolonge pas. Soit il ranime les formes usuelles du conformisme religieux et s'y intègre, soit il s'étiole.

Un « réveil » laisse cependant une trace dans l'histoire de la Bible. Il stimule la demande de Bibles et de leur libre circulation. Il popularise une conviction : point besoin d'être savant pour lire l'Ecriture avec profit. Il actualise donc l'exclamation centrale de la *Paraclesis* érasmienne :

« *Nulli non licet esse theologum* | Il n'est personne qui ne puisse être théologien. »

Il encourage parfois à se substituer aux prêtres, à aller bien au-delà donc de la connivence ou de la coopération que favorisaient les fabriques et les confréries.

Bible et religion non cléricale

Un épisode décisif — et fort connu — des controverses qui opposèrent les protestants à propos de la Cène vaut d'être rappelé ici du fait de son impact sur le cours de l'histoire de la Bible.

Il se produit entre juin 1523 et novembre 1524, dans l'espace rhénan, lieu de rencontre de la philosophie chrétienne et de la théologie luthérienne. Deux érudits venus des Pays-Bas, Hinne Rode, recteur du collège Saint-Jérôme à Utrecht, et Georges Saganus, font circuler de Strasbourg à Bâle, puis à Zurich, le texte d'une personne dont on ne connaîtra le nom que plus tard : Cornelis Hoen, des Pays-Bas également.

Dans cette lettre, C. Hoen développe une interprétation symbolique, déjà suggérée au Moyen Age, de l'expression : « *Hoc est corpus meum* ».

Empruntée aux récits évangéliques de l'institution de la Cène[17], elle est aussi retenue comme l'un des fondements scripturaires majeurs de l'identité sacerdotale des apôtres et de leurs successeurs, et de l'interprétation sacrificielle de la messe[18].

17. Mt 26, 26; Mc 14, 22; Lc 22, 19; 1 Cor 11, 24.
18. Lire par exemple Jean ECK, *Enchiridion...* : VII : « De ordinis sacramento »; XVII : « De Missae sacrificio »; XXIX : « Sub eucharistia esse verum corpus Christi »... et les sources de ce texte.

C. Hoen : « En disant 'Ceci est mon corps', le Sauveur n'a pas cherché à transsubstantier le pain, mais à se donner lui-même en se servant du pain.

« Il en est ainsi dans certaines coutumes locales. Quand un vendeur veut transmettre la propriété d'un terrain à un acquéreur, il lui donne un bâton, une touffe d'herbe ou un caillou, en lui disant : 'Voilà, je te transmets le terrain.' De même la propriété d'une maison est-elle transférée par dation des clefs.

« C'est bien ainsi que le Seigneur se donne à nous en se servant du pain, comme s'il expliquait : 'Prenez et mangez, et n'allez pas croire que c'est bien peu. Ce que je vous transmets est en effet le signe de mon corps, ce corps que je vous donne en vous donnant cela. En conséquence, quand il sera livré ou suspendu sur la croix, ce sera pour vous. Mieux, tout ce que j'aurai fait ou ferai sera vôtre.'

« Bien comprises, ces paroles sont très consolantes et douces. Et ce n'est pas sans raison qu'on dit 'est' au lieu de 'signifie'. 'Est' permet de comprendre ce dont il s'agit bien plus surement et fortement ? Ainsi quand nous montrons les signes avant-coureurs de la pluie et disons : 'C'est la pluie !', cela annonce la pluie qui arrive plus surement que si nous avions dit : 'Cela signifie la pluie' »[19].

Puis C. Hoen ajoute que cette figure est d'un usage fréquent dans les textes évangéliques : « ... Pourquoi ne dit-on pas que Jean-Baptiste a été transsubstantié en Elie, quand le Christ a dit de lui : 'Il est Elie [Mt 11, 14]', ou l'évangéliste Jean en Jésus-Christ, quand le Seigneur l'a ainsi désigné à sa mère : 'Voici ton fils' [Jn 19, 26] »[20].

C. Hoen identifie donc une « figure », à partir de laquelle il faut comprendre le texte. La façon dont il rompt « avec l'un des sens profonds établis par les exégètes de l'Eglise »[21] vaut d'être détaillée.

Il respecte une règle fondamentale : en matière doctrinale, seul le sens littéral est dirimant. Le trope est ici inscrit dans la lettre du texte, c'est-à-dire que son emploi est conforme à la première intention du locuteur original, le « Christ des Evangiles » qui est aussi à cette occasion le « Jésus de l'histoire ». Ne pas identifier le trope, c'est donc blesser le sens littéral et lui substituer un sens faussement simple, dont la portée doctrinale ne peut qu'être erronée.

De plus, une corrélation s'établit entre le statut de l'auteur du propos, un laïc, et la solution retenue. En effet, le discours fictif attribué au « Seigneur » blesse le christianisme traditionnel en un point central : la doctrine et le rite eucharistique, compris en termes sacrificiels. C. Hoen rompt avec les catholiques autant qu'avec Luther.

Un « *audit* » biblique

De multiples lecteurs de la Bible vont alors « balayer » le champ entier des énoncés doctrinaux, rituels et disciplinaires, pour en vérifier

---

19. Texte traduit d'après H. *Zwinglis Sämtliche Werke IV*, n° 64 : « Zwinglis Zusatz zu Kornelis Hendriks Hoen : *Epistola admodum christiana...* », pp. 505 ss. (cit. p. 517, 7-19).
20. *Ibid.*, p. 513.
21. Expression des évêques réunis au concile de Sens (1529), cf. *Mansi*, XXXII, 1164 CD = « Decreta Fidei IV ».

la validité par une confrontation à la lettre — éventuellement « figurée » — des textes bibliques.

Le test s'avère-t-il négatif ? On cherche alors des substituts qui paraissent mieux autorisés : ainsi Carlstadt s'empresse-t-il, quand Luther doit s'absenter de Wittenberg, de chercher dans la Bible des indications qui pourraient être valablement substituées aux pans du *Corpus Juris Canonici* qui n'ont pas encore été mis à bas. L'iconoclasme, violent ou réfléchi, est fréquemment légitimé par la citation de textes bibliques dont on dit observer la lettre.

Des lecteurs qui moralisent en toute simplicité : les Vaudois

L'opposition « clercs *vs* laïcs » servit longtemps à fonder le droit des uns à lire l'Ecriture, et l'exclusion des autres. Au cours des deux derniers tiers du siècle, la décléricalisation est le fait de lecteurs qui, en matière de lecture, diront s'en tenir le plus possible à la « lettre » de l'Ecriture et exercer un droit commun.

Au prix d'amalgames redoutables, les Vaudois seront souvent désignés comme les tenants d'une lecture « naïve » de la Bible, jugée répréhensible par les théologiens de la « réforme magistérielle ».

Les Vaudois, on le sait, sont médiévaux de naissance. Vers 1520-1530, la majorité d'entre eux réside dans les vallées alpines et en Provence. L'identité de cet isolat social et religieux s'atteste par le maintien de prescriptions disciplinaires appréciées comme autant de citations de textes bibliques, du « Sermon sur la montagne » notamment.

En 1530, deux « barbes », Pierre Masson et Georges Morel, sont délégués pour prendre contact avec les réformateurs de Bâle et de Strasbourg, Jean Œcolampade et Martin Bucer.

D'une longue liste de questions doctrinales, rituelles et morales, on extraira celles qui concernent le recours aux juges et la prestation de serment.

Après avoir rappelé que, pour limiter les recours à un juge non vaudois, deux ou trois membres de la communauté sont choisis pour régler les conflits, les envoyés précisent : « Quant à ceux qui s'entêtent obstinément à ne pas tenir compte de nos censures et instructions, nous les excluons de l'assemblée et du temps du sermon, à leur grande honte. Et nous leur disons qu'on ne doit pas donner à des chiens ce qui est sacré, ni mettre les perles sous la truffe des porcs (cf. Mt 7, 6). »

Le désir de vérifier la validité de cette procédure d'excommunication introduit une autre question : « Tout serment est-il interdit et punissable comme péché mortel par la parole de Christ : 'Ne jurez pas du tout... mais que votre parole soit : oui, oui; non, non. Tout ce qui est en sus vient du mauvais' (Mt 5, 34-37) »[22].

---

22. Valdo VINAY, *Le Confessioni di fede dei Valdesi Riformati. Con i documenti del dialogo fra la « prima » e la « seconda » Riforma*, Torino, Claudiana, 1975, pp. 36-51 : « I. I Barba Georges

L'herméneutique vaudoise n'est pas savante. Adaptée à une communauté dispersée qui vit en retrait de la société environnante, elle paraît exclure le serment. Les barbes qui divulguent ces règles ont mémorisé une anthologie de textes bibliques qui semblent imposer cette règle. Bel exemple de lecture « laïcale et littérale », écrirait Cochlaeus !

En réponse, Œcolampade et Bucer légitiment une « éthique de compromis », une éthique d'Eglise : les textes bibliques autorisent le recours au magistrat chrétien; le serment est licite, « la parole de Christ ne visant que la perversité mensongère et le parjure »[23].

En 1534, les Vaudois « reçoivent » ces interprétations. Ce qu'exprime la première décision du « Synode de Chanforan » :

> « Le chrétien peut licitement prêter serment au nom de Dieu, sans enfreindre la parole écrite en saint Matthieu, chap. 5... »[24].

En 1598 [!], dans l'ultime édition — non posthume s'entend — du *Iesu Christi Domini Nostri Novum Testamentum... cum annotationibus*, Théodore de Bèze ne tiendra pas le débat pour clos[25].

Prolifération des lectures

De 1530 à 1600, les manières de lire la Bible se multiplient. Aujourd'hui, l'historien en est ravi; à l'époque, cela renforça les craintes des théologiens et hommes d'Eglise.

Strasbourg et Lyon sont un temps les sites privilégiés de lectures plurielles où chacun affronte les autres « Bible en mains » :

Strasbourg entre 1527 et 1534, c'est-à-dire tant que l'*Ordonnance*, élaborée au cours du Synode de juin 1533, n'est pas promulguée.

Le moralisme du maraîcher Clément Ziegler peut séduire ceux que les débats dogmatiques découragent. Un ingénieur rigoriste, Pilgram Marbeck, fait pièce à l'illuminisme du fourreur Melchior Hoffmann.

Haguenau n'est pas loin : Michel Servet, passionné de culture renaissante, y publie ses premiers écrits religieux. Caspar Schwenckfeld cherche au plus profond de lui-même l'écho d'une parole divine dont les médias ne peuvent plus être ni l'Ecriture, ni les prédicateurs, ni les sacrements.

Morel e Pierre Masson a Ecolampadio, Octobre 1530 » (cit. pp. 42 et 46) [Collana della Facolta Valdese di Teologia 12]. — Ceci ne préjuge pas de la mise en pratique effective de ces prescriptions. Sur ces points, se reporter à Gabriel AUDISIO, *Les Vaudois du Lubéron. Une minorité en Provence (1460-1560)*, s.l., Association d'Etudes vaudoises et historiques du Lubéron, 1984, pp. 149 ss.; — Evan CAMERON, *The Reformation of the heretics. The Waldenses of the Alps (1480-1580)*, Oxford, Clarendon Press, 1984, pp. 113 ss.

23. VINAY, *op. cit.*, pp. 52-63 et 64-69 (Œcolampade), 74-117 (Bucer).
24. VINAY, *op. cit.*, pp. 139 ss. : « VIII. La Dichiarazione del Sinodo di Chanforan 1532 ».
25. Voir p. 439.

Plus tard, Lyon : on observe entre Saône et Rhône une effervescence analogue aussi longtemps que catholiques et protestants se disputent le contrôle de la ville.

« L'edict premier de pacification ne fut plustost publié en France [1561] que soudain s'esclouit à Lyon une secte d'ariens couvee dez longtemps audit Lyon, et ailleurs par un Aleman et un Italien qui en estoyent les chefs... Aussi estoyent prest a se faire paroistre les postelliens, les trinitaires ou servetistes, et autres jusques aux achristes et deistes... [qui] se vantoyent estre fondez en textes ou raisons tirees aussi pertinemment de l'Escriture, que les calvinistes y scauroyent prouver leurs opinions estre fondees »[26].

Sébastien Castellion[27]

Comparer des énoncés doctrinaux et des prescriptions éthiques à l'Ecriture est donc un mode de vérification fréquent. Sébastien Castellion (Châteillon, 1515-1563) paraît avoir franchi un pas de plus quand, non content de distinguer l'Ecriture des indications « qu'on en tire », il distingue au sein même de l'Ecriture des éléments textuels de statuts différents.

Il s'en explique dans un traité qu'il rédige l'année même de sa mort et qui restera donc manuscrit, *De arte dubitandi et confidendi, ignorandi et sciendi*[28].
Lecteur de Paul (1 Cor 14, 6), S. Castellion discerne, parmi le matériau scripturaire ce qui est « révélation/*patefactio* », de ce qui est « prophétie/*vaticinium* », « connaissance acquise/*cognitio* » et « enseignement/*doctrina* ».
La révélation de l'Evangile à Paul (Gal 1, 1) d'une part, à Agabus (Ac 21, 11 ss.), Luc et Jean — l'un racontant ce qu'il a vu et l'autre ce qu'il a recueilli de témoins dignes de foi — d'autre part, à Paul discutant des œuvres de la loi et de la justification par la foi (Gal 2, 16) enfin, en sont des exemples. La prophétie qui n'est pas sans perturbation de l'esprit de son bénéficiaire n'est pas prise en compte.
Et Castellion d'expliquer que bien des désordres seraient évités si on

---

26. Pierre de Saint-Julien, *Mélanges historiques*, 1586, pp. 202-204, cité par Henri Busson, *Le rationalisme dans la littérature française de la Renaissance (1533-1601)*, Paris, Vrin, 1957, p. 541 [De Pétrarque à Descartes 1].
27. Sur S. Castellion, voir encore Ferdinand Buisson, *Sébastien Castellion. Sa vie et son œuvre (1515-1563). Etude sur les origines du protestantisme libéral français*, Paris, Librairie Hachette, 1892; Heinz Liebing, « Die Frage nach einem hermeneutischen Prinzip bei Sebastian Castellio », *Autour de Michel Servet et de Sébastien Castellion*, recueil publié sous la direction de B. Becker, Haarlem, H. D. Tjeenk Willink, 1953, pp. 206-225; *Humanismus, Reformation, Konfession : Beiträge zur Kirchengeschichte*, in Verbindung mit Iris Geyer und Uwe Kuehneweg, Hrsg. von Wolfgang Bienert und Wolfgang Hage, Marburg, N. G. Elwert, 1986 [Marburger Theologische Studien 20] (= sur l'Herméneutique de Castellion); Hans Rudolf Guggisberg, *Sebastian Castellio im Urteil seiner Nachwelt vom Späthumanismus bis zur Aufklärung*, Basel/Stuttgart, Hebbing & Lichtenbahn, 1956 [Basler Beiträge zur Geschichtswissenschaft 57].
28. Sebastian Castellio, *De Arte dubitandi et confidendi, ignorandi et sciendi*, with Introduction and Notes by Elisabeth Feist Hirsch, Leiden, E. J. Brill, 1981 [SMRT 29]. Plus particulièrement chap. XIV, pp. 39 ss.

attribuait à chacun de ces types de texte scripturaire l'autorité qui lui convient après en avoir identifié le genre. Ce qui est révélé a valeur d'oracle divin. Des témoignages attendent d'être accordés non dans leur forme, mais dans leur rapport au fond. Quant aux enseignements doctrinaux, il ne faut pas leur accorder plus que leurs auteurs eux-mêmes ne l'exigent. Ainsi donc la discussion des exégèses est légitime, et s'enracine dans les dénivellations mêmes du texte biblique. Il y a là une étonnante invitation à approfondir les débats, sans pour autant, Castellion est formel sur ce point, mettre en cause la valeur religieuse de l'Ecriture. L'intelligence du lecteur est fortement sollicitée.

L'hérésie totale

La lecture de la Bible par les laïcs est parfois insolente, souvent suspectée. Elle est comme surplombée en effet par le paradigme de l'hérétique total, dont les résurgences menacent : Herman van Rijswick, condamné au feu à 's Gravenhage en 1512. Il expiait une admiration trop exclusive des œuvres d'Aristote et d'Averroès, conséquence d'un séjour à Padoue[29].

Le texte de son ultime « confession de non-foi » a été noté. Le dernier point fait référence à la Bible :

« Christ ne fut qu'un illuminé stupide, séducteur des petites gens. Ses actes sont tous contraires à la nature humaine et à la droite raison... Je nie que Moïse ait reçu la Loi lors d'un face à face avec Dieu. Notre foi est fondée sur des fables : le prouvent notre écriture bouffonne, notre bible mensongère et notre évangile délirant... Je suis né chrétien; aujourd'hui, je ne suis plus chrétien, car tout cela est aberrant »[30].

Dans un tel cas, des juges condamnent la transgression née d'une contamination par la culture philosophique. Jacques Gruet, exécuté à Genève en 1547, tiendra des propos analogues. Tout au long du siècle, les hérésiologues se souviennent de Herman van Rijswick.

Pasteurs et théologiens sur la défensive : former les lecteurs

Ignorant — ou feignant d'ignorer — les règles herméneutiques anciennes et nouvelles, bien des lecteurs dépassent donc les bornes

---

29. BERNARD DE LUXEMBOURG, *Catalogus hereticorum... quem F. Bernardus Lutzenburgus... conscripsit...*, 4e éd., Cologne, G. Hittorp, 1529, fol. H 5 r°; Alphonse de Castro, *Adversus omnes Haereses*, Paris, 1534, fol. XL r°-v°; G. DUPREAU (PRATEOLUS), *De vitis, sectis et dogmatibus omnium hereticorum...*, Cologne, 1569, p. 434a; *Niew Nederlandsch Biographisch Woordenboek* V (1921), p. 640.
30. Le texte latin est violent : « Et Mosen legem a deo visibiliter & facialiter suscepisse recuso. Item fides nostra fabulosa est, ut probat nostra fatua scriptura & ficta biblia & evangelium delyrum. ... Ego Christianus natus, sed iam non sum Christianus, quia illae stultissimae sunt. »

d'une lecture conforme aux enseignements des Eglises[31]. Sans cesser de réprimer, protestants et catholiques vont prévenir et guérir. Pour atteindre cet objectif, deux grands moyens : la diffusion de Bibles quasi « officielles » et qui ne provoquent pas les interrogations, une revalorisation de la prédication.

— *Les Bibles de la fin du siècle*

Restons dans le « domaine français ». Traductions catholiques et protestantes de la Bible et des Nouveaux Testaments ont certes leurs caractéristiques propres : libellé du titre, distribution ou regroupement des Apocryphes, particularités linguistiques... Elles présentent également quelques caractères communs.

Editée simultanément en trois formats — pour le culte, l'étude, la piété personnelle, *La Bible qui est toute la Saincte Escriture* qui paraît à Genève en 1588 a le patronage des *pasteurs et professeurs de Genève*[32]. La même année sort à Paris une réédition de *La Saincte Bible contenant le Vieil et Nouveau Testament* et est-il ajouté : *reviie par les docteurs de Louvain*[33]. Des assurances sont données de qualité et d'orthodoxie dans l'un et l'autre cas.

Leurs Préfaces et Index guident la lecture. Dans les deux familles, des « arguments » introduisent les divers livres, et de l'avis des Genevois, il ne s'agit pas seulement d'analyses littéraires : « Quant aux arguments de chacun livre, et sommaires des chapitres, nous avons tendu, le moins mal que nous avons peu à estre briefs et clairs tout ensemble, afin que le lecteur en puisse recueillir la substance tant des histoires que de la doctrine qui y est contenue. »

Quant « à la marge », il ne s'agit pas de faire tort aux auteurs de commentaires, mais d'avoir égard à ceux qui ne peuvent les lire : « Toute nostre intention donc a esté en ces annotations, ou bien expositions, de choisir celles qui nous ont semblé selon nostre capacité les plus convenables à la suite des propos et aux mots du texte, esclaircissans les passages plus obscurs, remarquans la propriété de certains mots et manieres de parler, et finalement accordans les passages qui pourroyent sembler contraires »[34].

Autre trait commun : à cette date, plus aucune indication n'est donnée au lecteur à propos de textes dont on sait depuis Erasme que leur réception peut faire difficulté.

Ceci vaut pour la variante de lecture possible de Ps 22, 17[35]; mais aussi pour la « finale » de Marc 16, 9; la péricope de « la femme adultère » (Jn 8, 1 ss.); l'attribution des épîtres aux Hébreux et de Jude, de l'Apocalypse, et encore du *comma johanneum* (1 Jn 5, 7 s.).

31. Sur « l'analogie de la foi » chez les protestants et la Bible dans la Réforme catholique, voir pp. 324 ss. ; 329 ss.
32. *Chambers*, n°s 515-518.
33. *Chambers*, n° 520.
34. « Préface à la Bible [1er mars 1588], *Registres de la Compagnie des Pasteurs de Genève*, t. V : *1583-1588*, pp. 340-351 (cit. p. 347).
35. Voir p. 451.

Le souci pastoral, conjoint à une notion de l'inspiration qui est développée dans les commentaires contemporains (Daneau, Piscator, Whitaker), l'emporte.

Les réformés du royaume de France bénéficient d'une invention originale qui convient à leur fréquente situation de dissémination exposée à bien des périls.

Catholiques et protestants éditent des volumes de petit format, mais en milieu réformé on trouve fréquemment des *Bibles* ou des *Nouveaux Testaments* qui comprennent aussi les *Psaumes* versifiés par Clément Marot et Théodore de Bèze, la *Forme des Prières ecclésiastiques*, le *Catéchisme* de Genève, la *Confession de la Foy*...[36].

On pense ainsi limiter les risques de voir la dispersion entraîner une perte de la cohésion rituelle et doctrinale, ou d'une lecture qui ne serait pas immédiatement référée au texte normatif de la *Confession de foi*.

Dans ce milieu, le chant des Psaumes est une façon de s'imprégner de mots et de thèmes bibliques[37]. Il n'est pas étonnant que le Synode national de La Rochelle s'enquiert de tels volumes : « A cause du grand mépris de la religion, qu'on void même dans les saintes Assemblées, ou plusieurs ne daignent pas de chanter les Psaumes, ni d'apporter les livres de Prières & de Psalmodie, on avertira publiquement dans toutes les Eglises un chacun de s'en pourvoir, & ceux qui, par mépris, négligeront d'en avoir & de les chanter, seront sujets aux censures, & on avertira aussi les Imprimeurs de la religion, de ne séparer point les Prières ni les Catéchismes, d'avec les Psaumes »[38].

— *La prédication*

L'an 1569, Jean de Mongiot, « laboureur faisant profession de la religion (réformée) », fut arrêté à Orthez.

Un capitaine Armendarits le lie avec la chaîne de la crémaillère de sa maison, arrache sa chemise, colle sur son estomac un papier blanc pour servir de cible aux archers. Puis il engage une conversation théologique ! Etonné par les réponses du captif, le capitaine le fouille, sûr de saisir sur lui un recueil de Psaumes :

« Je n'en ai point », respondit le patient; « je ne suis jamais allé à l'eschole, & n'ai nullement aprins à lire ».

Ce qu'ayant ouï le Capitaine, il fut tout esbahi, & comme ravi en admiration, profera ces mots Bearnois :

« D'on Diable sais tu donc tant de causes ?

— Par les prédications pures de l'Evangile », dit Mongiot...[39].

---

36. Consulter les descriptions et listes de Hannelore JAHR, *Studien zur Ueberlieferungsgeschichte der Confession de foi von 1559*, Neukirchen, Neukirchener Verlag des Erziehungsvereins, 1964 [BGLRK 16].

37. Voir P. VEIT, pp. 667 ss.

38. AYMON, *Tous les Synodes nationaux des Eglises réformées de France...*, La Haye, chez Charles Delo, 1710, t. I, p. 152 (= 11e Synode national tenu à La Rochelle... 1581, « Matières générales : Art. 39 »).

39. Jean CRESPIN, *Histoire de Martyrs persecutez et mis a mort pour la vérité de l'Evangile, depuis le temps des apostres jusques à présent (1619). Edition nouvelle précédée d'une Introduction par Daniel Benoit, et accompagnée de notes par Mathieu Lelievre*, Toulouse, Société des Livres religieux, 1889, t. III (1889), p. 867 (cette notice fait partie d'une collection qui n'apparaît que dans l'édition de 1619).

La prédication pallie l'analphabétisme et tient lieu de lecture des Bibles.

Communautaire, elle permet d'avoir emprise sur des personnes arrachées à la tentation de l' « examen » individuel. Organisée, elle est confiée à des prêtres et des pasteurs, porteurs légitimes du message de leur Eglise.

Les procédures de formation et de recrutement, l'exigence d'adhésion explicite à la confession de foi, les contrôles le garantissent autant que faire se peut.

Ainsi dans les villes protestantes, dont Genève : là, depuis 1541, un examen précède l'agrégation à la Compagnie des Pasteurs. Il consiste en une interrogation « sur les principaux points de la doctrine. Et pour éviter tous dangers et que celuy qui est à recevoir n'ait quelque mauvaise doctrine, il est requis qu'il proteste de tenir la doctrine des saints prophetes et apostres comme elle est comprise ès livres du Vieil et Nouveau Testament, de laquelle doctrine nous avons un sommaire en nostre catéchisme »[40].
Ensuite le candidat jure serment au Conseil de la Ville.

Toutes les Eglises, à la fin du siècle, veillent à la qualité de la prédication et à sa discipline.
Concile de Trente, session V, du 17 juin 1546 :

« [9] La prédication de l'Evangile est, autant que sa lecture, utile à la société chrétienne; elle est l'un des premiers devoirs des évêques. Le saint synode a donc décidé et ordonné que tous les évêques, archevêques, primats et tous prélats ecclésiastiques sont personnellement astreints, sauf empêchement légitime, à prêcher le saint Evangile de Jésus-Christ.
« [10] S'il se trouve qu'ils en sont légitimement empêchés, ils doivent, conformément à la décision du concile général, désigner des personnes compétentes pour assurer convenablement l'office de la prédication... »[41].

Agenda pour les Eglises de Hesse (1574), un exemple parmi bien d'autres règlements luthériens :

« Quand la communauté chrétienne se rassemble, le premier souci et le premier soin doivent aller à la prédication, c'est-à-dire l'annonce et l'explication de la sainte parole de Dieu. C'est par elle que les jeunes sans formation et qui n'ont pas encore atteint l'âge de raison doivent être instruits correctement sur Dieu et sa volonté, le vrai culte qui lui est dû, le salut et la béatitude de nos âmes... »
Puis après avoir traité de ceux qui ont atteint l'âge de raison, et des faibles dans la foi, l'Ordonnance décrit ce que doivent être la « lecture publique » de l'Ecriture et la prédication : « [Après avoir lu la péricope imposée, le prédicateur doit l'expliquer.] Soit on suit le texte, et à l'occasion de chaque épisode,

40. « Ordonnances ecclésiastiques du 3 juin 1576, titre I, chap. I, art. V », *Les Sources du Droit de Genève*, t. III, publié par Emile RIVOIRE, Arau, H. R. SAUERLÄNDER, 1933, pp. 317 ss., n° 1183 [Les Sources du Droit suisse. XXIIᵉ Partie : Les Sources du Droit du canton de Genève].
41. « Sessio V : Decretum secundum : super lectione et praedicatione ».

parole, ou même mot, on souligne ce qui a valeur de doctrine, de réfutation, d'instruction morale ou de mise en garde, de sorte qu'on s'en souvienne... Soit on extrait du texte les thèmes principaux de la doctrine chrétienne, en veillant à bien les référer du texte et à ses mots. On les explique alors brièvement et clairement aux gens, en les expliquant par d'autres paroles, comparaisons, exemples tirés de la divine écriture. Ainsi on les prouve et on s'assure que les gens les plus simples peuvent en comprendre et en retenir quelque chose. Le prédicateur doit se tenir constamment aux mots au texte qu'il a lu, les répéter souvent, les expliquer et les imposer à la mémoire de ses auditeurs pour qu'ils s'en souviennent sans erreur et longtemps »[42].

Dans les Eglises réformées du royaume de France, seul le pasteur, dûment recruté et installé, est en charge de la prédication. La *Discipline*, en 1559, est sans ambages :

ART. 8. — « Les Ministres qui auront été élus signeront la Confession de foi... »
ART. 23. — « L'office des Diacres n'est pas de prêcher la parole... »

Les premiers Synodes reviennent fréquemment sur les conditions de la prédication.

1er Synode national, Paris, 1559 : « Ne pas courir les prêches. »

« D'autant qu'il n'est licite ni expedient d'aller entendre les Sermons des Predicateurs Papistes ou autres, qui seroient introduits sans une legitime vocation, dans les lieux où il n'y a point de Ministere de la parole dressé, les vrais Pasteurs doivent empêcher, autant qu'il leur sera possible, ceux de leur troupeau d'y aller »[43].

4e Synode national, Lyon, 1563 : « Eradiquer toute forme de *Prophezei.* »

« ... S'il est expedient que dans un lieu où l'on prêche la parole de Dieu publiquement, à son de cloche, les hommes & les femmes s'y assemblent à certaines heures dans une chambre particulière, pour y lire la parole de Dieu, & y repondre sur chaque mot, ou verset, aux demandes faites par un Ministre, de telle sorte que les femmes & les hommes sans aucune distinction interprètent le sens des auteurs sacrés : il a été répondu que cela est de mauvaise & dangereuse conséquence... C'est pourquoi les Eglises seront averties de n'introduire point une telle coutume »[44].

6e Synode national, Vertueil, 1567 : « Si un particulier peut exercer l'office de ministre dans sa propre famille ? » La réponse est fort prudente.

« Un homme pieux étant le Chef, & le Maître de sa Famille, doit lui servir de guide, & l'instruire selon les talens & moiens qu'il en aura reçus de Dieu... Mais parce qu'aussi il n'est pas permis à toutes sortes de personnes indiffe-

---

42. « Agenda. Das ist : Kirchenordnung wie es im Fürstenthumb Hessen mit verkündigung Göttliches wortes... gehalten werden soll », Marburg, 1574, traduit d'après *Die evangelischen Kirchenordnungen des XVI. Jahrhunderts*, hrsg. von Dr. jur. Emil SEHLING, Tübingen, J. C. B. Mohr, 1965 : Achter Band. Hessen. I. Hälfte : « Die gemeinsamen Ordnungen », p. 414-416 (Von predigten, verkündigung und erklärung des heiligen göttlichen worts).

43. AYMON, *op. cit.*, p. 4 (Matières générales, 20).

44. AYMON, *op. cit.*, p. 42 (Faits particuliers, 32).

remment de prêcher la Parole & d'administrer les Sacremens, il est très-juste & raisonnable qu'un homme en premier lieu s'éprouve et s'examine lui-même, s'il est bien assuré qu'il est appelé de Dieu avant qu'il se charge d'un si pesant fardeau. Cependant chaque Famille particulière doit être une petite Eglise de Jesus-Christ »[45].

12ᵉ Synode national, Vitré, 1583 : une définition.

« ... une Doctrine est non seulement impie lorsqu'elle est contraire aux Articles de notre Foi, mais... toute Doctrine est aussi impie quand elle corrompt, en quelque chose que ce soit, le véritable sens des Ecritures Canoniques, parce qu'elles sont la Base de toute la Doctrine chrétienne... »[46].

L'emprise des Eglises, par leurs prédicateurs notamment, s'exerce sur la majorité des fidèles. Des lettrés et des privilégiés s'en affranchissent, parfois en des termes qui préfigurent les grands débats du xviiᵉ siècle, quand la raison deviendra instance de référence dans la lecture de la Bible.

Lecteurs indépendants : de la Bible à la religion de Nature

Ainsi les interlocuteurs du *Colloque entre sept scavans* imaginé par Bodin ouvrent-ils la voie de l'histoire comparée des religions : elle exige au préalable une lecture a-confessionnelle de la Bible[47].

Le Vénitien, catholique, Paul Coroni conduit le débat auquel prennent part, avec une habileté très inégale, le mathématicien allemand et luthérien Federich Podamich; un jurisconsulte calviniste, Anthoine Curce; un juif, Salomon Barcasse; Octave Fagnola, converti à l'Islam; Hyerome Senamy, qui affecte d'être tolérant, voire indifférent à l'endroit des religions instituées, et un physicien déiste, Diègue Toralbe.

J. Bodin oppose juifs et chrétiens, à propos notamment du texte du Ps 8, 6 sur lequel Erasme et Lefèvre d'Etaples s'étaient tant affrontés[48]. Salomon dénonce à ce propos l'ignorance des chrétiens dont Curce maintient l'exégèse théologique du passage.

Plus tard, Curce et Federich seront aussi peu à l'aise pour répondre aux questions que pose Salomon sur le texte du Nouveau Testament, que pour traiter des contradictions que Salomon, Toralbe et Senamy relèvent entre les quatre évangiles.

Cette première reculade des chrétiens prélude à de longs éloges du judaïsme et de la religion islamique. Toralbe et Senamy concluront un parcours régressif jusqu'à parvenir en deçà des religions bibliques, tout en multipliant les références scripturaires.

---

45. AYMON, *op. cit.*, p. 85 (Décisions de plusieurs cas de conscience, Question XII).
46. AYMON, *op. cit.*, p. 271 (Matières particulières, 33) : à propos d'un Commentaire de la Genèse jugé trop littéral.
47. Pour ce qui suit, se reporter à Jean BODIN, *Colloque entre sept scavans qui sont de differens sentimens des secrets des choses relevees... Traduction anonyme du « Colloquium heptaplomeres » de Jean Bodin... Texte présenté et établi par François* BERRIOT, Genève, Librairie DROZ SA, 1984, p. 562 [THR CCIV].
48. Voir pp. 103 ss.

Toralbe : « ... N'est-il pas plus à propos d'embrasser cette pure et simple religion de Nature, comme la plus ancienne et la plus véritable, de laquelle il ne se fallait jamais départir, cette religion, veux je dire, que Dieu avoit si bien inspiré dans l'ame, et dans laquelle ont vescu Abel, Hanoch, Seth, Noe, Job, Abraham, Isaac, Jacob, ces heros si aymez de dieu, que de demeurer doubteux parmy une si grande variété d'opinions sans pouvoir se determiner a rien ? »

Senamy : « J'entre volontiers et sans répugnance, par tout, dans les temples des Juifs, des Mahometans, des Chrestiens, mesmes des Lutheriens et des Zwingliens, afin de n'estre pas accusé d'atheisme ou d'estre un seditieux capable de toubler la tranquillite de la Republique. Je reconnois touttesfois que, tout ce que j'ay, je le tiens du chef ou maistre, tout bon et tout puissant, de tous les autres Dieux : qui nous empescheroit donc de mesler nos prieres en commun, afin de toucher ce Pere commun de la Nature et cet autheur de touttes choses, sy bien qu'il nous conduise tous dans la connoissance de la vraye religion ? »[49].

Un *laïc protestataire et la Bible*

Thierry Coornhert (1522-1590) est un laïc catholique; il reste l'un des conseillers de Guillaume le Taciturne, tout au long de la guerre d'indépendance des Pays-Bas.

Témoin des horreurs de la guerre civile, lecteur de Sébastien Castellion, il convoque en un Synode fictif les théologiens qui ont accepté le recours à la violence[50].

Le Zurichois H. Bullinger, les Genevois J. Calvin et Th. de Bèze, le Polonais Stanislas Hosius, le Louvaniste R. Tapper, le dominicain espagnol Melchior Cano sont convoqués à ce concile imaginaire, à l'ordre du jour duquel figurent des questions rien moins que réelles. Tout cela en l'absence du « président Daniel » — Jésus-Christ — dont le retour est imminent.

Dans ce temps d'attente, Thierry Coornhert, par la voix de Gamaliel, fait alors entendre un très fort plaidoyer en faveur de la liberté des consciences, de la tolérance et du respect des vies humaines.

Argument remarquable : la possibilité d'un pluralisme pacifique suppose qu'on reconnaisse aux laïcs compétence et sagesse en matière biblique. Gamaliel respecte sans faille l'autorité des Ecritures. Mais il sait d'expérience qu'aucune doctrine n'en est l'explication exclusive, ce qu'oublient trop de clercs, les anciens comme les nouveaux.

« Il me semblerait bon que, dans toute communauté, il n'appartienne pas à chaque titulaire de l'autorité ecclésiastique d'avoir seul le jugement de la doctrine. Car ce serait une partie qui serait faite juge : or, lequel d'entre nous tiendra pour mauvaise sa propre doctrine ? Mais c'est aussi aux laïcs — tant au peuple qu'à l'autorité — qu'il appartient de juger de la doctrine. »

[Il en appelle alors à l'examen personnel :]

« Si l'on craint entre les hommes confusion ou désordre, je dirai d'abord que chacun pour lui-même, et non pour un autre, juge quelle est la vraie

---

49. J. BODIN, *op. cit.*, p. 562.

50. *A l'aurore des libertés modernes. Synode sur la liberté de conscience (1582)*, par Thierry COORNHERT, Avant-propos de Pierre BRACHIN, Introductions, traduction et notes par Joseph LECLER et Marius-François VALKHOFF, Paris, Les Editions du Cerf, 1979.

doctrine, ou du moins celle qui a le moins de défauts. Je parle ici, messeigneurs, de l'enseignement ou de l'interprétation de la sainte Ecriture, là où il y a dispute, et non des divines Ecritures, que toutes les sectes elles-mêmes — les libertins exceptés — tiennent en tout pour la vérité... »

[... Puis il évoque une nécessaire réserve :]

« Il incombe à chacun de réserver son jugement jusqu'à ce qu'il comprenne les choses qu'il examine. D'ailleurs, il y a des choses qu'on ne pourra jamais savoir ici-bas, mais que l'on croit jusqu'à la mort, avant d'en avoir l'expérience dans une autre vie. Ici-bas, on ne devient sûr que par le témoignage des saintes Ecritures et l'onction du saint Esprit. Il y a cependant des choses que l'on peut savoir indubitablement par le bon usage de la raison et par l'expérience... »[51].

Lecteurs torturés, Bibles en cendres

Pour bien des lecteurs laïcs de la Bible, le XVIᵉ siècle est sans *happy end*. On ne cédera ici à aucune complaisance. Mais il aurait été faux de ne pas rappeler combien l'horreur et la sauvagerie ont été présentes à la vie d'Eglises qui invitaient à des lectures différentes des Ecritures. La référence à un quelconque « esprit du temps » n'est pas de mise. Des voix, en ce temps-là, s'élevaient aussi pour appeler à la patience et la non-violence.

Le langage des crocs et des couteaux a souvent prolongé les sermons et diatribes des prédicateurs et des théologiens. L'Ecriture était désignée pour mettre en présence de Dieu : sur ce seuil des questions dernières du sens de la vie, de la mort, la passion est prompte à s'enflammer et la raison peut vaciller. Un groupe religieux pense souvent ses propres valeurs en termes exclusifs, et des déviants ne sont pas les seuls acteurs du passage à l'acte et aux rites de la violence[52].

N'ayant à tenir ici aucune comptabilité morbide, nous en restons à l'édition de 1619 de l'*Histoire des Martyrs*, qui, à cette date, n'est plus seulement de Jean Crespin : des traditions semblables seraient vite recueillies dans des martyrologes anabaptistes et catholiques. Qu'il s'agisse ici de protestants explique cependant la fréquence des traditions où la Bible est évoquée. Les citations qui suivent sont l'expression au premier degré de souvenirs et ressentiments de femmes et d'hommes du XVIᵉ siècle[53].

51. Discours de Gamaliel, Session IX, pp. 154-159 (texte cité pp. 156-157).

52. Voir Natalie Z. DAVIES, « Les rites de violence » (article de 1973), réédité dans *Les cultures du peuple. Rituels, savoirs et résistances au XVIᵉ siècle*, Paris, Aubier-Montaigne, 1979, pp. 251-307. Un texte auquel on pourrait ajouter nombre d'études sur la « Saint-Barthélemy ».

53. Les règles d'écriture d'un martyrologe impliquent la présence d'un cadre rédactionnel et d'amplifications édifiantes, hagiographiques et polémiques. Les situations décrites, les propos attribués aux acteurs ne doivent cependant pas être systématiquement tenus pour fictifs. Leur ressemblance avec des situations et des personnages réels n'est pas fortuite. Actes judiciaires et déposition sous serment sont des sources de ces récits.

— *Le duc et la Bible*

Le massacre de Vassy (en 1561) est précédé d'un dialogue tragi-comique entre le duc de Guise — qui paraît tout ignorer des problèmes bibliographiques ! — et le cardinal de Lorraine son frère.

Ses laquais ont apporté au Duc « une grande Bible dont on usoit es predications », saisie dans la grange. Il la montre au Cardinal son frère, qui dit alors : « Il n'y a point de mal en ceci; car c'est la Bible & la saincte Escriture. »

Le Duc, fasche qu'il ne lui respondoit selon son desir, entra en plus grand' rage qu'auparavant, & dit : « Comment, sang Dieu, la saincte Escriture ? il y a mille cinq cens ans que Iesus Christ a souffert mort & passion, & il n'y a qu'un an que ces livres sont imprimez; comment dictes-vous que c'est l'Evangile. Par la mort-dieu, tout n'en vaut rien. »

Cette fureur tant extreme despleut tant au Cardinal, tellement qu'on lui ouït dire en derriere : « Mon frere a tort »[54].

— *La Bible inculpée*

La Bible peut être inculpée et condamnée.

Quand les Cordeliers de Lille perquisitionnent chez Jacques de Lo, en 1560, ils trouvent des livres : « Entre tous, il y avait une Bible imprimée à Geneve, laquelle fut condamnée pour hérétique & digne d'estre bruslee »[55].

— *La Bible suppliciée*

Elle peut être menée en cortège au lieu de son « supplice ».

On est à Angers, en 1572. Un groupe de la compagnie du moine Richelieu, saisit chez un marchand « plusieurs livres de la saincte Escriture » : « Puis ayans choisi une grande Bible bien reliee & doree, la ficherent au bout d'une hallebarde, & partans de ce lieu, firent une procession au travers de toutes les grandes rues, crians & hurlans : 'Voila la verité pendue, la verité des Huguenots, la verité de tous les diables ! Voilà le Dieu fort, l'Eternel parlera !'

« Et en ceste façon parvenus jusques au pont, la jetterent en la riviere, disans : 'Voila la verité de tous les diables noyee' »[56].

— *Infanticide pour un « Notre Père »*

La mémorisation de la prière biblique par excellence justifie un infanticide.

A Bar-sur-Seine, en 1562, le sieur de Renepons — avant que ses soldats ne mangent un cœur arraché à un cadavre de huguenot, « ayant rencontré un petit enfant de dix ans, après lui avoir fait prononcer l'Oraison Dominicale en François, & jugeant par cela qu'il estoit de la Religion, le fit tuer devant ses yeux, disant qu'il valoit mieux le despecher de bonne heure que d'attendre qu'il fust devenu grand »[57].

---

54. *Histoire des Martyrs* III, p. 204.
55. *Histoire des Martyrs* III, p. 91.
56. *Histoire des Martyrs* III, p. 303.
57. *Histoire des Martyrs* III, p. 280.

— *Prélude psalmique à la tuerie*

Cela se passe dans la Vienne, en 1562.

« ... Le lendemain, le moine Richelieu, accompagné de soldats, entrant dans le temple, où il trouva ces poures gens chantant les Pseaumes, les salua avec horribles blasphemes, à grands coups de pistole, dont plusieurs furent blessez.

« Cela fait, la commune enragee commença d'entrer au temple & d'outrager en mille sortes ces poures gens quasi tous nuds, du nombre desquels furent trainez six ou sept vingts en la riviere »[58].

— *La mémoire sans défaillance de Miramonde de Loustau*

En Béarn, en 1569, Miramonde de Loustau, accompagnée de deux petites filles, se souvient de versets pauliniens pour appeler les siens au courage : « Les soldats la tormenterent à toute outrance, tantost la trainans par les cheveux, tantost lui donnant d'horribles coups de baston de bouix, & exerçans leur rage en toute cruauté, ils ne sçavoyent que lui dire autre chose, sinon : 'Parle, parle, Huguenote !'

« Elle, conduite tousjours par l'Esprit de Dieu, monstra qu'elle estoit du nombre des enfants d'icelui, n'ayant point receu un esprit de servitude pour estre derechef en crainte, ains l'esprit d'adoption, par lequel elle crioit : 'Abba, Père (Rm 8, 15) !'

« Et ne s'etans jamais trouvee esbranlee, elle acourageoit son mari & ses filles, leur disant en langage du pays : 'No bous estonnets pas, prenets courage...'

« Les persecuteurs... jaloux de la fermete de sa foi, mirent fin à leur cruauté par plusieurs coups de bastons de bouix qu'ils ruerent sur sa teste, avec telle fureur & violence, que la lui ayant escrasee, ils en firent sortir & couler le cerveau, & ainsi elle expira à la veüe de son mari & de ses filles, lesquelles ont declaré & tesmoigné ce que dessus en l'an 1615 »[59].

— *« Biblistes » en procès*

« Bibliste » a ici la valeur que lui donnent les polémistes du XVIe siècle : le « bibliste » est celui « qui ne veut rien lire et accepter que le seul texte de la Bible, nu et non interprété »[60].

Les protestants qui viennent en procès sont soupçonnés d'en être. Les interrogatoires peuvent se développer en longues conférences exégétiques : ainsi celui de François Varlut, qui n'est point pasteur, de Tournay-en-Brie, en 1562. Au cours de sa détention, il écrit et discute. A tel point qu'il doit s'en expliquer : « Ils me dirent qu'il se faloit rapporter aux Docteurs qui avoyent interpreté l'Escriture, & que moi qui estoi mechanique & compagnon de mestier, ne devoi pas presumer d'entendre l'Escriture. »
Reponse : « Monsieur, qu'est-ce que dit Jesus Christ au chap. 11 de Sainct Matthieu ?

---

58. *Histoire des Martyrs* III, p. 315.
59. *Histoire des Martyrs* III, pp. 865-866.
60. G. DUPREAU, *De vitis, sectis et dogmatibus omnium haereticorum... elenchus alphabeticus* [Cologne, 1569], fol. 23.

— Pere, Seigneur du ciel & de la terre, je te ren graces que tu as caché ces choses aux sages & prudens de ce monde, & les a revelees aux petis, voire, pere, puis que ton bon plaisir a esté tel.

— Voire, dit le Moine, il parle pour ses apostres. »

Reponse : « Ce fait mon, & pour tous ceux qui s'humilieront, reconoissans leur petitesse & ignorance, invoqueront Dieu pour estre instruits... »

Et avant d'être décapités, François Varlut et son compagnon Alexandre Dayke, qui ont déjà chanté des Psaumes, demandent à pouvoir chanter le Cantique de Siméon (Lc 2, 29-32) : « On leur respondit qu'ils n'avoyent que trop chanté. François insista & dit : 'Mes Seigneurs, nous aurons bien tost fait : il n'a que deux bien petits couplets.'

« Les ayant laissé chanter & achever le Cantique, François fut mené le premier... »[61].

Ce procès se double d'ailleurs d'une controverse entre Alexandre Dayke et Joacim l'Anabaptiste.

Le tragique de la situation en est redoublé. M. de Mansart, l'un des magistrats, dit à A. Dayke : « Alexandre, je tiendrai plustost des vostres que des siens (= ceux de Joacim); car, dit-il, il rejette entierement nostre Loi comme vous, & a encore d'autres ereurs; ce neantmoins je vous voudroi bien voir d'accord avec nous. »

A. Dayke ne cède pas : « Monsieur, à la mienne volonté que Joacim & vous tous voulussiez accorder avec nous, car je suis certain que vous & lui estes hors du droit chemin »[62].

Marguerite Pieronne et les jésuites : une lucidité exemplaire

Marguerite Pieronne était « nastive d'un village en Cambresis, nommé Sausaye »[63].

« Elle fut accusée par [une siene servante] aux nouveaux sectaires surnommez Jesuites, de n'avoir esté de plusieurs années à la messe, et de garder en sa maison une Bible, la lecture de laquelle estoit tout son plaisir. »

Avertie, elle ne s'enfuit pas et est appréhendée. Le juge, pour ne pas totalement mécontenter les jésuites, lui assure qu'elle pourra rentrer chez elle, si elle consent à jeter sa Bible au feu.

« Imaginez que ce n'est que du papier que vous bruslerez. Faites cela pour sauver vostre vie, & vous ferez tresbien. »

Marguerite Pieronne refuse : « Je n'en ferai rien, jamais je ne ferai cela. Que diroit le peuple s'il me voyoit brusler ma Bible ?, diroit-il pas : 'Voila une miserable femme, de brusler ainsi la Bible, en laquelle sont contenus tous les articles de son salut ?' J'aime mieux qu'on me brusle que de brusler ma Bible. »

Sa persévérance face au juge et à un religieux fait que le vendredi 22 jan-

---

61. *Histoire des Martyrs* III, pp. 223-259. Textes cités pp. 231 et 258.
62. *Histoire des Martyrs* III, p. 251.
63. *Histoire des Martyrs* III, pp. 896-897.

vier 1593 elle est menée à l'échafaud, pour y voir brûler ses livres, avant d'être étranglée.

Elle prie le *Notre Père*, puis voyant se consumer ses livres, dont la Bible, elle prononce des mots révélateurs du « drame biblique » que connaît le XVIᵉ siècle finissant : « Vous bruslez la parole de Dieu, laquelle vous avez confessé estre bonne & saincte. »

Puis « ayant prononcé derechef : *Notre pere, qui es és cieux &*, elle fust estranglee, & rendit paisiblement son esprit au Seigneur, de maniere qu'estant morte elle ne changea nullement de couleur ».

Cette chronique est plus qu'émouvante. Sept décennies d'histoire de la lecture de la Bible y sont, pour l'essentiel, contées.

La Bible est un livre qui acquiert aux mains des lecteurs un statut symbolique : elle n'est plus alors seulement du papier imprimé.

La suppliciée, quand elle s'adresse par-delà la foule à ses juges civils et religieux, révèle une contradiction terrible dans cette fin de siècle : les jésuites en effet « confessent que la Parole de Dieu est bonne et sainte »[64] !

L'accusation initiale est admirable : Marguerite goûte au plaisir de lire la Bible ! On ne saurait mieux lier, en cette fin de siècle, comme elles l'étaient en son début, la double histoire de la Bible et du livre.

Etonnante figure donc que celle de Marguerite Pieronne ! Surgissant au terme de sept décennies de travaux savants et de prédications, elle est exemplaire du pouvoir qui revient finalement aux lecteurs, et que tant de « lisants » ont peu à peu conquis au long du XVIᵉ siècle.

Bernard ROUSSEL.

---

64. Voir Ph. DENIS, pp. 541 ss.

L'AUTORITÉ DE L'ÉCRITURE
LES RÉPONSES
CONFESSIONNELLES

8

Des protestants[1]

Après la Dispute de Leipzig

C'est à cette Dispute (juillet 1519) que Luther, en présence de J. Eck, opposa une première fois de manière intransigeante l'autorité de l'Ecriture à celle des traditions de l'Eglise.

Le souvenir qu'on en garda est commun aux protestants les plus divers. Ph. Melanchthon, qui y assista, raconte que Luther mit en doute que le primat romain fût « de droit divin ». La condamnation de Jean Hus par le concile de Constance ayant été évoquée, Luther suggéra que les conciles peuvent faire erreur. La foi de l'Eglise, assemblée des croyants, fut soustraite à l'emprise de la hiérarchie ecclésiastique[2].

---

1. Bonne présentation de la question, et bibliographie, par H. WALDENFELS, « Die Lehre von der Offenbarung in der tridentinischen Ära », *Die Offenbarung von der Reformation bis zur Gegenwart*, unter Mitarb. von L. SCHEFFCZYCK, Freiburg..., Herder, 1977, pp. 5-55 [Handbuch der Dogmengeschichte, Bd. I, Fasc. 1 B, Erstes Kapitel]. — Le thème est traité dans la longue durée dans Henning G. REVENTLOW, *Bibelautorität und Geist der Moderne. Die Bedeutung des Bibelverständnisses für die geistgeschichtliche und politische Entwicklung in England, von der Reformation bis zur Aufklärung*, Göttingen, Vandenhoeck & Ruprecht, 1980 [= *The Authority of the Bible and the Rise of the Modern World*, transl. by J. BOWDEN, London, SCM Press, 1984]. — Notre bref exposé doit être complété par la lecture des pp. 201 ss.; 240 ss.

2. Le témoignage de Ph. MELANCHTHON se lit dans CR 1, pp. 93-95. Voir également « Disputatio Johannis Ecci et Martini Lutheri Lipsiae habita », *WA*, 2, pp. 250-383; M. LIENHARD, *Martin Luther...*, p. 69. — Analyse théologique et bibliographie par B. LOHSE, « Die Entfaltung von Luthers reformatorischer Theologie. 1. Die Auseinandersetzung mit Rom », *Handbuch der Dogmen- und Theologiegeschichte...* hrsg. von Carl ANDRESEN, Zweiter Band : *Die Lehrentwicklung im Rahmen der Konfessionalität*, Göttingen, Vandenhoeck & Ruprecht, 1980, Erster Teil, Kapitel II, pp. 21-27.

Ce « lieu théologique » avait été débattu à la fin du Moyen Age, à l'occasion de diverses protestations anti-romaines concernant les pouvoirs civils et ecclésiastiques, des rites, des doctrines ou des règles morales.

L'*Enchiridion locorum communium adversus Lutherum et alios hostes ecclesiae (1525-1543)*, ouvrage de Jean Eck très diffusé, en traite dès ses premiers chapitres, à partir de propositions prêtées aux « hérétiques » :

De ecclesia. Obj. 1 : « L'autorité de l'Ecriture est plus grande que celle de l'Eglise, car l'Eglise doit être gouvernée selon l'Ecriture; personne en effet n'a précellence sur l'Ecriture. »
De conciliis. Obj. 1 : « Ce sont des hommes qui forment un concile : c'est pourquoi ils induisent fréquemment en erreur, et se fourvoient eux-mêmes, puisque « tout homme est menteur »[3].

A la fin du siècle, Whitaker en traite encore, en tenant compte de l'apport du concile de Trente et de la littérature théologique qui s'y rapporte.

L'opposition de l'Ecriture aux traditions ecclésiastiques résulte d'abord d'un travail « historique ». Les traditions ecclésiastiques affectées des dates les plus récentes sont dévalorisées, puis délaissées quand elles ne sont pas « instituées » par l'Ecriture. Ainsi fit Erasme à propos du droit du mariage.

Mais cette voie apparut vite fort complexe et insatisfaisante.

L'histoire du canon biblique et la réception des dogmes trinitaires et christologiques définis par les premiers conciles œcuméniques contraignaient à emprunter une voie plus dogmatique.

Quelles que soient les lacunes de l'information, personne n'ignorait les longs conflits qui se développèrent autour de la fixation du canon des écrits bibliques. S'en tenir au canon juif de l'Ancien Testament était un premier consentement à une tradition, dévaloriser les Deutérocanoniques/Apocryphes en était un second. Quant aux écrits du Nouveau Testament, personne ne pouvait en fait se soustraire à un usage ecclésiastique multiséculaire, qu'il s'agisse de l'Epître aux Hébreux ou de l'Apocalypse. La complexité et la longueur du processus invitaient à attribuer à un consensus divinement inspiré une série de décisions et de pratiques, longtemps diverses et contradictoires.

La réception des définitions dogmatiques des premiers siècles ne s'appuyait pas sur une démarche « historienne », mais sur le résultat d'un « test » de conformité aux indications bibliques. Ceux qui, tel Fausto Socin dans le dernier tiers du siècle, reviendront sur cette attitude substitueront au couple conflictuel « Ecriture et Tradition » celui de l' « Ecriture et de la Raison ». L'une des tâches du xviie siècle sera d'en définir la légitimité.

---

3. *Enchiridion...* hrsg. von Pierre FRAENKEL, pp. 25, 41, avec identification des sources et textes parallèles.

L'auteur de l'Ecriture

Au XVIᵉ siècle, il n'est quasiment personne pour nier que « Dieu » soit, en dernière instance, l'auteur de l'Ecriture, même si chaque écrit biblique a son histoire, son style... Cependant, des biblistes tel Osiander excepté[4], il est rare qu'on cherche à articuler théoriquement les deux affirmations. Les exégètes sont convaincus de leur aptitude à remonter des textes à l'intention du locuteur originel.

Vers 1530, les protestants répugnent à désigner l'écrivain biblique comme une « cause seconde », douée d'une autonomie relative, mais théologiquement suspecte. On ne développe pas une psychologie de l'auteur inspiré, encore moins un système de théopneustie. Plus tard dans le siècle s'amorce le transfert d'attributs divins sur la collection des écrits bibliques : les héritiers directs des biblistes humanistes n'y étaient pas prêts, et un tel mélange « du Ciel et de la Terre » aurait été insupportable à Luther autant qu'à Calvin. Mais W. Whitaker, pour qui prophètes et apôtres sont « *organa Dei* / des instruments de Dieu », dit encore clairement que l'Ecriture, si elle est « *verbum Dei* / Parole de Dieu », elle n'est pas « *vox Dei* / la voix même de Dieu »[5].

Luther : Jésus-Christ est la Parole de Dieu

Luther veille à ne tenir aucun propos théologique qui contredise la représentation du Dieu chrétien qu'il acquiert à la lecture de la Bible. Ce Dieu a l'initiative d'une révélation salutaire. Aucune médiation « humaine », doctrinale, morale, disciplinaire ne peut restaurer la relation positive de l'homme à son Créateur. La formule « *Sola Scriptura* / l'Ecriture seule » doit d'abord être comprise : « Dieu seul, par Christ seul »[6].

Luther associe donc « Parole de Dieu » à « Jésus-Christ ». L'être de Dieu ne cesse d'être caché. Dieu se révèle paradoxalement dans la Croix du Christ, cause du salut des humains.

L'Ecriture fait autorité car elle conserve la trace du double mode d'agir divin : la « Loi » arrache l'homme à sa suffisance et le contraint à chercher hors de lui le moyen de son salut; l' « Evangile » adresse le fidèle à son Sauveur. L'Evangile s'entend, il ne se lit pas, il reste « de Dieu », et aucune instance humaine ne peut capter ni retenir sa force. Mais Dieu use d'un moyen pour se faire entendre : la prédication.

Les écrits pauliniens recèlent l'énoncé de cet Evangile. Est « canonique » ce qui l'exprime : d'où les propos d'un temps sur l'Epître de Jacques et l'Apocalypse.

---

4. Voir pp. 274 ss.
5. G. Whitaker, *Disputatio de sacra Scriptura...*, p. 308.
6. Voir pp. 201 ss.

L'unité des diverses parties de l'Ecriture naît de la façon dont elles orientent l'homme vers la passion et la résurrection du Christ : désespoir engendré par la « Loi », confiance née de l' « Evangile ». « Loi » et « Evangile » se retrouvent dans l'Ancien autant que dans le Nouveau Testament.

La clarté théologique de l'Ecriture luit quand s'y découvre un témoignage rendu à l'œuvre du Christ.

Après les temps apostoliques, il n'y a d'accès à cet Evangile que par l'Ecriture. Les traditions qui ne le blessent pas ou n'en détournent pas ne seront pas systématiquement interdites[7].

Théologiens

Le rapport de l'Ecriture à son « auteur » est défini de manières diverses par des théologiens qui ont en commun de reconnaître que le système doctrinal, éthique et rituel du christianisme doit être régulé par les indications de l'Ecriture.

— Zwingli

Zwingli aussi distingue « Parole » et « Ecriture ». Il développe le thème d'une « parole intérieure », une action de l'Esprit divin sur le croyant qui est ainsi conduit à reconnaître que l'Ecriture renvoie à l'œuvre de Christ.

De culture humaniste, il conjoint un sens très fort de l'immutabilité de la volonté divine à son pessimisme anthropologique. Seules les Ecritures peuvent faire connaître les exigences et promesses de Dieu. Mais, outre l'Evangile salutaire, c'est dans le texte biblique que doivent être recherchées les indications qui s'imposent en matière de liturgie, d'éthique et de politique[8].

— Jean Calvin

Il développe, on l'a dit, le thème de « l'ordre voulu par Dieu » qui se donne à connaître par des « registres authentiques »[9].

La nécessité en est double. Historique : il faut pallier la corruption du témoignage au cours de sa transmission : l'écrit y est moins soumis. Anthropologique : il faut opposer un frein à l'imagination religieuse humaine.

L'Ecriture s'oppose donc à la tradition comme l'oracle et le poème au discours du rhéteur : les premiers sont reçus de Dieu, de la Muse, le second est composé. Le prophète et l'aède sont portés par le flux de la révélation, l'orateur s'informe, invente, dispose, crée.

L'autorité de l'Ecriture est corrélée à sa fonction : donner accès à « la somme de nostre sagesse »[10].

7. Voir M. Lienhard, *op. cit.*, pp. 324 ss.

8. Zwingli expose un fort « biblicisme » dès ses premiers écrits, notamment : *Von Klarheit und Gewissheit des Wortes Gottes* (6 septembre 1522) et *Auslegung und Gründe der Schlußreden* (14 juillet 1523), Z, I, nº 14, pp. 328-382, et II, nº 20 [CR 88 et 89]. — Indications et Bibliographie dans deux ouvrages récents : W. P. Stephens, *The Theology of Huldrych Zwingli*, Oxford, Clarendon Press, 1986; J.-V. Pollet, *Huldrych Zwingli*, Genève, Labor et Fides, 1988 [Histoire et Société 15].

9. Voir pp. 240 ss. Lire *Institution de la Religion Chrestienne* (éd. J.-D. Benoit), liv. I, chap. vi à viii.

10. Selon la formule qui, depuis 1536, ouvre l'*Institution de la Religion Chrestienne* : « Toute la somme presque de nostre sagesse, laquelle, à tout conter, mérite d'estre réputée vraye

Comment le croyant peut-il reconnaître « qu'elles sont venues du ciel, comme s'ils oyoient la Dieu parler de sa propre bouche »[11].

La cause, aux dires de Calvin, ne peut en être attribuée à une émotion, une décision individuelle, une intervention institutionnelle, une prise en compte des qualités de la collection biblique ; cette reconnaissance sera interprétée comme une saisie du croyant par l'Esprit de son Dieu : « Ainsi que ce poinct nous soit résolu, qu'il n'y a que celuy que le sainct Esprit aura enseigné qui se repose en l'Escriture en droite fermeté... c'est par le tesmoignage de l'Esprit qu'elle obtient la certitude qu'elle mérite.

« Car ià soit qu'en sa propre maiesté elle ait assez de quoy estre révérée, néantmoins elle nous commence lors à nous vrayement toucher quand elle est séellée en noz coeurs par le sainct Esprit. Estans donc illuminez par la vertu d'iceluy, désià nous ne croyons pas ou à nostre jugement, ou à celuy des autres, que l'Escriture est de Dieu, mais par dessus tout iugement humain nous arrestons indubitablement qu'elle nous a esté donnée de la propre bouche de Dieu, par le ministère des hommes, comme si nous contemplions à l'œil l'essence de Dieu en icelle »[12].

« *Moqueurs de Dieu et femmes étranges* », « *idolâtres* »

— *Polémique anti-catholique*

La volonté de rompre avec le catholicisme, une moindre aptitude aux finesses de la théologie expliquent que des polémistes ont donné très tôt une expression abrupte au thème de l'autorité de l'Ecriture.

Un traité anonyme, *De la tressaincte cene de nostre seigneur et de la messe qu'on chante communement*, expose la « première formulation systématique de l'attaque réformée contre la Messe à avoir été rédigée en langue française »[13].

L'argumentation s'y fonde sur « la vérité éternelle qui ne peult mentir » (c'est-à-dire les textes bibliques), à laquelle s'opposent les mensonges humains. Un antagonisme est donc créé entre les indications bibliques d'une part, les élaborations théologiques et traditions ecclésiastiques d'autre part.

Le prêtre y est décrit comme un « moqueur de Dieu » ou sous les traits d'un bateleur, parce qu'il mêle des éléments bibliques à des textes doctrinaux ou liturgiques qui ne le sont pas.

Dix ans plus tard, et « à la manière » de Calvin, Pierre Viret s'en prend aux émules de Nicodème, qui disent partager des convictions évangéliques, mais s'en tiennent à des comportements religieux conformistes. Opposé à « la vérité évangélique », le   tholicisme y est dénoncé comme « idolâtrie », car il blesse l'autorité exclus e des Ecritures : « ... Car nous confessons tous un mesme Dieu, un mesme Jesus Christ, un mesme Evangile, & mesmes articles

---

et entière sagesse, est située en deux parties : c'est qu'en cognoissant Dieu, chacun de nous aussi se cognoisse » (*ibid.*, I, i, 1, p. 50 ; nous citons le texte dans la forme qu'il prend en 1560).

11. *Ibid.*, I, vii, 1, p. 92.

12. *Ibid.*, I, vii, 5, p. 99.

13. Edition par F. M. HIGMAN, *Revue française d'Histoire du Livre*, 55e année, n° 50 (janvier-mars 1986), pp. 34-92. Date de rédaction et attribution ne peuvent être que suggérées : fin 1532 ? G. Farel, avec ou sans l'aide de P. Viret.

de foy, & toutesffoys, il y a autant de difference des uns aux autres, que du ciel & de la terre. Car puis que Dieu est servy en vain par les doctrines, & commandemens des hommes, il sensuit necessairement, que ceux qui le servent autrement qu'il n'a commandé, ne le servent point. Il est donc nécessaire, qu'ils servent à un autre Dieu, qui n'est point en verité, mais seulement en imagination »[14].

— Controverses entre protestants

Mais il semble que les luthériens soient également agressés dans le traité *De la tressaincte cene... :* ils sont

« des enfans de Israel, sortans de la captivité de Babylone, [qui] ont prins femmes estranges, que Dieu a defendu, desquelles ont engendré enfans et fort corrompu leur langaige »[15].

J. Pelikan l'a mis en évidence, l'affrontement sur la Cène oblige à se prononcer sur le thème de l'autorité des Ecritures. Les protestants se divisent alors :

« La controverse sur le repas du Seigneur appela de la part de chacune des parties en présence (luthériens et non-luthériens) un examen précis de ce qu'il fallait entendre par l'autorité, l'inspiration et l'interprétation de la Bible.
« D'une façon plus précise que dans ses conflits avec la vision catholique de la relation entre l'autorité de l'Ecriture et l'autorité de l'Eglise, Luther [en s'opposant à Zwingli] met l'accent sur le caractère inviolable de chaque mot de l'Ecriture... 'L'Esprit saint, souligne Luther, ne ment, n'erre et ne doute jamais.' De même la clarté de l'Ecriture qu'il avait défendue contre Erasme lui paraissait mise à bas s'il donnait raison à ses adversaires quant à l'usage des 'tropes' et l'interprétation figurée du langage eucharistique du Nouveau Testament... »[16].

Spiritualistes et anabaptistes[17]

La plupart des éditeurs et des traducteurs protestants de la Bible sont luthériens, zwingliens ou calvinistes; il faut aussi compter avec plusieurs dizaines d'auteurs qui sont leurs contemporains, rompent comme eux avec le catholicisme, mais adoptent d'autres orientations, à leurs grands risques et périls souvent.

14. P. VIRET, *Epistre envoyee aux fideles conversans entre les Chrestiens Papistiques, pour leur remonstrer comment ilz se doyvent garder d'estre souillez & pollus par leurs superstitions & idolatries, & de deshonorer Iesus Christ par icelles* (1543).
15. *De la tressaincte cene...*, p. 81.
16. Jaroslav PELIKAN, *A History of the Development of Doctrine.* 4 : *Reformation of the Church (a.D. 1300-1700)*, Chicago and London, The University of Chicago Press, 1984, p. 203.
17. Voir la *Bibliographie* : 12.

Leur repérage, leur identification et l'établissement d'une typologie posent des problèmes complexes. A titre d'hypothèse de travail, provisoire et contestable, nous emprunterons la distinction que G. A. Benrath fait entre « spiritualistes » et « anabaptistes », désignés comme se situant en dehors des grandes organisations confessionnelles[18].

Leurs racines peuvent plonger dans la mystique ou l'apocalyptique médiévale, et tous ne se réfèrent pas aux grandes affirmations luthériennes : les variantes abondent autour du thème de « l'homme justifié ». Les tenants d'une réforme conduisant à la formation d'Eglises les tinrent pour dangereux.

Contestations spiritualistes de l'Ecriture

Les spiritualistes ont en commun l'appel « à une révélation surnaturelle de l'Esprit divin, sans recours à aucune médiation. Une telle affirmation de la priorité de l'Esprit sur l'Ecriture est en opposition au principe scripturaire évangélique, ou au principe catholique de la tradition ». Cette attitude de principe est exclusive de toute médiation du salut par une institution ecclésiastique, ou tout au moins rend indifférent à son égard.

Des divergences apparurent tôt entre les spiritualistes : elles portaient sur leur compréhension de la nature de cet esprit divin, leur vision du rapport entre esprit et Ecriture, leur enseignement de la doctrine du salut et leur attitude à l'endroit de la société globale[19].

Thomas Müntzer[20]

Thomas Müntzer met en œuvre l'autorité de l'Ecriture, en même temps qu'il la subvertit. Il cherche dans la Bible les motifs et la façon d'affirmer que « Dieu parle aujourd'hui » : la révélation ancienne est périmée au moment où le porteur contemporain de l'Esprit en restaure les exigences en ambiance apocalyptique.

---

18. Dans le *Handbuch*... identifié à la note 2. Dans la sixième partie du volume : « Die Lehre außerhalb der Konfessionskirchen », pp. 560-664, G. A. BENRATH distingue divers groupes de « spiritualistes » et de « baptistes ». « Spiritualistes » : Thomas Müntzer; Andreas Karlstadt, Hans Denck et Sebastian Franck; Theophrastus Paracelsus von Hohenheim; David Joris et Heinrich Niclaes; Kaspar von Schwenckfeld; Juan de Valdès... « Baptistes » : les premiers frères suisses; Balthasar Hubmaier; les Hutterites; Pilgram Marbeck; Hans Hut, Melchior Hoffmann et les baptistes de Münster en Westphalie; Menno Simons et les Mennonites.

19. Voir *ibid.*, p. 562.

20. Traductions de *La protestation au sujet de la cause des Bohémiens (Manifeste de Prague)* et du *Sermon aux Princes* dans Thomas MÜNTZER, *Ecrits théologiques et politiques, Lettres choisies*. Traduction, introduction et notes par Joël LEFEBVRE, Lyon, Presses Universitaires de Lyon, 1982, pp. 57-66, 84-98. Voir aussi pp. 545 ss.

— La Bible contre les biblistes...

Le *Manifeste de Prague* prépare le *Sermon aux princes*.

Automne 1521 : Thomas Müntzer, alors à Prague, disqualifie les clercs, c'est-à-dire qu'il monte la scène où il va lui-même se produire.

Mise en œuvre classique de l'autorité de la Bible : des textes bibliques nourrissent les accusations et les sarcasmes portés contre les prêtres et les moines. Leur auteur prend ainsi un masque divin.

> « Je déclare sincèrement et avec force que je n'ai jamais entendu un seul de ces docteurs (qui ne valent pas un pet d'âne) murmurer, à plus forte raison énoncer à haute et intelligible voix un seul petit mot... au sujet de l'ordre qui réside en Dieu et dans les créatures... Bien souvent, je les ai entendus citer l'Ecriture toute nue, qu'ils ont sournoisement volée dans la Bible avec la fourberie des brigands et la cruauté des meurtriers. Pour ce vol Dieu les maudit Lui-même, qui dit par la bouche de Jérémie 23, 16... : 'Ecoutez ! J'ai dit au sujet des prophètes : chacun de ceux-là vole mes paroles chez son prochain, car ils trompent mon peuple. Je ne leur ai pas parlé une seule fois, et ils usurpent mes paroles pour les pourrir sur leurs lèvres fétides et dans leurs gosiers de prostitués. Car ils nient que mon esprit parle aux hommes'. »

Aux Elus de se dresser contre les clercs : bénéficiaires d'une Parole actuelle, ils s'opposent aux fonctionnaires du texte. Müntzer joue d'une « Ecriture véritable » contre une « Ecriture extérieure » :

> « C'est quand la semence tombe sur le champ fertile, c'est-à-dire dans les cœurs emplis de la crainte de Dieu, c'est là que sont le papier et le parchemin sur lesquels Dieu inscrit non pas avec de l'encre, mais de Son doigt vivant la véritable Ecriture sainte dont la Bible extérieure est le vrai témoignage. Et rien n'atteste de façon plus certaine la vérité de la Bible que la parole vivante de Dieu quand le Père s'adresse au Fils dans le cœur de l'homme.
> « Cette Ecriture-là, tous les Elus qui font fructifier leur talent peuvent la lire... »

Preuve de la réalité de cette Ecriture : l'imitation du Christ souffrant par les Elus. Echecs et répressions éventuelles s'en trouvent expliqués d'avance. Seul le rejet des clercs permet à l'Eglise « populaire » d'échapper au jugement :

> « Car les brebis ne savent pas qu'il faut qu'elles entendent la voix vivante de Dieu, c'est-à-dire qu'elles doivent toutes avoir des révélations. Joël 2, 28-32 et David, Psaume 89, 19. L'office des vrais bergers n'est rien d'autre que d'y conduire toutes les brebis afin qu'elles soient revigorées par la voix vivante... »

Thomas Müntzer passe alors du statut de messager à celui de fondateur de la nouvelle Eglise apostolique, annonciatrice des temps derniers :

> « C'est pourquoi Dieu lui-même m'a embauché pour Sa moisson. J'ai aiguisé ma faucille, car mes pensées aspirent de toute leur force à la vérité... Je ne vous demande rien d'autre que d'étudier avec zèle la vivante parole de Dieu venue de Sa propre bouche... »

Dénonciateur des faux ministres, il n'est pas seulement le restaurateur de la prédication ; il en est le sujet, c'est-à-dire l'auteur et la matière : il se désigne lui-même pour assumer un rôle quasi christologique.

— *Abolir l'Ecriture par l'Ecriture*

Quelques mois plus tard, le 13 juillet 1524, Thomas Müntzer assume ce rôle devant la cour de Saxe. Plaidoyer, son *Sermon sur le deuxième chapitre du prophète Daniel* est aussi un appel. Appel à rompre avec les institutions ecclésiastiques, à mettre le pouvoir au service du rétablissement du règne de l'Esprit.

Souvent, la lecture de la Bible structure l'histoire : l'ancienne alliance renvoie à la nouvelle, l'œuvre de Christ engendre une espérance. Mêlant citations vétéro- et néo-testamentaires, récit et commentaire de l'actualité, Müntzer embrouille et désoriente son auditoire en jonglant avec les textes.

Le discours s'organise ensuite autour de deux pôles : l'évocation, en termes bibliques d'une origine idéale, et l'impatience apocalyptique de sa restitution. Le discours se teinte d'affectivité. Abolies les références habituelles, la dépendance personnelle permet d'affronter les périls : « Ainsi donc, chers Princes, il est urgent qu'en ces jours périlleux... »

Désormais, le commentaire biblique n'est plus que sommation, sans références doctrinales, ni argumentation. La vérification se fera dans un futur proche, c'est-à-dire qu'il faut y renoncer pour l'instant. Entendre le prophète, c'est passer à l'action.

« Si vous enlevez son masque au monde, vous ne tarderez pas à le connaître d'un juste jugement... Ne laissez pas vivre plus longtemps les malfaiteurs qui nous détournent de Dieu... chers pères de Saxe il vous faut prendre ce risque pour l'amour de l'Evangile. »

L'interprétation décisive est donnée :

« Il est clair comme le jour... que rien n'est méprisé et dédaigné autant que l'Esprit du Christ. »

Le porteur contemporain de l'Esprit peut alors se présenter, « petit » comme pouvait l'être Jésus-Christ, il est habité « de la pure et sincère crainte de Dieu... qui seule, d'une main puissante, doit nous armer pour exercer la vengeance contre les ennemis de Dieu ». La visée du texte biblique reste le Christ, non le Christ des Evangiles, mais son semblable, le porteur contemporain de l'Esprit, Thomas Müntzer, que légitiment ses visions, son ascétisme et son intelligence des choses divines.

Dès lors, le texte de Daniel est mis en scène : le prédicateur contemporain et son auditoire se substituent aux personnages bibliques. Ils sont la réalité de ces figures vétéro-testamentaires. La Bible n'est plus une référence pertinente, tout au plus une source lexicale qui doit faciliter l'accueil du propos :

« Mais qu'est-il besoin de produire tant de témoignages de l'Ecriture ? Dans les affaires complexes et périlleuses dont ont à traiter les ducs et les gouvernants, il ne leur serait pas possible, à moins d'avoir de vrais prédicateurs, d'être assurés d'agir en toute certitude et de manière irréprochable s'ils ne vivaient pas dans la révélation de Dieu, comme Aaron l'entendit de Moïse... »

Les « chers seigneurs », les « chers pères de Saxe », les « bien-aimés », n'ont plus qu'à mettre leur glaive au service de Müntzer.

« C'est pourquoi, afin que la vérité puisse être mise au grand jour, il vous faut, chers souverains — que vous le vouliez ou non peu importe — vous conformer à la conclusion de ce chapitre, où Nabucodonozor établit le saint Daniel gouverneur afin qu'il pût prononcer des sentences justes et bonnes, ainsi que dit l'Esprit saint... De l'audace donc ! »

Un bel exemple de maîtrise dans la manipulation de la Bible ! Toute autre « parole de Dieu » que la voix du prophète contemporain est abolie, et ceci au terme d'un sermon qui a l'apparence d'une méditation sur la Bible. L'intensité de l'appel occulte l'absence de toute stratégie ou programme; du brouillage des références familières, le voyant attend que son auditoire abdique toute volonté propre et se livre à son emprise personnelle. L'autorité de la Bible est transférée sur le prophète.

Mais l'Esprit paraît bien avoir déserté la cour de Saxe, peut-être trop imprégnée déjà des prédications de Luther !

Caspar Schwenckfeld : la Parole de Dieu en deçà de l'Ecriture

Thomas Müntzer proclamait : « Aujourd'hui Dieu parle ! », substituant sa prédication à celle des auteurs bibliques; Caspar Schwenckfeld déplace l'accent sur le sujet de la proposition : si « Dieu » parle, est-il convenable de le lier à une médiation aussi historique que l'Ecriture ?

Lui aussi met en œuvre l'autorité de l'Ecriture : les textes bibliques qu'il étudie lui paraissent commander le retrait sur l'écoute de la seule parole intérieure.

Désireux de faire écho dans sa Silésie natale à la prédication luthérienne, C. Schwenckfeld (1490-1561) s'éloignera progressivement du maître qu'il était allé rencontrer à Wittenberg dès 1522. Les controverses sur la Cène, la question de la discipline furent des occasions de brouille. Mais la rupture avait des motifs bien plus profonds, développés dans de nombreux traités et lettres qu'il rédigea tout au long de sa vie d'errant.

La lettre que Schwenckfeld adresse, fin mars 1527, à Conrad Cordatus, professeur luthérien de Liegnitz en Silésie, est un « exposé éloquent et élégant dans sa simplicité de la façon spiritualiste de comprendre la notion de parole »[21].

Schwenckfeld s'adresse à un luthérien bon teint, et il en dit les convictions avec précision : la prédication de la parole — fondée donc sur l'Ecriture — est nécessaire à l'engendrement de la foi (cf. Rm 10, 8-10).

Ce que Schwenckfeld conteste : car

« la foi étant une réalité spirituelle et intérieure, puisque venant de Dieu, mieux, œuvre de Dieu, elle ne peut avoir sa source dans des réalités concrètes, dans la parole et l'audition extérieures ».

Les luthériens accordent trop à un ministre humain, au détriment de Christ, et ils font dépendre la justification de l'accomplissement d'une œuvre humaine, ce qui est absurde. Il faut d'abord compter sur l'œuvre intérieure d'une grâce divine accordée aux élus : elle conditionne la possibilité d'entendre ensuite avec fruit une prédication extérieure. Mais pour Schwenckfeld, cette prédication n'a pas de raison d'être :

« La foi est en effet un don céleste. Elle est une justice qui vient du ciel. Elle purifie et change le cœur. Ainsi prédisposé il accorde foi à la grâce, non seulement à la parole exprimée par un texte. Il est en effet projeté hors de lui-même dans la parole de Dieu, en Dieu, auquel il s'attache par l'Esprit saint. »

L'expérience de la grâce prévenante ne laisse subsister aucun manque auquel devrait suppléer le recours à l'Ecriture. La liberté divine est sauve.

« La communication de la parole du Dieu vivant est libre. Elle n'est pas liée à des choses visibles, ni à ce qui est lié à un ministre ou à un ministère, à un temps ou un lieu. Cette communication repose sur des réalités invisibles, encore qu'elle puisse être esquissée à notre profit par des réalités visibles. »

Un tel résumé ne doit pas dissimuler que Schwenckfeld ponctue son propos de références bibliques : la partie terminale de sa lettre consiste en une étude de textes qui « prouvent » que l'action de l'Esprit précède toute instruction extérieure, et que la foi n'est pas dépendante du seul verbe extérieur. Les signes sont en effet accordés aux croyants de l'Ancien Testament après qu'ils ont cru. Moïse et les prophètes sont sanctifiés avant qu'ils aient entendu un seul mot. Les Mages, Jean-Baptiste, le brigand sur la croix n'ont pas commencé par entendre des prédications...

---

21. R. Emmet McLaughlin, *Caspar Schwenckfeld, Reluctant Radical. His Life to 1540*, New Haven and London, Yale University Press, 1986, pp. 96 ss. — Cette lettre du 27 mars 1527 a été éditée par Œcolampade en mai 1527. Voir *Corpus Schwenckfeldianorum*, II, n° 41, pp. 581-599.

Ainsi s'énonce un christianisme très individualiste, une religion de retraite spirituelle. Le fidèle, l'élu, n'a que faire de l'Ecriture et des institutions qui la présentent aux hommes, tant par la prédication que par les sacrements.

En 1527, Schwenckfeld rétablissait une priorité : celle de la parole intérieure, de l'action de l'Esprit sur le cœur de l'homme, avant toute prédication et instruction. Plus tard, en 1556, il durcit le ton, et dans une série de 18 propositions il oppose terme à terme deux conceptions de la religion chrétienne[22], la sienne à celle des luthériens.

« 1. Je recherche la Parole d'Esprit et de vie que Dieu le Père adresse lui-même à tous les cœurs croyants en y joignant la paix, la joie et la confiance. — Vous, au contraire, vous cherchez l'Ecriture et le texte, normes selon lesquelles vous voulez juger et disposer de tout.

« 2. Je recherche de tout mon cœur le seul Maître qui soit, Jésus-Christ, et je demande en priant le Saint-Esprit qui nous conduit dans toute la Vérité. — Vous, au contraire, vous recherchez les grands docteurs, une science qui en impose et les rabbins, et vous prétendez que ce que vous n'arrivez pas à connaître rationnellement n'est qu'illumination et illusion.

...

« 4. Je recherche une conduite qui exprime avec précision et persévérance ce qui est intérieur, et ceci dans l'Esprit, la foi et un amour divin pour rendre les hommes meilleurs. — Vous, au contraire, vous cherchez à agir de l'extérieur sur ce qui est intérieur, par des cérémonies et des sacrements.

...

« 12. Vous enseignez la foi en commençant par la Loi de Moïse. Nous, au contraire, commençons par la pénitence au nom de Jésus-Christ, comme Christ l'a enseigné et vécu.

...

« 14. Vous mélangez le Judaïsme antique et le Christianisme nouveau, la synagogue et l'Eglise de Christ. — Quant à moi, je les distingue autant que la justice des œuvres et la justice du cœur.

« 15. Vous ne faites pas de différence entre l'alliance mosaïque et l'alliance de grâce, pas plus qu'entre le corporel et le spirituel, entre l'Esprit et la chair, la figure et la vérité.

...

« 17. Pour nous, bien comprendre l'Ecriture sainte c'est parvenir au Saint-Esprit et à la révélation de Dieu par le Christ. — Mais, pour vous, c'est établir le sens historique par des moyens rationnels à partir de la lettre du texte. »

Un christianisme sans l'Ecriture est proposé : on ne s'étonne pas de la hargne avec laquelle Flacius Illyricus s'en prendra au Silésien.

---

22. Texte dans *Corpus Schwenckfeldianorum*, n° 939; réédité dans *Der linke Flügel der Reformation...*

Menno Simons :
l'Ecriture règle de la foi et de la vie anabaptistes

Menno Simons (1496-1561), au lendemain des événements de Münster en Westphalie (1534-1535), réorganise les groupes anabaptistes du nord de l'Europe, et rétablit des liens avec les frères de Suisse et de haute Allemagne. « Le temps de la grâce / *Von der Zeit der Gnaden* », tel est le premier des traités d'un recueil qu'il publie en 1539, *Fundament und klare Anweisung von der seligmachenden Lehre Jesu Christi*, trois ans après sa rupture avec l'Eglise catholique[23].

Le traité est bref : 10 000 signes environ.

Première mise en œuvre de l'autorité de l'Ecriture : l'auteur s'efface. Il laisse face à face Jésus-Christ, le Maître céleste, introduit dès les premiers mots d'une part, et le lecteur, destinataire de l'appel terminal d'autre part.

Le corps du texte est construit autour de citations bibliques : Mc 1, 15 définit le thème; 2 Cor 6, 2-10 sous-tend l'exhortation. Citations et allusions donnent au traité l'allure d'une compilation de versets. On lit ici non pas du Menno Simons, mais du Jésus (Mc 1, 15), du Siméon (Lc 2, 29 ss.), du Paul, de l'ange (Ap 10, 6). Quand Menno Simons dit « je », c'est « avec Paul », ou à la façon dont l'apôtre interpellait parfois les Juifs. Très vite un « nous » associe le rédacteur aux lecteurs. Seuls des témoins bibliques ont la parole, l'Ecriture s'interprète elle-même.

Entre le lecteur et les voix bibliques, pas de médiateur donc. La pression de l'appel initial n'en est que plus forte : « Le temps est accompli, et le royaume de Dieu s'est approché. Faites pénitence et croyez à l'Evangile » (Mc 1, 15).

Menno Simons ouvre toute la Bible : l'Ancien Testament est accompli, donc il n'est plus normatif. L'événement majeur de la nouvelle alliance est identifié dans le Nouveau Testament : le temps n'est plus à l'impatience apocalyptique.

Par ce geste, il structure l'imaginaire de son lecteur : il lui assigne une place dans l'histoire. Christ en est le centre. Deux périodes donc : celle des promesses, celle de leur accomplissement. Une chronologie certes, mais autrement prise en compte que ne le font Calvin ou Théodore de Bèze. L'éloignement des temps fondateurs les conduisait à refuser toute transition facile du « dit » biblique à la conclusion doctrinale ou à l'exhortation morale. Avec Menno Simons, le temps de la grâce échappe aux méfaits du temps : l'appel originel peut être réitéré. Il est ultime : la réponse de chacun l'engage jusqu'au jour du Jugement.

---

23. D'après le texte établi par H. FAST, *Der linke Flügel der Reformation...*, pp. 162-167.

Le temps de la grâce n'est en fait pas le temps des historiens, alors que le temps de l'Ancien Testament, d'une certaine façon, l'était. Menno Simons rompt avec l'apocalyptique de Melchior Hoffmann ou de Bernhard Rothmann : les *nouveaux temps* ne sont pas imminents, ils sont déjà là. Il n'est plus temps de les attendre dans un abandon confiant, ou de les hâter, les armes à la main : il faut s'y intégrer.

Menno Simons n'affecte pas de lire naïvement l'Ecriture. Un schéma herméneutique clair est mis en œuvre, notamment pour dire le rapport des deux Testaments, et retrouver des éléments de l'eschatologie néo-testamentaire.

L'annonce de l'Ecriture ouvre une possibilité unique, dernière :

« Il n'y a rien d'autre à lire et à comprendre dans l'Ecriture que ceci : cette fête [le temps de la grâce] est la dernière de l'année, la dernière prédication du saint Evangile, la dernière invitation aux noces de l'Agneau, qui doive être célébrée, annoncée et sanctifiée avant le solennel et terrifiant jour du Seigneur. »

La lecture de l'Ecriture requiert impérativement une conduite de « suivance/*Nachfolge* », d'imitation de Christ, ce qui est caractéristique de la lecture anabaptiste de la Bible. Aucun espoir de « faire l'économie de la Croix » ne peut être nourri, le temps de la grâce est « coûteux ».

« Puisque la Tête a dû souffrir un tel martyre, un tel chagrin, une telle tristesse et une telle souffrance, comment nous qui voulons en être les serviteurs, les enfants et les membres pourrions-nous en attendre de goûter, aussi longtemps que nous sommes dans la chair, la paix et la liberté ? »

2 Tm 3, 12 et Mt 10, 22 ponctuent le propos. L'Ecriture servait à situer le croyant dans l'histoire du salut. Désormais il s'agit plus que d'édification et exhortation.

L'autorité attribuée à l'Ecriture prend une signification sociologique : un profil est imposé à la communauté des frères :

« Consentons à ne pas ressembler à la Jérusalem ingrate, désobéissante, criminelle (Lc 19, 41 ss.), qui éloigne d'elle-même la paix divine, la grâce céleste, la vigilance bienveillante, avec des sentiments si pervertis. Acceptons plutôt de nous réveiller avec un cœur plein de zèle, pour entendre l'appel, et nous adresser dans ce temps favorable, loin de nos péchés honteux et puants... »

Rm 13, 12-14 est alors cité. Un dernier appel est lancé au croyant, souligné par 2 Cor 6, 2. Une indication claire subsiste : la communauté eschatologique, conforme à l'Ecriture, rompt avec la société environnante; elle accueille des convertis qui ne cessent de faire profession de foi par leurs dires et leurs actes.

Confessions de foi réformées

Leur adoption prévient le passage au spiritualisme ou à l'anabaptisme et le retour au catholicisme. Leur fonction est de définir l'identité doctrinale des Eglises qui les adoptent et d'en fonder les Disciplines. Les deux *Confessions helvétiques*, zurichoises, de 1536 et de 1566, associent sans commentaires les notions de « Parole » et d' « Ecriture ».

La première *Confession helvétique* commence, fait rare, par cinq articles sur l'Ecriture, son interprétation et son contenu. (Le « est » de la première phrase indique moins une « transsubstantiation » d'un corpus littéraire qu'une transition réussie de l'oracle initial à la rédaction des écrits.)

1. *De l'Ecriture sainte.* — « L'Ecriture sainte, divine, biblique, celle qui est la parole de Dieu, donnée par l'Esprit saint et transmise au monde par les prophètes et les apôtres, est le plus parfait et le plus élevé de tous les enseignants. Elle seule inclut tout ce qui contribue à la connaissance du vrai, à l'amour et l'honneur de Dieu, la piété réellement authentique et la discipline d'une vie chrétienne, honorable et bénie de Dieu. »

[Les articles 2 à 4 traitent de l'interprétation de l'Ecriture par elle-même, de l'usage des Pères, selon qu'ils s'accordent ou non avec la foi biblique, le rejet des traditions humaines qui y contredisent.]

5. *La fin et la visée de l'Ecriture sainte.* — « Toute l'Ecriture sainte n'a qu'une visée. Eclairer l'esprit humain sur la faveur de Dieu qui lui veut du bien : il le manifeste ouvertement et prouve sa bienveillance par l'envoi de Christ son Fils vers tous les humains... »[24].

Confession helvétique postérieure :

Chapitre Premier : « Nous croyons et confessons que les Escritures Canoniques des saincts Prophètes et Apostres du vieil et nouveau Testament sont la vraye parole de Dieu : et qu'elles ont suffisante authorité d'elles-mesmes, et non point des hommes. Car Dieu a parlé luy-mesmes aux Peres, Prophetes et Apostres, et parle encores à nous aujourd'huy par les sainctes Escritures. Et l'Eglise universelle de Christ, voit pleinement comprins en ceste saincte Escriture, tout ce qui appartient tant à ce qu'il nous faut croire pour estre sauvez, qu'à dresser nostre vie pour la rendre plaisante à Dieu »[25].

La *Confession de foi des Eglises réformées du royaume de France* se satisfait d'une « chronique » de la révélation du Dieu confessé dans le premier article :

2. « Ce Dieu se manifeste tel [une seule et simple essence spirituelle, éternelle...] aux hommes, premièrement par ses œuvres, tant par la création que par la conservation et conduite d'icelles. Secondement et plus clairement

---

24. *Die Bekenntnisschriften der reformierten Kirche in authentischen Texten mit geschichtlicher Einleitung und Register*, hrsg. von E. F. Karl MUELLER, Leipzig, A. Deichert'sche Verlagsbuch-handlung Nachf., 1903, n° 8, p. 101.
25. « La Confession helvétique postérieure. Traduction française de 1566 » (réimpression de l'édition de Jacques COURVOISIER..., 1944), *Confessions et Catéchismes de la Foi réformée*, édités par Olivier FATIO..., Genève, Labor et Fides, 1986, pp. 178-306 (texte cité p. 203) [Publications de la Faculté de Théologie de Genève 11].

par sa parole, laquelle au commencement révélée par oracle, a été puis après rédigée par écrit ès livres que nous appelons Ecriture Sainte. »

Le troisième article énumère les livres canoniques — sans mention des « Deutérocanoniques » tridentins. L'article 4 en dit la raison : l'établissement de la liste des écrits reconnus comme canoniques ne doit rien « au commun accord et consentement de l'Eglise », à la différence des « autres livres ecclésiastiques »[26].

Analogie de la foi et autorité de l'Ecriture

Le cours des événements du XVIe siècle montre que l'on n'a pas trouvé à arbitrer entre ces diverses mises en œuvre de l'autorité de l'Ecriture.

Pour dire leur assurance de régler leur interprétation de l'Ecriture sur les indications bibliques elles-mêmes, sans recours aux traditions ecclésiastiques, les premiers biblistes luthériens et réformés disaient volontiers la développer selon l'analogie de la foi, expression extraite de l'Epître aux Romains 12, 6.

Longtemps ce fut un concept précis par ce qu'il excluait, plus flou dans sa signification positive. Pour Bucer par exemple, l'analogie de la foi, c'est la conformité à la théologie luthérienne de la justification, la prise en compte de l'amour du prochain, ou encore l'adoption de solutions lues dans les Pères.

A la fin du siècle, l'expression est expliquée d'une façon qui semble mettre l'autorité de l'Ecriture en péril.

Ainsi W. Whitaker[27] :

« L'analogie de la foi n'est rien d'autre que la pensée biblique constante et perpétuelle que l'on établit à partir des passages clairs et les moins obscurs du texte biblique. Il s'agit des articles de foi que l'on retrouve dans le Symbole [des apôtres], et tout qu'on lit dans le 'Notre Père', le Décalogue et tout au long du Catéchisme. En effet, toutes les parties du Catéchisme peuvent être prouvées par des citations scripturaires.

« Est fausse une explication de l'Ecriture qui est contraire à cette analogie.

« Ainsi à propos de : 'Ceci est mon corps.' Les papistes disent : 'Se produit ici une transmutation du pain en mon corps.' Les luthériens comprennent différemment : ils disent que sous ce pain il y a le corps de Christ, d'où leur emploi du terme *consubstantiation*.

« Les deux explications s'écartent de l'analogie de la foi.

« En effet, l'analogie de la foi enseigne premièrement que le corps de Christ est semblable aux nôtres : un tel corps ne peut pas être dissimulé sous des accidents, ou être accolé au pain. L'analogie de la foi enseigne ensuite que Christ est au ciel, il n'est donc pas dans le pain, ou avec le pain. L'analogie de la foi enseigne enfin que Christ viendra du ciel pour le jugement, et non d'une coupe. »

---

26. *Ibid.*, pp. 111-127 (texte cité p. 115).
27. *Disputatio de Sacra Scriptura...* (1600), pp. 528-529.

W. Whitaker, un réformé puritain, inquiète par sa belle assurance. Il paraît verrouiller tout débat sur la conformité de sa théologie particulière à l'Ecriture. Au-delà du cas personnel, une question plus générale est posée : celle de la normativité des Confessions de foi et autres documents symboliques dont se dotent les grands ensembles confessionnels protestants à la fin du xvie siècle[28].

Leurs rédacteurs multiplient dans le texte et dans les marges les citations, références et allusions bibliques. Catéchismes et confessions de foi sont en effet adoptés par des assemblées ou des synodes comme autant de résumés de l'Ecriture. Ils doivent en guider la lecture et la prédication. Ils prémunissent aussi l'Eglise qui les adopte contre le risque de succomber au charme ou aux théories personnelles d'un « leader », de s'adapter à une opinion publique versatile ou d'emprunter à des traditions trop humaines.

Le risque est grand toutefois, et il fut d'actualité au temps des orthodoxies, de ne plus dissocier une instance de référence — « la Parole de Dieu » — des convictions adoptées par un groupe religieux à une date précise et dans des circonstances particulières. C'est pourquoi il importe, s'agissant du protestantisme de la fin du xvie siècle, de s'interroger sur le maintien, ou l'abandon, partiel ou total de trois options :

— La valeur d'une interprétation de l'Ecriture, ou d'une confession de foi n'est pas légitimée par le statut de la personne, ou de l'assemblée, qui l'élabore et la propose.

— Les énoncés des confessions ne sont jamais que des « normes dérivées », la « norme principielle » restant « la Parole de Dieu attestée dans l'Ecriture sainte ». Reconnaître l'autorité de l'Ecriture oblige à maintenir toujours ouverte une possibilité d'examen critique, d'autant plus largement que la perception de la « Parole de Dieu » attestée par l'Ecriture reste largement problématique.

— La nature même du travail d'interprétation et de traduction, fût-il mené à la lumière du principe de l'explication de l'Ecriture par elle-même, expose à de telles aventures, que ses résultats ne peuvent être évalués à travers les catégories du vrai et du faux, non plus que ne peuvent être exclues sans appel les solutions alternatives.

W. Whitaker paraît bien avoir oublié, ou transformé, quelques exigences de type réformé.

Bernard Roussel.

---

28. Voir l' « Introduction », rédigée par Gabriel-Ph. Widmer, au volume cité n. 25, *Confessions et Catéchismes de la Foi réformée*, pp. 7-16. Nous lui empruntons certaines expressions et réflexions.

9

La Réforme catholique

Luther apparaît sur la scène religieuse de son temps quelques mois après la clôture du décevant concile de Latran V, ce « brouillon de concile » comme l'appela Döllinger. Au moment où il pose les problèmes dogmatiques les plus graves et où tous dans la chrétienté ont conscience de la nécessité et de l'urgence d'une réforme, comment le Pape pourrait-il prendre l'initiative de convoquer une nouvelle assemblée sans doute vouée à un nouveau constat d'impuissance ? C'est grâce à sa force de caractère que Paul III, pourtant pape de la Renaissance s'il en fut, put non seulement convoquer, après de multiples contrariétés politiques, mais surtout réussir à mettre en marche cette assemblée conciliaire qui se réunit enfin en décembre 1545 à Trente, lieu stratégique entre les sphères d'influence impériale et pontificale.

Or, dès le début de la réunion d'un concile qui ne compte alors qu'un nombre restreint d'évêques parce que l'empereur continue à espérer une paix religieuse qui viendrait des résultats de colloques interconfessionnels et parce que François Ier s'irrite de ce que, après tant d'années d'atermoiements, on n'ait pas attendu les Français pour commencer, on semble encore piétiner. Sans autre instruction de Rome que celle de commencer par l'examen des questions dogmatiques, les légats décident alors au début de février 1546 « d'établir les livres de l'Ecriture comme fondement nécessaire sur lequel on doit ensuite édifier les autres conclusions, plus controversées et difficiles »[1].

La Bible est donc dès l'abord envisagée comme fondement mais l'idée sous-jacente est de manifester à cette occasion l'importance du rôle de l'Eglise par la Tradition. Une preuve préalable en a été administrée dans la session du 4 février 1546, la troisième du concile, lorsque chaque évêque présent donna son assentiment personnel au symbole de Nicée, lui aussi qualifié de « fundamentum firmum et unicum »[2].

Rappelons au préalable succinctement les différentes étapes de ce début du concile lorsqu'il voulut traiter expressément de la Bible. Durant les mois de février et de mars 1546, les congrégations particulières (c'est-à-dire *grosso modo* des commissions) et les congrégations générales délibèrent sur les questions à retenir[3]. La plus importante de ces réunions fut celle du 18 février lorsque le légat Cervini esquissa les grandes lignes de la réflexion : on a remarqué que c'était le jour de la mort de Luther.

Un projet de décret doctrinal fut présenté aux Pères le 22 mars, discuté les jours suivants et voté le 1er avril. Le texte disciplinaire sur les abus de l'Ecriture sainte et les remèdes à y apporter fut examiné le 3 avril et les jours suivants. On fut alors prêt pour la quatrième session solennelle du concile qui se tint le jeudi 8 avril pour voter les deux textes. Mais le décret sur la discipline n'avait traité que des éditions imprimées de la Bible. Il restait à discuter de l'usage de la Bible et en particulier de la prédication catholique. Ce fut l'objet de discussions en avril et en mai, spécialement aux congrégations générales du 15 avril et du 10 mai. Ce texte sera voté à la cinquième session, le 17 juin, en même temps que le décret sur le péché originel.

Pour aller à l'essentiel, nous retiendrons ici quatre problèmes qui donnent les vues principales de la première période du concile en ce qui concerne la Bible. Or, par manque de temps, mais surtout par principe, pour attester et prouver la continuité des trois périodes séparées à chaque fois par une dizaine d'années, le concile de Trente ne reviendra pas sur l'Ecriture sainte en tant que telle mais seulement de façon adjacente ou indirecte à l'occasion des discussions dogmatiques.

Nous verrons d'abord comment, avant toute chose, le concile pose les bases, non sans un certain flou d'ailleurs, de sa réflexion ultérieure en affirmant la double transmission de la Parole de Dieu par l'Ecriture et la Tradition. Puis nous examinerons comment fut traité le problème

---

1. « Come fondamento necessario » : lettre des légats au cardinal Farnèse, 7-8 février 1546, *CT* X, p. 373 (on renvoie ici à l'édition critique de la *Görresgesellschaft*, Freiburg-i.-B., 1901 ss. = *CT*).

2. *CT* IV, p. 580, l. 14.

3. Les congrégations particulières dites *classes* groupent un certain nombre de Pères conciliaires sous la présidence d'un légat. Il y eut aussi des *classes* de théologiens.

de la canonicité de l'Ecriture sainte en cohérence avec les principes généraux dégagés, puis celui du statut de la Vulgate et enfin nous regarderons la discipline imposée et rappelée pour enseigner et prêcher l'Ecriture.

Evangile, Ecriture, Tradition et traditions

Bien qu'évidemment l'affirmation protestante d'une *Scriptura sola* soit demeurée à l'arrière-plan des discussions du concile, de façon peut-être diffuse mais permanente, au moment où ils discutent du décret *De canonicis Scripturis* qui commence par le mot *Sacrosancta*, les Pères conciliaires cherchent moins à établir une réfutation qu'à mettre au point une méthodologie qui leur permette d'établir leurs réflexions ultérieures avec une certaine clarté. Il faut recevoir les livres sacrés, dit le cardinal del Monte, comme « des fondements » et chercher sur « quelles autorités » (au pluriel) le concile pourra s'appuyer[4].

Un bon *status quaestionis* est donné par le discours de Cervini, qui deviendra en fait comme un programme de réflexion. Le légat distingue « trois principes de notre foi » : les livres saints inspirés; l'Evangile enseigné par le Christ et affermi par lui en nos cœurs, dont une partie a été écrite; et enfin l'enseignement de l'Eglise assistée de l'Esprit[5]. On voit ainsi esquissée la distinction de plusieurs notions essentielles. Il y a différentes formes de la Révélation : l'Ancien Testament; l'Evangile qui a été mis par écrit (Nouveau Testament) mais qui s'exprime aussi dans la Tradition apostolique, par référence à Jean 20, 30; et enfin des traditions ou des enseignements qui se font jour dans l'histoire et la vie de l'Eglise.

Le texte voté par le concile n'intégrera que les deux premières catégories : après une mention des promesses des prophètes au sens général du terme, c'est-à-dire tout l'Ancien Testament, il distinguera d'une part les livres écrits, et de l'autre « les traditions non écrites qui, reçues par les Apôtres de la bouche même du Christ, ou transmises comme de main en main par les Apôtres, sous la dictée de l'Esprit-Saint, sont parvenues jusqu'à nous »[6].

Aucun exemple de ces traditions apostoliques n'est donné dans le texte. Quant aux traditions ecclésiastiques il n'en est fait mention ni ici ni ailleurs. Mais l'ensemble des débats et surtout la correspondance des légats avec le Saint-Siège[7] montrent parfaitement qu'il ne s'agit

---

4. Allocution du 8 février : *CT* V, p. 3.
5. *CT* V, p. 11 (18 février). Cf. le compte rendu du secrétaire du concile Massarelli, *CT* I, pp. 484-485.
6. *CT* V, p. 91, l. 7-9.
7. *CT* X, p. 406, p. 460, p. 474. Cf. J. Ermel, *Les sources de la foi. Concile de Trente et œcuménisme contemporain*, Tournai, 1963, pp. 92 ss.

là ni d'un oubli ni d'un refus : la matière fut, curieusement à première vue, reportée à un décret spécial, prévu pour la session suivante et jamais venu au jour. La raison n'en est pas seulement l'urgence des autres textes mais, plus obscurément, la volonté d'éviter des divisions qui n'auraient pas manqué de survenir en discutant de l'autorité des conciles. L'ombre du conciliarisme plane d'un bout à l'autre sur les débats conciliaires mais on réussira toujours à contourner l'obstacle.

Pourtant, dans le cas précis, l'absence de toute référence aux traditions ecclésiastiques déséquilibre le texte selon la cohérence que les discussions indiquaient, ou du moins le rend flou. D'ailleurs le jésuite Le Jay, procureur de l'archevêque d'Augsbourg, avait bien fait remarquer : « Diverse est l'autorité que les traditions possèdent dans l'Eglise. Elles doivent donc être reçues diversement », ce qui valait en fait aussi pour les traditions apostoliques et suggérait la distinction ultérieure entre la Tradition et les traditions puisqu'il ajoutait : « celles qui concernent la foi possèdent l'autorité même de l'Evangile et doivent être reçues comme telles »[8].

A Trente, on utilise plutôt le pluriel *traditiones* et le mot de *traditio* au singulier, mais en ce cas pour indiquer l'acte de transmettre. Ainsi en est-il chez Jean Driedo de Louvain dont le *De ecclesiasticis scripturis et dogmatibus* de 1533 a joué un rôle important au concile. Car c'est à cet ouvrage qu'on doit l'idée qu'il y a un unique contenu dans la Révélation sous deux modes de transmission : « Autre chose est l'Evangile, autre chose l'écriture de l'Evangile; autre chose ce qui est enseigné, autre chose le mode de l'enseignement écrit ou verbal »[9].

Le texte *Sacrosancta* entérine en effet ce mot d'Evangile[10] au sens large en lui donnant l'ampleur de Révélation et en le qualifiant de « source (on avait d'abord dit règle : *regula*) de toute vérité salutaire et de toute règle morale ». Le cardinal del Monte dès le 12 février avait fait sienne cette idée en proposant de dire que « toute notre foi vient de la Révélation divine et celle-ci nous est transmise par l'Eglise, en partie *(partim)* par les Ecritures de l'Ancien et du Nouveau Testament et en partie par les traditions ».

Mais ce balancement issu lui aussi de Driedo *(partim... partim)* fut l'occasion d'une intervention du général des Servites, Angelo Agostino Bonucci, pour lequel cette opposition ainsi durcie en devenait fausse : « car toute la vérité chrétienne est dans l'Ecriture et pas seulement

---

8. *CT* V, p. 13, l. 35-36.
9. Sur Driedo, J. L. MURPHY, *The Notion of Tradition in John Driedo*, Milkauwee, 1959. Cf. ERMEL, p. 51, et R. GUELLUY, « L'évolution des méthodes théologiques à Louvain d'Erasme à Jansenius », *RHE* 37 (1941), pp. 31-144 (sur Driedo, pp. 71-80).
10. Y. CONGAR, *La Tradition et les traditions*, I : *Essai historique*, Paris, 1960, pp. 209-210. Voir aussi M. MIDALI, *Rivelazione, chiesa, scrittura e tradizione alla IV sessione del Concilio di Trento* (Biblioteca del Salesianun, 78), Roma, 1973.

en partie »[11]. Il ne s'agissait pas là d'une affirmation de la *Scriptura sola* mais d'une idée très ancienne que tout élément absolument nécessaire au salut a son fondement dans l'Ecriture sainte.

Sans qu'intervienne un vote formel sur ce point, l'expression *partim... partim* disparut de la rédaction finale. Un débat entre plusieurs historiens et théologiens s'est instauré sur la signification de ce retrait[12] : il suffit de constater que dans le texte lui-même son abandon renforce le pôle d'unité autour de l'Evangile. Comme à l'inverse le concile a, malgré les réticences de Bonucci et d'autres, maintenu qu'il recevait Ecriture et traditions *pari pietatis affectu*[13], au sens plénier que le mot de *pietas* revêtait au XVIe siècle, on ne peut nier l'intention des pères conciliaires de réaffirmer l'égale dignité de la Bible et des traditions d'origine apostolique. « C'est ainsi tout le legs apostolique en indivis que l'Eglise entend recevoir »[14]. Bien plus, le texte précise l'origine commune et insurpassable qui motive ce respect : « L'Evangile a été promulgué de la bouche de Notre Seigneur Jésus-Christ, Fils de Dieu, et ensuite par les Apôtres. »

<center>
* *</center>*

Il convient de comprendre ce texte de 1546 non seulement à la lumière de l'œuvre postérieure du concile mais aussi des développements théologiques ultérieurs. Que le concile de Trente ait voulu s'appuyer sur l'ensemble de la Tradition se dégageait déjà des débats de 1546. Au cours de la deuxième période, on désigne les bases de référence de la foi catholique comme « issue de l'Ecriture sainte, des traditions apostoliques, des conciles reçus, des constitutions et décrets des papes et des saints Pères, et du consensus de l'Eglise catholique »[15]. Le théologien Alphonse de Castro au concile et déjà dans ses écrits antérieurs défend cette idée de la réception unanime par l'Eglise catholique[16] : elle est une actualisation de la célèbre définition de saint Vincent de Lérins[17] dont nous verrons à propos de la canonicité des Ecritures l'importance dans les débats conciliaires.

Un an après la clôture du concile, le pape Pie IV promulgua la Profession de foi qui avait été requise de lui avant que le concile ne

---

11. *CT* I, p. 525, l. 18 : « Judico omnem veritatem evangelicam scriptam esse, non ergo partim » (c'est le compte rendu de Massarelli).
12. CONGAR, *op. cit.*, pp. 214-218, pour un résumé des diverses positions.
13. *CT* V, p. 83.
14. Latran V et Trente (I), *Histoire des conciles œcuméniques*, 10, Paris, 1975, p. 255 (H. HOLSTEIN).
15. 8 septembre 1551 : *CT* VII, I, p. 114, l. 9-11.
16. CONGAR, I, p. 229, n. 51.
17. *CT* V, p. 424, l. 45 (intervention de Rovarella, évêque d'Ascoli Piceno, sur la justification).

se sépare : les traditions « apostoliques et ecclésiastiques et autres constitutions de l'Eglise » sont même nommées avant l'Ecriture sainte, « selon le sens qu'a tenu et que tient la sainte mère Eglise ».

Nous nous trouvons donc dans le contexte théologique du temps à l'origine de ce qu'on a ensuite appelé les deux sources : Ecriture *et* Tradition, mais dont il faut reconnaître qu'un examen attentif du texte de 1546 ne la suppose pas, puisqu'il parle de deux modes, de deux manières d'exprimer l'unique Evangile.

Le concile de Trente estime implicitement ou explicitement que c'est le Saint-Esprit qui donne cette unité au fondement de la foi reçue en ses divers canaux. Claude Le Jay parle du ministère extérieur du Saint-Esprit qui s'attache à l'action de l'Eglise reconnaissant les livres saints comme inspirés et les interprétant authentiquement par les traditions apostoliques, les définitions des conciles et l'enseignement des docteurs[18]. Le concile de Trente à plusieurs reprises fait mention de cette assistance du Saint-Esprit, qu'il reçoit en proclamant tel texte dogmatique : *Sancto Spiritu suggerente*[19]. Dans son débat sur la canonicité des Ecritures, ce sera aussi le motif déterminant de la position conciliaire : la Bible a comme caractéristique principale et unifiante d'être inspirée par cet Esprit divin[20].

La canonicité de l'Ecriture sainte

Le décret *Sacrosancta* se poursuit par une liste des livres saints « pour qu'aucun doute ne s'élève en quiconque ». En fait, on va se contenter de reprendre un texte issu du concile de Florence (1442), non sans discussions et non sans qu'il n'y ait une réaction à la conception protestante du canon. Cette question de la canonicité des Ecritures était en effet très vite apparue dans les débats avec les Réformateurs. Dans sa réfutation de Tyndale, Thomas More se plaint déjà (1532) de ce que les novateurs s'ils ne reconnaissent que l'Ecriture en rejettent tout ce qui contredit leur propre lecture.

Ainsi se trouvent contestés les deux livres des Maccabées[21] dont le texte soutenait la théologie catholique de la prière pour les morts, du

---

18. *De traditionibus Ecclesiae*, CT XII, pp. 522-524. Il parle d'un magistère privé, don intérieur du Saint-Esprit qui permet de comprendre les choses spirituelles (cf. Congar, I, p. 220), qu'on peut peut-être rapprocher du témoignage intérieur du Saint-Esprit, cher à Calvin.

19. Par exemple, session VI, « De justificatione »; session XIII, « De Eucharistia ».

20. Pour une vue synthétique des débats tridentins sur la Bible : R. Criado, « El concilio de Trento y los estudios biblicos », dans *El concilio de Trento*, Exposiciones e investigaciones por colaboradores de Razon y Fe, Madrid, 1945, pp. 255-291.

21. *The Confutation of Tyndale's Answer*, éd. L. A. Schuster..., New Haven, 1973 (The Complete Works of St Thomas More 8/1), pp. 266 ss.

Purgatoire et du culte des saints[22]. De même, la place à accorder à l'épître de saint Jacques, décisive en raison de sa mention de l'onction des malades et de son éloge des œuvres, était controversée. Une polémique se développait entre Bullinger, le successeur de Zwingli à Zurich, et Cochlaeus entre 1538 et 1554[23]. Mais le débat est aussi intérieur à la Réforme puisque Carlstadt refusait au Pentateuque tout entier son authenticité mosaïque que Luther maintenait.

On peut donc comprendre pourquoi l'examen du canon biblique apparut comme une priorité au concile de Trente. A la congrégation générale du 8 février 1546 le cardinal del Monte proposa de discuter d'une réaffirmation des Ecritures canoniques. Le but était toujours celui de poser un fondement inébranlable pour les débats ultérieurs. Il fallait parer à toute objection ou hésitation sur la validité ecclésiale des livres bibliques, en raison de leur utilisation dans la défense de la foi, mais aussi pour la confirmation de ceux qui tout en s'affirmant catholiques étaient faibles dans la foi[24]. La discussion porta surtout sur le Nouveau Testament.

Alors que cette question était déjà soumise à l'avis de certains experts[25], en dehors de l'enceinte conciliaire, et que l'ensemble des Pères en avait discuté le 11 février, il y eut des débats en congrégations particulières. Nous possédons le compte rendu de la congrégation présidée par le cardinal de Santa Croce, Marcello Cervini.

Elle commença par un grand discours du cardinal président, montrant comment la négation de la canonicité des livres bibliques est un point commun aux hérésies antiques et modernes. Il cita le cas des « livres des Maccabées, Baruch, les deux livres d'Esdras, l'épître de saint Paul aux Hébreux, la seconde lettre de Jacques et l'Apocalypse de Jean »[26]. Il s'agit probablement d'un *lapsus calami* pour « l'épître de Jacques et la seconde lettre de Pierre ». Il mentionna la liste la plus exacte de toutes, même si elle était la plus récente, celle du concile de Florence, et posa aux Pères la question de savoir si on devait la reprendre *pure et simpliciter*, ou bien s'il convenait de discuter de chaque cas. En effet, argumentait-il, la tâche du concile n'est pas de s'instruire lui-même, mais de présenter au monde chrétien tout entier les vérités du dogme et de la morale.

---

22. J. PELIKAN, *The Christian Tradition*, 4, Chicago, 1984, p. 267.

23. G. BEDOUELLE, « Le canon de l'Ancien Testament dans la perspective du concile de Trente », dans *Le canon de l'Ancien Testament*, éd. J. D. KÄESTLI et O. WERMELINGER, Genève, 1984, pp. 253-282, et en particulier pp. 255-256.

24. *CT* I, p. 28, l. 34-37. Sur les discussions A. MAICHLE, *Der Kanon der biblischen Bücher und das Konzil von Trient* (Freiburger Theologische Studien 33), Freiburg, 1929, et P. G. DUNCKER, « The Canon of the Old Testament at the Council of Trent », *The Catholic Biblical Quarterly*, 15 (1953), pp. 277-299.

25. DUNCKER, p. 282.

26. *CT* V, p. 4, l. 27-28.

Cet argument sera ensuite repris par les Pères désireux d'avoir une discussion plus étoffée, tandis que la majorité se ralliera à la reprise pure et simple du texte existant, en justifiant sa position par plusieurs textes de saint Léon le Grand selon lesquels il ne faut pas revenir sur la foi déjà définie.

Cette intransigeance sera contestée par certains de ceux qui accepteront la solution de recours à Florence, mais auraient souhaité un vrai débat.

Il eut lieu en partie parce qu'on décida d'examiner les « raisons » du texte de Florence et on confia à des théologiens de différents ordres religieux le soin de rédiger un « compendium »[27] qui puisse fournir des éléments destinés à répondre aux objections, protestantes vraisemblablement.

Ce sont d'ailleurs des théologiens issus de ces ordres mendiants sur lesquels on comptait pour apporter des réfutations solides aux erreurs sur le canon biblique, qui, dans cette même congrégation particulière du cardinal Cervini dont nous avons parlé, avaient présenté une distinction qu'ils souhaitaient voir introduire dans un texte. Il s'agit d'une part du dominicain Pietro Bertano, évêque de Fano, et d'autre part du général des ermites de saint Augustin, le célèbre Girolamo Seripando (1492-1563).

Il aurait fallu, selon ces deux personnages, distinguer en premier lieu les livres authentiques et canoniques dont notre foi dépend, et ensuite les livres seulement canoniques, utiles pour l'instruction et la lecture dans l'Eglise, comme l'indique saint Jérôme dans le *prologus galeatus* du livre des Rois[28].

Nous savons bien ce que Seripando entendait en proposant cette distinction, grâce à son *De libris sacrae Scripturae*, mémoire composé pour la circonstance[29]. Armé de nombreuses citations de Jérôme et d'Augustin, il place dans sa seconde catégorie : Tobie, Judith, le livre de la Sagesse, l'Ecclésiastique, les Maccabées, les deux derniers livres d'Esdras et Baruch.

Ces livres « canoniques et ecclésiastiques » sont en effet destinés à l'édification du peuple, mais ne sont pas suffisants en eux-mêmes pour confirmer les dogmes de l'Eglise; pourtant, on ne les appellera pas moins « canoniques », mais en distinguant un « canon de la foi » et un « canon des mœurs »[30]. Seripando essaie de montrer qu'il ne s'agit nullement de dévaluer la seconde catégorie par rapport à la première et il

---

27. *CT* V, p. 7, l. 18-24. Cf. aussi la lettre des légats, en italien, au cardinal Farnèse, n° 298, *CT* X, p. 377, l. 29-32.

28. *CT* V, p. 7, l. 11-14.

29. *CT* XII, pp. 483-496. Pour le Nouveau Testament, Seripando se réfère à Jérôme et répond aux objections concernant surtout 2 P, 2 et 3 Jn et spécialement l'attribution paulinienne de l'Epître aux Hébreux.

30. *CT* XII, pp. 487-488.

utilise un argument qui ne manque pas de finesse en invoquant les dons variés du Saint-Esprit (1 Co 12, 4), unique auteur des uns et des autres.

En fait, derrière cette analyse se trouve la position originale de Cajetan (1469-1534) qui pendant les dix dernières années de sa vie a commenté l'Ecriture sainte.

En ce qui concerne le canon[31], Cajetan a une position aussi clairvoyante qu'audacieuse pour son époque, au point d'avoir scandalisé des adversaires posthumes comme son confrère Catharin, ou bien la Sorbonne. La solution de Cajetan rendait compte des difficultés que les exégètes humanistes rencontraient à propos du canon biblique, mais paraissait de fait trop subtile pour être mise en œuvre.

L'ancien maître général des dominicains se réclame de l'autorité de saint Jérôme pour affirmer la prééminence du canon juif. Il distingue les livres canoniques qui servent à confirmer, à fonder la foi *(regulares ad firmandum ea quae sunt fidei)* et ceux qui, tout en étant insérés dans le canon, sont destinés à l'édification des fidèles *(ad aedificationem fidelium)*[32]. Ainsi le terme de « canonique » est pris dans la rigueur de l'acception d'une « norme pour dire la foi », sans pourtant exclure une conception plus large du canon, comme corpus scripturaire dans lequel toutefois il convient de distinguer des fonctions.

En fait, Cajetan voit un lien fondamental entre la canonicité de l'Ecriture sainte et son origine divine. Pour lui, le véritable critère est précisément celui de l'origine. En ce qui concerne le canon du Nouveau Testament qui l'intéresse davantage, spécialement à cause du cas de l'Epître aux Hébreux, ce qui paraît décisif est l'origine apostolique. Pour l'Ancien Testament, l'origine prophétique sera considérée comme déterminante. On recevra comme indubitablement canoniques les écrits issus du charisme prophétique : ainsi lorsqu'ils auront été écrits par Moïse ou par un prophète inspiré[33]. Mais comment en avoir la certitude ? Il peut se faire qu'on en trouve mention dans l'écrit lui-même ou une allusion dans un autre livre biblique; mais on se fiera surtout à la tradition d'une réception continue dans l'Eglise, de son attribution à tel ou tel auteur.

C'est ainsi que Cajetan réintroduit l'autorité de la Tradition, mais au travers d'une attitude qu'on pourrait déjà appeler « critique » avant la lettre, ou du moins restrictive : un livre biblique reçu par les « contemporains » (c'est-à-dire la tradition hébraïque) sera le signe de son ori-

---

31. A. F. von GUNTEN, « La contribution des 'Hébreux' à l'œuvre exégétique de Cajetan », dans *Histoire de l'exégèse au XVIe siècle*, Genève, 1978, pp. 46-83 (spécialement la bibliographie, p. 46, n. 2).

32. *Cardinalis Cajetani in Sacram Scripturam Commentarii*, Lyon, 1639, II, p. 400. Cf. von GUNTEN, p. 56, n. 27.

33. C'est pourquoi Cajetan attribue le livre de Job à Moïse lui-même *(Commentarii*, II, p. 401). Mais il rejette quelques chapitres apocryphes du livre d'Esther *(ibid.*, p. 400).

gine divine. On comprend donc l'importance attachée par Cajetan au canon juif.

On pourrait donc dire que Cajetan admet pour la majorité des livres bibliques comme une plénitude de canonicité : ceux qui ont été reconnus comme canoniques, dont nous connaissons l'auteur et qui servent de norme à la foi. Il existe ensuite un certain nombre de cas où l'une de ces conditions vient à manquer : soit qu'on ne connaisse pas leur auteur, soit que l'Eglise ne les utilise que pour l'édification des fidèles. En ce cas, la canonicité, selon Cajetan, manque de « clarté »[34]. Dans cette dernière catégorie, on trouvera Judith, Tobie, les livres des Maccabées, ainsi que Sagesse et Ecclésiastique. Cajetan ne les a d'ailleurs pas commentés.

Ces distinctions apparaîtront comme erronées à certains, et de toute façon bien délicates à manier. Mais Cajetan pose, plus de dix ans avant la réflexion du concile de Trente, nombre de problèmes sur le canon biblique qui n'y seront pas retenus, mais au moins évoqués et même parfois discutés : ainsi la possibilité d'établir une frontière à l'intérieur du canon; celle d'attribuer chaque livre à un auteur précis selon la Tradition; enfin le degré d'autorité à attacher à Jérôme et au canon juif.

En 1546 pourtant, la position « ouverte » de Cajetan n'avait guère de chance d'être entendue, alors qu'entre autres opposants, son adversaire Ambroise Catharin (1487-1553), influent au concile, l'avait attaqué sur ce point précis et sur bien d'autres contenus dans ses commentaires bibliques[35]. Mais Cajetan, en esprit indépendant, avait suggéré l'importance de l'inspiration (apostolique pour le Nouveau Testament, ou prophétique) comme source ultime de la canonicité. Seripando, lui-même fort libre dans son jugement théologique, la prit à son compte.

Aux congrégations générales des 12 et 15 février 1546, on discuta de l'opportunité de reprendre cette fameuse distinction. Le cardinal Madruzzo, « l'hôte du concile » comme prince-évêque de Trente, penchait pour qu'au moins on puisse examiner les difficultés propres à certains livres bibliques[36]. A l'inverse, le cardinal Pacheco, évêque de Jaen, réfuta vigoureusement l'opinion de Cajetan qui ne considérait la Sagesse et l'Ecclésiastique que par rapport à « l'édification des fidèles »[37].

Après bien des arguments, on passa au vote. On aboutit à un *placet* unanime pour incorporer au texte le canon du concile de Florence. Sur le point de savoir s'il convenait d'y ajouter un anathème, le vote fut plus serré puisqu'il y eut vingt-quatre *placet* pour quinze Pères votant *non placet*, parmi lesquels il faut compter le cardinal Madruzzo. En effet, jusqu'à la fin du débat, ce dernier fut le porte-parole des parti-

---

34. Von GUNTEN, p. 55, n. 26.
35. *Ambrosii Catharini Politi Annotationes in commentariis Cajetani*, Lyon, 1542, pp. 42-48.
36. CT I, p. 30, l. 30-32.
37. CT I, pp. 30-32.

sans de la distinction à établir à l'intérieur du canon; mais le président ne soumit pas cette question aux voix. Il en fut de même de la proposition qui fut faite d'ajouter, pour plus de clarté, que le concile recevait tous les livres *pari pietatis affectu*, ce qui était en réalité un contre-projet, destiné à nier la distinction. Le concile préférait la sobriété et l'indétermination sur ce point, laissant aux théologiens le soin d'examiner les difficultés relatives à certains des livres bibliques.

Le 26 février, une petite commission de six membres fut chargée de présenter un texte qui fut soumis aux Pères conciliaires le 22 mars, discuté à partir du 27 en congrégation générale, puis, en tenant compte des amendements proposés, de nouveau le 5 avril.

Pour notre sujet, un point fort important concerne le sort fait aux livres dits apocryphes (ou pseudépigraphes dans la tradition protestante), à savoir les 3e et 4e livres d'Esdras et le 3e livre des Maccabées. Trois Pères conciliaires insistèrent pour qu'ils soient rejetés expressément. La majorité au contraire, suivant un parti assez courant au concile de Trente, préféra les omettre sans plus d'explications.

C'est le moment également où l'on discuta s'il fallait faire mention spéciale des passages controversés des Evangiles (finale de Mc; Lc 22, 43-44; et l'épisode de la femme adultère en Jn 8, 1-11). Une majorité s'y opposa.

On se posa aussi la question de savoir s'il fallait améliorer la liste du Décret pour les Jacobites pris à Florence et préciser l'auteur de chacun des livres bibliques. Une très forte majorité en fut d'avis. Les rédacteurs, ayant pris le parti de la sobriété, attribuèrent alors le Pentateuque à Moïse, le Psautier à David sous la forme atténuée de *Psalterium davidicum*, les Actes des Apôtres à saint Luc, l'Epître aux Hébreux parmi « les quatorze de l'Apôtre Paul », et enfin l'Apocalypse à Jean. En fait, les seules innovations par rapport à Florence concernent le Psautier « davidique » et les Actes.

Il faut aussi noter la discussion qui intervint sur l'expression *sacri et canonici*, qualifiant les livres bibliques. L'évêque de Castellamare, Juan Fonseca, demanda qu'on mentionne que Judith, Tobie et les Maccabées appartenaient « au canon de l'Eglise »[38] pour le distinguer de celui des Juifs. C'était revenir d'une manière détournée à la distinction proposée dans les discussions préparatoires.

De fait, dans l'élaboration finale, la discussion rebondit. Fonseca insista de nouveau pour qu'on fasse une différence entre « livres canoniques 'et' livres reçus ». Bertano et Seripando appuyèrent évidemment ses vues. La dernière offensive fut lancée le 27 mars, puis encore le 1er avril, par le cardinal Madruzzo; il demanda à nouveau qu'on

---

38. *CT* V, p. 34, l. 18; p. 70, l. 33-34.

établît une distinction nette entre les textes qui fondent les dogmes et ceux qui peuvent servir à l'enseignement, ou qu'au moins on place cette seconde catégorie en fin de la liste[39]. N'est-il pas anormal, argumenta-t-il, de mettre Tobie, que Jérôme considère comme apocryphe, parmi les livres dont l'inauthenticité n'a jamais été mise en doute[40] ?

L'argument décisif fut, semble-t-il, apporté par l'évêque de Senigallia, Marco Vigerio. Selon lui, introduire officiellement une distinction risquerait de ruiner le remède à l'incertitude des chrétiens qu'on entendait apporter en proposant une liste précise du canon. Ce serait peut-être introduire un élément de doute sur certains livres, alors que tous sont inspirés par le Saint-Esprit.

« Même s'il existe une certaine distinction à opérer entre les livres sacrés », déclara-t-il « il semble qu'il y ait cependant de bonnes raisons pour qu'elle ne soit pas exprimée et que tous les livres soient absolument (considérés) comme composés *(editi)* par l'Esprit-Saint, et, afin qu'il n'y ait aucune erreur ou aucun soupçon d'erreur (à leur propos), qu'ils soient reçus sans mention de distinction, que l'énumération de ces livres soit adoptée comme il est prévu dans le (projet de) décret, mais que cependant on ne fasse plus mention du concile de Florence »[41].

Avec cette intervention de Vigerio, le débat trouvait son véritable centre : au lieu de considérer exclusivement le contenu de chaque livre et son utilisation par l'Eglise, dogmatique ou morale, il se concentrait sur la notion d'inspiration. Les débats sur la distinction à introduire dans le canon avaient été menés en fait selon une optique trop limitée, ou du moins trop fonctionnelle, dans le sens d'une apologétique qui se servirait de l'Ecriture sainte comme d'un arsenal d'arguments ou comme d'une catéchèse morale ou spirituelle. En définitive, c'est une vision plus haute de l'Ecriture qui prévalut.

La Bible n'est plus seulement relative au dogme et à la morale, même si c'est là le programme que le concile décrit après l'énumération des livres. Revenir à l'intégralité de l'Ecriture sainte, c'est retourner à « la pureté de l'Evangile ». Les livres bibliques, comme les traditions « transmises comme de main en main par les Apôtres », ont été recueillis dans l'Eglise comme venant de l'Esprit-Saint. L'unité affirmée par le concile entre Ecriture et Tradition ne vient que de leur auteur, qui est le seul Esprit-Saint, garantissant par lui-même l'absence d'erreur, l'inerrance *(nulla falsitas* selon l'expression de Vigerio).

Il y a donc une extrême cohérence du décret *Sacrosancta*. Si les livres bibliques sont reçus dans l'Eglise comme les traditions apostoliques, c'est par le même mandat donné à l'Eglise et par l'assistance

---

39. *CT* I, p. 38, l. 27-31.
40. *Ibid.*, p. 45, l. 13-14.
41. *CT* V, p. 55, l. 43-56; p. 56, l. 1 et 2.

de l'Esprit-Saint. Le concile de Trente souligne l'interaction entre Ecriture et Eglise qui était sa conviction primordiale.

Il était important que, même sans les intégrer dans ses propres décisions, le concile ait mentionné dans ses discussions préparatoires des distinctions dans le canon biblique. Les débats montrent en effet que certains livres — qu'on peut énumérer à partir des diverses interventions : Tobie, Judith, Sagesse, Siracide, Baruch et les deux livres des Maccabées — avaient vu leur canonicité non pas mise en question ou relativisée, mais au moins « interprétée ». En dépit de leur refus d'opérer une division dans le canon et de leur choix d'une formulation sans explications, les Pères conciliaires n'ont jamais exclu des recherches plus poussées à faire par les théologiens. Le petit traité de Seripando, composé pour la circonstance, pouvait servir d'exemple.

Comme pour la première partie du décret, il faut également considérer la postérité du texte pour aboutir à une vue plus globale de la Réforme catholique. Les travaux de Sixte de Sienne (1520-1569)[42] fournissent une preuve de ce « développement » de la pensée qui, ici à l'inverse du cas précédent sur la compréhension de la Tradition, a assoupli l'interprétation du texte en se servant des idées dont nous avons vu l'origine chez Cajetan.

Au début de sa *Bibliotheca sancta*[43], Sixte de Sienne propose une introduction consacrée à la terminologie qu'il emploiera, et précise définitions, distinctions et vocables. « Selon la Tradition », la canonicité est envisagée dans le même sens que lui a donné le concile de Trente à partir de l'inspiration de l'Esprit-Saint[44]. C'est pourquoi il est interdit *(nefas)* de mettre en doute l'autorité des livres bibliques, comme il sera « impie » *(impium)* de ne pas croire très fermement leurs auteurs qui ont reçu la dictée de l'Esprit. Remarquons l'accent mis sur la foi *(credere, fides)* et sur l'action de l'Esprit-Saint. Sixte de Sienne introduit ensuite la distinction que nous avons vu intervenir dans les débats conciliaires, mais avec un regard bien plus synthétique.

Sixte de Sienne envisage d'abord un premier ordre de livres canoniques *(prior)*, non selon l'autorité ou la sûreté de la doctrine, ou même selon leur dignité, mais selon l'époque de la connaissance qu'en a eue l'Eglise et de la réception de ces livres par elle. Fort habilement, il va donner une longue définition qui, par déduction, exclura d'elle-même une seconde série *(posterior)* et rassemblera les principaux points du débat sur le canon biblique.

42. Sur Sixte de Sienne, voir pp. 143, 155 s.

43. *De divinis voluminibus Bibliothecae sanctae*, Venise, 1566. Autres éditions : 1575[2]; 1586[2], etc.

44. « Divinae sive canonicae Scripturae... sunt... per ipsum Spiritum sanctum ad eruditionem nostram divinitus inspiratae creduntur », éd. 1566, p. 1.

Les livres du premier ordre qu'on pourra appeler *protocanoniques* sont des livres indiscutables qui 1º n'ont jamais éveillé de doutes ou de controverses dans l'Eglise catholique, mais 2º ont été aussitôt reçus dans l'Eglise par le consensus de tous les Pères orthodoxes, et qui 3º ont été utilisés pour la défense ou la confirmation de la foi. Tel est le cas du Pentateuque, par exemple, ou des quatre Evangiles.

Il nous faut remarquer ici la liaison établie entre l'ancienneté et l'absence de controverses, mais également que les trois éléments de la description correspondent clairement à la célèbre définition de la Tradition telle qu'elle est contenue dans la formule bien connue de saint Vincent de Lérins dans son *Commonitorium* : ce qui est cru partout, *ubique*, de tout temps, *semper*, et par tous, *ab omnibus*[45]. Le cas des livres protocanoniques correspond parfaitement à ces exigences, auxquelles s'ajoute, comme par voie de conséquence, l'autorité pour la confirmation des dogmes.

A l'inverse, les « deutérocanoniques », qu'on appelait autrefois « ecclésiastiques » selon Sixte de Sienne[46], 1º ne sont pas parvenus immédiatement à la connaissance de l'Eglise tout entière (ils ne sont pas, pourrait-on dire, reçus toujours et partout : *non semper et ubique*) mais sont apparus ensuite; 2º ils ont éveillé des doutes (par une *sententia anceps*, dit notre auteur) parmi les catholiques, et par ce mot, il faut entendre les Pères de l'Eglise (par symétrie avec sa première description, il faut donc entendre : *non ab omnibus*); 3º ils n'ont pas été utilisés pour la confirmation de la foi, mais pour l'instruction du peuple chrétien. D'une certaine manière on peut affirmer que leur autorité vient de leur lecture publique dans l'Eglise.

A l'intérieur de sa description, Sixte de Sienne donne une liste exhaustive des livres deutérocanoniques. Pour l'Ancien Testament, il énumère ainsi : Esther, Tobie, Judith, Baruch, la Prière de Jérémie (appelée *Epistola Jeremiae*), la Sagesse de Salomon; l'Ecclésiastique; dans le livre de Daniel : la Prière d'Azarias, le Cantique des trois enfants, l'histoire de Suzanne, celle de Bel; les deux premiers livres des Maccabées. Pour le Nouveau Testament, Sixte énumère comme « deutérocanoniques » le dernier chapitre de Marc, « l'histoire de la sueur de sang du Christ avec l'apparition de l'ange en Luc » (Lc 22, 43-44), « l'histoire de la femme adultère chez Jean », l'Epître aux Hébreux, celle de Jacques, la seconde de Pierre, la deuxième et la troisième de Jean, celle de Jude et l' « Apocalypse de Jean ».

---

45. *Commonitorium*, II, 5. PL, 50, 640.
46. *Op. cit.*, p. 2 : « Canonici secundi ordinis (qui olim ecclesiastici vocabantur et nunc *a nostri* Deuterocanonici dicuntur. » Il semble bien que le *nostri* désigne l'auteur de la *Bibliotheca sancta* lui-même.

Sixte ajoute également qu'il y a d'autres livres du même genre qui ont été tenus par les Pères pour « apocryphes » et non canoniques.

C'est l'occasion pour notre auteur de préciser et de distinguer, avec une clarté assez relative, trois sens du mot « apocryphe » dans le premier chapitre de la *Bibliotheca sancta*. On peut en effet appeler apocryphes au sens strict (c'est-à-dire, selon l'étymologie, des livres « cachés ») les Ecritures dont l'auteur est incertain. Sixte prend bien soin de dire que, cependant, bien des textes canoniques nous sont parvenus sans nom d'auteur. Il n'ignore pas que le concile de Trente a résolument refusé d'assigner un auteur à chaque livre reçu dans le canon comme cela lui fut suggéré. Il ne met donc pas en doute que ces livres anonymes ne soient inspirés selon le premier ou le second ordre du canon.

Le second sens est celui qu'a retenu l'Eglise catholique dans son vocabulaire courant : sont considérées comme apocryphes des Ecritures dont l'autorité a été longtemps ignorée ou tenue pour incertaine et obscure. Ces livres n'ont pas été attribués à l'inspiration du Saint-Esprit et n'ont servi ni à la confirmation du dogme, ni à l'édification formelle des fidèles, mais ont cependant pu être acceptés ou même recommandés pour la lecture privée *(privatim et domi)*. Suit une énumération qui ne concerne que des livres de l'Ancien Testament : les livres 3 et 4 d'Esdras, l'Appendice au livre d'Esther, à celui de Job, au Psautier, aux Chroniques, tout ce qui se trouve donc relégué « dans la troisième section de l'Ecriture ». La description est significative ici aussi des critères généraux de la canonicité dans la perspective du concile de Trente : les apocryphes sont respectables, mais seulement autorisés pour la lecture privée et domestique, ce qui leur confère un caractère très en retrait dans une conception de l'Eglise où la proclamation publique de la Parole de Dieu est fondamentale.

Sixte de Sienne mentionne enfin rapidement un troisième sens du mot apocryphe, d'ailleurs dérivé et impropre, signalant que dans le vocabulaire canonique, on utilise ce terme pour les écrits des hérétiques condamnés.

Ainsi, conclut le dominicain, il y a dans le corpus biblique trois catégories : les protocanoniques, les deutérocanoniques (« apocryphes » selon le vocabulaire protestant) et les apocryphes (« pseudépigraphes »). La canonicité des deux premiers ordres est considérée comme incontestable par l'Eglise catholique, qui d'ailleurs ne classe pas les livres bibliques selon leur distinction (suivant en cela la décision conciliaire), mais reconnaît que leur histoire, leur réception dans le canon, et même leur fonction sont différentes. Sixte de Sienne rendait donc parfaitement justice à ce qui avait été décidé et discuté au concile de Trente, sans attenter à la conception profonde de la canonicité telle qu'on la devine dans le décret d'avril 1546.

Sixte de Sienne contribue ainsi à fixer le vocabulaire qu'utilisera la

Réforme catholique[47] par la simple description du contenu et de la forme de la canonicité. Les critères qu'il choisit sont tellement proches de ceux par lesquels la Tradition s'atteste elle-même à travers la définition de Vincent de Lérins, qu'on pourrait résumer le débat en disant : pour le concile de Trente et ses commentateurs catholiques, par l'assistance de l'Esprit-Saint, le canon biblique est expression de la Tradition ; et la Tradition, c'est la manifestation de l'Eglise recevant l'Ecriture.

L'authenticité de la Vulgate

A la congrégation générale du 17 mars, l'archevêque d'Aix, Antoine Filheul, présenta les conclusions des commissions sur les « abus » de l'Ecriture dont la plupart concernaient les éditions de la Bible[48]. On déplora non seulement la multiplicité de celles qui avaient paru sans autorisation hiérarchique, mais aussi les commentaires scripturaires qui étaient dans ce cas et, enfin, les incorrections du texte courant de la Vulgate.

Dans les discussions qui suivirent on ne mit nullement en cause les éditions sérieuses et acceptées par les autorités ecclésiastiques mais on tint cependant à demander au Saint-Siège de préparer une version vraiment sûre de la Vulgate qui doit être par ailleurs tenue pour « authentique »[49].

Afin de mettre ce mot à sa juste place, il convient de se rappeler les nombreux débats entre humanistes autour des incorrections de la Vulgate, sur l'attribution qu'il convient d'en faire ou non à saint Jérôme[50], et donc de mesurer non seulement ce que le concile a choisi d'en dire mais aussi ce qu'il ne dit pas.

Le concile considère que « haec ipsa vetus et vulgata editio », approuvée par l'Eglise par un usage multiséculaire, doit être tenue pour « authentique dans les leçons publiques, les discussions, les prédications et les explications ». L'expression qu'on retrouve une autre fois dans le texte : « in veteri vulgata latina editione », fait donc du mot « vulgata » un adjectif qui qualifie *une* des éditions de la Bible. De plus le mot

---

47. Dans sa défense du texte du concile sur le Canon, Bellarmin utilise et cite Sixte de Sienne. Il distingue bien les deux ordres de livres bibliques, selon la date de leur réception par l'Eglise mais s'oppose aux témérités de Cajetan qui a osé se prononcer après le concile de Florence (*Disputationes*, I : *De verbo Dei*, chap. IV : « Qui sint libri sacri »). Cf. P. FRAENKEL, « Le débat entre Martin Chemnitz et Robert Bellarmin sur les livres deutérocanoniques et la place du Siracide », dans *Le canon de l'Ancien Testament, op. cit.*, pp. 283-312.

48. *CT* V, pp. 29-31.

49. A. ALLGEIER, « Haec vetus et vulgata editio », *Biblica*, 29 (1948), pp. 353-390. Pour une analyse des débats, W. KOCH, « Der authentische Charakter der Vulgata im Lichte der Trienter Konzilsverhandlungen », *Theologische Quartalschrift*, 96 (1914), pp. 401-422, 542-572 ; 97 (1915), pp. 225-249, 529-549.

50. Cf. *supra*, chap. 1, pp. 93-96.

« authentique » est relatif à l'exercice de la controverse, de la catéchèse et de la prédication.

Il n'est donc pas porté de jugement de critique exégétique sur la valeur de cette édition courante par rapport aux originaux. Il est simplement dit qu'elle peut et doit être utilisée car elle est suffisamment fidèle : on n'y a jamais décelé d'hérésie, ce qui n'est pas le cas de versions plus modernes comme il fut rappelé durant le concile.

Une fois encore l'assemblée conciliaire de Trente est fort prudente : elle ne proclame pas que la Vulgate est sans reproche, ni qu'on doive tenir saint Jérôme pour son auteur, ni d'aucune manière qu'elle est « inspirée ». Le concile montre l'influence humaniste en réclamant une version plus correcte des textes « reçus » du latin, c'est-à-dire cette Vulgate, mais aussi du grec (la Septante) et de l'hébreu[51].

En ce qui concerne la Vulgate, il ne s'agissait nullement d'une adaptation à la suite d'une comparaison avec les textes originaux — ce qu'on nommera ensuite une néo-vulgate — mais plus modestement, et conformément à sa valeur authentique, d'un meilleur texte par collation de manuscrits : il conviendra de ne la réimprimer qu'*emendatissime*.

Ce sera l'œuvre, plus délicate qu'il n'y paraissait, faite par le Saint-Siège après le concile[52]. On ne peut nier que l'expression mesurée mais précise du texte de 1546 sera ensuite durcie et que ce mot d'authentique sera ensuite entendu par une partie de la Réforme catholique comme le synonyme d'un monopole absolu[53] : telle est la position, en particulier de Domingo Bañez, le théologien dominicain de Salamanque, pour qui c'est l'approbation de l'Eglise de ce texte qui lui confère sa valeur et non à proprement parler son exactitude ou sa qualité littéraire[54]. Le contraste n'en est que plus grand de constater qu'un décret d'application, pour ainsi dire, concernant les abus de l'Ecriture, qu'est le texte « de reformatione » de la cinquième session du concile, ne souffle plus mot de la Vulgate.

---

51. *CT* X, pp. 468, 471; *CT* V, p. 128.

52. Cf. *infra*, pp. 350 ss.

53. Sur ce débat chez les théologiens espagnols, U. Horst, « Der Streit um die Autorität der Vulgata. Zur Rezeption der Trienter Schriftdekrets in Spanien », *Revista da Universidade de Coimbra*, 29 (1983), pp. 157-252.

54. Il est vrai que la Congrégation du concile en 1576, date à laquelle cependant elle n'était pas encore chargée d'interpréter officiellement les décrets tridentins, s'est déclarée en faveur d'une authenticité absolue en quelque sorte : car selon une de ses déclarations elle toucherait « la moindre période, la moindre clausule... syllabe ou iota ! » (E. Vailhé, « L'autorité de la Vulgate et le concile de Trente », *L'Année théologique*, 3 (1942), pp. 244-264 (pp. 248-250)).

L'Ecriture à enseigner et à prêcher

Le texte sur la prédication et l'enseignement biblique avait été retardé d'une session : il fut voté à la cinquième, le 17 juin 1546[55]. Le concile prévoit un plan détaillé de formation biblique afin que « le trésor céleste des saints livres ne soit pas livré à la négligence »[56]. Les évêques seront tenus, en se servant du système des bénéfices et des prébendes, d'organiser ou de remettre en vigueur — au besoin par la contrainte de l'obéissance — une chaire d'Ecriture sainte. L'évêque devra veiller à ce que le titulaire en soit jugé digne par ses mœurs et par sa science[57].

Si la surveillance épiscopale est moins directe sur les monastères et autres couvents, elle peut néanmoins s'exercer sur eux en tant que les évêques sont délégués du Saint-Siège. Au cas où un diocèse n'aurait pas de revenus suffisants et serait trop peu nombreux pour justifier la fondation d'une chaire de théologie, l'évêque devra veiller à ce qu'un maître soit au moins chargé d'enseigner gratuitement la grammaire aux clercs et aux autres écoliers pauvres, les préparant ainsi *annuente Deo* à l'étude de l'Ecriture elle-même[58].

Le texte en vient ensuite au rappel de l'importance de la prédication de l'Evangile « non moins nécessaire que l'enseignement de l'Ecriture » : elle revient en plénitude à l'épiscopat. Les évêques et autres prélats « sont tenus de prêcher personnellement *(per se ipsos)* le saint Evangile de Jésus-Christ »[59]. Certains orateurs avaient fait remarquer au cours des débats que cette recommandation était intrinsèquement liée à l'obligation de la résidence qu'on n'avait pas encore abordée...

Le devoir d'expliquer l'Ecriture incombe aussi aux curés, au moins le dimanche et les jours de fête : qu'ils le fassent par eux-mêmes, ou par d'autres si c'est nécessaire : en termes brefs et accessibles, qu'ils recommandent les vertus et dénoncent les fautes ne cachant rien à leurs ouailles de ce qu'il faut savoir pour être sauvé. Et le concile cite, selon la Vulgate, le texte des *Lamentations* (4, 4) : « Les petits ont demandé du pain et il n'y avait personne pour le leur donner »[60].

Dans un premier projet qui fut longuement discuté, il y avait alors place pour un chapitre final empruntant aux discours de mission des Evangiles et aux Epîtres pastorales de saint Paul, le portrait du prédicateur idéal que doit guider l'amour de la vérité et la fidélité aux Ecri-

55. *CT* V, pp. 241-243.
56. *CT* V, p. 241, l. 16-17.
57. On ne disait rien de la manière dont il aurait acquis cette science : ce texte de 1546 devait être articulé sur celui de la fondation ultérieure des séminaires.
58. *CT* V, p. 242, l. 42-43.
59. *CT* V, p. 242, l. 25.
60. *CT* V, p. 242, l. 41.

tures. Peut-être jugé trop spirituel pour figurer dans un décret disciplinaire, il ne sera pas conservé dans la rédaction définitive et pourtant il avait un ton qui annonce le meilleur de la Réforme catholique. Mettant l'accent sur la simplicité de l'annonce évangélique et imprégné de citations bibliques, il vaut la peine d'être repris[61].

Le sacro-saint synode décide que les prédicateurs doivent s'abstenir de toutes disputes enflammées, mais comme il est dit de saint Paul et de Barnabé dans les Actes des Apôtres : « *si vous avez quelque parole d'encouragement, dites-la au peuple* » (Ac 13, 15). Mais qu'ils évitent le plus possible « *les folles et stupides recherches* » (2 Tm 2, 23), bonnes seulement « *à perdre ceux qui les écoutent* » (2 Tm 2, 14). Des « *incompréhensibles décrets de Dieu et de ses voies insondables* » (Rm 11, 33), qu'ils fassent silence ou qu'ils parlent sobrement, car il est plus religieux d'adorer ce qui est inconnu plutôt que de faire investigation de ce qui est inscrutable.

Qu'ils écartent les curiosités, les fables et les songes vains, et surtout qu'ils détestent, dans la chaire du Christ qui est la Vérité, sous quelque prétexte que ce soit, même sous couvert de piété, proférer des mensonges, mais que, comme il convient à « *des serviteurs du Christ et à des intendants des mystères de Dieu* » (1 Co 4, 1), ils prêchent au peuple seulement ce qui concourt au salut car le Seigneur a dit : « *Moi, le Seigneur, je t'enseigne ce qui est salutaire* » (Is 48, 17), et que donc ils prennent en considération le lieu, le moment, les personnes, comme ceux qui doivent « *se faire tout à tous* » (1 Co 9, 22) afin de les *gagner* tous. « *Séparant ce qui a du prix de ce qui est vil* » (Jr 15, 19 selon la Vulgate), comme autant de bouches et d'oracles de Dieu, qu'ils disent ce qu'il faut dire et taisent ce qu'on doit taire.

Mais que leurs prédications soient tirées des Saintes Écritures selon l'intelligence pure, simple, sincère, catholique et orthodoxe de la sainte Église et le consentement unanime des Pères, et qu'elles soient elles-mêmes claires, manifestes, sans ambiguïtés ni amphibologies. Qu'elles aient soin non d'enseigner, de charmer ou d'émouvoir « *par les discours persuasifs de l'humaine sagesse et de l'éloquence* » (1 Co 2, 4), mais plutôt de se faire entendre avec intelligence, de bon gré et dans l'obéissance, « *comme démonstration d'esprit, de vérité et de puissance* » (2 Co 2, 4) de peur que la vérité prêchée par la bouche ne soit contredite par la manière de faire.

Se rappelant en effet qu'ils sont « *pêcheurs d'homme* » (Mt 4, 19), que les prédicateurs *lavent leurs filets* (Lc 5, 2) pour que leurs discours soient comme de chastes *paroles de Dieu* (Ps 11, 7), pures, pesées, exemptes d'erreur, d'impureté, de tromperie, de flatterie, de cupidité, de vain désir de gloire et d'ostentation. Qu'ils ne prêchent pas d'une façon dans les assemblées publiques et d'une autre dans les conversations

---

61. *CT* V, p. 75.

privées, mais partout de la même manière et toujours pour édifier ceux qui les entendent.

Donc qu' « *ils réfutent, menacent, exhortent, insistant à temps et à contre-temps, mais avec une patience inlassable et le souci d'instruire* » (2 Co 4, 2), et, comme le prédicateur par excellence le dit, « *en esprit de douceur* » (Ga 6, 1) afin qu'un avertissement trop dur ou qu'une objurgation trop injurieuse ne dispersent et ne perdent ceux qu'ils doivent et peuvent rassembler et sauver par le Christ Jésus. Qu'ils n'oublient donc jamais quels sont ceux à qui ils prêchent. Ils ont été placés pour prêcher au peuple, non à des supérieurs. Pour ne pas apparaître comme *des chiens muets, incapables d'aboyer* (Is 56, 10) de connivence avec les loups, non seulement qu'ils enseignent la vérité mais qu'ils réfutent aussi les hérésies d'une manière sainte et pieuse. La tâche du prédicateur est double en effet, comme il est dit : « *c'est la vérité que ma bouche proclame et le mal est abominable à mes lèvres* » (Pr 8, 7).

*
* *

Il y avait également dans le projet du décret l'idée de composer un catéchisme composé à partir de l'Ecriture sainte[62]. Les premières discussions y furent très favorables. Pacheco, évêque de Jaen, rappela qu'il convenait, selon l'usage déjà en vigueur dans les manuels, d'y faire figurer ce qui était « essentiel au salut : le symbole de foi, les sacrements... »[63]. Il ne semble pas d'ailleurs que l'idée première était de faire un catéchisme purement scripturaire. De toute façon, la formule ne fut pas retenue dans le texte définitif du 17 juin mais l'idée fera son chemin et aboutira au Catéchisme dit « du concile » dont nous verrons comment on voulut le greffer sur toute l'Ecriture[64].

Le décret « de Reformatione » mentionne également la prédication des réguliers, sujet plus délicat et même explosif. Le mouvement de la Réforme protestante au début du siècle n'était-il pas né en réaction à la parole de ces religieux exempts, quêteurs d'aumônes et parfois prêcheurs d'indulgences, et souvent à l'intérieur même de ces ordres mendiants auxquels appartenaient certains Réformateurs et non des moindres, comme Luther lui-même, Bucer, Ochino, et bien d'autres ?

Le décret de juin 1546 exige non seulement pour ces prédicateurs une autorisation générale ratifiée par l'évêque mais encore la permission personnelle donnée par le supérieur. Bien plus, dans le cas fréquent d'une prédication donnée en dehors des églises de l'Ordre auquel ils

---

62. Les textes discutés parlent d'un « methodus » qui semble se distinguer d'un catéchisme lui aussi évoqué dès cette période (*CT*, V, p. 73, l. 23 ss.; p. 106, l. 8-14; p. 113, l. 9-14; p. 120, l. 7-25).
63. *CT* V, p. 115, l. 7-8.
64. Cf. *infra*, pp. 358 ss.

appartiennent, ces prêtres devront obtenir un consentement supplémentaire de la part de l'évêque. Car le décret a rappelé sans ambiguïté que « la prédication de l'Evangile » est « le principal devoir des évêques » et se fait directement par eux ou sous leur responsabilité.

C'est bien pourquoi il faut rattacher ce texte qui proclame l'importance de l'Ecriture prêchée de celui qui l'a précédé sur son interprétation. « Nul dans les matières de foi ou de mœurs qui font partie de l'édifice de la doctrine chrétienne *(ad aedificationem)* ne doit oser détourner l'Ecriture sainte vers son sens personnel. » C'était faire écho à certaines interventions d'ailleurs d'esprit humaniste qui déploraient les deux grands maux affligeant l'étude de l'Ecriture : soit qu'on la fasse dériver vers l'opinion particulière et personnelle, soit qu'on l'enrobe de telles « subtilités ténébreuses » que son sens obvie et traditionnel en était perdu[65].

Le concile confirme ici qu'il y a un sens « qu'a tenu et que tient la sainte mère Eglise à qui il appartient de juger de l'intelligence vraie et de l'interprétation des saintes Ecritures ». Les évêques devront donc veiller à punir les violateurs et profanateurs de la Parole de Dieu.

Ayant ainsi rappelé les fondements dogmatiques, si l'on peut dire, de la théologie catholique puis commencé à légiférer sur un retour à la Bible essentiellement par la prédication, ce qui sera aussi l'axe majeur de sa période « pastorale » et proprement réformatrice (1562-1563), le concile de Trente ne traitera plus de l'Ecriture sainte en tant que telle. Même le problème, un moment aigu, de la traduction de la Bible en langue vulgaire[66] ne réapparaîtra qu'obliquement en 1551-1552 puis en 1562 à propos de la langue liturgique.

Les traductions scripturaires en langue vernaculaire avaient en effet fait l'objet en mars-avril 1546 d'un affrontement assez vif entre deux personnalités, par ailleurs de fort bons amis, le cardinal Pacheco, d'une part, à qui son expert, le théologien franciscain Alphonse de Castro fournissait les arguments, et de l'autre, le cardinal Madruzzo, évêque de Trente, hôte du concile.

Derrière ce conflit se profilaient deux conceptions de l'Ecriture et de l'Eglise, ou plus exactement deux traditions : celle des Espagnols et

---

65. Ainsi les interventions de Thomas Caselli († 1571), évêque dominicain de Bertinoro, en particulier dans son discours du 1er mars 1546 (*CT* V, p. 26). Voir aussi *CT* V, p. 108, l. 36-37 où Bertinoro estime que dans les monastères « la première place doit être donnée à l'Ecriture ». Cf. Louis B. Pascoe, « The Council of Trent and Bible Study : Humanism and Scripture », *The Catholic Historical Review*, 52 (1966), pp. 18-38.

66. F. Cavallera, « La Bible en langue vulgaire au concile de Trente (4e session) », dans *Mélanges E. Podechard*, Lyon, 1945, pp. 37-56. Sur ce problème voir *infra*, chap. 14, pp. 463-486.

des Français, partisans d'une stricte prohibition, et celle des Allemands, des Italiens, des Polonais et sans doute d'autres pays[67]. Après un long plaidoyer de Madruzzo, le 1er avril, et une réponse de Pacheco suivies d'une longue discussion générale, on décida qu'on ne mentionnerait pas ce point dans le décret « sur l'édition et l'usage des livres sacrés ».

Les divers arguments développés à cette occasion se retrouvent dans des traités systématiques. Alphonse de Castro reprit le réquisitoire qu'il avait déjà prononcé dans son *Adversus omnes haereses* de 1534 qui venait tout juste d'être réédité, tandis que Madruzzo plaidait pour que la Parole de Dieu puisse être plus directement annoncée « aux peuples de toute race, langue et nation » (Ap 5, 9)[68] et qu'un théologien français, familier du cardinal Pole, Gentien Hervet dans « un excellent spécimen de théologie humaniste » invoquait l'usage des Eglises orientales. Il faisait remarquer[69] que les hérésies anciennes n'étaient nullement populaires mais le fait d'évêques et de théologiens. Le danger d'hérésie n'était donc pas un argument pour priver le peuple de Dieu de la possibilité d'aller au Christ directement[70].

Ainsi finalement dans ce domaine si important pour les revendications protestantes, « le concile n'a pas voulu interdire des traductions en langue vulgaire à cause des courants opposés aux Bibles populaires; il n'a voulu ni prescrire, ni interdire ces traductions mais a préféré rester neutre »[71]. On pouvait penser qu'il laissait aux Eglises locales le soin de juger de l'opportunité de telles traductions. En fait, la seule réglementation issue du concile, d'ailleurs indirectement, viendra de la quatrième règle de la Préface de l'Index[72].

*
* *

Dans son discours de clôture le 4 décembre 1563, qui fut à la fois bilan, plaidoyer et programme pour une Réforme catholique, l'évêque de Famagouste, Ragazzoni, mentionne la Bible en quelques endroits[73]. Dans sa description des travaux conciliaires en matière dogmatique, il rappelle la « prudente et pieuse » *(pie ac prudenter)*[74] énumération des livres bibliques qui devaient être reçus sans hésitation, et aussi son approbation de la traduction « certaine et définie » du grec et de l'hébreu.

67. Cavallera, art. cit., p. 42.
68. *CT* XII, pp. 528-530 (p. 530, l. 10-11).
69. Cavallera, art. cit., p. 52.
70. *CT* XII, pp. 530-536 (« ut Christus diutius celetur », p. 536).
71. H. A. P. Schmidt, *Liturgie et langue vulgaire*. Le problème de la langue liturgique chez les premiers Réformateurs et au concile de Trente, Rome, 1950, p. 95.
72. Cf. *infra*, p. 468.
73. *CT* IX, pp. 1098 ss.
74. *CT* IX, p. 1099, l. 15.

Maledicitur serpens.

Semen IE-
SVS promit-
tit saluator.
Euangelium.
Mulieris ærū
næ ob pcēm
1.corin.4.
Adæ, & alio-
rū, ob pcēm
ipsius,poena.
Homo adici-
tur labori.
Heua quare
sic dicta.

Eijcitur Adā
de paradiso.

Cain.

Abel. ,
Abel & Cain
offerunt mu-
nera domino
heb.11.d.

cisti:Quæ respõdit, Serpes decepit me, & comedi. Et ait dominus deus ad serpetē, Quia fccisti hoc, maledictus es inter omnia aīmatia & bestias terræ:super pectus tuū gradiēris, & terrā comedes cūctis diebus vitæ tuæ. INIMICITIAS PONAM inter te & muliceré, & semen tuum & semen illius: ipsa cōteret caput tuū, & tu insidiaberis calcaneo eius. Mu lieri quoq; dixit, Multiplicabo ærumnas tuas, & cōceptus tuos: in dolore paries filios, & sub viri potestate eris, & ipse dominabitur tui. Adæ verò dixit, Quia audisti vocē vxoris tuæ, & comedisti de ligno ex quo præceperā tibi ne comederes, maledicta terra in opere tuo: in laboribus comedes ex ea cūctis diebus vitæ tuæ.spinas & tribulos germinabit tibi, & come- des herbas terræ.In sudore vultus tui vesceris pane, donec reuertaris in terrā, de qua sumptus es:quia puluis es, & in puluerē reuertēris. Et vocauit Adam nomen vxoris suæ, Heua:co quòd mater esset cunctorū viuentiū. Fecit quoque dominus deus Adæ & vxori eius tunicas pelliceas, & induit eos.Et ait, Ecce Adam quasi vnus ex nobis factus est, sciēs bonum & ma- lum. nunc ergo ne forte mittat manum suam, & sumat etiam de ligno vitæ & comedat, & viuat in æternu. Et emisit eum dominus deus de paradiso voluptatis, vt operaretur ter- ram, de qua sumptus est. Eiecitque Adam: & collocauit ante paradisum voluptatis cheru- bim, & flammeum gladium atque versatilem ad custodiendam viam ligni vitæ.CAP.IIII.

A Dam verò cognouit vxorem suam Heuam:quæ concepit & peperit Cain, dicēs, Possedi hominem per dominum.Rursumque peperit fratrem eius Abel. Fuit autē Abel pastor ouium, & Cain agricola. Factum est autem post multos dies vt offerret Cain de fructibus terræ munera domino. Abel quoque obtulit de primogenitis gregis sui & de adipibus corū:

¶iter ōia aīmātia]
præ oībus animan-
tibus
¶ipsā ipsum(subau-
di semē, q̄ ē Christ?
LXX,ipse vertunt,
Christū itelligētes,
¶insidiaberis calca-
neo]conteres calca-
neum
& sub viri potesta
te eris] ad virū tuū
concupiscentia tua
(seu desyderītuū.)
¶in opere tuo] pro-
pter te.
¶puluis]vel lutum

¶de paradiso volu-
ptatis,]de orto Edē
¶ante par?
luptatis
orti Eden

¶vt offerret]vt ad
duceret(j.offerret.
Hebraismus.

Pour la partie disciplinaire de l'œuvre du concile, il se contente de dire que la parole de Dieu devra être désormais proclamée et expliquée « plus fréquemment et plus studieusement »[75].

La Réforme catholique ne pouvait se contenter de ces indications relativement générales et disparates, même si la tâche essentielle d'avoir situé l'Ecriture dans la Révélation avait été à bon droit la première tâche qu'avait remplie le concile. Après sa clôture, il fallait se mettre à l'ouvrage et donner encore aux évêques les instruments nécessaires pour une Réforme en profondeur : la part de la Bible allait s'y révéler considérable.

LA BIBLE ET LES INSTRUMENTS DE LA RÉFORME CATHOLIQUE

Le 4 décembre 1563, c'est-à-dire le jour même de la clôture du concile de Trente, les Pères conciliaires avaient confié au Pape le soin d'achever ou de mettre à exécution des projets déjà en cours de réalisation ou décidés par eux : le remaniement de l'Index, la confection d'un Catéchisme et la révision du Bréviaire et du Missel[76]. En ce qui concerne ces deux derniers points, il était important de pouvoir utiliser une Bible latine qui ait toute autorité. C'est pourquoi, sans qu'il en fût question dans le décret final, Pie IV et ses successeurs voulurent mener à bien cette « correction » de la Vulgate qui avait été réclamée par le décret de 1546.

La Vulgate « sixto-clémentine »

Avant même la fin du concile, Guglielmo Sirleto (1514-1585), bibliothécaire de la Vaticane, nommé cardinal en 1565[77], qui sera le grand artisan de presque tous les instruments nécessaires à la Réforme catholique, y compris la modification du calendrier, avait entrepris une révision du texte.

Pour Sirleto qui défend le Nouveau Testament de la Vulgate contre des attaques trop « critiques »[78], il ne fait aucun doute que l' « authenti-

---

75. *CT* IX, p. 1100, l. 25.
76. *CT* IX, p. 1106.
77. G. Denzler, *Kardinal Guglielmo Sirleto*, München, 1964. Voir aussi P. Paschini, *G. Sirleto e il decreto tridentino nell' edizione critica della Bibbia*, Lecco, 1923, et I. Backus et B. Gain, « Le cardinal Guglielmo Sirleto (1514-1585). Sa Bibliothèque et ses traductions de saint Basile », *Mélanges de l'Ecole française de Rome. Moyen Age. Temps modernes*, 98 (1986), 2, pp. 889-955.
78. *Kardinal Wilhelm Sirlets Annotationen der Vulgata gegen Valla und Erasmus*, éd. H. Höpfl (Biblische Studien, XIII), Freiburg-i-B., 1908.

cité » décrétée par le concile doit s'entendre « de la version qui sera proposée après révision *ad fidem veterum exemplarium* »[79].

Mais on ne put arriver à un résultat ni durant le concile ni dans les années qui suivirent[80]. C'est alors que Sixte Quint, élu en 1585, décida d'aboutir dans un délai raisonnable : il nomma une commission présidée par le cardinal Antonio Carafa. On connaît les noms de ceux qui travaillèrent sous sa direction : ce sont d'ailleurs les mêmes qu'on rencontre tout au long des différentes étapes de cette laborieuse révision. On peut citer William Allen[81], émigré d'Angleterre; Antonio Agelli (Agellius)[82], théatin, futur évêque d'Acerno; Pierre Morin[83], un grécisant français; Bartolomé de Valverde[84], hébraïsant espagnol; et le jésuite Robert Bellarmin[85] dont les interventions seront décisives pour la suite des événements.

La commission travailla très sérieusement et se procura de nombreux manuscrits possédés par divers ordres religieux. Il disposa, en particulier à partir de juillet 1587, de l'*Amiatinus* apporté du monastère des cisterciens de Monte Amiato, mais aussi des variantes du manuscrit gothique de Tolède (arrivées en 1588 seulement), et d'un autre de la cathédrale de León. Comme texte de base on prit la Bible de Louvain publiée par Plantin en 1583 avec l'appendice des variantes recueillies par Luc de Bruges[86].

Lorsque, après deux ans de travail, le résultat fut présenté à Sixte Quint, le pape estima que les variantes retenues étaient beaucoup trop nombreuses, et que d'ailleurs le rôle de la commission aurait dû se borner à fournir les éléments d'une décision qu'il lui revenait de prendre. Avec une ardeur incroyable pour son âge et son emploi du temps, persuadé de sa compétence critique, le Pape se mit au travail et y consacra l'année 1589 et le début de 1590[87]. Il prit quelques conseils — qu'il ne suivit pas toujours — du P. Toledo[88] et de quelques religieux augustins, en particulier du P. Angelo Rocca[89] qu'il chargea du travail ingrat de

79. X.-M. Le Bachelet, *Bellarmin et la Bible sixto-clémentine*, Paris, 1911, p. 8.

80. Sur la commission nommée par Pie V et les premiers travaux, voir Dom Quentin, *Mémoire sur l'établissement de la Vulgate*, Paris-Rome, 1922, pp. 160-168.

81. Sur Allen, voir *infra*, p. 379.

82. Agelli ou Ajelli (1522-1608) travailla, à la demande de Clément VIII à l'édition de la Septante et sur le Talmud. Il est l'auteur d'un célèbre commentaire des Psaumes.

83. Le Français P. Morin (1531-1608) travailla chez Manuzio à Venise et enseigna le grec à Vicence.

84. Valverde (1540-1600) est l'auteur d'un ouvrage connu sur le Purgatoire (Padoue, 1581).

85. Quentin, *op. cit.*, pp. 138-146.

86. Sur Luc de Bruges, *Biographie nationale de Belgique*, XII, pp. 550-563.

87. Dans la bulle *Æternus ille*, le pape explique que, se réservant le droit de trancher, il a consacré à l'examen de la Vulgate plusieurs heures par jour.

88. Francisco Toledo (1533-1596), jésuite espagnol, professeur au Collège romain. Devenu cardinal, il publia un commentaire de l'Evangile de Jean (Rome, 1588).

89. Angelo Rocca (1545-1620), ermite de Saint-Augustin, chargé des publications à la Typographie vaticane.

faire les collations et surtout de recopier le texte choisi avec une répartition en versets qui différait de celle que Robert Estienne avait inaugurée et dont on avait pu apprécier les qualités.

S'appuyant davantage sur les Bibles issues de Louvain que sur les manuscrits ou les travaux de la commission Carafa, Sixte Quint envoya, au fur et à mesure qu'il avançait dans son travail, les parties du texte à l'imprimerie de Manuzio qui se trouvait installée au Vatican depuis 1561. Le pape ne cessait pas pour autant de perfectionner son texte même sur les pages fraîchement imprimées en y faisant coller des petits bouts de papier.

En mai 1590, l'œuvre tant attendue parut enfin[90]. Des exemplaires furent envoyés en hommage aux princes catholiques. Le dessein du pape était exprimé dans la Préface reproduisant la bulle *Æternus ille*, datée du 1er mars précédent. Sixte Quint déclarait avoir estimé qu'il ne convenait pas de modifier les leçons reçues sans un motif important. Le recours au grec et à l'hébreu ne s'imposait donc dans le cadre de cette révision que dans les cas où les manuscrits et les exégètes ne s'accordaient pas suffisamment entre eux. Ainsi il avait fallu éliminer quelques phrases qui ne se trouvaient ni dans les anciens manuscrits ni chez les commentateurs patristiques.

Le résultat ne fut pas unanimement apprécié. On s'accorda pour trouver le Nouveau Testament plutôt de bonne qualité, mais des controverses surgirent à propos de l'Ancien. A cet égard, on cite le plus souvent, l'omission pure et simple de Nombres 30, 11-13 (sur le vœu de chasteté d'une femme et les droits du mari), passage sur lequel les traditions médiévales divergeaient. Il n'est pas impossible qu'il se soit agi d'une simple mégarde mais elle parut tombée trop à propos évitant à un pape franciscain d'opposer saint Bonaventure qu'il avait proclamé docteur de l'Eglise deux ans auparavant, à saint Thomas d'Aquin...[91].

Sixte Quint avait donc promulgué par avance « sa » Vulgate par la bulle *Æternus ille*[92] ; bien qu'on ait pu soutenir que le pape avait entendu présenter sa version *ad experimentum*, les termes sont formels : « De notre science certaine et avec la plénitude de notre puissance apostolique, nous déclarons et statuons que la présente édition de la Vulgate, revue avec tout le soin possible, doit être regardée comme celle que le concile de Trente a proclamée authentique. » Certes, les mots « *prout optime fieri*

---

90. F. PRAT, « La Bible de Sixte Quint », *Etudes*, 50 (1890), pp. 565-584; 51 (1891), pp. 35-60, 205-224. F. AMMAN, *Die Vulgata Sixtina von 1590*, Freiburg-i-B., 1912; H. HÖPFL, *Beiträge zur Geschichte der Sixto-klementinischen Vulgata*, Freiburg, 1913; QUENTIN, *op. cit.*, pp. 128-208.

91. Cf. *CHB* 3, p. 209, et LE BACHELET, *op. cit.*, pp. 130-134; 182-186. L'édition « sixtine » omettait les apocryphes (3 et 4 Esdras et la Prière de Manassé).

92. Pour une synthèse du débat autour de la publication effective de cette bulle, voir P. M. BAUMGARTEN, « Die Bibelbulle Sixtus V », *Zeitschrift für katholische Theologie*, 52 (1928), pp. 202-224; 59 (1934), pp. 81-101, 268-290.

potest » apportaient une certaine réserve, mais la pensée semble claire. La version nouvelle devenait obligatoire dans les quatre mois en Italie, après un délai de huit mois pour le reste de l'Eglise romaine.

Mais la mort de Sixte Quint survint le 27 août 1590. Dès le 5 septembre, les cardinaux interdirent la vente de cette Vulgate avant même l'élection de son successeur Urbain VII, dix jours plus tard. On se livra à une opération de rachat ou d'échange des exemplaires existants, spécialement dans les pays qui comptaient des protestants, y compris à la foire de Francfort. Ce fut le général des jésuites qui se chargea de la récupération des volumes.

La crainte des moqueries protestantes, surtout après les modifications qui survinrent, n'était pas illusoire : il suffit d'évoquer le *Bellum Papale* publié à Londres en 1600 par Thomas James, ou mieux l'*Antibarbarum biblicus* de Sixtinus Amama, daté d'Amsterdam en 1628[93].

A partir de ce moment, c'est-à-dire après la mort de Sixte Quint puis d'Urbain VII, les interventions de Robert Bellarmin semblent avoir été décisives pour rectifier la lancée et sauver une affaire qui semblait bien mal partie. Nul doute que ce soit chez le futur cardinal jésuite davantage l'ecclésiologue que l'exégète qui ait senti le danger de donner à l'Eglise, de par l'autorité pontificale, une version « authentique » qui semblait défectueuse. Bellarmin l'affirma très clairement encore en 1602, dans une lettre à Clément VIII[94].

Sur les instances de Bellarmin exprimées dans des textes qui nous ont été conservés, le 7 février 1591, Grégoire XIV entreprit une nouvelle révision dont le président cette fois fut le cardinal Marco Antonio Colonna : Carafa était mort en janvier 1591. La plupart de ceux qui avaient travaillé avant que Sixte Quint ne se réserve le dernier mot furent sollicités : le cardinal Allen, Agelli, Pierre Morin, Valverde, Bellarmin auxquels s'ajoutèrent encore d'autres dont Bartolomeo Miranda, dominicain, maître du Sacré-Palais, et toujours Angelo Rocca qui devint le secrétaire des travaux.

Ceux-ci traînèrent au début, mais quand on se décida à partir en petit groupe composé pratiquement de ceux que nous avons nommés pour la villa de campagne du cardinal Colonna, à Zagarolo, aux environs de Rome, on put conclure en moins de vingt jours, en travaillant du reste à partir des dossiers et propositions de la commission Carafa auxquels on revint. On ne rapporta pas toutes les corrections de Sixte Quint qui a donc laissé dans la « Clémentine » « une empreinte perpétuelle »[95], en particulier dans l'orthographe. Mais ce fut la répartition des versets des Bibles d'Estienne qui fut adoptée.

---

93. Sur ces controverses, LE BACHELET, *op. cit.*, pp. 58 ss., 76 ss.
94. *Ibid.*, p. 79.
95. QUENTIN, *op. cit.*, p. 196.

En fait, Clément VIII soumit encore le texte à un dernier contrôle des cardinaux Valier et Federico Borromée qui recoururent d'ailleurs au P. Toledo à qui revint la dernière mise au point. Le pape promulgua le texte le 9 novembre 1592 par la bulle *Cum sacrorum Bibliorum*[96] n'accordant que pour dix ans le privilège de l'impression à la Typographie vaticane et donnant ainsi satisfaction aux autres imprimeurs, spécialement aux Pays-Bas[97].

Ce qui va devenir la version officielle de la Vulgate dans l'Eglise romaine fut réimprimé sous le nom de « Sixtine » car on ne voulut pas offenser la mémoire du pape défunt. Or il y a de grandes différences entre les deux « Sixtines » : on en a compté quatre mille neuf cents, dont la plupart doivent être vraiment minimes puisque James dans le *Bellum Papale*, qui fit de cette affaire une polémique, n'en recense que deux mille.

Comment expliquer ces différences au public ? Bellarmin avait suggéré de les attribuer « aux imprimeurs et à d'autres personnes ». Finalement dans la Préface qu'il rédigea, il préféra parler du sentiment ressenti par Sixte Quint lui-même d'avoir à améliorer son texte, pieux mensonge ou du moins diplomatique approximation puisqu'il est vrai que le pape exégète corrigea les fautes d'impression jusqu'au dernier moment.

La version de 1592 prit le nom de Sixto-clémentine par la suite pour désigner ce qui fut en réalité l'œuvre de près d'un semi-siècle. Elle a comme titre : « Biblia sacra Vulgatae editionis Sixti V Pontificis Maximi jussu recognita atque edita. Romae ex Typographia Vaticana. » Bien que dès le début, la nouvelle version comportât la bulle *Cum sacrorum Bibliorum*, il ne semble pas que le nom de Clément VIII ait paru dans le titre avant le milieu du XVIIe siècle.

$$* \atop {* \ *}$$

Il ne faudrait pas omettre l'édition, préalable à celle de la Vulgate révisée, de la Septante, parue à Rome chez Francisco Zanetti. Ayant reçu le privilège pontifical en 1587, elle n'était pas officielle mais approuvée et correspondait aux souhaits des prélats humanistes du concile[98]. Fondé

---

96. *Bullarium Romanum*, IX, Torino, 1865, pp. 636-637. L'édition typique est celle de 1598, petit in-octavo : elle est la troisième et comporte les *errata* des deux premières (1592 et 1593) et de la sienne propre : c'est l'œuvre de Rocca et de Toledo.

97. En octobre 1574, Christophe Plantin d'Anvers écrivit à Grégoire XIII qu'il était prêt à attendre la version révisée pour imprimer de nouvelles Bibles et lui envoie les collations qu'il a fait faire sur une soixantaine de manuscrits des bibliothèques belges (ms. *Vatican 2023*, fol. 273) *(Fonds de la reine Christine)*.

98. En particulier, Reginald Pole dans une intervention au concile : *CT* V, p. 65.

sur le *Codex Vaticanus* confronté à d'autres manuscrits, ce texte dont les variantes furent établies par Morin et Agelli sera réédité même en pays protestant[99] à travers tout le XVIIe siècle.

Les livres liturgiques

Si sous le pontificat de Pie V, grand artisan de la Réforme catholique immédiatement après le concile, les travaux de la Vulgate prirent tant de temps, c'est que la priorité fut donnée à la refonte des livres liturgiques, c'est-à-dire le bréviaire et le missel, et qu'elle utilisa les compétences des mêmes hommes, indice qui peut suggérer la part de la Bible dans ces travaux.

— Le bréviaire romain (1568)

La nécessité de réformer un bréviaire encombré de nombreuses alluvions depuis des siècles apparaît dès le début du XVIe siècle. Si, en 1525, les premiers efforts de Zaccaria Ferreri dans son nouvel hymnaire choquèrent par son adaptation intempestive de la mythologie païenne aux mystères chrétiens, il y eut ensuite un mouvement qui voulait redonner à l'Ecriture sainte la place fondamentale qu'elle semblait avoir perdue.

Clément VII avait chargé le cardinal espagnol Francisco Quiñones, ministre général des Franciscains (1466-1540), de composer un nouveau bréviaire. En 1535, il présenta à Paul III un « Breviarium Romanum ex sacra potissimum Scriptura et probatis sanctorum historiis collectum et concinnatum », puis une édition révisée l'année suivante[100].

Le titre en indique le projet, humaniste s'il en fut, qui se dégage bien des propos de la Préface. De l'humanisme le nouveau bréviaire a la volonté pédagogique : « A ceux qui doivent être des maîtres dans la religion, il convient de fréquenter quotidiennement l'Ecriture sainte et de s'instruire de l'histoire de l'Eglise. » Il possède aussi son mépris non voilé de ce qui l'a précédé, ce qui fit scandale : « par la négligence des hommes », on en est arrivé à des absurdités : ainsi à peine commence-t-on (dans l'ancien office) un des livres de l'Ecriture sainte qu'on l'interrompt : « On ignore l'Ancien Testament plutôt qu'on ne le lit. » Le Nouveau Testament est remplacé par des textes sans intérêt et les « légendes » des saints sont rédigées de façon « inculte et négligée ».

---

99. *CHB* 3, p. 208.
100. L'édition critique des deux versions a été établie par J. W. LEGG, Cambridge, 1888, et London, 1908-1912 (H. Bradshaw Society). En 1536, en raison des protestations, Quiñones rétablit les antiennes des Psaumes qu'il avait supprimées. Sur ce bréviaire : S. BÄUMER, *Histoire du bréviaire* (trad. fr. augmentée), II, Paris, 1905, pp. 126-129.

Selon l'auteur lui-même, la réforme de Quiñones a trois avantages *(commoditates)* : faire acquérir la connaissance des deux Testaments; donner à l'office brièveté et simplicité; ne plus « offenser les oreilles doctes » par les histoires imaginaires des saints[101].

Les principes généraux de la réforme comportent en particulier la récitation du Psautier sur une semaine, selon la tradition, mais sans répétition de Psaumes; la lecture presque totale et ordonnée *(lectio continua)* de la Bible dans l'année : « On lit la plus grande et principale partie de l'Ancien Testament et tout le Nouveau sauf des passages de l'Apocalypse, et on répète même les Epîtres et les Actes des Apôtres »[102].

Il y avait dans les options de Quiñones deux idées qui n'étaient pas mûres à l'époque. Pouvait-on accepter de distinguer un office à réciter en privé — ce à quoi véritablement correspondait le nouveau bréviaire — et l'office traditionnel, plus long, destiné à être chanté, au moins en partie dans un chœur monastique ou dans une cathédrale ? En second lieu, alors que la tradition faisait de l'office une prière de l'Eglise volontairement contemplative et donc, si on peut dire, répétitive, pouvait-on privilégier une dimension didactique, catéchétique presque, en tout cas très biblique ? Ces deux options étaient clairement celles de Quiñones comme des différents *Books of Common Prayer* qui s'en inspirèrent.

« Le bréviaire de la Croix » comme on l'appela, du titre cardinalice de Quiñones (de Sainte-Croix) connut un succès exceptionnel : une centaine d'éditions en trente ans ! En juin 1545, la nouvelle Compagnie de Jésus fut autorisée à l'utiliser, ce qui était tout à fait logique dans la mesure où le nouvel Ordre n'avait pas d'office public au chœur. Mais il suscita également des réactions indignées et à la Sorbonne on le condamna, au moins dans sa version de 1535, en raison de son mépris de la tradition liturgique de l'Eglise « depuis son origine pour ainsi dire », que manifestait l' « opinion particulière » de son auteur. La Faculté de théologie de Paris estimait que toutes ces nouveautés ou plutôt les suppressions de ce qui, selon Quiñones, ne conduisait « ni à la piété ni à la connaissance de l'Ecriture », étaient fort pernicieuses[103].

On peut donc bien imaginer qu'en arrière-fond des discussions, lorsque le concile de Trente dut s'occuper de la réforme du bréviaire, l'essai de Quiñones se trouvait en bonne place : n'avait-il pas voulu redonner une place plus ample à la lecture de l'Ecriture telle que « la connaissaient les Pères et les conciles » pour s'exprimer comme sa Préface de 1536[104] ? Un théologien séculier espagnol, Juan de Arze, se

---

101. Ed. Legg, *The Second Recension of the Quignon Breviary*, London, 1908, pp. xxviii-xxix (Préface).
102. *Ibid.*, p. xxv.
103. Du Plessis d'Argentré, *Collectio judiciorum*, II, Paris, 1728, p. 126.
104. Ed. Legg, p. xxiii.

livra en 1551 à une attaque violente contre le « nouveau bréviaire », relayé à la dernière période du concile par une demande d'interdiction formelle de la « nouveauté profane » du texte de Quiñones, déposé par les évêques d'Aragon : ils suggérèrent d'en revenir simplement à l'ancien texte mais corrigé. Ils se référaient aux travaux commencés par le cardinal Carafa qui deviendra Paul IV et qui les avait confiés aux théatins fondés par lui. Dès qu'il fut élu en 1552, il supprima d'ailleurs toute permission d'utiliser le bréviaire de la Croix.

C'est ce qui explique le rôle majeur joué par les théatins lorsque le concile eut donné mission au souverain pontife de mener à bien cette réforme du bréviaire. Mais là encore le rôle de Sirleto fut décisif[105]. Pie V promulgua le texte révisé par la bulle *Quod a nobis* du 9 juillet 1568[106]. Le pape, retraçant l'histoire du bréviaire, mentionne celui de Quiñones, apprécié pour sa « commodité » mais dans un souci d'unification, l'abolit totalement, de même que tous les rites ayant moins de deux siècles d'usage évident. Aucune mention n'est faite des principes qui ont guidé les réviseurs sauf « qu'ils n'ont rien omis de ce qui fait l'ensemble propre de l'ancien office divin ».

En effet, le *Breviarium Pianum*, paru chez Manuzio puis aussi chez Plantin d'Anvers, n'est pas une version nouvelle mais un texte réformé et corrigé. Cependant, discrètement, les requêtes du temps avaient pénétré. Certes, on gardait la version du *Psalterium Gallicanum* moins exacte que les autres traductions hiéronymiennes mais traditionnellement intégrée dans la Vulgate, mais une plus grande place était accordée à l'Ecriture sainte à Matines, selon l'ancien cursus toutefois. La structure médiévale de l'office était entièrement sauvegardée, mais, comme l'avait fait remarquer la Faculté de théologie de Paris dans sa condamnation de Quiñones, antiennes, répons, capitules (et on pouvait même ajouter certaines hymnes) n'éloignaient nullement de l'Ecriture sainte mais la rejoignaient par « une piété conforme à la doctrine »[107].

— Le missel romain (1570)

Le concile de Trente avait longuement traité de la théologie de l'Eucharistie. A l'automne 1562, on se pencha de façon plus concrète, parfois même triviale, sur les abus dans la célébration de la messe[108]. A cette occasion, on s'aperçut des divergences nombreuses qui existaient

---

105. Une lettre de Sirleto à Pedro Ponce de León montre que ses préoccupations rejoignaient celles de Quiñones, en particulier la *lectio continua* de la Bible dans le cycle du temporal, avec l'indication imprimée des références scripturaires et patristiques. Cf. Bäumer, *op. cit.*, II, p. 173.

106. *Bullarium Romanum*, VII, Torino, 1862, pp. 685-688.

107. Du Plessis d'Argentré, pp. 122 ss. Mais la décision de la Sorbonne se fonde essentiellement sur des témoignages de papes ou de conciles.

108. *CT* VIII, pp. 916-924.

dans les divers rituels. Des pétitions étaient parvenues au Saint-Siège, mais certaines allaient dans le sens de l'unification, tandis que les autres réclamaient qu'on proclame la légitimité des différences de rites.

Comme pour le bréviaire, on constata qu'il y avait çà et là des formules (ou des gestes prescrits) théologiquement discutables et on décida de l'édition d'un nouveau missel confiée au pape. Ni le concile, ni la commission nommée par Pie IV qui comprenait en particulier les cardinaux Sirleto, Antonio Carafa et Scotti, ne semblent avoir été préoccupés de donner une place renouvelée à la Bible dans la célébration de la messe[109].

Sans doute en aurait-il été autrement si le concile s'était rallié à la célébration en langue vulgaire : or, il l'avait explicitement écartée par le chapitre 8 de la Doctrine sur le sacrifice de la messe (22e session du 17 septembre 1562) tout en recommandant l' « explication fréquente des textes qui sont lus à la messe »[110].

Le missel romain promulgué par Pie V le 14 juillet 1570 par la bulle *Quo primum tempore*[111] est une refonte du missel romain de 1474, lui-même issu d'une fixation du rite, de la fin du VIIIe siècle. Le lectionnaire reproduit celui de Murbach qui date de cette époque : la répartition médiévale des péricopes bibliques pour les dimanches et grandes fêtes est donc gardée. Son inconvénient est de ne proposer pour les féries, mais aussi pour les fêtes des saints, qu'un nombre limité de textes aux répétitions très fréquentes, ce qui peut se comprendre dans l'optique d'une liturgie fondée sur la mémoire auditive. On avait évidemment gardé l'antique répartition quotidienne des textes du temps du Carême. On peut noter enfin l'ajout de la récitation à mi-voix du Prologue de saint Jean (1, 1-14) le « dernier Evangile », tradition qui remonte au XIIIe siècle et qui correspondait à une prière d'action de grâces que le célébrant récitait en retournant à la sacristie.

Le catéchisme « du concile »

La composition d'un catéchisme pour toute la catholicité fut déjà envisagée comme nous l'avons vu, au moment où le concile de Trente avait traité de l'Ecriture et de la Tradition : il devait être rédigé « ex ipsa sacra Scriptura et Patribus orthodoxis »[112]. Une première commission

---

109. Il y a à ce sujet deux articles de H. Jedin, « Das Konzil von Trient und die Reform des römischer Messbuch », *Liturgisches Leben*, 6 (1939), pp. 30-66, et plus général, « Das Konzil von Trient und die Reform der liturgischen Bücher », *Ephemerides Liturgicae*, 59 (1945), pp. 5-38.
110. H. A. P. Schmidt, *Liturgie et langue vulgaire*, Roma, 1950.
111. *Bullarium Romanum*, VII, Torino, 1862, pp. 839-841. La bulle, comme celle qui promulgue le bréviaire, insiste sur la nécessité d'une unité de l'*ordo missae*. Le travail accompli est qualifié de « restitution » à l'antique norme et au rite des saints Pères.
112. *CT* V, p. 73, l. 23-29.

constituée durant le transfert à Bologne en 1547 émet l'idée que ce livre sera destiné non directement aux fidèles mais *ad parochos*, aux curés de paroisse[113].

Peu à peu se dégage le genre qu'on souhaite : un compendium théologique destiné aux prêtres comme l'avait été l'*Opus tripartitum* de Gerson et reprenant la tradition médiévale de quatre piliers de cet enseignement de base : le Symbole des Apôtres, le Pater, le Décalogue et les sacrements. Le succès des catéchismes des Réformateurs et bientôt de leurs contradicteurs ou imitateurs catholiques (ainsi ceux des jésuites Auger et Canisius) confirme le dessein d'avoir un texte revêtu du label officiel du concile. Mais en tout état de cause l'inspiration biblique était présente.

Lorsqu'en 1563 un petit groupe informel commence à rédiger des textes sous la direction de Seripando qui mourra peu après, une répartition des tâches s'opère. C'est aux docteurs de Louvain qu'est confiée la partie la plus scripturaire : le commentaire du Pater. Les plus connus de leurs représentants au concile sont Jean Hessels et Michel Baius, déjà suspects pour leurs opinions sur la grâce, et Cornelius Jansenius, l'Ancien, futur évêque de Gand.

Le concile s'étant achevé sans qu'on parvienne à un texte, c'est de nouveau au Pape qu'est confiée la tâche de le mener à bien. La rédaction définitive est demandée à ceux qu'on a pu appeler les véritables auteurs du catéchisme tridentin[114] même s'il y eut bien d'autres collaborateurs : Muzio Calini (1525-1570), archevêque de Zara en Dalmatie, et trois dominicains, Egidio Foscarari (1512-1564), évêque de Modène, Leonardo Marini (1509-1573) et le Portugais Francisco Foreiro (1525-1581). Seul ce dernier peut être qualifié de bibliste[115].

Leur interlocuteur fut, par son rôle même de secrétaire d'Etat, de « cardinal-neveu », Charles Borromée, l'archevêque de Milan : c'est lui qui, par son réseau d'amitiés et son désir d'aboutir rapidement à un texte, devint sinon le responsable du moins le protecteur du Catéchisme dont il affirme la publication imminente au début de 1565.

Si le *Catechismus ex decret concilii Tridentini ad parochos* ne paraît qu'en octobre 1566 suivi de peu de sa version italienne, c'est qu'il s'est heurté à des soupçons d'ailleurs fondés de s'inspirer un peu trop des *Comentarios sobre il Catecismo* de l'archevêque de Tolède, Carranza, prisonnier de

---

113. P. RODRIGUEZ et R. LANZETTI, *El Catecismo Romano. Fuentes e historia del texto y de la redacción*, Pamplona, 1982, p. 42.
114. G. BELLINGER, *Der Catechismus Romanus und die Reformation*, Paderborn, 1970, p. 35.
115. *DHGE* XVII (1971), pp. 1030-1032 (R. de ALMEIDA ROLO), et R. LANZETTI, « Francisco Foreiro o la continuidad entre el Concilio de Trento y el Catecismo Romano », *Scripta theologica*, 16 (1984), pp. 451-458.

l'Inquisition en raison même de ce texte[116]. Pie V s'étant entouré de nouvelles garanties doctrinales, la publication put avoir lieu. Mais de fait quelque chose de l'humanisme biblique de Carranza est passé dans le texte.

La Préface du Catéchisme est un texte dense, tout modelé de Bible. Elle s'appuie pour présenter son œuvre sur les fondements précisés par le concile et qui prouve encore, s'il en était besoin, que les deux sources qu'on a voulu trouver dans le texte conciliaire de 1546 sont bien unifiées en un seul Evangile, une seule Parole de Dieu : « Toutes les vérités que l'on doit enseigner aux fidèles sont contenues dans la Parole de Dieu, soit celle qui est écrite, soit celle qui a été conservée par tradition. L'Ecriture et la Tradition, voilà ce que les pasteurs devront méditer jour et nuit (Ps 1, 2). Et ils n'auront garde d'oublier cet avertissement que saint Paul adressait à Timothée, et qui concerne tous ceux qui ont charge d'âmes : « Applique-toi à la lecture, à l'exhortation, à l'enseignement » (1 Tm 4, 13), car « toute Ecriture est inspirée de Dieu et utile pour enseigner, réfuter, redresser, former à la justice : ainsi l'homme de Dieu se trouve-t-il accompli, équipé pour toute œuvre bonne » (2 Tm 3, 16-17).

Il n'est pas indifférent de voir un texte aussi officiel et remanié que le Catéchisme employer un tel langage. Les quatre grandes parties traditionnelles dans le genre catéchétique sont regroupées, comme le précise encore la Préface, comme « les lieux communs de la Sainte Ecriture » auxquels il ne manquerait « presque plus rien au chrétien pour connaître ce qu'il peut désirer savoir ». Le Symbole des Apôtres est composé des vérités que, sous l'inspiration de l'Esprit, les saints apôtres ont écrites « avant de se disperser » pour prêcher l'Evangile à toute créature (Mc 16, 15); les sacrements au nombre de sept se déduisent « du témoignage des Ecritures, de l'enseignement des Pères et de l'autorité des conciles »; le Décalogue « dont la fin est la charité » (1 Tm 1, 5), se trouve dans l'Ancien Testament; et le Pater nous est révélé par l'Evangile.

La fin de la Préface du catéchisme « du concile » prévoit même de compléter, et même de conjoindre, les explications de l'Ecriture (selon les péricopes de la liturgie des dimanches) et les différentes sections du symbole de foi. Ainsi « le peuple des fidèles » connaîtra à la fois le Symbole et l'Evangile. Par le catéchisme, on aura accès à toute la doctrine de la Sainte Ecriture.

116. A. Garcia-Suarez, « El 'Catecismo' de Bartolomé de Carranza, fuente principal del 'Catecismo Romano de San Pio V' ? », *Scripta theologica*, 2 (1970), pp. 341-423.

LES COMMENTATEURS BIBLIQUES DE LA RÉFORME CATHOLIQUE

Nous avons vu qu'au lendemain du concile de Trente Sixte de Sienne (1520-1569), juif converti devenu franciscain, puis, après certaines déviations, dominicain grâce à la protection du futur Pie V, alors inquisiteur général, avait, dans sa *Bibliotheca sancta*, poursuivi la réflexion théologique sur la canonicité des Ecritures, qui occupe les deux premiers livres[117]. Mais cet ouvrage majeur avait aussi l'intérêt de présenter un traitement d'ensemble sur les problèmes bibliques de la part d'un hébraïsant catholique et de proposer une classification, une nomenclature, de type scientifique[118], de même qu'une première esquisse d'histoire de l'exégèse, d'Augustin à son propre maître, l'irascible évêque dominicain Catharin († 1553). Le nombre d'éditions de cette Encyclopédie biblique dont la meilleure semble être la dernière, à Naples en 1742 avec les notes de Milante est l'indice de son importance.

On ne trouvera pas dans le sillage du concile d'autres grands ouvrages où l'emporte le souci méthodologique, à part ceux de Gilbert Génébrard (c. 1537-1597), ce bénédictin que la faveur de l'élite intellectuelle de Rome où il avait trouvé refuge, fit devenir archevêque d'Aix en 1591 mais qui avait été lecteur d'hébreu au Collège des lecteurs royaux[119], ou ceux d'Arias Montano, évoqué dans le cadre de la *Polyglotte*[120].

Du côté des biblistes dominicains, il faut citer au moins deux Portugais qui furent actifs au concile de Trente et dans sa mise en application. D'abord Francisco Foreiro si influent dans l'élaboration des instruments de la Réforme catholique, comme nous l'avons vu[121] : sa version et son commentaire d'Isaïe (Venise, 1563) eurent une grande notoriété. Il présente les « lieux par lesquels la saine doctrine peut être confirmée contre les hérétiques et les Juifs ». Son compatriote Jérôme d'Azambuja, dit Oloaster, ambassadeur de Jean III au concile, compose d'après le texte de Pagninus des commentaires sur « le Pentateuque de Moïse » à Anvers en 1569, réunissant des parties parues depuis 1556 à Lisbonne[122]. Mais

117. Cf. *supra*, p. 382 s.

118. Voir p. 257 s.; cf. aussi J. W. MONTGOMERY, « Sixtus of Siena and Roman Catholic Scholarship in the Reformation Period », *Archiv für Reformationsgeschichte*, 54 (1964), pp. 214-234.

119. Cf. p. 272. Dom BESSE, « Autobibliographie de Génébrard », *Revue Mabillon*, 1 (1905), pp. 297-306.

120. Cf. p. 264.

121. Cf. *supra*, p. 359. J. NUNES CARREIRA, *Filologia e crítica de Isaias no comentário de Francisco Foreiro*, Coimbra, 1974; QUÉTIF-ECHARD, II, pp. 261-263.

122. M. A. RODRIGUEZ, « Alguns aspectos da obra exegética de Fr. Jerónimo de Azambuja (Oleastro), o.p. », *Revista Portuguesa de História*, 17 (1977), pp. 25-36. Son commentaire sur Isaïe fut publié à Paris en 1622; QUÉTIF-ECHARD, II, pp. 182-183. Pour les autres dominicains de cette époque, voir P. MANDONNET, Dominicains (Travaux des) sur les Saintes Ecritures, *Dictionnaire de la Bible*, II, pp. 1475-1482 (Paris, 1899).

comme il soulevait des difficultés pour l'attribution du texte à Moïse évoqué dans son titre, son livre fut mis à l'Index de Quiroga en 1583. Il en fut de même en 1574 du commentaire posthume sur Josué écrit par André Maes (Masius), ce laïc qui avait collaboré à la *Polyglotte d'Anvers* pour le syriaque.

C'est qu'en effet une extrême attention fut apportée à la fin du siècle à l'orthodoxie des attributions, des propos et des hypothèses contenues dans les commentaires bibliques catholiques.

Comme il n'est pas concevable de vouloir même évoquer la plupart des exégètes catholiques de cette époque[123], on nous permettra de nous concentrer sur une seule « école » très caractéristique des préoccupations de l'Eglise romaine à cette époque, en privilégiant les commentaires des jésuites espagnols. La Compagnie de Jésus avait, dès le concile lui-même, montré le dynamisme d'un Ordre nouvellement créé, dont la raison d'être même le plaçait au service d'une orthodoxie.

Dès la première génération en effet, les compagnons de saint Ignace ont joué un rôle de premier plan au concile lui-même, très spécialement Diego Laynez, d'abord comme théologien pontifical puis comme général de la Compagnie, ou encore Alphonse Salmeron (1515-1585)[124]. Après sa tâche au concile, Salmeron se consacra essentiellement à la prédication comme provincial de Naples. Alimentés par ces sermons, ses 16 volumes de commentaires bibliques « in evangelicam historiam » sur les Actes et les Epîtres pauliniennes furent publiés de 1597 à 1602 : y furent intégrés également les cours professés par Salmeron en 1550 à l'Université d'Ingolstadt sur l'Epître aux Romains.

Les Prolégomènes de ses commentaires comportent d'une manière désordonnée des règles herméneutiques dispersées parmi des petits traités sur des points particuliers. Son exégèse, si elle se conforme aux idées du temps quant à l'authenticité des livres bibliques, est du moins théologiquement entièrement centrée sur le Christ. Même l'Ecclésiaste et le Cantique des cantiques lui servent à montrer la préparation messianique. Il s'attache à l'extrême et parfois non sans durcissement à la lettre des Evangiles et s'en sert pour une réfutation des protestants.

Jérôme Nadal (1507-1580) fut l'un des plus fidèles compagnons d'Ignace de Loyola à la fin de sa vie. Il garda la confiance des deux généraux suivants, Lainez et Borgia. Retiré en Saxe, Nadal y composa de célèbres *Adnotationes et Meditationes* sur les Evangiles des dimanches, illustrées de quelque 150 gravures de fameux artistes flamands. Elles ne seront publiées qu'après sa mort (Anvers, 1593 et 1594) : il s'agit d'une lecture spirituelle des textes de la liturgie dans un climat ignatien[125].

---

123. *CHB* 3, p. 92.
124. Pour Salmeron, SOMMERVOGEL, VII, pp. 478-483. *DTC* XIV/1, pp. 1040-1047 (F. de LANVERSIN), Paris, 1939.
125. Sur le texte de Nadal, SOMMERVOGEL, V, pp. 1517-1520.

Mais le plus connu des commentateurs jésuites reste Juan Maldonado (Maldonat)[126]. Cet Espagnol né en 1534 fit des études à Salamanque jusqu'en 1562, date à laquelle il entre dans la Compagnie de Jésus. Il enseigne alors avec beaucoup de succès la philosophie puis la théologie au collège de Clermont à Paris. En 1574, la Faculté de théologie le censure pour une position pourtant des plus modérées sur l'Immaculée Conception de la Vierge Marie, dont il nie seulement qu'elle soit de foi définie. La Sorbonne y trouva le prétexte de réaffirmer son attachement au concile de Bâle et son peu d'empressement de voir les jésuites enseigner à deux pas de chez elle.

Pour ne pas désavouer la théologie, le pape sacrifia le théologien. Maldonat fut envoyé en province, en particulier à Bourges et à Pont-à-Mousson : c'est l'époque à laquelle il rédigea ses Commentaires sur les Evangiles. Venu à Rome en 1582, on l'y retint et il fut consulté par les commissions chargées de fournir des nouvelles éditions de la Septante et de la Vulgate et mourut l'année suivante.

L'exégèse de Maldonat se situe en réaction contre les grandes thèses protestantes, à la suite du concile de Trente dont il est l'héritier. Il défend son propre droit, et celui des catholiques, à affirmer le vrai sens de l'Ecriture contre ceux de leurs adversaires qui se mêlent de la Bible sans vraie qualification, non seulement d'ailleurs les professeurs « mais encore leurs militaires, marchands, tailleurs, ceinturiers, charpentiers et serruriers du haut de l'estrade publique. Pourquoi n'en ferions-nous pas autant, nous qui nous sommes consumés pendant la plus grande partie de notre vie afin de garder et conserver notre antique religion, léguée d'abord par la voix du Christ, ensuite par les écrits des apôtres et des très saints Pères comme par autant de testaments ? »[127].

En effet, contrairement aux affirmations des protestants, l'Ecriture sainte n'est pas claire : « Car si les Ecritures sont si faciles, comment se fait-il qu'entre eux ils divergent tellement l'un de l'autre qu'il y ait parfois d'un seul passage vingt ou trente interprétations... C'est suffisamment établi par la variété des sectes nées si nombreuses en un laps de temps si court. De plus, quand nous sommes mus et assurés par les témoignages de l'Esprit, par quelle règle prouverons-nous que c'est bien du divin Esprit ce qu'apparemment nous comprenons des Ecritures ? »[128].

Maldonat entend proposer une théologie qui fasse pencher *(temperare)* l'héritage scolastique du côté de son pôle biblique pour mieux l'actualiser. Pour cela, comme il le développe dans ses discours inauguraux ultérieurs, les étudiants devront en plus des cours se mettre à l'étude

---

126. Sur Maldonat, J.-M. PRAT, *Maldonat et l'Université de Paris*, Paris, 1856, et P. SCHMITT, *La Réforme catholique. Le combat de Maldonat*, Paris, 1985.
127. Discours inaugural au collège de Clermont, 1565. PRAT, *op. cit.*, Pièces justificatives, pp. 555-566, traduit par SCHMITT, p. 297.
128. SCHMITT, p. 305 (traité *De constitutione theologiae*).

personnelle, sérieuse et scientifique de l'Ecriture : qu'après avoir prié, on accorde « la première heure de la matinée à la lecture du Nouveau Testament et la première heure de l'après-midi à l'Ancien : qu'on lise l'Ancien en hébreu et le Nouveau en grec »[129].

La publication des ouvrages bibliques de Maldonat fut posthume. Les célèbres commentaires sur les quatre Evangiles dont la première édition date de 1596-1597[130], ont été achevés par les Pères Clément Dupuy, Léonard Périn et surtout par Fronton du Duc (1558-1624), le futur bibliothécaire du collège de Clermont. Dans la préface au duc de Lorraine, les théologiens jésuites de Pont-à-Mousson soulignent le rôle de Maldonat dans la lutte contre le calvinisme. De fait, les commentaires sur les Evangiles sont polarisés par la controverse. Les principales erreurs « du nouvel Evangile tout aussi inentendu auparavant qu'inattendu »[131] sont dénoncées puis rectifiées : c'est le cas de la prédestination. Maldonat tente de rétablir l'héritage augustinien dans l'équilibre de toute l'œuvre du docteur d'Hippone sans se laisser fasciner par les seuls écrits anti-pélagiens. Calvin et Bèze sont les seuls contemporains nommés et réfutés, en dehors de quelques petits reproches faits à Erasme. Le théologien jésuite rectifie de temps à autre le texte sur lequel Calvin s'appuie dans l'*Harmonie évangélique*, mais c'est surtout la pensée de celui qu'il appelle le « plus noble interprète des hérétiques »[132] qualifié aussi de termes plus malsonnants, qu'il a entrepris de corriger et de redresser[133].

Lui aussi issu de Salamanque, le cardinal Francisco Toledo (Toletus) (1532-1596) dont nous avons vu le rôle éminent dans la préparation des textes issus du concile[134], avait d'abord été professeur de métaphysique au collège romain. Il publia de son vivant un commentaire de l'Evangile de saint Jean, en 1588, imprimant séparément le texte et ses notes critiques, ce qui est une innovation. Après sa mort, on fit éditer son commentaire inachevé sur saint Luc qui parut en 1600 à Rome et met en relief le rôle de la Vierge, et ses copieuses Annotations sur l'Epître aux Romains en 1602.

Citons aussi le confesseur de sainte Thérèse d'Avila et l'un de ses premiers biographes, Francisco de Ribera (1514-1591)[135], qui publia ses cours de Salamanque sur les petits prophètes en 1587. On édita de

---

129. *Opera varia theologica*, Paris, 1677, IV, 27 A. Cf. SCHMITT, p. 371.
130. Pont-à-Mousson, chez Etienne MARCHAND, t. I, 1596 (Matthieu et Marc); t. II, 1597 (Luc et Jean). Sur ces éditions, SOMMERVOGEL, V, pp. 403 ss.
131. T. I, col. 552 F.
132. T. I, col. 424 F.
133. Les commentaires de Maldonat sur Jérémie, Ezéchiel, Baruch et Daniel (Lyon, 1609) furent suivis d'autres textes sur l'Ancien Testament qui, publiés à partir de notes et de manuscrits en 1643, ne semblent guère représenter la pensée de l'exégète.
134. Sur Toledo, SOMMERVOGEL, VIII, pp. 64-83.
135. Sur les éditions des commentaires de Ribera, SOMMERVOGEL, VI, pp. 1761-1767.

façon posthume ses textes sur l'Epître aux Hébreux (1598), sur l'Evangile de Jean (1623) et sur l'Apocalypse (1594).

Il faut remarquer l'intérêt de l'école jésuite pour le dernier livre du canon biblique. Benito Pereyra (1535-1610)[136], de Valence, publie des *Selecta in Apocalypsim* (1606) où il se démarque de la tradition médiévale qui assimile de façon systématique et répétitive l'Antéchrist et Mahomet. Mais il est aussi l'auteur de *Selecta in Paulum* (Ep. aux Romains) en 1603 et de commentaires très appréciés sur les difficultés exégétiques de Daniel (1587), de la Genèse (1591) et de l'Exode (1601), comme de *Disputationes* sur l'Evangile de Jean (1607), qui sont tous le fruit de son enseignement au Collège romain. Pereyra n'hésite pas à y blâmer Cajetan, par exemple pour avoir soutenu l'inauthenticité du début du chapitre 8 de saint Jean et il lui oppose le texte du concile de Trente[137]. Le Prologue de l'Evangile johannique et le chapitre 6 lui permettent de rappeler la doctrine traditionnelle sur l'Incarnation et sur l'Eucharistie, alors même que ses allusions aux « hérétiques » contemporains sont relativement peu nombreuses. Pour lui la droite lecture des Ecritures (la *scrutatio* d'après Jn 5, 39) doit instruire et confirmer les fidèles dans la foi[138].

Son commentaire sur Daniel (Rome, 1587) comporte dans sa dédicace au cardinal Antonio Carafa un magnifique éloge de l'Ecriture sainte qui surpasse en tout les disciplines profanes. Le livre de Daniel étant particulièrement obscur, Pereyra déclare lui avoir consacré un examen des plus précis. Et de fait il y déploie une érudition étonnante maniant spécialement l'histoire et l'utilisation des principaux commentaires patristiques et médiévaux. Les allusions contemporaines sont peu nombreuses, mais on peut noter les réflexions sur le Nouveau Monde des Amériques dont la matière a été fournie par la correspondance « de nos Pères qui sont allés l'évangéliser »[139].

L'intérêt pour l'apocalyptique semble renaître dans l'exégèse catholique de la fin du siècle. Peu après la mort de Blaise Viegas (1554-1599), Portugais, professeur à l'Université d'Evora, sont publiés des commentaires exégétiques de l'Apocalypse[140]. Une importante section du livre est consacrée à la Vierge Marie identifiée à la femme dans le soleil. Viegas rappelle que certains appliquent les vaticinations de Joachim de Flore sur l'Apocalypse, au « nouvel ordre » que constitue la Compagnie

---

136. Sur Pereyra, SOMMERVOGEL, VI, pp. 499-507.

137. Ed. de Lyon, 1607, pp. 492-493. Quant à Erasme, Pereyra considère qu'il est peut-être catholique, mais soit un mauvais chrétien, soit un simulateur comme il le déclare à propos de Jn 3, 13 dans une discussion sur la vision béatifique du Christ (p. 215).

138. *Op. cit.*, pp. 344-348.

139. Rome, *apud* G. FERRARIUM, 1587, p. 128.

140. *Commentarii exegetici in Apocalypsim*. Sur les différentes éditions, SOMMERVOGEL, VIII, pp. 652-653 : Evora, 1601; Lyon, 1602; Venise, 1602.

de Jésus, mais il s'en tient à l'interprétation plus « traditionnelle » qu'il s'agit d'une prédiction concernant les franciscains ou les dominicains. L'application du rôle de l'Antéchrist à Mahomet ne semble pas mentionnée. En fait, ce commentaire est étonnamment et remarquablement christocentrique. De façon fort poétique Viegas montre comment la citation d'Ezéchiel (43, 2) en Ap 1, 15 décrivant la voix du Fils de l'Homme comme « le mugissement des grandes eaux » signifie que toutes les Ecritures se joignent en un centre unique, c'est-à-dire dans le Christ[141].

Emmanuel Sa (1530-1596)[142] est un commentateur portugais plus connu encore que Viegas, plutôt d'ailleurs comme moraliste et c'est à ce titre que Pascal le cite dans les *Provinciales*. Après avoir enseigné à Gandie puis à Alcalá, il devient professeur d'Ecriture sainte au Collège romain et fut nommé à la Commission d'édition de la Septante. On lui doit des *Notationes in totam Scripturam sacram* (1598, chez Plantin à Anvers), explications de la Bible à partir des textes hébraïque, grec et chaldéen.

On peut aussi signaler l'originalité du recueil des *Adagialia Sacra Veteris et Novi Testamenti*[143], réunis et commentés par Martin del Rio (1551-1608), d'Anvers, entré tardivement dans la Compagnie de Jésus et professeur à Salamanque. Ce texte publié en 1612-1613 par son frère à Lyon regroupe un grand nombre d'expressions de la Sainte Ecriture classées dans l'ordre canonique des livres (plus d'un millier pour l'Ancien Testament) et commentées au moyen de références bibliques mais aussi des auteurs antiques et modernes, dont Maldonat. La méthode est empruntée aux Adages d'Erasme évoqués discrètement dans la Préface, mais ce dernier ne s'enracinait-il pas dans toute une tradition littéraire ? Del Rio explique que, s'il choisit ce terme d'Adagialia, c'est pour plus de liberté et pour fuir les « vitiligatorum spinosas molestias » : les désagréments épineux des querelles[144] !

Le mouvement exégétique des jésuites espagnols doit être replacé dans le grand effort théologique fourni par eux au lendemain du concile de Trente et donne ses fruits au début du XVIIe siècle. Leurs ténors comme Juan de Mariana (1536-1624) plutôt connu comme moraliste

---

141. Ed. 1601, pp. 90-91.
142. Sur Manoël de Sa ou Soa, SOMMERVOGEL, VII, pp. 349-354.
143. SOMMERVOGEL, II, p. 1903.
144. Préface, p. IX. Del Rio n'eut pas le temps de composer le recueil concernant le Nouveau Testament qui sera complété par André SCHOTT (1552-1629) (Anvers, 1629).

publie des *Scholia* sur les deux Testaments dédiés à Bellarmin. Il en va de même du dogmaticien Gabriel Vasquez (1549-1604) qui fait paraître des Paraphrases sur les épîtres pauliniennes. L'unité du savoir théologique est encore manifeste et l'interprétation de l'Ecriture est en cause dans les grands débats sur la grâce qui opposent dominicains et jésuites autour des thèses de Molina.

Mais il semble que dans le dernier tiers du XVIᵉ siècle l'école des jésuites espagnols se soit constituée très consciemment dans une optique de controverse confessionnelle. Peut-être pourrait-on dire qu'auparavant l'Ecriture servait à alimenter les débats : désormais son commentaire est devenu un instrument de combat.

Il faut en effet replacer l'exégèse des jésuites, dont nous n'avons pris que certains exemples, dans l'immense et intense entreprise de reconstruction spirituelle et dogmatique tentée par la compagnie à la fin du XVIᵉ siècle dans l'optique du concile de Trente. Une impulsion nouvelle en ce sens fut donnée par le général Claude Aquaviva (1543-1615), élu en 1581, lui-même auteur de Méditations sur les Psaumes 44 et 118, publiées un an après sa mort. Si l'on en juge par les dédicaces des différents commentaires que nous avons signalés et qui lui sont presque toutes offertes et aussi par ce que nous savons de l'élan qu'il donna à la Compagnie dans le domaine spirituel[145], nous pouvons supposer qu'il fut sensible à cet effort d'érudition et de science bibliques.

Aquaviva a soutenu Robert Bellarmin (1542-1621) dans tous ses combats. Bellarmin fut de nombreuses années, avant comme après sa nomination de cardinal en 1599, l'homme indispensable, celui à qui étaient confiées toutes les tâches importantes et les plus difficiles au nombre desquelles il faut compter la célèbre chaire de controverse du Collège romain. Mais en 1579 déjà le jeune jésuite avait été chargé de relire, voire de rectifier, les 16 volumes qu'avait composés sur le Nouveau Testament le P. Salmeron qui faisait alors figure de compagnon héroïque de saint Ignace[146]. Bellarmin lui-même, si actif dans les commissions de l'édition de la Vulgate, se consacra à la fin de sa vie à un commentaire des Psaumes, paru en 1611, qui devint fort goûté. Sa personnalité et son œuvre sont représentatifs de l'effort immense que fit la Compagnie à la fin du XVIᵉ et au début du XVIIᵉ siècles pour lire la Bible et la commenter, avec le recours aux langues acquis désormais dans la perspective humaniste, mais surtout spirituellement et davantage encore en référence au dogme menacé puis réaffirmé.

En 1592, Cornelis Van den Steen, qui sera connu sous le nom latin de Cornelius a Lapide, entre dans la Compagnie de Jésus. Quatre ans

145. J. de GUIBERT, « Le généralat de Claude Aquaviva (1581-1615) », *Archivum Historicum Societatis Jesu*, 10 (1941), pp. 60-93.
146. J. BRODRICK, *Robert Bellarmin*, trad. fr. augmentée, Bruges, 1963, p. 55.

plus tard, il enseigne l'exégèse à Louvain. Pendant un demi-siècle, reprenant les efforts plus dispersés des commentateurs jésuites espagnols, il commente toute l'Ecriture sainte sauf Job et les Psaumes et son œuvre atteint un public immense : elle apparaît rétrospectivement comme le classique par excellence, la référence de la Bible telle qu'elle est lue dans la Réforme catholique.

Guy BEDOUELLE.

10

La Bible anglaise

Au début du XVIe siècle, il règne en Angleterre, plus qu'en tout autre pays, une suspicion généralisée sur les traductions de la Bible en langue vulgaire. La double version fournie par Wyclif, Nicholas de Hereford puis John Purvey en 1382 et en 1390 avait fait l'objet de censures ecclésiastiques, en particulier lors du concile provincial d'Oxford tenu en 1408 par l'archevêque de Cantorbéry, Thomas Arundel († 1414) : traduction et lecture de Bibles vernaculaires non autorisées avaient été prohibées. C'est ainsi que commence en Angleterre « la guerre de la Bible »[1]. Seul semble avoir échappé à la suspicion le Psautier glosé du mystique Richard Rolle († 1349).

Entrée dans la clandestinité, surtout après les rébellions de 1414 et de 1431, la Bible des Lollards n'en poursuit pas moins auprès des classes moyennes sa diffusion dont témoignent la quantité de manuscrits qui ont été conservés de ce texte. C'est ce qui explique à la fois le rejet véhément que toute nouvelle traduction va susciter de la part des autorités politiques et religieuses avant l'Acte de Suprématie, mais aussi le terrain favorable rencontré dans certaines couches de la population dès les premières années de la Réforme luthérienne en Allemagne.

Il est significatif de voir que les mots prêtés par Foxe à Thomas Bilney[2] (ca 1495-1531), l'une des premières figures évangéliques anglaises,

---

1. *BTT* 4 (M. Larès), « L'exemple de la Grande-Bretagne », p. 140. Voir aussi, du même auteur, *Bible et civilisation anglaise : naissance d'une tradition*, Paris, 1974.
2. A propos de ce Réformateur et de la Bible : J. Y. Batley, *On a Reformer's Latin Bible*. Being an Essay on the *Adversaria* in the Vulgate of Thomas Bilney, Cambridge, 1940.

résonnent très exactement comme le récit fait par Luther de sa « découverte réformatrice » de l'Epître aux Romains. Ici c'est I Tim. 1, 15 (lu dans l'édition d'Erasme) qui constitue le détonateur en 1527 : le pécheur qu'il se sentait « ressent un réconfort et un repos merveilleux tels que 'mes os brisés dansaient de joie' (Ps. 51 (50), 10). Et après cela l'Ecriture commence à lui apparaître plus agréable que le miel ou le rayon de miel »[3].

LE PREMIER BÂTISSEUR DE LA BIBLE EN ANGLAIS : TYNDALE

Au cercle de la *White Horse Tavern* de Cambridge où se réunissaient Bilney, Latimer qu'il avait converti à ses idées plus « réformatrices » que vraiment hétérodoxes, et d'autres figures du futur anglicanisme, s'était joint William Tyndale (1494-1536)[4].

Après ses études à Oxford et son ordination sacerdotale, Tyndale était arrivé à Cambridge en 1518. Ayant dû quitter la ville pour exercer un préceptorat dans le Gloucestershire, Tyndale s'exerce à traduire en anglais l'*Enchiridion* d'Erasme et Isocrate, l'orateur athénien. Muni de ces essais littéraires, il s'en fut trouver en juillet 1523 le nouvel évêque de Londres, Cuthbert Tunstall, qui, pour être acquis à l'humanisme, n'en refusa pas moins le projet de traduction complète de la Bible que Tyndale lui proposa, comme ce dernier nous le rapporte dans sa préface à sa version du Pentateuque. Peut-être faut-il préciser que Tunstall avait fait partie de l'ambassade anglaise à Worms en 1520[5], où il fut témoin des succès remportés par Luther en Allemagne.

L'année suivante, Tyndale dut s'enfuir à Hambourg mais il était auparavant entré en contact avec des cercles clandestins de Lollards qui le financeront et l'aideront dans la tâche qu'il s'est imposée. En effet c'était l'époque bénie, dit Foxe, où « on échangeait une charretée de foin contre quelques chapitres de saint Jacques ou de saint Paul en anglais »[6]. Tyndale s'empressa de rejoindre Wittenberg, où il a sans doute appris l'hébreu, et, avec l'aide d'un autre transfuge, William Roy, il se met à traduire le Nouveau Testament à partir du texte d'Erasme.

En 1525 il commença à faire imprimer le texte à Cologne, sans doute chez Peter Quentel, lorsque la vigilance toujours en éveil de Cochlaeus,

3. John FOXE, *Actes and Monuments... touching matters of the Church*, éd. G. TOWNSEND, London, 1841 (reprint Ams Press, New York, 1965), IV, p. 635. Cf. le texte si connu de Luther, *WA*, 54, pp. 179-187.

4. Voir en particulier *Tyndale Commemoration Volume*, éd. R. M. WILSON, London, 1939, avec des extraits du Nouveau Testament de 1534 (Luc, Actes, Rm, He, Apocalypse).

5. C. STURGE, *Cuthbert Tunstall*, London, 1938. *DNB* 57 (1899), pp. 310-315 (A. F. POLLARD).

6. FOXE, *op. cit.*, IV, p. 218. Cf. D. WILSON, *The People and the Book*, London, 1976, p. 43.

qui en a laissé lui-même le récit, interrompit les opérations. Tyndale n'eut que le temps de s'enfuir avec les épreuves déjà tirées jusqu'à l'Evangile de Marc, et trouva à Worms Peter Schoeffer qui accepta de reprendre le tirage sous une forme simplifiée.

Commandés et commandités par les cercles hétérodoxes anglais, les six mille exemplaires du Nouveau Testament, après avoir transité à Anvers, arrivèrent à Londres et commencèrent à se diffuser à partir de 1526. Les autorités épiscopales prirent toutes les mesures possibles pour empêcher que soit lu ce texte « mêlé de tant d'articles hérétiques et de fausses opinions ». L'évêque Tunstall et l'archevêque Warham rachetèrent, dit-on, le plus grand nombre d'exemplaires possible[7]. Mais des éditions pirates furent faites et se vendirent fort bien.

D'Anvers où il s'était installé, Tyndale défendit son œuvre par un petit livre : *A Pathway into Holy Scripture*, d'inspiration luthérienne, et composa d'autres traités dont le plus célèbre est *The Obedience of a Christian Man* (1528)[8]. C'est aussi l'époque où il traduisit le Pentateuque mais son premier manuscrit fut perdu dans un naufrage en 1529. L'ayant reconstitué et publié (1530 puis 1534)[9] et l'ayant complété par le livre de Jonas (1531), il révise aussi son texte du Nouveau Testament.

Encore soucieux à l'époque de montrer son orthodoxie à l'encontre d'un homme que son chancelier, Thomas More, avait déclaré hérétique, Henry VIII est d'autant moins enclin à accorder son pardon à Tyndale que ce dernier a violemment attaqué dans *The Practice of Prelates* (1530) l'idée d'une légitime nullité du mariage royal qui est en ce moment « la grande affaire du roi ».

Après avoir dû s'opposer à une version publiée en 1534 par les frères Van Endhoven à Anvers, qui avait été un peu trop remaniée par son ami George Joye[10], Tyndale propose lui-même une nouvelle version améliorée et annotée dans un sens très protestant. Il incorpore sous forme de paraphrase la préface de Luther sur l'Epître aux Romains.

Alors qu'il continuait à traduire les livres historiques de l'Ancien Testament qui resteront manuscrits, Tyndale tomba dans le piège d'un agent à la solde de l'empereur, fut arrêté le 23 mai 1535 et enfermé au château de Vilvorde. Il fut exécuté le 6 octobre 1536. On connaît son émouvant appel au marquis de Bergen demandant des vêtements

---

7. POLLARD, *Records of the English Bible*, London, 1911, n° XVII, pp. 150-153 (extrait de la Chronique de Peter Hall).

8. *Doctrinal Treatises and Introductions to Different Portions of the Holy Scripture*, éd. H. WALTER (Parker Society), 1848.

9. G. HAMMOND, « William Tyndale's Pentateuch. Its relation to Luther' German Bible and the Hebrew Original », *Renaissance Quarterly*, 33 (1980), pp. 351-385.

10. Sur l'œuvre de Joye, BUTTERWORTH, *Literary Lineage...*, pp. 75-91. Cf. *CHB* 3, p. 147. Sur les relations entre les deux hommes, POLLARD, *Records...*, n° XXVII, pp. 178-195.

chauds pour l'hiver mais implorant surtout qu'on lui restitue « sa Bible hébraïque, sa grammaire et son dictionnaire »[11].

Malgré sa courte carrière et son œuvre inachevée, Tyndale a fourni la pierre d'angle de la Bible anglaise : il en est le premier bâtisseur par son style clair, abordable par tous bien qu'un peu lâche. Le choix du vocabulaire[12] comme surtout les interprétations contenues dans les introductions et dans les notes en font, avant l'heure, un ouvrage consonant à la Réforme qu'Henry VIII va maintenant mettre en œuvre.

Les versions intermédiaires

Au moment du changement de politique religieuse décidé par Henry VIII et mis en action par Thomas Cromwell, les initiatives personnelles — dont celles de Tyndale représentent un exemple trop précoce —, comme les commandes officielles, aboutissent à une pluralité de versions avant qu'on puisse aboutir à un texte approuvé.

Coverdale et la Bible de 1535

Miles Coverdale (1488-1568)[13] était un religieux augustin de Cambridge qui, sous l'influence de son prieur Robert Barnes, se rallia aux idées du cercle luthérien de la ville. Obligé de s'exiler comme Tyndale, il rejoignit ce dernier à Anvers, l'aidant à sa traduction du Pentateuque et travaillant comme correcteur chez Martin Lempereur (Kayser). En 1534, il publie anonymement sa traduction anglaise de la célèbre Paraphrase des Psaumes de Jean Campensis.

La même année, au moment où se précise l'évolution religieuse de la politique royale, un armateur hollandais, Jacob van Meteren, à la fois soucieux de contribuer à la diffusion du pur Evangile et de ne pas rater une bonne affaire commerciale puisque la Convocation de Cantorbéry avait demandé au roi de veiller à fournir une Bible anglaise, chargea

---

11. Cité en anglais dans *The Work of William Tyndale*, éd. G. E. Duffield, Philadelphia, 1964, p. 401.

12. *CHB* 3, p. 144. Ainsi Tyndale préfère *congregation* au lieu de *church*; *senior* (ancien) à la place de *priest*; ou utilise *love* et non pas *charity*. Ces choix resteront caractéristiques de l'orientation protestante dans toute l'histoire de la Bible anglaise. H. Holeczek, *Humanistische Bibelphilologie als Reformproblem bei Erasmus von Rotterdam, Thomas More und William Tyndale*, Leiden, 1975. Citant Rm 13, 20, Shakespeare oppose les deux mots dans *Love's Labour's Lost*, à la fin de la longue tirade de Berowne (acte IV, scène 3) : « Charity itself fulfills the Law, and who can sever love from charity ? »

13. H. Guppy, « Miles Coverdale and the English Bible, 1488-1568, *Bulletin of the John's Rylands Library*, 19 (1935), pp. 300-338. J. F. Mozley, *Coverdale and his Bibles*, London, 1953.

Coverdale de lui donner le plus vite possible une traduction complète de l'Ecriture, qui ne soit pas annotée afin d'obtenir plus facilement une reconnaissance officielle.

Le 4 octobre 1535, cette Bible sortait des presses, probablement chez Johann Soter et Eucharius Cervicornus, imprimeurs à Cologne[14]. Coverdale n'avait pu travailler sur les textes originaux mais s'était appuyé sur la Vulgate et les traductions existantes à sa disposition : en fait il utilise essentiellement Tyndale pour le Nouveau Testament et le Pentateuque (mais ne se sert pas de ses manuscrits), et les versions allemandes, celle de Luther mais surtout la Bible de Zurich de 1531, ce qui entraîne dans le texte un certain nombre de germanismes. Il avait également sous les yeux, selon les termes de sa Dédicace au roi, la version latine de Pagnini de 1528. C'est lui-même qui a traduit les « Apocryphes » qu'il juge de moindre autorité.

La grande réussite sera la traduction du Psautier si mélodieuse qu'elle sera incorporée dans l'*Authorized Version* de 1611 et de là dans le *Book of Common Prayer* de 1662 : c'est dire son importance pour la conscience religieuse et littéraire en Angleterre jusqu'à maintenant.

Si cette Bible vite épuisée ne fut réimprimée qu'en 1537 et puis bien plus tard en 1553, c'est qu'était apparue entre-temps une autre version, de tonalité bien plus agressive dans le sens de la « foi nouvelle ». Elle allait lui disputer la prééminence pour alimenter un marché qui paraissait prometteur puisque à partir de 1536 des Injonctions royales prescrivaient à chaque paroisse d'acheter et de mettre à la disposition de tous une Bible en latin et en anglais. Mais il est vrai que la même année les infléchissements de la politique qui suivirent l'exécution d'Anne Boleyn entraînèrent quelque retard dans la mise en œuvre de cette décision.

« *The Matthew Bible* »

La version concurrente de la Bible de Coverdale était due à John Rogers (*ca* 1500-1555)[15] qui, après ses études à Cambridge, avait suivi la même évolution que ses deux prédécesseurs. C'est même Tyndale qui, à Anvers où Rogers servait d'aumônier aux marchands anglais, le convertit aux idées évangéliques.

Etant passé à Wittenberg, Rogers proposa sous le pseudonyme de « Thomas Matthew » une traduction tirée à 1500 exemplaires par Grafton et Whitchurch, libraires à Londres et à Anvers. Ce n'était qu'une compilation soigneuse des textes de Tyndale en y intégrant la

---

14. *CHB* 3, p. 148. Rééd. Folkestone, 1975 (avec une introduction de GREENSLADE).
15. J. F. MOZLEY, *William Tyndale...*, Appendix E, pp. 354 ss. H. H. HUSTON-H. R. WILLOUGHBY, *Decisive Data on Thomas Matthew Problems*, Chicago, 1938.

partie restée manuscrite, et de Coverdale[16]. Son originalité consiste surtout dans la composition des préfaces et des notes marginales issues de diverses sources : Erasme, Lefèvre d'Etaples, Bucer, Olivétan, et marquées par des convictions très protestantes qui lui valurent prestige et honneurs sous Edouard VI mais le conduisirent au bûcher en 1555 au moment de la réaction catholique.

Pour l'heure, donc, deux versions se disputaient le marché : celle de Coverdale qui n'était pas trop fidèle, et cette *Matthew Bible*, trop polémique. Pour créer l'uniformité voulue par le roi qui, le 5 septembre 1538, avait ordonné qu' « une Grande Bible en anglais » soit mise à la disposition des fidèles mais avait aussi interdit les versions dont les notes n'auraient pas reçu l'assentiment officiel, Cromwell eut l'idée originale de combiner les atouts des deux versions complètes alors existantes pour en créer une nouvelle qu'on pourrait officialiser : il demanda à Coverdale revenu en Angleterre depuis 1535 de réviser la *Matthew Bible* ! Et il confiait l'opération commerciale à Grafton et Whitchurch en y contribuant lui-même financièrement.

Il eut l'idée — qui se révéla malencontreuse — de faire faire l'impression et l'expédition à Paris — car il avait une haute idée de la qualité de l'une et de la rapidité de l'autre. C'est ainsi que Miles Coverdale, Richard Grafton et Edward Whitchurch traversèrent la Manche et s'installèrent auprès de l'imprimeur parisien François Regnault. Moyennant un travail acharné Coverdale put sortir dès novembre 1538 un Nouveau Testament latin et anglais, mis en vente en Angleterre aussitôt, et envoyer à Cromwell, à périodes successives, les parties déjà réalisées. Le *Vicar General* était pressé d'avoir le texte définitif imprimé parce que les Injonctions royales avaient précisé que les paroisses devaient être fournies en textes officiels avant Pâques, c'est-à-dire le 6 avril 1539.

Or l'inquisiteur général du Royaume de France réussit à faire saisir les deux mille cinq cents Bibles presque achevées tandis que les trois Anglais n'eurent que le temps de s'enfuir[17]. Une intense activité diplomatique s'ensuivit. Le pape mais aussi certains évêques anglais réclamaient le maintien de la saisie pour la défense de la foi catholique tandis que Cromwell et son ambassadeur à Paris insistaient dans l'autre sens.

La version de Taverner comme solution de remplacement

Mais le temps passait et Cromwell se rendit bien compte qu'il ne disposerait jamais du stock de Bibles nécessaire à la date prévue. Il se

16. Rogers n'a guère traduit lui-même, en s'inspirant de la version française d'Olivétan, que la « Prière de Manassé » reconnue par tous comme apocryphe mais très goûtée de Luther.

17. Henri Garay, vicaire général de Matthieu Ory, inquisiteur de France, cite le 17 décembre 1538 l'imprimeur François Regnault à comparaître au couvent des Dominicains (POLLARD, XXXIX, pp. 246-249).

tourna alors vers le théologien qu'il avait déjà tant de fois utilisé dans sa politique de diffusion de la cause évangélique[18] : Richard Taverner (*ca* 1505-1575) qui avait déjà traduit ou adapté pour lui Erasme, Lefèvre d'Etaples, et surtout la Confession d'Augsbourg et l'Apologie de Melanchthon en 1536.

Taverner, lui aussi pris par le temps, se contenta de réviser la *Matthew Bible*. Sa connaissance du grec lui permit d'améliorer sensiblement le Nouveau Testament mais son ignorance de l'hébreu l'obligea à s'appuyer sur la Vulgate. Sa version parut donc en 1539 chez Thomas Byddell[19] et aurait pu devenir la première Bible officielle en anglais si les affaires parisiennes n'avaient fini par s'arranger.

En effet, le roi de France conclut l'affaire par un compromis en déclarant que rien n'empêchait que Regnault puisse ouvrir une succursale en Angleterre, mais qu'en aucun cas on ne pourrait rendre les pages confisquées puisqu'elles avaient été déclarées dangereuses par l'Inquisition. C'est ainsi que l'imprimeur français s'installa à Londres et que reprit la course contre la montre. En avril 1539 parut à Greyfriars House, chez Grafton et Whitchurch, la première Bible anglaise pleinement autorisée, et connue sous le nom de « Great Bible ».

LA « GREAT BIBLE »

C'est en effet le nom que prit la révision de la *Matthew Bible* faite par Coverdale dont le nom n'apparut pas. On l'appela aussi *Bible de Cranmer* en raison de la préface qu'écrivit l'archevêque pour la seconde édition révisée de 1540[20]. Ses deux protecteurs apparaissent dans la page de titre attribuée à Holbein où l'on voit Henry VIII tendre le volume à Cranmer et à Cromwell. Elle était privilégiée et donc désignée comme cette *Grande Bible* dont chaque paroisse devait être pourvue.

En 1541 elle comptait sept réimpressions. Son succès tint certainement au fait qu'elle était dépourvue des notes qui auraient mécontenté nécessairement une partie ou l'autre de l'opinion. Cependant le vocabulaire protestant issu de Tyndale était conservé tandis qu'en sens inverse on trouvait indiqués en petits caractères les endroits où le nouveau texte différait de la Vulgate. Coverdale avait utilisé Erasme pour réviser

---

18. G. R. ELTON, *Reform and Renewal : Thomas Cromwell and the Common Weal*, Cambridge, 1973.

19. H. H. HUTSON-H. R. WILLOUGHBY, « The Ignored Taverner Bible of 1539 », *The Crozer Quarterly*, 16 (1939), pp. 161-176.

20. A partir de la deuxième édition (avril 1540), elle fut aussi appelée populairement « the Treacle Bible » : « la Bible de la mélasse », parce que Coverdale avait traduit Jér. 8, 22 : « There is no more triacle in Gilead. »

le Nouveau Testament, et pour l'Ancien, la transcription latine et les notes accompagnant la Bible hébraïque de Sébastien Münster et parue à Bâle en 1535.

La fin du règne de Henry VIII avec ses politiques religieuses successives et apparemment contradictoires donne lieu à bien des excès dont la Bible est le centre et l'objet. La partie la plus traditionnelle de l'épiscopat henricien s'attaque à la *Great Bible* et d'une manière générale ce qu'on appelle le *new learning* et pourtant « bien plus ancien » selon Latimer ! Stephen Gardiner, évêque de Winchester, proposa devant la Convocation de Cantorbéry, comme moindre mal d'ailleurs, le remplacement d'une centaine de mots controversés de la *Great Bible* par un sens plus proche de la Vulgate[21]. Il y eut sans doute bien des réticences dans les paroisses à se conformer à l'obligation de se procurer la *Grande Bible* qui ne fut d'ailleurs plus réimprimée après 1542. Et si on l'avait achetée, on ne trouvait pas toujours de pupitre pour l'y attacher, et même alors, ce n'est pas pour autant qu'on la lisait...

En sens inverse, en certains endroits, la mise à la disposition de l'Ecriture en langue populaire provoqua des enthousiasmes qui dégénérèrent en troubles. Il n'était pas rare que des *gospellers* lisent la Bible à haute voix dans une partie de l'église pendant qu'on célébrait la messe ou qu'on prêchait. Beaucoup d'entre eux furent poursuivis. Foxe cite en particulier John Porter, Robert Warde et surtout la célèbre Anne Askew († 1546)[22]. En 1543 le Parlement interdit à quiconque n'y était pas habilité de lire à haute voix dans les églises. D'ailleurs on voulait interdire tout à fait la Bible en anglais à quiconque n'avait pas la culture suffisante : c'était en fait proposer une distinction de classe dans l'usage de la Bible anglaise[23].

Mais à la mort de Henry VIII (28 janvier 1547), sous le règne d'Edouard VI, c'est-à-dire sous le gouvernement protestant de Somerset puis de Northumberland, toutes les mesures discriminatoires furent abolies et on autorisa la réimpression de toutes les Bibles anglaises existantes. C'est surtout Cranmer qui donna une prééminence absolue à la Bible en anglais dans la liturgie. Après avoir commencé à ordonner que fussent lus en anglais l'Epître et l'Evangile de la messe, puis qu'on publiât le *Book of Homilies* déjà préparé sous Henry VIII, l'archevêque de Cantorbéry fit agréer le premier *Book of Common Prayer* en 1549 par l'Acte d'Uniformité. La liturgie anglicane était non seulement

---

21. Cette liste semble avoir été reprise par les auteurs catholiques de la *Bible de Reims* : *CHB* 3, p. 205.

22. Foxe, *Actes...*, V, pp. 537-550, et App. XIX (Ballade d'Anne Askew).

23. « The text of the New Testament or of the Bible being prohibited to all women, artificers, prentices, journeymen, servingmen, yeomen, husbandmen and labourers yet was permitted, nothwithstanding to noblemen and gentlemen... » (Foxe, V, p. 527). Cf. D. Wilson, pp. 87-90.

totalement imprégnée de l'Ecriture sainte mais prévoyait aussi un ordre des lectures à Mattins (qui deviendra bientôt *Morning Prayer*) et à Evensong, qui permette la connaissance de toute la Bible dans l'année « comme dans l'Eglise primitive ». Le Psautier, édité d'abord séparément, était celui de la *Great Bible*. Le second *Prayer Book* de 1552 modifié dans un sens plus radicalement protestant ne toucha évidemment pas à cette option de la *Scriptura sola*.

Il n'est pas étonnant que les divers épisodes de révolte sociale qui, en sens opposé d'ailleurs, conduisirent à la chute de Somerset aient eu la Bible anglaise pour objet, ou du moins pour prétexte. Les paysans du Devon et de Cornouailles (*Prayer Book Rebellion* de 1549) réclamaient le retour à l'ancienne messe et à la Bible latine, tandis que, non sans analogie avec la Guerre des Paysans en Allemagne, le parti du « Commonwealth », soutenu par le Protecteur, revendiquait une réforme agraire, excité par la prédication biblique d'un Hugh Latimer[24].

C'est peut-être pourquoi la Bible en anglais fut tenue, au moment de la Restauration catholique de Mary, pour la responsable de tous les maux. Mais il est significatif de l'attitude de principe qui sera adoptée par le concile de Trente, comme peut-être de la force de l'opinion publique anglaise, qu'aucune mesure officielle ne fut prise à l'encontre des versions en langue vernaculaire, en dépit des polémiques acharnées qu'elles entraînèrent[25].

LES BIBLES D'EXIL

La Bible de Genève — 1560

Les théologiens de la frange la plus protestante s'exilèrent dès le retour de l'Angleterre au catholicisme. Ils rejoignirent d'habitude les centres les plus vivants où régnait la discipline chrétienne qu'ils appelaient de leurs vœux, et où s'élaboraient une théologie et une exégèse selon leurs principes : en particulier à Francfort et surtout à Genève. Dans l'un et l'autre endroit il fallait compter avec la personnalité de John Knox qui avait été aumônier d'Edouard VI et, pour l'heure, mettait en œuvre la Réforme en Ecosse.

---

24. A. G. DICKENS, *The English Reformation*, London, 1967[2], pp. 309-310. Cf. Robert DEMAUS, *Hugh Latimer*, London, 1886[3] (reprint 1971), p. 438, pour un sermon sur la conversion de Ninive.

25. Voir en particulier le libelle de John Standish, archidiacre de Colchester, publié à Londres en 1554 : « A discourse wherein is debated whether it be expedient that the Scripture should be in English for all men to read that will. »

C'est auprès de Knox qu'il rencontre sur le Continent que William Whittingham (*ca* 1524-1579), le *scholar* d'Oxford, décide de donner une nouvelle version de la Bible anglaise avec une annotation plus clairement protestante[26]. Dans l'atmosphère studieuse de Genève où on travaillait autour des personnalités de Calvin et de Bèze à un intense labeur de commentaire et de traduction en français ou en italien, Whittingham se mit à la tâche.

Recevant l'aide d'un Coverdale déjà âgé, il publia le Nouveau Testament en 1557, qui, imprimé en caractères romains, fut, pour la première fois, et à l'exemple de Robert Estienne, divisé en versets : son texte de base était celui de Tyndale et non la *Great Bible*. Un Psautier suivit la même année, revu en 1559. Enfin, retardant personnellement son retour en Angleterre de quelques mois alors que les autres traducteurs, comme par exemple l'hébraïsant Anthony Gilby, étaient déjà repartis après l'avènement d'Elizabeth, Whittingham fit paraître ce qu'on a appelé la *Geneva Bible*[27].

Dédiée à la nouvelle souveraine invitée à se montrer ferme en matière de religion[28], la *Bible de Genève* comprend un nombre considérable d'arguments, et de notes qui vont dans un sens très calviniste et anti-romain[29]. Imprimée par Rowland Hall, elle comprend des annexes (cartes, index...) qui en font un instrument de travail. Le goût de l'érudition et le recours aux originaux ainsi qu'aux commentaires hébraïques sont manifestes.

Pour le Nouveau Testament, les traducteurs reprenaient leur édition de 1557 s'appuyant sur le texte d'Estienne (Paris, 1550, ou Genève, 1551). Pour l'Ancien, la base reste la *Great Bible* (Londres, 1550) avec révision au moyen de Pagninus, Robert Estienne (avec sa Bible latine de Genève en 1557), Castellion (1551), Baduel (Bible latine de 1556) et la traduction française d'Olivétan qu'on travaillait à améliorer à cette époque à Genève.

Même si le presbytérianisme n'était pas nettement mis en évidence dans la version de la *Geneva Bible* de 1560 alors que la révision du Nouveau Testament par Lawrence Thompson de 1576 le fera en se servant d'un texte grec fourni par Théodore de Bèze[30], elle n'eut pas la faveur de la reine. Certes on ne mit pas d'objection à donner un privilège à John Bodley qui, à Genève, avait déjà financé Rowland Hall, mais le nouvel archevêque Parker et Grinal, évêque de Londres, exigeaient

---

26. J. H. COLLINGAN, *The Honourable William Whittingham of Chester*, London, 1934.
27. Comme la *Great Bible*, elle a aussi un sobriquet : celui de « Breeches Bible », car elle traduit le verset de Gen. 3, 7 par « breeches » que se constituent Adam et Eve après la chute pour voiler leur nudité.
28. « Strong and bold in God's matters. »
29. Ils sont inspirés de la Bible française de 1558 révisée par Calvin lui-même avec un accent spécial mis sur la double prédestination.
30. *CHB* 3, p. 158.

cependant qu'on obtînt l'autorisation épiscopale dans le but d'amender les passages trop proches du presbytérianisme[31]. C'est pourquoi la *Geneva Bible* ne sera imprimée sur le sol anglais qu'à partir de 1576. Inutile de préciser qu'elle y était lue depuis bien longtemps. Elle fut la Bible de Shakespeare[32], au moins dans ses dernières pièces, et employée par nombre de paroisses[33].

La Bible des catholiques émigrés : Reims-Douai

Sous le règne d'Elizabeth, la formation des prêtres catholiques dut se faire à l'étranger. William Allen (1532-1594), qui deviendra cardinal à la fin de sa vie, fut le principal artisan de la fondation de ces collèges théologiques de l'émigration[34]. En 1568, il organise le collège anglais de Douai, avant de le faire à Rome en 1575 et ensuite en 1589 à Valladolid. Il réunit autour de lui un certain nombre de savants, pour la plupart issus d'Oxford comme lui-même.

Dans l'optique de la mission et de la controverse qui était celle de ces réfugiés catholiques, il leur parut nécessaire, ayant réaffirmé la véritable herméneutique[35], de pouvoir disposer d'une version de l'Ecriture en langue vernaculaire qui fût indemne de trahisons dans la traduction et de commentaires hérétiques afin de parer à toute éventualité pour l'évangélisation et la dispute.

Le maître d'œuvre, au moins au départ, du projet fut Gregory Martin († 1582)[36], qui avait été précepteur chez le duc de Norfolk, chef de l'opposition catholique. Ayant rallié Douai en 1578, Martin commença immédiatement à traduire le Nouveau Testament avec l'aide de Richard Bristowe et d'Allen lui-même. Cette partie fut publiée en 1582 chez J. Fogny à Reims où le collège de Douai avait dû se retirer. Le texte

---

31. « No impression shall pass but by our direction, consent and advice » (POLLARD, XLIX, p. 286).

32. Le livre de William BURGESS, *The Bible in Shakespeare. A Study of the Relation of the Works of William Shakespeare to the Bible*, Chicago, 1903, est une anthologie de citations de Shakespeare par thèmes bibliques. On n'y trouve pas d'étude sur le texte qu'il utilisa mais un relevé des parallélismes avec la *King James' Version* (pp. 32-48).

Peter MILWARD, *Biblical Influences in Shakespeare's Great Tragedies*, Bloomington and Indianapolis, 1987, relève systématiquement les « échos bibliques » dans *Hamlet*, *Othello*, *Macbeth* et *Le Roi Lear*. Il présuppose les études déjà anciennes de : Christopher WORDSWORTH, *On Shakespeare's Knowledge and Use of the Bible*, London, 1864; Thomas CARTER, *Shakespeare and Holy Scripture* with the Version he used (*i.e.* the Genevan Bible), London, 1905, reprint 1981-1982; et Richmond NOBLE, *Shakespeare's Biblical Knowledge and Use of the Book of Common Prayer. As exemplified in the Plays of the first folio*, London-New York, 1935.

33. Cf. William HANGAARD, *Elizabeth and the English Reformation*, Cambridge, 1968.

34. *The Letters and Memorials of William Cardinal Allen*, éd. T. F. KNOX, London, 1882.

35. Par exemple l'*Apologia intreating of the true understanding of the Holy Scripture* de Thomas STAPLETON (1535-1598) parue à Anvers en 1565.

36. Voir l'édition de sa *Roma Sancta* faite en 1979 par G. B. PARKS et précédée d'une courte biographie de Martin.

est directement traduit de la Vulgate déclarée « authentique » par le concile de Trente, qui est suivie volontairement de très près et jusqu'à l'inintelligibilité, bien qu'il se conforme au grec pour la précision de la grammaire et de la syntaxe[37]. Les notes défendent et justifient la doctrine catholique : c'est, autant que la *Geneva Bible,* une version de combat.

Après la mort de Martin, l'Ancien Testament dut attendre 1609 et 1610 pour paraître. Les notes de Thomas Worthington sont peu portées à la polémique anti-protestante. La traduction se fit également sur la Vulgate, d'abord celle d'Henten de Louvain de 1547 puis la Sixto-clémentine.

On ne peut ici que mentionner la polémique qui suivit la parution du Nouveau Testament ou plus exactement l'attaque que Martin publia contre les versions précédentes de la Bible anglaise[38]. William Fulke (1538-1589), théologien « puritain » qui avait déjà ferraillé avec Edmund Campion, répondit violemment en 1583[39]. Un certain nombre de protestants vinrent au secours de Fulke, en 1588 William Whitaker († 1595), puis George Wither et enfin le célèbre Thomas Cartwright († 1603) dont la *Confutation of the Rhemist Translation...* parut de façon posthume en 1618. Outre l'opposition doctrinale, on constate avec amusement la rivalité de St John's d'Oxford d'où venaient les catholiques et de St John's de Cambridge dont bien des protestants étaient issus...

Fulke, lui aussi originaire de ce collège de Cambridge, publia en 1589 une synopse montrant les deux versions concurrentes : le Nouveau Testament de Reims et celui de la *Bible des évêques*. Ce volume fit connaître en Angleterre même la traduction catholique et, par une ironie des choses, lui permit d'exercer une influence non négligeable sur les rédacteurs de l'*Authorized Version*.

A LA RECHERCHE D'UNE VERSION « AUTORISÉE »

La *Bible de Genève* n'ayant obtenu ni le label royal ni l'autorisation épiscopale et la *Great Bible* paraissant insuffisante d'un point de vue critique, il était normal que l'Eglise établie cherchât à proposer une version qui serait enfin reconnue et autorisée. Ce fut à l'initiative de l'archevêque Parker en 1566 qu'on se remit au travail dont il se réserva d'ailleurs une grande part.

---

37. J. G. CARLETON, *The Part of Rheims in the Making of the English Bible,* Oxford, 1902.
38. *A Discovery of the Manifold Corruptions of the Holy Scriptures by the Heretics of our Days, specially the English Sectaries,* Reims, 1582.
39. *Defence of the sincere and true translations of the Holy Scriptures into the English Tongue against the Manifold... Cavils of Gregory Martin,* London, 1583 (éd. C. H. HARTSHORNE, 1843).

La Bible des évêques

Le cadre du travail proposé par Parker était simple et raisonnable : il s'agissait de partir de la base de la *Great Bible*, seule Bible officielle dans l'histoire qui précédait. On la rendrait plus exacte à partir de Pagninus et de Münster; on s'efforcerait d'atténuer les controverses protestantes dans les notes sans les récuser pour autant; on signalerait les passages peu édifiants qui ne convenaient pas à la lecture publique par une indication marginale et on adoucirait les expressions un peu crues. Le programme fut rempli : il en résulta une Bible solide mais froide et sans la saveur des précédentes. Mais ce fut surtout une Bible de compromis[40], ou plus exactement de *Via Media* dont Hooker allait génialement développer la démonstration.

Ainsi parut en 1568 chez Richard Jugge la Bible dite des évêques *(Bishops' Bible)* parce que les réviseurs qui s'étaient partagé les divers livres, et dont les initiales apparaissent discrètement après la partie qu'ils ont traduite, appartenaient presque tous au banc épiscopal[41]. Le Nouveau Testament était imprimé sur du papier plus fort comme devant être consulté plus fréquemment. Comme en 1571 les Convocations décidèrent que toute paroisse devrait acheter cette Bible, une réédition fut nécessaire l'année suivante : elle fut réalisée avec une révision du Nouveau Testament par Giles Lawrence d'Oxford. Mais surtout on y réinséra le Psautier de Coverdale (qui était celui de la *Great Bible*).

Bible officielle sans en avoir le titre, la *Bible des évêques* ne supplanta pas la *Geneva Bible* et laissait donc ouvert le problème de l'uniformité d'une version de l'Ecriture qui soit en harmonie avec la remise en ordre religieuse, le grand dessein du règne d'Elizabeth après les déchirements qui suivirent 1534. Il faudra une étape ultérieure et ce sera le rôle historique de l'*Authorized Version* de 1611. En ce sens la *King's James Version*, selon son autre nom, est le couronnement de toute l'évolution du xvie siècle.

Guy BEDOUELLE.

---

40. *CHB* 3, p. 160.
41. On peut trouver la liste des collaborateurs dans POLLARD, *op. cit.*, pp. 30-31.

NOTE COMPLÉMENTAIRE

QUELQUES PREMIÈRES ÉDITIONS DES BIBLES ANGLAISES

TYNDALE

Nouveau Testament :

Worms, 1526 (Schoeffer), in-8º (fac-similé, London, Paradine, 1976).
Anvers, 1526, *ca* 1530, 1534 (van Endhoven), in-4º.
Anvers, 1534 (Martin Keyser), in-8º.
Anvers, 1535 (Godfrid van der Haghen), in-16º.
   Cf. N. H. WALLIS, *The New Testament translated by William Tyndale, 1534*, Cambridge, 1938.

Pentateuque :

1530 [Hans Luft, Malborow], en fait Hoochstraten à Anvers, in-8º.
1534 (avec révision de la Genèse), in-8º.
   Cf. J. I. MOMBERT, *William Tyndale's Pentateuch*, Londres, 1884.

Jonas, 1531, Anvers, Martin Keyser, in-8º.

COVERDALE

Bible complète :

1535 (4 octobre), Cologne ?, Soter et Cervicornus, vendue par James Nicholson, Southwark (fac-similé, Folkestone, Canon House, 1975).
1537, Londres, Nicholson, fol. et in-4º.

« MATTHEW BIBLE »

Bible complète :

1537, Anvers, fol., vendue par Grafton et Whitchurch à Londres.

TAVERNER

Bible complète :

1539 (John Byddell pour Th. Berthelet), fol., Londres.

« GREAT BIBLE »

1539, Londres, Grafton et Whitchurch, fol. (réimprimé en 1540 par Th. Petyt et R. Redman pour Th. Berthelet, Londres, fol.).
1540 (avril), avec la préface de Cranmer, Londres, E. Whitchurch, fol.

« GENEVA BIBLE »

Nouveau Testament :

1557, Genève, C. Badius, in-8º.

Bible complète :

1560, Genève, Rowland Hall, in-4º (fac-similé, Madison (Wisconsin)-London, 1969).
1562, Genève, fol.

« DOUAI-REIMS »

Nouveau Testament :
   1582, Reims, Jean Fogny, in-4°.

Bible complète :
   1609-1610 (2 vol.), Douai (Doway), Lawrence Kellam, in-4°.

« BISHOPS' BIBLE »
   1568, Londres, Richard Jugge, fol.

*

OUVRAGES GÉNÉRAUX

T. H. DARLOW et H. F. MOULE, *Historical Catalogue of Printed Editions of the English Bible, 1525-1961*, London, 1968.
A. W. POLLARD, *Records of the English Bible. The Documents relating to the Translation and Publication of the Bible in English, 1525-1611*, London, 1911 (Reprint, Folkestone, 1974).

F. F. BRUCE, *The English Bible. A History of Translation*, London, 1961, 1970².
C. C. BUTTERWORTH, *The Literary Lineage of the King James Bible, 1340-1611*, Philadelphia, 1940.
G. HAMMOND, *The Making of the English Bible*, Manchester, 1983.
P. LEVI, *The English Bible from Wycliff to William Barnes*, London, 1974 (abrégé dans *The English Bible, 1534-1859*, Worthing (Sussex), 1985).
A. C. PARTRIDGE, *English Biblical Translation*, London, 1973.
H. W. ROBINSON (éd.), *The Bible in its Ancient and English Versions*, Oxford, 1940.
D. WILSON, *The People and the Book. The Revolutionary Impact of the English Bible, 1380-1611*, London, 1976 (le style est anecdotique mais la documentation sérieuse).

The Cambridge History of the Bible, vol. 3 : *The West from the Reformation to the Present Day*, éd. par S. L. GREENSLADE, Cambridge, 1963, 1975² (chap. IV : « English Versions of the Bible, 1525-1611 » (by S. L. GREENSLADE)) (cité *CHB* 3).

II

La Bible
dans le monde orthodoxe
au XVIe siècle

Circonscrire la place de la Bible dans le monde orthodoxe oriental au XVIe siècle s'avère une tâche difficile. Quelques remarques préliminaires s'imposent d'emblée pour mieux cerner le sujet.

1. Le présent exposé s'intéressera avant tout à l'orthodoxie grecque. Des deux autres grandes familles linguistiques et culturelles, du monde orthodoxe arabe et du monde orthodoxe slave, il ne sera question que dans le cas où elles présentent un intérêt particulier. Outre le fait que nous nous sentons plus à l'aise à parler de l'aire culturelle grecque, une raison d'ordre historique plaide en faveur d'une telle restriction. Lors de la prise de Constantinople par les Turcs (1453) et de la destruction complète de l'Empire byzantin, Mehmet II le Conquérant avait désigné le patriarche de Constantinople comme le chef *(millet-bachi)* de tous les chrétiens de son Empire et le responsable de ceux-ci devant la Sublime Porte. L'ensemble du monde orthodoxe des Balkans se trouva ainsi sous la dépendance administrative directe de l'Eglise de Constantinople. Le leadership du patriarcat œcuménique s'étendit aussi, à des degrés certes divers, sur les trois patriarcats orientaux après l'incorporation (1516) à l'Empire ottoman des territoires de leur juridiction. Pendant presque toute la période ottomane, le haut clergé orthodoxe de l'empire est d'origine, de langue et de culture grecques. Seul le patriarcat d'Antioche semble en faire exception. Fidèles à la tradition orthodoxe, les prélats

grecs encouragent certes l'utilisation des langues indigènes dans le culte, la prédication et l'enseignement élémentaire. Mais la langue grecque devient la langue officielle de l'Eglise. Du point de vue théologique et culturel, elle acquiert pour le monde orthodoxe la place qu'occupent le latin dans la chrétienté occidentale et l'arabe dans le monde musulman. En effet, jamais dans son histoire la langue grecque n'a connu l'expansion qui fut la sienne pendant la période ottomane. Même l'Eglise de Russie, la seule Eglise orthodoxe libre, élevée au rang de patriarcat en 1593, demeurera pendant plusieurs siècles sous l'influence de la tradition théologique et culturelle de Constantinople. Quant aux îles (Crète, Chypre, etc.) et aux régions côtières (côtes du Péloponnèse, de l'Illyricon, etc.) restées sous domination vénitienne et franque jusqu'à la fin du XVIᵉ ou au milieu du XVIIᵉ siècle, le travail de latinisation que l'Eglise de Rome s'efforce d'y opérer fait de ces régions orthodoxes les défenseurs les plus déterminés de la culture grecque et de la tradition byzantine. En effet, au cours de ces deux siècles, les intellectuels et les théologiens orthodoxes les plus farouchement opposés à la papauté sont presque tous originaires de ces contrées-là.

2. Depuis le concile de Florence (1438-1439), les intellectuels byzantins quittent la capitale pour aller s'établir en Italie. Le problème de l'union des Eglises, la menace toujours croissante de la destruction de l'Empire, les attraits que présente pour eux la renaissance italienne, tout cela constitue des raisons puissantes à ce phénomène d'émigration vers la chrétienté occidentale de l'intelligentsia orthodoxe grecque la plus libérale. La prise de Constantinople y apporte le coup définitif et fatal. Aussi ne reste-t-il sur le territoire occupé par les Turcs qu'un petit nombre d'intellectuels, réfugiés dans les monastères ou dans les deux centres urbains principaux de l'hellénisme, Constantinople et Thessalonique. Toute la vie intellectuelle est soudainement interrompue, entraînant ainsi un abaissement considérable de la vie religieuse et spirituelle. Les complaintes sur la prise de Constantinople insistent grandement sur ce vide culturel sans précédent dans l'histoire de l'orthodoxie. De même, les intellectuels qui restent, tel Gennadios Scholarios, le premier patriarche de la capitale asservie, ou le philosophe Georges Amiroutzis, avouent avoir quelques scrupules à s'occuper à écrire des ouvrages théologiques ou philosophiques à une époque où le souci principal de chacun est de s'assurer les moyens de sa survie. Quelque cent trente ans plus tard, en 1581, s'adressant à Martinus Crusius, Théodose Zygomélas, protonotaire de l'Eglise patriarcale, écrit : « Il n'y a chez nous que très peu de gens s'intéressant à la science. Les conditions d'existence nous obligent à nous tourner vers d'autres occupations. Il n'existe plus d'Empire grec... Hélas ! Toutes les villes subissent l'asservissement aux Agarins et il ne peut y avoir nulle part de science libre. Les nuages des malheurs qui nous frappent quotidiennement ne

laissent pas percer les rayons du soleil du savoir ni s'épanouir les fleurs des connaissances »[1].

Par contre, les intellectuels grecs émigrés en Occident connaissent une fortune fort enviable et participent au mouvement de la Renaissance par une activité intense et variée : enseignement universitaire, rédaction d'ouvrages théologiques, philosophiques et philologiques, édition d'auteurs anciens et de Pères de l'Eglise, collecte de manuscrits, constitution de bibliothèques, etc. Mais leur activité intellectuelle n'a, dans un premier temps du moins, aucun impact sur la vie intellectuelle de l'orthodoxie asservie. Ainsi, par exemple, la participation du Crétois Dimitrios Doucas à l'édition du Nouveau Testament polyglotte, dit *Bible de Ximenès* (5 vol., 1514-1517), demeure étrangère à l'orthodoxie. Il en est de même des traductions latines des Pères grecs faites par ces mêmes intellectuels. Citons quelques exemples qui touchent à notre sujet. Le philosophe aristotélicien Georges de Trébizonde traduisit en latin, entre autres : *De evangelica praeparatione* d'Eusèbe de Pamphilie, qui connaîtra 10 éditions entre 1470 et 1539; *Super Matthaeum* de saint Jean Chrysostome (éd. 1487); *In Evangelium Johannis* de Cyrille d'Alexandrie (éd. 1508, 1520, 1524); *De Vita Moysis* de Grégoire de Nysse (éd. 1517, 1521, 1562). Le philologue constantinopolitain Jean Argyropoulos traduisit l'*Hexaëmeron* de saint Basile (éd. 1515). Enfin, le Crétois Andréas Eudemonoïoannis, converti à la religion romaine, écrivit (seconde moitié du XVIe siècle) une *Castigatio Apocalypsis* et un traité *De Antichristo*, mais ces deux œuvres n'exerceront aucune influence sur le « mouvement exégétique » orthodoxe grec qui commencera au début du XVIIe siècle. Le but de leur auteur était de défendre la papauté contre le calvinisme[2].

Certes, même lorsqu'ils adhèrent à la foi catholique romaine (le cas du cardinal Bessarion est le plus connu et le plus caractéristique), ces intellectuels n'oublient pas leur origine orthodoxe et grecque. Leur souci premier est de convaincre le pape et les puissances chrétiennes à combattre les Turcs et à libérer la chrétienté orientale de son asservissement aux infidèles. Dans un second temps, par la rédaction, l'édition et le financement d'ouvrages destinés à leurs compatriotes, ils chercheront à aider l'orthodoxie asservie à sortir de son marasme intellectuel, religieux et spirituel. Nous y reviendrons.

1. M. CRUSIUS, *Turcograecia*, Bâle, 1584, p. 94; rééd. Modena, 1972. Pour l'ensemble de la question, voir *Histoire de la Nation grecque*, vol. X, Athènes, 1974 (en grec); A. VACALOPOULOS, *Histoire du néo-hellénisme*, vol. II, Thessalonique, 1964 (en grec); B. KNÖS, *L'histoire de la littérature néo-grecque. La période jusqu'en 1821*, Upsala, 1962; A. ARGYRIOU, *Les exégèses grecques de l'Apocalypse à l'époque turque (1453-1821). Esquisse d'une histoire des courants idéologiques au sein du peuple grec asservi*, Thessalonique, 1982, pp. 9-124.

2. Outre la note précédente, voir E. LEGRAND, *Bibliographie hellénique ou description raisonnée des ouvrages publiés par des Grecs aux XVe et XVIe siècles*, vol. I-IV, Paris, 1885-1906; C. SATHAS, *Philologie néo-hellénique*, Athènes, 1868; rééd. 1968.

3. Pour les orthodoxes comme pour les autres chrétiens, les Saintes Ecritures occupent le centre de la pensée théologique et de la vie spirituelle. Cependant la caractéristique principale de l'orthodoxie est l'intensité de sa vie liturgique et son attachement à la tradition. La foi orthodoxe est vécue comme l'émergence d'une tradition séculaire, d'une riche expérience cultuelle, patristique et ascétique. La Bible ne trouve sa place de source principale de la théologie et de la vie spirituelle qu'à l'intérieur de l'expérience communautaire vécue par l'ensemble des fidèles. L'Eglise orthodoxe encourage certes la lecture et la méditation privées des Saintes Ecritures. Mais lecture et méditation sont facilitées, amplifiées, approfondies dans la prière liturgique communautaire. « L'Eglise orthodoxe a de tout temps conçu sa liturgie comme une actualisation de l'histoire du salut et comme un approfondissement, vécu dans la prière, des réalités religieuses que Dieu révéla à son peuple sous les deux Alliances. Il est donc normal que dans cette actualisation de la Révélation l'élément biblique soit appelé à avoir un rôle essentiel »[3]. Aussi n'existe-t-il pas un seul office cultuel, aussi bref soit-il, qui ne comporte de lectures bibliques. La liturgie eucharistique quotidienne propose la lecture d'une péricope évangélique et une autre des Actes des Apôtres ou des Epîtres. Certains passages de l'Ancien Testament, notamment des Psaumes, sont incorporés dans les chants ou bien les accompagnent. Mais la lecture de l'Ancien Testament est privilégiée par les autres offices : les vêpres, les matines, les heures et par nombre d'autres offices ou encore au cours de la célébration des divers sacrements et sacramentaux.

Les fidèles réunis pour la prière sont ainsi invités à écouter tous ensemble ces lectures et à méditer collectivement le sens théologique et spirituel du message biblique. Trois moyens pédagogiques leur sont offerts pour les inciter à la méditation de la Bible et à son approfondissement : l'hymnographie, la prédication et l'iconographie. « L'hymnographie byzantine, utilisée par l'Eglise orthodoxe, surtout l'hymnographie des fêtes, est entièrement dominée par l'Ecriture sainte, et son contenu se réduit très souvent à commenter cette dernière en utilisant ses divers sens : sens littéral ou historique, sens allégorique, sens typologique, sens prophétique et, souvent même, sens moral »[4]. Citons, par exemple, l'Hymne acathiste, les chants de la Nativité et ceux de la Semaine sainte, du Vendredi saint notamment. Le commentaire de la Bible que l'hymnographie propose aux fidèles, d'une grande beauté poétique et lyrique, atteint souvent à des hauteurs théologiques et à des profondeurs mystiques inégalables.

L'iconographie orthodoxe est appelée à des fonctions multiples.

---

3. A. KNIAZEFF, « La Bible chez les orthodoxes », dans *La pensée orthodoxe* 2 (1968), p. 74.
4. *Ibid.*

Elle présente aux fidèles les figures des saints et des martyrs qui ont vécu ou qui sont morts pour la foi dans un effort d'ascèse perpétuel, c'est-à-dire dans un effort d'application quotidienne des vérités révélées ; elle rappelle à la communauté eucharistique que les saints, entourés des anges, se trouvent au milieu d'elle pour participer à sa prière et pour la soutenir dans son effort d'actualisation de la Révélation. Aussi les églises orthodoxes sont-elles toutes couvertes d'icônes mobiles et de fresques, qui, parfois, présentent des « programmes » de saints personnages et d'histoire sainte : les grands prophètes, les apôtres, les saints et les martyrs du cycle annuel des fêtes ; des « programmes » inspirés de l'Ancien et surtout du Nouveau Testament : Nativité, vie terrestre du Christ, son enseignement, ses miracles, sa Passion, sa Mort et sa Résurrection. Ces « programmes » bibliques que l'on trouve aussi dans les nombreux manuscrits enluminés sont appelés « histoires ». Ils ont pour fonction première d'aider les fidèles, le plus souvent illettrés, à visualiser les lectures bibliques de la liturgie eucharistique, et, en les visualisant, à mieux retenir leur contenu et à approfondir leur sens.

Le sermon a un caractère biblico-centrique très prononcé dans la tradition orthodoxe. Sa fonction principale est de commenter les lectures bibliques : d'expliquer leur sens théologique et spirituel et de chercher à adapter leur message aux réalités d'une époque donnée, à l'actualiser. Mais explication et actualisation sont faites à la lumière de la tradition; elles s'appuient sur l'expérience passée de la communauté ecclésiale, l'Eglise demeurant toujours le gardien et l'interprète inspiré des Ecritures. Cet aspect de la mission de l'Eglise sera mis en évidence au XVIIe siècle, au cours du « dialogue » entre l'orthodoxie et le protestantisme. Il ne faut pas oublier que les commentaires bibliques les plus connus des Pères de l'Eglise orientale ont le plus souvent la forme d'homélies prononcées pendant la liturgie eucharistique ou à l'occasion des grandes fêtes. A ce propos, s'avèrent très intéressantes les remarques faites (1574) par le patriarche de Constantinople Jérémie II au sujet des deux sermons que lui avaient envoyés de Tübingen les théologiens protestants Martin Crusius et Jacques Andreae[5].

Cette dernière caractéristique constitue une manière fondamentale de vivre la Bible pour les orthodoxes. Elle est due principalement à la nature collégiale et communautaire de l'orthodoxie. Elle est également due au fait que des conditions historiques séculaires, celle de l'asservissement en particulier, empêchaient le peuple des fidèles d'avoir l'instruction nécessaire à un accès direct aux Saintes Ecritures, même traduites dans la langue parlée par une communauté orthodoxe donnée. Cette dernière remarque vaut tout particulièrement pour la période qui nous occupe. Durement frappés par leur asservissement aux infidèles et dépourvus de

---

5. M. Crusius, *op. cit.*, pp. 420-422.

toute formation intellectuelle, les orthodoxes asservis entendent sauvegarder leur foi et leur identité spirituelle par un repliement instinctif
sur leur communauté propre et par un attachement inconditionnel à la
tradition de leur Eglise. Le culte devient ainsi le centre de toute la vie
religieuse, spirituelle et théologique. Il devient aussi le lieu privilégié
sinon unique de la lecture et de la méditation des Ecritures.

L'hymnographie post-byzantine est quantitativement importante
dans tout le monde orthodoxe. Mais les qualités littéraires lui font
défaut, car les hymnographes s'appliquent à imiter leurs prédécesseurs
byzantins. Moins importante au xvie siècle, la création hymnographique
concerne surtout les nouveaux saints et les néo-martyrs. Et c'est uniquement cette création-là qui sera introduite dans la liturgie au fur et à mesure
que ces saints personnages prendront leur place dans le calendrier des
fêtes[6].

L'iconographie, par contre, connaît un renouveau singulier. Tandis
que la seconde moitié du xve siècle marque la régression de l'Ecole
macédonienne, le xvie siècle est le siècle durant lequel l'Ecole crétoise
connaît l'âge d'or de sa maturité et conquiert ses titres de noblesse dans
l'ensemble du monde orthodoxe grec et balkanique ainsi qu'au Proche-
Orient. Il s'agit d'un art iconographique aux qualités incontestables
qui vient enrichir et rénover fort opportunément la tradition byzantine
dans tous les domaines. Théophane le Crétois domine la première moitié
de ce siècle avec ses « programmes » de fresques à Aghios Nicolaos des
Météores, au catholicon et au réfectoire de la Grande-Laure et au catholicon de Stavronikita, au mont Athos. Michel Damaskinos, d'origine
crétoise également, domine la seconde moitié de ce même siècle avec ses
icônes mobiles. Cet épanouissement subit de l'art iconographique, dans
un siècle où toute autre activité culturelle et religieuse semble s'être
arrêtée, est très significatif. Repliés sur eux-mêmes à l'intérieur de leurs
lieux de culte, les fidèles cherchent à embellir les églises qui ont échappé
à la destruction et à la confiscation et qui sont généralement des églises
appartenant à des monastères ou situées dans des régions montagneuses
ou encore des chapelles rupestres. Les « programmes » bibliques sont
particulièrement nombreux et enrichis en ce qui concerne les fresques
et les enluminures. Et c'est dans la seconde moitié du xvie siècle qu'apparaît pour la première fois dans le monde orthodoxe le « programme »
inspiré du livre de l'Apocalypse ; il orne les murs de plusieurs églises et
d'autres lieux monastiques dans divers endroits des Balkans et en Russie;
il est l'expression d'un puissant courant eschatologique et précède d'un

6. L. Petit, *Bibliographie des Acolouthies grecques* (Subsidia Hagiographica, 16), Bruxelles,
1926; Fr. Halkin, *Bibliotheca Hagiographica Graeca* (Subsidia Hagiographica, 8ª), Bruxelles,
1957 (3 vol.).

demi-siècle le « mouvement exégétique » relatif à l'Apocalypse de saint Jean[7].

L'édition des livres religieux grecs au xvie siècle constitue un exemple typique de l'intensité de la vie liturgique[8]. L'installation d'une imprimerie grecque sur le territoire ottoman s'avérait fort périlleuse et nécessitait des moyens financiers importants. Aussi les Grecs de la diaspora avaient-ils pris à leur charge l'édition et la diffusion des livres indispensables à la vie intellectuelle et religieuse de leurs compatriotes asservis. Une statistique provisoire à laquelle nous nous sommes livrés concernant les livres édités pour être utilisés par l'Eglise orthodoxe grecque nous apprend que de 1500 à 1600 parurent, à Venise principalement, 220 éditions de livres religieux. Parmi ceux-ci, 17 concernent des ouvrages théologiques et de spiritualité, tandis que les 203 autres sont des livres liturgiques. Par ailleurs, ces derniers constituent 33 % de l'ensemble de la production littéraire au xvie siècle. On constate donc que le souci premier de la diaspora grecque était de doter son Eglise des livres dont elle avait besoin pour la célébration des offices. « Les éditeurs qui ont travaillé avant moi ont surtout édité des livres de grammaire, de poétique et de philosophie. Quant à moi, j'ai décidé de laisser pour l'instant ce genre de publications pour me consacrer à l'édition des livres qui sont utiles et indispensables à la célébration des offices au sein de notre sainte Eglise... Je commence donc par l'édition de l'Horologion, le livre de base du calendrier liturgique... Avec l'aide de Dieu, je pense pouvoir éditer bientôt la Paraclétique, les Ménées, le Triodion et le Penticostarion, ainsi que tout autre livre nécessaire au culte », écrit en 1509 Zacharias Kalliergis, l'un des éditeurs grecs les plus importants de la première moitié du xvie siècle[9]. Ce genre de réflexions et de déclarations d'intention sont répétées tout au long du siècle dans les préfaces des livres liturgiques imprimés. En 1524, le Crétois Dimitrios Doucas, qui avait collaboré à l'édition du Nouveau Testament dit de Ximenès, donne la première édition des Trois divines liturgies. Dans sa préface, l'éditeur fait l'éloge de ceux qui s'occupaient de l'édition d'ouvrages anciens. Il

---

7. A. Xygopoulos, *Essai d'une histoire de l'art religieux après la prise de Constantinople*, Athènes, 1957 (en grec).

8. Pour le problème du livre en général et du livre liturgique en particulier, voir E. Legrand, *op. cit.*; B. Knös, *op. cit.*; Ph. Iliou, *Compléments à la « Bibliographie hellénique »*. *Les fiches laissées par E. Legrand et H. Pernot*, Athènes, 1973 (en grec); E. Pantelakis, « Les livres ecclésiastiques de l'Orthodoxie », dans *Irénikon* 13 (1936), pp. 521-557; Alph. Raes, « Les livres liturgiques grecs publiés à Venise », dans *Mélanges Eugène Tisserant*, III, 2 (Studi e Testi 233), Cité du Vatican, 1964; N. Tomadakis, « Les livres ecclésiastiques, notamment liturgiques, publiés par des Grecs orthodoxes aux xve et xvie siècles », dans *EEBE* 37 (1969-1970), pp. 3-33 (en grec); Ph. Iliou, « Notes sur les 'tirages' des livres grecs au xvie siècle », dans *Hellinika* 28 (1975), pp. 102-141 (en grec).

9. E. Legrand, *op. cit.*, I, p. 97.

pense cependant que le plus grand mérite revient aux éditeurs des livres liturgiques et des Pères de l'Eglise[10].

Parmi les livres liturgiques édités, la première place est occupée par les Ménées (78 éditions), puisqu'il en faut un volume pour chaque mois de l'année; ils sont suivis par l'Horologion (22 éditions). Les lectionnaires bibliques, l'Evangiliaire (14 éditions), l'Apostolos (8 éditions) et le Psautier (15 éditions) connaissent la même fortune que les principaux autres livres liturgiques. La Divine Liturgie (6 éditions) semble en faire exception, probablement parce que chaque église en possédait au moins un exemplaire manuscrit pour les besoins du culte. Mais il y avait en cela une autre raison, plus importante : certains livres liturgiques (Horologion, Octoéchos, Psautier, Apostolos, Evangiliaire) étaient en même temps utilisés comme manuels scolaires pour les écoles, qui fonctionnaient généralement à l'intérieur des églises. Il y avait donc deux voies d'accès à la Bible à travers les lectionnaires bibliques : les offices liturgiques pour l'ensemble des fidèles et les écoles pour ceux qui avaient la chance d'en fréquenter une. Le XVIe siècle n'a connu qu'une seule édition complète du Nouveau Testament (il n'y a pas eu d'édition complète de l'Ancien Testament ou de l'ensemble de la Bible), celle de Sevéos (Venise, 1538). Bien qu'elle n'ait pas été faite à l'intention spéciale de l'Eglise orthodoxe grecque asservie, elle sera utilisée par les orthodoxes et servira de base à plusieurs éditions ultérieures. L'absence d'une édition complète de la Bible peut avoir deux explications : les lectionnaires suffisaient aux besoins du culte; pour la lecture privée on pouvait recourir aux nombreuses éditions de la Bible paraissant un peu partout à travers l'Europe.

Notre statistique concernant les livres religieux imprimés est confirmée par la production des manuscrits datant du XVIe siècle. On constate, en effet, que les copistes grecs travaillant sur le territoire ottoman et pour les besoins de l'Eglise orthodoxe s'intéressent en premier lieu aux livres liturgiques et en second lieu aux vies des saints et des martyrs, lectures spirituelles par excellence étant donné le niveau culturel du peuple[11]. Par contre, les copistes grecs qui travaillent en Occident et pour le compte des Occidentaux copient surtout les ouvrages des Grecs de l'Antiquité et des Pères de l'Eglise orientale[12].

Les mêmes considérations valent aussi bien pour le monde orthodoxe arabe que pour le monde orthodoxe slave, avec certes des variantes dues aux problèmes linguistiques et à des contextes historiques et culturels particuliers. « Le grand fait qui domine cette période (après 1516) est la

---

10. *Ibid.*, pp. 193-194.
11. L. POLITIS, « Copistes du mont Athos au XVIe siècle », dans *Hellinika* 15 (1957), pp. 355-384 (en grec).
12. Ch. PATRINELIS, « Copistes grecs de la Renaissance », dans *EMA* 8-9 (1958-1959), pp. 63-124 (en grec).

recension des livres liturgiques », écrit Mgr J. Nasrallah au sujet de
l'Eglise arabe d'Antioche. En effet, soucieux de sauvegarder son patrimoine, le patriarcat arabe d'Antioche entreprend une œuvre sérieuse
de révision des traductions et du contenu des livres liturgiques. En
même temps, l'Eglise doit faire face, au moyen de la vie liturgique, de la
prédication et de l'instruction, d'une part aux islamisations massives des
chrétiens melchites consécutives à la domination turque, d'autre part
au danger que présente pour l'intégrité de la foi orthodoxe la présence
d'une Eglise catholique romaine de langue arabe soutenue par les puissances occidentales. Tout au long du xvie siècle, les trois patriarcats
orientaux vivent sous le choc de l'occupation turque. Leur situation est
comparable à celle du patriarcat de Constantinople durant la période qui
va de 1453 à 1520. La vie religieuse et spirituelle est compromise et les
activités culturelles se limitent à des imitations, des compilations et des
plagiats d'œuvres plus anciennes[13].

Pour l'Eglise russe, la traduction et la révision des livres liturgiques
et de la Bible est un souci majeur et constant au xvie siècle. Demeurant
le seul Etat orthodoxe libre, la Russie doit se préparer à la mission de
gardien de la foi et de défenseur de l'orthodoxie qu'elle s'est octroyée
après la destruction de Byzance et que les peuples orthodoxes asservis
lui confient dans leur détresse. L'idée de « Moscou, troisième Rome »,
née au lendemain du concile de Florence et affermie après 1453, devient
au xvie siècle un aspect prédominant de l'idéologie russe et de la politique de ses gouvernants civils et religieux.

En 1518-1519 arrive à Moscou Maxime le Grec (1470-1556), invité
par Basile III pour surveiller la révision des livres liturgiques en langue
slavonne, altérés par la secte des « judaïsants ». Moine au mont Athos
au moment de son départ pour la Russie, cet homme exceptionnel, qui
avait fait dix ans d'études philologiques et philosophiques en Italie et
qui fut un grand admirateur de Savonarola et un collaborateur précieux
de Jean Pic de La Mirandole, deviendra « une des figures les plus impo-
santes et les plus tragiques de l'époque et son influence marquera deux
siècles d'histoire russe ». Condamné par le synode de Moscou en 1525
pour « hérésie », il vivra en résidence surveillée jusqu'à sa mort sans
jamais pouvoir quitter le territoire russe. Entre-temps, lui qui ne connaissait pas la langue slavonne avait contribué, grâce à son immense savoir
philosophique et théologique, à la traduction en slavon : *a)* du Psautier
avec commentaires; *b)* des Actes des Apôtres (chap. XIII et suivants)
avec commentaires; *c)* du lectionnaire des Prophètes avec commentaires;
d) de diverses œuvres des Pères grecs parmi lesquelles plusieurs commentaires bibliques. Il avait aussi surveillé la révision de bon nombre

---

13. J. Nasrallah, *Histoire du mouvement littéraire dans l'Eglise melchite du Ve au XXe siècle.*
Vol. IV : *Période ottomane*, Louvain, 1979.

de livres liturgiques, sans parler naturellement de la rédaction de ses nombreux ouvrages personnels ayant trait à la théologie, à la vie monastique et spirituelle et à la défense de l'orthodoxie contre l'Eglise romaine[14].

Cette première moitié du xvie siècle est pour la Russie une période d'importantes convulsions idéologiques, religieuses et politiques. Du point de vue religieux, deux courants de pensée et de vie monastiques s'affrontent : celui de Nil de Sora (1433-1508), d'inspiration hésychaste, se fonde entièrement sur l'interprétation et l'expérience personnelles du Nouveau Testament; celui de Joseph de Volokolamsk (1439-1519), plus traditionaliste et étatique, sans négliger les Ecritures, ne conçoit l'interprétation de celles-ci qu'à travers l'expérience et la vie de l'Eglise. Ces deux conceptions différentes de l'approche de la Bible et donc de la vie spirituelle se trouveront opposées l'une à l'autre devant des problèmes tels que les rapports entre l'Eglise et l'Etat et celui des biens ecclésiastiques[15].

Pour se préparer à son rôle presque messianique de défenseur de l'orthodoxie, la Sainte Russie doit confectionner ses armes : la Bible, les livres liturgiques, l'héritage théologique et spirituel de Byzance. Vers la fin du xve siècle, l'archevêque de Novgorod Gennade Goutsov, voulant réunir en un seul recueil tous les livres de la Bible, s'est aperçu qu'il en manquait. Gennade fit alors traduire les livres manquants à partir de la Vulgate latine, ce qui posait un grave problème, puisque cette *Bible dite de Novgorod* marquait un écart par rapport à la tradition de l'Eglise orthodoxe, laquelle se fondait sur la Septante. Ainsi, la Bible de Novgorod, qui est la seule Bible slavonne complète à cette époque, ne sera imprimée qu'en 1581 à Ostrog, dans la Russie du Sud. Entre-temps verront le jour quelques éditions partielles : les Psaumes (Polotsk, 1515-1517), les Actes des Apôtres (Moscou, 1564), les Evangiles (Moscou ?, entre 1560 et 1564). Comme pour le monde orthodoxe grec et arabe, de même pour le monde orthodoxe slave, la Bible est lue, méditée et vécue essentiellement dans et à travers la vie liturgique. Le travail sur les livres liturgiques (traduction, révision, copie, édition) est l'activité prédominante; au sein de l'Eglise russe, elle pose nombre de problèmes internes, comme par exemple celui de la condamnation de Maxime le Grec[16].

La prédication posait un problème grave à l'Eglise orthodoxe asservie. Les prédicateurs instruits, capables de donner au peuple une formation biblique, théologique et spirituelle, faisaient grandement

14. E. Denisoff, *Maxime le Grec et l'Occident*, Paris-Bruxelles, 1943; Gr. Papamichail, *Maxime le Grec, le premier formateur des Russes*, Athènes, 1951 (en grec); B. Schulze, *Maksim Greek als Theologe* (Orientalia Christiana Analecta, 29), Rome, 1963.

15. E. Behr-Sigel, « Nil Sorskij et Joseph de Volokolamsk », dans *Irénikon* 14 (1937), pp. 363-377.

16. P. Kovalevsky, *Histoire de la Russie et de l'URSS*, Paris, 1970.

défaut. Le patriarche Gennade Scholarios avait certes rédigé des sermons adaptés aux nouvelles conditions de vie. L'un de ses successeurs immédiats, Maxime le Lettré, avait acquis une telle réputation de prédicateur talentueux que Mehmet II le Conquérant lui avait demandé la rédaction d'un commentaire du « Notre Père » traduit par la suite en langue turco-arabe. Il faudra cependant attendre presque un siècle pour assister à une reprise notable de la prédication; elle est exercée par des hiéromoines itinérants qui, en même temps, font fonction de maîtres d'école.

Nous parlerons tout à l'heure du cas de Pachomios Roussanos et d'Ioannikios Kartanos. Dans les années 1540-1550, l'hiéromoine Théophanis Eléavoulcos, originaire du Péloponnèse, exerce ces deux fonctions à Constantinople. Personnalité religieuse charismatique, Eléavoulcos formera une pléiade de disciples qui marqueront la seconde moitié du XVIe siècle comme prélats, prédicateurs, maîtres d'école et écrivains. Parmi ses œuvres, il convient de noter son *Homélie sur les dix commandements*, remarquable par la simplicité de sa langue et de son style ainsi que par la chaleur et l'actualité de son contenu. Le nombre des manuscrits qui la contiennent témoigne de son grand succès.

Damskinos Studitis (m. 1577), originaire de Thessalonique et moine au couvent de Studion à Constantinople, fut l'élève le plus connu de Théophanis Eléavoulcos. Successivement moine, diacre, prêtre, évêque et métropolite, il consacra toute sa vie à l'enseignement, à la prédication et à la rédaction d'ouvrages religieux et scolaires. Son ouvrage intitulé *Trésor*, édité pour la première fois en 1558 (autres éditions au XVIe siècle : 1561, 1562, 1568, 1580, 1589, 1594), connaîtra 42 éditions jusqu'en 1799, phénomène unique dans les annales de l'édition de livres grecs à l'époque turque. Composé de 36 sermons, auxquels seront ajoutés, à partir de l'édition de 1589, 8 autres empruntés au *Florilège* de Kartanos, le *Trésor* de Damaskinos fut l'ouvrage le plus important de la littérature grecque populaire au XVIe siècle par ses qualités de langue et de style, par la clarté et la simplicité de ses développements et par la nature profondément religieuse de son contenu. Il servira de base aux sermonnaires postérieurs. Traduit de bonne heure en langue slavonne, il exercera une influence dans le monde orthodoxe slave.

Un autre recueil d'homélies, les *Didachai* d'Alexios Rartouros (Venise, 1560), ne connaîtra aucun succès. Rédigées également en langue populaire mais d'une facture classique, ces homélies n'ont pas la fraîcheur des sermons de Damaskinos pas plus qu'elles ne cherchent à adapter les préceptes évangéliques aux besoins du peuple de son époque. Par contre, les *Sermons* prononcés entre 1585 et 1588 à Constantinople par Mélétios Pigas (1550-1601), disciple indirect d'Eléavoulcos et futur patriarche d'Alexandrie (1590-1601), retrouvent toutes les qualités de ceux de Damaskinos. De plus, ils font preuve d'une dépendance beaucoup plus grande envers la Bible. Chaque homélie commence par la citation d'un verset ou d'une partie de la péricope évangélique lue pendant la célébration eucharistique. Le prédicateur s'applique par la suite, d'une part à adapter le contenu théologique du texte au niveau intellectuel et linguistique de son auditoire, d'autre part à dégager les enseignements moraux et spirituels répondant aux besoins de l'époque. Les sermons de Pigas cherchent donc à donner des réponses précises aux questions d'existence angoissantes que le peuple orthodoxe asservi se posait quotidiennement. Il est à noter également qu'auparavant Pigas avait prononcé (1580-1584) une série de sermons à Alexandrie, tantôt en langue néo-grecque et tantôt en langue arabe, selon la composition de son auditoire. Il semble que les sermons en arabe sont définitivement perdus ou bien ils n'avaient pas été mis sous forme écrite[17].

Le mouvement kartaniste fut le seul « événement biblique » notable au sein de l'Eglise orthodoxe grecque au xvie siècle. Ioannikios Kartanos, prêtre et protosyncelle du diocèse de Corfou, était un homme peu instruit. Entre 1535 et 1536, alors qu'il se trouvait emprisonné en Italie pour des raisons encore mal élucidées, il rédigea un ouvrage intitulé *L'Ancien et le Nouveau Testament : les fleurs et les choses nécessaires...*[18]. Connu surtout sous le titre de *Florilège*, le livre est composé de quatre parties : *a)* un abrégé de théologie populaire; *b)* une compilation de l'Ancien et du Nouveau Testament (la partie de loin la plus longue), entremêlée d'événements de l'histoire ecclésiastique et profane; *c)* 19 homélies sur les vices et les vertus; *d)* une explication du rituel de la Divine Liturgie accompagnée d'une explication du « Notre Père ». L'ouvrage fut rédigé en langue grecque vulgaire « afin que tout homme puisse le comprendre et savoir ce que disent les Ecritures ». Le but déclaré de l'auteur était donc l'instruction religieuse des gens simples, « des femmes, des enfants, des matelots, des ouvriers, pourvu qu'ils sachent lire ». Mais la langue de Kartanos est maladroite et défectueuse. Quant au contenu du livre, c'est un assemblage d'éléments divers, empruntés çà et là dans des ouvrages italiens et grecs. Les récits bibliques sont assez souvent empruntés à des textes apocryphes de la Bible. Les parties les plus personnelles de l'ouvrage sont les deux dernières.

Dans l'esprit de Kartanos, il s'agissait d'une entreprise de vulgarisation de la Bible assez courante en Occident, mais laquelle, sous cette forme, était totalement inconnue dans l'Eglise orthodoxe. Aussi son livre connut-il un succès considérable auprès du peuple, des moines et du clergé grecs. Pendant cinquante ans, il occupera la meilleure place parmi les livres lus par les Grecs. Tout un mouvement appelé « karta-

---

17. B. Knös, *op. cit.*, pp. 280-294. Les sermons de Mélétios Pigas furent publiés récemment par G. Valetas, *Chrysopyghi*, Athènes, 1958 (en grec).

18. H. Kakoulidi-Panou, « Ioanikios Kartanos. Contribution à l'étude de la prose populaire au xvie siècle », dans *Thésavrismata* 12 (1975), pp. 218-256 (en grec). Rééd. du *Florilège* par H. Kakoulidi-Panou, Athènes, 1988.

nisme » sera ainsi créé. Réédité en 1567, revu et corrigé, le livre sera lu même au xviiie siècle.

Le mouvement kartaniste intéresse notre sujet à plus d'un titre. Tout d'abord, parce que la tentative de vulgarisation de la Bible entreprise par Kartanos est la première et la seule du genre dans l'Eglise orthodoxe à l'époque turque. En second lieu, parce que le succès obtenu par le livre et le mouvement suscité par sa lecture montrent à l'évidence que le peuple grec avait soif de lecture et d'instruction, mais que son ignorance de la langue de la Bible et des Pères de l'Eglise lui interdisait l'accès à de telles lectures. En troisième lieu enfin, parce que Kartanos et son mouvement furent combattus et condamnés par l'Eglise officielle.

L'adversaire le plus déterminé de Kartanos et de son livre fut l'hiéromoine Pachomios Roussanos[19], originaire de Zante. Entièrement autodidacte, Roussanos, qui était prédicateur et maître d'école et qui avait voyagé dans presque tout le territoire orthodoxe asservi, était aussi le seul grand théologien de l'Eglise grecque à cette époque. Il voua à Kartanos l' « hérésiarque » et à son mouvement « hérétique » un combat acharné. Celui-ci visait deux objectifs. Tout d'abord, relever et dénoncer, avec beaucoup de zèle et de minutie, toutes les erreurs contenues dans l'ouvrage. Il l'a fait à travers ses divers traités, pamphlets et lettres contre le mouvement kartaniste et son fondateur. Il est vrai que les erreurs étaient nombreuses, dues à la formation théologique rudimentaire de Kartanos, à la maladresse de sa langue et, surtout, à ses sources apocryphes ou mal contrôlées. Le second objectif de Roussanos était de fustiger la langue défectueuse du livre, de s'opposer à toute tentative de traduction de la Bible en langue néo-grecque, de défendre l'excellence de la langue des Ecritures et d'inviter les Grecs à apprendre celle-ci afin de pouvoir lire et comprendre les Saintes Ecritures et les Pères de l'Eglise. Trois de ses écrits visent tout particulièrement à cet objectif : 1) *Sur le profit à tirer de la lecture des Ecritures ;* 2) *Réponse à ceux qui sous-estiment la pureté de la langue des Ecritures ;* 3) *Homélie contre ceux qui calomnient les Saintes Ecritures par ignorance.* Notons enfin son *Homélie sur certains passages de l'Evangile selon saint Matthieu.* Deux décennies de combat acharné contre Kartanos et son mouvement avaient fait de Roussanos le premier théologien grec de l'époque turque à réfléchir sur certains aspects particuliers de la Bible. En effet, les études bibliques sont presque inexistantes au xvie siècle. On pourrait citer le traité de Maxime Margounios (m. 1602), *Conseils et préceptes de l'Evangile,* écrit d'abord en latin (édité à Venise en 1602), puis traduit en grec par l'auteur lui-même. Inédit en grec, ce traité dénote une certaine influence de la théologie latine; il est dirigé « contre ceux qui estiment que le salut est impossible

---

19. I. KARMIRIS, *Les écrits dogmatiques et autres textes inédits de Pachomios Roussanos,* Athènes, 1935 (en grec).

sans l'accomplissement non seulement des préceptes, mais encore des conseils évangéliques ». En fait, il s'agit davantage d'un traité d'éthique que d'une étude biblique.

Après la prise de Constantinople, toute l'orthodoxie vit dans un état de consternation et de détresse qui favorise l'éclosion d'une pensée eschatologique puissante. Les gens ont la conviction de vivre au temps de l'Antéchrist. De très bonne heure, deux courants eschatologiques voient le jour et se développent. Fondés sur les textes eschatologiques de la Bible, ils sont aussi alimentés par une riche littérature extra-biblique ou apocryphe, byzantine et post-byzantine. Selon le premier courant, « le règne de l'Antéchrist », sous lequel vit l'orthodoxie assujettie aux Turcs et persécutée par la papauté (les deux Bêtes du chap. XIII de l'Apocalypse), sera suivi de la fin du monde. Selon le second courant, inspiré davantage par des textes eschatologiques extra-bibliques, au « règne de l'Antéchrist » succédera le millenium, c'est-à-dire le règne universel d'un empire orthodoxe oriental restauré et beaucoup plus puissant que par le passé. C'est sur ces deux courants eschatologiques que sera fondé le mouvement exégétique du Livre de l'Apocalypse qui commencera avec le XVIIe siècle. Au XVIe siècle on assiste surtout à la confection de textes eschatologiques d'inspiration populaire. On y rencontre cependant un théologien, Georges Kalyvas, qui, après avoir assisté à la prise de Rhodes, son île natale, par les Turcs (1522), avait voulu répondre à la question de savoir *Quelles sont les quatre Bêtes de la vision de Daniel ?*, ces mêmes Bêtes dont on retrouve les caractéristiques dans le chapitre XIII de l'Apocalypse; sa réponse fut celle de la tradition la plus ancienne. Or Kalyvas avait correspondu avec un moine curieux, connu sous le nom de Mathussala, qui, aux environs de 1550, aurait rédigé des commentaires des Livres prophétiques de l'Ancien Testament et prétendait avoir reçu de saint Jean, l'auteur de l'Apocalypse, une révélation concernant les vrais ennemis de l'orthodoxie ainsi que la date de leur anéantissement. Mathussala était un excellent faussaire : il confectionnait des textes eschatologiques qu'il attribuait aux docteurs de l'Eglise ancienne[20].

Mais nous devons revenir à deux aspects particuliers du cas d'Ioannikios Kartanos, celui de la vulgarisation de la Bible et celui de sa traduction en langue néo-grecque.

Le problème de la traduction de la Bible en langue néo-grecque, qui provoqua des manifestations sanglantes en 1901 à Athènes et qui tout récemment divisa l'Eglise de Grèce à cause d'une traduction récente du Nouveau Testament, ne se posera qu'au XVIIe siècle de manière officielle, en y engageant l'ensemble du monde orthodoxe grec. Au XVIe siècle Roussanos est le seul à poser un tel problème à la suite du

20. A. ARGYRIOU, *op. cit.*, pp. 93-117.

succès du *Florilège* de Kartanos. Nous devons cependant noter que le
XVIe siècle connut des traductions néo-grecques de plusieurs Livres de
l'Ancien Testament. En 1547 paraissait à Constantinople une édition du
Pentateuque en langues hébraïque, espagnole et néo-grecque, le tout
en caractères hébraïques. Plus tard (Constantinople, 1576) paraissait
une édition du livre de Job en langue néo-grecque et en caractères
hébraïques également. Une édition semblable des *Proverbes* date probablement de la même année. Mais ces traductions étaient faites et éditées
par des Juifs à l'usage de la Communauté juive vivant en milieu grec;
elles ne sauraient donc intéresser l'Eglise orthodoxe. Il en est de même
de la traduction néo-grecque des Psaumes éditée à Venise en 1543 et
de celle du Lévitique, inédite[21].

Pour ce qui concerne la vulgarisation de la Bible, la tentative de
Kartanos n'était pas non plus isolée ni, par ailleurs, la première. Peu
avant 1493, le Crétois Georges Choumnos avait écrit un long poème
de 2 800 vers rimés de 15 syllabes intitulé *Cosmogenèse*. On y lit l'histoire
du monde d'après les deux premiers Livres de la Bible (Genèse, Exode).
Mais le lettré crétois s'appuyait sur un ouvrage en prose de l'époque
byzantine, l'*Histoire ancienne*, dans lequel le récit biblique était mêlé à
un grand nombre de légendes populaires. Par la suite, au XVIe siècle,
la littérature crétoise produira bon nombre de pièces inspirées de la
Bible ou relatant des événements bibliques. Parmi celles-ci, la *Complainte rimée sur l'amer et insatiable Hadès* de Jean Pikatoros et le poème
anonyme *Ancien et Nouveau Testament ou Dialogue de Charon avec l'homme*
sont très proches de la *Cosmogenèse* et du *Florilège* pour ce qui est de leurs
rapports avec le texte biblique. Deux autres poèmes de la même époque,
Complainte sur la Passion et sur la Crucifixion du Christ de Marinos Pha-
lièros et *Paroles de consolation sur la Passion du Christ et complainte de la
Vierge*, d'auteur anonyme, sont inspirés des récits néo-testamentaires
de la Passion qu'ils suivent assez fidèlement[22]. Toute cette poésie religieuse et didactique qui atteint son apogée, au début du XVIIe siècle,
avec la pièce de théâtre, le *Sacrifice d'Abraham* de Vitsentios Kornaros,
est une littérature inspirée de la Bible et contribue grandement à faire
connaître les Ecritures à un large public populaire. Mais ce genre de
« vulgarisation » de la Bible est opéré en dehors de l'Eglise officielle,
dans le cadre de la littérature profane. Le cas de Kartanos était donc
différent. L'auteur du *Florilège* était un membre du clergé orthodoxe

21. I. Xanthopoulos, « Traductions de l'Ecriture sainte en néo-grec avant le XIXe siècle »,
dans *EO* 5 (1901-1902), pp. 321-332; H. Kakoulidi, *Les traductions du Nouveau Testament :
histoire, critique, opinions, bibliographie*, Thessalonique, 1970 (en grec); Em. Constantinidis,
*Ta Evangélica. Le problème de la traduction de la Bible en grec moderne et les événements sanglants
de 1901*, Athènes, 1976 (en grec).
22. B. Knös, *op. cit.*, pp. 186-229; A. Embiricos, *La Renaissance crétoise, XVIe et
XVIIe siècles*, vol. I : *La Littérature*, Paris, 1960.

qui avait rédigé un ouvrage de vulgarisation de la Bible et des dogmes chrétiens dans le but de promouvoir l'éducation religieuse du peuple. Et c'était là la raison principale des attaques dont il fit l'objet de la part de Pachomios Roussanos.

Nous avons essayé de présenter une image aussi fidèle et aussi complète que possible de la place de la Bible dans le monde orthodoxe au xvie siècle. Notre description est certes sommaire pour ce qui concerne l'orthodoxie arabophone et slavophone, mais nos considérations sur la place des Saintes Ecritures dans la vie liturgique s'appliquent à toute l'Eglise orthodoxe et elles sont valables au xvie siècle plus qu'à toute autre époque. D'une manière générale, l'ensemble du monde orthodoxe vit au xvie siècle sous le choc de la disparition de l'Empire byzantin. Et alors que l'orthodoxie asservie cherche à se réorganiser, à faire face aux conditions d'existence nouvelles et à répondre aux questions angoissantes des fidèles en détresse, l'Eglise russe se prépare pour la mission qu'elle croit être la sienne. Le xvie siècle est une période de gestation et des convulsions idéologiques, religieuses et politiques dont les résultats ne commenceront à se manifester qu'au xviie siècle. Que la Bible y occupe la place centrale apparaîtra également à l'évidence dès le début du xviie siècle. Nous avons donc cru qu'il était indispensable de brosser du xvie siècle un tableau un peu général, car c'était la seule façon de mieux faire ressortir les raisons spécifiques pour lesquelles les études bibliques à proprement dire y sont presque inexistantes.

Astérios ARGYRIOU.

12

L'exégèse juive
de la Bible

Pour le judaïsme occidental, le XVIᵉ siècle n'est pas particulièrement l'ère d'une Renaissance. Même si, en Italie, de nombreux Juifs sont entraînés par les nouveaux courants humanistes[1], la période apparaît au mieux comme une transition. La date de 1492 — qui servira de point de départ au présent exposé — est celle d'une brisure, dont le souvenir douloureux hantera les Juifs tout au long du siècle. Avec l'expulsion d'Espagne prend fin, en effet, l'existence de la plus brillante des communautés juives d'Occident : des centaines de milliers de réfugiés se lancent sur les routes à la recherche de nouveaux havres et ainsi assiste-t-on au transfert des centres de culture juive : l'Occident qui, au Moyen Age, avait donné tant de savants s'est vidé de ses Juifs; l'Angleterre les a expulsés en 1290, la France en 1306 (puis en 1394); après 1492, c'est du Portugal qu'ils sont chassés (1497) et, enfin, de Provence en 1501, quand celle-ci est rattachée à la France. Les Juifs d'Espagne se dispersent tout autour de la Méditerranée, créant de nouveaux foyers de culture juive, particulièrement dans l'Empire ottoman, en Palestine et en Afrique du Nord, cependant que le judaïsme de Pologne et d'Allemagne orientale manifeste une vitalité nouvelle, qui connaîtra son apogée aux XVIIᵉ et XVIIIᵉ siècles[2]. La culture juive de l'Europe de l'Est est, par nature, repliée sur elle-même; les trau-

---

1. Voir notamment C. ROTH, *The Jews in the Renaissance*, Philadelphia, 1959.
2. Pour une histoire des Juifs durant cette période, voir l'ouvrage de base de S. W. BARON, *A Social and Religious History of the Jews*, vol. XIII à XVIII, New York-Philadelphia, 1969-1984.

matismes de l'exil tendent à donner à celle des Juifs originaires d'Espagne, traditionnellement ouverts aux influences extérieures, qu'elles fussent de l'Islam ou du monde chrétien, le même caractère de renfermement sur soi, faisant passer au second plan des valeurs (philosophie, sciences) qui impliquent un dialogue avec le monde environnant.

Quelles que soient les vicissitudes de l'histoire, l'étude de la Bible demeure pour le peuple juif une préoccupation constante, vitale même. Au xvie siècle, les progrès de l'imprimerie la favorisent. Mais, du fait des circonstances (le judaïsme espagnol est en pleine mutation, la culture juive n'en est qu'à ses débuts en Pologne), on ne compte que peu d'exégètes d'envergure — le plus considérable, Isaac Abravanel, faisant précisément le lien entre le monde ancien (il a connu la gloire en Espagne avant 1492) et les conditions nouvelles (ses commentaires expriment à maintes reprises la déchirure de l'exil).

Paradoxalement, c'est à cette même époque où il s'est presque totalement dépouillé de ses Juifs que l'Occident chrétien se découvre un intérêt passionné pour la langue hébraïque et la culture juive, qui a des conséquences directes dans l'approche qu'il a de la Bible, aussi bien pour ce qui est de l'étude du texte, abordé avec le même élan qui fait lire ou relire aux humanistes les textes grecs et latins de l'Antiquité, que pour ce qui est de la façon de le commenter, l'apport de l'exégèse juive fournissant un éclairage souvent pris en considération.

Ce sont ces différents éléments que nous voudrions rassembler ici, proposant un plan de travail plutôt qu'une synthèse, rendue malaisée par le manque d'études préparatoires (notamment pour ce qui est de l'exégèse juive elle-même). Nous envisagerons successivement les instruments de l'étude biblique en milieu juif, les caractères essentiels de l'exégèse juive au xvie siècle et la présence des auteurs juifs chez les commentateurs chrétiens.

L'ÉTUDE DE LA BIBLE DANS LE MONDE JUIF

Le texte

Dès ses débuts, l'imprimerie suscite l'intérêt des savants juifs[3]. On ne saurait retracer ici l'histoire de l'impression de la Bible hébraïque;

---

3. La plupart des ouvrages sur l'histoire de l'imprimerie hébraïque sont en hébreu; outre les éléments fournis par C. Roth dans l'ouvrage déjà cité, voir le résumé donné par M. CATANE, dans L. FEBVRE et H.-J. MARTIN, *L'apparition du livre*, nouv. éd., Paris, 1971, pp. 375-378.

marquons seulement quelques étapes importantes, jusqu'au milieu du
XVIe siècle[4] :

— en 1477, probablement à Bologne, les Psaumes sont imprimés,
avec le commentaire de David Qimhi;

— en 1482, à Bologne, publication du Pentateuque, avec le *Targum*
et Rashi (voir ci-après);

— en 1485-1486, à Soncino, édition princeps des Prophètes en
deux volumes, avec le commentaire de David Qimhi; la famille qui a
réalisé cette impression prend pour patronyme le nom de Soncino et
émigre à Naples, où elle publie, en 1486-1487, les Hagiographes, puis
la première Bible hébraïque complète (sans commentaires), en 1488;

— les impressions du Pentateuque à Faro (Portugal), 1487, Ixar
(Espagne), 1490, et Lisbonne, 1492, des Proverbes à Leiria (Portugal),
1492, témoignent des derniers moments d'une culture juive dans la
péninsule Ibérique;

— à Brescia, voit le jour en 1492 une formule qui aura un grand
avenir, du fait de sa destination essentiellement liée à la liturgie : le
Pentateuque est imprimé avec les *haftarot* (péricopes prophétiques lues
chaque samedi à la suite des *sidrot* ou *parashiyot*, péricopes hebdoma-
daires couvrant sur un an l'ensemble du Pentateuque) et les cinq *megilot*,
« rouleaux » (Esther, Cantique, Ruth, Lamentations, Ecclésiaste), lus à
des moments précis de l'année liturgique;

— l'impression des Psaumes, Proverbes, Job et Daniel (avec le
commentaire de Rashi) en 1515, à Salonique, montre que le relais est
donc passé à l'Est (mais les impressions se poursuivent et se multiplient en Italie);

— l'étape la plus importante est la première *Biblia Rabbinica* du
fameux imprimeur (chrétien) Daniel Bomberg (qui réalisera plus tard
l'édition « standard » du Talmud de Babylone, dont la mise en pages
est très précisément conservée jusque de nos jours). Quatre volumes
paraissent à Venise en 1516-1517, sous la supervision de Félix Pratensis, un Juif converti; malgré la dédicace à Léon X, il s'agissait d'une
édition destinée à des Juifs; pour parer à la méfiance que ne pouvait
manquer de susciter chez les Juifs le nom de l'éditeur (pour eux un
apostat), D. Bomberg effectue un second tirage (in-4o), puis une seconde
édition améliorée en 1524-1525, cette fois sous la direction d'un Juif,
Jacob ben Hayim ibn Adoniyah; il en sera question plus loin. Ce qu'il
faut noter tout de suite, c'est que là encore c'est une formule promise
à un grand avenir qui voit le jour : la *Biblia Rabbinica*, ou en hébreu
Miqraot gedolot, « Grandes Ecritures », est l'équivalent des éditions de

---

4. Voir surtout C. D. GINSBURG, *Introduction to the Massoretico-Critical Edition of the
Hebrew Bible*, Londres, 1897, pp. 779-976 (« History of the Printed Text of the Hebrew
Bible »; descriptions extrêmement précises des premières impressions).

Lyon, Venise ou Anvers de la Bible latine avec la *Glossa ordinaria* enrichie, Nicolas de Lyre et divers commentaires. De la même manière, le texte de la Bible est entouré du *Targum* (ou des *targumim*) et de nombreux commentaires ; voici le contenu de l'édition de 1516-1517, d'après la page de titre :

> Le Pentateuque avec le *Targum* [traduction araméenne] d'Onqelos et le commentaire de Rashi ; les Prophètes avec le *Targum* de Jonathan ben Uziel et le commentaire de David Qimhi ; les Psaumes avec le *Targum* de R. Joseph et le commentaire de David Qimhi ; les Proverbes avec le *Targum* de R. Joseph et le commentaire *Qav ve-naqi* [de David ben Salomon ibn Yahia, c. 1440-1524] ; Job, avec le *Targum* de R. Joseph et le commentaire de Ramban [Nahmanide] et celui d'Abraham Farissol ; les cinq Rouleaux avec le *Targum* de R. Joseph et le commentaire de Rashi ; Daniel avec le commentaire de Levi ben Gershom [Gersonide] ; Ezra avec le commentaire de Rashi et le Shimoni ; les Chroniques avec le commentaire de Rashi et le Shimoni. A quoi s'ajoutent le *Targum Yerushalmi* et un autre *Targum* du livre d'Esther, ainsi que divers traités techniques.

Par la suite, il y aura pour chaque livre davantage de commentaires et l'on arrive vers le milieu du xvie siècle à la formule devenue habituelle avec, par exemple, pour la Genèse trois *targumim* (Onqelos, Jonathan ben Uziel, Yerushalmi) et les commentaires de Rashi, Abraham ibn Ezra, Nahmanide, etc.[5].

Pour les premiers imprimeurs de la Bible hébraïque, ce moyen de multiplier les Ecrits saints paraît inspiré de Dieu. La préface enthousiaste de l'un des éditeurs du Pentateuque de Bologne, 1482, indique excellemment l'état d'esprit dans lequel étaient faites ces impressions anciennes et les problèmes qui devaient être affrontés ; elle nous servira en quelque sorte de guide :

> Moi, Joseph Hayim... j'ai vu l'œuvre glorieuse qu'ils avaient commencé à réaliser, un Pentateuque *(humash)* avec la traduction araméenne *(Targum)* et le commentaire de Rashi, en un seul volume, et je conclus après examen que c'était là une merveille qui venait de Dieu. Je me consacrai alors à corriger le commentaire de Rashi afin de restituer la couronne à son état ancien... Je sus que ceux qui étudient trouveraient la tranquillité d'esprit, ceux qui sont à bout de force le repos, parce que les mots dont la signification demeurait obscure, du fait des nombreuses fautes, allaient devenir clairs pour eux... Ainsi fut achevé tout le travail, travail de la même dignité que le service sacré : le Pentateuque, le *Targum* et le commentaire de Rashi, en un volume, dûment corrigé selon la grammaire... Joseph Caravita [le commanditaire] subvint à tous les besoins pour ce travail et rémunéra les artisans et ouvriers experts et diligents dans l'art de l'impression ; il se mit en quête d'un artisan expert

---

5. Les autres éditions anciennes de la *Biblia Rabbinica* sont les suivantes : Venise, 1524-1525 (par Jacob ben Hayim ibn Adoniyah ; voir plus loin) ; Venise, 1548 (par Cornelius Adelkind) ; Venise, 1568 (par Isaac ben Joseph Salam et Isaac ben Gerson Trêves) ; Venise, 1617-1619 (par Léon de Modène).

[Is 40, 20] ainsi que de connaisseurs du Livre pour corriger le Pentateuque, y compris les graphies pleines et défectives, le *qere* qui n'est pas écrit et le *ketiv* qui n'est pas lu, pour la vocalisation, la cantilation *(ta'amim)*...

Laissant de côté, pour le moment, les divers termes techniques, nous voyons dans cette préface exposés les principaux problèmes auxquels furent confrontés les premiers éditeurs de Bibles hébraïques.

1. Suivant une tradition médiévale, qui s'observe également dans le monde chrétien, le texte biblique n'est pas imprimé seul, mais *entouré* de divers éléments; ici, la traduction ou paraphrase araméenne, le *Targum* attribué à Onqelos (Aquilas); le commentaire « standard » de Rashi, qui joue dans le monde juif le même rôle que la *Glossa ordinaria* chez les chrétiens. L'édition de Bologne, 1482, préfigure, avec une légère différence dans la présentation[6], ce que seront les impressions du *Humash Rashi* (c'est-à-dire le Pentateuque avec le commentaire de Rashi et le *Targum*) jusqu'à nos jours. La première impression d'un texte biblique en hébreu, les Psaumes, s'accompagnait aussi d'un commentaire, celui de David Qimḥi, mais la présentation avec le commentaire verset par verset n'avait pas d'avenir.

2. Le deuxième point évoqué par cette préface concerne les difficultés propres à l'impression des textes hébreux : si les ouvrages rabbiniques ne soulèvent pas de problème majeur, il n'en est pas de même des textes bibliques, dont la structure consonantique (seule présente dans l'impression hébraïque actuelle : livres, journaux, etc., sauf pour ce qui est des textes bibliques et poétiques) doit être accompagnée de la vocalisation (points-voyelles placés sur ou sous les consonnes), ainsi que de la cantilation, notation musicale de signes spéciaux ou *ta'amim*, comparables à ceux de la notation ekphonétique ou aux neumes. Le Pentateuque de Bologne donne les points-voyelles, la Bible de Soncino, 1488, donne aussi les *ta'amim*. Les noms divins ont également posé des problèmes aux premiers imprimeurs : écrits par les copistes avec mille précautions rituelles, ils furent d'abord défigurés dans un souci de respect[7] (à Soncino, 1485-1486, à Naples, 1486-1487, à Pesaro, 1510-1511, on a pour le Tétragramme *yod, dalet* [au lieu de *he*], *vav, he,* et *Elodim* pour *Elohim*); mais assez vite ces scrupules excessifs disparurent au profit d'une graphie correcte.

---

6. Le commentaire de Rashi se trouve au-dessus et au-dessous des deux colonnes contenant le texte hébraïque (colonne intérieure) et le *targum*. L'article « Bible Editions » de la *Jewish Encyclopedia*, III, New York-Londres, 1903, pp. 154-162, donne d'intéressantes reproductions.

7. Cf. préface de l'impression des Prophètes, Soncino, 1485-1486 : « Pour ce qui est des noms divins (mot à mot : du sacré), dans le nom *yod, he, vav, he,* nous avons mis un *dalet* sous le premier *he* et un *qof* à la place du *he* pour le nom de la divinité (Elohim). Notre intention était de respecter l'honneur et la beauté du nom de Dieu... » (cf. C. D. GINSBURG, *op. cit.*, p. 805).

3. La copie des textes bibliques a toujours été effectuée avec un soin religieux par les Juifs, mais en dehors même des erreurs inévitables des copistes, les manuscrits ne présentent pas un texte uniforme : d'une part, on a affaire à des traditions différentes (suivant l'origine géographique), d'autre part, surtout, la présence de graphies aberrantes mais conservées traditionnellement incitait dès le haut Moyen Age à une réflexion critique, comparable à celle des auteurs de *correctoria* pour la Vulgate : une sorte d'apparat textuel est établi, que reproduisent en tout ou en partie les manuscrits et dont la préface du Pentateuque de 1482 décrit les éléments essentiels :

— les graphies « pleines » et « défectives »; le mot hébreu est caractérisé par sa structure consonantique, mais certaines consonnes peuvent jouer un rôle de voyelles, le *vav (o* ou *u)* et le *yod (i)* : la graphie défective est celle qui ne comporte pas ces *matres lectionis*, la graphie pleine celle qui les possède;

— le *qere* et le *ketiv* : un mot est écrit *(ketiv)* d'une certaine manière et doit être lu *(qere)* autrement; par exemple, en 1 Rois 18, 4 *ehat*, « une », doit être lu *ehad*, « un »; en Jr 2, 24 *nafsho*, « son âme » (masc.), mis pour *nafshah*, « son âme » (fém.). L'ensemble de cet apparat (en réalité beaucoup plus complexe puisque comportant des notes sur la vocalisation ou la fréquence de certains mots, etc.) a été codifié avec la vocalisation et la cantilation, le tout constituant la *Massorah*[8] — le texte massorétique étant donc celui qui a été établi selon ces règles et qui est accompagné de notes critiques, plus ou moins nombreuses (les éditions habituelles de la Bible ont au moins le *qere* et le *ketiv*). La première édition à donner la *Massorah* à peu près complète est la deuxième *Biblia Rabbinica*, Venise, 1524-1525; c'est son texte que reprennent les éditions traditionnelles postérieures.

L'imprimerie développait donc les réflexions sur le texte même : il n'est pas étonnant que l'un des savants qui se soient le plus intéressés à la *Massorah* appartienne au XVIe siècle; il s'agit d'Elie Levita, personnage fort intéressant, auteur des premières œuvres imprimées en judéo-allemand (yiddish) et, surtout, grammairien de premier plan, qui eut une influence très grande sur les hébraïsants chrétiens de son temps[9]; nous intéresse ici son œuvre *Massoret ha-massoret* (Venise, 1538), introduction à la *Massorah*, qui formule en même temps nombre de règles sur l'établissement du texte biblique (on lui doit également un opuscule

---

8. Plus précisément, le texte de la préface fait allusion aux omissions des scribes *(qere ve-lo ketiv)* et à leurs interpolations *(ketiv ve-lo qere)*, les unes et les autres étant dûment codifiées. — Sur la *Massorah*, voir E. WÜRTHWEIN, *The Text of the Old Testament. An Introduction to Kittel-Kahle's Biblia Hebraica* (trad. angl.), Oxford, 1957; G. E. WEIL, *Initiation à la Massorah. L'introduction au « Sefer Zikhronot » d'Elie Lévita*, Leyde, 1964 (et de nombreux travaux du même auteur).

9. Voir G. E. WEIL, *Elie Lévita, humaniste et massorète (1469-1549)*, Leyde, 1963.

sur les signes de cantilation, *Tuv ta'am*). D'une manière moins élaborée et moins scientifique, une réflexion sur la *Massorah* du Pentateuque se retrouve dans l'œuvre d'un auteur un peu plus tardif, Menaḥem ben Judah de Lonzano (1550-av. 1624), *Or Torah*, « Lumière de la Loi », imprimée en 1618[10]. Une œuvre similaire, mais portant sur l'ensemble de la Bible et de peu postérieure, connaîtra un grand succès et figurera dans diverses éditions des *Miqraot gedolot* : il s'agit de *Minḥat shay* de Yedidiah Norzi (1560-1616).

On observera que les recherches textuelles ne sont pas l'apanage de spécialistes mais transparaissent dans les commentaires, où les anomalies du texte biblique donnent parfois lieu à des développements allégoriques inattendus.

Les outils. Les traductions

La lecture hebdomadaire du Pentateuque, l'intégration à la liturgie de nombreux psaumes et de quelques livres comme le Cantique des cantiques ou Esther rendaient ces parties de la Bible très familières aux Juifs, qui assez souvent les possédaient de mémoire. Cependant, il n'en était pas toujours de même pour le reste des Ecritures. Ce ne fut pourtant pas avant le xve siècle que la nécessité d'instruments propres à faciliter le maniement des « vingt-quatre livres » se fit sentir, provoquant la confection d'une concordance : dans son *Meir nativ*, « Eclaireur du chemin », le Provençal Isaac ben Nathan Qalonymos s'inspire des outils établis au xiiie siècle par les dominicains, utilisant notamment la division en chapitres et versets de la Vulgate — mais reste fidèle au génie de la langue hébraïque, puisque les mots sont classés par racines : cette œuvre est l'instrument de base au xvie siècle, tant dans le monde chrétien, comme le prouvent les éditions données par D. Bomberg (Venise, 1523), A. Reuchlin (avec traduction, Bâle, 1556) et A. Froben (Bâle, 1581), que dans le monde juif, comme le montrent les manuscrits qui en sont conservés et l'édition de Venise, 1564, par Meir ben Jacob[11].

Il s'agissait cependant d'une œuvre imparfaite, plus proche du lexique biblique que de ce que nous entendons par « concordance ». Le grammairien Elie Levita, déjà mentionné, allait faire un travail plus complet, intégrant notamment la *Massorah* : mais ce *Sefer zikhronot*,

---

10. Il s'agit d'une partie de son ouvrage *Shetey yadot*, « Deux mains ».
11. Voir H. Gross, *Gallia Judaica. Dictionnaire géographique de la France d'après les sources rabbiniques*, Paris, 1897, pp. 89-90. — Notons qu'A. Reuchlin donne pour titre à l'ouvrage *Sefer yair nativ* et nomme son auteur « Rabbi Mardochai Nathan ».

« Livre de mémoire », dédié à Gilles de Viterbe, ne devait pas être imprimé[12].

Une concordance assez différente, mais d'une grande utilité, est l'ouvrage *Toledot Aharon*, « Histoire (ou générations) d'Aaron », d'Aaron de Pesaro (m. en 1563), qui recense les passages bibliques cités dans le Talmud de Babylone; publié à Fribourg 1583-1584 et Venise 1591-1592, il devient un instrument classique, incorporé aux *Miqraot gedolot*.

Le xvie siècle voit également naître un certain nombre de traductions juives de la Bible — phénomène qui, certes, n'est pas nouveau (il suffit de se rappeler les Septante, les diverses traductions grecques des premiers siècles ou, au Moyen Age, la version juive en ancien français, qui a certainement existé mais dont on ne possède que des traces ténues)[13], mais qui montre que l'hébreu, s'il reste la langue des études sacrées, de la liturgie et des savants, n'est pas compris de tous, et témoigne du développement de langues vernaculaires juives.

Le cas le plus passionnant est celui du *ladino*, ou « judéo-espagnol calque », qui n'est pas en fait une langue vernaculaire, puisqu'il s'agit du langage artificiel, très fortement influencé par l'hébreu (dans ses structures syntaxiques notamment), dans lequel les Juifs originaires d'Espagne traduisent la Bible[14]. En 1547 est imprimée à Constantinople une édition du Pentateuque, donnant autour du texte hébreu le *Targum* d'Onqelos, le commentaire de Rashi, une traduction en *ladino* et une traduction judéo-grecque, le tout étant en caractères hébraïques. En 1553 est publiée à Ferrare, seule et en caractères latins, la traduction en *ladino* effectuée par Jeronimo de Vargas (Yom Tov Attias) et Duarte Pinel (Abraham Usque). Il faut aussi mentionner la traduction des Psaumes publiée en 1540 à Constantinople et celle des Prophètes en 1572 à Salonique.

Le yiddish est une langue également parlée (stylisée dans le cas des traductions de la Bible) et dans laquelle plusieurs livres bibliques ont été traduits dès le xive siècle[15]. S'inspirant de modèles médiévaux, diverses paraphrases voient le jour à la fin du xve siècle et au xvie (les cinq Rouleaux, les Juges, Isaïe et, surtout, le *Khumesh Teitsh*, « Pentateuque en allemand »); mais sont également exécutées des traductions proprement dites : Pentateuque (Constance, 1544; Augsbourg, 1544; Crémone, 1560; Bâle, 1583); Psaumes (Brescia, avant 1511; Venise,

---

12. Cf. G. E. Weil, *Elie Lévita* (cité n. 9), pp. 292-297. Sur les concordances bibliques en hébreu, voir l'article de W. Bacher, *Jewish Encyclopedia*, IV, pp. 204-207.

13. Voir M. Banitt, « Le renouvellement lexical de la *Version Vulgate* des Juifs de France au Moyen Age dans le *Glossaire de Leipzig* », dans *Romania* 102 (1981), pp. 433-455.

14. Voir H. Vidal Sephiha, *Le ladino, judéo-espagnol calque. Deutéronome, versions de Constantinople (1547) et de Ferrare (1553)*, Paris, 1973.

15. Voir notamment *Encyclopaedia Judaica* (désormais *EJ*), Jérusalem, 1971, IV, col. 866-867.

1545, par Elie Levita); Isaïe, avec extraits du commentaire de David Qimḥi (Cracovie, 1586). Signalons encore des traductions rimées : Genèse (Venise, 1551), Psaumes (Cracovie, avant 1586), Juges (Mantoue, 1564).

On citera aussi, dans un contexte culturel différent, la traduction en arabe dialectal faite par Isakhar ben Mordekhay Susan (c. 1510-c. 1580) de l'ensemble de la Bible; elle est restée manuscrite.

Les sources

Avant d'examiner l'exégèse juive du XVIe siècle, on se demandera quels étaient les commentaires les plus lus. L'étude des impressions hébraïques (juives) du XVIe siècle montre bien la permanence de l'influence des principaux auteurs médiévaux[16]. Ceux qui ont été recueillis dans les éditions successives de la *Biblia Rabbinica* reçoivent en quelque sorte une « canonisation » qui assure leur survie jusqu'à nos jours, non pas tant auprès des savants curieux de toutes sortes de textes qu'auprès des Juifs pieux, désireux d'approfondir chaque jour, selon le précepte, la parole de Dieu. Il convient, du reste, de noter que ce n'est pas l'imprimerie qui opère ce choix : elle ne fait que confirmer une sélection présente déjà dans beaucoup de manuscrits du Moyen Age[17].

Celui qui domine est le commentateur par excellence, Rashi (Salomon ben Isaac, de Troyes), dont les gloses, souvent très ramassées, à la fois éclairent la signification littérale et donnent une sorte de condensé (sélectif) de l'exégèse midrashique[18]. Il figure dans les premiers ouvrages imprimés en hébreu : ainsi son commentaire du Pentateuque est-il publié (sans le texte biblique), sans doute à Rome, entre 1469 et 1472, puis à Reggio de Calabre en 1475 (c'est la première impression hébraïque datée)[19]. On observe aussi que, dans un premier temps, c'est surtout pour le Pentateuque (et les cinq Rouleaux) que le commentaire de Rashi semble le commentaire « standard »; à partir de la deuxième *Biblia Rabbinica*, il accompagne presque tous les livres de la Bible, constituant un élément indispensable à l'étude du texte sacré.

---

16. Pour les auteurs ayant vécu en France, on renverra à : B. Blumenkranz, G. Dahan et S. Kerner, *Auteurs juifs en France médiévale*, Toulouse, 1975 (« Coll. Franco-Judaïca », 3); pour les auteurs originaires d'Espagne, à : J. M. de A. Ladron de Guevara et M. L. Salvador Barahona, *Ensayo de un catalogo bio-bibliografico de escritores judeo-españoles-portugueses del siglo X al XIX*, Madrid, 1983 (respectivement : *Auteurs* et *Ensayo*).

17. Voir G. Dahan, « La survie des auteurs juifs du Languedoc à travers les impressions de leurs œuvres jusqu'au XVIIe siècle », dans *Juifs et judaïsme de Languedoc*, Toulouse, 1977 (« Cahiers de Fanjeaux », 12 = « Coll. Franco-Judaïca », 6), pp. 205-232.

18. Cf. A. Grabois, « L'exégèse rabbinique », dans *Le Moyen Age et la Bible*, Paris, 1984 (« Bible de tous les Temps », 4), pp. 249-252.

19. *Auteurs*, pp. 98-121.

Un commentateur postérieur connaît avec l'imprimerie, et surtout au XVIᵉ siècle, un succès aussi considérable : David Qimḥi[20], dont le commentaire des Prophètes (imprimé, pour les Prophètes proprement dits, dès 1482 à Guadalajara et, pour l'ensemble des livres prophétiques, à Soncino en 1485)[21] apparaît comme la glose type de la seconde partie de la Bible hébraïque. Son commentaire des Psaumes est imprimé dès 1477 à Bologne (?) et jouit aussi d'une très grande faveur, de même que celui de Job.

Levi ben Gerson (RaLBaG) est un auteur originaire, comme David Qimḥi, du sud de la France, connu pour ses travaux scientifiques et son œuvre philosophique aussi bien que pour ses commentaires[22] : celui du Pentateuque est imprimé à Mantoue vers 1476, puis, à diverses reprises, au XVIᵉ siècle, celui de Job à Ferrare en 1477 (?), puis à Naples en 1487, celui de Daniel à Rome (?) vers 1480, celui des Proverbes à Leiria en 1492 et celui des Premiers Prophètes dans cette même ville en 1494; on a vu plus haut que la première *Biblia Rabbinica* contenait plusieurs de ses commentaires.

Deux auteurs espagnols connaissent également un succès considérable. Le commentaire du Pentateuque de Nahmanide (Moïse ben Naḥman ou RaMBaN) est imprimé vers 1480 en Italie, puis à Lisbonne en 1489 et à plusieurs reprises pendant le XVIᵉ siècle[23]. Les impressions d'Abraham ibn Ezra sont un peu plus tardives, quoiqu'on relève dès 1488 le commentaire du Pentateuque à Naples; il sera repris en 1514 à Constantinople, puis intégré à la *Biblia Rabbinica* (à partir de la deuxième), de même que ses gloses sur divers Petits Prophètes[24].

En dehors de ces noms qui constituent les références constantes des exégètes du XVIᵉ siècle, divers autres commentateurs ont été imprimés une ou plusieurs fois à la fin du XVᵉ siècle et au XVIᵉ. On remarque particulièrement des commentaires anthologiques, citant des œuvres midrashiques, comme le *Yalqut shimoni* (Salonique, 1521 et 1526), ou des gloses de l'école de Rashi, comme le *Ḥazequni* (sur le Pentateuque) de Ḥizqiyah ben Manoaḥ (Venise, 1524, etc.). A ce propos, il faut noter que les disciples immédiats de Rashi, qui eurent une influence considérable dans l'exégèse, juive aussi bien que chrétienne, des XIIᵉ-XIIIᵉ siècles (Joseph Bekhor Shor, Samuel ben Meir, Joseph Qara) ont été oubliés après la condamnation de la littérature rabbinique de 1244 ou l'expulsion des Juifs de France en 1306. — Nous parlerons plus

---

20. A. Graboïs, art. cit., pp. 239-240; *Auteurs*, pp. 17-24 et 156-159.

21. Dans la préface de cette édition, David Qimḥi est appelé « chef des grammairiens, père des commentateurs ».

22. *Auteurs*, pp. 65-69; Ch. Touati, *La pensée philosophique et théologique de Gersonide*, Paris, 1973 (voir notamment pp. 63-72, sur les commentaires bibliques).

23. *Ensayo*, pp. 383-390.

24. A. Graboïs, art. cit., pp. 237-239; *Ensayo*, pp. 29-37.

loin des commentaires fondés sur une exégèse mystique, ainsi que de certains commentateurs de la fin du xve siècle ou du début du xvie, comme Isaac Abravanel, qui ont acquis tout de suite un prestige tel qu'ils ont pu être cités à l'égal des maîtres médiévaux dont nous venons d'évoquer la fortune.

L'EXÉGÈSE JUIVE DU XVIe SIÈCLE

Caractères généraux

Le Moyen Age avait été pour l'exégèse juive une période faste et brillante. Les commentateurs avaient scruté le texte biblique en utilisant les ressources de la philologie ou de la philosophie, optant pour un littéralisme strict ou pour un allégorisme inspiré du midrash ancien ou renouvelé à la lumière de l'aristotélisme, choisissant la voie du rationalisme ou celle d'une mystique particulière, la Kabbale. A l'intérieur d'une tradition soutenant depuis longtemps la pluralité des sens de l'Ecriture (il est souvent question des « soixante-dix faces de la Torah »), certains avaient pu définir quatre niveaux principaux, comparables en quelque sorte aux « quatre sens » de l'exégèse chrétienne, mais ne les recoupant pas exactement[25].

Cet héritage se transmet au xvie siècle[26]. Mais le message n'a plus la même vigueur ni la même profondeur. Ici plus qu'ailleurs le xvie siècle apparaît comme une période de transition. Mis à part quelques esprits puissants, qui appartiennent encore à la période précédente, les œuvres sont surtout d'épigones. Il n'est donc pas étonnant que se développe une littérature de surcommentaires, destinés à éclairer les gloses d'auteurs devenus canoniques, plus que le texte biblique lui-même : ainsi

25. Ces quatre niveaux sont désignés par le terme mnémonique *PaRDeS* (cf. A. GRABOÏS, art. cit., p. 234).

26. Il n'existe pas, à notre connaissance, d'ouvrage d'ensemble sur l'exégèse juive au xvie siècle; dans les encyclopédies, les passages sur ce sujet, à l'intérieur des articles « Bible », sont très insuffisants; on trouvera quelques renseignements fragmentaires dans l'ouvrage ancien de L. WOGUE, *Histoire de la Bible et de l'exégèse biblique jusqu'à nos jours*, Paris, 1881, pp. 297-321; cf. aussi M. WAXMAN, *A History of Jewish Literature*, II, New York, 1943, pp. 24-51 (mais la majeure partie de ce chapitre concerne le Moyen Age). Pour les indications biographiques concernant les auteurs cités, on renvoie une fois pour toutes aux notices de l'*Encyclopaedia Judaica*. — Il n'entrait pas dans notre intention de faire un exposé exhaustif sur l'exégèse des Juifs au xvie siècle : nous avons voulu essentiellement en présenter un panorama d'ensemble, citant les principaux auteurs; notre classement est quelque peu systématique, mais la réalité est beaucoup plus nuancée : pratiquement aucun auteur ne s'en tient à un seul des types d'exégèse que nous décrivons. D'autre part, nous nous en sommes strictement tenu aux commentateurs de la Bible (sauf deux exceptions) : ainsi, certains noms importants de l'histoire littéraire juive du xvie siècle n'apparaissent-ils pas, ou très fugitivement, s'ils n'ont pas fait œuvre d'exégèse biblique.

le commentaire de Rashi est-il glosé par Salomon ben Yeḥiel Luria
(Pologne, 1510-1574), qui écrit aussi une critique du commentaire
d'Abraham ibn Ezra sur le Pentateuque; par Ḥayim ben Beẓalel
(Pologne et Prague, c. 1520-1588); par Joseph ben Isakhar Baer de
Prague (fin du xvie siècle); de grands esprits ne dédaignent pas ce
genre, comme Obadiah de Bertinoro (Italie, c. 1450-1516), célèbre
surtout pour son commentaire de la Mishnah, Judah Loew ben Beẓalel,
le fameux Maharal de Prague (c. 1512-1609); le surcommentaire d'Elie
Mizrahi (1450-1526), publié à Venise en 1527, est lui-même glosé par
Salomon Luria et par Moïse Isserles, dont il sera question plus loin;
il est vrai qu'Elie Mizrahi se montrait assez critique envers Rashi et
que son travail servit souvent de *textus* pour l'étude de la Bible dans
nombre de communautés.

Il est cependant possible de déceler quelques caractères propres à
l'exégèse juive du xvie siècle. Alors que décline l'exégèse philosophique,
de nombreux commentaires témoignent d'une prédication populaire,
intégrant de plus en plus les éléments d'une doctrine kabbalistique,
qui n'est plus seulement considérée comme un jardin clos réservé à
une élite d'initiés. Nous évoquerons ces divers aspects et nous demanderons si l'humanisme de l'époque n'a pas tout de même laissé quelques
traces chez les exégètes juifs. Nous commencerons par mentionner
l'œuvre exégétique de quelques auteurs qui, tout en étant à cheval sur
le xve et le xvie siècle, ont dominé la période qui nous intéresse ici.

Quelques maîtres du début du XVIe siècle

Incontestablement, la figure de proue de l'époque est Isaac Abravanel, homme d'Etat, philosophe et commentateur[27]. Né à Lisbonne
en 1437, il occupe le poste de trésorier du roi Alphonse V du Portugal,
puis de Ferdinand d'Aragon et Isabelle de Castille; le décret d'expulsion
de 1492 (qu'il tente en vain de faire abroger) le chasse d'Espagne; il
se réfugie à Naples, puis dans diverses localités italiennes; il meurt
en 1508 à Venise. Il a commenté le Pentateuque, les Prophètes et le
livre de Daniel, essentiellement après 1492. Il ne s'agit pas de commentaire mot à mot ou verset par verset, mais par unités beaucoup plus
vastes, méthode assez rare dans l'exégèse juive, qui lui permet une
vue synthétique, d'autant que chacun des chapitres (et des livres

27. Voir notamment B. NETANYAHU, *Don I. Abravanel, Statesman and Philosopher*, Philadelphia, 1972[3]; la plaquette de H. SOIL, *Don Isaac Abravanel, sa vie et ses œuvres*, Paris, s.d.,
contient une évocation très plaisante de la biographie du personnage. Sur sa philosophie
et ses commentaires, on trouvera de précieuses indications dans I. E. BARZILAY, *Between
Reason and Faith. Anti-Rationalism in Italian Thought, 1250-1650*, La Haye-Paris, 1967,
pp. 72-132.

bibliques) est muni d'une préface dans laquelle il expose les difficultés du sujet et sa manière de le considérer. Possédant une parfaite connaissance des écrits de ses prédécesseurs, non seulement juifs mais également chrétiens, Abravanel nous présente une somme originale de l'exégèse médiévale (mais où l'élément grammatical a la plus petite part), qui porte l'influence surtout d'Abraham ibn Ezra, de Gersonide, ainsi que d'Isaac Arama (auteur du xve siècle). S'il condamne l'allégorisme philosophique de certains commentateurs médiévaux, il laisse une place de choix aux explications rationnelles et aux considérations spéculatives. Son apport le plus neuf est dans l'approche historique des Premiers Prophètes (Josué, Juges, Samuel, Rois), bien que l'intention avouée soit d'ordre éthique et que l'analyse psychologique soit, dans la tradition de nombre de commentateurs juifs, poussée assez loin. Le passage suivant, sur Ex 7, 14-11, 10 (les dix plaies), nous paraît assez significatif :

> Pharaon était en désaccord avec Moïse sur trois points. Moïse posait l'existence nécessaire d'une Cause première, ce que Pharaon niait, disant : « Je ne connais point Dieu » (Ex 5, 2). Secondement, Moïse posait une providence divine, rétribuant chacun selon ses actes, ce que Pharaon niait... Troisièmement, Moïse affirmait que le Dieu d'Israël tout-puissant pouvait modifier la nature des choses selon sa volonté, ce que Pharaon niait, disant : « Qui est Dieu pour que j'écoute sa voix ? » (Ex 5, 2). Cette attitude explique les dix plaies : elles visaient à confirmer les trois points en question. Les trois premières confirment l'existence de Dieu, les trois suivantes la providence divine, les trois dernières prouvent la possibilité pour Dieu de changer la nature selon sa volonté.

D'autre part, l'analyse politique d'Abravanel présente un réel intérêt. Sa doctrine messianique, notamment dans le commentaire de Daniel, dit les espoirs d'un peuple bouleversé et voit précisément dans la catastrophe de 1492 un signe avant-coureur du salut final (thème des douleurs de l'enfantement). L'œuvre d'Abravanel fut vite imprimée : son commentaire des Premiers Prophètes notamment (Pesaro, 1510-1511) eut une influence considérable. Les hébraïsants chrétiens citent volontiers cet auteur.

Abraham Farissol (né en Avignon vers 1451, mort à Mantoue c. 1525 ; il vécut essentiellement à Ferrare) est un « Juif de la Renaissance » caractéristique[28] ; son œuvre principale, *Igeret orhot 'olam*, « Lettre sur les routes du monde », appartient à la géographie et eut un succès important au xvie siècle. Son commentaire du Pentateuque n'a pas été publié, mais celui de Job, incorporé, nous l'avons vu, à la *Biblia Rabbinica*, eut ainsi un certain retentissement. On lui doit aussi un commentaire de l'Ecclésiaste.

---

28. Voir S. LOEWINGER, « Recherches sur l'œuvre apologétique d'Abraham Farissol », dans *Revue des Etudes juives* 105 (1939), pp. 23-52 ; *Auteurs*, pp. 9-10 et 150-151.

Avec Obadiah ben Jacob Sforno (c. 1470-1550), qui vécut en Italie, notamment à Rome où il enseigna l'hébreu à J. Reuchlin, puis à Bologne, nous avons affaire à l'un des principaux exégètes juifs du xvie siècle : il a commenté le Pentateuque, le Cantique, l'Ecclésiaste, Job, les Psaumes et divers Petits Prophètes[29]. Son interprétation se veut rationnelle : souvent littérale et faisant appel à ses connaissances scientifiques (il était médecin), elle ne dédaigne pas l'allégorie, dans un but moral. Citons un passage de son commentaire de la Genèse (sur 33, 4), caractéristique de sa manière et dans lequel on trouve une allusion à la fable du chêne et du roseau, déjà présente dans le Talmud :

> *Esaü courut à la rencontre* [de Jacob] : ses sentiments changèrent et il s'apaisa avec les cadeaux de Jacob. Ainsi en est-il de nous en exil avec les enfants d'Esaü, disant dans sa *(sic)* fierté : « Qui me fera descendre à terre ? » (Abdias, 3). Cela nous enseigne que nous serons sauvés du glaive de l'orgueil par des offrandes et des cadeaux, comme l'ont dit nos Sages : Ahia le Shilonite maudit Israël [en lui disant qu'il serait] comme un roseau pliant à tous les vents. Si les rebelles du Second Temple avaient agi ainsi, notre sanctuaire n'aurait pas été détruit.

L'esprit de conciliation, la recherche de la paix avec l'entourage présents dans ces lignes s'accordent bien avec un certain humanisme propre à Obadiah Sforno.

Les différents courants

Avec l'expulsion d'Espagne prend davantage de consistance un mouvement d'opposition à la philosophie, qui s'était diversement manifesté au cours du xve siècle : pour beaucoup de Juifs d'Espagne, simples fidèles ou érudits, la soumission de certains penseurs à l'aristotélisme ou à l'averroïsme était la cause des malheurs présents et, surtout, favorisait les fréquentes apostasies[30]. L'épreuve de 1492 ne fit que fortifier cette conviction et la méfiance à l'égard de la philosophie (c'est-à-dire de l'aristotélisme averroïsant) explique la disparition des commentaires philosophiques, qui avaient fleuri aux xive-xve siècles. Cela n'exclut pas (on en a vu un exemple chez Abravanel) la présence d'éléments philosophiques, disséminés dans certains commentaires : c'est le cas notamment de ceux sur le Pentateuque et sur Esther du médecin Eliezer ben Elie Ashkenazi (1513-1586), originaire de Salonique, qui vécut en Egypte puis en Pologne, et qui semble le

---

29. Cf. L. Wogue, *op. cit.* (n. 26), p. 304. Nous n'avons pu consulter la « dissertation inaugurale » de E. Finkel, R. *Obadja Sforno als Exeget*, Breslau, 1896.

30. Voir D. J. Lasker, « Averroistic Trends in Jewish-Christian Polemics in the Late Middle Ages », dans *Speculum* 55 (1980), pp. 294-304.

plus rationaliste des commentateurs de notre période[31]. Plus âgé que lui, Joseph Taitazak (première moitié du XVIe siècle), ayant vécu surtout à Salonique, se distingue par la connaissance qu'il a d'auteurs latins (Thomas d'Aquin, Gilles de Rome), qu'il cite dans ses commentaires (à tendance souvent philosophique) de Daniel et des cinq Rouleaux (Venise, 1529 et 1609); il y mêle aussi des éléments kabbalistiques. Dans un milieu différent, Moïse Isserles (1525/1530-1572), qui a été surnommé le « Maïmonide polonais », est une personnalité de tout premier plan : ses commentaires du Pentateuque et d'Esther, qui représentent une part mineure de son œuvre, font souvent appel à la philosophie. Enfin, chez Samuel Aripul (c. 1540-après 1586), celle-ci intervient plus discrètement et à l'appui d'une interprétation moralisante; il a commenté le Pentateuque, le Cantique (Safed, 1579), l'Ecclésiaste (Constantinople, 1586) et divers psaumes.

C'est d'ailleurs l'aspect éthique, moralisant, qui domine la période : on cherche dans l'Ecriture non seulement un mode de vie, mais aussi une raison d'espérer et une consolation aux malheurs du temps. Les prédicateurs développent les thèmes qui accentuent chez leurs auditeurs le sentiment d'appartenir à un peuple spécifique, marqué par une histoire d'ombre et de lumière[32]. Là se trouve, semble-t-il, le côté le plus original de la période, avec le développement d'une exégèse « homilétique », qui adopte un ton familier, multiplie les anecdotes et se met à la portée du peuple. Cette tendance donne naissance, à la fin du siècle, au *Zena u-rena* en yiddish, destiné aux femmes, qui eut un succès considérable jusque dans la première moitié du XXe siècle. De même, plus tard, dans un genre plus élaboré, le commentaire anthologique *Me'am lo'ez*, en judéo-espagnol, rédigé au XVIIIe siècle en Turquie. — On a ainsi une série de commentaires fondés sur les sermons tenus dans les synagogues les samedis et jours de fête et qui prenaient pour thème un verset ou un passage de la *sidra* (péricope extraite du Pentateuque) de la semaine. Citons notamment les homélies sur le Pentateuque d'Elie ben Ḥayim, qui fut grand rabbin de Constantinople vers 1575; celles de Samuel ben Isaac Yaffe, rabbin dans la même ville à la fin du XVIe siècle; celles du Polonais Ephraïm Salomon de Lunshitz, qui prêcha à Lublin et Lwow[33]. Moïse Alshekh, né à Andrinople, ayant vécu à Salonique, puis en Terre sainte (m. après 1593), est l'un des exégètes les plus prolifiques du XVIe siècle : ses commentaires représentent une seconde mouture de sermons; ils couvrent une grande partie de la Bible.

---

31. Cf. A. NEHER, *Le puits de l'exil. La théologie dialectique du Maharal de Prague*, Paris, 1966, pp. 131-137.
32. Cf. I. BETTAN, *Studies on Jewish Preaching*, Cincinnati, 1939.
33. Cf. I. BETTAN, « The Sermons of Ephraim Luntshitz », dans *Hebrew Union College Annual* 8-9 (1931-1932), pp. 443-480.

La tradition de l'exégèse littérale, qu'avait illustrée notamment l'école de France du Nord au xiiᵉ siècle, est cultivée avec moins de persévérance au xviᵉ siècle. Le commentaire d'Abraham ben Juda de Kremnitz, qui couvre la quasi-totalité de la Bible, se distingue par les gloses en allemand qu'il donne aux mots rares du texte sacré : elles rappellent les *la'azim* (gloses en langue vernaculaire) de Rashi et des auteurs français. Joseph ben David ibn Yahia est un auteur intéressant, natif de Florence mais qui vécut surtout à Imola (1496-1534); il commenta l'ensemble des Hagiographes (Bologne, 1538; traduction latine de Daniel, Amsterdam, 1633); bien qu'assez amer à l'égard du monde chrétien, il manifeste une attitude positive envers les sciences profanes : son commentaire se veut littéral mais se trouve enrichi par l'apport que celles-ci fournissent. Cependant, il se pose en contempteur du rationalisme et en défenseur d'un certain fidéisme, qui trouve uniquement dans le judaïsme des valeurs vraies, lesquelles ne sauraient être partagées par la philosophie[34]. L'élément littéral se mêle à la *agada* (« légende ») dans le commentaire de Josué et des Juges d'Aaron ibn Hayim (1545-1632), originaire du Maroc et mort à Jérusalem après avoir vécu en Egypte et à Venise.

L'œuvre importante de Judah Loew ben Bezalel, dit le Maharal de Prague (1512-1609), se présente comme une défense de la *agada*, plus propice aux développements philosophiques ou mystiques que les textes secs de *halakhah* (« juridiction ») : en dehors du surcommentaire déjà mentionné, on lui doit, au titre de l'exégèse, un commentaire d'Esther, *Or hadash*, « Lumière nouvelle », et trois grands sermons sur des thèmes bibliques. Cependant, l'importance de cet auteur, redécouvert récemment, se situe ailleurs que dans le domaine précis de l'exégèse[35].

Il nous faut encore mentionner Isaac Karo (fin du xvᵉ siècle - début du xviᵉ), auteur de *Toledot Yizhaq*, « Histoire (ou Générations) d'Isaac », sur le Pentateuque (Constantinople, 1518), ouvrage assez souvent cité par les hébraïsants chrétiens : son exégèse, sans grande originalité, est au carrefour des divers courants de son temps.

Un autre aspect caractéristique du judaïsme du xviᵉ siècle est le développement et la transformation du mouvement kabbalistique[36]. Développement car, nous l'avons dit, la spéculation mystique touche de plus en plus les masses à qui elle procure, à travers son eschatologie et son messianisme, l'espoir d'un monde meilleur, cette « démocratisation » ne s'effectuant pas sans un risque de gauchissement, vers la superstition et la magie, d'un message originellement ésotérique et

34. Voir I. E. BARZILAY, *op. cit.* (n. 27), pp. 150-163.
35. Voir surtout A. NEHER, *op. cit.* (n. 31).
36. Voir G. SCHOLEM, *Les grands courants de la mystique juive*, Paris, 1960 (trad. fr.), pp. 261-304.

réservé à des hommes ayant atteint un haut degré de connaissance dans les matières sacrées. Mais transformation également, avec le cercle très florissant de Safed, qui développe dans des directions nouvelles la pensée du kabbalisme médiéval. Bien que la production des kabbalistes du XVIᵉ siècle ne se restreigne pas essentiellement au domaine de l'exégèse biblique, elle nous importe ici : on se rappelle, en effet, que le livre maître, le *Sefer ha-zohar*, « Livre de la Splendeur », se présente comme une exégèse approfondie du Pentateuque, dont elle s'efforce de scruter tous les secrets. Le résultat mène à une introspection psychologique, étonnamment moderne si on lui ôte le revêtement mythique dont l'ont affublée les maîtres tant au Moyen Age qu'au XVIᵉ siècle. L'impression de l'ouvrage à Mantoue en 1558 (dont la mise en pages sert encore de référence), celle du commentaire du Pentateuque de Menahem Recanati à Venise en 1523, contribuent à diffuser cette pensée. Le *Zohar* devient, dans diverses communautés, objet de lectures, avant ou après l'office du samedi après-midi, où il jouit d'une vénération presque égale à celle de l'Ecriture sainte. Aussi n'est-on pas étonné de constater une assez large influence de ce courant dans l'exégèse biblique. Elle s'exerce de deux façons. On a, d'une part, des commentaires purement kabbalistiques, qui appliquent au texte sacré les méthodes très particulières dont le *Sefer ha-zohar* avait déjà fourni le modèle. Outre divers ouvrages anonymes, attachés à la signification eschatologique ou apocalyptique de l'Ecriture[37], on possède quelques commentaires de kabbalistes de Safed : de Moïse Najara (1508-1581) sur le Pentateuque; de Moïse ben Jacob Cordovero (1522-1570), l'un des chefs de file de ce cercle, sur le Cantique (mais c'est un surcommentaire du *Zohar*); de Samuel ben Isaac Uceda (né en 1540) sur Ruth et les Lamentations. D'autre part, la Kabbale peut simplement fournir quelques éléments à des commentaires aux tendances diverses, soit qu'elle donne des armes à un anti-rationalisme farouche comme celui de David ibn Abi Zimra (Espagne, puis Egypte, 1479-1573), commentateur du Cantique, soit qu'elle appuie l'aspect moralisant comme chez Samuel Aripul, déjà cité, ou chez Moïse ben Mordekhay Galante (Rome puis Safed, dates inconnues), dont le commentaire de l'Ecclésiaste (Safed, 1578) se partage entre éléments homilétiques et kabbalistiques. De même, avant ce moment d'effervescence mystique, au début de notre période, le commentaire du Pentateuque *Zeror ha-mor*, « Touffe de myrrhe » (Venise, 1522) et celui des cinq Rouleaux d'Abraham Saba (né en Espagne, mort à Fès vers 1508) contiennent des interprétations kabbalistiques.

---

37. *Sefer ha-meshiv*, commentaire du Pentateuque, et *Kaf ha-qetoret*, commentaire des Psaumes (tous deux manuscrits), mentionnés par G. SCHOLEM, *op. cit.*, pp. 264-265.

Eléments humanistes

Les grands courants de l'humanisme du xviᵉ siècle ont-ils eu quelque influence sur l'exégèse juive ? Nous avons observé plusieurs fois que les événements avaient favorisé un repliement de la culture juive sur elle-même. Pourtant les œuvres d'un Moïse Isserles, d'un Eliezer Ashkenazi, d'un Obadiah Sforno ou du Maharal de Prague portent l'empreinte du mouvement intellectuel contemporain. Celle-ci est encore plus visible chez deux auteurs italiens, qui peuvent être qualifiés d'humanistes sans risque d'erreur. Si aucun des deux n'a fait œuvre d'exégèse à proprement parler, tous deux ont contribué à la connaissance de l'Ecriture sainte en se livrant à des enquêtes d' « archéologie » biblique. Azariah de' Rossi (c. 1511-c. 1578), dans son encyclopédie *Meor 'enayim*, « Illumination des yeux », et dans ses *Imrey binah*, « Paroles de sagesse », étude de chronologie; Abraham ben David Portaleone (1542-1612), dans ses *Shiltey ha-giborim*, « Boucliers des héros », sur les services du Temple, comportant notamment un passage très important sur la musique[38].

On s'est montré parfois sévère à l'égard de l'exégèse juive du xviᵉ siècle, certains historiens ne trouvant « rien qui possédât quelque importance ou eût quelque avenir » dans cette « époque de stagnation et de déclin »[39]. Nous avons employé plutôt le terme de « transition », qui nous paraît plus juste et qui nous semblait exprimer la situation particulière du judaïsme en face du renouveau culturel du xviᵉ siècle dans le monde chrétien. Les pages qui précèdent auront pu montrer que nous sommes tout de même loin d'un véritable déclin : malgré des conditions historiques difficiles, la culture juive se transmet, l'étude de la Bible se poursuit et, si l'ère brillante pour l'exégèse qu'avait été le Moyen Age est terminée, il se trouve encore bien des auteurs pour prendre le relais et même faire œuvre créatrice : Isaac Abravanel, Obadiah Sforno, mais aussi beaucoup de ces commentateurs volontiers qualifiés de secondaires, mais qui contribuent à renouveler l'exégèse en la rendant plus populaire ou en y faisant passer les enseignements de la Kabbale.

LA PRÉSENCE DE L'EXÉGÈSE JUIVE CHEZ LES CHRÉTIENS

Le retour aux sources, caractéristique de l'humanisme de la Renaissance, impliquait aussi un retour à l'hébreu de l'Ancien Testament et l'on se rappelle l'idéal de l'*homo trilinguis*. Cependant, on aurait tort de

---

38. Cf. C. Roth, *The Jews in the Renaissance* (cité n. 1), pp. 305-334.
39. Nous citons la *Jewish Encyclopedia*, III, p. 172.

croire que le désir de lire dans sa langue originale le texte de l'Ecriture fût une nouveauté et la seule motivation de l'essor des études hébraïques. Le Moyen Age avait connu aussi bien l'intérêt pour les commentaires juifs (à partir de la seconde moitié du xiiᵉ siècle les *Hebrei dicunt* se multiplient dans bien des œuvres exégétiques; au début du xivᵉ siècle la connaissance des textes rabbiniques semble assez répandue et pas seulement chez Nicolas de Lyre) que le désir d'un texte plus pur de la Bible (les *correctoria* du xiiiᵉ siècle); on a également à l'esprit le canon du concile de Vienne, 1311-1312, recommandant la création de chaires de langues orientales (hébreu, araméen, arabe) dans diverses universités[40]. Et les grands hébraïsants allemands comme J. Reuchlin ou C. Pellican se rattachent à une lignée continue en territoire germanique[41]. Est-ce à dire qu'il n'y ait rien de nouveau sous le soleil de la Renaissance? Non, car les aspects les plus positifs de l'esprit humaniste renouvellent tout autant l'étude de l'hébreu que le regard porté sur la littérature rabbinique, sans parler de l'élément relativement neuf que constitue l'attrait pour la Kabbale.

L'étude de l'hébreu

Le concile de Vienne justifiait l'étude de l'hébreu par les nécessités de l'apologétique et de la prédication aux infidèles. Les savants auteurs des correctoires du xiiiᵉ siècle ne s'intéressaient au texte hébreu que d'une manière accessoire, l'essentiel étant pour eux la Vulgate. Les préoccupations polémiques ne sont pas absentes chez les hommes du xviᵉ siècle et eux aussi s'efforcent de restituer le texte pur de saint Jérôme. Mais certaines caractéristiques donnent à leur manière d'envisager l'étude de l'hébreu un ton nouveau. Tout d'abord, un phénomène quantitatif : en dehors même des savants qui font profession d'enseigner l'hébreu, nombreux sont parmi les honnêtes gens ceux qui ont au moins une connaissance rudimentaire de cette langue : le nombre extrêmement surprenant des grammaires hébraïques publiées au xviᵉ siècle (qui, je crois, dépasse de loin celles du xxᵉ siècle, exception faite peut-être de l'Etat d'Israël) paraît répondre à une demande d'un public assez large[42].

40. Canon 24, *Inter sollicitudines; Conciliorum Œcumenicorum Decreta*, éd. J. ALBERIGO *et al.*, Bologne, 1973³, pp. 379-380.
41. Voir notamment L. GEIGER, *Das Studium der hebräischen Sprache in Deutschland vom Ende des XV. bis zur Mitte des XVI. Jahrhunderts*, Breslau, 1870; B. WALDE, *Christliche Hebräisten Deutschlands am Ausgang des Mittelalters*, Münster i. W., 1916; ou l'étude récente d'E. ZIMMER, « Jewish and Christian Hebraist Collaboration in Sixteenth Century Germany », dans *Jewish Quarterly Review* 71 (1980), pp. 69-88.
42. Voir la liste fournie aux pp. 204-205 de l'étude de L. KUKENHEIM, « Contributions à l'histoire de la grammaire hébraïque à l'époque de la Renaissance », dans *Acta orientalia* 21 (1953), pp. 124-152 et 190-206; encore cette liste s'arrête-t-elle à 1556 et, même avant cette

D'autre part, l'étude de l'hébreu se fait plus scientifique : l'exposé précis qu'un Jacques Legrand donnait, au début du xvᵉ siècle, de la question difficile des voyelles semblait une exception à son époque[43]. Les grammaires hébraïques du xviᵉ siècle, s'inspirant souvent des ouvrages de David et Moïse Qimḥi puis d'Elie Levita (il en existe plusieurs traductions latines, la plupart des grammairiens traduisent et adaptent ces auteurs), abordent souvent des problèmes complexes. La création de chaires d'hébreu[44] dans des établissements de haut niveau (Collège des Trois Langues à Louvain, lecteurs royaux à Paris, universités espagnoles) contribue à cet approfondissement linguistique, dont témoignent certaines notes de cours conservées[45].

L'approche du texte biblique s'en trouve renouvelée. Désormais, on s'intéresse au texte hébreu pour lui-même et les recherches des savants juifs (notamment celles d'Elie Levita) dans ce domaine ne sont pas inconnues des chrétiens. Des éditions hébraïques de l'Ancien Testament à l'usage des chrétiens voient le jour[46]. De même, on ne se contente plus de la Vulgate, et des traductions latines de divers livres bibliques sont publiées, accompagnées ou non de commentaires. Bien plus, les *targumim* suscitent un intérêt particulier et sont traduits à leur tour[47]. Enfin, les Bibles polyglottes (la *Complutensis* de F. Ximenes de Cisneros, Alcalá, 1514-1517, et la *Biblia Regia* d'Arias Montano, Anvers, 1569-1572) recueillent, à deux moments du xviᵉ siècle, l'ensemble des progrès réalisés : de l'une à l'autre l'évolution est remarquable, la seconde se dépouillant des aspects polémiques de la première et se caractérisant par une rigueur extrême, tant dans l'édition des textes que dans les traductions latines[48].

date, est-elle incomplète. On peut rajouter, avant 1556 : D. Martinus (Louvain, 1520), P. Paradis (Paris, 1534), Th. Bibliander (Bâle, 1535), A. Restaud de Caligny (Paris, 1541), F. Stancaro (Bâle, 1547), Ph. Melanchthon (1549), R. Baynes (Paris, 1550 et 1554), A. Placus (Vienne, 1552); après 1556 : A. Praetorius (Bâle, 1558), J. Cinqarbres (Paris, 1559), J. Haberman ou Avenarius (Wittemberg, 1562), L. Osiander (Wittemberg, 1569), A. Reudenius (Wittemberg, 1586), C. Neander (Wittemberg, 1589), etc. Voir l'article de R. Loewe, « Hebraists, Christian », dans *EJ*, VIII, col. 9-71.

43. Cf. E. Beltran et G. Dahan, « Un hébraïsant à Paris vers 1400 : Jacques Legrand », dans *Archives juives* 17 (1981), pp. 41-49.

44. Voir H. de Vocht, *History of the Foundation and the Rise of the Collegium Trilingue Lovaniense, 1517-1550*, notamment t. I, Louvain, 1951, et II, Louvain, 1953; A. Lefranc, *Histoire du Collège de France*, Paris, 1893; « Une liste des professeurs d'hébreu au Collège royal, du xviᵉ siècle au début du xviiiᵉ », dans *Archives juives* 14 (1978), pp. 1-4; J. Llamas, « Documental inédito de exégesis rabínica en antiguas universidades españolas », dans *Sefarad* 6 (1946), pp. 289-311.

45. Par exemple les « leçons sur la Bible » de F. Vatable, fournies par les manuscrits, Paris, bn lat. 532-533, 537-538, 540 et 581.

46. Notamment la *Biblia sacra hebraica* de François Vatable, 3 vol. in-fol., Paris, 1539-1543.

47. Ainsi par Jean Cinqarbres, *Targum seu paraphrasis Caldaica in Lamentationes*, Paris, 1549; Id. (Osée, Joël, Amos, Ruth), Paris, 1556; par Jean Mercier, *Chaldaea Ionathae, Uzielis filii, interpretatio in xii. prophetas*, Paris, 1557-1559; Id. (Ruth), Paris, 1564.

48. Voir F. Delitzsch, *Studies in the Complutensian Polyglott*, Londres, 1872.

L'effort de traduction s'étend aux commentaires rabbiniques : le xvie siècle voit une floraison de publications d'auteurs juifs du Moyen Age par des hébraïsants chrétiens, qui donnent le texte ou la traduction ou les deux. L'intérêt va essentiellement aux commentateurs qui avaient été plébiscités dans le monde juif : Rashi, Abraham ibn Ezra et David Qimḥi sont les noms qui reviennent le plus souvent, mais ils ne sont pas les seuls[49] : diverses traductions sont restées manuscrites (notamment celles de Conrad Pellican[50]) et il suffit de parcourir les catalogues des bibliothèques d'humanistes pour se convaincre de l'étendue de leurs lectures, d'où d'ailleurs sont loin d'être absents les exégètes juifs du xvie siècle[51].

L'utilisation des auteurs juifs dans l'exégèse chrétienne

Il s'agit là d'un vaste sujet pour lequel manquent les études préliminaires. Il concerne aussi bien les exégètes hébraïsants que les non hébraïsants : ceux-ci ou bien tiennent compte de l'apport fourni par les premiers, ou bien subissent l'influence d'auteurs du Moyen Age tels que Nicolas de Lyre ou Paul de Burgos, souvent réédités au xvie siècle. Nous nous en tiendrons ici aux hébraïsants, en ne proposant du reste qu'un survol rapide et en traitant à part l'influence de la Kabbale.

Que recherchent les exégètes chrétiens chez les commentateurs

49. Parmi ces traducteurs on citera notamment : W. Bedwell (Rashi, Abraham ibn Ezra, David Qimḥi/Abdias, Lond., 1601); P. Fagius (David Qimḥi/Ps. 1-10, Constance, 1544); G. Génébrard (Rashi, Abraham ibn Ezra, David Qimḥi/Joël, Paris, 1563); ID. (Rashi, Abraham ibn Ezra, ano./Cant., Paris, 1570); J. Mercier (ps. David Qimḥi/Ruth, Paris, 1563); ID. (David Qimḥi/Osée, Joël, Abdias, Jonas, Genève, 1588 ?); S. Münster (David Qimḥi/Joël, Malachie, Bâle, 1530); ID. (David Qimḥi, Rashi/Amos, Bâle, 1531); Th. Nel ou Neele (David Qimḥi/Aggée, Zach., Mal., Paris, 1557); A. Pontac (David Qimḥi, Rashi, Abraham ibn Ezra/Abdias, Jonas, Soph., Paris, 1566); B. Scheid (Rashi, Abraham ibn Ezra, David Qimḥi/Ps. 119, Strasbourg, 1565); F. Vatable (David Qimḥi/Petits Prophètes, Paris, 1539-1540).

50. Il a traduit notamment le commentaire du Pentateuque d'Abraham ibn Ezra; celui du Cantique de Gersonide; celui de Daniel de Saadia Gaon. Voir E. SILBERSTEIN, *C. Pellicanus*, Erlangen, 1900.

51. Voici les auteurs, commentateurs de la Bible, cités par Sixte de Sienne dans le « Catalogus expositorum hebraeorum seu rabbinorum qui iudaica lingua et iuxta hebraicas traditiones diuinas literas exposuerunt » de sa *Bibliotheca sancta*, Venise, 1566, pp. 485-487 : « Abraham Esdrae filius - Abraham Hispanus (Fasciculus Myrrhae) [Abraham Saba] - Abraham Farizol - Abraham Saua [Saba, le même que précédemment] - Achai Goon - Bacaiai [Baḥya ben Asher] - Berescith Rabba - Baruchias - Chischia [Ḥizqiya ben Manoaḥ] - Chaubenaki [?] - David Kimchi - Huillus [?] - Iacob Minor - Ieuda - Ioseph Caecus - Ioseph Kimchi - Isaac Harmaa [Arama] - Isaac ben Schola - Isaac Karo - Isaac Nathan - Ismael (Mechilta) - Leui ben Gerson - Menahem a Rechanate - Massoreth - Midras Theillim - Moyses Aegyptius - Moses Gerundensis ben Neheman - Moses Hadarsan - Pesiktha - Saadias ben Gion [Saadia Gaon] - Salomon Iarchi [Rashi] - Sirhasirim Pirus [comm. sur le Cant.] - Sifra - Sifri - Simeon filius Ioachay - Simeon ben Ioachim - Thargum. »

juifs ? Au XIIᵉ siècle, c'était un désir d'approfondir le sens littéral de l'Ancien Testament ou son « archéologie » qui poussait un André de Saint-Victor ou les représentants de l'école biblique-morale parisienne à consulter des doctes juifs, dont ils faisaient passer dans leurs commentaires les explications, inspirées de Rashi ou de ses disciples, en faisant une place aussi, à côté des éléments historiques, aux données midrashiques ou légendaires[52]. Au XIVᵉ siècle, la connaissance des commentaires juifs « autorisés » est requise dans un but polémique. Au XVIᵉ siècle, l'ambivalence à l'égard de l'exégèse rabbinique subsiste : par exemple, tout en citant souvent le commentaire de David Qimhi, celui de Rashi ou le *Midrash Tanḥuma*, Agatone Guidacerio ne se prive pas de dénigrer ces « doctores Hebraeorum stupidos et pene insanos »[53]. En revanche, les éloges sont nombreux, qui non seulement relèvent les mérites des commentateurs juifs, mais surtout révèlent ce qui intéresse le plus les utilisateurs : ainsi, pour Paul Fagius, le commentaire des Psaumes de David Qimhi apporte-t-il « plus de lumière et d'utilité que la lecture de beaucoup d'autres écrits, même chrétiens, pour ce qui concerne la lettre, l'histoire et le vocabulaire »[54]. A. Pontac, présentant Abraham ibn Ezra, loue la pureté et la concision de son style, ainsi que le côté philosophique de ses commentaires[55].

Ce sont donc ces éléments que l'on recherche le plus volontiers. La *philologie* a la première place dans les commentaires des hébraïsants chrétiens et c'est chez les exégètes juifs qu'ils trouvent expliqués les mots difficiles, les tournures rares, les formes anomales. On citera notamment l'ouvrage de Paul Fagius, publié à Isny en 1542, *Perush ha-milot... id est Exegesis sive expositio dictionum hebraicarum literalis et simplex in quatuor prima capita Geneseos, pro studiosis linguae hebraicae.* Les commentaires de Jean Mercier contiennent également nombre d'explications de la sorte[56].

En second lieu, certaines gloses sont citées à l'appui d'une interprétation historique, parfois préférée à l'allégorie; ainsi à propos des Psaumes. De même, les commentaires juifs nourrissent les descriptions

---

52. Voir G. DAHAN, « Les interprétations juives dans les commentaires du Pentateuque de Pierre le Chantre », dans *The Bible in the Medieval World. Essays in Memory of Beryl Smalley*, éd. K. WALSH et D. WOOD, Oxford, 1985, pp. 131-155.

53. *Canticum canticorum Selomonis nuper ex hebraeo in latinum per Agathium Guidacerium Calabrum uersum explanatumque...*, Paris, 1531.

54. *Perush. Commentarium hebraicum Rabbi Dauid Kimhi in decem primos psalmos dauidicos*, Constance, 1544.

55. *Vaticinationes Abdiae, Ionae, et Sophoniae prophetarum, chaldaea expositione, quatenus variat ab Hebraeo et commentariis trium insignium Rabbinorum Selomonis Iarhhi, Abraham aben Ezrae et Dauidis Kimhhi illustratae*, Paris, 1566.

56. Ainsi, sur Gen. 2, 16 : « *De arbore autem, id est fructu arboris, scientiae boni et mali non comedes de illa. Repetitio est Hebraeis usitata passim in relatiuis... Aben Ezra repetitionem ad declarationem seu declarationis additionem refert, ut appellant tosefet beur* ut ad emphasin et maiorem expressionem addatur, quod non inficior, sed hic est mos Hebraeis » (*In Genesin*, Genève, 1598, p. 57c).

archéologiques auxquelles se plaisent les humanistes. Ainsi, dans son commentaire de la Genèse, Jean Mercier se demande-t-il si le Ramses mentionné en Genèse 47, 11 est le même que celui d'Exode 1, 11 : la différence de vocalisation indique pour « Aben Ezra » une différence de lieux, mais cela ne convainc point Jean Mercier[57]. Dans ses *Annotationes* sur les Psaumes, F. Vatable donne ce commentaire au début du Psaume 16 : « En hébreu Michtam Dauidis, c'est-à-dire psaume de David à chanter selon le mode et le rythme d'un chant profane dont le début était Michtam... Michtam est le nom d'une mélodie connue des Juifs. Elle fut célèbre et c'est d'après elle que le psaume a été ainsi appelé »[58].

L'élément midrashique a moins de faveur chez les exégètes hébraïsants. Mais les commentaires philosophiques ont un rôle assez important, qui dépasse les seuls hébraïsants et, ici, il faut mentionner particulièrement un auteur juif qui ne commenta pas la Bible mais jouit d'une certaine faveur dans le monde chrétien, y compris au XVIe siècle : Moïse Maïmonide, dont les réflexions sur le livre de Job (dans son *Guide des Egarés*) ont inspiré, depuis Albert le Grand et Thomas d'Aquin, nombre d'auteurs chrétiens[59].

Enfin, il convient de ne pas oublier que la polémique anti-juive ne cesse pas au XVIe siècle : des *Contra Iudaeos* continuent à être écrits, prolongeant une bien ancienne tradition fondée sur l'étude de passages bibliques[60]. La découverte de la littérature rabbinique l'avait renouvelée au XIIIe et, surtout, au XIVe siècle; les connaissances des hébraïsants du XVIe siècle sont, elles aussi, mises parfois au service de l'apologétique. Citons, par exemple, le *Sermo de Passione Domini* du converti Flavius Mithridates[61], bourré de citations hébraïques, un peu antérieur à la période dont nous nous occupons ici (il date de 1481); l'*Epistola Ludovici Carreti ad Iudaeos*, œuvre également d'un converti, en hébreu et en latin, publiée à Paris en 1553; ou l'opuscule *Responsa contra Christianos* de Gilbert Génébrard, dans lequel il traduit des extraits polémiques de David Qimḥi et Joseph Albo[62].

---

57. *In Genesin*, p. 712*b*.
58. *Liber psalmorum Dauidis. Annotationes in eosdem ex Hebraeorum commentariis*, Paris, 1546, fol. 22*b*.
59. Voir la préface de Jean MERCIER, *In Iob*, Genève, 1573.
60. Cf. R. MARCEL, « Les perspectives de l'apologétique de Lorenzo Valla à Savonarole », dans *Courants religieux et humanisme à la fin du XVe et au début du XVIe siècle*, Paris, 1959, pp. 84-100; F. VERNET, art. « Juifs (Controverses avec les) », dans *DTC*, VIII/2, col. 1899.
61. Ed. Ch. WIRSZUBSKI, Jérusalem, 1963.
62. Paris, 1566.

Les kabbalistes chrétiens

Depuis la seconde moitié du xve siècle, un secteur particulier de la littérature juive intéresse intensément le monde chrétien : la spéculation kabbalistique, fondée essentiellement sur une exégèse des livres saints, dans laquelle certains trouvent une confirmation du christianisme, puisqu'il s'agirait de la doctrine ésotérique transmise depuis Moïse et dont auraient hérité Jésus et les Apôtres. Des diverses questions abordées dans cet exposé, c'est la mieux connue, grâce notamment aux travaux de Fr. Secret[63]. On sait l'importance qu'a eue cette doctrine dans l'œuvre de Pic de La Mirandole et la place qu'elle occupe dans celle de Jean Reuchlin. Cet engouement provoqua la traduction de plusieurs ouvrages kabbalistiques, notamment sous l'impulsion du cardinal Gilles de Viterbe[64]. En France, non seulement Guillaume Postel subit l'influence de ces écrits[65], mais l'œuvre de poètes tels que Guy Le Fèvre de La Boderie ou Blaise de Vigenère transpose en langue française maints enseignements de la mystique juive[66].

Dans l'exégèse proprement dite, l'influence de la Kabbale est assez sensible, qu'il s'agisse d'un recours direct aux textes hébraïques ou d'une utilisation des kabbalistes chrétiens : on a pu relever, par exemple, chez un Lefèvre d'Etaples (dans son *Psautier*) une méditation sur le thème du Tétragramme, inspirée des spéculations de Pic de La Mirandole et de J. Reuchlin[67]. Parmi les textes exégétiques le plus souvent cités, outre le *Zohar*, dont une édition à l'usage du monde chrétien est faite à Crémone en 1560 par des convertis, le commentaire du Pentateuque de Menahem Recanati a une place éminente[68].

En dehors des procédés propres à l'exégèse kabbalistique, les commentateurs chrétiens empruntent à la Kabbale divers thèmes : les *sefirot* et leurs relations avec les attributs divins, les réflexions sur les noms de la divinité, les spéculations sur la fin des temps... Parmi les œuvres qui portent l'empreinte de ce courant exégétique, citons notamment l'*Heptaplus* de Pic de La Mirandole (commentaire septuple du début de la Genèse), les *Commentarii omnes in libros prophetarum* de Jean

---

63. Notamment : *Le Zôhar chez les kabbalistes chrétiens de la Renaissance*, Paris, 1958 ; *Les kabbalistes chrétiens de la Renaissance*, Paris, 1964.

64. Voir les manuscrits, Paris, BN lat. 527 (cf. F. SECRET éd., Gilles de VITERBE, *Scechina e Libellus de Litteris hebraicis*, Rome, 1959, pp. 15-17), 596-598 et 3667.

65. Cf. F. SECRET, *Les kabbalistes chrétiens*, pp. 171-186.

66. Cf. A.-M. SCHMIDT, « Guy Le Fèvre de La Boderie, chrétien, poète et kabbaliste », dans *Aspects du génie d'Israël (Les Cahiers du Sud)*, Paris, 1950, pp. 169-182 ; ID., *La poésie scientifique en France au XVIe siècle*, Paris, 1938 (Genève, 1970²), pp. 227-265.

67. Cf. F. SECRET, *Les kabbalistes chrétiens*, p. 136.

68. Voir manuscrit, Paris, BN lat. 598, fol. 163 v°-380 v° : *Oratio fratris Egidii in Recanatensem super quinque libros Mosis*.

Œcolampade (1558), l'*In Genesin* de Jean Mercier (Genève, 1598) ou l'*In Danielem* de Henry Broughton (Bâle, 1599). Quant à la raison de ces emprunts, on la trouve bien exprimée dans ce passage des *Annotations sur le Pentateuque* de Henry Ainsworth, cité et traduit par Fr. Secret[69] : « J'allègue leurs explications [des kabbalistes] pour deux raisons : l'une pour éclairer les ordonnances de Moïse au sujet de leurs rites..., l'autre pour montrer que dans de nombreux mots, phrases et points de leurs doctrines ils approuvent le Nouveau Testament et se condamnent eux-mêmes. »

Cet aveu pourrait servir de justification à beaucoup d'hébraïsants chrétiens du xvie siècle : archéologie et polémique représentent les deux versants de leur utilisation des auteurs juifs, kabbalistes ou non. Mais il en est certainement un troisième, qui est la recherche du sens vrai de l'Ecriture : pour ceux des exégètes du xvie siècle les plus fidèles à l'esprit profond de l'humanisme, cette recherche passe par l'hébreu et ne dédaigne pas l'aide que peut fournir la tradition juive.

En un siècle d'interrogation et de restructuration, certains Juifs comme Elie Levita ont pu voir dans l'hébraïsme chrétien l'amorce d'un dialogue avec le monde chrétien et croire que l'érudition biblique pouvait faire fi des frontières religieuses ou sociales. Il n'appartenait pas au xvie siècle de réaliser cet idéal, le monde chrétien montrant dans sa majorité une incompréhension à l'égard de la littérature rabbinique (comme l'indiquent les condamnations du Talmud), voire une méfiance à l'égard de l'étude de l'hébreu (on pense à la querelle des « hommes obscurs » autour de J. Reuchlin), le monde juif, sous l'effet du choc de 1492 et du fait du déplacement vers l'est des centres intellectuels, se repliant davantage sur lui-même.

Gilbert DAHAN.

---

69. *Les kabbalistes chrétiens*, p. 231.

13

Commenter et traduire

A la recherche du sens perdu

Rappelons une évidence : l'édition de « l'Ecriture seule » reste, au xvie siècle, une fiction bibliographique.

Les écrits bibliques sont toujours édités précédés d'*Introductions* et de *Prologues*, accompagnés d'*Arguments* et de *Notes*, suivis d'*Index*, souvent éclairés de *gravures* et de *cartes*. Additions bien utiles, et qui sont déjà des commentaires.

Ces commentaires — retenons ici l'usage banal du terme — se déploient selon trois orientations. Tout d'abord, des mots et des phrases sont l'objet d'une explication philologique : le texte source est décodé. « Ce » dont l'auteur parle est ensuite défini : référence est faite aux contextes proches et lointains, mais aussi au hors-texte, à l'histoire, lieu d'intervention divine et d'actions humaines. Enfin, un message est adressé « en clair » au destinataire du commentaire[1].

Une typologie des commentaires explique, on l'a dit, la diversité de leurs formes.

---

1. Il faudrait comparer systématiquement des commentaires d'écrits bibliques et ceux de textes profanes, à partir par exemple de suggestions rassemblées dans : Marc-Antoine de Muret, *Commentaires au Premier Livre des « Amours » de Ronsard*, publiés par J. Chomarat, M.-M. Fragonard, G. Mathieu-Castellani, Genève, Droz, 1985 [thr 207. Commentaires de Ronsard I].

De brèves indications de textes parallèles suggèrent la cohérence du corpus biblique, et, pour les chrétiens, l'explication de l'Ancien Testament par le Nouveau. Des annotations marginales ou de bas de page, dévoreuses d'espace, consistent en variantes, citations, gloses. Des commentaires composés juxtaposent indications philologiques, dossiers d'histoire de l'exégèse, excursus systématiques et éléments de sermons.

L'anonymat n'est pas la règle. Le commentateur feint cependant de ne pas faire œuvre personnelle. Son ambition est d'élucider le vrai sens du texte. A l'entendre, la Bible « n'est un nez de cire » qu'entre les mains de ses adversaires.

On ne se hâtera point de dissocier commentaires et traductions.

La mise en page ne fera illusion que peu de temps. Gloses, scolies, explications sont certes imprimées en marge, ou à la suite, du texte source et de sa traduction. Séquence plus opératoire : la traduction est la conclusion, l'apogée, du travail de commentaire, et sa dissimulation.

De l'annotation à la paraphrase, du commentaire à la traduction, le rapport est analogue. Annotations et commentaires sont, la typographie aidant, dissociés du texte. Paraphrase et traduction sont présentées comme autant de phases d'un « même » texte; le sujet parlant en est inchangé.

L'ambition des exégètes du XVIe siècle peut nous paraître démesurée. Leur travail les conduit — pensent-ils — en amont du texte, jusqu'à saisir l'intention du locuteur premier, « Dieu », en deçà de son expression par l'écrivain biblique. Le passage est vite fait de l'étude littéraire du texte biblique à sa désignation dogmatique comme « Parole de Dieu ». En aval du texte sont transmises l'instruction et l'injonction divines. La traduction ajoute de la valeur au texte biblique : elle le met clairement à la portée du grand nombre.

Des érudits, souvent pieux, rivalisent. Leurs lecteurs sont invités à adhérer à leur doctrine, plus qu'à leur charisme personnel.

Ils sont souvent prédicateurs et enseignants et de ce fait très exposés aux critiques des pairs comme aux réactions de l'opinion. Au terme de leurs travaux, ils attendent une reconnaissance, par leur groupe, leur cité, leur Eglise, de leur aptitude à dire mieux que d'autres le vrai, le juste, le bon — à « dire Dieu » —, un statut social davantage que de l'argent.

Le plus souvent, ils s'adossent à une institution. A les lire, ils sont contraints, mandatés par Dieu ou leurs proches; ils seront d'autant plus vulnérables qu'ils paraîtront s'être « ingérés » d'eux-mêmes dans cette fonction.

Commentateurs et traducteurs exhument la « Parole de Dieu » d'une ignorance ou d'une perversion où elle était enfouie. Ils transmettent un appel et provoquent le « répons » de leurs communautés. De l'auteur divin à l'auditeur ou au lecteur, un océan est à passer — métaphore souvent appliquée à l'Ecriture. Un habile nautonnier doit piloter le bac. Le commentateur et le traducteur, sauf s'ils sont trop jeunes et trop enthousiastes, ne s'engagent pas sans être équipés, assurés, alliés : ils ont une méthode et un savoir, des garants

LE TEMPLE COVVERT, SON PORCHE,
le paruis des Sacrificateurs, & celuy du peuple.

OCCIDENT.

MIDI.

SEPTENTRION.

ORIENT.

Ceste figure represente vn grand paruis separé en trois, dont l'enclosture estoit de trois rengs de pierre de taille, & vn reng de tables de cedres.

a Le paruis du dedans, lequel aussi est appellé le paruis des Sacrificateurs.

b L'autel des holocaustes, de vingt coudees de long, & autant de large, & dix de hauteur.

c Les cuueaux, ou lauoirs. 1.Chr.4.b

ff   La

Le Temple dans une *Bible Latine-Françoise* (1560 ; *Chambers*, n° 266)

dans la tradition et, parmi leurs contemporains, des collègues. En amont du texte, ils prient leur Dieu de leur donner accès au sens; en aval, ils instruisent et édifient.

Commentaires et traductions ont toujours une dimension polémique. Certes Quintilien, dans les *Institutions oratoires* (10, 5 ,5), notait déjà que la paraphrase est un « combat » pour atteindre le sens. Mais ici la joute oppose entre eux des hommes en quête d'un sens perdu.

Bonaventure des Périers le dit éparpillé dans les fragments d'une pierre philosophale que Mercure aurait mêlés au sable d'une arène, et que les théologiens recherchent :

« L'ung se vante qu'il en a plus que son compagnon; l'autre luy dict que ce n'est pas de la vraye. L'ung veult enseigner comme c'est qu'il en fault trouver, et si n'en peut pas recouvrer luy-mesmes... L'ung dit que pour en trouver des pieces, il se fault vestir de rouge et vert. L'aultre dict qu'il vauldroit mieulx estre vetu de jaune et bleu... Que le dormir avec les femmes n'y est pas bon... Ilz crient, ilz se demeinent, ilz se injurient, et Dieu sçait les beaulx procès criminelz qui en sourdent, tellement qu'il n'y a court, rue, temple, fontine, four, molin, place, cabaret, ny bourdeau, que tout ne soit plein de leurs parolles, caquetz, disputes, factions et envies »[2].

Tant de passion renvoie à un drame initial. Lecteurs d'Origène, qu'ils abhorrent ou apprécient, les biblistes sont aux prises avec la langue et les signes bibliques, devenus opaques. Le sens s'en refuse. Le juste rapport des humains à Dieu, de l'ancienne à la nouvelle alliance, des contemporains à l'histoire, sont autant d'horizons qui se dérobent[3].

Philologues et historiens n'ont guère de pitié pour moins savants qu'eux. Ils s'opposent avec d'autant plus d'âpreté qu'ils sont liés à la création et la pérennisation de symboles religieux.

Certains enfin, rédacteurs de paraphrases psalmiques notamment, font œuvre de création littéraire : bien d'autres éléments que le savoir ou la rectitude doctrinale entrent alors en ligne de compte[4].

Les commentateurs et traducteurs du XVIe siècle sont, on l'a dit, innombrables. Beaucoup ont déjà été nommés.

Compte tenu des limites et du propos de cet ouvrage, nous avons décidé de privilégier un commentateur, Théodore de Bèze, et quelques traducteurs d'un même texte : Ps 22, 1-19.

Ce choix n'est pas totalement arbitraire.

A la fin du siècle, en 1598, Théodore de Bèze, presque octogénaire, réédite des *Annotations sur le Nouveau Testament*. Il veut, c'est clair, supplanter Erasme.

2. Bonaventure des PÉRIERS ?, *Cymbalum Mundi*, texte établi et présenté par Peter Hampshire NURSE. Préface de Michael A. SCREECH, Genève, Libr. Droz, 1983, pp. 13-14 [TLF 318]. Deux ans avant la parution du livret (vers 1537) Bonaventure des Périers, si c'est de lui qu'il s'agit, collaborait à la *Bible d'Olivétan*.

3. Sur les lectures d'Origène au XVIe siècle, se reporter à André GODIN, *Erasme, lecteur d'Origène*, Genève, Droz, 1982 [THR 190]. En particulier la Quatrième Partie : « Erasme et les problèmes d'orthodoxie », pp. 416-558.

4. Lire à ce propos Michel JEANNERET, *Poésie et tradition biblique au XVIe siècle. Recherches stylistiques sur les paraphrases des Psaumes, de Marot à Malherbe*, Paris, Corti, 1969.

Ce dernier a enseigné l'étude des textes à ses lecteurs[5], et la meilleure des intrigues, pour exposer l'histoire des commentaires du xvie siècle, est celle de la gestion du legs érasmien : nous en saisirons donc l'un des derniers épisodes, mais non le dénouement !

Le choix des traducteurs permet une rapide traversée du siècle et quelques comparaisons.

Après l'exposé de synthèses et les descriptions de conjonctures, nous avons donc tenu à répondre à de premiers questionnaires : le lecteur est invité à les modifier et les enrichir au gré de ses lectures et travaux.

I. — COMMENTER.
THÉODORE DE BÈZE,
COMMENTATEUR DU SERMON SUR LA MONTAGNE

Un bibliste « fin de siècle »

En 1552, Théodore de Bèze (1519-1605) a trente-trois ans. Robert Estienne demande alors au professeur de grec de l'Académie de Lausanne (depuis 1549) d'aider à l'édition d'une *Bible latine* en deux volumes : à l'Ancien Testament de Pagnini annoté par Vatable, doivent être jointes une traduction latine et des annotations du Nouveau Testament par Théodore de Bèze.

R. Estienne veut ainsi couronner une œuvre d'éditeur biblique, marquée notamment par l'*edition regia* de 1550[6]. Pour l'auteur de *Abraham sacrifiant* (1550), c'est le commencement d'un long parcours de bibliste[7]. Il accepte pour des raisons intellectuelles et confessionnelles, avouées dans la Préface de *Domini Nostri Jesu Christi Testamentum latine iam olim a Veteri interprete, nunc denuo a Theodoro Beza versum : cum eiusdem annotationibus, in quibus ratio interpretationis redditur*, enfin publié en 1556-1557[8].

Bèze ne méprise pas le texte de la version vulgate et en loue les correcteurs. Mais comme il y a souvent « des secrets merveilleux / *mirifica quaedam arcana* » dissimulés dans les mots, la version latine sera d'autant plus acceptable qu'elle reste proche de l'hébreu et du grec : un vœu analogue à celui du concile de Trente sera réalisé autrement.

---

5. Se reporter à Jacques CHOMARAT, *Grammaire et rhétorique chez Erasme*, Paris, Société d'Edition « Les Belles-Lettres », 1981 [Les Classiques de l'Humanisme]. Voir notamment Quatrième Partie : « Les auteurs et le style », chap. II : « L'établissement des textes »; chap. III : « La lecture et le commentaire des textes »; chap. IV : « Les paraphrases », vol. I, pp. 399-710.

6. Sur l'activité éditoriale de R. Estienne : E. ARMSTRONG, *Robert Estienne, Royal Printer*, 2nd ed., Abingdon, Appleford (Berks.), Sutton Courtenay Press, 1986.

7. Voir *Bibliographie* : 11. « Théodore de Bèze ».

8. Texte dans *Correspondance de Théodore de Bèze...*, t. II, pp. 225-230 (= Pièce annexe III).

Après 1564, successeur de J. Calvin à Genève, il reprend son travail. Un texte grec du Nouveau Testament est désormais accompagné de deux traductions latines, la Vulgate et la sienne.

La première édition est publiée en 1565; de son vivant, Bèze remaniera trois fois cette version et les *Annotations* qui l'accompagnent : en 1582, 1589 et 1598.

L'histoire éditoriale de cette œuvre ou de ses abrégés est en fait très tourmentée : il faut compter avec des éditions abrégées et des « piratages »[9].

Dès 1557, le statut du texte biblique est défini en termes nouveaux. Pour expliquer le maintien des hébraïsmes dans sa traduction, Bèze déclare en effet s'en tenir à la manière dont le saint Esprit s'exprime en grec : « *Quod si graece loquens Spiritus sanctus ab istiusmodi hebraismis non abstinuit...* »[10]. Le texte biblique sera de ce fait souvent traité comme un code qui intègre les axiomes d'un système doctrinal ou éthique.

D'une édition à l'autre, établir le texte du Nouveau Testament devient une tâche toujours plus complexe — penser ici à la succession des éditions érasmiennes. Dès l'édition de 1582, Bèze utilise la traduction latine de la version syriaque par Tremellius, et « ses » manuscrits, « Codex Bezae, D 05 », « Claramontanus » [D 06].

Traduction et annotations du Nouveau Testament accompagnent d'autres activités de Bèze. On y lit la définition des normes doctrinales et éthiques qu'il entend voir reçues à Genève et dans les autres églises réformées.

Un bibliste...

... moraliste...

Il jalonne, s'agissant du Sermon sur la montagne, la transition vers des articles de la Discipline ecclésiastique et des lois genevoises. Théodore de Bèze est en effet convaincu de la pertinence des indications bibliques en ces deux domaines. Il abhorre ceux qu'il soupçonne de vouloir s'en affranchir.

... ni anabaptiste...

Mais il n'est pas anabaptiste : les « dits » de Jésus doivent être interprétés avant toute « mise en pratique », interprétation qui conduit à une « morale de compromis », selon l'expression de E. Troeltsch.

---

9. En 1598, le titre est ainsi libellé : *Iesu Christi Domini Nostri Novum Testamentum sive Novum Foedus, cuius Graeco contextui respondent interpretationes duae : una, vetus, altera, Theodori Bezae. || Eiusdem Th. Bezae Annotationes, in quibus ratione Interpretationis vocum reddita, additur Synopsis doctrinae in Evangelica historia, & Epistolis Apostolicis comprehensae, & ipse quoque contextus, quasi brevi commentario explicatur. || Omnia nunc demum, ultima adhibita manu, quam accuratissime emendata & aucta, ut quodammodo novum opus videri possit.*

10. *Ibid.*, p. 228.

... *ni protestant « intégriste »...*

La « Loi biblique », ou « chrétienne », s'impose à l'Eglise, sa doctrine, sa discipline et ses rites, plus immédiatement qu'à la société.

... *ni catholique...*

Ajoutons enfin que Bèze rompt avec le système catholique.

D'une part, il ne croit pas que la raison humaine suffise, hors les indications scripturaires, à fonder le Droit; d'autre part, il considère que la morale tirée du Sermon est identique à celle du Décalogue. La « loi évangélique » n'est pas, en substance, meilleure que la loi mosaïque. Elle s'impose à tout croyant dans les diverses circonstances, et aucune prescription religieuse d'origine ecclésiastique ne saurait lui être substituée.

... *mais polémique*

Erasme : Bèze veut être meilleur philologue et exégète; les « anabaptistes » : ils sont dénoncés en bloc comme les « rationalistes » tels S. Castellion et vraisemblablement Jean Bodin, à travers les invités de son *Colloque*. Enfin, cible catholique : les éditeurs et annotateurs de *The New Testament of Jesus Christ, translated faithfully in English*, édité à Reims en 1582, excellent témoin de l'exégèse post-tridentine[11].

Etablissement du texte

Préface et *Avertissement au lecteur* restent imprécis : les manuscrits dont Théodore de Bèze se sert pour établir un texte grec sont pour une large part ceux qu'ont collectés et comparés Robert et Henri Estienne — minuscules tardifs qui ne retiennent que rarement l'attention des éditeurs d'aujourd'hui[12]. S'y ajoutent les trouvailles de Bèze : D 05 (Codex Bezae Cantabrigiensis, oncial grec-latin contenant notamment le texte des Evangiles) et D 06 (Codex Claramontanus)[13].

---

11. Voir pp. 379 ss., 481.
12. Voir le bilan de ses patientes recherches par Irena D. BACKUS, *The Reformed Roots of the English New Testament. The Influence of Theodore Beza on the English New Testament*, Pittsburg, The Pickwick Press, 1980, pp. 2-13 [Pittsburgh Monograph Series 28]. Première difficulté : l' « exemplar » qui porte la trace de l'examen de vingt-cinq manuscrits environ et des éditions imprimées par Henri Estienne est-il un manuscrit, ou une édition imprimée annotée ? Bèze dit aussi faire des conjectures, mais il ne paraît pas avoir une méthode très sûre de classement et d'évaluation des variantes rencontrées. I. Backus le dit plus soucieux d'étayer son interprétation que d'être attentif aux problèmes textuels.
13. Des précisions dans Léon VAGANAY, *Initiation à la critique textuelle du Nouveau Testament*, 2e édition, entièrement revue et actualisée par Christian-Bernard AMPHOUX, Paris, Le Cerf, 1986, pp. 37 et 40. Sur les éditions des Estienne et de Bèze, pp. 189-194.

Il est donc fréquent de le voir discuter une graphie, une particularité du texte érasmien. Les versions anciennes, dont la version latine — ceci est à noter —, sont tenues pour des témoins de valeur. Quelques cas possibles seulement seront présentés :

[Dans les exemples qui suivent, nous *traduisons* les variantes du texte grec, pour la commodité du lecteur. Texte de base : Mt 5, 4 ss.]

Mentions de variantes dont il n'est pas tenu compte :

5, 11. Un « manuscrit 2 » indique : « à cause de la justice ». Bèze, avec Erasme et la Vulgate, maintient : « à cause de moi / *propter me* ».

En 5, 18, malgré la suggestion du « manuscrit 5 », il ne redouble pas : « Amen. »

5, 33 : mention est faite du « manuscrit ancien » qui indique « de plus », plutôt que « à nouveau ».

Correction de graphies érasmiennes :

5, 25 : avec le « manuscrit 2 », Bèze préfère lire « *rectius* » un verbe à la 2ᵉ personne du sing. : « ... que tu ne sois jeté en prison / *in custodiam coniiciaris* », plutôt qu'une 3ᵉ personne : « que le juge ne te jette... ».

La Vulgate peut être le témoin d'une variante à retenir, surtout quand elle donne « un meilleur sens » :

5, 25 : le traducteur latin a pu lire : « dianoôn », au lieu de « eunoôn », d'où : « *Esto consentiens* »; Bèze : « *Compone cum adversario tuo* ». Noter le raisonnement.

L'erreur de graphie est aisément explicable : « La variante 'dianoôn' est vraisemblablement plus authentique, car elle a l'appui de l'autorité du traducteur ancien, et elle donne, sauf erreur de ma part, un sens bien meilleur (... *& sensum habet (ni fallor) pleniorem)*. »

Correction imposée par le manuscrit D 05 :

5, 46 : il faut lire un futur, « quelle récompense obtiendrez-vous ? », et non un présent.

Poids de la version syriaque :

5, 44 : « Bénissez ceux qui vous maudissent » : ces mots sont absents de la Vulgate latine; Bèze pense à une possible contamination par Luc 6, 28, mais leur présence dans la version syriaque convainc de la justesse de leur maintien...

Le sens prévaut sur les témoins du texte :

5, 27. L'équivalent de « par les anciens » — Er. et Vg. écrivent, nous le verrons, « aux anciens » — manque dans la version syriaque et D 05 (« le manuscrit que je vénère entre tous pour son ancienneté » !).

Omission justifiée, écrit Bèze dans un premier temps, puisque : « Tu ne commettras pas d'adultère » est réellement un commandement divin, et non une adjonction postérieure. Cependant, comme le contexte va prouver qu'une mauvaise interprétation du précepte a été développée, Bèze accepte de conserver un texte attesté par Erasme et la Vulgate !

Alors que sur les « grands problèmes » textuels (« finale » de Mars, péricope de la femme adultère, « comma johanneum »...) Bèze est très conservateur, cette accumulation de remarques sur le texte, sa transmission et son établissement vaut d'être soulignée.

UNE TRADUCTION LATINE NOUVELLE

Une bonne part des très longues annotations de Bèze justifie sa traduction.

Repérer et respecter les hébraïsmes

Sur ce plan Bèze sait qu'il surpasse Erasme ! Dans le même temps il cherche à ne pas en survaloriser les effets de sens.

5, 2 : Jésus « ouvrit la bouche pour enseigner » : cet hébraïsme n'est pas forcément signe d'une insistance *(emphasis)*.

5, 15 : l'impersonnel « on allume » doit être compris : « on fait brûler ». Un *hiphil* est à supposer à l'origine de l'expression grecque.

5, 22 : « Raca » est l'objet d'un savant dossier lexical. Les Pères d'une part, les savants contemporains d'autre part, Tremellius et Drusius, les analogies latines et françaises servent à établir le sens de l'injure.

Plus généralement, Bèze multiplie les recherches dans les textes de l'Ancien Testament : ainsi pour établir le sens de « pauvres en esprit », en 5, 3.

Pr 16, 19 et Es 57, 15 — « interprètes de ces paroles du Christ — » indiquent qu'il s'agit de ceux qui « sont brisés par une calamité », ou « écrasés par le sentiment de leurs péchés », « renonçant à tout orgueil, ils se soumettent à Dieu ». Un sens socio-économique seulement est exclu, et toute allusion aux moines mendiants totalement bannie !

Helléniste et latiniste

Bèze multiplie les renvois aux auteurs non bibliques : Aristophane *(Les Nuées)* et Homère *(Odyssée)* en 5, 15; Platon en 5, 5; Cicéron en 5, 11... et bien entendu aux Pères grecs (Basile, Chrysostome) et latins (Tertullien...).

Il remarque des connotations propres au grec ou au latin qui interdisent des traductions littérales.

5, 1 : le pluriel du grec, « *les foules* », évoquerait en latin *une émeute*. Il opte donc pour un singulier : *la foule*.

5, 14 : Bèze préfère « *urbs* / la ville », avec Valla — contre « *oppidum* / la cité », retenu par Erasme. Le premier terme paraît plus général.

Bèze veut bien être un « nouvel Erasme ».

QUELQUES AUTRES PROCÉDÉS DE MISE AU JOUR DU SENS

— Bèze recherche volontiers des antonymes.

5, 4 : « ceux qui pleurent » sont opposés à « ceux qui s'adonnent aux plaisirs ».

5, 5 : « ceux qui sont doux » sont opposés « aux êtres humains sauvages et ruraux » *(« feris & agrestibus »)*.

— Il propose des constructions inhabituelles.

5, 9 : « Qui aura aboli l'un de ces commandements de moindre importance & aura enseigné les autres à le faire... »

Bèze pense d'abord à l'enseignement par le mauvais exemple qui vient renforcer une fausse interprétation. Puis il suggère de lire [gr. kan] au lieu de [gr. kai], et de comprendre : « ... bien qu'il enseigne une telle loi aux hommes », « ainsi » étant lié à « la loi » et non au verbe : on est alors clairement dans le cas de ceux « qui disent, et n'agissent pas en accord avec leurs propos », de faux prophètes qu'il faut fuir absolument. Ainsi l'opposition fondamentale du dire des hypocrites à leurs actes, de toute façon énoncée dans le verset, est mieux exprimée.

— Il identifie des figures du discours.

Un cumul est indice de *gradation* :

5, 11 décrit le sort d'une minorité religieuse agressée de plus en plus violemment : ses membres sont exposés aux injures personnelles, puis des inculpations les exposent à la vindicte publique avant qu'ils ne soient condamnés par des juges iniques attentifs à de faux témoignages.

5, 22 énumère des offenses de plus en plus graves. A la bouffée de colère inconsidérée et non exprimée, succède l'interpellation par un mot malsonnant, suivie enfin de l'injure.

5, 29 est hyperbolique et allégorique : il faut savoir renoncer à ce qui nous donne des idées obscènes, même s'il s'agit de ce à quoi nous sommes attachés (« ce qui est à notre droite »).

A l'intention de Max Weber !

5, 5 : « Bienheureux les doux, car ils auront droit d'hériter de terres. »

Les doux, on l'a vu, sont les gens de la ville, aux manières civilisées, au contraire de celles des ruraux. Et voilà que la présence dans le texte du verbe « hériter » conduit Bèze à expliquer : « Ils jouiront paisiblement de leurs biens dans cette vie, puis les transmettront à leur descendance. »

Le Ps 37, 11 est évoqué. Suit une précision : une bénédiction aussi terre à terre a pour fonction de donner au fidèle l'assurance d'une vie meilleure et sécurisée. Le Sermon ne met pas ses auditeurs en présence d'une fin, mais d'un contraste « ici bas / en haut », éclairé par l'opposition « extérieur / intérieur ». L'impatience eschatologique est bannie, toute rupture de principe avec la société environnante exclue. Aucun abandon, fût-ce au profit de la communauté, n'est prescrit; de bons sentiments suffisent. Construction typique des morales chrétiennes « ecclésiastiques ».

Max Weber a-t-il lu cette annotation qui dut aller droit au cœur de bien des Genevois ?

LE SERMON SUR LA MONTAGNE (MT 5)
« RÉFORMÉ A LA GENEVOISE »

Théodore de Bèze multiplie donc les gloses et annotations textuelles, philologiques, syntaxiques et rhétoriques. Il parvient ainsi à une réinterprétation cohérente de Mt 5.

J. Calvin y décelait une collection, tardivement compilée, de « dits » de Jésus épars dans la tradition pré-synoptique. Bèze gomme cet embryon d'approche historique : ce qui est une caractéristique de bien des exégètes de la fin du siècle.

Mt 5 est le discours par lequel « Christ enseigne que le Bien Suprême n'est pas à chercher ici-bas, mais au ciel ». Sa quête oppose donc les mondains à ceux qui le sont moins.

Bèze, pour s'imposer dans une tradition de lecture fortement marquée par Augustin, Thomas d'Aquin et Erasme[14], ordonne avec méthode les observations qu'il accumule. A une double fin : — expliquer les propos attribués au Christ; — énoncer les règles de leur validité contemporaine. Le Sermon n'est pas une suite de conseils adressés à un groupe restreint; on ne peut l'appliquer sans l'avoir au préalable interprété. Les destinataires n'en sont ni un ordre religieux, ni un groupe de perfectionnement chrétien, ni une communauté de type baptiste. Une exigence divine aussi forte et pure que dans le Décalogue s'y fait entendre.

Plusieurs règles sont donc observées :

— Tenir compte des circonstances dans lesquelles Christ s'exprime, et de l'objectif qu'il vise; ceci afin de ne pas développer des allégories et métaphores oiseuses[15].

— Jésus est en position de docteur de la Loi : il lui rend son sens originel. Bèze attribue donc à Jésus la dénonciation de fausses interprétations, et développe le thème de la Loi.

Dénonciations. Elles sont repérées dans les antithèses des versets 5, 21, 27 et 33. Bèze traduit :
« Vous savez que vos anciens ont dit... (mot à mot : Vous avez entendu qu'il a été dit par vos anciens). » Au lieu de la traduction plus courante : « Vous savez qu'il a été dit aux anciens. »
En 1605, ces deux formules opposent la *Bible* de Genève à celle de Louvain.
Bèze évite toute formule qui pourrait dévaloriser la loi mosaïque donnée « aux anciens », et en dissocie les interprétations tardivement imaginées par ces « anciens » que sont « les scribes et les pharisiens ». Ces derniers ont parfois ajouté des gloses au commandement (5, 21). Ou bien, ils citent correctement le texte du Décalogue (5, 27) mais l'expliquent de façon erronée. Dans ce cas, ils appliquent à tort la règle à la seule femme mariée; ils prétendent qu'un mari peut rédiger une lettre de renvoi en toute bonne conscience devant Dieu; or cette lettre n'a de validité qu'à l'égard du magistrat. De toute façon cette pratique est laxiste au regard de la Loi qui exige une lapidation !
La loi (5, 17 et 5, 21).
Cérémonielle, c'est-à-dire prescrivant des sacrifices, elle est respectée par le Christ qui s'y trouvait préfiguré et l'a « accomplie ». C'est donc l'observer encore que de se mettre au bénéfice de l'œuvre sacrificielle du Christ.
Morale. L'absolu de l'impératif divin est immuable, comme Dieu.
L'effet — non la prescription — en change selon que l'on est avant, ou

---

14. Voir Friedhelm KRUEGER, « Die Bergpredigt nach Erasmus », *Bucer und seine Zeit. Forschungsbeiträge und Bibliographie*, Hrsg. Marijn DE KROON und Friedhelm KRUEGER, Wiesbaden, Franz Steiner, 1976, pp. 1-29 [VIEG 80].
15. Voir l'*Annotation* sur 6, 17.

après, Christ. Bèze attribue en effet à l'Esprit que donne Christ la capacité d'obéir à la Loi.

Cette loi morale est d'ailleurs l'expression positive de la loi naturelle : seule sa révélation permet aux hommes de la connaître.

Bèze enracine donc la morale dans la dogmatique, la pastorale dans l'expérience de la foi dont il trouve la description au chapitre 6 de l'Epître aux Romains. Un souci : éviter tout propos qui porterait atteinte à la validité du Décalogue. Corollaire : seule une action divine actuelle — l'Esprit — permet d'accomplir la Loi. Il n'y a de moralité vraie que chrétienne.

Bèze rompt avec la problématique catholique de la « loi nouvelle » : Christ n'est pas un législateur; mais dans une longue et difficile exégèse du chapitre 7 de l'Epître aux Romains, Bèze écarte l'antinomisme de principe de certains luthériens contemporains[16] : Christ rend son sens à la loi mosaïque.

Les diverses étapes de rédaction de l'annotation de Mt 5, 17 montrent combien Bèze a bataillé pour trouver les mots qui convenaient.

Il traduit :
« Ne pensez pas que je sois venu réduire à néant *('ut dissolvam')* la Loi... »
Bèze a successivement proposé des paraphrases de ce terme clé : « *dissolvere* [gr. kataluein] ».
1565 : « abolir »; 1582 : « détruire »; 1588, 1598 : « violer ». Toute idée de destruction est évitée, reste celle du refus de transgression.
Les annotations expliquent ensuite que la Loi est cérémonielle et morale.
« Cérémonielle », observée donc par le Christ. Ses prescriptions sont abrogées. « Morale » : désormais elle ne condamne plus le fidèle en qui est créée la possibilité de l'accomplir.
Quatre lignes (2 + 2) expliquaient ceci en 1565. En 1598, le texte est plus long, et très inégalement développé.
« Christ a parfaitement obéi, à notre bénéfice, à toute la Loi. Mais il ne l'a pas supprimée, comme il a détruit la mort et le péché. La Loi cérémonielle, il l'a abrogée, en ce sens qu'il a substitué la réalité aux ombres. Quant à la Loi morale, il nous a certes libérés de sa malédiction, mais pas du tout pour l'abroger. Au contraire, après nous avoir justifiés, c'est-à-dire soustraits à cette condamnation par la Loi, il nous sanctifie, c'est-à-dire qu'il nous donne le désir de nous y conformer autant que nous le pouvons... »
Il faut retrouver l'interprétation que Christ fit de la Loi : ses exigences attendent d'être intériorisées :
« Il aurait toujours fallu comprendre la Loi comme Christ l'explique ici. Elle est spirituelle, comme le dit l'Apôtre en Rm 7, 14, c'est-à-dire qu'elle ne concerne pas des gestes extérieurs, mais elle s'impose d'abord aux pensées les plus intimes... »[17].

Peut-être comprend-on mieux désormais la portée de la traduction : « Il a été [sous-entendu : mal] dit par vos anciens... ».

---

16. Voir pp. 45-52 de la 2e partie du *Nouveau Testament*.
17. *Novum Testamentum*, p. 22, ad 5, 21 col. *a*, ligne 27 ss.

LA MORALE DU SERMON SUR LA MONTAGNE :
ENTRE JÉSUS ET ARISTOTE

A vrai dire, les prescriptions du Sermon ne sont maintenues qu'au prix d'une atténuation de leur radicalisme. L'intériorisation de la Loi a pour corollaire l'adoption de compromis réalistes, dont la tonalité est souvent aristotélicienne.

Après celle de Mt 5, 5, l'exégèse de Mt 5, 22 le montre.

Toute colère n'est pas condamnable : Aristote ne voit-il pas dans une forme de colère un signe de courage ? Est réprouvé l'emportement non motivé et démesuré.

Mt 5, 37 n'interdit pas tout serment, mais l'emploi de formules qui font redondance avec une affirmation ou une négation que l'on doit pouvoir prendre au mot. A Genève, les pasteurs ne prêtent-ils pas serment devant les Conseils ?

Mt 5, 38-39 prohibe la vengeance personnelle, non le recours au juge.

S'agit-il de la vie sexuelle et conjugale ? Une intransigeance sans faille est alors maintenue.

En d'autres domaines, Bèze paraît bien emprunter à l'*Ethique à Nicomaque*.

Certes une première annotation marginale dissocie la recherche du Bien suprême de l'accès immédiat au bonheur.

Mais des réminiscences aristotéliciennes sont tôt repérées. La Discipline est créatrice d'habitude, et contribue à produire la vertu.

Cette vertu est toujours menacée. L'homme moral est un être vigilant. Il ne faut pas que la vertu disparaisse du fait d'actes qui par ailleurs devraient la favoriser et l'augmenter : trop accorder à la spontanéité engendre le libertinisme ; une fraternité solidaire jusqu'au partage des biens détruit l'ordre social. Bien entendu, la vertu est détruite par des actions qui sont toujours des fautes, tels l'adultère, le vol et l'homicide.

La raison permet d'actualiser la vertu, entre le double excès du défaut et du vice. Cela se vérifie dans la conduite de la cité.

Rappelons-le : la Compagnie des Pasteurs suggère au Conseil de Genève l'adoption d'un taux d'intérêt de 8 % : l'amour du prochain requiert 5 %, le bien de la République 10 %. Seul le « milieu » est juste[18] !

---

18. *Registre de la Compagnie des Pasteurs* III, p. 82 (août 1572); *Les sources du droit du canton de Genève*, t. III, publié par E. RIVOIRE, Arau, H. R. Sauerländer & Cie, 1933 (Les Sources du Droit suisse, 22e Partie), n° 1143 du 8 août 1572.

POLÉMIQUE ET PASTORALE

La morale véritable ne peut être que chrétienne.

Les sages convoqués par J. Bodin[19] se trompent quand ils reviennent aux indications de la nature, en deçà des règles religieuses positives. S. Castellion, nommément critiqué pour des détails (Mt 5, 22; 5, 26...), accorde trop à la raison.

Bèze n'est pas thomiste.

Dans la *Lectura* sur Mt 5, Thomas d'Aquin avait expliqué comment le Christ avait « accompli » la Loi mosaïque : — en enseignant la *dilectio* / l'amour véritable en matière de *moralia* / règles morales; — en enlevant le voile jeté sur les *ceremonalia* / les lois cérémonielles; — en accomplissant les prophéties, confirmant les promesses, corrigeant la sévérité des *judicialia* / lois juridiques, par la miséricorde; — en ajoutant les *consilia* / les conseils; — en accomplissant les promesses relatives à l'Incarnation et l'envoi de l'Esprit.
Le Christ de Théodore de Bèze ne fait que rendre son sens originel à la loi mosaïque, règle de la sanctification progressive.

Bèze poursuit aussi une polémique incessante avec les annotateurs de *The New Testament of Jesus Christ*[20].

Ceux-ci, interprètes augustiniens des décrets tridentins, s'adressent à la liberté rendue à l'homme « fait juste » par la grâce sacramentelle. Il lui faut alors exprimer sa justice inhérente par des jeûnes, des prières et des aumônes; prescriptions ecclésiastiques, en même temps qu'œuvres qui attendent, pour être salutaires, une deuxième justification.
Théodore de Bèze lit dans le Sermon les règles de l'obéissance de l'homme sauvé par la foi. Elle n'est pas limitée à une morale « religieuse ». La Loi régit toute la vie. Et surtout, Bèze prend soin de mettre en garde contre la confusion de ce qui vaut devant Dieu et ce qui vaut devant les hommes. « C'est une ineptie, précise-t-il, d'appliquer Mt 5, 23 à la réconciliation à Dieu, et au Purgatoire. » Ce texte ne parle que d'une réconciliation entre humains.

Erasme est — pour ses observations philologiques — très souvent cité, parfois approuvé, plus fréquemment réfuté. Mais l'interprétation érasmienne de Mt 5-7 est totalement disqualifiée.

Erasme, annotant Mt 6, 9, avait été très clair : les paroles de Jésus ne s'adressent pas à la foule, mais aux apôtres et à leurs descendants, les évêques, les prêtres, et à tous les chrétiens véritables. C'est donc à un groupe restreint que sont divulgués les dogmes d'une philosophie très sainte.

Pour Bèze, le milieu moral par excellence est l'Eglise, mais une Eglise de multitude.

19. Voir pp. 299 ss.
20. Voir pp. 379 ss.

La Parole divine y est prêchée, et le fidèle guidé. Les chemins de la liberté chrétienne y sont balisés. Le salut n'est pas attendu de l'excellence morale, mais il ne peut être sans elle.

Observer les impératifs du Sermon, c'est entrer dans « le Royaume des cieux », c'est-à-dire dans l'Eglise, assemblée des fidèles correctement instituée[21].

Certaines parties du Sermon — 5, 13-14 : — « le sel de la terre » — s'adressent en priorité aux pasteurs : ils doivent témoigner de ce Bien suprême plus que d'autres, par leurs paroles et par leurs actes. Ce cléricalisme exégétique est d'ailleurs très habituel. Ensuite, les indications évangéliques pourront orienter la pastorale de l'Eglise.

Les thèmes eschatologiques du Sermon sont spiritualisés. Compatible avec le conformisme social, l'absolu de la Loi conduit à édicter des règles applicables. Sur ce point l'exégète genevois et ses adversaires rémois tiennent un langage commun : le « retrait » et les refus qui caractérisent l'éthique anabaptiste sont évités et condamnés[22].

LE SERMON SUR LA MONTAGNE, LA DISCIPLINE ET LE DROIT

La *Correspondance* de Bèze, les *Registres de la Compagnie des Pasteurs de Genève*, les *Lois* de la cité montrent que Théodore de Bèze a tenu à veiller à ce que le Sermon, bien compris, fût pratiqué.

Pauvreté

Le 22 janvier 1566, il écrit à Etienne Mermier, pasteur à Anvers, pour exhorter les « pauvres » à l'être véritablement « en esprit », c'est-à-dire à se soumettre à Dieu et « à supporter paisiblement l'infirmité qui est aux riches » (voir Mt 5, 3).

Démon du jeu

La même année, il écrit à Nicolas Pithou et l'Eglise de Troyes pour leur demander de veiller à l'avancement du Règne de Dieu. Or des protestants de Troyes hantent un tripot, en des circonstances qui rendent leur goût du jeu encore moins convenable. Bèze, amer, traite alors le fond du problème. Les jeux de hasard sont exclus par la Loi divine; les jeux corporels et intellectuels sont acceptables s'ils ne sont

---

21. *Novum Testamentum*, p. 21, col. *b*, lignes 41-45.
22. Sur l'exégèse « radicale » du Sermon sur la Montagne, consulter : Johannes BOUTERSE, *De Boom en zijn Vruchten. Bergrede en Bergredechristendom bij Reformatoren, Anabaptisten en Spiritualisten in de zestiende eeuw*, Kampen, J. H. Kok, 1986, pp. 126-172.

pas pratiqués par des professionnels ou pour de l'argent. Motif irré-
vocable de cette attitude : Moïse interdit de voler le prochain; ce que
confirme Mt 5, 21-22.

Emeute

La lettre adressée le 28 mars 1600 à l'Eglise de Montpellier par les
pasteurs de Genève est importante à plus d'un titre : — elle reproche
vertement aux Montpelliérains de s'être joints à une « forcènerie populaire contre les marranes », dont certains sont membres de la communauté protestante; — elle rétablit la gradation entre la règle d'or de la
loi naturelle (Mt 7, 12), la loi divine qui oblige à la prévenance, et les
exigences de la loi civile.

Paillardise

En matière de paillardise et d'adultère, Bèze et ses collègues ne
demandent pas une application pure et simple de la loi religieuse à la
société civile. Mais ils exigent que la loi de la cité fasse référence aux
indications bibliques. Ils restent cependant peu favorables aux compromis.
Un mari ne peut se séparer de sa femme pour cause de sorcellerie,
« car la Parole du Fils de Dieu est claire ». Il le pourrait s'il était établi
que « la sorcière a adultéré avec le Diable, soit réellement ou par illusion
diabolique ». Dans ce cas le divorce est motivé, non par la sorcellerie,
mais par l'adultère.
Si le juge est trop indulgent, les pasteurs ont le droit de le critiquer
publiquement, mais en distinguant la cause civile de la faute religieuse[23].
Un écho précis peut donc être donné aux indications bibliques et
l'interprétation du Décalogue attribuée à Jésus est toujours opposée
aux fausses interprétations et atermoiements des Juifs.

SERMON SUR LA MONTAGNE ET PROSPÉRITÉ DE LA CITÉ

En janvier 1574, la Compagnie des Pasteurs discute d'un homme en
vue qui a abandonné et sa femme et sa servante, toutes deux enceintes
de ses œuvres. La Loi, naturelle autant que biblique, exige sa punition.

---

23. Références des exemples successifs : *Correspondance de Th. de Bèze* 7, p. 39, n° 449
(Mermier); *ibid.*, pp. 59 ss., n° 456 (Troyes); *Registre de la Compagnie des Pasteurs* 8, p. 298
(Montpellier); *Registre...* 3, p. 274, octobre 1572, Annexe n° 70 (la sorcière); *Correspondance* 7,
n° 466, du 18 mai 1566 (intervenir contre le Magistrat).

On observera sans malice la façon dont le Sermon est alors actualisé pour étayer la sévérité. Une béatitude assure en effet que la stricte application de la Loi divine ne blesse pas la prospérité de la ville : les gens de bien y demeurent si « on observe le bon et saint ordre voulu par Dieu ». En effet :

> « Dieu favorisera de plus en plus leur Etat, suivant cette sienne promesse tant certaine et précieuse : *Bienheureux sont ceux qui font justice en tout temps* »[24].

A dire vrai, le Conseil de Genève se montrera d'une indulgence peu évangélique !

II. — TRADUIRE

HOMMAGE AU TRADUCTEUR INCONNU...

Rares sont, après 1520, les traductions bibliques anonymes.

Occasion de saluer brièvement le provincial inconnu qui, un jour, traduisit le Nouveau Testament sans s'affranchir de bien des marques de son parler régional :

> Luc 8, 40 ss. : « Et luy parlant ces choses à eulx, vechy ung prinche vint et ladora... Et vechy, une femme laquelle avait soffert de courement de sang par douze ans, elle toucha les fringes de son vestement... 'Fille aye fianche, ta foy ta sauvee'... et Jesus dans la maison du Prinche dit aux tourbes faisant noise, despartez vous dichi »[25].

SI L'HISTOIRE DES TRADUCTIONS ÉTAIT CONTÉE...

La *Biblia en lengua Española* publiée en mars 1553 à Ferrare est exceptionnelle. Il s'agit d'une édition double : certains traits différencient un texte adressé à des Juifs d'une part, d'un autre qui l'est à des chrétiens d'autre part[26]. Les autres traductions en langue vivante sont, pour la plupart, rédigées à l'intention de groupes chrétiens.

---

24. *Registre...* 3, p. 267, Annexe 75 (janvier 1574).

25. *Chambers* n° 30 *a* [imprimez en anvers pour Jehan Brocquart. Par Adrieu [!] de Mons Lan mil. ccccxx. et trois], in-8°.

26. Voir Paul Heinz VOGEL, *Europäische Bibeldrucke des 15. und 16. Jahrhunderts in den Volkssprachen. Ein Beitrag zur Bibliographie des Bibeldrucks*, Baden-Baden, Verlag Heitz, 1962, pp. 89 et 91 (n^os *4 et *5) [BBAur 5]. Es 5, 17 est cité comme lieu d'une différence majeure.
— En ce qui concerne l'histoire des traductions, consulter, outre cet ouvrage, les notices et

Au XVIᵉ siècle, apparaissent pratiquement partout des traductions de type moderne, établies d'après les textes « originaux » (hébreu, grec, et — il faut le dire — latin), rédigées dans une langue actualisée.

Certes il est des pays qui restent à l'écart du mouvement : ainsi le Portugal.
La reine Léonore fait imprimer en 1505 le livre des Actes et les Epîtres catholiques ; mais il n'y aura de Nouveau Testament complet qu'en 1681, et, qui plus est, imprimé à Amsterdam. Les Bibles espagnoles seront imprimées en dehors de la péninsule ibérique, une situation que le royaume de France connaîtra par moments.

Le récit de chacune des séries de traductions ne peut être présenté ici[27]. Il se développe autour de quatre problématiques.

La première est chronologique.
Le fonds ancien ne tombe pas en désuétude selon le même rythme dans toutes les aires linguistiques. Les traductions reçues du Moyen Age, « Bibles abrégées », « Bibles historiales », mêlant souvent les gloses au texte, avaient connu un succès renouvelé du fait de leur diffusion imprimée.
Le renouvellement peut se faire selon un plan mûrement réfléchi : ainsi en est-il du projet luthérien, plus long à réaliser (entre 1522 et 1534) qu'il n'était initialement prévu.
La mutation peut être relativement brusque : cinq années seulement séparent le Nouveau Testament (et les Psaumes) des premiers fascicules de l'Ancien traduits par J. Lefèvre d'Etaples (1523-1528). Cette succession — Nouveau Testament / Ancien Testament (par parties) — est très couramment observée. Dans des pays moins bien équipés en traducteurs potentiels et moyens de diffusion, on voit d'abord se perpétuer l'habitude de traduire des portions de l'Ecriture (les Psaumes, les Evangiles) : leur réunion ou un ultime travail de révision clôt ce long processus.
La seconde problématique est plus systématique.
Elle tient compte des réalités géo-politiques, lors de chacune des étapes de définition d'un équilibre européen. De grandes aires linguistiques correspondent approximativement à des zones d'organisation commune ou d'influence. Les initiatives qui y sont prises cumulent leurs effets, par voie d'entraînement et de réaction. Ceci est immédiatement perceptible dans l'aire germanophone. Les traductions en haut- et bas-allemand, puis dans la langue des cantons suisses sont presque contemporaines. Selon l'avancement des travaux, on adapte, imite, complète le travail d'autrui. D'où ces Bibles « de Zurich » qui, vers 1530, joignent à la traduction luthérienne du Pentateuque, des Psaumes, du Nouveau Testament, celle des Livres prophétiques par H. Denck et L. Hätzer, et des textes d'origine zurichoise. Des Bibles allemandes luthériennes obligent à produire des Bibles allemandes catholiques.
Un même « marquage » de l'adversaire s'observe entre auteurs et diffuseurs des Bibles françaises « de Genève » ou « de Louvain ». C'est dans ces zones que, une fois les « prototypes » réalisés, on procède, des décennies durant, à

bibliographies de la *Cambridge History of the Bible* et de la *Theologische Realenzyklopädie* recensées en tête de la « Bibliographie générale ». — Voir aussi les indications de G. DAHAN sur les traductions juives, pp. 401 ss.
27. Voir cependant les chapitres qui traitent des traductions de Luther (pp. 200 ss.), de la Bible française (pp. 279 ss.) et de la Bible anglaise (pp. 369 ss.).

des révisions successives, améliorations et corrections, adaptations aussi aux besoins confessionnels.

Troisième problématique : elle renvoie aux péripéties de l'histoire religieuse. Celle du royaume d'Angleterre se reflète dans la succession des Bibles anglaises.

Enfin, une stratégie de propagande peut être déterminante.

Ainsi s'expliquerait la parution de la *Bible d'Olivétan*. Les *Bibles « d'exil »* — scandinaves, espagnoles, italiennes... — sont nombreuses. Bien des groupes bénéficient de la quasi-exterritorialité des imprimeurs d'Anvers. Les Pays-Bas sont longtemps la terre d'élection de traductions néerlandaises qui empruntent simultanément à la tradition latine, à Erasme et à Luther.

Comment traduire la Bible...
Linguistique et foi

Les traducteurs de la Bible ont écrit sur « les problèmes théoriques » qu'ils doivent résoudre[28].

Ces textes attendent d'être joints à ceux des traducteurs d'œuvres historiques, juridiques, poétiques... On y traite d'*ars* et d'*ingenium* plus que de « traductologie ». Ces propos déroutent souvent, car très vite ils ne sont plus tenus au plan de la discussion linguistique ou littéraire, mais font intervenir les attitudes spirituelles et religieuses du traducteur lui-même.

Tentons d'expliquer en citant Etienne Dolet, auteur de *La manière de bien traduire d'une langue en l'autre*, parue en 1540, au terme de la première décennie des « grandes » traductions nouvelles[29].

Ce n'est pas le plus élaboré des textes du xvie siècle sur la traduction : en cela il est proche de ceux que rédigent les biblistes traducteurs.

Première prescription :

« En premier lieu, il faut que le traducteur entende parfaictement le sens et matiere de l'autheur qu'il traduit; car par ceste intelligence, il ne sera jamais obscur en sa traduction : et si l'autheur lequel il traduict est aucunement scabreux, il le pourra rendre facile et du tout intelligible. »

Quand il rédige pour *La Bible nouvellement translatée...* [Bâle, 1555] un « Avertissement touchant cête translacion », Sebastian Chateillon — graphie qu'il adopte — énumère trois sortes de difficultés « qu'il y a en la Bible ». Les unes sont lexicales, quand des termes désignent des « choses » disparues; la matière traitée explique les secondes, et les deux causes peuvent conjuguer leurs effets. La « matière » peut être « spirituelle » : seul le croyant en a alors connaissance. Il faut entendre le plus littéraire des traducteurs de la Bible en français : la compétence intellectuelle ne suffit pas; la traduction biblique est œuvre religieuse !

---

28. Voir *Bibliographie* : 16. « Traduire ».

29. *La Maniere de bien traduire d'une langue en l'autre. D'advantage de la punctuation de la langue francoyse, plus des accents d'icelle* [1540], réédition, Paris, Techener, 1830.

Le texte source

La seconde exigence d'Etienne Dolet sonne de façon moins étrange aux oreilles du lecteur du XXᵉ siècle :

« La seconde chose qui est requise en la traduction, c'est que le traducteur ait parfaicte congnoissance de la langue de l'autheur qu'il traduict : et soit pareillement excellent en la langue en laquelle il se mect a traduire. Par ainsi il ne violera et n'amoindra la majeste de l'une et l'autre langue. »

Le vœu des traducteurs de la Bible est certainement d'énoncer les règles d'une bonne méthode de traduction : ils partageraient en cela l'ambition de l'auteur de l'*Interpretatio linguarum seu de ratione convertendi et explicandi autores tam sacros quam prophanos*, Laurence Humphrey[30]. Mais, au risque de froisser quelques images d'Epinal, ou de retarder le moment d'une confrontation fructueuse entre traducteurs de textes classiques et traducteurs d'écrits bibliques, il faut dire que cette ambition reste de l'ordre de l'illusion.

A cela plusieurs raisons.

La Bible est une collection d'écrits qui correspondent à des genres littéraires très divers (historiques, légendaires, sapientiels, édifiants...), rédigés par différents auteurs à diverses époques, et en des langues multiples. Ceci est un premier obstacle à l'adoption de règles générales.

Parallèlement, le statut des textes bibliques est très inégal, et on vérifie toujours que le — ou les — traducteur(s) n'apportent pas un soin identique à la traduction des Psaumes, des Evangiles, du Lévitique ou des Apocryphes. En outre, les procédures de travail et de révision, la diffusion d'éditions partielles font obstacle à des choix de traduction totalement cohérents.

En règle générale, les traducteurs sont d'honnêtes hébraïsants, hellénistes ou latinistes... Un « savoir-faire » qui évolue au cours du siècle, quand le matériau et la présentation des grammaires et des dictionnaires s'enrichissent.

Mais, même dans les cas les plus favorables, le rapport aux textes originaux est perturbé et tourmenté. S'agit-il d'un Psaume ? On a tôt fait d'observer que l'attention au texte massorétique est distraite par la mémorisation et l'emploi des versions latines anciennes (Psautiers romain, gallican, *iuxta hebraeos*) dans la liturgie, la prière ou l'étude, pour ne rien dire des traductions contemporaines. Les traducteurs sont souvent des enseignants lecteurs assidus de commentaires d'autrui. De plus le contexte est fréquemment polémique, et la traduction doit fournir des appuis théologiques.

Il faut encore distinguer entre la connaissance de la morphologie

---

30. Présenté par G. P. NORTON, *The Ideology and Language of Translation...*, p. 11.

et de la syntaxe de la langue source d'une part, et celle de la rhétorique propre aux auteurs bibliques d'autre part.

S. Münster, Arias Montano savent parfaitement repérer des « hébraïsmes » et suggérer une façon de leur trouver des équivalents : il s'agit souvent de l'identification de particularités grammaticales et syntaxiques. Bien plus aventureux est le report sur les textes bibliques des règles et des catégories de la rhétorique classique.

Mot à mot ou équivalence dynamique

Statut du texte biblique, poids de la tradition, usages des traductions : autant de motifs qui découragent toute tentative de classer les traducteurs du XVIe siècle selon qu'ils seraient respectueux du mot à mot, ou au contraire adeptes de la recherche de l'équivalence dynamique.

Les traducteurs allemands paraissent avoir dissocié message et code davantage que leurs contemporains francophones. Les recherches lexicales des premiers sur la langue d'arrivée, leur quête d'expressivité contrastent souvent avec la volonté des seconds de trouver à transférer « le sens » en dérangeant le moins possible l'ordonnancement de la source (ordre des mots, structures syntaxiques). Une opposition qu'on ne saurait trop généraliser cependant.

Tous connaissent les vers 133-134 de l'*Ars Poetica* d'Horace : « ... nec verbum verbo curabis reddere fidus interpres »... et ils n'en font pas l'analyse contextuelle que G. P. Norton a retrouvée chez bien des humanistes. Ils savent que le « mot à mot » peut conduire au charabia. Mais tous ont lu Jérôme, et sont attentifs à une clause d'exception : les mots de l'Ecriture sont lourds de mystère.

Mais les seules traductions véritablement mot à mot, quasi inintelligibles, sont les versions interlinéaires qui suivent les textes grec ou araméen de la LXX ou des Targums dans les Bibles polyglottes.

Curiosité : dans de très rares cas, un terme hébreu peut être translittéré, cas exceptionnel de mot à mot dont on se réjouit. Ainsi en français : « sac » !

Les termes techniques

Doivent-ils être rendus par des calques ? Débat d'autant plus vif qu'il s'agit fréquemment de termes du langage institutionnel.

Deux types de réponse.

Olivétan :
« [de lexplication daucuns motz estranges non entenduz] Au surplus pour autant que ces motz icy : Apostre / Evesque / Diacre / Prestre / Mystere / Apocalypse sont termes Grecz : nous les avons expliquez en Francoys / affin de ne entretenir tousiours les simples en ignorance. Les motz certes ne sont

faictz sinon pour donner a entendre les choses qui sont nommees par iceulx. Que silz ne sont entenduz / point ne nous pourront servir : et demourera la chose incongneue / comme elle a este par cy devant soubz lecaille & escorce de telles dictions estranges & monstrueuses en la langue francoyse : comme ce mot : Pasque / qui en Ebrieu est dict Phaseh / et en francoys devoit estre proprement nomme Passage... »[31].

Un choix inverse est fait dans *The New Testament of Jesus Christ...* [Reims, 1582] :

« In this our translation, because we wish it to be most sincere, as becometh a Catholike translation, and have endevoured to make it : we are very precise & religious in folowing our copie, the old vulgar approved Latin : not onely in sense, which we hope we alwaies doe, but sometime in the very wordes also and phrases, which may seeme to the vulgar Reader & to common English eares not yet acquainted therewith, rudenesse or ignorance : but to the discrete Reader that deepley weigheth and considereth the importance of sacred wordes and speaches, and how easily the voluntarie translatour may misse the true sense of the Holy Ghost, we doubt not but our consideration and doing therein, shal seeme reasonable and necessairie : yea and that al sortes of Catholike Readers wil in short time thinke that familiar, which at first may seeme strange, & wil esteeme it more, when they shal otherwise be taught to understand it, then if it were the common knowen English »[32].

Il s'agit ici moins de clarté immédiate ou d'apprentissage de la langue sacrée que de formules liturgiques (« Amen, Allelu-ia... »), et de termes et d'expressions qui sont au centre des controverses : « *Penance, doing penance, Chalice, Priest, Deacon, Traditions, aultar, host* »[33].

Les noms propres

Les *noms propres* suscitent des recherches étymologiques : elles conduisent à des transcriptions parfois surprenantes. A cela deux motifs : — en milieu catholique, il faut fonder sur une lettre bien comprise des interprétations allégoriques, la charge sémantique du nom propre restant lourde; Pagnini s'y emploie, et rénove le fascicule des *Interprétations des noms hébraïques...*; — en milieu protestant, il s'agit de prouver que l'on sait tout traduire[34] !

La langue d'arrivée

Olivétan oblige à distinguer un lieu commun d'une difficulté réelle.

Lieu commun — ou presque ! Luther en effet n'en était pas convaincu. Le traducteur doit composer avec son incompétence et le fait que la langue

---

31. *La Bible...* [1535], « Apologie du translateur », fol. *v v°.
32. *The New Testament of Jesus Christ...*, fol. c iii r°.
33. *Ibid.*, fol. c iii v°.
34. Voir pp. 176 ss.

d'arrivée n'est elle-même ni prête, ni digne, d'où l'excuse d'Olivétan à Farel, Viret et Saunier qui l'ont poussé à se mettre au travail :

« Si voz persuasions... ne eussent estées plus puissantes que mes excuses, je ne devois jamais accepter telle charge, veu la grande difficulte de la besongne/ et la debilite et foiblesse de moy / laquelle ayant bien congneue / avoye ia par plusieurs fois faict refus de me adventurer par tel hazard : veu aussi quil est autant difficile (comme vous scavez) de pouvoir bien faire parler a leloquence Ebraicque & Grecque / le languaige Francoys (lequel nest que barbare au regard dicelles) si que lon vouloit enseigner le doulx rossignol a chante le chant du corbeau enroue »[35].

Difficulté réelle.

Le choix d'un niveau de langue : les traducteurs bibliques, dans la première moitié du siècle, contribuent à forger le langage vernaculaire; à la fin du siècle ils bénéficient du travail de nombreux prosateurs et poètes.

En 1535, Olivétan évoque un « français » qui n'existe guère, tout en critiquant Lefèvre, tantôt latinisant, tantôt patoisant, d'une façon voilée :

« Au surplus ay estudie tant quil ma este possible de madonner a ung commun patois et plat langaige / fuyant toute affeterie de termes sauvaiges emmasquez & non accoustumez / lesquelz sont escorchez du Latin.

« Toutesfoys que a suyvre la propriete de la langue Francoyse / elle est si diverse en soy selon les pays & regions / voire selon les villes dung mesme diocese / quil est bien difficile de pouvoir satisfaire a toutes aureilles / et de parler a tous intelligiblement »[36].

Plus surprenant, Castellion. Il use d'un argument analogue pour justifier le recours à des néologismes :

« Quant au langage François, j'ai eu principallement égard aux idiotz, e pourtant ai-je usé d'un langage commun e simple, e le plus entendible qu'il m'a este possible »[37].

Traductions comparées du Psaume 22, 1-19

La place du Ps 22 dans le corpus biblique est particulière. Déjà le *Midrash Tehillim* y désigne une prophétie d'Esther, abandonnée puis victorieuse. Sa récitation par le Christ des évangiles (Mt 27, 46 et pll.) a pesé sur la résolution des problèmes textuels qui se posent (22, 17) et à son interprétation par les chrétiens. Est-il d'abord une prière de David, éventuellement exemplaire pour tout fidèle ? S'agit-il avant tout d'une prière de Christ, prophétiquement énoncée ?

Neuf traductions des versets 1 à 19 de ce Psaume ont été retenues

---

35. *La Bible...* [1535], fol. *iii r°.

36. *Ibid.*, fol. *iiii v°.

37. *La Bible...* [1555], « Avertissement au lecteur » : un passage qui annonce la « Declaracion de certains mots », tels : « Ange : messager; ... Avantpeau : le chapeau, pour les chirurgiens; ... Deatre : faux dieu; ... Imagedieu : lares; ... Laver : battiser; ... Rongner : couper l'avantpeau, circoncire. » Sur la traduction de Castellion, consulter Hans Erich KELLER, « Castellios Uebertragung der Bibel ins Französische », *Romanische Forschungen* 71 (1959), pp. 383-403; Maurice BOSSARD, « Le vocabulaire de la Bible française de Castellion (1955) », *Etudes de Lettres* (Lausanne), série II, t. 2 (1959), pp. 61-88.

pour constituer un échantillon représentatif. Sa lecture met en présence de bien des problèmes rencontrés par les traducteurs du XVIᵉ siècle. Il s'agit de[38] :

		Langue d'arrivée		Texte source	
Lefèvre	1530	Français		Latin	
« Zurich »	1531		Allemand		Hébreu
Jean de Campen	1534	Français			Hébreu
Olivétan	1535	Français			Hébreu
A. Brucioli	1538		Italien		Hébreu
Castellion	1555	Français			Hébreu
« Geneva Bible »	1560		Anglais		Hébreu
« Genève »	1588	Français			Hébreu
« Louvain »	1599	Français		Latin	

Lefèvre et « Louvain » représentent deux étapes des traductions « catholiques », Olivétan et « Genève » deux témoins « protestants ». Mais Lefèvre et Olivétan d'une part, « Genève » et « Louvain » d'autre part, sont contemporains d'une même période de l'histoire de la langue française. Jean van Campen a rédigé une « paraphrase » qui ne répond pas aux règles d'une « traduction » de la Bible. Castellion doit sa présence à son originalité. Il a paru enfin nécessaire de retenir trois témoins non français, afin d'observer éléments communs et différences au-delà d'une frontière linguistique.

L'étude de ces textes ne sera pas exhaustive. D'autres écrits bibliques, ou des extraits d'une autre ampleur, appelleraient un remaniement de ce questionnaire. Notre objectif est limité : illustrer et suggérer.

Traduire et communiquer

Olivétan, Castellion, « Geneva Bible », « Genève 1588 » ont en commun de compter le « titulus » du Psaume comme son premier verset (Nous avons imposé aux textes une numérotation uniforme des versets.) Ceci, qui est conforme au texte massorétique et à la lecture juive, place le lecteur devant un texte ancien, non chrétien. Omettre ce « titulus »,

38. Faute de pouvoir imprimer les textes *in extenso*, identifions les sources : 1. *La saincte Bible...* (J. LEFÈVRE D'ÉTAPLES, 1530 ; *Chambers*, nᵒ 51) ; 2. *Die gantze Bibel... Getruckt zu Zürich bey Christoffel Froschouer...* (1531) ; 3. Jean de CAMPEN, *Paraphrase... sur tous les Psalmes...* (Simon du BOIS, 1534) ; traduction de *Psalmorum omnium iuxta hebraicam veritatem paraphrastica interpretatio...* (Nuremberg, J. Petreius, 1532) ; 4. *La Bible qui est toute la Saincte escripture...* (Neuchâtel, 1535 ; = « Bible d'Olivétan », *Chambers*, nᵒ 66) ; 5. *La Biblia...* (BRUCIOLI, 1538) ; 6. *La Bible nouvellement translatée par Sebastian Chateillon...* (Bâle, 1555 ; *Chambers*, nᵒ 202) ; 7. « Geneva Bible » (1560) ; 8. *La Bible... par les Pasteurs et Professeurs de l'Eglise de Genève* (1588 ; *Chambers*, nᵒ 518) ; 9. *La Saincte Bible... par les Théologiens de l'Université de Louvain...* (Lyon, 1599 ; *Chambers*, nᵒ 542).

ou citer à sa place les premiers mots du texte latin, sont deux façons d'introduire une lecture chrétienne et ecclésiastique[39].

Le rôle des « arguments » — non bibliques, faut-il le dire ? — est analogue : ils ont pour effet de situer le lecteur par rapport à l'orant, à l'histoire et aux sentiments qui y sont exprimés. Ils peuvent isoler le Christ (Lefèvre, « Zurich »), lier David au Christ comme acteurs principaux de l'histoire du salut (Olivétan, « Geneva Bible »). Le lecteur — c'est le cas le plus fréquent — peut y être désigné comme le bénéficiaire final de l'exaucement du Christ, ou être invité à faire sienne la prière davidique (Olivétan, verset 10)[40].

Des annotations marginales (Olivétan, « Genève 1588 ») contribuent à la mise à distance du texte, en même temps qu'elles expriment l'insatisfaction des traducteurs. On observe que les Zurichois maintiennent la *lectio difficilior* du v. 17, et que Olivétan est le dernier à informer le lecteur de la difficulté. Les autres sont quelque peu cléricaux : ils induisent, sans mot dire, la lecture la plus « évangélique »[41] !

Texte source et phonologie

Dès le verset 2, on voit qui se réfère à la tradition grecque et latine du texte du Psaume, qui au texte massorétique[42].

Dans ce dernier cas, il faut résoudre un problème « lexical » au v. 1. : il devient question de phonologie quand on se satisfait d'une transcription, comme dans les deux Bibles de Genève. Le sens est perdu : on ne l'attend plus des conjectures grecques et latines qui invitent à l'allégorie. Les mots doivent pouvoir être prononcés : un impératif minimal[43].

On peut donc transcrire l'hébreu au v. 1, et suivre les indications de la LXX et des Psautiers latins au v. 17 ! La question du texte source

---

39. « Lefèvre » : « Pseau. xxi. *Deus deus meus respice in me.* // Pour la fin, pseaulme de David, pour la susception du matin »; — *Geneva Bible*, après un *Argument* : « To him that excelleth / upon Aieleth Hasshahar. A Psalme of David » : noter le refus de traduire les indications techniques, dont on sait alors qu'elles sont musicales.

40. « Lefèvre » : « En ce psalme David se monstre bien apertement estre la figure de Christ... »; « Genève 1588 » : « Prophetie tres excellente touchant l'anéantissement de nostre Seigneur Iesus Christ... » — « Olivétan », en marge du verset 10 : « Lasseurance du fidèle en extreme affliction. »

41. « Zurich » : « die rott der boßhafften zerreyst mein hend und füß wie ein löw » : — « Olivétan » : [txt] « *ilz ont perce mes mains & mes piedz »; [en marge] « selon Grec & transl. commune lisans [en caract. hébr.] 'caru' ou rejettans [hbr] 'aleph' de [hbr] 'caary'. Les Ebrieux lisen aujourdhuy / comme le lyon. Chal. mordans comme lyons. » — « Genève 1588 » : « ils ont percé mes mains et mes pieds », sans note marginale.

42. « Louvain 1599 » : « Mon Dieu, mon Dieu, regarde a moy : pourquoy m'as-tu délaissé ? Les paroles de mes pechez sont loing de mon salut »; *Geneva Bible* : « My God, my God, why hast thou forsaken me, (and) art to farre frome mine health (and from) the wordes of my roaring ? »

43. « Genève 1588 » : « ... sur Ajeleth hasçsçachar. »; Louvain 1599 : « pour la susception du matin ».

ne reçoit que rarement une réponse simple ! C'est à cela que servent les Bibles polyglottes et les « usuels ».

Le rapport à l'hébreu peut ne pas être immédiat ou exclusif. De Jean van Campen, des Zurichois, de Lefèvre — dans une certaine mesure — on peut dire qu'ils s'auto-traduisent, puisqu'ils ont auparavant rédigé des traductions latines du texte. Olivétan et Brucioli empruntent sans mesure à la version paraphrasante et à l'*ad verbum* de Bucer (Olivétan), au texte latin de Pagnini (Brucioli). Une dépendance commune à l'endroit du Strasbourgeois et du dominicain explique bien des similitudes entre eux deux : la frontière linguistique ne les a pas effacées. Tous enfin connaissent le Psautier *iuxta hebraeos* de Jérôme[44].

Paraphrase et traduction

L'hébraïsant louvaniste Jean de Campen a rédigé une paraphrase. Il peut donc avoir recours à des procédés qu'évitent en principe les traducteurs.

L'unité de sens reste le verset. Mais il utilise le *parallelismus membrorum* en coordonnant les deux demi-versets, mieux, en développant le dernier :

[V. 4] « Et ce temps pendant, o tressainct, il semble que tu ne ten daignerais remouvoir comme ne te souciant pas de ce que je souffre, toy qui tant de foys a secouru Israel, luy donnant matiere de chansons pour te rendre graces de tes benefices. »

Il multiplie les « mots-outils » d'introduction. Il peut inscrire dans sa version le fait que le Psaume est lu en son entier comme un « discours ». Déjà Bugenhagen et Bucer exigeaient que le genre littéraire en soit identifié. Jean de Campen est libre de souligner les grandes articulations de la prière : « *Et ce temps pendant* » (v. 4)... « *Parquoy...* » (v. 20).

Les « traductions » sont paraphrasantes lorsqu'elle substituent au « vav consécutif » une autre locution. Ainsi au v. 7 : « *Aber ich bin* » (« Zurich »); « *Mais moy...* » (Olivétan); « *But I...* » (« Geneva Bible »). Brucioli : « *Et io...* », est scrupuleux autant que Pagnini : « *Et ego...* » !

L'auteur de la paraphrase peut développer son interprétation, c'est-à-dire être à la fois très personnel et très clair. Aux v. 4 et 7, Jean van Campen « ajoute » trois fois : « *il semble que...* »[45]. L'orant, dans son désespoir, se trompe : la réalité n'est pas telle qu'il la ressent. Ainsi la plainte du psalmiste trouble-t-elle moins le lecteur.

---

44. Pour ne rien dire des autres versions latines contemporaines, telles celles de Félix de Prato (mise en français)..., puis de S. Münster, Leo Jud...

45. [V. 7] : « Mais il semble que je soye plutost ung ver de terre que ung homme : // il semble que je soye la fiente de Adam & la lye du tresbas vulgaire. »

Le réalisme lexical dont Jean van Campen est seul à faire preuve est comme « abrité » par ces : « *Il semble que...* » D'où « *la fiente de Adam & la lye du tresbas vulgaire* » qui cessent, dans un tel contexte, d'être inconvenants (v. 7).

« Zurich » supplée aussi à la rigidité de l'hébreu : « *... du erhörest mich aber nitt... Nun bist du...* »

Prosodie et métrique perdues

La numérotation des versets par les commentateurs, puis telle que Robert Estienne l'impose au milieu du siècle ne recouvre nullement une tentative de restitution d'une versification perdue. Ces traductions sont des textes en prose. Des poètes seront nombreux à les réécrire. Des variantes de ponctuation sont transmises par la tradition latine ou le texte de la *Polyglotte d'Alcalá* (ainsi Lefèvre et « Louvain 1599 » aux v. 10-12).

Les Zurichois sont allés le plus loin dans la recherche de marques d'expressivité supposées présentes dans un texte originellement poétique. Ainsi : « *Ich ruff dich an den gantzen tag O mein Gott... Nun bist du der im Heyligtum wonest O du eer Israels...* » (v. 3 et 4). Au v. 5, ils paraissent avoir cherché une paronomase analogue à celle que Jérôme retient, et une allitération au v. 8.

Jérôme [v. 6] : « *in te confisi sunt et non sunt confusi* ».
« Zurich » [v. 7] : « *sie hofftend auff dich und du halftest inen* ».
[V. 8] : « *Alle die mich sehend die verachtend mich | krummends maul | unnd mupffend mit dem haupt...* » — on « entend » la moue et les grincements de dents[46].

La traduction du nom divin

« *Dieu/Seigneur* », « *Gott/Herr* », « *God/Lord* », « *Iddio/Signor* »... ces couples répondent à l'opposition : « *'el/YHVH* », « *Deus/Dominus* ».

La *Bible de Genève* (1588) maintient la décision d'Olivétan, mais irrégulièrement appliquée en 1535, de traduire le tétragramme par : « *L'Eternel* » — selon une suggestion bucérienne de 1529 : « *Autophyes* ».

La même *Bible de Genève* est seule à rechercher un équivalent à ce qui — au v. 11 — est compris comme une métaphore, et le choix des caractères typographiques éclaire le lecteur : « Dieu *Fort* ».

Catholiques et protestants ne s'opposent pas dans le tutoiement de Dieu.

---

46. Rien d'équivalent au v. 8 traduit par Luther : « Sperren das maul und schutteln den kopff. » (Pratiquement sans changement de 1524 à 1545.)

Le problème des calques

Le nombre des latinismes se réduit d'un bout à l'autre de la série des Bibles françaises traduites sur l'édition vulgate.

La traduction archaïsante (*Le premier Livre de la Bible en francoys* encore réédité à Paris en 1541) est modernisée par Lefèvre, qui supprime aussi quelques binômes synonymiques dont le premier terme est un latinisme :

[V. 7] : « *Je suis verme...* » | « *Je suis ver...* ».
[V. 8] : « *Tous ceulx qui mont vu mont deris et mocqué (deriserunt me)* | « *... se sont mocquez de moy* ».
[V. 16] : L'ambigu : « *ma vertu...* » est maintenu.
[V. 17] : « *Ils ont fouy & percé (foderunt)* » | « *ils ont perché* (sic !) ».

Evolution analogue de 1530 à 1599 : de Lefèvre à la *Bible de Louvain*.

[V. 3] : « *insipience* » | « *follie* ».
[V. 8] : « *ils ont parlé (locuti)* » | « *ils ont fait la moüe* (un emprunt !) ».
[V. 17] : Le « picardisme » est corrigé; « *perçé* ».
Mais v. 12. : « *tribulation* » est maintenu (aussi par Brucioli); Castellion, « Genève 1588 » : « *de(s)tresse* ».

Les organes de la génération

L'hébreu et Jérôme ont trois termes aux v. 10-11 : « *beten, shedey, rehem ; uterus, ubera, vulva* ».

Lefèvre — pudibond ? — : « *ventre, mammelles* ». Mais Olivétan (cf. Brucioli), Castellion, « Louvain », plus précis : « *Ventre, mammelle(s), matrice* ». « Geneva Bible » : « *Wombe, breast, belly* (!) »[47].

« Zurich » use d'une périphrase au v. 11 : « *Von meiner geburt...* ».

L'expression du désespoir

La lecture des commentaires le suggère : l'hésitation entre « *laissé, délaissé* » et « *abandonné* » — au v. 2 — est plus que la trace des deux possibilités offertes par les textes latins : « *deserere/derelinquere* ».

Une recherche du champ sémantique des deux verbes dans la totalité de la paraphrase de Jean van Campen le montre. Des parents peuvent *abandonner* leur enfant. Mais le Dieu de la Bible peut-il faire plus que se détourner des siens pour quelque temps, avant de revenir ?

---

47. Castellion par ex. : « Si tu es celui qui m'as tiré du ventre, qui m'as fait avoir fiance dès la mammelle de ma mère. je suis en ta sauvegarde dès la matrice. »

V. 7 : « *Ver* », dans les commentaires traditionnels, appelait une explication allégorique : le ver naît d'eau et de boue, ce qui renvoie à la naissance virginale. Les traducteurs évitent le réalisme adopté par Jean van Campen, on a dit dans quel contexte.

Dans la suite du verset, « Zurich » trouve une tournure intéressante : « *Aber ich bin ein wurm worden und kein mensch mer : ein gspött der menschen / und der leüten verachtung* », et « Genève 1588 » maintient un participe passé, à la suite de plusieurs exégètes : « *Mais moi, je suis un ver, le mesprisé du peuple.* »

L'expression de la foi

On peut le vérifier : aux v. 5 et 6, les dictionnaires et lexiques n'imposaient pas de choix entre les sèmes « *espoir* » et « *foi* ».

A partir d'Olivétan — et aussi chez Brucioli (malgré Pagnini : « speraverunt ») — le choix du sème « *foi, confiance* » caractérise les traductions « protestantes »[48]. En 1525, Zwingli retenait : « *vertrauen* »; mais il est fréquent que la traduction de 1530-1531 ne tienne pas compte de ses choix[49] d'alors.

Les indices sont ici ténus : on ne tirera donc pas argument du choix du temps des verbes (passé, présent, futur). Peut-être au v. 19 certains auteurs actualisent-ils plus que d'autres la référence à la passion que connaît le Christ quand il dit cette prière. Ainsi « Geneva Bible » : « *They parte my garments among them, and cast lottes upon my vesture.* »

Au v. 10 cependant Olivétan, Brucioli, Castellion... observent le *hiphil* : « *qui m'as fait avoir fiance...* » (Castellion; Pagnini : « *confidere faciens* »). La connotation théologique est évidente : Dieu donne la foi[50].

Au v. 17 — Lefèvre : « *le conseil* » (latin : *consilium/concilium*), mais plus encore Olivétan : « *l'assemblée* »; Brucioli : « *la congregatione* »... invitaient à fonder dans le texte psalmique l'opposition de deux églises (les bons, les méchants). « Zurich » et surtout Castellion ont su trouver des termes « non religieux » : « *die rott der boßhafften...* », « *une bricade de garnemens m'assiege* ».

---

48. « Olivétan » : « Nos peres avoient fiance en toy / ilz avoient confiance... ilz se fioient en toy... »; « Louvain 1599 » : « Nos peres ont eu esperance en toy : ils ont eu esperance... ils ont eu esperance... »

49. D'où, en 1531 : « ein hoffnung gwesen unserer vätteren : sy hofftend auff dich... auff dich vertruwtend sy... ».

50. « Lefèvre » : « Tu es mon espérance... », de même « Louvain 1599 ».

Les termes savants

La référence géographique du v. 13 *(Basan)* doit-elle être maintenue[51] ? Présente, elle adresse le lecteur à un pays lointain et un temps ancien; son occultation aide l'actualisation d'une aventure spirituelle intemporelle. Castellion (« *les gras beufs de Basan* »), « Geneva Bible » *(mightie bulles of Bashán)*, « Genève 1588 » (taureaux *puissants de Basçan*) juxtaposent — solution pédagogique et élégante — le terme géographique et son sens — à la façon de Jean de Campen, mais Brucioli : « *tauri di Bassan* » !

Au v. 16. Castellion répond à l'attente du lecteur : « *tuile* » n'est peut-être pas aussi exact que « *test* », « *shärb* ». Il est plus clair et précis que « *vaisseau de terre* », « *terre cuite* », « *postsheard* »[52].

Dans le contexte on observe : « Zurich » : « *Mein krafft* », Olivétan, « Genève » : « *Ma vigueur* ».

Autres métaphores

V. 14 : Castellion est le seul à ne pas transformer une métaphore en comparaison : « *Contre moi ouvrent leur gueule lions ravissans et bramans...* » Il ne supplée pas : « *comme* ». Brucioli : « *Aprirno sopra me la bocca loro come leone che rapisce, et rugge.* »

V. 15 : Jean van Campen, Olivétan, Castellion, « Geneva Bible », « Genève 1588 » ont clairement compris que « ce qui *fond*, c'est le *cœur* »[53].

Passages obscurs

V. 4. « Zurich » et Castellion proposent des traductions très claires, mais qui blessent le texte source : « *Nun bist du der im Heyligtumm wonest* »; — « *Si demeures-tu le saint qui est le los d'Israel* ».

V. 9. « Louvain 1599 » maintient une expression étrange : « *Il a eu espérance au Seigneur : qu'il le délivre, qu'il le sauve, puisqu'il le veut...* » — méfait du mot à mot !

V. 17 : « Zurich » traduit de façon compréhensible la variante la plus difficile (voir n. 41).

---

51. Jean de Campen : « Plusieurs taureaux mont enclos : taureaux forts comme ceulx qui sont engraissez es pastures de Basan, mont environné. » La paraphrase autorise une glose interne.

52. Castellion : « Ma vertu seche comme une tuile »; *Geneva Bible* : « My strength is dryed up like a potsheard... »

53. « Lefèvre » : « Mon cueur a este fait comme cire fondue au milieu de mon ventre »; « Olivétan » : « ... & sest fondu mon cœur comme cire entre mes entrailles. »

Syntaxe et recherche d'une meilleure lisibilité

Olivétan, « Geneva Bible », « Genève 1588 » adoptent une typographie particulière pour les mots qu'ils ajoutent au texte source. C'est une façon d'indiquer au lecteur que la syntaxe et la hiérarchie des segments de phrases de la langue source et de la langue cible obéissent à des règles différentes.

« Zurich » modifie l'ordre des mots de la phrase originelle; ainsi au v. 3 : « *Ich ruff dich an den gantzen tag O mein Gott | du erhörest mich aber nitt | jaa auch nachts schweyg ich nit.* »

Castellion n'hésite pas à modifier *l'agencement de la phrase hébraïque.* V. 2 : redoublement de « *pourquoy* », et réécriture de 2c : « *Mon Dieu, mon Dieu, pourquoy m'as tu laissé, pourquoi êt ma sauveté loin de mes parolles pleintives ?* »

V. 3 : « *ie crie de jour, e tu ne m'exauces pas : e de nuit, e n'ai point de repos* » (Castellion) est plus limpide qu'Olivétan : « *Je t'appelle par jour... & par nuict... mais...* »

D'Olivétan à « Genève 1588 », on repère une plus grande maîtrise de la syntaxe.

V. 2 : Olivétan coordonne deux verbes personnels, le second ayant deux compléments : « *pourquoy mas tu delaisse ? & es loing de mon salut, & des parolles...* ». « Genève 1588 » appose un participe au verbe personnel, et coordonne les deux compléments : « *pourquoi m'as-tu abandonne, t'esloignant de ma delivrance, & des paroles...* ». Le second texte est plus lisible, sans qu'on puisse dire qu'il modifie le sens. En comparant ligne après ligne ces deux textes, le lecteur trouverait à multiplier les observations qui montrent combien en cinquante ans la langue des traducteurs s'est assouplie.

La recherche de nouvelles structures syntaxiques pose des questions d'une importance majeure. A défaut d'une analyse de textes nombreux, nous mettrons le lecteur en présence de deux traductions d'une phrase complexe, extraite d'un discours abstrait : les versets 5 à 10 du premier chapitre de l'Epître aux Ephésiens. La *Bible historiale*, archaïque, transmet un texte inintelligible, calqué mot à mot sur le latin; « Genève 1588 », dans les dernières décennies du siècle, use de ressources telles que le pronom de rappel, qui allègent les difficultés de la première lecture, en attente d'une interprétation d'un texte bien difficile.

Le premier volume de la Bible en francoys...[54] :

« Il nous predestina en adoption de filz par iesuchrist en luy selon proposement de sa voulente de la louenge de la gloire de sa grace en laquelle il nous a

---

54. = *Chambers*, n° 30.

glorifie en son aysne filz auquel nous avons rachaptement par son sang &
remission de pechez selon les richesses de sa grace qui habonde en nous en
toute sapience & en providence ce quil nous fit assavoir le sacrement de sa
voulente selon le plaisir quil proposa en luy en dispensation de plante de
temps instaurer toutes choses en christ qui sont en ciel & en terre. »

« *Genève 1588* »[55] :

[3] Benit *soit* Dieu..., [5] Nous ayant predestines pour nous adopter à soi
par Iesus Christ, selon le bon plaisir de sa volonté : a la louange de la gloire
de sa grace, de laquelle il nous a rendus agreables en son bien-aimé : en qui nous
avons redemption par son sang, *assavoir* remission des offenses, selon les
richesses de sa grace : laquelle il a fait largement abonder sur nous en toute
sapience et intelligence : nous ayant donné a congnoistre le secret de sa volonté,
selon son bon plaisir, lequel il avait premierement arresté en soi, afin qu'en la
dispensation de l'accomplissement des temps il recueillist ensemble le tout en
Christ, tant ce qui *est* és cieux, que ce qui *est* en la terre, en icelui mesme... »

Les « belles infidèles » du XVIᵉ siècle sont séduisantes. Mais comment
les aborder ? Un mode d'approche vient d'être suggéré ; il en est d'autres.
Le plaisir de lire entre aussi en compte, car, bien sûr, il s'agit aussi de
création langagière !

LA COMPLAINTE DU TRADUCTEUR

La pratique de la traduction a tôt tempéré l'enthousiasme initial.
D'où le mode mineur qu'adopte, en 1543, P. Cholinus, le traducteur
des Apocryphes dans la Bible latine de Zurich. Sa complainte introduit
de belles pages sur la difficulté de traduire : il sait qu'on dira de lui ce
qu'il pense des « soixante-douze » d'Alexandrie :

« Peu de travaux exposent autant à la malveillance que la traduction des
saints livres, et aucun texte n'est plus difficile ni ardu à traduire. Les raisons
en sont l'extrême concision des propos, la fréquence des hébraïsmes qui n'ont
d'équivalents dans les constructions et tournures d'aucune autre langue, les
nombreux cas de polysémie et l'obscurité de bien des termes.

« Partout les traducteurs grecs ont maintenu des hébraïsmes, et les nombreuses ambiguïtés de l'hébreu font qu'ils ont mal traduit la plupart des textes.
Leurs éditions présentent de fréquentes variantes : les harmoniser et comprendre le sens de ce qu'on a harmonisé est difficile. Il n'est pas plus aisé de
donner sens à leurs textes dans une langue latine qui n'a rien à voir avec
l'hébreu.

« Il arrive donc qu'on cherche à traduire scrupuleusement, comme on
doit le faire, sans suppléer aux omissions du texte source, occasion de bien
des difficultés dans les autres langues, sans modifier trop hâtivement le mode
d'expression, afin de ne rien dire de plus, ou de moins, que l'auteur. En même

55. = *Chambers*, nᵒ 518. Nous avons supprimé les indications de versets et les notes
marginales.

temps, on veille à ne pas blesser la langue d'arrivée (or peu de tournures ou d'expressions trouvent un équivalent exact lors du passage d'une langue à l'autre, sans que le sens en soit élargi ou restreint).

« Résultat : quand tu as cherché à traduire le mieux possible et avec le plus de précision, c'est le pire des accueils qui salue tes efforts les plus grands. Or personne ne peut prétendre maintenir intégralement la valeur de chaque mot et s'exprimer impeccablement dans la langue d'arrivée.

« Comme les goûts et les opinions des gens sont multiples et souvent inconciliables, le traducteur doit affronter les critiques les plus contradictoires. Les uns en effet souhaitent un mot à mot intégral et scrupuleux, au point de ne pas supporter une transposition conforme aux usages de la langue d'arrivée. D'autres ont la même exigence, mais moins servile à l'endroit de la source. D'autres encore demandent qu'on s'attache à la signification des énoncés plus qu'au mot à mot. D'autres enfin veulent qu'on s'exprime dans une langue impeccable et belle, pour ne pas ennuyer le lecteur.

« On ne peut tout faire à la fois. A satisfaire les uns, on offense les autres. On vous trouve successivement servile, trop obscur, inculte, trop libre. L'un vous dira trop appliqué, l'autre, désinvolte, simplement parce qu'on n'a pas traduit comme chacun s'y attendait.

« Bref, autant d'appréciations que de lecteurs ! Pour ne rien dire de ceux qui pensent qu'il est malencontreux de faire une traduction nouvelle... »[56].

S'exprime ici moins un découragement que la volonté d'affronter sources et public; le traducteur sait qu'il n'est jamais le vainqueur. Une façon de dire l'autorité de l'Ecriture, et surtout le droit du lecteur au dernier mot.

NOTE COMPLÉMENTAIRE

LES TRADUCTIONS EN LANGUE VIVANTE AU XVIᵉ SIÈCLE
CHRONOLOGIE SOMMAIRE

1466   *Bible* en haut allemand, Strasbourg, J. Mentel (14 éditions jusqu'en 1518).
1471   *Bible* en italien : de Niccolo Malermi (Venise) (rééd. encore en 1567).
1473-1474   Première impression d'une *Bible abrégée* en français.
1475   Premier *Nouveau Testament* tchèque imprimé.
1477   *Bible de Delft*, en néerlandais.
1478   *Bible* en bas allemand, Cologne.
       Bible catalane, Valence (Boniface Ferrer).
1488   Première *Bible* tchèque imprimée, Prague.
1506   *Bible* tchèque imprimée à Venise.
1513   *Bible historiale* en néerlandais *(Den Bibel int corte)*.

[1516 : première édition du *Novum Instrumentum* d'Erasme (gr., lat.).]
1517-1525   Textes bibliques en slovène.
[1522 : *Polyglotte d'Alcalá*; Luther : Nouveau Testament.]

---

56. *Biblia...* [Zurich, 1543], « Petrus Cholinus Lectori », fol. aa 2 r.

1523 Première édit. du *Nouveau Testament* traduit par J. Lefèvre d'Etaples (Paris, Simon de Colines).
      Nouveau Testament par J. Pelt, en néerlandais (Vg, Erasme) et premières traductions néerlandaises d'après Luther.
1524 *Nouveau Testament* danois dit « de Christian II », *Wittenberg*.
1525 Plusieurs éditions du *Nouveau Testament*, dépendant selon les cas de Luther et/ou Erasme.
      Ancien Testament en néerlandais (Anvers).
1526 *Nouveau Testament* suédois.
      Première *Bible* néerlandaise, Anvers, Jacob van Liesvelt.
      Nouveau Testament de W. Tyndale (anglais).
[1527 : *Bible* latine de S. Pagnini.]
1527 *Nouveau Testament* de H. Emser (all.).
      Les *Prophètes*, par H. Denck et L. Hätzer (all.; rééd. 12 fois entre avril 1527 et novembre 1531).
1528 *Ancien Testament*, par J. Lefèvre d'Etaples (Anvers).
      Bible en néerlandais, avec l'accord de Louvain, éd. par W. Vosterman (rééd. jusqu'en 1548).
1530-1531 Premières *Bibles* « de Zurich » (all.).
1530 *Nouveau Testament* italien, par A. Brucioli.
      Bible de J. Lefèvre d'Etaples (Anvers).
1532 *Nouveau Testament* d'Erasme traduit en tchèque.
      Bible trad. en italien par A. Brucioli.
1534 Première *Bible* « de Luther » complète (en haut, et en bas all.).
      Bible (« catholique ») de J. Dietenberger (all.).
      Réédition de la *Bible* de J. Lefèvre d'Etaples.
1535 *Bible* « d'Olivétan ».
      Bible de Coverdale (anglais).

1536 • *Nouveau Testament* italien de Zaccaria.
1537 *Bible* (« catholique ») de J. Eck (all.).
      Matthew's Bible (anglais).
1538 *Bible* italienne de Marmochini.
1539 *Great Bible* (« *Bible de Cranmer* » en 1540) (anglais).
1540 *Bible* révisée de Zurich (all.).
      Nouveau Testament islandais (par Oddur Gottskálksson).
1541 *Bible* « de Gustav Vasa », en suédois, par Olav et Laurent Petri.
      Nouveau Testament en hongrois (par J. Silvester).
1543 *Nouveau Testament* espagnol par Francisco de Enzinas (Anvers).
1548 *Bible* néerlandaise par Nikolaus van Winghe.
1550 *Bible* danoise « de Christian III ».
      La Saincte Bible par Nicolas de Leuze (Louvain).
1551 *Nouveau Testament* italien de Massimo Teofilo (Lyon).
1551-1552 *Evangiles* en polonais. 1551-1565 : Traductions partielles de l'*Ancien Testament* en hongrois, par G. Heltai (calviniste).
1553 *La Bible...* éditée par R. Estienne (Genève) avec des versets.
      Double édition en espagnol de la *Bible de Ferrare*.
1554-1562 *Nouveaux Testaments* en néerlandais pour des groupes anabaptistes.
1555 *La Bible...* traduite par Sébastien Castellion.
1556 *Nouveau Testament* néerlandais par le calviniste Jan Utenhove.
      Bible calviniste « d'Emden ».
      Révision du *Nouveau Testament* espagnol par Juan Pérez de Pineda.

1557-1564 Traductions en slovène, en croate (en caractères glagolithiques et cyrilliques), à Tübingen puis Urach sous l'impulsion de Primus Trubar.

1560 Révision de la *Bible* de Genève.
Geneva Bible (anglais).
Nouveau Testament en romanche.

1561-1563 *Evangiles* et *Actes* en roumain.

1561 *Bible* polonaise (catholique) par Ian Leopolita Nicz (Cracovie).

1562 *Bible* réformée néerlandaise par Godfried van Wingen et Johann Dyrkinus (« Deux aes-Bibel »).
Bible protestante italienne (Brucioli + Teofilo).

1563 *Bible* polonaise « de Brest », par des calvinistes et des sociniens.

1564 *Nouveau Testament* tchèque par Jan Blahoslav, à l'intention de l'Unitas Fratrum.

1566 *Bishops Bible* (anglais).
La Sainte Bible... par René Benoist (Paris).

1567 *Nouveau Testament* en gallois.

1569 *Bible* espagnole dite « de l'Ours », par Cassiodoro de Reina (révisée en 1596 et 1604).

1571 *Nouveau Testament* en béarnais (La Rochelle).

1572 *Bible* polonaise par Simon Budny.

1578 Première édition de la *Bible* française « de Louvain ».

1579-1593 *Bible* tchèque « de Kralitz » (6 vol. d'après la *Polyglotte d'Anvers*) (en un volume en 1596).

1582 *Nouveau Testament* catholique anglais « de Reims-Douai » (Bible complète en 1609-1610).

1584 *Bible* islandaise par Gudbrandur Thorláksson.
Bible slovène (Wittenberg).

1588 Révision de la *Bible* par « les Professeurs et Pasteurs de Genève ».
Ancien Testament en gallois.

1589 *Bible* danoise « de Frédéric II ».

1590 *Bible* en hongrois par G. Károlyi (imprimée à Vizsoly).

1593-1599 *Bible* traduite en polonais (d'après la Vulgate) par Jakob Wujek.

14

L'Ecriture et ses traductions
Eloge et réticences

A plusieurs reprises dans ce livre, on a fait des allusions ou même consacré des développements à la traduction de la Bible en langue vivante, dite vernaculaire ou vulgaire, ou encore nationale, pour employer un vocabulaire qui possède bien des nuances[1].

A la différence des autres siècles en effet, il y a là un enjeu majeur pour le temps des Réformes. Au xvie siècle, la poussée protestante en fait une revendication majeure, et, autant et même plus par réaction que par conviction, le catholicisme a choisi de limiter par de solides barrières l'espace étroit offert à la diffusion de ces traductions.

LA « QUESTION DES LANGUES »

Les combats autour de la langue vulgaire au xvie siècle pourraient être la matière d'un livre entier ; les parties qui concernent la prédication ou la liturgie ont été déjà largement traitées[2].

---

1. Voir pp. 22 ss. ; 44 ss. ; 73 ss. ; 148 ss. ; 186 ss. ; 200 ss. ; 369 ss. ; 393 ss. ; 407 ss. ; 443 ss. ; et *infra*, pp. 533 ss.

2. Herman A. P. Schmidt, *Liturgie et langue vulgaire. Le problème de la langue liturgique chez les premiers Réformateurs et au concile de Trente*, Romae, apud aedes Universitatis Gregorianae, 1950 [Analecta Gregoriana 53]; Leopold Lentner, *Volkssprache und Sakralsprache. Geschichte einer Lebensfrage bis zum Ende des Konzils von Trient*, Wien, Verlag Herder, 1964 [Wiener Beiträge zur Theologie 5]; Vittorio Coletti, *L'éloquence de la chaire. Victoires et défaites du latin entre Moyen Age et Renaissance*, Paris, Le Cerf, 1987.

Nous présentons ici un bref dossier systématique énumérant les données du débat. Quelques réflexions générales l'introduisent, accompagnées de brèves analyses ou de citations qui illustrent la problématique.

Un rappel pour commencer : à l'instar du judaïsme hellénistique avec la traduction des LXX, le christianisme n'a pu prendre son essor initial, puis réussir son expansion missionnaire, que par l'usage de l'Ecriture en langue populaire, de la *koinê* du Nouveau Testament lui-même au latin de ce qui deviendra la « Vulgate », mais encore au slavon, quand est proposé aux nouveaux chrétiens slaves l'alphabet cyrillique, et donc l'accès à la culture.

Mais dès les premiers siècles des auteurs dénoncent un danger : voir le « venin de l'hérésie » se mêler à la traduction des livres contenant la Révélation divine.

Le débat est nourri par la célèbre traduction en gothique par Ulfila, au IVe siècle, et la propagation de l'arianisme dans les pays occupés par les Barbares[3].

De cette tension entre la nécessité de la communication (qui se fait essentiellement jusqu'au XVIe siècle par la prédication s'appuyant sur l'Ecriture) et le danger d'une infiltration hétérodoxe qui pollue en même temps qu'elle irrigue, naît l'histoire de l'accueil et de la prohibition des traductions de la Bible en langue vivante, à partir du moment où elles se multiplient puis s'imposent[4].

Or la situation se modifie radicalement au XVIe siècle.

Les Vaudois et les Hussites n'avaient pu convaincre l'Eglise de la nécessité d'un emploi généralisé de la langue populaire dans l'usage de l'Ecriture. Mais les humanistes interviennent : ils se réservent l'usage du latin cicéronien, du grec attique et même parfois de l'hébreu, en même temps qu'ils insistent pour que soient créées les conditions d'un accès du plus grand nombre à l'Ecriture sainte. Ceci, dans un souci pédagogique autant qu'apostolique.

Erasme en prodigue le conseil. Lefèvre d'Etaples, quant à lui, n'hésite pas à mettre la main à la pâte dès 1523, et s'y consacre entièrement après 1525. On sait aussi ce que la percée de Luther doit à sa traduction des écrits bibliques en allemand[5].

Ce succès peut-il s'expliquer autrement qu'en termes de réponse, au niveau théologique et pastoral, à une réforme souhaitée dans l'Eglise, mais aussi plus largement aux attentes, précises ou diffuses, des masses comme des élites ?

Le problème de la traduction biblique est en effet l'une des compo-

---

3. Charles KANNENGIESSER, « La Bible et la crise arienne », *BTT* 1 [15], pp. 301-312; « La Bible dans les controverses ariennes en Occident », *BTT* 2 [23], pp. 543-564.
4. Micheline LARÈS, « Les traductions bibliques : l'exemple de la Grande-Bretagne », *BTT* 4 [5], pp. 123-140.
5. Voir *supra*, pp. 205 ss.

santes, et l'une des conséquences de ces révolutions successives qui suivent celle de l'imprimerie, de l'alphabétisation, de la multiplication des lisants-écrivants, de la constitution du circuit qui soude l'écrit à la communication et se développe en spirale[6].

Tous reconnaissent dans la nouvelle technologie un « art divin », en même temps qu'ils la voient grosse de dangers multiples. Les avertissements des papes, ou, plus solennel encore, celui du concile de Latran V[7], ont pour suite naturelle la censure préalable des livres et les condamnations par des Facultés de théologie. Parmi elles, la Faculté de théologie de Paris — couramment, mais mal à propos, désignée comme « la Sorbonne » — trouve dans son rôle passé les motifs de s'arroger une responsabilité particulière. Elle sera particulièrement attentive à l'endroit des Bibles d'origine genevoise. En règle générale, les institutions théologiques des pays latins paraîtront plus circonspectes que celles d'Allemagne et des Pays-Bas.

Les « Réformateurs », puis les Eglises protestantes, sans cesser de militer pour l'établissement, l'impression et la diffusion de traductions de la Bible, se montreront de plus en plus vigilants quant à leur contenu et conditions de lecture : censures préalables, contrôle des textes. Leurs réticences s'amplifient en présence de propositions religieuses « ascripturaires », et d'un usage culturel des Ecritures, aux fins de comparaisons des religions ou de création littéraire[8].

D'un côté comme de l'autre, l'Ecriture sainte est la source et le centre de la réflexion théologique, de la liturgie et de la vie spirituelle. Elle apparaît comme un trésor à protéger quand il est objet de traduction et d'enseignement, d'interprétations donc.

L'historien, pour sa part, voit dans la multiplication des traductions un effet de la poussée formidable des langues nationales et de la diffusion des œuvres littéraires que l'imprimerie rend possible d'une façon jusque-là inouïe.

On assiste à l'émergence de l'emploi des grandes langues européennes dans la plupart des domaines, en particulier, dans celui des droits, privé et public. L'ordonnance de François Ier, dite « de Villers-Cotterets », en est, en 1539, un des exemples les plus célèbres.

On aurait cependant tort de tout ramener à une alternative entre latin d'une part, langue nationale d'autre part. Pendant tout le XVIe siècle en effet, les dialectes livrent une bataille parallèle à la langue de communication[9], pour nous en tenir à l'espace français !

---

6. Pierre CHAUNU, *Le temps des Réformes. La crise de la chrétienté, l'éclatement*, Paris, Fayard, [2]1976, pp. 319 ss.

7. Voir *supra*, pp. 45 s.

8. Voir pp. 299 ss. ; 314 ss. ; 613 ss. ; 650.

9. Colette DEMAIZIÈRE, « Latin et langues vulgaires au XVIe siècle en France, un problème de communication », *Lettres d'Humanité. Bulletin de l'Association Guillaume-Budé* 37 (1978), pp. 369-376.

La division entre aires de langue d'oc ou de langue d'oïl est bien connue; mais dans la dernière nommée il faut compter avec divers parlers tels le picard, le normand, etc. Charles de Bovelles en témoigne en 1533 dans le *Liber de differentia vulgarium linguarum et gallici sermonis varietate*. Dans le troisième tiers du xvie siècle, le français l'a manifestement emporté : l'œuvre projetée par Henri Estienne (1579), *La précellence du langage français*, est moins un plaidoyer en sa faveur qu'un constat qui en est fait.

Pourquoi le domaine religieux serait-il soustrait à cette victoire quasi générale des langues nationales ? La défense du latin n'est-elle pas comme une sacralisation de cette langue que seuls parlent désormais les doctes ?

En fait, personne, même les catholiques les plus intransigeants en la matière, ne nie l'utilité ni la nécessité des traductions bibliques en vernaculaire.

Mais il s'opère à ce propos une division des esprits qui se révèle être très profonde : son origine est dans la délimitation, et donc la définition même, du domaine du « sacré ».

Certains pensent que seules la Bible et la liturgie, et par voie de conséquence la théologie, devraient être soustraites à la pression de la langue vulgaire. Une hiérarchisation qu'observe l'un des premiers à avoir répliqué aux « luthériens » par des traités en français, Pierre Doré. Introduisant, en 1538, *Les voyes de Paradis*, il indique son calendrier : « ... esperant par layde de dieu, apres avoir en la premiere langue que ay apprinse, proffite au commun peuple, en la seconde, (qui est la latine) me exercitant en lescripture divine, escripre... »[10].

Attitude inverse de celle des « protestants » qui, à la suite de Luther, veulent abattre la muraille qui sépare les clercs des laïcs.

Dans l'un et l'autre cas, le statut du texte biblique n'est pas identique. Pour nombre de biblistes catholiques, le texte est lourd de mystères que seule une expression spécifique peut retenir. Les protestants diront aisément avec Bucer que le niveau du langage scripturaire est presque toujours celui « du parler quotidien », riche en tournures figurées. Et Calvin traitera en théologien de ce thème de l'accommodation déjà traité par Erasme : « Qui sera l'homme de si petit esprit qui n'entende que Dieu bégaye, comme par manière de dire, avec nous, à la façon des nourrices pour se conformer à leurs petits enfans »[11].

Il y a plus : les conceptions du « sacré » auxquelles chacun adhère,

---

10. *Les voyes de Paradis que a enseignees nostre benoist saulveur Jesus en son euangile, pour la reduction du poure pecheur.* Autheur Frere Pierre Dore, de lordre des freres Prescheurs, Docteur en Theologie. M.D. xxx viii (dernier fol.).

11. M. BUCER, *Tzephaniah... ad ebraicam veritatem versus & commentario explicatus* [Strasbourg, 1528], vol. 32 r°; J. CALVIN, *Institution de la religion chrestienne* (1560), I, xiii, 1.

et du degré de familiarité ou de distance qu'il faut respecter à son endroit, sont l'enjeu du débat.

Un indice en est l'affrontement qui se produit au concile de Trente, où les opinions extrêmes n'étaient pourtant pas de mise.

Deux conceptions bien différentes s'expriment à propos de la traduction ou de la liturgie : sacralisation extrême défendue, par exemple, par le général des Augustins, Christophe de Padoue[12]; attitude la plus ouverte qu'adopte l'hôte même du concile, le cardinal Madruzzo[13].

DES CATHOLIQUES EN QUÊTE D'UNE SOLUTION

Le problème de la Bible en langue vivante se pose de façon aiguë à l'Eglise romaine, qu'il s'agisse de sa résistance aux Réformateurs protestants, et à ceux qu'elle leur associe, ou de sa propre Réforme, qu'il faut sans doute désigner ici du nom de Contre-Réforme.

Puisque, dans les siècles qui suivirent, un aphorisme simpliste — « L'Eglise romaine a interdit à ses fidèles de lire la Bible » — a répondu à une autre formule sommaire — « Les protestants abandonnent la Bible au libre examen de chacun » —, il est peut-être utile de tenter une clarification de la position que prit l'Eglise romaine à ce sujet au XVIe siècle.

Cette question ne relève pas du domaine du dogme, mais de celui de la discipline — et fait l'objet de vives controverses, il faut le signaler, au sein même de l'Eglise romaine.

Rappelons qu'antérieurement à la législation post-tridentine il existe des traductions de la Bible établies à l'intention des catholiques (en Allemagne, par exemple, le Nouveau Testament de H. Emser et la Bible complète de J. Dietenberger[14]). Le débat s'instaure moins sur le principe de la traduction que sur les dangers qui en découlent.

De toute manière et de longue date, les prédicateurs transmettent la Bible en la lisant et citant en langue vivante à l'intention de leurs auditeurs. P. A. Russell étudie des pamphlets rédigés en allemand entre 1521 et 1524. Le fourreur Sebastian Lotzer (né à Horb sur le Neckar), le tisserand Utz Rychssner et le militaire Haug Marschalk (à Augsbourg), Hans Greiffenberger (Nuremberg), et les trois « dames » — Argula von Grumbach, Ursula Weida, Catherine Schütz — ne sont jamais allés à l'école latine. Leur culture biblique paraît devoir beaucoup aux prédications qui les ont formés, bien avant la Réformation luthérienne, avant que l'envie ne leur vienne de prendre la plume[15].

---

12. H. A. P. SCHMIDT, *op. cit.*, pp. 126 ss.
13. *Ibid.*, pp. 85 ss.
14. Voir *supra*, pp. 212 s.
15. Paul A. RUSSELL, *Lay Theology in the Reformation. Popular Pamphleteers in Southwest Germany, 1521-1525*, Cambridge, London..., Cambridge University Press, 1986.

La première période du concile de Trente (mars, avril et juin 1546) révèle la largeur de l'éventail des positions. Ce qui explique que deux amis aient trouvé à s'affronter. D'un côté, Pacheco, cardinal de Jaen, voit dans les traductions bibliques l'origine de toutes les hérésies contemporaines; d'un autre, Madruzzo, le cardinal de Trente, propose l'édition d'une Bible « authentique », comme l'était la Vulgate latine, mais dans la langue de chaque peuple : « in unoquoque idiomate ».

Les Pères du concile se partagèrent entre les deux thèses, mais ce fut finalement une position médiane qui l'emporta : passant sous silence la question de la traduction en langue vivante, on préféra se contenter d'une réaffirmation de l'authenticité de la Vulgate, ce qui lui conférait une prédominance de droit et de fait. De plus, on faisait ainsi l'économie d'un conflit à l'intérieur même de l'assemblée.

L'INDEX

Pour ce qui est des traductions, la position catholique va se fixer avec la promulgation de l'*Index* des livres interdits issu des recommandations tridentines.

L'*Index romain* fut publié par Pie IV en 1564 : il incorpore et adoucit une première liste établie par Paul IV[16]. Dans les règles préalables dont on sait qu'elles furent rédigées par le dominicain portugais Francisco Foreiro, l'*Index* romain soumet la lecture de la Bible en langue vivante à l'approbation préalable de l'évêque ou de l'inquisiteur[17], après consultation du curé de la paroisse ou du confesseur.

Cette IVe règle dont nous donnons la traduction sera durcie sous Sixte Quint en 1590, puis Clément VIII en 1596 : en effet, elle réserve alors au Saint-Siège l'octroi de cette permission. Il semble bien qu'il en fut ainsi jusqu'en 1757, date à laquelle il y eut au moins une possibilité de se référer à des versions autorisées accompagnées de notes. La règle IV de l'*Index* n'était d'ailleurs pas abolie, et restait reproduite en tête de la liste, sans cesse remise à jour, des livres interdits aux fidèles catholiques.

---

16. Sur cette question, il faudra consulter les volumes VIII à X de la série *Index des livres interdits*, dirigée par J. M. de Bujanda (Sherbrooke, Editions de l'Université de Sherbrooke (Centre d'Etudes de la Renaissance), Genève, Librairie Droz). Sont annoncés : VIII : Index de Rome, 1559, 1564; IX : Rééditions et appendices de l'Index de Rome, 1564...; X : Index de Rome, 1590, 1593, 1596.

17. Les inquisiteurs sont des membres du tribunal ecclésiastique considérant les hérésies au for externe. Ils tiennent leurs juridictions du Pape, même si, religieux, ils sont désignés par leurs provinciaux. Ils sont en principe indépendants des évêques et de l'Etat. En fait en France, en droit en Espagne, ils en sont très dépendants. Cependant la nouvelle congrégation de l'Inquisition romaine, organisée en 1542, avait pouvoir de nommer et de destituer les inquisiteurs, ce qui ne se fera vraiment qu'en Italie.

Il faut ajouter qu'il y eut des assouplissements locaux bien avant le milieu du XVIIIe siècle : d'une manière globale pour les catholiques anglais, et en France pour les « nouveaux convertis », lors de la « révocation de l'édit de Nantes », en 1685.

Règle IV de l'*Index* de 1564 :
« L'expérience a prouvé que si les Bibles en langue vulgaire sont permises à tous sans discernement, il en résulte, du fait de l'imprudence humaine, plus de dommage que de profit. Qu'on s'en tienne donc, en cette matière, au jugement de l'évêque ou de l'inquisiteur; ils pourront permettre, après avis du curé ou du confesseur, la lecture des saintes Bibles traduites en langue vulgaire par des auteurs catholiques, à ceux qu'ils auront jugés capables de fortifier ainsi leur foi et leur piété, et non d'en éprouver du dommage.
« Ils devront recevoir cette autorisation par écrit.
« Qui osera lire ou posséder ces Bibles sans cette permission ne pourra recevoir l'absolution de ses péchés avant d'avoir remis ces volumes à l'Ordinaire.
« Quant aux libraires qui vendraient des Bibles en langue vulgaire à des gens non munis de cette autorisation, ou les leur procureraient par quelque moyen que ce soit, qu'on leur retienne le prix de ces livres pour que l'évêque emploie cette somme à des fins pieuses; ensuite, à l'appréciation de l'évêque, et en fonction de la nature du délit, qu'ils soient soumis à d'autres peines.
« Avec la permission de leurs supérieurs, les réguliers peuvent lire ou acheter ces Bibles. »

Dans l'édition de 1596, due à Clément VIII, une « Observation » sur la règle IV précise :

« On ne donne plus aux évêques, inquisiteurs, et aux supérieurs réguliers, aucun pouvoir de permettre d'acheter, lire ou garder des Bibles en langue vulgaire; les ordres et l'usage de la Sainte Inquisition romaine et universelle leur ont en effet retiré cette faculté d'accorder les autorisations de lire et garder des Bibles en langue vulgaire, ou quelque partie que ce soit de la Sainte Ecriture, tant du Nouveau que de l'Ancien Testament, éditées en quelque langue vulgaire que ce soit. »

La situation créée par la Réforme catholique était donc la suivante :
Aucune mesure de principe n'interdit la lecture de la Bible.
Aucun problème ne se posait quant à la Vulgate ou aux textes en langues originales.
Quant aux traductions en langues vulgaires, qui seules permettaient l'accès des masses à l'Ecriture sainte, l'Eglise romaine exigeait donc des formalités et des permissions bien difficiles à obtenir : ce qui avait un effet dissuasif certain.

LA RÉCEPTION DE LA LÉGISLATION TRIDENTINE

La législation prévue par l'*Index* fut en effet répercutée par les divers synodes provinciaux et locaux qui introduisirent dans les divers diocèses la réorganisation voulue par le concile de Trente. La règle concernant la Bible en langue vulgaire est, il faut le noter, englobée le plus souvent dans le rappel de prescriptions dont on ne manquait pas de rappeler le motif premier : éviter que ne se répande davantage « le venin des hérétiques », déposé dans les diverses traductions en circulation.

La « réception » du concile se fait en des termes divers.

Un concile provincial de Reims (novembre 1564) adopte une décision prudente : des Bibles doivent être mises à disposition du public, mais latines, et enchaînées, pour qu'on ne les vole point :

« Il est inconvenant de ne pas trouver de volumes des Ecritures saintes et des Evangiles dans les églises où l'on prêche régulièrement la parole de Dieu.

« Nous décidons donc, et ordonnons à tous les gardiens et recteurs des conseils de fabrique des églises paroissiales de ce diocèse d'acheter dès que possible un volume des livres saints dans une des éditions latines communes que nous avons approuvées, aux frais des fabriques, à condition que leurs ressources le leur permettent.

« Ils la placeront dans l'église, attachée par une chaîne en fer sur un pupitre, en arrière du grand autel, ou dans un autre endroit jugé plus convenable, pour que tant le curé que ceux qui en auront besoin puissent s'y reporter »[18].

Les Constitutions rédigées par saint Charles Borromée, à l'issue du concile provincial de Milan de 1565, sont discrètes :

« Constitution I, 7 : ... Les enseignants des disciplines littéraires n'expliqueront pas aux enfants les livres recensés par leurs titres dans l'*Index* édité sur l'ordre de notre Très Saint Maître Pie IV, et ils n'accepteront pas qu'on les lise. Il en va de même pour les livres obscènes et stupides »[19].

Le concile de Narbonne de 1609 est, à ce propos, exemplaire, bien qu'il ne tienne pas compte de l'*Observatio* de 1596 :

« La sainte Bible traduite en langue française ne doit être lue ou conservée chez soi par personne, sauf permission écrite de l'évêque ou de son vicaire général. Ils ne l'accorderont pas sans avoir vu, lu et approuvé ces textes, de peur que le venin dispersé par les hérétiques dans de nombreuses versions ne se répande tout doucement, et n'empoisonne les âmes pieuses »[20].

---

18. Guillaume MARLOT, *Histoire de la ville, cité et université de Reims...*, Reims, Jacquet, 1843, t. IV, p. 697 : « Constitutions synodales du cardinal de Lorraine, novembre 1564. »
19. *Sacrosancta Concilia... studio Phil. Labbei...*, t. 21, p. 7.
20. *Ibid.*, t. 21, 1481-1482.

On observe aussi que les deux manuels de confesseurs les plus consultés au xvie siècle ne traitent pas de cette interdiction. L'*Enchiridion* de Martin Azpilcutea, dit « le Navarrais », republié en espagnol en 1553 (avant la rédaction de la règle IV de l'*Index* donc), puis en latin en 1573, n'en dit mot. Quant au cardinal Tolet (Toledo), auteur de *De instructione sacerdotum et peccatis mortalibus*, publié en 1599, il a soin au contraire de distinguer entre lecture des traductions de la Bible en langue vulgaire, qui lui paraît moins grave, et lecture d'autres livres, à propos desquels la censure est réaffirmée.

Johannes Molanus, dans un traité de *Théologie pratique* publié en 1590, est plus sévère. Leur ignorance des préceptes de Dieu et de l'Eglise n'excuse pas les fidèles qui ne prennent pas le temps de s'informer. Mais :

> « Nous refusons qu'on exige d'eux qu'ils étudient l'Ecriture. Mieux, nous affirmons qu'il est bon de les écarter de la lecture des Ecritures. Il suffit qu'ils conforment leur façon de vivre aux indications des pasteurs et des docteurs »[21].

Autre façon de recevoir les décisions tridentines : la rédaction d'anthologies bibliques ou de traités spirituels dont la lecture est tenue pour équivalente de celle de l'Ecriture dont ils multiplient les citations : *De los Nombres de Cristo* de Fray Luis de León en est un exemple[22].

Il ne faut pas l'oublier : la question reste encore matière à discussion dans l'Eglise romaine. Et les arguments *pro et contra* des controversistes sont repris sans cesse.

Arguments contre, arguments pour
la lecture des traductions de la Bible en langue vulgaire

Trois libelles, du dominicain Esprit Rotier [désigné dans ce paragraphe par la lettre R], inquisiteur dans la province de Toulouse d'une part, de Pierre Lizet, abbé commendataire de Saint-Victor après avoir été avocat de François Ier au Parlement de Paris d'autre part [= L], du théologien Ambroise Catharin enfin [= C], seront les trois sources réelles d'un argumentaire fictif et abrégé contre la diffusion des traductions de la Bible, reconstitué à partir d'elles[23].

---

21. Johannes MOLANUS, ... *Theologiae Practicae Compendium... in quinque Tractatus digestum* [Cologne, Birckmann, 1590], Tract. III, cap. xxvii « De excusationibus peccatorum », Conclusio 2 « De ignorantia », ad 15 et 16.

22. Marcel BATAILLON, *Erasme et l'Espagne. Recherches sur l'histoire spirituelle du XVIe siècle*, Paris, Libr. E. Droz, 1937, pp. 806 ss.; Eugénie DROZ, « Bibles françaises après le concile de Trente (1546) », *Journal of the Warburg and Courtauld Institute* 28 (1965), pp. 209-222.

23. Spiritus ROTERUS o.p., *De non vertenda scriptura sacra in vulgarem linguam dissertatio* [Toulouse, 1548] (on peut aussi consulter, du même, *Parergi sive Tabellae tres similitudinum*

« Pain céleste (L), remède et nourriture de l'âme [C], l'Ecriture doit être communiquée à tous. Ceci n'implique pas nécessairement l'établissement et la diffusion de traductions en langue vulgaire, comme les hérétiques le prétendent [C].

« Le texte en est en effet difficile [R], ses lecteurs sont fréquemment mal intentionnés [C, L], ou mus par le Diable [R, L]. S : textes hébreu et grec ont servi de support à bien des hérésies, qu'en sera-t-il de la langue vulgaire [R] ?

« Difficulté du texte.

« L'apparente clarté de la lettre peut faire illusion (cf. les diverses interprétations de : 'Tu ne jureras point...') [C] : l'identification des figures de langage, les 'tropes', n'est pas aisée [C].

« Ce texte attend d'être interprété, ce qui exige la réception d'un don spécial du Saint-Esprit [R, L, C]. Dans l'Eglise, seuls quelques-uns en bénéficient [C]. Et seule l'interprétation conforme à la foi de l'Eglise est salutaire [R].

« On distinguera donc soigneusement les traductions qui engendrent des hérésies, divisions et autres périls [R], de la communication la plus large de la bonne interprétation par le biais de commentaires, par la prédication surtout [C].

« Est-il possible de traduire ?

« Les langues vulgaires ne sont pas prêtes à accueillir l'Ecriture. Elles n'intègrent pas la distinction d'un double niveau de langue (langue sacrée/langue profane) caractéristique de l'hébreu, du grec et du latin [L]. Si le latin a quelque chose de divin, il n'en va pas de même du français qui n'a rien de commun avec l'hébreu [L].

« Toute traduction est de ce fait décevante, et il est heureux que les anciennes traductions aient disparu [L].

« De plus, la traduction en langue vulgaire nuit à la dignité de l'Ecriture.

« Outre ce qui a été dit des langues d'accueil, il faut compter avec la diversité des traductions : elle amoindrit l'autorité de la Bible [R]. De plus, elles seront placées entre les mains sales de travailleurs manuels et de femmes attelées à des tâches ménagères [L]. Satan en pervertira l'usage qu'ils en font [R].

« Il faut bien comprendre les précédents historiques. Les femmes

---

quibus suis coloribus Haeretici, vera Ecclesia vulgaresque sacrae Scripturae traductiones describuntur. Authore R.P. Inquisitore haereticae pravitatis F. Spiritu Rotero, o.p. [Toulouse, 1548] : fol. X iii v° : « Parergus tertius similitudinum, quibus dissuadentur scripturarum sacrarum vulgares traductiones »; [Pierre LIZET], *Petri Lizetii jurisconsulti, dum sequentem componeret librum in supremo Francorum Consistorio regii advocati & nunc cum in lucem edit, Abbatis commendatarii sancti Victoris, De sacris utriusque intrumenti libris in vulgare eloquium minime vertendis rudique plebi haudquaquam invulgandis Dialogus inter Pantarcheum et Neoterum* [Lyon, 1552]; Ambrosius CATHARINUS POLITUS, « An expedit scripturas in maternas linguas transferri », *Enarrationes... in quinque priora capita libri Geneseos* [Rome, 1552], fol. 329-339.

qui entouraient Jérôme étaient de saintes femmes, et ce cas reste exceptionnel [R, C] ; Cyrille et Méthode bénéficiaient d'un indult pontifical [L] ; la traduction en langue slave par Jérôme répondait à des conditions particulières [R]. L'histoire abonde en exemples d'usages mauvais et stupides des traductions : ainsi de Pierre Valdo... [R].

« Le testament de Dieu.

« Ce 'testament' que tout le monde doit connaître, c'est le 'message de salut', non le Livre [A].

« Contre les traductions et leur diffusion, pour la prédication.

« Il faut donc préserver ce rempart de l'Eglise qu'est l'Ecriture en ne la traduisant pas [R], tout en veillant à la divulgation la plus large de la bonne interprétation [R].

« D'où la nécessité de rénover et protéger la prédication [C]. Elle doit être comprise de tous, comme le fut la prédication des apôtres, alors que leurs récits recèlent des mystères dont la connaissance est réservée à quelques-uns [L]. Ainsi, par la prédication la 'nourriture' est partagée entre tous, et tout le monde est instruit, comme Chrysostome le souhaitait [C].

« Les catholiques ont raison de suivre l'exemple des Espagnols [R], et d'adopter sur ce point une attitude inverse de celle des hérétiques. »

A. Catharin adopte, en conclusion, une attitude plus nuancée :

« Si on me conseillait de ne pas supprimer les traductions déjà éditées, sauf celles qui seraient fautives ou truquées, ou rendues scandaleuses par l'addition de scolies hérétiques, voilà pourquoi j'acquiescerais : ne pas donner aux malpensants l'occasion de nous dénigrer et de prétendre que nous voulons supprimer les vérités évangéliques.

« Mais alors, je veux qu'on fasse très attention à ceci : il faut indiquer clairement l'interprétation catholique des passages dont les hérétiques prétendent tirer avantage contre nous. On peut aussi rédiger une préface qui préviendrait le lecteur de la présence d'obstacles, et garantirait qu'il observe en tout la coutume de l'Eglise et, dans l'obéissance, se conforme aux règles et traditions énoncées par les Pères.

« Quant à autoriser éventuellement des traductions nouvelles, je n'y consentirais qu'aux conditions suivantes : que le nom de leur auteur soit indiqué, et qu'y soit joint très visiblement le certificat de leur approbation par des gens compétents qui seraient aussi de vrais catholiques. J'aimerais aussi qu'on rédige une note d'interprétation catholique en marge des passages discutés par les hérétiques.

« C'est, de ma part, une façon de tenir compte de la dureté des mœurs, ce n'est pas une recommandation »[24].

24. Mt 19, 8.

UN PLAIDOYER EN FAVEUR DE LA DIFFUSION DES TRADUCTIONS :
LE « BONONIA » DE FR. FURIÓ (1556)

Il y eut, à l'inverse, un ardent plaidoyer publié à Bâle en 1556 par Frédéric Furió (*ca* 1510-1592), dit Ceriolano, parce qu'il était né à Valence[25].

Il soutint dans son *Bononia*, c'est-à-dire dans sa controverse avec Johannes a Bononia (*ca* 1518-1564) promu docteur à Louvain en 1550, qui y est recteur en 1554, la nécessité de traduire et de lire la Bible en langue vivante[26].

Il est probable que Furió eut des contacts avec Sébastien Castellion dont il admirait les traductions de la Bible[27]. P.-M. Bogaert et J.-F. Gilmont discernent à l'arrière-plan de la discussion une « Consultatio S. Facultatis ad Carolum V. Imperat[orem] de lectione Scripturae sacrae in lingua vulgari edicto interdicenda » : elle ne révèle pas une totale unanimité au sein de la Faculté.

Dans les deux parties du livre, Furió rapporte d'abord les arguments des adversaires des traductions, puis développe les siens.

Citons-en la conclusion :

« C'est ainsi que l'accès à notre Père céleste est interdit [par les tenants de l'interdiction] alors que, si nous sommes des fils, nous aspirons à accomplir ses ordres; si nous sommes ses amis, nous ne pouvons nous occuper de ses affaires; si nous sommes ses ennemis, le pouvoir de sa grâce de réconciliation nous est refusé. Qui interdit à un fils, ou à un ami, ou à un serviteur, l'accès au père, à l'ami, ou au maître, qui permettrait de l'interroger de vive voix sur des questions communes ou personnelles ? Qui veut nous laisser dans les ténèbres, qui veut bâtir sans fondement, sinon celui qui nous prive de la sainte lecture des Ecritures ? Toutes les disciplines s'apprennent en écoutant et en lisant : comment souffririons-nous cette privation, alors que tous les chrétiens doivent être théologiens ? »[28].

---

25. Des éléments biographiques sur Furió sont rassemblés par D. W. BLEZNICK, « Furió Ceriol y la controversia sobre la traducción de la Biblia », *Revista Hispanica Moderna* 34 (1968), pp. 195-205; H. MECHOULAN, *Raison et altérité chez Fadrique Furió Ceriol, philosophe politique espagnol du XVIe siècle*..., Paris-La Haye, Mouton, 1973, pp. 23-41 (en particulier p. 27, n. 12); analyse du texte déjà dans M. BATAILLON, *op. cit.*, pp. 592-594. Sur les circonstances de sa rédaction : P.-M. BOGAERT et J.-F. GILMONT, « La première Bible française de Louvain (1559) », *Revue de Théologie de Louvain* 11 (1980), pp. 275-309 (plus précisément pp. 294-297).

26. *Friderici Furii Caeriolani Valentini Bononia, sive de Libris sacris in vernaculam linguam convertendis, Libri Duo. Ad Franciscum Bovadillium Mendozium, Cardinalem Burgensem*, Basileae, per Ioannem Oporinum [1556].

27. Il raconte avoir tenu à vanter en vers les textes de S. Castellion, plus précisément ici la traduction latine... Il commence par recenser les traductions anciennes... jusqu'à Erasme et Pagnini, scandant son propos ainsi : « ... Frustra opera est. Fantur Biblia barbarice / Vaine entreprise. La Bible reste du charabia », *op. cit.*, pp. 326-327.

28. *Op. cit.*, p. 359.

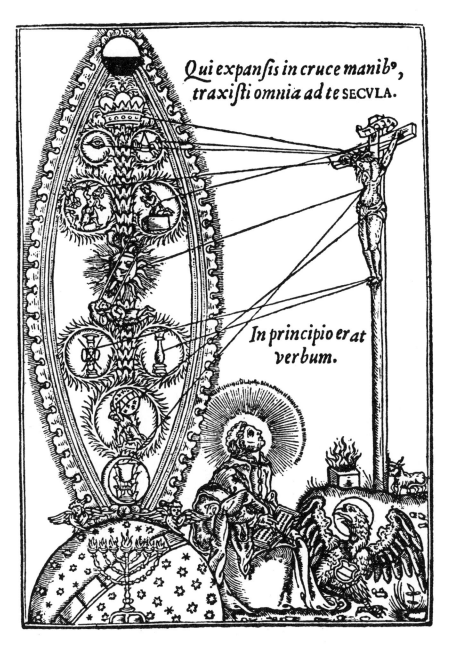

Présentation de l'Evangile de Jean
dans le Nouveau Testament en syriaque (1555)

Furió avait déjà développé cette proposition :

« La vraie théologie n'est pas autre chose que de connaître Dieu et son fils Jésus-Christ, et de posséder la règle pour vivre dans le bien et la béatitude »[29].

Elle pouvait paraître audacieuse, et de fait, jointe au non-conformisme de l'auteur, elle attira l'attention des censeurs. Le *Bononia* valut à son auteur d'être incarcéré, puis le livre fut porté sur l'*Index* romain.

En 1558, l'archevêque Carranza, dans la Préface de ses *Comentarios sobre el Catecismo christiano*, rappelant les diverses positions qui sont, à son avis, légitimes, propose une solution de compromis : il plaide pour une traduction en langue vulgaire qui soit davantage une paraphrase qu'une version mot à mot, ce qui permettrait d'y intégrer l'interprétation orthodoxe.

L'archevêque de Tolède estime en effet injuste que des personnes sages et de bon jugement soient privées de la Parole de Dieu, alors qu'elles peuvent bien être plus sensées que d'autres qui, elles, comprennent le latin[30].

Assimilée à celle de Furió, cette opinion lui sera reprochée par ses juges durant son long procès[31].

Le débat de Louvain attire l'attention sur la façon dont le débat progresse désormais à la limite septentrionale de l'espace francophone. D'une part, « tout en interdisant la diffusion de nombreuses éditions de l'Ecriture, Charles Quint a fermement soutenu un programme cohérent d'éditions latine, flamande et française de la Bible... Comme pour d'autres volets de sa lutte contre l'hérésie, l'empereur confie explicitement cette mission à la Faculté de théologie de Louvain ». D'autre part, la publication par Barthélemy de Grave, en 1550, de *La Saincte Bible...*, « atteste qu'en dépit des oppositions et des suspicions il y eut constamment dans le clergé, dans l'université, dans l'administration locale et impériale des hommes pour penser que l'interdiction pure et simple de la lecture de la Bible menait à une impasse, qu'il fallait chercher une solution positive en procurant de bonnes éditions ». *La Saincte Bible...* de 1550 montre que la filière « Genève - la France » des traductions françaises de la Bible passe par Louvain et Anvers[32].

---

29. *Ibid.*, p. 267.
30. B. Carranza, *Comentarios...* Ed. J. I. Tellechea Idigoras, Madrid, t. I, 1972, p. 114 [Biblioteca de Autores Cristianos].
31. J. I. Tellechea, « Españoles in Lovaina en 1551-1558 », *Revista Española de Teologia* 23 (1963), pp. 25-26.
32. P.-M. Bogaert et J.-F. Gilmont, *op. cit.*, pp. 276-279, 301-302.

LE NOUVEAU TESTAMENT EN SYRIAQUE (1555) :
LES MOTIFS D'UN PRIVILÈGE ROYAL ET CATHOLIQUE

En 1555, le très savant Johann Albrecht Widmanstetter (*ca* 1506-28 mars 1557) publie, aidé par G. Postel, la première édition imprimée d'un Nouveau Testament en langue syriaque[33]. Il obtient du roi Ferdinand et l'autorisation et le privilège indispensables.

Il répondait à une demande du patriarche d'Antioche, Ignace. Un prêtre, Moïse de Mardén, porteur d'un manuscrit, l'avait présentée à Rome et Venise, à Vienne enfin.

Il s'agit, pour les chrétiens syriaques, d'un livre à usage liturgique.

Le libellé du titre est symptomatique. On ne cède pas à l'attrait de l'ancienneté, mais on établit que la langue syriaque, « vivante » aux temps de l'Eglise primitive, a un statut de langue sacrée :

> *Liber Sacrosancti Evangelii de Iesu Christo Domino & Deo nostro... Div. Fernandi Romae Imperatoris designati iussu & liberalitate, characteribus & lingua Syra, Iesu Christo vernacula, Divino ipsius ore consecrata et a Ioh[anne] Evangelista Hebraica dicta, scriptorio Praelo diligenter expressa*[34].

Jésus a parlé syriaque : ceci autorise l'impression du livre en vue de son utilisation dans le culte.

En fait, d'autres motifs plus conjoncturels sont donnés : ils révèlent que la décision tridentine autorise, dans certaines conditions, la diffusion et la lecture de Bibles autres que latines[35].

L'ouvrage est divisé en plusieurs fascicules, vraisemblablement pour des raisons de technique typographique.

Diverses préfaces se succèdent donc, qui exposent des arguments de circonstance.

Les chrétiens syriaques, dispersés en Asie, souffrent du manque de livres saints (Préface à Matthieu, fol. *b* v°). Jadis prospères, leurs Eglises sont aujourd'hui submergées par les Scythes et les Arabes, et il faut leur donner les moyens de résister (Préface à Marc, fol. I v°). Il faut les aider à retrouver leur liberté (Préface à Luc, fol. I v°). Cette édition les aidera

---

33. Voir Marion Leathers KUNTZ, « Guillaume Postel and the Syriac Gospel of Athanasius Kircher », *Renaissance Quarterly* 40 (1987), pp. 465-484 (dont nous n'avons pu tenir compte).

34. C'est-à-dire : *Livre du très saint Evangile qui traite de Jésus Christ, notre Seigneur et Dieu... Edité sur l'ordre du Vén. Ferdinand, héritier de l'Empire romain, et à ses frais. Il est imprimé en caractères syriaques, la langue que parlait Jésus-Christ et que sa bouche divine a sanctifiée, et que l'apôtre Jean nomme « Hébraïque »* [A Vienne, « Caspar Craphtus Elvangensis, Suevus, characteres syros ex norici ferri acie sculpterat. Michael Cymbermannus praelo et operis suis excudebat »].

35. En fait, 500 exemplaires restèrent en Europe, 300 furent envoyés au patriarche d'Antioche et 200 confiés à Moïse de Mardén.

à pratiquer de vénérables liturgies (Préface à Jean, fol. D v°) : d'où la présence, en fin de volume, d'un lectionnaire à l'usage des églises syriaques, et une explication de ses rites. Dans les dernières pages s'exprime aussi une volonté de prosélytisme à l'endroit des Juifs : ils peuvent lire ce texte aussi bien que le Targum !

Mais il ne s'agit pas là d'un « précédent » dont on pourrait faire usage en Occident !

L'éditeur veille à désigner l'ouvrage comme un ouvrage d'érudition, dont le texte est établi à partir de la collation de deux manuscrits.

De plus, il prévient tout mauvais usage, ou illicite, en formulant quatre règles :

1) S'en remettre aux interprétations de l'Eglise.

2) Que les incompétents s'abstiennent donc de se plonger dans la littérature syriaque.

3) Qu'ils ne saisissent pas là une occasion de s'intéresser à la Cabale !

4) Précision : des péricopes (« la femme adultère » par ex.), la seconde épître de Pierre, les seconde et troisième épîtres de Jean, Jude et l'Apocalypse manquent; cela n'infirme pas leur canonicité. Les Syriens reconnaissent ces textes dont ils n'ont pas conservé la version.

Des précisions donc, des précautions : aux confins de l'Europe, on ajoute comme un paragraphe aux marges du décret tridentin.

CATHOLIQUES ET PROTESTANTS

Ainsi l'opinion catholique n'était-elle pas aussi unanime que la législation de l'*Index* le donnerait à entendre. L'entrelacs des arguments *pro* et *contra*, les attitudes des responsables ecclésiastiques et politiques, la position des agents culturels, la pression des divers publics contribuent à la complexité du problème et la diversité des solutions.

Mieux, on peut s'étonner de voir que les positions officielles, catholique et protestante, ne sont pas toujours aussi éloignées qu'il paraît au premier abord.

Ni les uns, ni les autres n'interdisent les traductions bibliques comme telles.

Les catholiques sont réticents, mais à des degrés divers.

Les protestants y sont très attachés. Ainsi s'explique le grand nombre des éditions de Nouveaux Testaments en petit format (in-16, in-32) que B. T. Chambers a pu recenser : entre 1560 et 1600, elle repère une douzaine d'éditions genevoises, plus de vingt lyonnaises, près de dix en d'autres centres protestants. Elle dénombre une vingtaine d'adaptations catholiques : il y a donc effet d'entraînement. Il s'agit bien là de « livres de poche », promis à la lecture.

Catholiques et protestants sont également résolus, selon des modalités différentes, à accorder à leur Eglise un monopole d'interprétation.

Pour les catholiques, le magistère interprète la Tradition; chez les protestants, les pasteurs, liés à la Confession de foi, sont les seuls prédicateurs légitimes.

Ainsi la *Discipline* des Eglises réformées dans le royaume de France précise-t-elle, dès 1559 :

— Article 8 : « Que ceux [les ministres] qui seront esleus signeront la Confession de foy arrestée [= élaborée et reconnue], tant aux Eglises ausquelles ils auront esté éleus, que autres, ausquelles ils seront envoyés... »
— Article 21 : « L'office des anciens sera de faire assembler le peuple... »
— Article 23 : « L'office des diacres n'est pas de prescher la parole... »
— Article 24 : « En l'absence du ministre... le diacre pourra faire les prières et lire quelque passage de l'Escriture, sans forme de prédication »[36].

L'histoire de la Bible anglaise manifeste que la tension entre traduction et théologie est au centre du débat[37].

Catholiques et protestants ont encore en commun leur opposition aux pratiques de type anabaptiste qui consistent à laisser tout membre de l'Assemblée, homme ou femme qui le désire, s'exprimer sur le passage biblique qui vient d'être lu. Cette façon de faire va de pair avec l'occultation du travail d'interprétation qui doit permettre l'appropriation du sens des textes bibliques : le commentaire se veut naïf, « littéral »[38].

LES CONTROVERSES INTERCONFESSIONNELLES DE LA FIN DU SIÈCLE

Les propositions et initiatives des « irénistes » et « moyenneurs », si elles n'ont pas été totalement infructueuses, n'ont pas infléchi les controversistes des diverses confessions[39].

Il est clair que les protestants vont réussir à produire une « image » de la position catholique, qui la dessert et la simplifie.

Guillaume Lindanus, futur adversaire de la *Bible polyglotte d'Anvers*[40], avait adopté une position rigide : « Les versions nouvelles sont à l'Eglise

36. Texte dans *Histoire ecclésiastique des Eglises réformées au royaume de France...*, Toulouse, Société des Livres religieux, 1882, t. I, pp. 99-100 (= liv. II, 1559).
37. Voir chap. 10, pp. 368 ss.
38. Voir pp. 285 ss. ; 321 ss. ; 432.
39. Par ex. analyse de la réflexion de Georg CASSANDER, auteur de *De officio pii ac publicae tranquillitatis vere amantis viri*, sur la « source » de la religion dans Mario TURCHETTI, *Concordia o Toleranza? François Bauduin (1520-1573) e i « Moyenneurs »*, Genève, Libr. Droz, 1984, pp. 276 ss. [THR 200].
40. Voir *supra*, pp. 262 ss.

ce que la peste est à la société », et ceci paraît valoir des traductions nouvelles en latin autant que des traductions en langue vivante[41].

Le luthérien Martin Chemnitz (1522-1586) est agressif :

« Les pontifes ne se contentent pas de réprouver l'usage des traductions ; ils le punissent par le fer et le feu, et militent exclusivement pour le texte latin »[42].

Et il ajoute que le latin n'est plus « ni vernaculaire, ni populaire ». Si l'Eglise catholique s'en tient à la Vulgate, c'est que seul le texte latin peut servir à fonder nombre de « mystères » de la théologie catholique.

Il énumère alors les interprétations catholiques de près d'une vingtaine de textes cités dans leur forme latine : Gn 3, 15 (« Marie »), 14, 18 (« Melchisedek »), Jb 5, 1 (« intercession des saints »)...

Nicolas Sanders, défendant le concile, ne condamne pas toutes les traductions. Il regrette qu'elles créent l'occasion d'introduire dans l'Eglise des néologismes profanes (*sic !* « prophanae vocum novitates »). Il préfère ne pas aller au-delà de l'exemple des apôtres : s'ils prêchaient dans toutes les langues, ils n'ont écrit qu'en grec. S'il paraît utile d'éditer une traduction, que l'on veille au choix de l'interprète[43].

Quant à Robert Bellarmin, dans une réplique à J. Brenz, J. Calvin et M. Chemnitz, il réfléchit en termes de convenance et d'utilité : « an oporteat, vel certe expediat ».

Sa réponse n'est pas négative par principe, mais il fait observer que le latin de la Bible n'a pas le statut d'une langue *vulgaris*. Sensible à l'argument de la tradition, il fait valoir, à l'encontre des traductions et de leurs usages, quelques arguments « de raison » : il ne faut pas compromettre l'unité ecclésiale ; tout le monde ne comprend pas une traduction biblique ; l'évolution de la langue contraint à des révisions constantes des traductions.

Sa conclusion est cependant restrictive : « Nous ne nions pas qu'il soit possible de traduire l'Ecriture dans les langues vulgaires, mais nous affirmons qu'on ne doit pas la lire publiquement en langue vulgaire. » Il conjoint ainsi la question de la traduction à celle de la liturgie[44].

---

41. Guillielmus LINDANUS, *De optimo Scripturas interpretandi genere Libri IV* [Cologne, 1558], fol. 7 v°.

42. Martin CHEMNITZ, *Examen Concilii Tridentini... Opus integrum, quatuor partes, in quibus praecipuorum capitum totius doctrinae papisticae, firma & solida refutatio, tum ex sacrae Scripturae fontibus, tum ex orthodoxorum Patrum consensu, collecta est, uno volumine complectens.* Rédigé par parties entre 1565 et 1573, une édition complète paraît à Francfort-sur-le-Main en 1574. L'accusation citée apparaît en début de « De versione seu translatione Scripturae in alias linguas, secundum Decretum Synodi Tridentinae quartae sessionis : An liceat scripturam in nostras linguas transferre ? », p. 62.

43. Nicolas SANDERS, *De visibili Monarchia Ecclesiae Libri octo* [Louvain, 1571], liv. VII, pp. 613 et 621.

44. Robert BELLARMIN, *Disputationes... de Controversiis Christianae fidei adversus huius temporis haereticos*, p. 110-111 de l'édition de Venise, 1599. — Noter qu'il écrit (p. 124) douter de la réalité de la traduction de la Bible en langue slavonne par Jérôme !

Le calviniste William Whitaker (1548-1595) tiendra compte des nuances entre théologiens catholiques pour répondre à Thomas Stapleton (1535-1598) et Robert Bellarmin (1542-1621)[45].

Autre inflexion de l'interprétation du décret tridentin, dans d'autres circonstances. William Allen (1532-1594) avait fait de Reims d'abord, de Douai ensuite, un refuge pour les professeurs d'Oxford notamment, et un lieu de formation de prêtres devant être envoyés en Angleterre. La formation biblique tient une grande place dans ce qui est l'un des premiers séminaires souhaité lors de la 23e session du concile de Trente.

Grégory Martin, assisté de W. Allen, R. Bristow, W. Rainold, fait imprimer en 1582 :

> *The New Testament of Jesus Christ, translated faithfully into English out of the authentical Latin, according to the best corrected copies of the same, diligently conferred with the Greeke and other editions in divers languages...* — Printed at Rhemes, 1582[46].

Cette traduction annotée et dûment approuvée suscitera une vive polémique de la part des protestants. Suivie de la traduction de l'Ancien Testament, elle connaîtra une longue histoire.

Elle s'ouvre sur une longue Préface en trois points, le premier traitant de la traduction en langue vivante.

Les raisons d'éditer une traduction sont recensées : il ne faut pas « toujours » traduire, ni pour tous, sans égard pour les conséquences pernicieuses que cela peut avoir.

« [Si nous traduisons] c'est par égard aux circonstances particulières du temps présent, à l'état et la condition de notre pays. Certaines choses lui sont aujourd'hui nécessaires, profitables et bienfaisantes, qui dans un temps de paix pour l'Eglise ne seraient pas exigibles, ni même tolérables. »

Une longue enquête est menée sur toute l'histoire de l'Eglise : elle conduit à une analyse de la situation actuelle du royaume : elle est lamentable, du fait de la façon dont les protestants abusent du peuple.

C'est donc par compassion pour leurs concitoyens que les biblistes de Douai essaient de substituer leur version aux « traductions impures » dont on use dans le royaume. Et ils entreprennent alors de s'expliquer sur les précautions qu'ils ont prises[47].

---

45. William WHITAKER, *Disputatio de Sacra Scriptura contra huius temporis papistas, imprimis Robertum Bellarminum Jesuitam, pontificium in Collegio Romano & Thomas Stapletonum, Regium in Schola Duacena controversiarum Professorem. Sex questionibus proposita & tractata a G. W. Theologiae Doctore ac Professore Regio et Colloegii D. Ioannis Cantabrigiensi Academia Magistro*, Christophori Coryni, Herbornae Nassoviorum, 1600.

46. A. C. SOUTHERN, *Elizabethan Recusant Prose, 1559-1582*, 1950, n° 86. Sur les « Bibles d'exil », voir pp. 377 ss.

47. « The Preface to the reader treating of these three points : of the translation of Holy Scriptures into the vulgar tongues, and namely into English; of the causes why this New Testament is translated according to the ancient vulgar Latin text; & of the maner of translating the same », fol. a ii r°-c iv v° (plus précisément fol. a ii r° et c r°).

Il demeure que la position défensive de la Contre-Réforme a créé un climat, comme un réflexe psychologique qui va s'avérer durable, même s'il n'est explicable que par son origine : la défense de l'orthodoxie contre les interprétations des Bibles protestantes jugées tendancieuses et hérétiques.

En milieu savant, l'attention à la diversité des motifs et des solutions reste éveillée. Mais en d'autres milieux, et sous l'effet des controverses et luttes entre confessions, l'invitation à refuser les traductions et leur usage tend à être globalisée et généralisée.

« UNE BIBLE, MA FILLE ! »

Alors même que l'on constate l'enracinement de la mystique carmélitaine espagnole dans la Bible, il existe, dans les biographies de sainte Thérèse d'Avila (1515-1582; canonisée en 1622), un texte savoureux et significatif. La source en est sa *Vie*, composée par Diego de Yepes, évêque de Terrassone, publiée en 1587. Elle est reprise au début du XVIIIe siècle dans *La vie de sainte Térèse*, écrite par M. de Villefosse, à l'année 1569 :

> « Il y avait à Tolède une fille qui vivait publiquement dans une grande dévotion : elle aimait à entendre les sermons et à se trouver à toutes les stations de la ville. Il lui prit envie d'être Carmélite, et elle vint trouver notre sainte qui fut d'abord assez contente de son esprit, de sa santé et de ses désirs, de sorte qu'elle consentit à la recevoir.
>
> « Son entrée fut fixée à un certain jour, et la veille, elle vint au couvent rendre une visite. Quand elle prit congé de Térèse jusqu'au lendemain :
>
> « 'Ma Mère, lui dit-elle, j'apporterai aussi une Bible que j'ai !
>
> « — Une Bible, ma fille ! lui dit aussitôt la sainte, Non ! Non ! Ne venez point. Nous n'avons point besoin de vous ni de votre Bible. Nous sommes de pauvres ignorantes qui ne savons que filer et faire ce qu'on nous ordonne.'
>
> « Térèse avait tout d'un coup discerné par cette parole qu'elle n'était pas propre pour son monastère. Elle soupçonna qu'elle était causeuse et curieuse, ce qui ne convenait pas à des Carmélites.
>
> « Les suites firent juger que Térèse avait bien pensé car cette fille s'associa peu de temps après avec d'autres dévotes qui firent tant d'extravagances qu'elles en furent punies par l'Inquisition »[48].

Authentique ou non, et de toute manière explicable par le climat de suspicion engendré par les Alumbrados, l'épisode est surtout significatif du rejet de la Bible en langue vulgaire que peut nourrir la crainte de l'hérésie, dans l'Eglise romaine au XVIe siècle, et par la suite.

---

48. M. de VILLEFOSSE, *La vie de sainte Térèse, tirée des auteurs originaux espagnols et des historiens contemporains*, Paris, 1712, p. 176-177 (source indiquée : *Annales des Carmes*, liv. 3, chap. 15). Voir p. 601.

Un trait de mentalité

Réticences et réserves à l'endroit de la production et de la circulation de traductions bibliques se multiplient dans l'Eglise catholique post-tridentine. Elles ne concluent pas, rappelons-le, un débat qui serait seulement de type juridique. Elles s'expriment au contact d'une tradition bien établie de communication et d'exposition de l'Ecriture.

Les prédicateurs portent en effet les épisodes bibliques à la connaissance de tous les fidèles ; les ouvrages de spiritualité empruntent beaucoup aux Ecritures. La liturgie est largement scripturaire. Il en existe des traductions. Des Bibles en langue vivante circulent, revêtues des meilleurs labels d'authenticité et des autorisations requises. Et, en certaines régions de l'Europe, on peut même déceler une stratégie catholique d'éditions de Bibles en langue vivante.

Un examen des textes et des pratiques n'autorise aucune conclusion simple.

Les décisions tridentines de 1546 définissent les conditions du débat théologique. D'autres décrets conciliaires fixent ensuite la doctrine et la discipline de l'Eglise catholique. Les rapports de la hiérarchie au peuple de l'Eglise, des clercs aux laïcs sont clairement organisés. La réception et la mise en place de ces décisions et orientations demanderont du temps.

Les attitudes adoptées à propos de la diffusion et de l'usage des traductions bibliques ne peuvent être décrites et évaluées indépendamment de ce contexte.

Dans la période post-tridentine, les croyants catholiques sont fermement invités à recevoir des évêques et des prêtres les directives doctrinales et spirituelles. La pratique sacramentelle conjoint notamment pénitence et eucharistie : elle jalonne leur accès au salut et assure qu'ils sont sous emprise cléricale. Par ailleurs, « saints » et mystiques, nourris, mais non exclusivement, d'Ecriture, appellent à l'excellence morale et spirituelle. Confréries et tiers ordre peuvent en être le cadre.

De ce point de vue, on n'est certes pas en présence d'une « religion du Livre ».

L'accès direct à la Bible peut alors devenir un trait de la distinction de statut entre « clercs » et « laïcs ». La pastorale vise l'intégration du fidèle à la société ecclésiale, hiérarchique et cléricale. Il n'a pas à être un partenaire actif dans les débats d'interprétation. Dans le même temps, la Bible — latine, ou dans une version d'études — sert à la formation des clercs. Et on a dit par quels relais une culture biblique était communiquée aux croyants.

Les comportements protestants invitent à l'émulation et à la défense : là, on dit nourrir sa foi par l'Ecriture, et l'on fait de l'Eglise un fruit de la prédication. Dans la pratique, le contraste est moins marqué avec les luthériens et les anglicans qu'avec les réformés et les mennonites : pour des raisons de théologie autant que de circonstances.

Les controverses obligent docteurs et clercs à un travail biblique intense. Elles contribuent aussi à l'effacement des nuances

Au cours de « guerres de religion » meurtrières, la lecture personnelle de la Bible, associée au refus de la pratique eucharistique, est tenue pour une marque d'allégeance ou de militance hétérodoxe, motif donc d'inculpation et de condamnation.

Il faut compter encore avec des motifs plus généraux.

Traduire la Bible et prétendre la mettre entre toutes les mains paraît une transgression — insupportable — des frontières du sacré.

Un premier indice en est la désignation récurrente du latin comme « langue sainte », au même titre que l'hébreu et le grec — tous les trois étant associés sur la Croix (Jn 19, 20).

Le second apparaît dans le contraste systématique qu'on observe entre deux séries de libellés de titres. Ainsi, à la fin du siècle, trouve-t-on encore : *La Sainte Bible Contenant le Vieil et le Nouveau Testament* pour les catholiques (Paris, 1586); *La Bible qui est toute la Saincte Escripture du Vieil et du Nouveau Testament* (Genève, 1588). « Saincte », dans le premier cas qualifie le volume, dans le second la « matière »[49]. Formule éditoriale seulement, ou déjà indication théologique ?

Des instances catholiques, synodes, évêques, prêtres, théologiens, font donc les pas qui les conduisent de la réticence et du contrôle à l'énoncé d'interdictions de diffuser et de lire des traductions de la Bible. C'est l'une des interprétations possibles des décisions tridentines. Ce n'est pas l'application d'un principe. La pratique la plus fréquente est celle d'un allongement décourageant des procédures qui autorisent l'accès à la Bible.

Un *habitus* se forme, d'autant plus que l'on enseigne que ces réserves et interdictions ne mutilent pas la foi et la spiritualité du fidèle, comme

---

49. Cette opposition existe déjà entre le libellé du titre de la Bible de Lefèvre d'Etaples, en 1530, et celui de la *Bible d'Olivétan*, 1535 (*Chambers*, nᵒˢ 51 et 66). Quand la *Bible de Genève* est éditée à Lyon, elle porte alors le titre : *La Sainte Bible* : c'est une précaution ! (Un exemple, parmi beaucoup : *Chambers*, nᵒ 272 = « *La Sainte Bible*, A Lyon, Par Jean Frellon, M.D.LXI ».) J. CHOMARAT dit observer qu'Erasme provoque, au début du siècle, une émotion comparable, par ses réflexions sur la langue du Christ et des auteurs des écrits néo-testamentaires : « Il y a donc aux yeux d'Erasme une séparation entre le sacré et le profane, entre le divin et l'humain toute différente de celle qui, par l'effet des siècles, avait fini par être admise dans l'Eglise catholique puisque même la Vulgate considérée comme traduction inspirée et faisant autorité était devenue intangible, passant ainsi tout entière du côté du sacré; en sens inverse, Erasme rend au profane la langue originelle de l'Ecriture et du Christ... » (*Grammaire et rhétorique chez Erasme*, Paris, Société d'Edition « Les Belles-Lettres », 1981, p. 549).

l'indique l'anecdote attribuée à sainte Thérèse. Au xviiᵉ siècle, il devient un *trait de mentalité* : « on » peut ne pas lire la Bible, « on » ne doit pas... « ils » n'ouvrent jamais la Bible... L'intériorisation des recommandations et des règles comme la méfiance des adversaires renforcent les interdits. Considérants théologiques, règlements disciplinaires, pratiques conjoncturelles sont amalgamés. La complexité et la diversité des situations sont occultées. On fait fréquemment référence à des textes du xviᵉ siècle : ce qui brouillera l'historiographie.

Mais ce n'est pas un trait de l'identité catholique : les études bibliques se poursuivent, et elles sont une part de la formation pastorale et spirituelle.

Ce processus a bien son origine dans le xviᵉ siècle. Mais les données recueillies ne laissent pas pressentir que l'interdiction faite aux fidèles de lire l'Ecriture serait un jour tenue pour typique du catholicisme, ni qu'il serait si long d'effacer toute équivoque. En fait, au xviᵉ siècle, l'Eglise romaine vit en tension les revendications d'un accès à l'Ecriture par la langue nationale. Elle oscille sans cesse entre un éloge obligé de la Bible, une méfiance des traductions et la reconnaissance de leur nécessité; entre un accès de droit accordé à tous et une prohibition de fait; entre la lecture du texte lui-même, qui n'est pas conseillée, et celle de son commentaire qui, canalisé et contrôlé, devient indispensable[50]. Eloge unanime de l'Ecriture donc, mais réticences à l'égard des traductions.

Guy BEDOUELLE et Bernard ROUSSEL.

---

50. *Note bibliographique* : 1. *Collectio quorumdam gravium authorum, qui ex professo vel ex occasione sacrae scripturae, avt divinorum officiorum, in vulgarem linguam translationes damnarunt, quorum nomina pagina sequens indicabit. Una cum decretis Summi Pontificis et Cleri Gallicani eiusque epistolis, Sorbonae censuris ac supremi Parisiensis Senatus placitis. Iussu ac mandato eiusdem Cleri Gallicani edita,* Lutetiae Parisiorum, apud Antonium Vitre, Regis et Cleri Gallicani Typographum, 1661 [textes de St. Hosius (1ʳᵉ Partie, pp. 5-26); P. Lizet (pp. 27-122); E. Rotier (2ᵉ Partie, pp. 1-82); J. Ledesma (pp. 83-226), F.-M. Poncet (pp. 227-271)]. + *Fragmenta variorum auctorum circa versiones vulgares Sacrae Scripturae vel divinorum officiorum* [J. Gerson, J. Clichtove, A. Catharin, Alph. de Castro, Pierre de Soto, N. Sander, A. Bellarmin, J.-B. Scortia (pp. 1-109)]; + *Acta, Decreta et Epistolae summorum Pontificium, Conciliorum et Coetium Cleri Gallicani, Scholae Sorbonicae ac Senatus Parisiensis* [Toulouse (1228); Declaratio sacrae Facultatis Theologiae Parisiensis (4 janvier 1661); Censure d'Erasme du 17 décembre 1527; Parlement de Paris (1525); Lettre de François Iᵉʳ à la Faculté de Théologie de Paris sur la correction des Bibles de Robert Estienne (27 octobre 1546); Censures des Bibles de R. Estienne par la Faculté de Théologie; Lettre de Henri II à la Faculté de Théologie de Paris sur la censure des Bibles de R. Estienne (25 novembre 1548); Advis de la Faculté de Théologie sur la requeste présentée au Roy par les Imprimeurs et Libraires jurés; Censures diverses, dont celles qui visent R. Benoît (1553-1567); Lettre au pape du 15 juillet 1567 sur le NT espagnol; Mandement de l'archevêque de Paris du 2 septembre 1650; Assemblée générale du Clergé (1660); Censure (1660) contre le Missel romain (pp. 1-80)]. — 2. *Recueil des déclarations de la Faculté de Théologie sur les versions françaises de l'Ecriture sainte*, Paris, F. Magnet, 1688, in-4°. — 3. Jean-Baptiste MALOU (évêque de Bruges), *La Lecture de la Sainte Bible en langue vulgaire jugée d'après l'Ecriture, la tradition et la saine raison ; ouvrage dirigé contre les principes, les tendances et les défenseurs les plus récents des Sociétés bibliques ; comprenant une histoire*

critique des livres saints du Vieux Testament, des versions protestantes de la Bible et des missions protestantes parmi les païens ; suivi des documents relatifs à la lecture de la Sainte Bible en langue vulgaire, émanés du Saint-Siège depuis Innocent VIII jusqu'à Grégoire XVI, Louvain, Fonteyn, 1846. — 4. S. EHSES, *Das Konzil von Trient und die Uebersetzung der Bibel in die Landesprache*, Köln, 1908. — 5. Fr. Heinrich REUSCH, *Die Indices Librorum prohibitorum des Sechzehnten Jahrunderts* [Tübingen, 1886] = Nieuwkoop, B. de Graaf, 1961. — 6. G. KIETSCHEL, « Bibellesen und Bibelverbot », *Real-Enzyklopädie für Theologie und Kirche* 2 (1897), pp. 700-713. — 7. Norbert PETERS, *Kirche und Bibellesen oder die grundsätzliche Stellung der katholischen Kirche zum Bibellesen in des Landessprache*, Paderborn, Druck und Verlag von Ferdinand Schöningh, 1908. — 8. F. CAVALLERA, « La Bible en langue vulgaire au concile de Trente (IVᵉ session) », *Mélanges E. Podechard*, Lyon, Facultés catholiques, 1945, pp. 37-56. — 9. G. JACQUEMET, « Bible. Règles relatives aux traductions en langue courante », *Catholicisme. Hier, Aujourd'hui, Demain* 2 (1949), p. 18. — 10. G. RICCIOTTI, « Lettura della Bibbia », *Enciclopedia Cattolica* 2 (1949), ix, col. 1570-1571. — 11. E. AMANN, « Versions de la Bible », *Dictionnaire de théologie catholique* 15/2 (1950), col. 2738-2739. — 12. A. STONNER, « Bibellesung », *Lexikon für Theologie und Kirche* 2 (1958), col. 366-368. — 13. Paul Heinz VOGEL, *Europäische Bibeldrucke des 15. und 16. Jahrhunderts in den Volkssprachen...*, Baden-Baden, Verlag Heitz, 1962 [BBAur 5]. — 14. Leopold LENTNER, *Volkssprache und Sakralssprache. Geschichte einer Lebensfrage bis zum Ende des Konzils von Trient*, Wien, Verlag Herder, 1964 [Wiener Beiträge zur Theologie 5]. — 15. R. E. McNALLY, « The Council of Trent and Vernacular Bibles », *Theological Studies* 27 (1966), pp. 204-227. — 16. *Index des Livres interdits*. Directeur J. M. DE BUJANDA, Sherbrooke, Centre d'Etudes de la Renaissance, Editions de l'Université de S.; Genève, Librairie Droz, 1984 ss.; — 17. Vittorio COLETTI, *L'éloquence de la chaire. Victoires et défaites du latin entre Moyen Age et Renaissance*. Traduit de l'italien par S. SERVENTI, Paris, Les Editions du Cerf, 1987 [Histoire].

Deuxième partie

BIBLE, CULTURE ET SOCIÉTÉ

Erudits, théologiens et universitaires éditent, commentent et traduisent la Bible. Des institutions chrétiennes — catholiques et protestantes — en contrôlent les usages et les interprétations. Antagonistes et concurrentielles, elles sont aussi affrontées à des dissidences et des abandons. Dans le même temps, orthodoxes et juifs doivent attester leur identité dans des conditions particulièrement difficiles. Le travail biblique y contribue — qu'il aboutisse au maintien d'un patrimoine et de traditions, ou à leur rénovation.

L'Europe s'ouvre au monde entier, en même temps qu'un nouvel équilibre est cherché pour le Vieux Continent. Des savoirs se constituent, dont les sources — les voyages, l'expérience... — ne sont pas que livresques. Des pratiques politiques inédites attendent d'être motivées. Et surtout, les clercs représentent une proportion très amoindrie de lecteurs qui consultent, par nécessité et par passion, toujours plus de livres divers.

Dans la vie quotidienne — cible de la pastorale — comme dans les créations religieuses du xvie siècle — la « philosophie chrétienne », la mystique — on assiste au maintien de la référence à la Bible : mais le statut de l'Ecriture et la fonction qui lui est concédée connaissent érosion et modification.

Un intense travail biblique — tel celui qu'a longuement évoqué la Première partie — n'engendre pas « une » religion du Livre. Comment cela pourrait-il être ?

Ses lecteurs disposent du sens et de l'autorité de l'Ecriture. Ils la respectent, ou la modulent, ou la nient. Il convenait donc d'interroger la vie quotidienne du plus grand nombre, comme les récits des voyageurs ou les harangues des militants, pour marquer les bornes extrêmes de la réception de la Bible.

Quand elle est mise en pages — poétiques ou non, en images, en musique, sur scène — on saisit combien elle « inspire » et habite l'imaginaire, et combien aussi on en joue. C'est peut-être à ce moment que ces lectrices et lecteurs de la Bible nous paraissent les plus étranges.

Huit historiens ont parcouru des champs divers de la vie sociale et culturelle, définissant autant de séries précises de documents à partir desquels ils mènent leur enquête. Les pages qui suivent montrent comment la pertinence de la Bible peut se trouver restreinte quand se constituent des « sciences plus exactes », combien aussi elle reste au cœur des croyances du plus grand nombre, donc utile à certains desseins et exposée à être exploitée.

Ces historiens ont réécrit à leur façon le « dit » prophétique : la « Parole divine » que les gens du XVIᵉ siècle attendent encore de leur lecture de la Bible ne reste pas sans effet.

15

La Bible
et les Nouveaux Mondes

Au chrétien du xve siècle, la Bible fournissait tout un système de repères dans l'espace et dans le temps. Le monde était centré sur Jérusalem. Le temps était centré sur l'Incarnation du Fils de Dieu. Or, en moins d'un siècle, tout cela vacille et s'effondre, laissant les Européens, littéralement, désorientés.

JÉRUSALEM AU CENTRE DU MONDE

La Terre sainte, où Jésus-Christ est né et a vécu, et plus spécialement Jérusalem, où il est mort pour racheter l'humanité, n'ont, au xvie siècle, rien perdu de leur puissance d'attraction. Les pèlerins s'y rendent toujours nombreux[1]. On les observe en foule, Allemands et Français surtout, de toutes conditions, dans le récit d'un chanoine normand qui, à la tête de toute une troupe de compatriotes, prêtres et laïcs, fait en 1507 le voyage de Terre sainte[2]. Chacun sait que le but premier qu'Ignace de Loyola et ses compagnons s'étaient fixé, en 1534, était d'accomplir ensemble le pèlerinage de Jérusalem. Un

---

1. Françoise JOUKOVSKY, « Un circuit touristique au xvie siècle : les pèlerinages à Jérusalem », dans *Les récits de voyage*, Rouen, 1984, pp. 38-57.
2. *Le voyage en Terre sainte fait en 1507 par Charles de La Rivière, prêtre chanoine de Lisieux*, Bibl. mun. de Rouen, ms. U 100. Edité et commenté par Françoise POUGE, mémoire de maîtrise de l'Université de Tours, 1975.

demi-siècle plus tard, quand Gabriel Giraudet, prêtre du Puy-en-Velay, ou le seigneur de Villamont, gentilhomme breton, parcourent à leur tour les Lieux saints, l'affluence des pèlerins ne paraît pas avoir diminué[3].

Cependant le voyage à Jérusalem est toujours une épreuve coûteuse et périlleuse. A ceux qui hésitent à l'entreprendre, l'imprimerie fournit en abondance des récits et des guides qui sont aussi bien un moyen de s'associer, par l'imagination et la piété, aux grâces du pèlerinage. On sait par les relevés bibliographiques de Geoffroy Atkinson qu'il s'est imprimé en France, au XVIe siècle, à peu près autant de voyages à Jérusalem que d'ouvrages sur l'Amérique. Et ne croyons pas que l'intérêt faiblisse avec le temps, car on en compte davantage entre 1598 et 1609 que dans le tiers de siècle qui précède[4].

Suivons l'un de ces voyageurs-pèlerins, l'un des plus lus, Villamont, qui visite la Terre sainte en 1589. Arrivé non sans peine à Jérusalem, il y est pris d'un violent accès de fièvre : « Je priay Dieu, dit-il, me donner la grâce qu'avant mourir je peusse voir son Saint Sepulchre et le mont Calvaire où mes pechez l'avoient crucifié... »[5]. Il les verra; il y fera ses dévotions; et il saura qu'il se trouve au centre du monde. D'un récit à l'autre, les preuves matérielles varient, mais le thème est toujours là, dans son évidence inébranlable. En 1507, notre pèlerin normand a vu, au mont Calvaire, une inscription en grec, dont il donne la traduction française : « Dieu, le commenchement de toutes choses, devant les siècles, c'est-à-dire devant la création du monde, a accomply le salut des hommes au milieu de la terre »[6]; et il poursuit : « pourquoy il fault dire que ledit trou où fut fichée la croix est le milieu de la terre ». A l'autre bout du siècle Villamont rapporte que dans l'église du Saint-Sépulcre on lui a montré « un pertuis couvert de bronze, que les Grecs disent estre le milieu du monde, selon l'Escriture Sainte : *'Deus operatus est salutem in medio terrae'* »[7].

Milieu du monde, Jérusalem est aussi le lieu central de toute l'histoire de l'humanité, qui se confond avec l'histoire du salut. Car c'est sur la sépulture d'Adam, le premier homme, qu'a été dressée la croix du Christ rédempteur, ainsi que le note Giraudet : « En la fente de la roche qui est dite Golgota fust trouvée la teste d'Adam, nostre premier pere, apres le déluge, en signe que là son peché seroit pardonné »[8]. Et cette roche est également celle où Abraham fit le sacrifice de son

3. Gabriel GIRAUDET, *Discours du voiage d'outre-mer au Saint Sepulchre de Ierusalem, et autres lieux de la terre Saincte...*, Toulouse, 1583 (la 1re éd. en 1575, beaucoup d'autres ensuite); *Les voyages du seigneur de Villamont divisez en trois livres*, 1re éd., Paris, 1595; cité ici d'après une éd. Rouen, 1607.
4. G. ATKINSON, *Les nouveaux horizons de la Renaissance française*, Paris, 1935.
5. VILLAMONT, p. 389.
6. LA RIVIÈRE, ms. cité, fol. 37 v°.
7. VILLAMONT, p. 417. Ce verset est tiré de la Vulgate, Ps 73, 12.
8. GIRAUDET, p. 37.

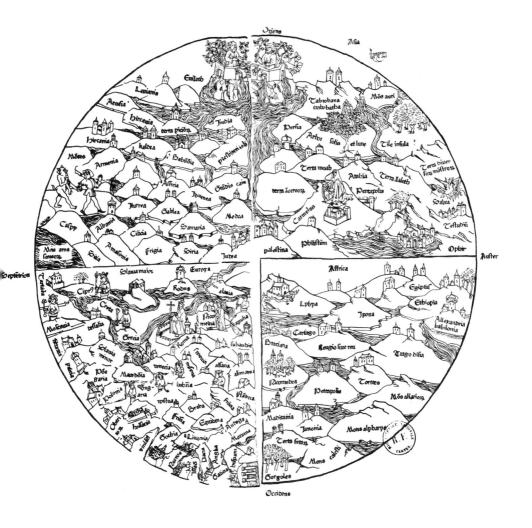

Mappemonde figurée dans le *Rudimentum Novitiorum*
Imprimé en 1473

fils Isaac. Enfin n'est-ce pas à Jérusalem que le Fils de l'homme reviendra, à la fin des temps, pour juger les vivants et les morts ?

Aussi les représentations du monde de l'époque médiévale faisaient-elles toujours fortement apparaître la position centrale de Jérusalem, que la Terre soit imaginée comme un disque, ou comme un globe dont un seul hémisphère est continental et peuplé. Quand ces représentations sont purement symboliques, la Ville sainte est placée à la croisée d'un T qui partage l'humanité entre les descendants des trois fils de Noé : à Sem, l'Asie, à Cham, l'Afrique, et l'Europe à Japhet. Quand elles se veulent géographiques, c'est alors la Méditerranée, étendue de la Terre sainte jusqu'à l'extrémité occidentale du Monde, qui constitue la hampe du T, tandis que le fleuve Tanaïs (le Don), qui coule du nord, et le Nil, qui coule du sud, en forment les branches ; à l'extrémité orientale est situé le Paradis terrestre[9].

Même quand cette conception symbolique de la Terre fait place à un souci grandissant d'exactitude géographique, certaines mappemondes réussissent encore à centrer sur Jérusalem une représentation assez exacte du Monde connu. D'autant que le thème perdure, comme en témoignent ces médiocres vers de Giraudet, dans une prosopopée de la Terre sainte appelant les chrétiens à la délivrer des infidèles :

> Je ne fais pas le bort de la machine ronde,
> Mais assise je suis tout au milieu du monde :
> Voilà pourquoy le Christ, mediateur de Dieu
> et des hommes, nasquit en moy, qui suis milieu[10].

La résistance du Vieux Monde

Les premiers voyages de découverte entrepris par les Portugais n'ont pas fondamentalement remis en cause cette vision du monde. Les difficultés que les navigateurs durent vaincre pour contourner l'Afrique étaient énormes, mais les objectifs, atteindre les pays producteurs d'épices et faire alliance avec le Prêtre Jean, étaient en quelque sorte promis d'avance[11]. Ce qui permet à Amerigo Vespucci de traiter avec dédain le voyage de Vasco de Gama. Il écrit, en 1500 : « A vrai dire, je n'appelle pas cela 'découvrir', mais aller sur les traces de ce qui est découvert, ... car ils ont eu la terre continuellement en vue.

---

9. *Cartes et figures de la Terre* (exposition du Centre Georges-Pompidou, Paris, 1980) : « Hierarchies » par Numa Broc, pp. 76 ss.

10. Giraudet, p. 162.

11. Vue d'ensemble des voyages de découverte dans Pierre Chaunu, *L'expansion européenne du XIIIe au XVe siècle* (« Nouvelle Clio », n° 26), Paris, 1969.

Ils ont contourné toute l'Afrique et ont atteint une partie du Sud-Est dont parlent tous les auteurs de cosmographie »[12].

Non seulement les Portugais ne se sont pas éloignés du Vieux Monde, mais ils ont retrouvé en Orient des fidèles des religions du Livre. Des musulmans, principalement, mais aussi des juifs, et même des noyaux de chrétienté, tels ces « chrétiens de saint Thomas » qui, en Inde, attestent que la prédication apostolique a bien atteint les extrémités du monde. Certes, les navigateurs ont aussi rencontré, au long des côtes d'Afrique, des Noirs idolâtres, voire totalement areligieux, mais ce ne sont que fragments marginaux de l'humanité, qui attendent l'évangélisation. Au contraire, un espoir œcuménique habite certains voyageurs qui découvrent en Asie un islam apparemment plus ouvert que celui des pays méditerranéens. Ne pourrait-on pas, sur un fonds commun de tradition biblique, les amener doucement au christianisme ? Telle paraît être l'ambition du capitaine dieppois Raoul Parmentier quand il engage, par le truchement d'un de ses matelots qui sait un peu de malais, un curieux dialogue avec un dignitaire musulman de Sumatra[13] :

Il luy fit demander qui estoit le premier homme, pere de tous les hommes ; il dit que c'estoit Adam, et sa femme Eve, et qu'ils eurent huit enfans... Le capitaine luy fit demander s'il avoit connoissance comment Adam transgressa le commandement de Dieu, pour laquelle transgression il fut banni du Paradis de délices, et fut sujet à mort, et après mort, aller en enfer luy et tous les humains. Il dit que oui, et nous conta comment le diable ou serpent donna le fruit à la femme qui en donna à Adam, et comment il s'enfuit et se mussa, et qu'Adam mentit à Dieu, et qu'il dit qu'il n'en avoit point mangé.

Etonnante est la connaissance de la Genèse par ce « grand prêtre » de Ticou : à près d'un an de distance en espace-temps, le chrétien d'Occident expérimente qu'il n'est pas sorti de l'orbite biblique. Mais le Normand entend pousser plus loin, et voir si son interlocuteur peut être réceptif à l'Evangile :

Le capitaine luy demanda s'il sçavoit bien qu'il (Dieu) luy feroit misericorde ; il dit que oui. Il demanda plus outre s'il avoit connoissance comme Dieu avoit envoyé son Verbe divin se faire chair en terre et s'incarner en une vierge par l'operation du Saint-Esprit : et comment ce Verbe, qui est le Fils, est engendré du Pere, ainsi que la parole est engendrée au cœur et en la pensée de l'homme ; et que le Saint-Esprit procede du Pere et du Fils, qui est l'amour des deux. Notre truchement dit qu'il ne sçavoit dire cela.

---

12. Lettre à Lorenzo di Pietro Medici, 18 juillet 1500, citée par Marianne MAHN-LOT, *La découverte de l'Amérique*, Paris, 1970, p. 108.
13. *Discours de la navigation de Jean et Raoul Parmentier (1528-1530)* par Pierre CRIGNON, éd. par Ch. SCHEFER, Paris, 1883, pp. 69-70.

Le capitaine dieppois est donc obligé de redescendre de ces hauteurs théologiques. Mais il n'abandonne pas la partie : il reprend le dialogue à un niveau moins abscons :

> Il luy demanda s'il avoit ouy parler de Jesus et de la Vierge Marie, il dit que ouy.

Mais au moment où l'on se retrouve sur un terrain commun, c'est encore une fois l'interprète qui déclare forfait :

> Pour ce que le truchement ne pouvoit bien parler de ces choses, le propos fut changé.

J'ai un peu insisté sur cette rencontre de Ticou, dans l'île de Sumatra, parce qu'elle est exemplaire. Elle préfigure en quelque sorte les célèbres colloques religieux qui se tiendront, au tournant des XVIe et XVIIe siècles, à la cour des Grands Mogols Akbar et Jahangir, avec la participation de savants jésuites. On y verra les adorateurs du Dieu unique et les fidèles du Livre mesurer leurs convergences et affirmer chacun la supériorité de sa voie de salut.

Les grandes civilisations orientales, celles de l'Inde, du Japon, de la Chine, ont pu déconcerter les Européens; elles n'en prenaient pas moins place, assez harmonieusement, dans l'image du monde qu'ils portaient : une image façonnée à la fois par la Bible (toute pleine de mirages orientaux, de la reine de Saba à l'adoration des mages) et par les auteurs anciens, d'Hérodote à Ptolémée, une image, enfin, parée de couleurs nouvelles par le récit de Marco Polo. Quand ils furent en possession des clefs indispensables — on connaît le travail admirable accompli par les jésuites pour y parvenir — les chrétiens d'Occident purent penser que ces civilisations, construites sur des bases analogues au monde gréco-romain, étaient prêtes à s'ouvrir à leur tour à la parole évangélique[14].

Un nouveau monde ?

Contrairement à la progression méthodique des Portugais, qui tournent autour du monde connu, partir vers l'ouest, comme le propose, en 1492, Christophe Colomb aux rois d'Espagne relève à la fois du pari et de l'inspiration. Le pari, c'est de court-circuiter les concurrents portugais en ouvrant une route directe vers l'or et les épices. L'inspiration, c'est d'unifier la Terre en prouvant « que c'était une vaine fable

---

14. Voir l'exposé de la question par Minako Debergh, dans l'*Histoire du christianisme*, t. 8 (sous la dir. de M. Venard), à paraître.

des Anciens de croire que deux parties du monde seulement étaient habitables »; car, poursuit Colomb, « il serait absurde que Dieu ait créé le monde et en ait laissé la majeure partie inutile, si elle était vide d'hommes ». La foi du Génois est d'abord une foi dans la richesse et l'harmonie de la création[15].

En outre, l'or qu'il compte trouver au Catay, Christophe Colomb le destine à financer la grande croisade qui délivrera le Saint Sépulcre. « D'ici trois années, écrit-il à l'intention des Rois Catholiques, Vos Altesses pourront se préparer à partir à la conquête de la Maison sainte, car j'ai toujours proposé que tout le gain qui résulterait de mon entreprise fût employé à la conquête de Jérusalem »[16].

Davantage encore, le navigateur visionnaire se considère comme investi d'une mission divine. En 1501, quand les épreuves et les déconvenues se sont accumulées sur lui, il compose le *Livre des prophéties* : une compilation de textes de la Bible ou de ses commentateurs se rapportant au « recouvrement de la sainte cité de Sion et à la conversion des îles des Indes et de tous les peuples ». On lit, dans la lettre de dédicace adressée à Ferdinand et Isabelle :

> Notre Seigneur m'ouvrit l'entendement comme en me touchant de la main; je compris qu'il était possible de naviguer d'ici jusqu'aux Indes... Dans l'entreprise des Indes, ni raison, ni mathématique, ni mappemonde ne me servirent de rien : mais il fallait que s'accomplît ce qu'en a dit Isaïe[17] (Is 24, 16).

Ce rôle messianique de Colomb, certains de ses contemporains le lui reconnaissent volontiers. Ainsi le cosmographe catalan Jaime Ferrer, qui s'adresse en ces termes au Découvreur — nous sommes en 1495, après le deuxième voyage :

> Bientôt, Seigneur, vous serez dans le *Sinus Magnus* (le golfe du Bengale), près de cette contrée où repose le corps de saint Thomas; bientôt s'accomplira ce que la Vérité suprême a déclaré : le monde entier sera sous un seul Pasteur et une seule loi. Cela ne se pourra que si ces peuples, plus nus encore de doctrine que de corps, sont instruits de notre sainte foi. Aussi je ne pense pas me tromper, Seigneur, en affirmant que vous avez rang d'apôtre et d'ambassadeur de Dieu, choisi pour faire connaître son Nom là où la vérité est inconnue[18] (Jn 10, 16).

Pour Christophe Colomb, nul doute : la Découverte que Dieu lui a donné d'accomplir annonce que la fin du monde est proche :

> Il se fait beaucoup de grandes choses dans le monde : c'est ce que m'apprend la prédication de l'Evangile en tant de terres dans les temps tout récents...

---

15. M. Mahn-Lot, *Christophe Colomb* (coll. « Le Temps qui court », n° 18), Paris, 1960.
16. *Ibid.*, p. 51.
17. *Ibid.*, p. 155.
18. *Ibid.*, p. 124.

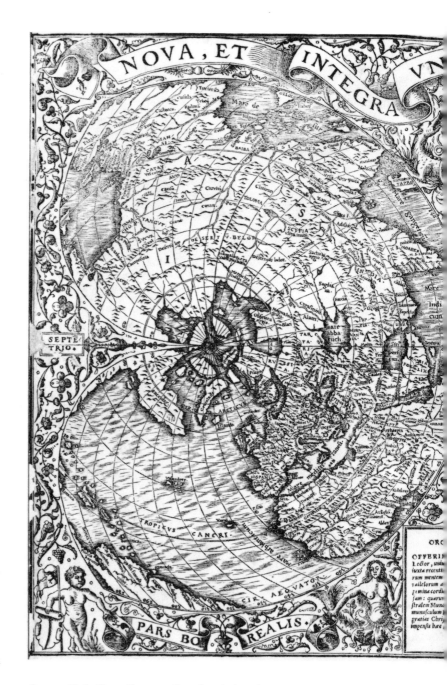

Oronce Finé, *Nouvelle et entière description du monde* (1531)

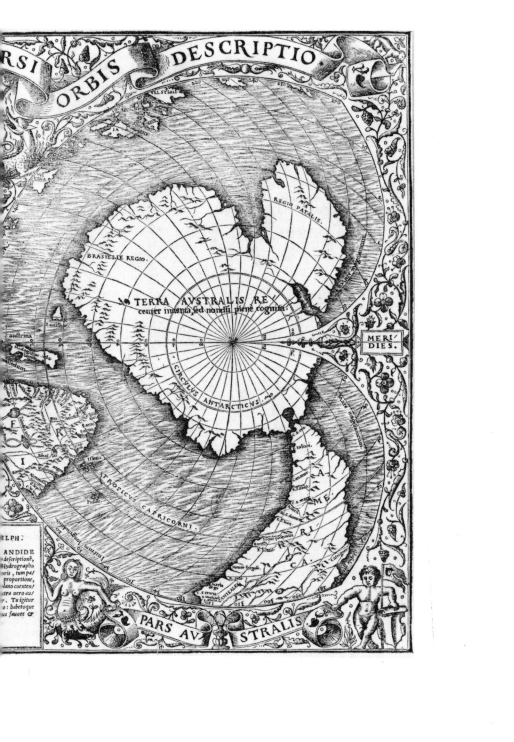

Saint Augustin dit que la fin du monde doit se placer au septième millénaire de la création... or il ne nous manque plus que 155 ans[19].

Cela dit, le Découvreur, le Porte-Christ est-il conscient d'avoir renversé la vieille image du monde ? Rien n'est moins sûr. Marianne Mahn-Lot a très finement analysé l'ambiguïté de l'expression « nouveau » monde, « nouvelles » terres, sous la plume de Colomb et de ses contemporains[20]. On sait que dans ses deux premiers voyages le Génois a obstinément cherché à identifier ses découvertes au Cipango et au Catay de Marco Polo. Quand, dans son troisième voyage, il longe le continent sud-américain, il pense cette fois que dans sa marche vers l'ouest il a fini par atteindre l'extrême est de la terre habitée, là où toutes les représentations médiévales de la terre situaient le Paradis terrestre. Lorsqu'il découvre les bouches de l'Orénoque :

Je ne crois pas, écrit-il, que personne puisse parvenir jusqu'au Paradis, sauf par une volonté divine expresse. Du sommet descendrait ce fleuve qui arrive à former comme un lac, car je n'ai jamais entendu dire qu'on ait vu une telle quantité d'eau douce en contact avec l'eau salée... De plus, cette température modérée est un indice de Paradis... J'ai la conviction que là-bas se trouve le Paradis terrestre[21].

Néanmoins, un doute assaille le Découvreur :

Si ce grand fleuve ne provient pas du Paradis, c'est qu'il provient d'un pays immense du sud, dont personne jusqu'à présent n'a eu connaissance... Si c'est là une terre ferme, c'est une chose digne d'admiration, et ce le sera pour tous les savants.

Les savants. Les humanistes, les cosmographes surtout. Ce sont eux qui, à partir de leurs lectures et de leurs calculs mesurent les premiers la portée des découvertes transocéaniques. Au retour du premier voyage de Colomb, le jeune humaniste italien Pierre-Martyr d'Anghera, attaché à la cour de Castille, écrit enthousiasmé : « Colomb vient de rentrer des antipodes de l'Ouest. » Et quelques mois plus tard : « O l'admirable découverte ! Voici que ce qui était resté ignoré depuis les origines du monde commence à se dévoiler... Colomb vient de découvrir un nouvel hémisphère de la Terre par les Indes occidentales. » Il commence alors à rédiger les *Décades*, dont la première s'intitulera *De orbe novo : Du nouveau monde*[22].

Mundus novus : c'est aussi sous ce titre exaltant qu'est publié à Venise en 1504, et ensuite maintes fois réédité en toutes langues, le récit du voyage qu'Amerigo Vespucci a fait en 1501-1502 sur les côtes de

---

19. *Ibid.*, p. 156.
20. M. MAHN-LOT, *La découverte de l'Amérique*, Paris, 1970, pp. 80 ss.
21. M. MAHN-LOT, *Christophe Colomb, op. cit.*, p. 139.
22. *Ibid.*, p. 102.

l'Amazonie[23]. Le navigateur lui-même s'enorgueillissait de sa « découverte », il parlait de « terre nouvelle », mais pas de nouveau monde. Car il ne doutait pas que la « terre ferme » qu'il avait longée sur des centaines de lieues confinait à l'Asie orientale. Il espérait que la prochaine fois il pourrait atteindre l'île de Taprobane, c'est-à-dire Ceylan. Toutefois, Amerigo est le premier à célébrer les étoiles nouvelles qui lui sont apparues au-delà de l'équateur. « Pour conclure, écrit-il, je me suis rendu dans la région des antipodes et j'ai parcouru le quart du monde. »

Le quart du monde, pour Vespucci, cela signifie qu'il a navigué, en latitude, de 40° nord jusqu'à 50° sud, parcourant ainsi le quart de la sphère terrestre. Mais à Saint-Dié, le cosmographe Waldseemuller prend l'expression à contresens : la terre ferme que le Florentin a découverte, c'est « la quatrième partie du monde »; et il propose qu'elle soit appelée de son nom, *America*[24].

Dans les années suivantes, l'intuition des cosmographes recevra enfin sa confirmation éclatante. Balboa, en 1512, traverse l'isthme de Panama et découvre, de l'autre côté, un océan immense. Puis, de 1519 à 1522, l'expédition de Magellan, ramenée à Lisbonne par Sébastien del Cano, fait connaître l'ordonnancement général des continents et des mers, bien qu'elle laisse en question pour longtemps l'existence d'un hypothétique continent austral. D'autre part, ayant abordé les îles Canaries un mercredi, alors que leur propre calendrier indiquait un jeudi, les rescapés du premier tour du monde sont aussi les premiers à expérimenter le paradoxe du décalage horaire. Cette fois encore, ce sont les cosmographes qui donnent la solution de l'énigme[25].

Derrière la ferveur des pèlerins et l'émerveillement des découvreurs, la nouvelle vision du monde appartient donc aux cosmographes, c'est-à-dire à la froide mathématique. Sur leurs globes et leurs mappemondes, qui ne cessent de devenir plus détaillés et plus sûrs, il n'y a point de « centre », mais un système abstrait de méridiens et de parallèles qui ne laisse subsister que deux points fondamentaux : les pôles. Comme un défi à toute tradition, la mappemonde d'Oronce Finé, dessinée en 1531, ordonne le monde en deux hémisphères centrés chacun sur

---

23. Sur Amerigo Vespucci, ses voyages et ses écrits (dont la chronologie est assez embrouillée), voir la note critique de M. MAHN-LOT, *La découverte de l'Amérique*, pp. 123 ss.
24. *Ibid.*, p. 70.
25. Michel MOLLAT, *Les explorateurs du XIIIe au XVIe siècle. Premiers regards sur des mondes nouveaux*, Paris, 1984, p. 90. Le même auteur cite (p. 130) une phrase du rapport adressé par Giovanni Verazzano au roi François Ier, en 1524 : « L'opinion admise par tous les Anciens était que notre Océan occidental était uni à l'Océan oriental des Indes, sans interposition de terre. Aristote l'admettait, mais cette opinion est rejetée par les Modernes et l'expérience l'a révélée fausse. Un autre monde, distinct de celui qu'ils ont connu, apparaît avec évidence. »

un pôle[26]. Pour André Thevet, auteur d'une *Cosmographie universelle* (1575), Jérusalem est « la plus belle, riche, grande et populeuse de toutes les cités d'Orient »[27]. Sous l'éloge apparent, quelle déchéance ! Le franciscain Thévet fait ses dévotions aux Lieux saints et en énumère consciencieusement les reliques. Mais le cosmographe Thévet ne place plus Jérusalem au centre du monde.

Une nouvelle humanité ?

La Terre a perdu son centre, mais elle s'est immensément agrandie. Nul ne l'a mieux exprimé que Francisco Lopez de Gomara dans la préface — adressée à Charles Quint — du livre qu'il consacre à la gloire de l'Espagne, *Hispania victrix* (1552) :

> Le plus grand événement qui s'est produit dans le monde depuis sa création, si l'on excepte l'incarnation et la mort de celui qui l'a créé, a été la découverte des Indes, et c'est pourquoi on les appelle le Monde Nouveau. Nouveau, il l'est moins parce qu'on vient à peine de le découvrir qu'à cause de son immensité, car il est presque aussi grand que l'ancien, qui comprend l'Europe, l'Afrique et l'Asie. On peut encore le dire nouveau parce que tout ce qu'il contient diffère considérablement de ce qu'on trouve dans le nôtre. Les animaux, en général, ont beau y compter peu d'espèces ; ils y sont d'une autre sorte. Les poissons de l'eau, les oiseaux qui volent dans le ciel, les arbres, les fruits, les herbes et les céréales, ce qui en dit long sur la puissance du Créateur, puisque les éléments sont les mêmes ici et là-bas. Les hommes, toutefois, y sont comme nous, sauf pour la couleur de la peau, sans quoi ils seraient des animaux et des monstres et ne descendraient pas, comme c'est le cas, d'Adam...[28].

Gomara pose excellemment le problème qui assaille ses contemporains, depuis la découverte du Nouveau Monde. Comment concilier l'existence de celui-ci avec le Livre de la Genèse ? Que l'ouvrage des troisième, quatrième et cinquième jours soit différent dans les deux mondes témoigne de la puissance et de la générosité de Dieu créateur. Mais le premier homme, Adam, lui ne peut être qu'unique. Et puisqu'il a péché, toute sa descendance doit en être marquée. Or le signe de ce péché, selon la Bible, c'est la honte de la nudité.

Trouver des hommes, au terme de leur traversée de l'Océan, a moins surpris les découvreurs que de les trouver nus, les femmes comme les hommes, et cela sans gêne aucune. Christophe Colomb le note dès sa première lettre annonçant sa découverte : « Les gens (de

---

26. Oronce Finé, *Nouvelle et entière description du monde*, 1531, Mappemonde polaire reproduite dans *Cartes et figures de la Terre*, p. 141.

27. F. Joukovsky, art. cité, p. 48.

28. Cité par Joseph Perez, *L'Espagne du XVIe siècle*, Paris, 1973, pp. 187-189.

l'île Espagnole) et de toutes les îles que j'ai vues, vivent tout nus, aussi bien hommes que femmes, tels que leur mère les a mis au monde. » Et à son tour Amerigo Vespucci : « Cette terre est peuplée de gens tout nus, tant les hommes que les femmes... »

Une humanité d'avant le péché ? Il est vrai que par bien des traits s'esquisse le mythe du « bon sauvage » et de l'heureux état de nature[29]. Colomb : « Ils n'ont aucune secte ni idolâtrie; ils croient seulement que la puissance et le bien résident dans le ciel. » Vespucci : « Ils n'ont ni loi ni foi aucune, ils vivent selon la nature et ne connaissent pas l'immortalité de l'âme. Ils n'ont rien qui leur soit propre, et tout est commun entre eux; ils n'ont pas de frontières entre provinces et royaumes, ils n'ont pas de rois et n'obéissent à personne... »

Néanmoins cet optimisme ne va pas plus avant, car au même regard s'imposent l'anthropophagie et la violence. Au milieu du XVIe siècle, le catholique Gomara et le calviniste Jean de Léry font chacun le point avec une lucidité qui conforte leur propre choix confessionnel. Pour le premier, la nudité des Indiens est purement circonstancielle, car, écrit-il, « vivre nu dans un pays chaud où l'on ne trouve ni laine ni lin n'a rien d'extraordinaire »; et il enchaîne aussitôt : « Comme ils sont dans l'ignorance du vrai Dieu et Seigneur, ils commettent d'effroyables péchés : idolâtrie, sacrifices humains, cannibalisme, conversation avec le démon, pédérastie, polygamie, etc. » Mais grâce à la bonté de Dieu et au zèle des souverains d'Espagne, les voici maintenant heureusement convertis au christianisme[30].

Jean de Léry, en bon disciple de Calvin, tire de l'observation des Tupinambas confirmation de sa foi dans la prédestination divine :

> Tenant pour ma part pour tout résolu que ce sont pauvres gens issus de la race corrompue d'Adam, tant s'en faut que les ayant ainsi considérés vides et dépourvus de Dieu, ma foi (laquelle Dieu merci est appuyée d'ailleurs) ait été ébranlée... Ayant fort clairement connu en leurs personnes la différence qu'il y a entre ceux qui sont illuminés par le Saint Esprit et par l'Ecriture Sainte, et ceux qui sont abandonnés à leur sens et laissés en leur aveuglement, j'ai été beaucoup plus confirmé en l'assurance de la vérité de Dieu[31].

Pour les conquistadores qui ont connu les grandes civilisations amérindiennes du Mexique et du Pérou, le jugement est encore plus simple et tranchant. Elles sont d'essence diabolique. Cela explique pour une part la férocité avec laquelle ils les ont détruites. Le même thème sert de fil conducteur à tout le livre cinquième de l'*Histoire naturelle et morale des Indes occidentales*, publiée en 1589 par José de

---

29. M. MOLLAT, *Les explorateurs...*, pp. 226 ss.

30. Gomara, cité par J. PEREZ, *loc. cit.*

31. Jean de LÉRY, *Histoire d'un voyage fait en la terre de Brésil*, La Rochelle, 1578, chap. XVI. Cité d'après Anne-Marie CHARTIER, *Indiens de la Renaissance*, Paris, 1972, pp. 213-214.

Acosta[32]. Ce jésuite est un contemporain des grands auteurs européens de démonologie. Il explique par la malice de Satan, imitateur de Dieu, non seulement les pratiques religieuses des Indiens, mais l'ensemble des religions païennes. Chassé de « la meilleure et la plus noble partie du monde (l'Europe), Satan s'est retiré dans les régions les plus lointaines et a régné sur cette autre partie du monde qui, pour être moins noble, n'en est pas moins supérieure en dimension »[33].

Fils d'Adam, pécheurs comme les autres, voire plus que d'autres, comment peut-on comprendre que les habitants du Nouveau Monde aient été tenus à l'écart du reste de l'humanité, au risque de perdre le bénéfice de la Rédemption ? A vrai dire, comme personne ne met en doute que le Déluge ait été universel, c'est à partir de Noé qu'il faut donner des ancêtres aux Amérindiens. Puisque chacun de ses trois fils avait déjà sa postérité reconnue, certains auteurs proposent de faire descendre ces nouveaux cousins de Tubal, frère de Noé, considéré comme le premier forgeron : il aurait transmis son savoir-faire aux habitants du Pérou, dont on admirait les bijoux d'or...[34].

De même, parce qu'il paraissait contraire à l'universalisme de la Révélation que la Bible ne fît pas mention du continent américain, de savants exégètes, parmi lesquels il faut ranger Vatable, professeur d'hébreu à Paris, identifièrent les îles découvertes par Colomb, puis le Pérou, à la lointaine Ofir d'où Salomon faisait venir des trésors d'or fin. *Ophir*, disaient-ils, est composé des mêmes lettres que *Pérou*, et l'on avançait d'autres arguments semblables, d'ordre philologique et linguistique (1 R 9, 27-28)[35].

Plus séduisante encore, car elle conférait aux Indiens une origine historique beaucoup moins lointaine, la théorie qui voyait en eux les descendants des dix tribus d'Israël qui, après leur déportation en Mésopotamie, n'étaient jamais revenues dans leur pays d'origine (à la différence des tribus de Juda et de Benjamin qui, de retour à Jérusalem, avaient formé le peuple juif). On prétendait retrouver dans les croyances et les pratiques mexicaines des traces de ce passé hébraïque. On établissait même des comparaisons aussi injurieuses pour les Indiens que pour les juifs[36]. En fait, cette théorie, dont le jésuite José de Acosta, à la fin du xvie siècle, n'aura guère de peine à démontrer l'inanité,

---

32. José de Acosta, *Histoire naturelle et morale des Indes occidentales (1589)*, trad. et présentée par Jacques Remy-Zephir, Paris, 1979.

33. *Ibid.*, p. 236.

34. M. Mahn-Lot, *La découverte de l'Amérique*, p. 87. Jean de Léry propose une autre hypothèse : les Indiens seraient des habitants de Chanaan qui auraient échappé par mer à la conquête de leur pays par les Hébreux (*op. cit.*, p. 213).

35. Mahn-Lot, *La découverte de l'Amérique*, p. 87; Acosta, *op. cit.*, pp. 45-48.

36. Mahn-Lot, *ibid.*, pp. 85-86; Acosta, *ibid.*, p. 66 : « Pour affirmer que les Indiens proviennent du lignage des Juifs, le vulgaire s'appuie sur l'argument qu'ils sont pusillanimes et décadents, très cérémonieux, subtils et menteurs. »

Enseignement et prédication
au Nouveau Monde
Nueva Cronica
de Guaman Poman de Ayala

avait été utile pour justifier la première phase de la *conquista* : suscitant chez les franciscains missionnaires une exaltation eschatologique, elle animait les soldats castillans de la même haine dont ils poursuivaient, dans leur pays, tout l'héritage judaïque.

Nous n'avons pas à développer ici la théorie d'inspiration humaniste qui identifiait le Nouveau Monde à l'Atlantide de Platon. Qu'il nous suffise de dire que José de Acosta fait justice de cette hypothèse comme de toutes les précédentes[37]. En revanche, les vues du jésuite, elles, méritent qu'on les expose, car elles témoignent d'un parti pris de rationalité. « Il est plus aisé, écrit-il, de réfuter les fausses théories sur l'origine des Indiens que de découvrir la vérité »[38].

Acosta tient ferme pour l'origine unique de l'humanité en Adam : « les Lettres (entendons : l'Ecriture sainte) nous enseignent que tous les hommes du monde descendent d'un premier homme qui fut Adam. » C'est pourquoi il paraîtrait totalement impossible d'en trouver au-delà de l'Océan, « si le fait palpable et l'expérience dont notre époque a été le témoin ne venaient nous en dissuader ». Dans tout cela, Acosta invoque aussi l'autorité de saint Augustin, qui avait soulevé l'hypothèse d'un nouveau monde habité et l'avait rejetée comme absurde. Encore une fois, insiste le jésuite, « nous sommes obligés de soutenir que les habitants des Indes sont venus d'Europe ou d'Asie pour ne pas contredire la Sainte Ecriture qui enseigne clairement que tous les hommes descendent d'Adam »[39] (Gn 3, 20).

Ceci posé, Acosta se demande comment ces descendants d'Adam ont pu atteindre le Nouveau Monde. La première explication qu'il retient, c'est que des hommes ont pu y être jetés par la tempête, contre leur volonté ; mais il objecte qu'il n'est pas vraisemblable que ceux-ci aient apporté avec eux toutes les espèces animales qu'on trouve en Amérique, et surtout pas celles qui sont nuisibles[40]. Finalement, Acosta s'arrête à l'explication qu'il estime la plus solide : les deux continents, en quelque endroit, « se joignent et se continuent, ou pour le moins s'avoisinent et s'approchent beaucoup »[41]. Et ainsi, les premiers hommes du Nouveau Monde, comme les animaux, y sont arrivés non pas par la mer mais « en cheminant par la terre ». Le jésuite conclut donc : « Nous pouvons déduire de tout ce qui précède que le lignage des hommes est passé peu à peu au Nouveau Monde, grâce à la continuité ou à la proximité des terres, et parfois du fait d'une navigation aven-

---

37. ACOSTA, *op. cit.*, pp. 63-65.
38. *Ibid.*, p. 67.
39. *Ibid.*, pp. 35 et 59. Léry part du même fait « certain » que les Indiens sont issus de l'un des trois fils de Noé (*op. cit.*, p. 212).
40. ACOSTA, *op. cit.*, pp. 57-60.
41. *Ibid.*, p. 61.

tureuse »[42]. Cette théorie, Acosta tient à l'inculquer aux Indiens eux-mêmes qui, lorsqu'on les interroge sur leurs origines, pensent qu'ils ont été créés dans le Nouveau Monde lui-même. « Nous les avons détrompés, dit-il, en leur enseignant que tous les humains descendent du même homme »[43].

Nous sommes en 1589. José de Acosta est un exact contemporain de Montaigne. La vision du monde fondée sur l'Ecriture s'estompe au profit de la rationalité moderne. « Il suffit de savoir », dit encore Acosta, « au sujet des Saintes Ecritures, que nous ne devons pas suivre la lettre qui tue, mais l'esprit qui vivifie, comme dit saint Paul »[44] (2 Co 3, 6).

LA TERRE AU CENTRE DE L'UNIVERS ?

Quelques années plus tard, un homme, en Europe, tiendra à peu près le même langage : Galilée, dans une lettre au P. Castelli, bénédictin de Florence, en 1613, énonce le principe qu'il répétera, peu après, avec encore plus d'éclat, en s'adressant à la grande-duchesse de Toscane : « La Bible n'a pas été écrite pour nous enseigner l'astronomie. » Et il ajoute ce mot, qu'il prête au cardinal Baronius : « L'intention du Saint-Esprit n'est pas de nous montrer comment vont les cieux, mais comment on va au ciel. » C'est pourquoi Galilée revendique la liberté du savant par rapport aux théologiens : Dieu, dit-il, parle aux hommes par la Révélation biblique, mais aussi par la Nature créée par lui. « Puisque chaque vérité est en accord avec toutes les autres vérités, on ne peut opposer celle de l'Ecriture sainte aux solides raisons et aux découvertes de la connaissance humaine »[45].

Mais cette incursion du physicien dans le domaine de l'herméneutique biblique fait scandale. D'autant que la vérité scientifique qu'il prétend affirmer à l'encontre du fondamentalisme scripturaire est elle-même révolutionnaire, au sens le plus fort de ce mot : la Terre n'est pas le centre de l'Univers, elle n'est qu'une planète parmi d'autres qui tournent autour du Soleil.

42. *Ibid.*, pp. 61 et 67.
43. *Ibid.*, p. 69.
44. *Ibid.*, p. 29. Néanmoins, parce qu' « il est certain que l'Esprit-Saint a connu tous les secrets longtemps auparavant... il semble (à J. de Acosta) raisonnable de croire qu'il soit fait mention dans les Saintes Ecritures d'une affaire aussi importante que la découverte du Nouveau Monde et sa conversion au Christ ». Acosta est donc disposé à interpréter dans ce sens la prophétie finale d'Abdias (v. 16-17) et un verset d'Isaïe : « Hélas les ailes des navires qui vont au-delà de l'Ethiopie » (Is 18, 1-2) (*op. cit.*, p. 50).
45. GALILÉE, *Sidereus nuncius*, éd. par E. NAMER, Paris, 1964; *Encyclopedia universalis*, t. 8, pp. 209-212 (Pierre COSTABEL).

Cette théorie, Galilée ne l'a pas inventée. Elle a été soutenue, dès le début du XVIᵉ siècle, par un paisible chanoine polonais, Nicolas Copernic[46]. Né à Torun en 1473, formé en mathématiques à l'Université de Cracovie, Copernic a ensuite séjourné en Italie, notamment dans les grandes Universités de Bologne et de Padoue où il a enrichi ses connaissances par la lecture des savants de l'Antiquité. Rentré dans son pays, il a composé vers 1509 un petit ouvrage *(Commentariolus)* dans lequel il exposait sa théorie des mouvements célestes, et l'a fait circuler, manuscrit, parmi ses amis et ses pairs. Modeste et prudent, Copernic tenait à mûrir longuement ses idées et à perfectionner son système avant de s'opposer publiquement à l'autorité d'Aristote et de Ptolémée. Pourtant, sur la fin de sa vie, il s'est laissé convaincre par un jeune professeur de Wittenberg de livrer à l'impression son ouvrage, qui paraît à Nuremberg, en 1543, sous le titre *De revolutionibus orbium caelestium*. Dédié au pape Paul III, l'ouvrage est précédé d'une préface rédigée par le luthérien Osiander, qui présente comme une hypothèse ce qui, pour Copernic, était une théorie mathématiquement démontrée : la Terre n'est pas un astre immobile autour duquel tournent tous les astres emportés dans un mouvement circulaire; la Terre tourne sur elle-même sur l'axe des pôles, et elle accomplit en une année, comme les autres planètes, une révolution autour du Soleil.

Copernic justifie son système par des arguments mathématiques. Son système est *plus simple*, pour rendre compte des apparences, que celui de Ptolémée. Mais — et cela peut-être compte davantage dans l'esprit de l'humaniste polonais — le système de Copernic correspond à une vision esthétique et mystique qu'il a reçue de certains livres anciens, notamment d'Hermès Trismégiste et des platoniciens : le Soleil est la lampe du monde; sa place doit être au centre de l'univers; « car c'est le Soleil, en vérité, qui gouverne la tournoyante famille des astres, assis en quelque sorte sur un trône royal ».

Le pape Paul III, s'il l'a lu, n'a rien trouvé à redire au livre de Copernic; ni non plus, pendant longtemps, les porte-parole du catholicisme. Mais les protestants, eux, ont réagi les premiers : Luther, Melanchthon, Calvin condamnent le système de Copernic au nom de l'Ecriture sainte; moins par attachement littéral au récit de Josué arrêtant le Soleil (Jos 10, 12-13), que parce qu'il leur semble que toute la Révélation postule que la Terre, et par conséquent l'homme, soit au centre de l'Univers. C'est un thème qu'à la fin du XVIᵉ siècle le jésuite José de Acosta, à son tour, orchestre avec un incontestable talent poétique dans son chapitre : « Que la Sainte Ecriture nous donne à entendre que la Terre est au milieu du monde », en citant, par exemple, ce verset de psaume : « Toi qui as fondé la Terre sur sa même stabilité

---

46. Copernic : *Encyclopedia universalis*, t. 5, pp. 483-487 (Jean-Pierre VERDET).

et fermeté, sans qu'elle chancelle ni se retourne, pour toujours et à jamais » (Ps 104, 5 ; 103 Vulgate) ; ou encore l'Ecclésiaste : « Le Soleil naît et se couche, et retourne en son même lieu ; et là, recommençant à naître, prend son chemin par le Midi, tourne vers le Septentrion, l'esprit cheminant à l'entour de toutes choses, et il s'en retourne à son même endroit »[47] (Qo 1, 5-6).

Il faut dire que les cosmographes eux-mêmes sont partagés au sujet du système de Copernic. Préfaçant l'édition française de la *Cosmographie* de Münster (1575), François de Belleforest rejette en termes sévères « l'opinion fantastique et trop gaillarde de Copernique qui, pour se monstrer des plus habiles, a voulu contredire à tous les philosophes, et prouver que la Terre est mobile ». Il la rejette comme contraire au sens commun, et il soutient que Copernic lui-même ne pensait pas décrire la réalité des choses, mais seulement stimuler la réflexion et les recherches des savants[48]. Il est vrai que le plus grand astronome de la fin du XVIe siècle, Tycho Brahé, refusait aussi d'admettre la rotation terrestre.

Voir dans le système de Copernic une pure hypothèse : c'était, nous le savons, la présentation qu'en avait faite Osiander ; telle est encore la position que le cardinal Bellarmin, en 1615, voudrait persuader Galilée d'adopter. Mais Galilée, armé de la lunette, a vu le relief de la Lune ; il a observé que la Voie lactée est faite d'une multitude innombrable d'étoiles ; et surtout, il a découvert des satellites qui gravitent autour de Jupiter comme la Lune tourne autour de la Terre. Toutes choses qu'il expose avec enthousiasme, en 1610, dans un ouvrage au titre superbe, *Sidereus nuncius*, le Messager des astres. Ces observations, et d'autres qu'il ne cesse d'ajouter, sont pour Galilée autant de données qui relativisent le vieux système ptoléméen, et de *preuves* en faveur du système de Copernic[49].

Repousser, dans les termes que nous avons cités, les objections que ses adversaires lui font au nom de la Bible ne fait qu'aggraver le cas de Galilée aux yeux de l'autorité romaine. Comment ce laïc ose-t-il en remontrer aux théologiens ? Dans une sentence du 24 février 1616, l'Inquisition romaine prononce que la doctrine de Copernic est « absurde et fausse sur le plan philosophique, et erronée du point de vue de la foi ». Le livre de Copernic est mis à l'index, et injonction est faite à Galilée de ne plus enseigner son système. On sait que le *Dialogo*, par lequel le savant florentin récidiva, devait entraîner un second procès, plus dramatique, en 1633, mais sans rien changer sur le fond à la sen-

47. Acosta, *op. cit.*, pp. 25-28.
48. Préface de la *Cosmographie universelle* de Séb. Munster et F. de Belleforest, 2 vol., Paris, 1575. Sur les objections au système de Copernic, voir encore *Cartes et figures de la Terre, op. cit.*, p. 73.
49. Galilée, *Sidereus nuncius*, éd. citée.

tence de 1616. Au reste, dans le monde scientifique, et peu à peu dans l'opinion générale, la cause était déjà entendue, même s'il a fallu attendre le xixe siècle et le pendule de Foucault pour avoir une démonstration physique de la rotation terrestre.

Le « procès de Galilée » — qui est en réalité celui, *post mortem*, de Copernic — nous fait mesurer combien il pouvait être difficile, pour des esprits nourris de la Bible et de la scolastique, de substituer l'héliocentrisme à la vision traditionnelle qui mettait l'homme et la Terre au centre de l'Univers. Que dire alors du scandale causé par Giordano Bruno, lançant l'idée que le monde est infini, sans aucun centre, car le Soleil n'est qu'une étoile comme les autres, qui sont chacune au centre d'un système semblable au nôtre que rien n'interdit de peupler d'êtres analogues au genre humain ? L'auteur du traité *De l'infinito universo e mundi* (1584) ne pouvait être qu'un dangereux « athéiste », que l'Inquisition eut bientôt fait d'emprisonner à Venise, puis de transférer à Rome, où il fut condamné au bûcher en 1600[50]. Comme s'il fallait une victime expiatoire à la fantastique révolution mentale que le siècle écoulé venait d'imposer à l'humanité.

TEMPS SACRÉ, TEMPS PROFANE

L'espace a perdu le code référence que lui avait fourni la Bible. Le temps, lui aussi, subit un sort analogue.

Pour la chrétienté, les mystères de l'Incarnation et de la Rédemption occupaient sans conteste le centre de l'histoire. Le comput des années avant et après Jésus-Christ en était la conséquence la plus évidente. Et dès lors, le commencement de chaque année était décompté, à Rome et dans les pays méditerranéens « ab Incarnatione » (25 mars) ou « a Nativitate » (25 décembre) de Jésus-Christ : « L'an de la Nativité Notre Seigneur... »; « l'an de l'Incarnation du Sauveur... » traduisent nos vieux textes en français. Ces fêtes à date fixe ne créaient pas de difficulté de comput. Plus malcommode, le système français fondé sur le mystère de la Rédemption, c'est-à-dire sur la date de Pâques, mobile entre le 22 mars et le 25 avril : ce qui imposait, quand on énonçait une date de ces mois, de préciser « avant » ou « après » Pâques. Du moins ce « style de Pâques », comme disent les chartistes, conférait au calendrier une forte connotation religieuse et biblique.

Pour des raisons de commodité, le pouvoir royal devait se décider (édit de Roussillon, 1564) à abolir le « style de Pâques » pour imposer à sa place, non pas une fête chrétienne fixe comme Noël ou l'Annon-

---

50. Alexandre KOYRÉ, *Du monde clos à l'univers infini*, Paris, 1962.

ciation, mais une ancienne fête païenne, le premier jour de l'année romaine, le 1er janvier. Certes, dans la conscience des gens, le cycle sanctoral demeure comme repère calendaire courant (il suffit de mentionner la « Saint-Barthélemy »); mais le cycle pascal, le seul qui soit proprement scripturaire, du carême à la Pentecôte, est évincé comme référence chronologique; il ne sert plus qu'à rythmer, concurremment, le temps liturgique et le folklore populaire — celui-ci fort attaché, par exemple, au Vendredi saint ou au lundi de Pentecôte.

L'édit de Roussillon n'est encore que le signe d'un certain détachement vis-à-vis des sacralités du temps. Combien plus audacieuse l'initiative prise par le pape Grégoire XIII, à l'incitation de mathématiciens et d'astronomes dont les plus écoutés sont les jésuites professeurs au Collège romain, de réformer le calendrier[51]. Il s'agissait de rattraper les dix jours de décalage que le calendrier en usage depuis Jules César avait pris, par rapport aux repères astronomiques que sont les solstices et les équinoxes. En 1582, le pape ordonna de sauter directement du 4 au 15 octobre. Ainsi, toutes les grandes fêtes fixes, fêtes du Christ comme Noël et l'Epiphanie, fêtes de la Vierge, fêtes des saints, se trouvaient brusquement déplacées. Quand on songe à tout le faisceau de croyances populaires, de dictons, etc., que les siècles avaient accroché à ces fêtes, on conçoit quels ont dû être, sur le moment, le désarroi des populations. D'autant que, par principe, l'Europe protestante et orthodoxe refusa d'appliquer cette réforme du calendrier imposée par le pape de Rome. En fait, dans les pays catholiques le décalage opéré en 1582 fut bientôt oublié, et rites populaires et dictons conservèrent tout leur crédit. Mais il reste qu'en cette circonstance, comme pour la représentation de la Terre, la science mathématique et astronomique avait fait prévaloir son autorité sur une tradition sacralisée par les siècles : l'homme avait semblé s'arroger sur le temps un pouvoir que l'Ecriture sainte réservait à Dieu seul.

Histoire du salut ou Renaissance

Relisons Lopez de Gomara : « Le plus grand événement qui s'est produit dans le monde depuis sa création, si l'on excepte l'incarnation et la mort de celui qui l'a créé, a été la découverte des Indes... » Chez cet historien, le temps est parfaitement jalonné, c'est le temps de la Bible, le temps du Salut : une première phase s'étend entre la Création et la Rédemption, une seconde phase, la nôtre, est marquée d'événements, dont nous sommes libres d'apprécier l'importance, pourvu que

---

51. L. von Pastor, *Histoire des papes*, trad. fr., t. XIX, Paris, 1938, pp. 233-248.

nous ne perdions pas de vue le terme de l'histoire, qui est le retour
glorieux du Christ. Gomara est d'autant mieux fondé à placer la découverte de l'Amérique au premier rang de ces événements que, quand
il écrit, les habitants du Nouveau Monde « sont désormais chrétiens
par la miséricorde et la bonté de Dieu ».

Sans sortir de cette grande perspective du Salut, d'autres, au même
moment, lisent autrement les grands événements de l'histoire. Je songe
en particulier à la première page de l'*Histoire ecclésiastique des Eglises
réformées*, publiée en 1580 sous l'autorité de Théodore de Bèze. Celui-ci
est vraisemblablement le rédacteur de cette page à l'accent si évidemment biblique :

> Estant arrivé le temps que Dieu avoit ordonné, pour retirer ses esleus
> hors des superstitions survenues peu à peu en l'Eglise romaine, et comme
> pour ramener derechef la splendeur de sa verité...[52].

Ainsi, l'histoire de la Réformation comme l'histoire de la Découverte s'inscrivent tout naturellement — peu nous importe ici la concurrence qui peut s'établir entre elles — dans la perspective scripturaire
et chrétienne de l'histoire du Salut : ce sont des étapes entre la Rédemption et la Parousie. Nous avons déjà vu que, pour beaucoup de contemporains, ce sont même des signes que celle-ci est proche.

Mais à ces visions du temps et de l'histoire s'oppose très radicalement celle dont se réclament les humanistes, les Italiens en particulier, et sur laquelle ils ont fondé l'idée, sinon le mot, de Renaissance[53].

De Pétrarque à Vasari, en passant par Leonardo Bruni, Machiavel,
Raphaël (ou Balthazar Castiglione écrivant pour lui), Guillaume Budé,
Albert Dürer et bien d'autres, l'histoire s'ordonne en un vaste cycle
dans lequel l'Incarnation du Christ a perdu sa place majeure. Le temps
de référence, c'est celui de l'Antiquité gréco-romaine, temps d'épanouissement sans égal de l'homme et de toutes ses œuvres, littéraires,
artistiques, etc. Au contraire, l'avènement du christianisme est vu
comme un des facteurs qui ont entraîné la décadence de cette sorte
d'âge d'or, suivi par quasi un millénaire de barbarie « gothique ».
Jusqu'à ce que les générations de Dante et de Giotto, de Pétrarque et
de Boccace ressuscitent les arts et les lettres pour les amener à une
nouvelle splendeur qui approche celle des Anciens sans l'égaler. Seuls
certains humanistes — parmi eux notre Rabelais — saluent dans la
civilisation de leur temps des techniques que l'Antiquité avait ignorées, l'imprimerie « par inspiration divine », et l'artillerie « par suggestion diabolique ».

52. *Histoire ecclésiastique des Eglises réformées au royaume de France*, éd. par G. Baum et
Ed. Cunitz, Paris, 1883, I, p. 1.
53. W. K. Ferguson, *La Renaissance dans la pensée historique*, trad. fr., Paris, 1950.

Ne nous hâtons pas cependant de dire qu'il s'agit là d'une vision optimiste de l'histoire. Certes, l'enthousiasme éclate dans la Lettre de Gargantua à Pantagruel, comme dans les écrits de plusieurs des Italiens que j'ai nommés. Mais Machiavel, lui, et son contemporain Guichardin professent de l'histoire une conception cyclique qui prévoit, après les grandes réussites des civilisations, la décadence prochaine. C'est pourquoi, à leurs yeux, rien n'est durablement acquis dans cette « Renaissance » dont ils sont les témoins. Ne pensons donc pas qu'ils aient substitué un quelconque avènement final de l'humanité à la perspective chrétienne du salut.

L'homme qui, au XVIe siècle, a le mieux réfléchi sur le sens du temps et de l'histoire me paraît être Louis Le Roy[54]. Ce philosophe quelque peu — et fort injustement — oublié est né à Coutances en 1510. Ecrivain bien reçu à la cour de France, il publie en 1575 son grand ouvrage, dont il faut citer les principales propositions du titre, qui est fort long, mais assez explicite :

De la vicissitude ou variété des choses en l'univers, et concurrence des armes et des lettres... depuis le temps où a commencé la civilité et memoire humaine jusques à présent. Plus s'il est vray ne se dire rien qui n'ayt esté dict au paravant : et qu'il convient par propres inventions augmenter la doctrine des anciens, sans s'arrester seulement aux versions, corrections et abregez de leurs escrits[55].

Comme on voit, la première partie du titre annonce une histoire universelle, ou plus exactement une histoire générale des civilisations qui se sont succédé sur la Terre. Mais la seconde partie pose une grande question : la civilisation antique est-elle insurpassable ? et nous verrons que Le Roy rattache à cela une discussion pour savoir si la décadence est ensuite inéluctable, ou si les acquis de la Renaissance peuvent être indéfiniment développés : ce qui revient à envisager la notion de progrès comme sens de l'histoire.

Conformément à ce programme, Louis Le Roy commence par dérouler un grand panorama de l'histoire de l'humanité en dix grandes périodes dont la plupart sont cycliques, c'est-à-dire construites selon le schéma : croissance, apogée, décadence. Mais la principale originalité du livre n'est pas là : elle est dans l'absence de toute mention initiale de la création, comme aussi de tout âge d'or originel. Adam n'est pas nommé, et dès que l'homme apparaît, c'est déjà dans la diversité des langues. Le livre III, « Comment les hommes, de leur simplicité

---

54. Werner L. GUNDERSHEIMER, *The Life and the Works of Louis Le Roy* (Travaux d'Humanisme et Renaissance, LXXXII), Genève, 1966.

55. Louis LE ROY, *Des vicissitudes...*, cité ici d'après la 3e éd., Paris, 1579 (BN in-fol., Z, 302).

et rudesse première, sont parvenus à la commodité, magnificence et excellence presente », est en fait le récit d'une sorte d'âge préhistorique, durant lequel l'humanité sort péniblement de l'état sauvage en inventant l'agriculture, l'art de construire, etc., mais à un degré encore primitif. Les livres suivants font défiler toutes les grandes civilisations de l'Orient. de l'Egypte, de la Grèce et de Rome, fondées sur une conjonction de puissance militaire et de supériorité culturelle. Ni le peuple d'Israël, ni le Christ n'ont de place dans cette fresque où l'on passe directement de la puissance romaine à l'Islam et à la conquête arabe. Le livre X est consacré à ce que nous appelons la Renaissance : restauration des arts et des lettres, découvertes lointaines grâce à la boussole, inventions de l'imprimerie et de l'artillerie inconnues des Anciens; mais en contrepartie, apparition de la « grosse vérole » et éclatement du christianisme en « sectes », « qui ont beaucoup alteré le repos publicq et refroidy la charité mutuelle des personnes ».

Dans le livre XI, Le Roy fait le bilan de son siècle « pour sçavoir en quoy sommes inferieurs ou egaux aux anciens, et en quoy devons estre preferez ». Il conclut à la supériorité du temps présent, mais l'expérience des civilisations précédentes lui fait pressentir combien celle-ci est fragile, menacée par la « vicissitude » des choses humaines : « Il est à craindre, écrit-il, qu'estans parvenuës à si grande excellence la puissance, sapience, disciplines, livres, industries, ouvrages, cognoissance du monde, ne dechoient autre fois comme ont faict par le passé. »

On ne peut manquer d'observer à quel point toute la vision de l'histoire de Louis Le Roy est sécularisée. Ce philosophe de cour du roi Henri III était certainement un catholique pratiquant, mais sa réflexion est totalement déconnectée de toute perspective biblique et même religieuse. Il en va de même dans son livre XII, le plus important et le plus neuf de tout l'ouvrage, celui qui traite du second point annoncé dans le titre.

La décadence menace notre civilisation ? Eh bien, dit Louis Le Roy, il nous appartient de conjurer ce péril par un effort constant. Car il n'est pas inéluctable. Déjà, nous pouvons faire mieux que les Anciens, pour cela « nous devons prendre courage de travailler, avec esperance de nous rendre meilleurs qu'eux, aspirans tousiours à la perfection qui n'apparoist encore nulle part, restans plus de choses à chercher qu'il n'en y a de trouvees ». Travailler. Comme pour l'héroïne de Tchekhov, le travail est pour Le Roy la voie du salut. Il reste tant à faire, tant à découvrir. Certes, accumuler les connaissances et les productions n'est pas tout : il y en aura beaucoup d'inutiles et de vaines; mais le temps fera un tri. Comme les plantes et les animaux, l'homme doit inlassablement semer et procréer pour assurer sa continuité. Et par ses œuvres il peut atteindre l'immortalité et la gloire. Les Français, pour cela, ont été particulièrement favorisés par la nature. Tout peut

Psalterium, Hebræum, Græcũ,
Arabicũ, & Chaldæũ, cũ tribus
latinis ĩterpratõibus & glossis.

תה־לם עברי יואני ערבי עם
תרגום ושלשד תר־גומ־ם
מ־ל־ט־ן עם פר־ושן

Ψαλτηριον ίβραϊκòν έιηνγικòν, άρα
βικòν, χαλλαϊκòν μετà τριῶν έρ
μηνήϊῶν λατινικῶν ή ίλωσημλάτων.

مزامير عبراني يوناني
عرابي وقصداني بثلث
ترجمت لكين . وتفسيرهم

ספרא דיתהלא׳ יהודא׳ יונא׳
ערבא׳ וכׅׄ׳דׅׄ־די עם תלֹת
מיתרגׅׄמא מן לׅׄט׳ן ובחרירהון
autore Augustino Iustiniani.

Psautier octuple (A. Justiniani)
Gênes, 1516

toujours être amélioré, l'avenir appartient à l'homme, chacun en est comptable vis-à-vis de la postérité :

> Par quoy si tous estiment le futur leur appartenir, et taschent laisser memoire d'eux : les sçavans ne doivent estre paresseux à acquerir par les monumens durables de lettres, ce que les autres pretendent par œuvres en brief perissables. Ains convient que travaillent à leur pouvoir, sinon pour le regard des hommes qui se montrent souvent ingrats envers leurs bienfaiteurs, et envieux de la vertu presente; au moins que ce soit pour l'honneur de Dieu. Qui veut que conservions soigneusement les arts et sciences, comme les autres choses necessaires à la vie, et les transmettions de temps en temps à la posterité par doctes et elegans escrits en belles matieres; donnans clarté aux obscures, foy aux douteuses, ordre aux confuses, elegance aux impolies, graces aux delaissees, nouveauté aux vieilles, authorité aux nouvelles[56].

Après cela, nul n'oserait contester que Louis Le Roy a droit à une place de choix parmi les initiateurs et les laudateurs du mythe du Progrès. Ce n'est pas la mention tout extérieure qu'il fait de l'honneur de Dieu qui permet de concilier sa vision de l'avenir de l'homme avec la théologie du salut. Le Roy est un parfait témoin de la dérive d'un humanisme qui, ayant rompu toute amarre avec la tradition scripturaire, se place dans une autosuffisance courageuse et fière. De même que l'univers n'a plus d'autre centre que la pensée de l'homme qui le perçoit et l'analyse, de même le temps n'a plus d'autre repère ni d'autre sens que celui de l'avenir collectif de l'humanité, péniblement émergée de la sauvagerie primitive en travaillant à enrichir et conserver sans cesse son capital matériel et intellectuel.

Cette rupture n'était-elle pas nécessaire pour permettre à l'homme d'échapper au monde clos et à l'histoire prédéterminée que la Bible lui fixait ? Beaucoup ont pu le croire, et des meilleurs, mais peut-être est-ce faute de savoir distinguer l'Ecriture « noir sur blanc » de la Parole vivante de Dieu ? Je remarque en tout cas que José de Acosta, ce jésuite qui distinguait la lettre qui tue et l'esprit qui vivifie, a su parfaitement, au détour d'un chapitre, proposer une perspective de salut par le Christ qui laisse grand ouvert le champ des découvertes humaines :

> Puisque le Sauveur nous affirme avec tant d'insistance que l'Evangile doit être prêché par tout le monde, et qu'ensuite viendra la fin, il s'ensuit, et ainsi doit-on l'entendre, que tant que durera ce monde, il demeurera des gens auxquels le Christ n'a pas été annoncé. Partant de là, nous devons déduire qu'une grande partie du monde est demeurée inconnue des Anciens, et qu'aujourd'hui il nous en reste une partie non négligeable à découvrir[57].

Marc VENARD.

---

56. *Ibid.*, fol. 116 v°.
57. Acosta, *op. cit.*, p. 50.

16

La Bible
et l'action pastorale

L'Ecriture : à l'heure des réformes, voilà bien un enjeu majeur. Quel rapport les Eglises vont-elles établir à l'Ecriture ? Le premier à s'exprimer sur ce sujet est Luther. Pour lui, c'est la fidélité à l'Ecriture qui est la marque de l'Eglise du Christ. « De même que c'est à la bannière d'une armée qu'on reconnaît quel seigneur et quelle armée se trouvent en campagne, de même aussi c'est à l'Evangile qu'on reconnaît d'une façon certaine où se trouvent le Christ et son armée. » A la Parole de Dieu s'oppose l' « enseignement des hommes ». Entre les deux, il faut choisir, car, « lorsqu'il s'agit de gouverner les âmes, la Parole de Dieu et l'enseignement des hommes entrent inévitablement en conflit l'un contre l'autre »[1].

Les luthériens, bien sûr, choisissent l'Evangile. Ce que les curés et prédicateurs évangéliques « prêchent, enseignent, observent », proclament fièrement à la fin de la première décennie de la Réforme les signataires de la *Confession d'Augsbourg*, ils l'ont « puisé » dans la Sainte Ecriture. Et, deux ans plus tôt, en 1528, à Berne, le Conseil affichait la même conviction lorsqu'il exhortait les paroissiens des Ormonts, un village demeuré catholique, à rallier la cause évangélique : conformez-vous à nous et à nos sujets, écrivait-il, « en acceptant l'Evangile et délaissant les cérimonies des hommes que n'ont point de fundement en la saincte Escriture »[2].

1. M. LUTHER, *Œuvres*, t. 4, Genève, 1958, pp. 80-81.
2. A.-L. HERMINJARD, *Correspondance des réformateurs dans les pays de langue française*, t. 2, Genève-Paris, 1868, p. 158.

Une Eglise selon l'Ecriture : tel est le projet de ces communautés nouvelles que l'on dira protestantes. Pour l'heure, leurs membres se disent de l'Evangile, tout simplement. C'est à Genève que la volonté de fidélité au modèle biblique est le plus ostensiblement marquée. Rien n'y sera fait qui s'éloigne de l'Evangile, assurent les *Ordonnances ecclésiastiques*, rédigées par Calvin à son retour de Strasbourg en 1541 : « A ceste cause il nous a semblé advis bon que le gouvernement spirituel tel que nostre Seigneur l'a demonstré et institué par sa parolle fut reduict en bonne forme pour avoir lieu et estre observé entre nous. Et ainsi avons ordonné et estably de suyvre et garder en nostre ville et territoire la police ecclésiastique qui s'ensuit, comme nous voyons qu'elle est prise de l'evangile de Jesuchrist »[3].

Il reste à se demander jusqu'où est poussé le souci de s'en tenir à la lettre du message biblique et, lorsque la Bible est prise comme référence, dans quels termes elle marque la pratique des institutions. L'Ecriture a beau être claire en effet, comme affectent de le penser les réformateurs, elle ne suffit pas à guider tous les comportements. Un travail d'application, nous dirions d'interprétation, est réalisé. Nous donnerons ici quelques exemples : la prédication, l'école, la Cène, les ministères, la discipline ecclésiastique, les noms de baptême, le mariage et le divorce. L'anabaptisme, qui pousse plus loin encore le littéralisme scripturaire, sera examiné séparément.

L'Eglise romaine, devant la Bible, pourrait apparaître comme le parent pauvre. Qu'on se détrompe. Les réformateurs catholiques se réclament eux aussi de la Bible, dont ils ont en général une connaissance approfondie. Mais ils conçoivent la conformité à l'Ecriture autrement que les évangéliques. De là, en particulier, leur hésitation à laisser la Bible dans toutes les mains. Cependant, ils encouragent l'étude de l'Ecriture. Les canons du concile de Trente en font foi. La seconde partie de ce chapitre sera consacrée, aussi bien, à la place de l'Ecriture dans la pastorale catholique.

Des Eglises selon l'Ecriture

Prêcher à même l'Evangile

L'Eglise, déclare la *Confession d'Augsbourg*, est « la réunion de tous les croyants, parmi lesquels l'Evangile est prêché purement et les saints sacrements conférés d'une manière conforme à l'Evangile ». Cette définition fera l'unanimité dans les Eglises de la Réforme, y compris celles de tradition réformée.

---

3. *Registres de la Compagnie des Pasteurs de Genève*, t. 1, Genève, 1964, p. 1.

La première tâche des réformateurs protestants sera, en conséquence, de rendre à la prédication sa « pureté ». A l'aube de la Réforme, on prêche peu et mal. Le fait est notoire. A Genève, Calvin va se moquer de ces prédicateurs qui, montés en chaire, sont tout juste capables de faire rire le peuple ou bien de mettre en avant des questions lourdes et sottes à faire frémir. « Ils se jouent de l'Ecriture, s'exclame-t-il, quand ils ne cherchent pas à la faire disparaître derrière leurs spéculations. Oui, ils la tirent par les cheveux »[4].

D'où cette exigence, commune à tous les réformateurs : s'en tenir à l'essentiel, c'est-à-dire au Christ. La première qualité d'une prédication est sa simplicité. « Ceux qui cherchent la nouveauté, écrit Luther, s'éloignent du Christ. Il ne faut rien prêcher d'autre que le Christ »[5]. « La foi doit être inculquée à l'aide des paroles les plus pures, celles qui sont tombées le plus fréquemment des lèvres divines », affirme de son côté Zwingli, le ministre de Zurich[6]. Inutile de compliquer ! « Quand on lit l'Evangile, déclare encore Calvin, on voit que Dieu se fait comme une nourrice : connaissant notre rudesse et que nous sommes comme des petits enfants, il bégaye avec nous. [...] Sachons donc qu'en cette simplicité qui apparaît en l'Evangile il y a une sagesse de Dieu, incompréhensible s'il ne plaît pas à son saint Esprit de nous la révéler »[7].

Ainsi donc, l'Ecriture et rien que l'Ecriture ! « Le royaume de Dieu ne gît point en belle rhétorique, note Calvin, mais en la vertu de Dieu. » Pour autant cependant, la prédication ne néglige pas l'art oratoire. « Que sera-ce, demande le ministre de Genève, si quelqu'un aujourd'hui, en déduisant un peu élégamment et proprement, veut éclaircir la doctrine de l'Evangile par l'éloquence ? Sera-t-il pour cela à rejeter comme s'il souillait ou obscurcissait la gloire du Christ ? Je réponds que l'éloquence ne contrevient en rien à la simplicité de l'Evangile quand non seulement elle se soumet et s'abaisse volontiers sous icelle, mais aussi lui sert comme la servante à sa maîtresse »[8].

En vérité, Calvin ne croit pas que la Bible, comme telle, soit accessible à tous. Elle est, explique-t-il un jour au sermon, comme un pain grand et entier à la croûte épaisse. Si le père ne le taille pas en morceaux, les enfants mourront affamés. Dieu veut « que le pain nous soit taillé, que les morceaux nous soient mis en la bouche et qu'on nous les mâche ». Pour le réformateur, une lecture fidèle de l'Ecriture est toujours une lecture ecclésiale. Livrés à eux-mêmes, les fidèles ne peuvent qu'inter-

4. J. Calvin, *Opera quae supersunt omnia*, t. 56, col. 733.
5. M. Luther, *Werke*, éd. de Weimar, t. 16, p. 113.
6. U. Zwingli, *Quo pacto ingenui adolescentes formandi sint*, Bâle, 1523, cité dans F. Buesser, « Théorie et pratique de l'éducation sous la Réforme à Zurich », *La Réforme et l'éducation*, éd. J. Boisset, Toulouse, 1974, p. 155.
7. Calvin, *Opera*, t. 51, col. 850 s.
8. *Ibid.*, t. 49, col. 321. Cf. R. Peter, « Rhétorique et prédication selon Calvin », *Revue d'Histoire et de Philosophie religieuses*, t. 55, 1975, pp. 249-272.

prêter de travers le message biblique. « Nous en verrons des fantastiques, déclare-t-il encore, qui pensent qu'ils aient perdu leurs pas de venir au temple pour être enseignés. Quoi ? Toute la doctrine de Dieu n'est-elle pas comprise en la Bible ? Qu'est-ce qu'on pourra dire davantage ? Quand ils auront la Bible, il leur semble que les voilà exempts et ne voudront être sujets à nul ordre... Or, au contraire, saint Paul nous montre... que si nous avons seulement l'Ecriture sainte, ce n'est pas assez que nous la lisions chacun en son privé, mais il faut que nous ayons les oreilles battues de la doctrine qui est tirée de là et qu'on nous prêche afin que nous soyons instruits »[9].

Pour les réformateurs, l'Ecriture est un tout. La Bible, par conséquent, se doit d'être commentée intégralement, livre par livre, sans rien omettre. Telle est déjà la recommandation de Melanchthon dans ses *Instructions* aux visiteurs de Saxe électorale, en 1527 : que les prédicateurs ne surchargent pas l'Ecriture, comme les papistes, mais qu'ils ne la mutilent pas non plus, à la façon des spiritualistes. Il ne peut être question par exemple, écrit le *Praeceptor Germaniae*, de négliger dans les sermons les passages qui traitent de la pénitence. « On condamne les anabaptistes et autres, confirme la *Confession d'Augsbourg* dans l'article sur le ministère de la prédication, qui enseignent que nous obtenons le Saint-Esprit par notre propre préparation, nos propres pensées et nos propres œuvres, sans la parole corporelle de l'Evangile. »

Avec la Réforme, la prédication gagne en qualité mais aussi en quantité. Dans un mémoire remis aux membres de la diète d'Augsbourg en 1530, Wolfgang Capiton peut ainsi se vanter qu'il est possible d'assister à Strasbourg à trois ou quatre prédications différentes chaque dimanche matin, trois chaque dimanche après-midi et trois chaque semaine. A Genève, un sermon est prévu le dimanche au point du jour dans les églises Saint-Pierre et Saint-Gervais et « à l'heure accoutumée » à Saint-Pierre, à Saint-Gervais et à la Madeleine. Les jours de semaine, il doit y avoir un sermon de six à sept heures en été et de sept à huit heures en hiver dans chacune des trois paroisses, précédé, le lundi, le mercredi et le vendredi d'un autre sermon, plus matinal, à Saint-Pierre et à Saint-Gervais.

Le progrès est certain. L'Ecriture est davantage donnée à connaître. Mais le niveau de la prédication dépend de celui des hommes. Il s'en faut de beaucoup que tous les pasteurs parviennent à ce degré de foi et de simplicité que les réformateurs, eux-mêmes d'excellents orateurs en général, réclament d'eux. Aux ministres peu sûrs de leur éloquence sont donnés, aussi bien, des manuels et des recueils de sermons. Un

---

9. *Ibid.*, t. 54, col. 150-151. Cf. R. STAUFFER, « L'homilétique de Calvin », *Interprètes de la Bible. Etudes sur les réformateurs du XVIe siècle*, Paris, 1980, p. 167-181.

retour aux temps d'avant la Réforme ? Pas vraiment, car ces ouvrages, tel l'*Enseignement à bien former les saintes prédications et sermons* du théologien de Marbourg André Hyperius, sont imprégnés des principes évangéliques. Cependant, l'on en revient aux spéculations et aux digressions que regrettaient naguère les Melanchthon et les Calvin. La réforme de la prédication rencontre rapidement des résistances. Tellement que dès 1578, quatorze ans après la mort de Calvin, un synode des Eglises réformées de France, celui de Sainte-Foy, juge nécessaire de prendre ce décret : « Pour ce qui est de la manière d'expliquer l'Ecriture sainte, lesdits Ministres seront exhortés d'exposer et d'interpréter le plus du Texte qu'ils pourront, fuiant toute ostentation & longue digression, & sans alleguer une multitude de passages entassés les uns sur les autres, ni proposer diverses expositions, n'alléguant que bien sobrement les Ecrits des anciens Docteurs, & beaucoup moins les Histoires & autres Ouvrages profanes, afin de laisser à l'Ecriture toute son Autorité »[10].

La Prophétie

Ce n'est pas au temps de la Réforme, est-il besoin de le préciser, qu'ont été inventés les cours d'Ecriture sainte. La nouveauté réside plutôt dans la volonté délibérée, affichée, de donner à l'Ecriture la première place dans les programmes de formation théologique. Une Ecriture que l'on lit dans le texte, mot à mot, autant que possible sans le secours des commentaires. « On a beaucoup écrit au sujet des commentaires, écrit Henri Bullinger dans sa *Ratio studiorum*. Mon avis est que l'Ecriture est à elle-même son propre commentaire »[11].

Indispensable en même temps est l'étude des langues anciennes. Dès 1524, Luther en défend vigoureusement le principe dans un écrit adressé « aux magistrats de toutes les villes allemandes ». « Bien que l'Evangile soit venu et vienne chaque jour par le Saint-Esprit, c'est néanmoins par le moyen des langues qu'il est venu et qu'il s'est répandu et c'est aussi par ce moyen qu'il doit être conservé »[12].

Des universités passent à la Réforme, comme celles de Wittenberg, de Bâle ou de Leyde. D'autres sont créées, ainsi à Genève ou à Sedan. Fréquemment appelées académies, elles sont destinées à assurer la formation des pasteurs. L'Ecriture y est naturellement enseignée. Moins connue est la Prophétie, une institution typique de la Réforme,

---

10. J. AYMON, *Tous les synodes nationaux des Eglises réformées de France*, t. 1, La Haye, 1710, p. 127.
11. H. BULLINGER, *Studiorum Ratio sive Homini addicti studiis Institutio*, Berne, 1594, cité dans BUESSER, *op. cit.*, p. 165.
12. *Œuvres*, t. 4, p. 104.

protestante, vouée spécialement à l'explication de la Bible. L'histoire de la Prophétie, ou plutôt des Prophéties, est du plus haut intérêt[13].

Le terme désigne une réunion plus ou moins régulière des ministres et, le cas échéant, de laïcs, où l'on lit et commente l'Ecriture. La Prophétie est née à Zurich en 1525 en référence explicite à un passage de la première épître de Paul aux Corinthiens : « Pour les prophètes, qu'il y en ait deux ou trois à parler, et que les autres jugent. Si un autre qui est assis a une révélation, que le premier se taise. Car vous pouvez tous prophétiser à tour de rôle pour que tous soient instruits et tous soient exhortés » (1 Co 14, 29-31). A Zurich, à Strasbourg et à Berne où elle est bientôt imitée, à Genève où elle prend avec Calvin le nom de Congrégation, à Lausanne enfin, elle est destinée principalement à assurer la formation — nous dirions aujourd'hui la formation permanente — des clercs passés à la Réforme et mis au travail dans les nouvelles paroisses. « Premièrement, déclarent par exemple les *Ordonnances ecclésiastiques* de Genève, sera expedient que tous les ministres pour conserver pureté et concorde de doctrine entre eulx conviennent ensemble un jour certain la sepmaine pour avoir conference des escriptures et que nul ne s'en exempte si n'a excuse legitime; si quelqu'un y estoit negligent, qu'il en soit admonesté »[14].

La Prophétie de Zurich avait un caractère nettement académique. Son but, en somme, était de favoriser les échanges entre les théologiens. Son équivalent genevois a une visée plus pastorale. Après une prière, un pasteur, quelquefois Calvin lui-même, expose en français un passage biblique, laissant ensuite d'autres pasteurs ou même des laïcs présenter les réflexions que le sujet leur suggère. Une assemblée de libre parole ? Si l'on veut, mais il faut savoir que l'objectif de Calvin, lorsqu'il institue la Congrégation, est de détecter et de combattre l'hétérodoxie. Il a confiance dans les vertus de la discussion. La vérité, pense-t-il, se rendra toujours victorieuse de l'erreur.

Cependant, la Congrégation n'est pas un lieu de démocratie. Jean Morély, l'adversaire congrégationaliste de Calvin, ne se fera pas faute de le faire remarquer. Une Prophétie de conception démocratique a bien existé, mais à Londres, dans le cadre de l'Eglise des étrangers de cette ville, fondée sous Edouard VI par le Polonais Jean Laski. Comme telle, elle est bientôt imitée aux Eglises française et flamande de Francfort, puis, sous Elisabeth, dans l'Angleterre puritaine. Deux traits caractérisent la Prophétie de Jean Laski. D'une part, elle est

---

13. Sur la Prophétie : Ph. DENIS, « La Prophétie dans les Eglises de la Réforme au xvie siècle », *Revue d'Histoire ecclésiastique*, t. 72, 1977, pp. 189-216. Complément dans ID., *Les Eglises d'étrangers en pays rhénans (1538-1564)*, Paris, 1984, pp. 560-561. Sur la Prophétie de Lausanne : H. MEYLAN, « Professeurs et étudiants, questions d'horaires et de leçons », *La Réforme et l'éducation*, p. 71.

14. *Registres de la Compagnie des Pasteurs de Genève*, t. 1, p. 3.

conçue pour les laïcs, au lieu d'être destinée en priorité aux ministres : dans tous les cas, les laïcs y ont la parole, soit personnellement, soit par l'intermédiaire de « députés ». D'autre part, on y commente non seulement l'Ecriture mais le sermon du dimanche précédent, ce qui permet à la discussion de s'engager librement sur n'importe quel sujet.

Une institution aussi « moderne » pouvait-elle subsister ? L'histoire nous apprend que non, au grand jour en tout cas. A Francfort, l'expérience fait long feu, du fait de la fermeture autoritaire — pour d'autres raisons d'ailleurs — des Eglises d'étrangers. A l'Eglise française de Londres, c'est le ministre, un envoyé de Calvin, qui suspend l'usage de la Prophétie, dès la reconstitution de l'Eglise au début du règne d'Elisabeth. A l'Eglise flamande de Londres, elle est d'abord maintenue, avant de disparaître à son tour quelque douze ans plus tard, en 1571. « Pendant l'année écoulée, déclare laconiquement le registre des procès-verbaux du Consistoire, il y a souvent eu des propositions très impies et des membres de l'Eglise ont semé le trouble au lieu de rechercher la pieuse doctrine. » Quant aux *Prophesyings* puritains, leur abandon, en 1576, est devenu affaire d'Etat : l'archevêque Grindal, qui en prenait la défense contre les tenants de l'Eglise établie, est mis en prison ! La Prophétie des ministres n'est maintenue que dans le nord de l'Angleterre, là où la menace catholique fait comprendre la nécessité d'une formation au débat contradictoire.

Des ministères selon le Nouveau Testament

Une chose est de lire l'Ecriture, et de la faire lire, de lui donner la place centrale, dans la prédication, dans l'enseignement, dans la Prophétie. Une autre est d'en suivre les prescriptions dans la conduite de l'Eglise et dans la vie de tous les jours. Les luthériens n'ont finalement été que de modestes réformateurs. Malgré les déclarations fracassantes des premiers jours contre les « inventions des hommes », un petit nombre seulement d'innovations leur a suffi, hautement significatives il est vrai, mais assurément modérées : la messe en allemand, la communion sous les deux espèces, le mariage des prêtres, l'interdiction de la mendicité, la mise en congé des évêques. L'important, pour Luther et ses disciples, est de supprimer les abus et de rendre la première place à la prédication de la Parole. La réforme de l'homme charnel, pour parler comme saint Paul, leur importait moins que la progression dans la foi de l'homme intérieur. Le relatif conservatisme institutionnel des luthériens est la marque de leur individualisme spirituel. Le fait majeur, pour eux, est le drame intérieur de l'homme confronté au Dieu créateur.

Tout autre est le projet des protestants dits réformés, en Allemagne du Sud, en Suisse, en France, aux Pays-Bas, en Ecosse. Eux entendent, au sens le plus fort de ce mot, *réformer* l'Eglise, c'est-à-dire lui rendre sa pureté des origines, en faire, comme si le temps pouvait être aboli, une nouvelle Eglise des apôtres. Quoi qu'ils en disent, ils interprètent l'Ecriture, pas moins sans doute que leurs adversaires romains. Mais c'est d'elle, et d'elle d'abord, qu'ils se réclament. C'est elle qui donne à leur projet sa légitimité. Fabuleuse entreprise, poursuivie non sans une certaine naïveté, mais avec force et persévérance ! Car les obstacles ne vont pas manquer. Très vite, ils découvrent que les textes les plus simples en apparence se prêtent à des interprétations divergentes, parfois diamétralement opposées. L'exemple le plus remarquable est celui des paroles de l'institution de la Cène. Dans les Eglises de la Réforme, il n'est pour ainsi dire pas deux théologiens qui expliquent dans les mêmes termes : « Ceci est mon corps; ceci est mon sang. » Ce ne sont pas seulement les catholiques et les protestants qui s'affrontent, ni même les luthériens et les réformés, mais les réformés entre eux, et quelquefois durement, ainsi Calvin et Laski. Le rêve d'une Eglise fondée intégralement sur l'Ecriture ne sortira pas peu ébranlé du débat eucharistique.

Il en est de même dans la question des ministères, encore qu'avec une passion moindre. Sans doute, le recours à l'Ecriture permet-il de régler une partie des questions. Sont ainsi éliminés quasiment d'un trait de plume les ordres de l'Eglise romaine : les patriarches, les archevêques, les suffragants, les métropolitains, les archiprêtres, les diacres, les sous-diacres, les acolytes, les exorcistes, les chantres « et, poursuit la *Confession helvétique postérieure* à qui nous empruntons cette liste, je ne say quels autres comme cardinaux, prevosts et prieurs, pères mineurs et majeurs »[15]. Accessoirement, la Bible permet aussi d'exclure les femmes du ministère : saint Paul n'a-t-il pas « débouté les femmes de tout office ecclésiastique »[16] ? Elle donne — dans la première Epître à Timothée et de nouveau dans l'Epître à Tite — un très utile portrait du responsable de communauté : « irréprochable, mari d'une seule femme, sobre, pondéré, de bonne tenue, hospitalier, capable d'enseigner... » (1 Tm 2, 2). Lorsqu'il y aura doute sur la compétence d'un ministre, comme à l'Eglise française de Strasbourg au temps de Jean Garnier, pareil texte ne manquera pas d'être invoqué[17]. La Bible apprend, enfin, que dans l'Eglise primitive, « après avoir jeûné et prié » (Ac 13, 3), les apôtres imposaient les mains aux nouveaux ministres.

Mais, ces quelques points étant entendus, comment structurer les ministères ? L'Ecriture, en la matière, manque singulièrement de précision. Calvin, qui s'efforce d'élaborer une doctrine des ministères cohé-

---

15. *La Confession helvétique postérieure*. Traduction française de 1566. Ed. par J. Courvoisier, Neuchâtel-Paris, 1944, p. 104.

16. *Ibid.*, p. 120.

17. Denis, *Eglises*, pp. 642-643.

rente, en est conscient : « Au reste, ce que i'ay nommé indifféremment ceux qui ont le gouvernement de l'Eglise, Evesques, Prestres, Pasteurs et Ministres, ie l'ay fait suyvant l'usage de l'Escriture, laquelle prend tous ces mots pour une chose »[18]. Rude défi ! Il s'agit en effet d'adapter aux besoins concrets et contingents des Eglises un jeu de ministères dont tout à la fois les contenus et les dénominations sont imprécis et mouvants. Les réformateurs, inévitablement, tâtonnent. C'est ainsi que le terme « évêque », pourtant biblique, est progressivement abandonné. Un mot « odieux », déclare Théodore de Bèze, « à cause de la tyrannie des évêques ». Là où subsiste la fonction, on préfère parler de « surintendant ». De même, on élimine les ministères « charismatiques » décrits dans l'Epître aux Corinthiens (1 Co 12, 28) : le danger du spiritualisme est trop grand !

Quant au « prêtre », le « presbytre » du Nouveau Testament, son évolution est remarquable. Dans la liste placée en tête des *Ordonnances ecclésiastiques* de Genève, Calvin propose de distinguer quatre offices : « les pasteurs, puis les docteurs, après les anciens aultrement nommez commis par la Seigneurie, quartement les diacres ». Le ministre qui prêche la Parole et préside le culte est appelé « pasteur ». Quelquefois, sans plus, « ministre ». On ne dira plus « le prêtre » : seul le Christ, en théologie réformée, mérite le nom de prêtre. C'est commettre une idolâtrie que d'attribuer à un homme la qualité de prêtre.

Mais le mot figure dans le Nouveau Testament : il ne peut donc être abandonné tout à fait. Traduit par « ancien », il servira à désigner une fonction nouvelle imaginée par Jean Œcolampade à Bâle vers 1529 : les anciens *(seniores)* sont des membres de la communauté chargés d'exercer la discipline dans l'Eglise, c'est-à-dire de veiller à la surveillance des mœurs et au contrôle de la doctrine. A Strasbourg, la discipline est exercée par des « gouverneurs » *(kirchenpfleger)*, trois par paroisse, qui sont nommés par le magistrat. Bucer, après quelques années, en vient à souhaiter que cette fonction devienne un authentique ministère d'Eglise, non soumis au contrôle du pouvoir civil. Mais c'est seulement à Genève, puis, sous l'influence de Genève, dans la plupart des Eglises réformées de France et des Pays-Bas, que sera véritablement reconnue la fonction d'ancien. Leur assemblée y est appelée Consistoire, un vocable qui, pour le coup, n'est pas biblique. Ils exercent leur fonction collégialement, sous la présidence du pasteur.

Mais le ministère de l'ancien, tel que le conçoivent Œcolampade, Bucer et Calvin, fait problème. Faut-il des anciens ? L'ecclésiologue

---

18. J. CALVIN, *Institution de la religion chrestienne*, IV, 3, 6, cité dans J. J. von ALLMEN, *Le saint ministère selon la conviction et la volonté des Réformés du XVI⁶ siècle*, Neuchâtel, 1968, p. 214.

réformé Jean-Jacques von Allmen reconnaît à ce propos « une hésitation profonde et peut-être même un malaise dans les écrits du XVIe siècle »[19]. Ainsi Bullinger, le successeur de Zwingli à Zurich, principal rédacteur de la *Confession helvétique postérieure*. Lui aussi recense quatre offices, mais ce ne sont pas ceux de Calvin. « Parquoy, conclut-il un bref exposé historique, il nous sera licite d'appeler maintenant les Ministres des Eglises, Evesques, Prestres, Pasteurs et Docteurs. » Nulle part il n'est question dans ce document d'un collège des anciens, ni d'ailleurs, comme d'un ministère plein, d'une fonction diaconale. Bullinger ne distingue en fait que deux ministères, le pasteur, qui peut être dit aussi évêque ou prêtre pour suivre les usages du Nouveau Testament et à qui il revient de gouverner l'Eglise et d'administrer les sacrements, et le docteur, qui est chargé d'exposer l'Ecriture.

La codification des usages

Ces discussions sur la terminologie des ministères renvoient à un autre débat, qui est plus fondamental : sur quelle base et en fonction de quels critères convient-il d'organiser les Eglises ? Dans les Eglises réformées, la conformité à l'Ecriture est donnée comme une règle fondamentale. « Nous protestons que pour la règle de notre foi et religion nous voulons suivre la seule Ecriture, déclare par exemple la *Confession de foi de Genève* (1537), sans y mêler autre chose qui ait été controuvé du sens des hommes sans la Parole de Dieu : et ne prétendons pour notre gouvernement spirituel recevoir autre doctrine que celle qui nous est enseignée par icelle Parole, sans y ajouter ni diminuer, ainsi que notre Seigneur le commande. » C'est la Bible, donc, qui régit le « gouvernement spirituel ». C'est à elle, dirions-nous aujourd'hui, que les Eglises réfèrent leurs règles de fonctionnement.

En fait, les Eglises suivent des usages et des coutumes qui, bien souvent, ne sont pas bibliques. Guillaume Farel et Jean Calvin, les rédacteurs de la *Confession de foi de Genève*, en sont conscients : « Les ordonnances qui sont nécessaires à la police extérieure de l'Eglise, et appartiennent seulement à entretenir paix, honnêteté et bon ordre en l'assemblée des chrétiens, nous ne les tenons point pour traditions humaines, d'autant qu'elles sont comprises sous ce commandement général de saint Paul où il veut que tout se fasse entre nous décemment et par bon ordre. » Un droit, donc, est légitime, mais il est mis une condition : qu'il ne lie pas les consciences. Point n'est besoin, pour autant, qu'il soit tiré littéralement de l'Ecriture. Ce qu'on rejette, ce sont les « com-

---

19. Von ALLMEN, *op. cit.*, p. 174.

mandements des hommes », c'est-à-dire les règles qui entravent la liberté chrétienne. Telles sont, suivant notre texte, « pèlerinages, moineries, différences de viandes, défenses de mariages, confesses, et autres semblables »[20].

Le 10 décembre 1520, Luther, dont les écrits viennent d'être condamnés par Rome, brûle solennellement à Wittenberg le *Décret* de Gratien, les *Décrétales*, le *Liber Sextus*, les *Clémentines* et les *Extravagantes*. Ce geste spectaculaire ne doit pas faire illusion : si la Réforme rejette formellement le droit canon, elle ne refuse pas le principe d'un droit ecclésiastique. Luther lui-même le reconnaît implicitement dans l'*Appel à la noblesse chrétienne de la nation allemande* en 1520 lorsqu'il écrit : « Aujourd'hui, le droit canon n'est plus tel qu'il est consigné dans les livres, mais tel que le fixe l'arbitraire du pape et de ses adulateurs »[21]. Sa critique ne porte, en fait, que sur les canons utilisés par les curialistes pour affirmer la primauté romaine : quelques-uns à peine, huit dans le *Décret* de Gratien et quatre dans les *Décrétales*, s'il faut en croire une lettre à Spalatin du 3 décembre 1520.

Les luthériens, aussi bien, n'hésiteront pas à faire œuvre législative. Les premières instructions, ébauche des futures ordonnances ecclésiastiques, datent de 1527. Dans les écrits de cette période, Luther reconnaît la nécessité d'une *politia ecclesiastica*, complémentaire de la *politia externa* : elle sert à régler la prédication de la Parole et la célébration du culte. Pour lui, le droit est humain et à ce titre n'a qu'une autorité limitée. Mais il compte malgré tout, car il correspond à la volonté de Dieu. Il traduit la « loi de charité » de l'Evangile.

Le nouveau droit, assure-t-on, ne contredit pas l'ancien : ce sont les « romanistes » et non les évangéliques qui rompent la tradition. Dans un ouvrage paru en 1529, le Nurembergeois Lazare Sprengler va même jusqu'à recenser tous les extraits du *Décret* et des *Décrétales* qui confirment la doctrine luthérienne de la pénitence et de l'eucharistie, le choix des évêques par le peuple et le rejet du célibat ecclésiastique. Le droit canon devient un argument de controverse ! Et le cas n'est pas isolé. L'*Apologie de la Confession d'Augsbourg*, en 1531, invoque elle aussi l'autorité des anciens canons. Dans l'article consacré aux « traditions humaines dans l'Eglise », l'auteur, Philippe Melanchthon, justifie son point de vue en ces termes : « C'est à tort que nos ennemis nous accusent d'abolir les saintes ordinations et la discipline de l'Eglise. Nous pouvons en effet proclamer qu'on trouve chez nous une forme publique d'Eglises

---

20. *Confession de la foi, laquelle tous bourgeois et habitants de Genève et sujets du pays doivent jurer de garder et tenir, extraite de l'instruction dont on use en l'église de la dite ville*, avril 1537, dans *Calvin, homme d'Eglise. Œuvres choisies du réformateur et documents sur les Eglises réformées du XVIᵉ siècle*, Genève, 1936 (art. 1 et 17).
21. LUTHER, *Œuvres*, t. 2, Genève, 1966, p. 143.

plus digne que chez nos adversaires. Et si l'on veut bien y réfléchir, nous respectons plus fidèlement les canons que nos adversaires »[22].

Ainsi naît un droit ecclésiastique protestant. L'une après l'autre, en effet, les Eglises luthériennes se donnent des ordonnances ecclésiastiques, et il en va de même dans les villes et les territoires réformés. Celles de Genève, promulguées en 1541 et publiées en 1561, serviront de modèle. Pour l'essentiel, elles reflètent les vues de Calvin, notamment quant à l'organisation des ministères. En France, les ordonnances ecclésiastiques prennent le nom de Discipline, qu'elles portent toujours aujourd'hui. La Discipline a pour caractéristique d'être perpétuellement révisable. Significativement, elle demeure manuscrite : les premières éditions approuvées datent du milieu du xviie siècle.

Le précepte de la correction fraternelle

Une des marques des ordonnances ecclésiastiques genevoises, ou de la Discipline des Eglises réformées de France qui en dépend, est précisément la reconnaissance du ministère de l'ancien. Les anciens sont chargés, nous l'avons dit, de l'exercice de la discipline ecclésiastique. « Leur office, déclarent les *Ordonnances ecclésiastiques* de Genève, est de prendre garde sur la vie d'un chascun, d'admonester amiablement ceulx qu'ils verront faillir et mener vie desordonnee, et là où il seroit mestier, (de) faire rapport à la Compaignie (des Pasteurs), qui sera deputee pour faire les corrections fraternelles, et lors les faire communement avecq les autres »[23].

La discipline ecclésiastique genevoise revendique ouvertement le patronage de l'Ecriture. Le texte le plus souvent cité est le passage de Matthieu sur la correction fraternelle et l'excommunication : « Si ton frère vient à pécher contre toi, va le trouver et fais-lui tes reproches seul à seul. S'il t'écoute, tu auras gagné ton frère. S'il ne t'écoute pas, prends encore avec toi une ou deux personnes, pour que toute l'affaire soit décidée sur la parole de deux ou trois témoins. S'il refuse de t'écouter, dis-le à l'Eglise et s'il refuse d'écouter même l'Eglise, qu'il soit pour toi comme le païen et le collecteur d'impôts » (Mt 18, 15-17).

Ce texte suffit-il à fonder la pratique genevoise ? Bucer, Calvin et leurs disciples français, écossais ou néerlandais en sont persuadés.

---

22. *Apologie de la Confession d'Augsbourg*, art. 15, cité dans J. PELIKAN, « Verius servamus canones. Church Law and Divine Law in the Apology of the Augsburg Confession », *Studia Gratiana post octava Decreti saecularia*, t. 11, Bologne, 1967, p. 380. Cf. W. MAURER, « Reste des kanonischen Rechtes im Frühprotestantismus », dans *Die Kirche und ihr Recht. Gesammelte Aufsätze zum evangelischen Kirchenrecht*, éd. G. MÜLLER et G. SEEBASS, Tübingen, 1976, pp. 144-207.
23. *Registres de la Compagnie des Pasteurs de Genève*, t. 1, p. 6.

Cependant, lorsqu'ils commentent Mt 18, 15-17, ils opèrent des choix, comme le révèle l'histoire de la controverse[24]. Le principal concerne l'exégèse du *dic ecclesiae*, « dis-le à l'Eglise » du verset 17. Significativement, Bucer modifie sa lecture d'une édition à l'autre de son commentaire de l'Evangile de Matthieu. En 1527 et encore en 1530, il écrit : « Le pouvoir de lier et de délier n'est donné qu'à ceux qui se rassemblent au nom du Christ. Le nombre de ceux-ci n'est prescrit d'aucune façon puisque, selon les mots mêmes du Christ, même deux personnes obtiennent tout du Père. » Changement dans l'édition de 1536 : désormais, les disciples du Christ se réunissent « selon cet ordre certain et sous le commandement de ceux-là que l'Esprit-Saint a constitués pasteurs et évêques dans l'Eglise ». Ceux qui méprisent les admonitions, précise encore Bucer, doivent être déférés aux ministres et ceux-ci, au nom de l'Eglise, les admonesteront, voire même, le cas échéant, les excommunieront.

En clair : Eglise est à entendre au sens de Consistoire. La Discipline qui est pratiquée à Genève a bel et bien été instituée par le Christ. Matthieu en est témoin. Mais pourquoi pas la congrégation des fidèles tout entière, demande Jean Morély dans son *Traicté de la discipline et police chrestienne* ? L'objection est sérieuse. L' « affaire Morély », éclatée en 1562, va diviser les Eglises réformées de France et de Suisse pendant une décennie. C'est au régime presbytérien en tant que tel que s'en prend l'écrivain congrégationnaliste. « Nous avons desia vérifié, écrit-il, que ce mot d'Eglise ne signifie pas le conseil des Senieurs [Anciens], ou le Consistoire tel que pour lors estoit : mais se doit prendre au mesme sens que le prent Iesus Christ au precedent chapitre : En verité ie te dy, que tu es Pierre, & sur ceste pierre i'edifieray mon Eglise. Or comme aucun ne pourroit soufrir d'interpreter ainsi ce passage, que Iesus Christ oubliant son espouse, qu'il a netotyee et lavee en son sang, voulust seulement edifier & fonder le Consistoire eternellement sur luy. Pareillement, on ne peut transferer ceste Puissance que Iesus Christ donne à son Eglise ailleurs qu'à la congregation des membres d'iceluy, & union de son corps »[25].

Prénoms bibliques

La Bible et rien que la Bible ! Un autre domaine que les ministres des Eglises réformées décident de conformer strictement à l'Ecriture

---

24. Cf. Ph. Denis, « Le recours à l'Ecriture dans les Eglises de la Réforme au xvie siècle : exégèse de Mt 18, 15-17 et pratique de la discipline », *Histoire de l'exégèse au XVIe siècle*, Genève, 1978, pp. 286-298.
25. J. Morély, *Traicté de la discipline et police chrestienne*, Lyon, 1562. Réimpression anastatique, Genève, 1968, pp. 127-128.

est la dénomination[26]. Ici encore, l'Eglise de Genève est à la pointe. Un jour de 1546, un barbier nommé Amey Chappuis demande que son fils soit baptisé Claude. Il portera ainsi le prénom de son parrain, suivant la coutume. Mais le ministre refuse : Claude, avance-t-il, est un prénom papiste. A sept lieues de là, une « idole appelée saint Claude » est vénérée « contre Dieu ». D'autorité, le pasteur baptise l'enfant Abraham. C'est en vain que le père s'insurge. Le Conseil de la ville donne raison aux ministres et, convoqué devant le Consistoire, il reçoit une remontrance. Calvin, qui préside, fait acter au registre : « Qu'il soit dit qu'ils ne mettent point de nom sinon de l'escriture. » Une ordonnance « sur le faict de l'imposition des noms au Baptesme », liste de tous les prénoms désormais interdits, est rendue par le Conseil trois mois plus tard, le 22 novembre 1546.

Claude, pourtant, est un prénom populaire. Après Jean et Pierre, et en concurrence avec François, il figure au troisième rang des prénoms masculins portés à Genève. Mais il va pratiquement disparaître, au moins pour un temps, de même qu'Aimé, Martin, Balthasar et Gaspar, autres cibles des ministres. Les chiffres sont éloquents. Les pères des enfants baptisés à Genève en 1550, 1552 et 1555, soit quatre ans ou plus après l'ordonnance sur les noms de baptême, portent des prénoms de saints non bibliques tels que Claude, Bernard ou Guillaume, dans une proportion de 46 % ; chez leurs fils, la proportion est de 19 % seulement. La décennie suivante, elle chute chez les garçons baptisés à 3 %, pour remonter à 15 % entre 1580 et 1600. Mêmes résultats chez les filles : respectivement 50, 14, 2 et 13 %. Dans le même temps, tandis que les prénoms du Nouveau Testament connaissent une augmentation de l'ordre de 10 à 20 %, ceux de l'Ancien Testament se multiplient dans des proportions inouïes : de 2 % avant 1550, selon le sondage effectué, à 19 % entre 1550 et 1560, 32 % entre 1560 et 1570 et 25 % entre 1580 et 1600 pour les garçons; de 3 à 18, 28 et 17 % pour les filles. C'est le temps des David, des Joseph et des Samuel, des Esther, des Rebecca et des Suzanne.

Et ceci ne concerne pas que Genève. A Neuchâtel, à Lausanne, à Montpellier, à Lourmarin, pour prendre quelques cas étudiés, la même brutale expansion des prénoms vétéro-testamentaires est constatée. Là aussi, « le clivage s'inscrit à la charnière de deux générations »[27]. En France, les Eglises réformées se donnent exactement la même législation

26. Sur la Réforme et les prénoms : W. RICHARD, *Untersuchungen zur Genesis der reformierten Kirchenterminologie der Westschweiz und Frankreichs, mit besonderer Berüchtsichtigung der Namengebung*, Berne, 1959; A. BURGUIÈRE, « Un nom pour soi. Le choix du nom de baptême en France sous l'Ancien Régime (XVIe-XVIIIe siècle) », *L'homme. Revue française d'Anthropologie*, t. 20/4, octobre-décembre 1980, pp. 25-42, surtout pp. 38-40; G. AUDISIO, *Les Vaudois du Lubéron. Une minorité en Provence (1460-1560)*, s.l., 1984, pp. 423-424.

27. AUDISIO, *op. cit.*, p. 424.

que l'Eglise de Genève en matière de dénomination. « Touchant les noms qui sont imposés aux enfans, édicte le Synode d'Orléans en 1562, les Ministres rejeteront ceux qui restent du vieux Paganisme ; et pareillement n'imposeront aux enfans les noms attribués à Dieu dans l'Ecriture sainte, ni pareillement les noms d'office, comme Baptiste, Archange. Et au reste ils avertiront les Pères et les Parrains de choisir des noms approuvés dans l'Ecriture, tant que faire se pourra »[28].

A vrai dire, dès 1572 on en reviendra quelque peu sur cette rigueur : « Les ministres de la Province, déclare un synode, seront avertis d'avoir un peu plus de condescendance, et de ne pas faire naître tant de difficultés sur des questions purement de noms »[29]. Mais cela n'empêche pas les autorités catholiques, menacées, de réagir. Plusieurs conciles provinciaux, dont celui de Tournai en 1574[30] et celui de Bordeaux en 1583[31], condamnent les prénoms vétéro-testamentaires, selon eux judaïsants. Le nom de baptême est devenu un enjeu confessionnel !

Mariage et divorce

La Réforme laïcise le mariage mais c'est pour mieux le sanctifier. Et en cela, les luthériens ne sont pas de reste. Entre Wittenberg et Genève, quelques différences d'accent subsistent mais aucun désaccord de fond. L'Ecriture, à nouveau, sert de référence majeure, aux côtés de l'histoire de l'Eglise ou, chez un auteur comme Bucer, le plus fécond sur le mariage, du droit romain[32].

Depuis le XIIe siècle, le mariage est dit sacrement, « signe efficace de la grâce », comme disent les théologiens scolastiques. Luther qui, sur ce point, dépend étroitement d'Erasme, conteste la base scripturaire de cette affirmation. C'est à tort, déclare-t-il, que la Vulgate traduit le grec *musterion* par *sacramentum* en Ep 5, 31, le passage où il est question de l'union des époux. Quiconque connaît la langue du Nouveau Testament sait qu'il faut lire « mystère », autrement dit « chose sacrée, secrète, cachée ». Nulle part, il n'est dit dans les Ecritures que le mariage confère la grâce. Aucun signe n'y est contenu[33].

Pour les hommes de la Réforme, le mariage est un état éminemment honorable. Institué par Dieu « pour éviter l'impudicité », note la *Confes-*

---

28. AYMON, *Synodes*, t. 1, p. 27.
29. *Ibid.*, p. 1.
30. RICHARD, *op. cit.*, p. 200.
31. J. D. MANSI, *Sacrorum conciliorum nova et amplissima collectio*, t. 34, réimpression, Graz, 1961, p. 756. Cf. BURGUIÈRE, *op. cit.*, p. 39.
32. Sur la Réforme et le mariage : F. WENDEL, *Le mariage à Strasbourg à l'époque de la Réforme (1520-1692)*, Strasbourg, 1928 ; P. BELS, *Le mariage des protestants français jusqu'en 1685. Fondements doctrinaux et pratique juridique*, Paris, 1968.
33. *Œuvres*, t. 2, Genève, 1966, pp. 232-233. Cf. BELS, *op. cit.*, pp. 47-50.

sion d'Augsbourg dans l'article sur le mariage des prêtres, il permet une conduite « chrétienne, honnête et louable ». Aussi bien, les pasteurs ne se feront-ils pas faute de rappeler au début des liturgies de mariage que Dieu a créé les premiers hommes à son image et qu'il leur a enjoint de croître et de se multiplier. Ils citeront, comme à Strasbourg, le proverbe de Salomon : « Celui qui trouve une femme, trouve le bonheur. C'est une faveur qu'il a reçue de Dieu »[34].

Cependant, le mariage n'est pas saint au point d'être indissoluble. S'appuyant sur deux passages de Matthieu sur le divorce (Mt 5, 32 et 19, 9), Luther, qui de nouveau suit Erasme, quitte à en durcir un peu la position, assure que le Christ a permis le divorce en cas d'adultère. L'expression *mè épi porneia*, que la traduction œcuménique de la Bible rend aujourd'hui par « sauf en cas d'union illicite », est traduite par la Vulgate elle-même *nisi ob fornicationem*. Pour autant, les théologiens catholiques estiment pouvoir ne pas en tenir compte. Au XVIᵉ siècle, seul le dominicain Cajetan fait exception. En revanche, les docteurs de la Réforme, comme du reste les Orientaux, font grand cas de l'incise matthéenne. C'est elle qui leur permet d'accepter, sous certaines conditions, le divorce.

« Parquoy, écrit ainsi Bucer, ainsi qu'il est execrable entre les chrestiens de dire qu'il y ait quelque chose superflue et qui ne serve de rien en la parolle du Seigneur, ou qu'il y ait quelque response indirecte ou mal convenante, aussi est-il execrable de dire que le Seigneur, en parlant et respondant à la question proposée du divorce et du mariage contracté après le divorce, a seulement voulu defendre de repudier sa femme et de se marier apres la repudiation hors la cause d'adultère, mais qu'il ne l'a permis en cause d'adultère. Car quand le Seigneur a dit ces mots : excepté à cause de fornication, qui pourroit icy trouver qu'il eut voulu entendre autre chose que la permission du divorce »[35].

En fait, on ne s'en tiendra pas toujours à ce strict littéralisme biblique. Rapidement, la possibilité du divorce est étendue à d'autres cas que l'adultère : chez Luther, à la mésentente persistante dans le couple; chez Bucer, à l'incapacité corporelle, impuissance, blessure, lèpre ou folie.

En France, le premier synode des Eglises réformées, tenu à Paris en 1559, déclare cependant que « les Eglises ne dissoudront point les mariages afin de n'entreprendre rien sur l'autorité du Magistrat »[36]. Des divorces seront quand même prononcés, mais l'Evangile est interprété dans le sens le plus restrictif. Ainsi dans le cas de la lèpre. Deux

---

34. J.-P. KINTZ, *La société strasbourgeoise... 1560-1650. Essai d'histoire démographique, économique et sociale*, Paris, 1984, pp. 219-220.

35. M. BUCER, *Du royaume de Jésus-Christ*, édition critique de la traduction française de 1558, par F. WENDEL, Paris, 1954, p. 184.

36. AYMON, *op. cit.*, t. I, p. 7.

fois, à Lyon en 1563 et à Vitré en 1583, le synode est appelé à statuer sur le cas d'un homme dont la femme est atteinte de la lèpre. Chaque fois, la réponse est négative : « La Compagnie, décrète-t-on à Vitré par exemple, est d'avis que, suivant la Sentence de Jésus-Christ, il n'est pas licite de se remarier à une autre femme du vivant de la première, sinon pour la seule cause d'Adultère »[37]. A Genève, pareillement, la Compagnie des Pasteurs refuse le divorce à un certain Jacques Quiblet, dont la femme avait été bannie de la ville pour cause de sorcellerie. Significativement, Bucer, qui est cité, est réfuté nommément. L'Ecriture, explique-t-on, restreint le divorce au seul cas d'adultère. « Les paroles du Fils de Dieu sont claires ! »[38].

Les anabaptistes, radicaux de l'Ecriture

A lire ce qui précède, on pourrait penser que nul n'a été aussi loin dans la voie du littéralisme biblique que les « bibliocrates » genevois et leurs émules français et néerlandais. Ce serait se tromper. Pas moins que les luthériens, les réformés sont des politiques. Ils savent composer, ne serait-ce qu'avec le temps, tempérant ainsi leur intransigeance. Il y a plus radicaux qu'eux. Nous songeons particulièrement aux anabaptistes, ceux du début surtout, les frères suisses, ces compagnons de Zwingli devenus ses adversaires, Conrad Grebel en tête, et les millénaristes, partisans des solutions violentes, à Münster notamment le tragique hiver 1534-1535. Qu'ils nous suffise ici de citer quelques textes.

D'abord la lettre de Conrad Grebel et de ses amis zurichois à Thomas Müntzer, le 5 septembre 1524[39]. Le mouvement n'est encore que très faiblement structuré. C'est en janvier suivant seulement que vont être célébrés les premiers rebaptêmes. « Après que nous ayons nous aussi pris dans nos mains l'Ecriture, écrivent les frères, et que nous l'ayons interrogée sur tous les points possibles, nous avons été mieux instruits et nous avons découvert les énormes et honteuses erreurs des pasteurs. » L'erreur la plus manifeste est le baptême des enfants : comme si, après la Passion du Christ, il fallait de l'eau pour qu'ils soient sauvés ! L'Ecriture « décrit » le baptême comme un signe que, dans la foi, nous sommes et nous serons sauvés et que nous devons vivre en une nouvelle vie et dans un esprit nouveau.

Erreur également que la messe. « La Cène est une expression de la communauté fraternelle et pas une messe ou un sacrement. » Ne seront employées que les paroles qui sont en Mt 26, Mc 14, Lc 22 et 1 Co 11,

---

37. *Ibid.*, t. 1, p. 158. Cf. p. 35.
38. *Registres de la Compagnie des Pasteurs*, t. 3, Genève, 1969, pp. 91-92, 274-277.
39. Texte dans J. Séguy, *Les assemblées anabaptistes-mennonites de France*, Paris-La Haye, 1977, pp. 299-306.

« ni plus ni moins ». Pas de chant : il n'en est donné aucun exemple dans le Nouveau Testament et « ce qui ne nous est pas enseigné par un passage et des exemples bibliques clairs, nous devons le tenir pour clairement interdit ». Pas non plus d'hostie, ni de vêtement liturgique, ni même de temple, « en conformité avec toute l'Ecriture et avec toute l'Histoire sainte ». En fin de compte, il n'est qu'un point sur lequel il soit permis de s'écarter de l'Ecriture : l'heure ! « Pour ce qui est de l'heure, nous savons que le Christ a donné la Cène aux apôtres le soir, ce que les Corinthiens observaient de cette façon. Pour nous, nous ne fixons aucune heure spéciale. »

Un même respect scrupuleux de l'Ecriture s'observe dans la discipline de Berne, qui date de 1525. Comme à l'Eglise de Zurich, les frères ont une Prophétie, et anticipant ce qui se fera à Genève, ils pratiquent la discipline ecclésiastique. Mais ils vont plus loin que les réformés, ainsi qu'en témoigne cette disposition : « Aucun frère ou sœur de cette Assemblée ne doit rien avoir en propre, mais, comme les chrétiens au temps des apôtres, avoir tout en commun. En particulier, on mettra de côté des provisions communes pour les pauvres, chacun selon ses besoins, et ils seront riches, et, comme au temps des apôtres, on ne laissera aucun frère dans le dénuement »[40].

« Comme au temps des apôtres » : relevons l'expression. Les anabaptistes se veulent des nouveaux apôtres, peu nombreux comme dans l'Eglise primitive mais solidaires et forts dans la foi. Dans le même esprit, ils refusent tout commerce avec l'Etat. Les charges publiques ne sont pas pour eux. « Christ devait être fait roi, déclare en 1527 la *Confession de Schleitheim*, une des plus anciennes confessions de foi anabaptistes[41]. Mais il a fui et n'y a pas vu l'ordre de son Père. Nous devons faire ainsi, le suivre, et nous ne marcherons pas dans les ténèbres. » De la même façon, ils s'opposent au serment. « Christ, qui a enseigné la perfection de la loi, interdit aux siens tout serment, vrai ou faux : Ne jurez ni par le ciel, ni par la terre, ni par Jérusalem, ni par votre tête » (Mt 5, 34-36).

Certains secteurs anabaptistes, à vrai dire minoritaires, ont choisi d'imposer leurs vues par la violence. Nous n'avons pas à rendre compte ici de ce phénomène. Mais nous pouvons noter qu'une fois de plus la Bible est invoquée. La paix, comme la guerre, a un fondement dans l'Ecriture. Antonius Corvinus, qui interroge, peu avant son exécution, le « roi » de Münster Jean de Leyde[42], fournit là-dessus un intéressant

40. *Ibid.*, p. 310.
41. *Confession de Schleitheim. Entente fraternelle entre quelques enfants de Dieu sur sept articles,* dans P. WIDMER et J. YODER, *Principes et doctrines mennonites,* Montbéliard et Bruxelles, 1955, pp. 49-56, ici pp. 52-53.
42. R. STUPPERICH (ed.), *Schriften von evangelischer Seite gegen die Taüfer,* Münster en Westphalie, 1983, pp. 212-213.

témoignage. Jean, rapporte-t-il, croit dur comme fer avoir inauguré le règne de mille ans dont parle l'Apocalypse, le « royaume corporel du Christ » comme il dit. Une des marques en est la pratique du rebaptême. Pourquoi s'insurger contre l'autorité légitime ? « Il faut obéir à Dieu plutôt qu'aux hommes », répond le roi déchu, citant Pierre dans les Actes des Apôtres (Ac 5, 29).

Quant à la mise en commun des biens et à la polygamie, toutes deux pratiquées à Münster, elles sont conformes l'une et l'autre à l'Ecriture. Dans le premier cas, ce sont les apôtres qui ont montré l'exemple et dans le second..., les patriarches ! Jusqu'où ne va pas l'Ecriture ?

LA BIBLE SOUS SURVEILLANCE

Interdire la Bible en langue vivante ?

La position des autorités catholiques face à la Bible peut ainsi se caractériser : que la Bible soit lue et méditée, d'accord, mais pas dans n'importe quelle édition, et pas non plus par n'importe qui. La Bible doit demeurer un livre de clercs. « Si on voit un Nouveau Testament entre les mains d'un pauvre mecanique, rapporte le réformé Jean Crespin dans son martyrologe, on dit aussitôt qu'il est hérétique »[43]. La Bible, pense-t-on, mal lue, devient source de tous les désordres. Il n'est pas bon qu'elle connaisse une large diffusion. D'où un train de mesures législatives et canoniques, concernant principalement la lecture de la Bible en langue vivante, qu'il convient de présenter tout d'abord.

Elles datent des premières années de la Réforme. Indéniablement en effet, celle-ci entraîne la multiplication du nombre des lecteurs de la Bible. Les religionnaires arrêtés stupéfient leurs interrogateurs par leur connaissance de l'Ecriture, comme l'attestent les martyrologes. La Bible, pour eux, est tout à la fois un aliment spirituel et un signe de ralliement.

Auparavant, rares sont les mises en garde contre la Bible en langue vivante. Ainsi, quoi qu'ait prétendu le controversiste catholique Alphonse de Castro[44], la traduction de l'Ecriture n'a pas été interdite en Espagne sous Ferdinand d'Aragon et Isabelle de Castille. C'est même à la demande du premier des deux que Montesinos a révisé la version castillane des *Epîtres et Evangiles* liturgiques[45].

---

43. J. CRESPIN, *Histoire des vrais témoins de la vérité de l'Evangile*, Genève, 1570, p. 224.
44. *Adversus omnes haereses libri XIIII* [Paris], 1534, fol. 27 v°-28 r°.
45. M. BATAILLON, *Erasme et l'Espagne*, Paris, 1937, p. 49. De son côté, la reine Isabelle possédait plusieurs bibles castillanes. Cf. J. M. de BUJANDA, *Index de l'Inquisition espagnole 1551, 1554, 1559*, Sherbrooke-Genève, 1984, p. 42.

Ce sont simultanément la Faculté de théologie et le Parlement de Paris qui ont pris l'initiative d'interdire « la traduction des heures et la traduction de la Bible ou des parties de celle-ci ». La mesure est prise en 1525, après la parution des *Epistres et evangiles pour les cinquante et deux sepmaines de l'an* de Jacques Lefèvre d'Etaples, à un moment où François Ier, captif en Espagne, n'est plus à même de protéger les « biblistes » dont il s'était fait jusque-là le défenseur[46].

En décembre 1527, après Lefèvre, c'est Erasme qui est censuré par la Sorbonne[47]. Amateur des belles-lettres, il n'écrivait jamais dans une autre langue que le latin, mais cela ne l'empêchait pas de soutenir que la piété y gagnerait si les fidèles lisaient l'Ecriture dans leur langue, « comme au temps du Christ ». Cette censure fait du bruit. Au concile de Trente, il y sera fait plusieurs fois référence.

La même année, en mars, le concile provincial de Lyon interdisait que l'on « possède, tienne, lise ou entende » l'Ecriture en français. Un décret semblable est adopté au concile de Bourges, en mars 1528, et à celui de Sens, en octobre de la même année, mais avec, les deux fois, cette importante précision que seules sont interdites les traductions de la Bible non autorisées par l'autorité épiscopale[48].

Aux Pays-Bas, le pouvoir se préoccupe aussi de la Bible. Un premier placard est publié par Charles Quint — en flamand — le 17 juillet 1526 à Malines : il interdit « tous les évangiles, épîtres, prophéties et autres livres de la Sainte Ecrite, apostillés, glosés, munis de préfaces ou de prologues, qui contiennent les erreurs et la doctrine de Luther et de ses adhérents »[49]. Cette interdiction est répétée en français dans le placard du 14 octobre 1529 et à nouveau en 1531.

Ce sont seulement les traductions luthériennes de la Bible qui sont condamnées, on l'aura remarqué, et pas les traductions de la Bible en tant que telles. L'empereur, en fait, a le souci d'encourager les « bonnes » traductions de la Bible. Il s'agit de ne pas laisser à l'hérétique le monopole de l'Ecriture. Aussi bien, le 4 juillet 1530, accorde-t-il un privilège pour l'impression d'une Bible française, après consultation des théologiens de Louvain.

Le traducteur, pourtant, n'est autre que Lefèvre et le bénéficiaire du privilège un homme qui se révèle être acquis aux idées nouvelles, Martin Lempereur, un imprimeur parisien établi à Anvers. L'ouvrage, en attendant, demeure autorisé. Aux Pays-Bas, la traduction de Lefèvre

---

46. J. K. FARGE, *Orthodoxy and Reform in Early Reformation France. The Faculty of Theology of Paris, 1500-1543*, Leyde, 1985, pp. 178-179.

47. C. du PLESSIS D'ARGENTRÉ, *Collectio judiciorum de novis erroribus qui ab initio duodecimi saeculi... usque ad annum 1735 in ecclesia proscripti sunt et notati...*, t. 2, Paris, 1788, pp. 60-62.

48. MANSI, *op. cit.*, t. 32, pp. 1127, 1142, 1197.

49. H. REUSCH, *Die Indices librorum prohibitorum des sechzehnten Jahrhunderts*, Tubingue, 1886, réimpr., Nieuwkoop, 1961, p. 23.

ne suscite pas les mêmes résistances qu'en France. Cette politique d'encouragement à la traduction de la Bible sera poursuivie pendant tout le siècle.

Une nouvelle Bible française paraît à Louvain en 1550, chez l'imprimeur Barthélemy de Grave. Le texte de référence est la Vulgate latine réalisée par le dominicain Jean Henten, mais il est fait appel aussi à l'édition de Lefèvre de 1530 et à la « Bible à l'épée » parue à Genève en 1540. Les éditeurs se préoccupent surtout de l'orthodoxie des titres et des sommaires : autant que le texte, sinon davantage, ce sont eux qui donnent aux traductions leur marque confessionnelle.

En 1578, cette Bible est remplacée, toujours avec la bénédiction des théologiens de Louvain, par une révision plantinienne de la Bible du Français René Benoist. Encore une fois se vérifie la distance qui sépare la France et les Pays-Bas en matière de traduction de la Bible. A Paris, en effet, la Bible de Benoist est plus que suspecte. La Sorbonne, qui lui reproche d'être une bible protestante à peine retouchée, multiplie les condamnations. Le théologien, de fait, s'est servi de la Bible genevoise. Mais le vrai débat n'est pas là. Il porte sur le principe même de la traduction de la Bible en langue vivante. Très engagé dans la controverse, Benoist a compris tout le parti que pourraient tirer les catholiques d'une Bible française autorisée. Ils cesseraient de passer pour des contempteurs de l'Ecriture : les protestants perdraient un de leurs principaux arguments. De leur côté, les théologiens de la Sorbonne persistent à penser que la diffusion de la Bible dans le peuple est la source de tous les maux de l'Eglise. Il est significatif que leurs collègues de Louvain, pourtant aussi tenacement attachés à la défense de l'orthodoxie, aient refusé de les suivre sur ce point[50].

Trente, il est vrai, tente de définir une politique commune sur la question de la Bible en langue vulgaire. Mais en vain, précisément à cause des différences régionales.

C'est Filheul, l'archevêque d'Aix-en-Provence, qui soulève le sujet, à la troisième session du concile, en mars 1546. Le débat porte sur les abus dans l'usage de l'Ecriture. Peut-être, déclare-t-il, serait-il utile d'interdire la traduction de la Bible en langue vivante. L'Ecriture n'est pas à mettre dans toutes les mains. Aux femmes et aux ignorants, la prédication suffit. Plusieurs pères prennent aussitôt la parole dans le même

---

50. Sur les traductions de la Bible en langue française au XVIe siècle : P.-M. BOGAERT, « Les versions françaises de la Bible au XVIe siècle, sources de controverses et symboles d'unité », *Les religions : facteurs de paix, facteurs de guerres*, Colloque organisé à l'abbaye de Gembloux à l'occasion du quatrième centenaire de la bataille entre l'armée de don Juan d'Autriche et celle des Gueux, Louvain-la-Neuve, 1979, pp. 33-43 ; BOGAERT et J.-F. GILMONT, « La première Bible française de Louvain (1550) », *Revue théologique de Louvain*, t. 11, 1980, p. 275-309 ; GILMONT, « La Wallonie et la publication des Bibles françaises : XVIe et XVIIe siècles », J.-E. HUMBLET (éd.), *Jalons pour une histoire religieuse de la Wallonie* (Eglise-Wallonie, 2), Bruxelles, 1984, pp. 85-102.

sens, certains, des Italiens surtout, se prononçant en faveur d'une prohibition absolue des traductions en langue vivante de la Bible.

Aucune unanimité ne se dégage cependant sur ce sujet difficile. Les évêques des régions touchées par le protestantisme s'opposent vigoureusement à l'interdiction, désastreuse selon eux au point de vue pastoral. Se référant sans le citer à Erasme, ils assurent que le Christ a voulu s'adresser aux gens dans leur langue, pas dans une langue savante. Du coup, le débat s'enlise. Finalement, la commission chargée de préparer un texte sur les abus dans l'usage de l'Ecriture décide de ne pas traiter du sujet. On se contentera de prendre position en faveur de la Vulgate. L'Espagnol Pacheco, évêque de Jaén, a beau tempêter, s'opposant publiquement au porte-parole des défenseurs de la traduction, l'évêque de Trente Madruzzo, rien n'y fait. Le concile ne se prononce pas[51].

Le concile prendra quand même position, mais plus tard et sous une autre forme. C'est à cette époque en effet qu'apparaissent les Index, catalogues systématiques de livres défendus. Il y en aura un de Trente, et les traductions de la Bible en langue vulgaire, ou à tout le moins certaines d'entre elles, y auront une place.

Le premier Index est celui de la Sorbonne, en 1544. Suit, en 1546, celui de la Faculté de théologie de Louvain, réédité en 1551. « Et ne se doibt on esbahir, explique la préface, que en ce present catalogue se trouvent tant de Bibles et de Nouveaulx Testamentz reprouvez, pour ce qu'il a convenu en cest endroit sur tout faire tres estroicte investigation et y mectre seure provision, mesmes à cause que le principal fondement de tous erreur procede de la saincte escripture mal entendue ou depravee »[52].

De tous les Index, le plus dur est celui de l'inquisiteur général d'Espagne Valdes, paru en 1551 et réédité en 1559, car il interdit, sans autre précision, « les Bibles traduites en espagnol ou dans une autre langue vulgaire ». Autrement dit : il n'est pas de bonne traduction, même catholique. La plupart des Index sont cependant sélectifs, tel celui de l'inquisiteur général de France Vidal de Becanis, qui interdit seulement les « Bibles et Nouveaux Testaments, tant en Latin qu'en Françoys, esquelles, au sommayre du quatrieme chapitre aux Romains, aye lettres

---

51. Il existe une abondante littérature sur cet épisode du concile de Trente. Voir notamment : S. EHSES, « Das Konzil von Trient und die Uebersetzung der Bibel in der Landessprache », *Fünf Vorträge von der Limburger Generalversammlung*, Cologne, 1980, pp. 37-50; A. MAICHLE, *Das Dekret « De editione et usu sacrorum librorum ». Seine Entstehung und Erklärung*, Fribourg-en-Brisgau, 1914; F. CAVALLERA, « La Bible en langue vulgaire au concile de Trente », *Mélanges E. Podechard*, Lyon, 1945, pp. 37-56; P. G. DUNCKER, « La Chiesa e le versioni della S. Scrittura in lingua volgare », *Angelicum*, t. 24, 1947, pp. 140-167; R. E. McNALLY, « The Council of Trent and the Vernacular Bibles », *Theological Studies*, t. 27, 1966, pp. 204-227.

52. REUSCH, *op. cit.*, p. 47.

ou semblables parolles : *Fides justificat, non opera*, ou aultres propositions heretiques et reprouvées tant en marge que dans les pagines »[53].

Et à Rome ? Sous le pontificat de Paul IV, entre deux sessions du concile, renaît l'idée d'une censure valable pour toute la chrétienté. Un Index général paraît en 1559, mais trop sévère, il n'est pas reçu, même en Italie. L'Index de Pie IV, dit aussi du concile de Trente, fera, lui, autorité. Décidé dans son principe à Trente, il paraît après la clôture de l'assemblée, en 1564. Fait nouveau, la liste des livres défendus est précédée d'une série de dispositions générales, les règles. La quatrième de ces règles soumet la détention et la lecture de la Bible, ainsi que son impression, à une autorisation, non pas, comme dans l'Index de Paul IV, celle de la Congrégation du Saint-Office à Rome mais celle de l'ordinaire du lieu, un régime spécial étant reconnu aux religieux. De la sorte, il est mieux tenu compte des situations locales.

Il est vrai qu'un quart de siècle plus tard la tendance à la centralisation prévaudra à nouveau. « Les traductions en langue vulgaire de la Bible ou de parties de la Bible, décrète en 1590 l'Index de Sixte Quint, ne seront permises en aucun lieu sans une autorisation nouvelle ou spéciale du Siège apostolique, même si elles sont de la plume d'un auteur catholique, et les paraphrases en langue vulgaire seront interdites dans tous les cas »[54]. Il s'en faut de beaucoup, cependant, que cette règle et plus largement l'index aient été réellement suivis, comme en témoigne la multiplicité persistante des index régionaux.

La Bible par le prêtre

Ainsi, pas de position commune sur la Bible en langue vulgaire. Certains, peu nombreux, souhaitent une prohibition absolue, d'autres, au moins une censure stricte[55]. Ceux-là développent une triple argumentation. Le fait tout d'abord : selon eux, l'histoire enseigne que là où le peuple a eu en mains l'Ecriture, il y a eu hérésie. La nature de l'Ecriture, ensuite : elle est obscure. Même les savants hésitent, il leur faut une autorité. A plus forte raison, le commun doit être écarté de la lecture

---

53. De Bujanda, *op. cit.*, pp. 246-247; Reusch, *op. cit.*, pp. 131-133, 302-303.
54. Reusch, *op. cit.*, p. 454 (règle VII).
55. Par exemple : P. Cousturier, *De tralatione Bibliae et novarum reprobatione interpretationum*, Paris, 1525; J. Cochlaeus, *An expediat laicis legere Novi Testamenti libros lingua vernacula*, Dresde, 1533 ; A. de Castro, *op. cit.*, fol. 27 v°-29 r°; E. Rotier, *Parergi, sive Tabellae tres similitudinarum, quibus suis coloribus haeretici, vera Ecclesia vulgaresque Sacrae Scripturae traductiones describuntur*, Toulouse, 1548; A. Catharinus, « Quaesito an expediat scripturas in maternas linguas transferri », *Enarrationes, assertationes, disputationes*, Rome, 1551-1552, réimpression, Ridgewood, 1964, col. 329-344; M. Poncet, *Discours de l'advis donné à Révérend Père en Dieu Messire Pierre de Gondy, Evesque de Paris, sur la proposition qu'il fit aux Théologiens touchant la traduction de la saincte Bible en langue vulgaire*, Paris, 1578.

de la Bible en raison de son ignorance. « Ne jetez pas les perles aux pourceaux », a dit le Christ (Mt 7, 6). La nature de l'Eglise, enfin, qui est un tout organique, composé de parties. C'est à certains seulement, les évêques et les prédicateurs, qu'il est donné de lire et de commenter l'Ecriture.

Mais la Bible en langue vulgaire a ses défenseurs. Ceux-ci, des prélats, comme le cardinal Madruzzo, évêque de Trente, ou des théologiens, tel Gentien Hervet, un humaniste français expert au concile, répondent que les Evangiles et les Epîtres ont été écrits pour être lus et que les simples ne sont pas des porcs. Au nom de quoi les priver du trésor de l'Ecriture ? Ce n'est pas d'eux que sont venues les hérésies, mais des savants. Luther en est le dernier exemple[56].

Quoi qu'il en soit du différend sur la Bible en langue vulgaire, cependant, les réformateurs catholiques de toutes tendances s'entendent sur un point : l'Eglise a son mot à dire sur la Bible. Le principe même d'une censure ecclésiastique ne saurait être mis en question.

Autre consensus : l'urgence d'une réforme de la prédication, seule façon de remettre l'Ecriture à l'honneur sans que soit compromise l'intégrité de la doctrine. Les réformateurs catholiques, d'accord là-dessus avec leurs homologues protestants, insistent pour qu'il soit prêché régulièrement, au moins une fois par semaine, et dans toutes les paroisses. Le concile de Trente, en sa cinquième session, confie aux évêques le soin de réorganiser la prédication et il prévoit des peines pour les desservants qui refuseraient de prêcher. Quant aux sermons, précise le décret, ils seront « brefs et faciles », se contentant d'annoncer « ce qui est nécessaire au salut ». Finies les extravagances de la scolastique tardive ! Dès la clôture du concile, des conciles provinciaux relaient ces consignes, ainsi à Reims en 1564 ou à Milan en 1565. Particulièrement typique est le canon sur la prédication de ce dernier concile, dû à la plume de Charles Borromée, l'archevêque de Milan. L'invitation à interpréter l'Ecriture « dans le sens approuvé par l'Eglise catholique, en accord avec l'autorité des Pères » est clairement catholique mais le conseil de ne pas raconter au peuple des histoires tirées des livres apocryphes, de se méfier des récits de miracles non authentifiés et d'éviter les fables « ineptes et ridicules » eût pu être de Calvin[57]. L'époque est à la simplicité. L'Ecriture, comme la doctrine, se doit d'être pure, sans surcharge ni commentaire.

Signalons enfin, parce que, comme la réforme de la prédication, elle s'inscrit dans le projet de la Réforme catholique, la restructuration des études bibliques. Pour que le peuple ne soit pas tenté de lire lui-même l'Ecriture, il lui faut de bons docteurs qui lui en communiquent la sub-

---

56. EHSES, *op. cit.*, pp. 47-50; *Concilium tridentinum... nova collectio*, t. 12, Fribourg-en-Brisgau, 1930, pp. 528-536 (nᵒˢ 72 et 73).
57. MANSI, *op. cit.*, t. 34, p. 9.

stance. A cet égard, le cas de la Faculté de théologie de Paris, un bastion du conservatisme religieux, est intéressant. En 1523, le doyen invite les bacheliers et les licenciés à utiliser davantage l'Ecriture dans leurs disputations. « D'éminentes personnes, avance-t-il, ont remarqué que la Bible était insuffisamment pratiquée chez nous. » Et plus tard, en 1536, peu de temps après la fondation du Collège de France, un rival redoutable pour la Faculté de théologie, la décision est prise — par le Parlement de Paris — d'instituer quatre nouveaux cours quotidiens sur la Bible, deux au Collège de Navarre et deux au Collège de Sorbonne[58].

Ce n'est rien d'autre que proposera le concile de Trente, dix ans plus tard, dans son décret « sur l'institution des cours d'Ecriture sainte et d'arts libéraux », voté à la cinquième session. Mais dans ce domaine comme dans beaucoup d'autres, les progrès seront lents à venir, même chez les jésuites, qui pourtant vont ouvrir la voie, nous allons y revenir.

L'arsenal biblique

Les controversistes catholiques, on l'a dit, sont en général de bons connaisseurs de l'Ecriture. Dans leurs écrits, ils font un usage constant du texte sacré, exactement comme les théologiens protestants. La différence tient à la manière dont ils font référence à la Bible. Les protestants prennent l'Ecriture comme constitution. Elle seule, selon eux, indique comment réformer — restituer, disent les anabaptistes — l'Eglise du Christ, amoindrie et trahie depuis presque un millénaire de « tyrannie papale ». Ses prescriptions sont donc à suivre autant que possible à la lettre : ainsi le veut le Christ, qui parle dans les Evangiles.

Les théologiens catholiques, eux, n'entendent rien réformer d'essentiel, mais au contraire confirmer. Ils s'attachent surtout à défendre le dispositif institutionnel mis en place au début de la période scolastique, et en particulier le jeu des sept sacrements. A les croire, il n'est pas un canon de l'Eglise qui n'ait un fondement, proche ou lointain, dans l'Ecriture. Dans cette perspective, la Bible est vue comme un réservoir de citations. C'est un arsenal pour la controverse.

Prenons, pour nous en convaincre, l'*Enchiridion locorum communium adversus lutheranos* de Jean Eck, un des textes majeurs de la controverse anti-luthérienne. Dans cet ouvrage, il n'est quasiment pas une page qui ne comporte une référence scripturaire. Tous les sujets controversés sont abordés. C'est l'Ecriture, chaque fois, qui est citée en premier lieu, les écrits canoniques d'abord, puis ceux dont l'autorité est contestée, ensuite seulement les Pères, pour appuyer l'Ecriture, et enfin les théologiens.

58. FARGE, *op. cit.*, pp. 28, 49, 52-53, 179-180.

Ainsi sur le célibat des prêtres : le Christ ayant fait l'éloge des eunuques pour le royaume de Dieu et Paul celui des vierges (Mt 19, 12 et 2 Co 7, 25-35), il s'ensuit que ceux qui rejettent le célibat foulent aux pieds le Christ et Paul. Le « Croissez et multipliez-vous » (Gn 1, 28) qu'invoquent les luthériens date d'un temps où la terre était insuffisamment peuplée. Depuis, la situation a changé. Sinon, il faudrait admettre que Jean-Baptiste et Marie ont péché en gardant la virginité[59] ?

Sur les indulgences : Paul, dans l'épître aux Colossiens, se réjouit des souffrances qu'il endure pour ses frères. « Je complète, ajoute-t-il, en ma chair ce qui manque aux épreuves du Christ » (1 Col 1, 24). Ce qui lui est accordé l'est aussi à tous ceux qui portent la croix du Christ. Il en résulte un « trésor » que le pape a le droit de dispenser, car Paul a eu cette parole : « Que l'on nous regarde comme des serviteurs du Christ et des intendants des mystères de Dieu » (1 Co 4, 1)[60].

Sur le purgatoire : le feu dont parle Paul dans la première épître aux Corinthiens (1 Co 3, 12-15) n'est manifestement pas celui de l'enfer, car en enfer il n'y a pas de rédemption. « C'est le feu, écrit l'apôtre, qui éprouvera la qualité de l'œuvre de chacun. Si son œuvre est consumée, il en subira la perte; quant à lui, il sera sauvé par le feu. » De son côté d'autre part, le deuxième livre des Maccabées, qu'Augustin et le concile de Carthagène tiennent pour canonique, parle d'un sacrifice offert pour les péchés des morts (2 M 12, 43). Dans l'épître aux Philippiens, enfin, Paul demande « que tout genou fléchisse, au nom de Jésus, au ciel, sur terre et dans les enfers » (Ph 2, 10). Il est clair qu'il ne s'agit pas de l'enfer, où personne n'est disposé à fléchir le genou au nom de Jésus. Le texte fait clairement référence au purgatoire[61].

Eck, on le voit, fait le meilleur usage de l'Ecriture. Dans le *Catéchisme du concile de Trente*, ce manuel pour curés commandé par le pape, selon un vœu du concile, à un groupe de théologiens romains et publié en 1566, l'Ecriture n'est pas employée autrement. Le *Catéchisme* donne près d'un millier et demi de citations bibliques, dont un tiers environ de l'Ancien Testament. L'Ecriture y est donc massivement présente : en moyenne quinze fois par question. Les Pères de l'Eglise, Augustin surtout, et les anciens conciles sont également invoqués, mais moins souvent que l'Ecriture : en moyenne une ou deux fois par question. Significativement, les théologiens médiévaux, et singulièrement Thomas d'Aquin, ne sont pas cités une seule fois, même s'il est largement fait appel à eux dans l'argumentation : le *Catéchisme* entend convaincre des esprits tentés par le protestantisme. Seule référence catholique explicite : le concile de Trente, dont les principaux décrets sont rappelés.

59. J. ECK, *Enchiridion locorum communium adversus Lutherum et alios hostes ecclesiae (1525-1543)*, éd. P. FRAENKEL, Münster en Westphalie, 1979, p. 227.
60. *Ibid.*, pp. 255-256.
61. *Ibid.*, pp. 261-263.

Le *Catéchisme du concile de Trente* a été rédigé en un temps de luttes confessionnelles. Les écrivains protestants ne sont pas nommés, certes, ni même évoqués. Mais c'est à eux que l'on répond. Sans eux, jamais la Bible n'aurait tenu un rang aussi éminent. Maintenant, elle est prise à témoin dans tous les cas litigieux. Elle sert systématiquement de preuve, selon un sens donné comme le seul juste.

Ainsi la doctrine de l'Eglise visible. Si l'Eglise romaine contient des bons et des mauvais, c'est parce que, comme le bon grain mêlé à l'ivraie (Mt 13, 24-30), le Christ en a disposé ainsi.

La primauté du pape, tête de l'Eglise visible ? C'est le Seigneur, de nouveau, qui l'a ordonné : « Tu es Pierre, et sur cette pierre, je bâtirai mon Eglise » (Mt 16, 18).

Met-on en question le baptême des enfants ? L'Ecriture en dit le bien-fondé : « Laissez venir à moi les petits enfants, déclare le Christ, car le Royaume des Cieux est à ceux qui leur ressemblent » (Mt 19, 14).

La doctrine de la transsubstantiation, de même, est biblique. Si la substance du pain avait subsisté dans l'Eucharistie, le Seigneur n'aurait pas prononcé ces paroles : « Ceci est mon corps, ceci est mon sang. » Sinon, pourquoi avoir dit « ceci » ? Jean, du reste, le confirme : « Le pain que je vous donne, fait-il dire au Christ, c'est ma chair, donnée pour que le monde ait la vie » (Jn 6, 51).

La nature sacramentelle du ministère ordonné et le caractère sacerdotal ne sauraient non plus être mis en doute. Paul, en effet, dit très clairement à Timothée : « Je te rappelle d'avoir à raviver le don de Dieu qui est en toi depuis que je t'ai imposé les mains. Car ce n'est pas un esprit de peur que Dieu nous a donné, mais un esprit de force, d'amour et de maîtrise de soi » (2 Tm 1, 6-7).

Et pas davantage l'institution par le Christ du sacrement de la confession. « Recevez l'Esprit-Saint, déclare-t-il à ses disciples. Ceux à qui vous remettrez les péchés, ils leur seront remis. Ceux à qui vous les retiendrez, ils leur seront retenus. »

Il n'est pas jusqu'à l'indissolubilité du mariage, enfin, autre pomme de discorde entre catholiques et protestants, qui ne trouve, selon les premiers, un fondement dans l'Ecriture : « Que l'homme ne sépare pas ce que Dieu a uni » (Mt 19, 7).

Les jésuites et la Bible

Le 15 août 1534, Ignace de Loyola et six compagnons font le vœu, à Paris, de vivre dans la chasteté et la pauvreté, d'aller à Jérusalem aussi tôt que possible et de se mettre au retour à la disposition du pape. Ainsi naît la Compagnie de Jésus, dont le projet, entre-temps précisé, est approuvé par le pape en 1540. De tous les ordres religieux, c'est celui qui a le plus contribué au succès de la Réforme catholique.

Existe-t-il entre les jésuites et l'Evangile, comme un auteur réformé a pu l'écrire, « une sourde opposition, pareille à celle qui existait entre les Pharisiens et Jésus »[62] ? L'accusation fait fi du dossier historique. Dans le camp catholique, peu ont tenu compte autant qu'eux de l'invitation tridentine à étudier et prêcher les lettres sacrées. Mais l'Ecriture n'est pas pour eux la première source d'inspiration : l'autorité, c'est la « Sainte Eglise hiérarchique », suivant la formule d'Ignace de Loyola dans les *Exercices spirituels*. En cela effectivement, ils se distinguent des réformateurs protestants.

Les *Constitutions* de la Compagnie de Jésus, achevées dans leur première version entre 1547 et 1550, sont à cet égard très révélatrices. L'Ecriture y est peu citée, mais après tout pas moins que dans les *Ordonnances ecclésiastiques* de Genève ou dans les synodes de l'Eglise réformée de France : c'est le propre des textes législatifs que de peu citer l'Ecriture. La Bible justifie ainsi l'esprit de dénuement : « Cherchez d'abord le royaume de Dieu et sa justice vous sera donnée par surcroît » (Mt 6, 33). Ou la vertu d'obéissance, que vient illustrer le récit d'Abraham conduisant son fils au sacrifice[63].

Plus important pour notre propos est le paragraphe sur l'ordre des matières dans la conduite des études. L'initiation à l'Ecriture est... la dernière étape. C'est une nouveauté : à la Faculté de théologie de Paris par exemple, la Bible est enseignée d'emblée au *studens*, conformément aux usages médiévaux[64]. « [Les étudiants], déclarent les *Constitutions*, s'exerceront avec beaucoup d'attention dans les Arts avant d'aborder la théologie scolastique, et dans cette dernière avant d'aborder l'Ecriture. Celle-ci une fois vue ou pendant qu'on la voit après la théologie scolastique, on pourrait entreprendre l'étude des langues dans lesquelles l'Ecriture sainte a été écrite et traduite. » Ainsi, sauf dispense, seuls les étudiants chevronnés sont autorisés à étudier les langues bibliques et encore sont-ils censés le faire, pour répondre au décret tridentin sur la Vulgate, « en ayant d'avance l'intention de défendre non seulement le texte, mais encore les mots et toutes les syllabes de la traduction de la Sainte Ecriture approuvée et communément reçue par Notre Sainte Mère l'Eglise hiérarchique »[65].

Ignace, qui est le principal auteur des *Constitutions*, veut rompre avec la manière scolastique d'enseigner l'Ecriture. Le commentaire ne l'intéresse pas pour lui-même. La Bible est tout entière rapportée

62. V. BARONI, *La Bible dans la vie catholique depuis la Réforme*, Lausanne, 1955, p. 156.
63. Ignace de LOYOLA, *Constitutions de la Compagnie de Jésus*, t. 2, Paris, 1967, pp. 182-187.
64. FARGE, *op. cit.*, pp. 16-17.
65. Ignace de LOYOLA, *op. cit.*, t. 2, p. 204.

à la doctrine. Elle ne sera lue dans la langue originale que moyennant précautions.

Plus tard, les *Constitutions* connaîtront des révisions. Dans la version dite officielle, qui est approuvée par la cinquième congrégation générale de la Compagnie en 1594, l'ordre des matières est présenté moins strictement. « On gardera un ordre dans les disciplines, déclare le document. Il faudra un bon fondement en latin avant d'aborder les Arts, et dans ceux-ci avant d'aborder la théologie scolastique, et dans cette dernière avant d'étudier la théologie positive. L'Ecriture pourra être étudiée en même temps ou après. » Cependant, au sujet des langues anciennes, on note les mêmes réserves : « Les langues dans lesquelles l'Ecriture a été écrite ou traduite seront étudiées avant ou après, selon la variété des circonstances et la diversité des sujets, comme il semblera meilleur au supérieur. Ce point sera laissé à son discernement. Mais si l'on apprend les langues, il y aura, parmi les buts que l'on poursuit, celui de défendre la traduction approuvée par l'Eglise »[66].

Cet excès de prudence a bien évidemment freiné le développement des études bibliques dans la Compagnie. C'est au point qu'en 1586 la *Ratio atque institutio studiorum* avance ce constat dépité : « L'étude des écritures divines fleurit peu chez nous. » Trop souvent, poursuit le document, les disputes scolastiques sont préférées à l'examen du texte biblique. C'est un abus ! Il n'est pas normal que, lorsque des catholiques prennent goût à l'Ecriture, ils soient obligés de s'en remettre aux commentaires des hérétiques, faute d'en trouver de convenables chez eux[67].

Ainsi, et ceci pourrait bien être une constante dans l'histoire de la Réforme catholique, c'est pour faire obstacle au protestantisme que la Bible est mise en avant. Quitte à ce qu'alors on se rende capable d'innovation, comme en France avec le développement du théâtre biblique dans les collèges[68]. Il faut que Jérôme Nadal, le vicaire général de la Compagnie, découvre à Vienne le danger luthérien pour que, à sa demande, Canisius rédige ses *Lectiones et precationes ecclesiasticae*, un manuel contenant les épîtres et les évangiles du dimanche, avec un cours sommaire aidant à les comprendre[69]. Dès le début des années quarante, l'habitude est prise dans les collèges que le professeur d'Ecriture sainte donne le dimanche, à l'église, un cours sur la Bible. Or, c'est en Allemagne et aux Pays-Bas, deux pays gagnés par la Réforme, que cette pratique est le mieux suivie. Ailleurs, bien souvent, l'exposé biblique tourne en conférence doctrinale. Et lorsque faisant rapport le

66. *Ibid.*, t. 1, pp. 123-124.
67. G. M. Pachtler (ed.), *Ratio studiorum et institutiones scholasticae Societatis Jesu per Germaniam olim vigentes*, t. 2, Berlin, 1887, p. 67.
68. F. de Dainville, *L'éducation des jésuites (XVIe-XVIIIe siècle)*, Paris, 1978, pp. 475-477.
69. Ingolstadt, 1556 et 1557.

21 mars 1558 au général de la Compagnie Jacques Laynez, le supérieur du collège de Florence note qu'un jésuite a pris l'initiative de donner chaque jour à ses élèves une explication de l'Evangile, il prend soin de relever que ce jésuite est flamand. « Cet exercice n'est pas inutile », ajoute-t-il pour sa part[70].

Fonder les pratiques

Les Réformes du XVIᵉ siècle ont-elles inauguré un rapport nouveau à l'Ecriture ? A voir le soin, la passion même que manifestent en ce domaine des hommes aussi différents que Luther, Bucer, Calvin, Grebel, Eck et Ignace de Loyola, on serait tenté de le penser. L'Ecriture est citée sans cesse, car c'est elle qui fonde les pratiques. Et c'est justement le propre du XVIᵉ siècle, le siècle dit des Réformes, que d'avoir conçu, pour la première fois systématiquement, un projet de christianisation intensive des populations d'Occident. Un christianisme plus confessant voit le jour : la Bible en est une des marques, dans la liturgie, la catéchèse et la théologie.

Comment lire la Bible ? A l'heure où se redessine le paysage religieux, l'Ecriture est moins que jamais une référence univoque. Des manières différentes, parfois opposées, de l'interpréter sont en concurrence. La Bible n'a pas le dernier mot : que l'on songe aux paroles de l'institution de la Cène, sources de tant de querelles, au *Tu es Petrus*, aux logia de Matthieu sur le divorce...

Ainsi, c'est sur un fondement finalement fragile que s'édifient les nouvelles Eglises. Les spiritualistes et les « athées », qui deviennent nombreux au XVIᵉ siècle, ne manquent pas de le faire remarquer. Aux esprits critiques, le texte sacré apparaît contradictoire. La confiance dans l'Ecriture et la confiance dans l'Eglise, ainsi vont de pair.

Le rapport à l'Ecriture n'est certes pas le même dans le catholicisme, dans le luthéranisme et dans la tradition réformée. Ici, la Bible appuie seulement une tradition réputée ferme. Là, mise en avant, elle est vue comme l'aliment de la foi confessée en Eglise. Là encore, elle sert à légitimer une réforme des pratiques ecclésiales, maintenant déclarées parfaitement conformes à ses prescriptions. L'Ecriture divise donc les Eglises. Mais elle les réunit aussi. Dans chacune d'elles, le fait même de se référer à la Bible dans la pratique quotidienne des Eglises est indiscuté. Cette importante convergence mérite d'être soulignée.

Philippe DENIS.

70. *Litterae quadrimestres ex Collegiis S.J. Romam missae (1546-1562)*, t. 5, Madrid, 1920, p. 585. Cf. DAINVILLE, *Les jésuites et l'éducation de la société française*, t. 1, Paris, 1940, pp. 176-177.

La Bible et la politique
au XVIᵉ siècle

Le cas du protestantisme

LUTHER ET MÜNTZER

Deux grands théologiens ont entièrement renouvelé la pensée politique dans le premier tiers du XVIᵉ siècle en se fondant sur la Bible :
Martin Luther (1483-1546) et Thomas Müntzer (1490-1525). Il est tout
à fait intéressant de les comparer car ils étaient l'un et l'autre des cham-
pions de la Réforme, ils voulaient tous deux amener leur peuple au
Christ grâce à une profonde réorganisation politique et sociale. Luther
avait recommandé Müntzer lorsqu'il fut envoyé à Zwickau où sa prédication devait enflammer le peuple et semer le trouble; Luther et
Th. Müntzer devinrent bientôt des adversaires acharnés et l'on sait que
Luther, au plus fort de la guerre des Paysans, s'en prit violemment aux
« faux prophètes », à l' « archidiable » Müntzer, appelant les princes à
massacrer les hordes pillardes des paysans. Müntzer, de son côté, excitait
les paysans en révolte à suivre Dieu qui engageait à leur tête le combat
eschatologique, cette sanglante vendange évoquée au chapitre 14 de
l'Apocalypse. La pensée politique de Luther, comme celle de Th. Müntzer
s'est modifiée et durcie dans ce combat sans merci qui représentait pour
chacun d'eux l'épreuve de ses théories. Enfin, même après le désastre
de Frankhausen et la mise à mort de Müntzer, même après le siège de
Münster, le massacre et la dispersion des anabaptistes, la vision prophétique de Müntzer a été le ferment d'autres utopies millénaristes,

tandis que le système politique et social de Luther gardait une influence certaine sur la vie politique allemande jusqu'à nos jours.

Voici quelques points de comparaison entre ces deux théologiens qui nous permettront de voir plus clairement comment la Bible a modelé leurs théories politiques :

1. Pour tous les deux, l'Ecriture, dont ils attendent une Parole vivante, est essentielle. Mais elle n'est pas le seul canal qui transmette aux hommes la volonté divine.

Pour Luther, toute la vie sociale et politique s'explique par la doctrine des *deux royaumes*. Nous verrons plus loin que cette conception de l'ordre du monde se relie étroitement à la révélation qu'il reçut au travers d'une parole biblique et qui orienta toute sa vie; mais rappelons brièvement cette doctrine des *deux royaumes* qu'il avait largement empruntée à saint Augustin en la purifiant des éléments que la pensée grecque y avait introduits : Dieu a institué deux royaumes ou ordres pour régler l'existence de l'homme; ils correspondent à ses deux natures : l'une spirituelle, l'autre charnelle. Le *royaume spirituel* c'est l'ordre du salut, il est entièrement soumis à la Parole de Dieu, mais le *royaume temporel* est l'ordre naturel, le domaine de la vie temporelle de l'homme en ce monde. Tout homme, chrétien ou non, y est soumis aux besoins et aux péchés de la chair et il y vit en relation avec les autres. C'est la loi naturelle qui domine ce *royaume temporel* et cette loi naturelle informe la raison. Tout homme peut connaître la volonté de Dieu qui éclate dans les œuvres de Sa Création, c'est ce que l'apôtre Paul déclare dans le premier chapitre de l'Epître aux Romains. A sa suite, Luther soutient que tout homme a la connaissance de la loi naturelle qui assure la continuité de la vie en ce monde. N'allons pas plus avant : le chrétien est participant de ces deux royaumes; justifié, ici et maintenant, à travers le Christ, il demeure une créature pécheresse aussi longtemps qu'il est au monde et il doit accepter d'être contraint par la loi humaine, loi morale et politique garantie par le glaive selon la pensée de l'Apôtre (Romains 13, 3 à 5) : « Les gouvernants ne sont pas à craindre quand on fait le bien, mais quand on fait le mal. Veux-tu ne pas craindre l'autorité ? Fais le bien, et tu auras son approbation, car elle est au service de Dieu pour ton bien. » Ainsi le droit naturel et la raison contribuent au maintien de l'ordre et de la vie en ce monde. L'ordre spirituel, la révélation du salut ne sauraient exister si cette vie tout humaine n'était pas ainsi maintenue; les deux royaumes sont complémentaires.

Pour Thomas Müntzer, la Bible, le texte scripturaire, constitue un témoignage capital, il n'est que de lire ces textes où chaque affirmation est appuyée par deux ou trois références bibliques : « Pour certains, l'Evangile et l'Ecriture tout entière sont fermés à clé, Isaïe 29, 9-12 et 22, 22 (la clé de David) et Apocalypse 5, 7 (le livre scellé). Ezéchiel a ouvert ce qui était fermé. Le Christ dit, Luc 11, 52, que les prêtres volent la clé de ce livre fermé : ils ferment à clé l'Ecriture en prétendant que Dieu ne peut parler en personne aux hommes »[1]. Mais le texte biblique n'est pas pour Müntzer la Parole vivante de Dieu, c'est ce qu'il appelle la *Bible extérieure*, ceux qui se fondent uniquement sur l'Ecriture sainte n'ont de relations qu'avec « un Dieu muet » et ceci vise Luther et les réformateurs plus encore que les docteurs catholiques. Tout pasteur pour légitimer sa vocation doit avoir des visions et des songes : « Dieu écrit de son doigt vivant dans le cœur de l'homme. » L'Esprit est à l'œuvre dans le cœur des disciples modernes du Christ et ils sont libérés de la lettre de l'Ecriture. Mais l'inspiration authentique dépend d'un autre facteur qui prend de plus en plus d'importance à mesure que Müntzer s'engage aux côtés des paysans et des prolétaires : l'Esprit visite ceux qui ont fait « le vide » en eux, qui ont connu la détresse et le doute si bien que les pauvres, les persécutés, les opprimés sont bien plus aptes à recevoir ces révélations, cette Parole actualisée de Dieu, que les docteurs de l'Eglise englués dans leur confort bourgeois et aveuglés par leur science d'humanistes. « Dieu place Sa parole uniquement dans la souffrance des créatures qui seule permet de devenir 'conforme au Christ'. » Müntzer oppose constamment « les seigneurs qui se goinfrent et boivent comme des bêtes », « les prêtres avides de profit », « ces valets de Belzébuth » au « petit troupeau si juste, si pitoyable... assoiffé de la parole de Dieu »[2]. Ces brebis doivent entendre « la voix vivante de Dieu », c'est-à-dire qu'elles doivent toutes avoir des révélations (Joël, chap. 2, 28-32 et David, Ps 89, 19). Nous verrons avec quelle énergie Luther, dans son *Commentaire sur le prophète Joël*, combat ce messianisme eschatologique de Müntzer; nous verrons que dès ses premiers écrits, le *Manifeste de Prague* a été composé en novembre 1521, le prophétisme de Müntzer et son engagement aux côtés des pauvres, des prolétaires, vont de pair, mais il n'utilise pas encore la Bible comme une force propre à soutenir la violence révolutionnaire.

2. D'autre part, *Luther et Müntzer ne font pas le même usage de la Bible* dans l'élaboration de leurs doctrines politiques :

Pour Luther, l'Ecriture est claire, elle contient tout ce qui est nécessaire à la vie du croyant, elle est la règle de la foi. Mais au centre de la pensée religieuse de Luther se trouve un message, une révélation qui informe également sa conception du monde et de la politique : la justification comme don gratuit. L'expérience religieuse qui a transformé sa vie lui a inspiré la doctrine des *deux royaumes*. Méditant l'enseignement de l'apôtre Paul dans l'Epître aux Romains, il proclame la joie du pécheur libéré de l'esclavage de la Loi mais, en même temps, il s'éprouve comme

---

1. Th. MÜNTZER, *Ecrits théologiques et politiques*, traduction, introduction et notes par Joël LEFEBVRE, Presses Universitaires de Lyon, 1982, p. 59 *(Manifeste de Prague)*.
2. *Manifeste de Prague*, voir *o.c.*, p. 60.

pécheur : « Ce que je veux, je ne le pratique pas, mais ce que je hais voilà ce que je fais »[3]. Luther traduit cette opposition tragique dans la célèbre formule *simul justus, simul peccator*. La double nature de l'homme ou plutôt son double destin correspond à la doctrine des deux royaumes : justifié, revêtu du Christ, le croyant appartient au monde spirituel, gouverné par la Parole que vivifie l'Esprit-Saint, mais en même temps il reste pendant toute sa vie terrestre un pécheur, sujet du royaume temporel que gouverne le glaive, l'arme du magistrat. A la double nature de l'homme correspond sa double vocation dans la cité : vocation civique et vocation spirituelle. Elles sont complémentaires : l'action de l'homme, chrétien ou non, dans la cité, le royaume temporel, maintient l'ordre, la paix fondés sur la justice temporelle enseignée par la raison. Le maintien de cette vie ordonnée permet la proclamation de l'Evangile, l'appel adressé à tous les hommes pour qu'ils se convertissent et deviennent par grâce sujets du royaume spirituel. James Cargill Thompson remarque, dans son excellente étude *The political thought of Martin Luther*[4], que ce concept des deux pouvoirs est fort ancien mais que, pour les auteurs médiévaux, les deux pouvoirs étaient dans la main du pape qui déléguait à l'empereur et aux autres gouvernants l'autorité temporelle. Luther apporte un changement radical : les autorités temporelles tiennent leur pouvoir directement de Dieu et sont complètement indépendantes du pouvoir religieux. De plus, et c'est là valoriser fortement l'organisation sociale, les institutions terrestres sont reliées à l'ordre du monde tel que Dieu l'a créé et le maintient. Luther n'accorde aucune prééminence au pouvoir spirituel sur le pouvoir temporel, pour le bon ordre du monde et la continuité de la vie il importe que ces deux ordres restent bien distincts. Est-ce le refus de tout progrès social, au sens où nous l'entendons, de tout changement politique ? Cette conception exclut la violence révolutionnaire mais l'espérance demeure d'une conversion des hommes qui exercent le pouvoir et qui pourraient, par leur exemple, promouvoir un idéal de justice de plus en plus proche des exigences évangéliques; c'est là la ferme assurance du réformateur.

Pour Müntzer, Luther est un conservateur qui n'est pas allé jusqu'au bout de l'Evangile et qui pactise avec le pouvoir établi pour maintenir les pauvres dans l'oppression. Il défigure la parole de Dieu parce qu'il « met à l'encan » des fragments de l'Ecriture sainte, c'est-à-dire qu'il cite des versets isolés pour appuyer son système théologique et politique alors que la véritable lecture de l'Ecriture doit être *globale* : Müntzer entend par cette expression une recherche du sens qui rapproche des textes convergents et complémentaires pris dans toute la Bible et qui permettent au prophète moderne de développer sa pensée, pour Müntzer

3. Epître aux Romains 3, 15.
4. 1re éd. par The Harvester Press Limited, Brighton, 1984, voir p. 46.

il s'agit, bien sûr, d'une pensée inspirée. Dieu confie ce message à ses amis, à des élus qui ont fait dans la souffrance l'expérience de la Parole. Un extrait de *De la foi imaginaire* publié en 1523 éclaire pour nous cet usage de la Bible qui va bien au-delà du *sola scriptura* des Réformateurs : « Servons-nous de la Bible pour ce pourquoi elle a été faite, pour mortifier (comme il a été dit plus haut) et non pour donner la vie, comme peut le faire la parole vivante qu'une âme vide entend. Ne prenons pas un fragment par-ci et un autre là, mais rassemblons dans le vide de l'esprit, et non de la chair, tous les passages de l'Ecriture où l'on peut observer qu'elle console et effraie à la fois. Lorsque la foi perfide n'est pas mise à jour jusqu'en ses fondements, on ne reçoit jamais que la parole extérieure. Mais dans la tempête le fou la déforme. C'est pourquoi il faut d'abord amener les gens au plus haut degré d'incertitude et d'émerveillement si l'on veut les débarrasser de leur foi imaginaire et les enseigner droitement dans la vraie foi »[5]. On retrouve dans cette expression : « La Bible a été faite *pour mortifier* » un écho de la parole de l'apôtre Paul au sujet de la Loi qui, révélant le péché, fait mourir : « Pour moi, autrefois sans loi, je vivais; mais quand le commandement est venu, le péché a pris vie, et moi je mourus... »[6]. Luther pourrait confesser aussi cette mortification due à la Loi, mais il a reçu du texte biblique un si puissant, si rayonnant message de la grâce que cette mortification préalable reste dans l'ombre. Pour Müntzer, la consolation et l'illumination viennent uniquement de cette parole vivante que le doigt de Dieu inscrit dans le cœur de ses élus et qui n'a pas besoin d'être éprouvée au creuset du texte scripturaire, c'est une révélation mystique, elle est charnellement perçue : « Je l'affirme et le jure par le Dieu vivant : celui qui n'entend pas de la bouche même de Dieu Sa vraie parole vivante et ne distingue pas Bible et Babel, celui-là n'est qu'une chose morte. Mais la parole de Dieu, qui pénètre le cœur, le cerveau, la peau, les cheveux, les os, la moelle, le sang, la force et la vigueur peut bien survenir d'une autre manière que ne le racontent nos couillons et idiots de docteurs... »[7]. Cependant, certains textes bibliques offrent à Müntzer des foyers incandescents de prophétie révolutionnaire : il reprend à plusieurs fois ce texte du Magnificat : « Il a déployé la force de son bras; il a dispersé ceux qui avaient dans leur cœur des pensées orgueilleuses, Il a fait descendre les puissants de leur trône, Elevé les humbles, Rassasié de biens les affamés, Renvoyé à vide les riches... » Il en fait un appel au combat : « C'est pourquoi il faut renverser de leur trône les puissants, les orgueilleux et les impies pour la raison qu'ils font obstacle, en eux-mêmes et dans le monde entier, à la sainte et véritable foi chrétienne dès

---

5. Voir Th. MÜNTZER, *Ecrits théologiques et politiques, o.c.*, p. 69.
6. Epître aux Romains 7, 9.
7. *Manifeste de Prague*, in *Ecrits théologiques..., o.c.*, p. 61.

qu'elle veut s'épanouir »[8]. De plus en plus nettement, à mesure que sa prédication se développe et qu'elle suscite des oppositions radicales, Th. Müntzer souligne le rôle indispensable de la souffrance, ascèse préalable à toute intelligence de l'Ecriture ; il n'oublie pas l'aspect spirituel de cette souffrance, l'expérience du « *Livre fermé* », le total désarroi du disciple qui aspire à la communion et trouve le chemin bouché. Nous sommes ici bien près de l'épreuve de la *nuit obscure* des mystiques. C'est alors que peut survenir, au plus profond de la vie intérieure, l'initiation divine qui inscrit un message prophétique directement dans le cœur de l'Elu. « Tu dois subir la souffrance et savoir comment Dieu en personne arrache ivraie, chardons et épines de la terre fertile, c'est-à-dire de ton cœur... Quand bien même tu aurais dévoré toute la Bible, cela ne te sera d'aucun secours ; il faut que tu subisses le soc acéré de la charrue. Et si tu n'as pas la foi, que Dieu te la donne et te l'enseigne Lui-même ! Pour que cela se fasse, il faudra d'abord, cher docteur en Ecriture, que le Livre te soit fermé. Après cela, ni la raison, ni aucune créature ne pourront te l'ouvrir, dusses-tu éclater ! Il faut que Dieu ceigne tes reins ; qui plus est, il faut que tu laisses Dieu dépouiller par Son œuvre tous les habits dont tu as été revêtu par les créatures »[9]. Forts de ces révélations directes, les nouveaux prophètes constituent une avant-garde révolutionnaire ; ils doivent entraîner et galvaniser la masse des humbles par leur prédication.

Luther avait insisté sur la rigoureuse séparation du pouvoir spirituel et du pouvoir temporel ; pour maintenir l'ordre et s'opposer à l'anarchie destructrice, les princes exerçaient le pouvoir du glaive, pouvoir ordonné et garanti par Dieu. Th. Müntzer, dans son exégèse de Daniel, bouleverse cette vision du monde : les princes doivent chasser les ennemis de Dieu loin des Elus, ils sont appelés à combattre aux côtés des opprimés contre l'idolâtrie, guidés par un nouveau Daniel qui n'est autre que Müntzer lui-même. Il va plus loin : en 1524, dans son *Plaidoyer très bien fondé*, violent pamphlet visant Luther, il déclare : « J'ai exposé clairement et dans le détail devant les princes que c'est la communauté tout entière qui doit avoir le pouvoir du glaive ainsi que le pouvoir de lier et de délier et... m'appuyant sur les textes (Daniel 7, 27, Apocalypse 6, 15, Romains 13, 21, I Rois 8, 7), j'ai dit que les princes ne sont point les maîtres, mais les serviteurs du glaive et qu'ils ne doivent pas faire selon leur bon plaisir (Deutéronome 17, 18-20), mais selon la justice »[10]. A quelques jours de sa mort, dans une lettre aux habitants d'Eisenach, dans une autre adressée aux habitants d'Erfurt, Müntzer reprend la prophétie de Daniel qui déclare : « Le pouvoir sera donné au peuple. »

---

8. *Ibid.*, p. 105.
9. *Protestation et déclaration*, in *Ecrits théologiques...*, *o.c.*, p. 79.
10. *Ibid.*, p. 124.

J. Lefebvre, dans l'introduction de son ouvrage, remarque, après avoir
cité la violente attaque de Müntzer contre le pouvoir du glaive réservé
aux princes qui souvent pervertissent la justice — « alors le glaive leur
sera ôté et sera donné au peuple en colère pour la ruine des méchants » —
que « nous avons là une préfiguration, unique dans l'Allemagne du
xviᵉ siècle, de l'idée du contrat social et du principe de la souveraineté
du peuple »[11].

Si nous voulions mesurer d'un seul regard l'opposition de ces deux
génies de la Réforme, il nous suffirait de comparer leur conception du
prophétisme. Ils commentent tous deux le texte célèbre du prophète Joël :
« Après cela, je répandrai de mon esprit sur toute chair, vos fils et vos
filles prophétiseront, vos anciens auront des songes et vos jeunes gens
des visions. Même sur les serviteurs et sur les servantes, en ces jours-là,
je répandrai mon Esprit »[12]. Pour Th. Müntzer, ce texte fonde sa propre
conception de la prophétie : l'Esprit de Dieu se répand dans le cœur
des plus humbles, de ceux qui ont connu la détresse, et il déserte ceux
qui croient posséder la Parole parce qu'ils la répètent. Le songe extatique est le signe même de cette visite de l'Esprit, il apporte des révélations nouvelles qui doivent dénoncer les injustices, le désordre social
et appeler au combat eschatologique. Le foisonnement des visions prophétiques est le signe des derniers temps. Müntzer se désigne lui-même
comme Elie, figure dont le sens est double : il représente le prophète
persécuté, mais sa réapparition annonce, d'après la théologie judéo-
chrétienne, la parousie, le retour du Christ combattant.

Luther dans son *Commentaire sur Joël*[13] donne une définition précise et
extrêmement prudente de la prophétie. Sans doute il admet que « le
don du Saint-Esprit est donné indifféremment à tous ceux qui invoquent
le nom du Seigneur, soyent femmes ou hommes, vieils ou jeunes, serfs
ou francs », ce qui exclut une hiérarchie de prêtres ou de ministres
inspirés, mais il insiste sur le caractère *christologique* de la prophétie
biblique : les anciens prophètes « nourris des prédications de Dieu et des
Saints Pères » ont vu au-delà de leur temps ; Daniel « réveillé » par la
lecture du prophète Jérémie « pensa du terme de la captivité et fut
instruit par l'Ange du temps de la venue du Christ ». Joël annonce
l'effusion du Saint-Esprit à la Pentecôte. Mais après la venue du Christ
qui représente à la fois le terme et le sens dernier de la Prophétie peut-on
concevoir des visions, des songes, des oracles prophétiques qui soient
autres que des commentaires inspirés de la Parole ? L'Esprit « réveille »
la Parole, la vivifie pour qu'elle puisse transformer le cœur de ceux qui
l'écoutent et changer leur vie, mais ce prophétisme ne saurait servir à

---

11. Voir *o.c.*, p. 35.
12. Joël 3, 1 et 2.
13. *Commentaire sur les révélations des Prophètes Joël et Jonas*, Genève, Crespin, 1558.

promouvoir une idéologie révolutionnaire. Ce serait une confusion entre les deux royaumes. Pour Luther, l'unique voie du réformisme social c'est la transformation spirituelle de tous les membres de la société pour qu'ils assument pleinement leur vocation.

Nous avons un peu longuement développé cette opposition entre deux théologies qui commandent deux prédications politiques opposées parce qu'elles sont la matrice des idéologies politiques du xvɪe siècle et qu'elles font apparaître des courants de pensée dont l'action s'étendra jusqu'au xɪxe siècle.

Les anabaptistes et la Bible

Nous traiterons plus rapidement du mouvement anabaptiste, du rôle de la Bible dans ses conceptions sociales. Les anabaptistes, qui ont proclamé la nécessité d'un second baptême, c'est-à-dire d'un baptême d'adultes manifestant leur conversion, leur communion avec Jésus-Christ, ont voulu constituer des communautés de professants calquées sur le modèle de la primitive Eglise. Restant étrangers à toute spéculation théologique, ils prétendaient vivre sans concession une vie conforme à l'Evangile et aux préceptes des apôtres puisqu'ils avaient crucifié le vieil Adam et revêtu le Christ. L'application littérale de l'Ecriture guidait leur conduite, mais ils attendaient aussi des révélations intérieures que l'Esprit leur communiquait, souvent à travers le chef inspiré de leurs communautés. On peut distinguer parmi eux deux tendances : les uns étaient résolument pacifiques et voulaient vivre dans leurs vallées ou leurs villages sans rapport avec la civilisation corruptrice et l'Etat, refusant toute fonction officielle et le service armé; ils attendaient dans la foi la parousie et le millénium, sans croire qu'ils devaient le provoquer en prenant les armes de la révolte. Melchior Hoffmann (1495-1543), originaire de Souabe, apôtre de la Scandinavie et de la Hollande, fut un prophète de ce courant. D'autres, aussi intransigeants sur le plan éthique, attendaient le retour d'un Christ combattant tel qu'il est représenté dans les visions de l'Apocalypse et ils se tenaient prêts à se joindre à Ses milices pour renverser les rois impies et les tailler en pièces. Alors s'ouvrirait le millénium, période de paix, de liberté et d'amour fraternel puisque Satan aurait été enchaîné pour mille ans (Apocalypse 20, 2 et 3) et les Saints régneraient avec le Christ pendant mille ans. Ces anabaptistes révolutionnaires établirent à Münster en Wesphalie, à partir de 1531, le « Royaume de Dieu », une théocratie qui se fondait sur l'Ancien Testament et les visions apocalyptiques de ses chefs charismatiques, Jean Matthijs et Jan Bockelson, dit Jean de Leyde. Le premier était un disciple de Melchior Hoffmann, mais il avait renoncé au pacifisme de son maître. Plusieurs facteurs expliquent l'établissement de ce « royaume » extravagant et tragique. Nous laisserons de côté les circonstances historiques et sociologiques qui permettent de comprendre la prise du pouvoir par une minorité violente et radicale — cependant il faut souligner qu'après l'écrasement des troupes de paysans à Frankenhausen (15 mai 1525) des groupes de fugitifs avaient trouvé refuge à Münster, des prolétaires et des chômeurs étaient venus de Hollande et ces apports de marginaux avaient grossi la foule des pauvres de cette ville. La lecture répétée de certains passages bibliques, les prédications enflammées des nouveaux apôtres, qui se présentaient comme les deux Témoins de l'Apocalypse[14] et qu'on nommait Enoch et Elie, instauraient un climat de fin du monde. Un grand drame allait se dérouler puisque les justes devaient prendre l'épée et engager le combat eschatologique contre les impies. La plupart des habitants étaient persuadés qu'ils allaient voir le Christ arriver sur les nuées du ciel. L'Apocalypse avec ses visions éclatantes et ses oracles fournissait des modèles de scénarios à cette population écrasée d'injustices, en butte à la persécution ; mais Jean de Leyde, proclamé « roi de Sion », empruntait aussi à l'Ancien Testament des lois, des coutumes et des costumes qui faisaient de lui le prophète de la récapitulation de tous les temps. Plusieurs actes qui nous paraissent pure folie étaient, dans ce vaste théâtre, sacralisés par leur valeur symbolique et c'est la Bible qui fournissait cette « matière sacrée », tandis que l'attente du Christ au regard de feu, monté sur un cheval blanc, tel qu'il apparaît au chapitre 19 de l'Apocalypse entretenait une tension mystique. Mais ici il est difficile de parler de politique, il n'y a plus de politique quand le monde va s'abîmer dans l'étang de feu. Il s'agit plutôt d'un climat d'exaltation révolutionnaire qu'on retrouvera dans d'autres crises.

BIBLE ET POLITIQUE DANS LA PENSÉE DE JEAN CALVIN

La pensée politique de Calvin est étroitement liée à sa théologie et repose sur l'exégèse constante des textes bibliques. Voyons d'abord comment Calvin se distingue des penseurs chrétiens qui donnaient le premier rôle à la raison et au droit naturel dans la constitution des systèmes politiques :

Loi naturelle, raison, révélation

Marc-Edouard Chenevière, dans son excellent ouvrage sur *La pensée politique de Calvin*, caractérise ainsi la pensée de la plupart des théologiens

14. Apocal. 11, 3 à 12.

médiévaux à propos du droit naturel : « On dira que la nature humaine, créée par Dieu, constitue, malgré le péché, un tout relativement intact et propre à se gouverner lui-même sous la conduite de la raison dans tout ce qui ne concerne que les fins naturelles de l'homme. La loi naturelle... est considérée comme la participation analogique de la nature humaine à son créateur, c'est-à-dire comme un ensemble de connaissances qui restent, certes, subordonnées à la Révélation (transmise par l'Eglise pour tout ce qui concerne la connaissance des fins surnaturelles de l'homme), mais qui indiquent de façon parfaitement suffisante les fins naturelles de l'homme »[15]. Il n'en va pas de même pour Calvin; la raison n'est pas pour lui la norme incontestée sur laquelle est fondée toute l'éthique naturelle, car le péché a profondément perverti la raison et toutes les facultés qui auraient permis à l'homme d'inventer une loi morale conforme à la justice et de s'y soumettre. L'entendement humain « a une certaine intelligence des choses terriennes » mais il est faussé et « enveloppé de beaucoup de ténèbres »[16]. Il faut donc qu'il soit régénéré par le Saint-Esprit qui peut vivifier en lui la Parole de Dieu. C'est pourquoi toute réflexion sur la politique serait vouée à l'échec si elle ne se nourrissait des Saintes Ecritures et ne se fondait sur elles constamment. Il ne s'agit pas d'un recours pur et simple au texte biblique, mais d'une recherche active de la volonté du Seigneur, d'un texte devenu Parole vivante grâce à l'action du Saint-Esprit. Calvin a inclus un bref mais dense traité politique dans l'*Institution de la Religion Chrestienne*[17], persuadé que la foi courrait de grands risques si les chrétiens cédaient aux séductions des anabaptistes « gens forcenez et barbares qui voudraient renverser toutes les polices » ou s'ils se joignaient aux flatteurs des Princes qui remplacent la crainte de Dieu par l'idolâtrie du pouvoir. Nous ne sommes pas désincarnés, entre la vie spirituelle et l'éthique politique existent des liens étroits. Mais on ne trouve pas chez le réformateur un système politique : méditant les textes des Ecritures, il discerne quelle en est l'application dans telle ou telle situation de son temps, sans jamais perdre de vue le roc solide de sa théologie : la souveraineté de Dieu. En effet, Calvin ne plie pas l'Ecriture aux exigences de l'actualité, nous verrons qu'il maintient la volonté de Dieu et l'affirmation de Sa toute-puissance dans des situations presque intenables pour les fidèles.

---

15. Genève, éd. Labor, 1937, p. 38. L'auteur s'inspire d'E. Gilson, *Esprit de la philosophie médiévale.*
16. Calvin, *Institution de la Religion Chrestienne*, éd. de J.-D. Benoit, Paris, Vrin, 1957, t. II, 2, 12.
17. *Ibid.,* IV, 20.

L'Eglise et le pouvoir politique

Calvin s'oppose à la théologie traditionnelle qui considérait qu'un seul pouvoir, celui de l'Eglise, était institué par Dieu, l'Eglise déléguant le pouvoir temporel au bras séculier, sous son contrôle. Mais les plus dangereux adversaires de Calvin sont les anabaptistes, issus de la Réforme, qui prétendent se passer de toute autorité politique pour vivre conformément à la liberté chrétienne qu'enseigne l'Evangile. Contre ces « gens fantastiques qui... voudraient mettre tout en confusion », Calvin enseigne que l'Etat est une institution voulue de Dieu, établie directement par lui, pour garantir la vie et la continuité du genre humain : « C'est une œuvre de Sa sapience que les Rois règnent »[18]. Dans sa lettre au roi de France où il rend compte de la Confession de foi des Eglises de France de 1557, Calvin déclare : « Nous croyons que Dieu veut que le monde soit gouverné par lois et polices afin qu'il y ait quelque bride pour réprimer les appétits désordonnés du monde »[19]. Calvin semble ici proche de Luther; comme lui, il distingue soigneusement ces deux puissances : l'Eglise messagère du salut, l'Etat qu'il appelle : *la police*, ou *l'état de justice*, ou *l'ordre civil*, ou encore *l'autorité supérieure*; mais plus nettement que Luther qui insistait sur le rôle répressif du « glaive », Calvin met en valeur le rôle positif du pouvoir civil : il est chargé « d'organiser une vie harmonieuse pour les sociétés humaines »[20]. Surtout il est au service de la vocation de l'Eglise puisqu'il doit faire respecter la religion et entretenir le service extérieur de Dieu. Calvin refuse le césaro-papisme qui sera parfois la tentation du luthéranisme, il refuse aussi la théocratie (quoi qu'on en ait dit) si on l'entend comme la mainmise d'un clergé sur l'Etat. Pourtant, même si ces deux institutions doivent conserver leur indépendance, elles sont appelées à collaborer : le pouvoir civil maintient une vie humaine au sein d'un peuple, il protège la liberté de l'Eglise et celle-là veille à ce que le pouvoir se maintienne dans sa vocation, elle a, vis-à-vis de lui, un rôle prophétique. Le commentaire du chapitre 13 de l'Epître aux Romains, les prédications des prophètes fournissent à Calvin les bases de cette doctrine.

La meilleure forme de gouvernement

Ne nous attardons pas à traiter de cette question, elle n'est pas très importante pour Calvin, car la liberté chrétienne ne dépend pas du régime politique et la forme du gouvernement est déterminée par les

---

18. *Op. Cal.*, 22, 73.
19. Cité par M.-E. CHENEVIÈRE, *o.c.*, p. 126.
20. *Ibid.*, p. 143.

circonstances historiques ou sociales qui conditionnent la vie d'un pays donné. D'ailleurs, toute forme d'état à un moment donné est voulue de Dieu. Cependant le réformateur met en garde les fidèles contre les excès du pouvoir monarchique. Il observe que la tentation est grande pour un roi d'outrepasser les bornes de son pouvoir, de se livrer à toutes sortes de voluptés et de se laisser aveugler par les flatteurs. Au livre I de Samuel, Calvin trouvait une critique de la royauté, des droits du monarque, et le fondement de cette mise en cause était théologique : un roi allait occuper en Israël un trône, vide jusque-là, qui signifiait que Dieu seul était le souverain; d'autre part, la cruauté des persécutions en France contre les réformés et leurs sympathisants n'était pas faite pour gagner aux monarques l'estime du chef responsable des Eglises. Quant à la démocratie, Calvin la jugeait néfaste car elle dégénérait souvent en subversion, ouvrant la porte à la tyrannie. Le régime qui lui paraît le meilleur c'est un gouvernement aristocratique qui « tiendrait le peuple en liberté ». Genève offre un exemple de cette constitution puisque le pouvoir effectif y est exercé par le Conseil des CC, tandis que les principales mesures doivent être approuvées par le Conseil général, assemblée de tous les « bourgeois » de Genève (mais l'on sait qu'il était de moins en moins consulté). Ce régime aristocratique tempéré par une certaine démocratie, c'est, dit Calvin, celui du peuple d'Israël avant que fût instituée la royauté; remarquons que ce modèle biblique d'un gouvernement où les chefs des grandes familles détiennent le pouvoir jouera un rôle important dans l'imaginaire politique des Monarchomaques. Ajoutons que cette oligarchie à direction collégiale constituait aussi la forme du pouvoir dans l'Eglise de Genève, il était donc assez naturel que ce modèle sociologique exerçât une influence sur le choix politique de Calvin.

Le pouvoir du magistrat

Le réformateur conçoit le pouvoir comme incarné dans une personne, il a le sens des relations courtes. Il prend des exemples dans l'Ecriture sainte moins pour définir les devoirs du magistrat que pour indiquer au public le caractère de sa vocation et combien il doit être non seulement obéi mais révéré. Celui qui détient le pouvoir a reçu de Dieu une vocation sainte et cette sanctification n'est pas limitée à sa fonction, elle touche aussi sa personne. D'ailleurs Dieu répand sur lui Son Esprit pour qu'il assume pleinement sa charge : il est vicaire de Dieu. Dans un autre passage, Calvin note que les magistrats (c'est-à-dire, bien sûr, les rois, les gouverneurs, les chefs d'un peuple) sont les *mains de Dieu* pour réprimer l'audace des méchants, « conserver » c'est-à-dire défendre les bons, maintenir le droit et l'équité. Ils sont au service du Décalogue dont la première table énonce les devoirs du peuple à l'égard de Dieu, tandis que la seconde énumère les commandements qui concernent la vie sociale. Ils devront rendre compte de leur charge au tribunal divin. S'ils sont fidèles à leur vocation l'image de Dieu doit reluire en eux. Calvin déclare que « les rois d'Israël sont figures du Christ », sans doute il souligne ainsi la valeur de l'onction royale et surtout de la promesse faite à David, mais la formule est bien propre à frapper l'imagination des fidèles. Plusieurs fois dans ses traités ou ses sermons, il cite la recommandation de l'apôtre Paul au chapitre 13 de l'Epître aux Romains : « Il est nécessaire d'être soumis (au magistrat) non seulement à cause de cette colère (contre ceux qui font le mal) mais encore par motif de conscience. »

Calvin souligne que, même s'il ne le sait pas, le magistrat exécute la volonté de Dieu. Que penser alors s'il pratique manifestement l'injustice, s'il pille et brigande le pauvre peuple ? Dieu, dit le théologien, se sert parfois des rois et des gouvernements injustes pour châtier Son peuple et l'amener à la repentance : « Un mauvais roi est une ire de Dieu sur la terre »[21]. Cette formule biblique peut être interprétée comme le châtiment rude mais non mortel qui ramènera le peuple dans la fidélité de l'Alliance. La même idée s'exprime à travers l'image biblique de la *verge* : les mauvais rois sont les verges du courroux de Dieu ; mais Dieu châtie son peuple avec des *verges d'homme*, c'est-à-dire avec des maux qui amènent à la repentance et non à la mort du pécheur[22]. Aussi, même si le magistrat exerce un pouvoir tyrannique, même s'il n'est plus l'image de la justice et de l'amour de Dieu, toute révolte contre lui serait une révolte contre Dieu lui-même. Le magistrat, lui, n'est obligé qu'envers Dieu.

La loi

Il serait trop long d'exposer l'ensemble des considérations de Calvin sur les lois positives, leur rapport avec la loi de Dieu, l'indépendance du magistrat par rapport aux lois, lui qui est « la loi vive ». M.-E. Chenevière note que la loi naturelle n'est pas un critère d'équité suffisant aux yeux de Calvin[23], c'est le Décalogue explicité à l'aide de la Parole de Dieu qui constitue pour lui « la vraie touche ». Le même auteur cite cette remarque de Calvin déclarant que c'est un privilège spécial pour un peuple que de vivre dans un régime politique où « les lois ont leur cours... et où les magistrats se reconnaissent être sujets aux lois ».

21. *IRC*, IV, 20, 25.
22. *Ibid.*, III, 4, 32.
23. *O.c.*, p. 102.

Cependant, la conviction du réformateur, à propos de la vocation du magistrat « vicaire de Dieu », lui interdit de le croire lié par les lois, en tout cas s'il est roi ou prince, auteur de ces lois ; son rôle est justement d'adapter la loi aux circonstances changeantes de la vie d'un peuple. Mais il doit garder en sa pensée la loi morale inscrite dans le Décalogue puisque sa vocation est de conduire son peuple en actualisant dans la vie concrète cette loi.

Le peuple

Le magistrat n'a de comptes à rendre qu'à Dieu mais sa raison d'être c'est de procurer le bien commun : « En leur principauté ils sont obligés à Dieu et aux hommes »[24]. La notion de contrat passé tacitement entre le peuple et le magistrat n'existe pas chez Calvin. Le peuple, lui, doit l'obéissance aux magistrats et aux lois établies. Les sujets rendent un culte à Dieu non seulement en participant aux offices religieux mais aussi en menant une vie paisible, où le travail, la vie de famille et le service du prochain sont leur réponse à la grâce de Dieu. La vie du royaume à venir ne doit pas être confondue avec l'existence terrienne qui reste soumise au péché et l'autorité du magistrat est bien nécessaire pour tenir le peuple en bride. Les excès des anabaptistes qui prétendaient être affranchis de toute loi hantent la pensée de Calvin, c'est pourquoi il ne cesse d'insister sur le devoir d'obéissance et sur l'humilité qui conviennent aux personnes privées ; critiquer les magistrats, souligner leurs défauts, c'est déjà manquer à la révérence qui leur est due.

Problème de l'obéissance au magistrat injuste

La vision d'une société ordonnée et harmonieuse que ces vues publiques suggèrent subit, dès qu'elle fut conçue, la rude épreuve de l'histoire. Genève n'était qu'un fragile îlot de paix au sein d'un monde où se déchaînaient persécutions et guerres civiles. Calvin, chef spirituel des églises persécutées, allait-il modifier ses idées politiques en fonction des situations de détresse qui lui étaient rapportées ? Puisque seule importe la souveraineté de Dieu, ne peut-on désobéir lorsque l'adhésion à la Réforme entraîne emprisonnements et supplices ? A ce moment-là le magistrat-persécuteur trahit sa mission puisqu'il est chargé de défendre la vie de l'Eglise. Les théologiens médiévaux soutenaient que, lorsque le magistrat trahissait le pacte non écrit qui légitimait son autorité, le

24. Cf. *OC.*, 49/251.

peuple était délié du serment d'obéissance à son égard. Calvin maintient qu'aucune personne privée n'a le droit de s'opposer au magistrat, même s'il fait bon marché des droits spirituels du peuple. Seuls la prière instante à Dieu qui tient en sa main le cœur des rois, la résistance passive, le culte secret ou encore l'exil sont permis au fidèle persécuté qui « doit obéir à Dieu plutôt qu'aux hommes ». Pour les Français convertis à la Réforme, Calvin n'envisage que deux recours : *les magistrats inférieurs* peuvent s'opposer au roi pour défendre les croyants opprimés ; il s'agit non seulement des grands seigneurs, des états généraux mais aussi des princes du sang, des personnages qui ont, du moins en théorie, vocation de contrôler ou d'influencer le pouvoir royal. Enfin, Calvin trouve dans la Bible des héros, inspirés par Dieu qui ont reçu des *vocations extraordinaires* pour délivrer le peuple d'un tyran sanguinaire : on peut citer Moïse, Gédéon, Judith, Jéhu ; ce dernier a mis à mort celui qu'on appellera plus tard un *tyran d'exercice* : prenant la tête d'une révolte il a fait mourir des princes réprouvés : Yoram et Jézabel. Mais le docteur de Genève s'en tient à cette constatation ; dans l'actualité il ne discerne pas des personnages qui auraient reçu semblable vocation et il met en garde les communautés et les personnages gagnés à la Réforme contre toute application simpliste de ces exemples. Nous verrons qu'au cours des guerres de religion les théologiens calvinistes n'auront pas la même prudence. Calvin a fondé ses théories politiques sur une incessante exégèse des textes bibliques : sa théologie commande ses conceptions éthiques.

La bible au temps des guerres de religion et dans les traités des Monarchomaques

Tout cela change lorsqu'en France au temps des martyrs succède le temps des guerres de religion. La conjuration d'Amboise (1560) puis le massacre de Vassy (1562) provoquent la constitution de deux partis opposés où inextricablement se mêlent des choix religieux et des prises de position politiques. Pour les combattants du parti des princes, « ceux de la religion », comme on dit, aussi bien que pour les pasteurs et les polémistes qui les soutiennent, la Bible est plus qu'une nourriture spirituelle, elle devient un théâtre sacré où les conflits, les combats actuels sont figurés par avance et résolus miraculeusement grâce à l'intervention de Dieu. On ne voit pas seulement une analogie entre les engagements réels et les épisodes bibliques ; les principaux récits de l'Ancien Testament, en particulier les scènes de l'Exode, les batailles livrées par les Hébreux pour conquérir la Terre promise, la vocation et les combats des Juges sont revécus, re-présentés; les combats réels se superposent à cette épopée d'Israël et y trouvent leur sens[25]. Nombre de poèmes, de chants religieux ou de pamphlets qui attisent la guerre sont remplis d'allusions et de citations empruntées aux livres historiques de la Bible, et l'on cite ce cri d'Henri de Navarre, luttant corps à corps avec un chef des « Royaux » : « Rends-toi, Philistin ! » Lorsque la Saint-Barthélemy eut plongé les huguenots dans la stupeur, ces thèmes revinrent comme si le langage sacré était seul capable d'exprimer l'horreur du massacre; entre autres, *la traversée de la mer Rouge* devint le symbole du bain de sang que les nouveaux élus, libérés de la servitude égyptienne, avaient dû traverser.

A côté de l'expression puissante de l'émotion collective, le massacre a provoqué la naissance de théories nouvelles sur la légitimité du pouvoir royal et sur le droit à la résistance des sujets. C'est alors qu'on rappelle l'existence d'un *pacte féodal*, bien connu des théoriciens du Moyen Age, qui aurait été le ciment de la monarchie et que le roi aurait délibérément violé. Voici ce qu'écrit Philippe de Mornay dans ses *Remonstrances aux Etats de Blois* : « Le nostre (Etat), trop grand et trop pesant pour la serre de tous nos voisins, il faut qu'il se ruyne de soi-mesme. Et qui veut voir comme il s'approche de sa ruyne considère seulement combien il s'est crevassé et esbranlé depuis la journée de Saint-Barthélemy, depuis dis-je que la foi du prince envers le subject et du subject envers le prince qui est le seul ciment qui entretient les estats en ung, s'est si outrageusement démentie »[26]. Le roi, suzerain de la noblesse, devait à ses vassaux aide, protection militaire et civile, or il a laissé massacrer ses nobles, rassemblés à Paris pour participer aux noces d'Henri de Navarre avec la sœur du roi : il n'y a donc plus de communauté nationale. Plusieurs théologiens ou juristes se sont alors attachés à retrouver un fondement solide pour reconstruire cette communauté et définir le droit du roi sur ses sujets. On les désigne sous le nom de Monarchomaques bien qu'ils n'aient pas voulu combattre la monarchie, mais assurément ils mettaient en question le droit divin de la monarchie présenté jusque-là comme un absolu. Les premiers Monarchomaques étaient des réformés, mais, à la fin du siècle, la situation historique s'étant retournée, les théoriciens catholiques reprirent, pour s'opposer à Henri de Navarre à qui la couronne allait échoir, leurs démonstrations et leurs exemples. C'est la *Bible*, en particulier les livres de Samuel et des Rois, qui a fourni à ces théoriciens leurs schémas politiques. Citons deux de ces traités : *Du Droit des Magistrats sur leurs subjects* de Théodore de Bèze (1574) et *Vindiciae contra Tyrannos*

---

25. Cf. Marguerite SOULIÉ, *L'inspiration biblique dans la poésie religieuse d'A. d'Aubigné*, Paris, Klincksieck, 1977, chap. 1.
26. Voir Ph. DUPLESSIS-MORNAY, *Mémoires et correspondance*, t. II, Paris, 1824.

d'Etienne Junius Brutus, pseudonyme de Ph. de Mornay ou d'Hubert Languet, 1579[27].

Théodore de Bèze, successeur de Calvin à Genève, et Philippe de Mornay ou son ami, bons théologiens, ont examiné comment, selon la Bible, on avait institué la royauté en Israël et comment Dieu et le peuple élisaient un roi. Tous deux ont posé comme fondement l'*Alliance*, constitutive du peuple d'Israël : Dieu s'est choisi un peuple, lui donne Sa loi et le conduit directement au temps des Juges. Pour garder l'Alliance, le peuple doit « servir purement à Dieu ». Lorsque ce peuple demande à Dieu un roi, Dieu « n'abandonne pas pour autant Son peuple »; il fait alliance avec un roi pour qu'Israël demeure toujours le peuple de Dieu. L'alliance avec le roi n'annule pas l'alliance fondamentale avec le peuple; si bien que le roi a pour vocation de veiller au maintien de cette alliance, c'est-à-dire au « pur service de Dieu » dans son royaume. De plus la suzeraineté de Dieu n'est pas aliénée : le roi n'est que le délégué du Seigneur. Le peuple de son côté — et les Monarchomaques précisent bien qu'il s'agit *des représentants de ce peuple* — est responsable de la fidélité du roi. Cette notion d'une *double alliance*, d'un pacte dont Dieu est à la fois partie et garant, paraît beaucoup plus moderne que les conceptions de Luther et de Calvin : elle aboutit à l'idée d'un contrôle du monarque par « ceux auxquels il appartient », c'est-à-dire par les *magistrats inférieurs*, en particulier les Etats et les chefs des grandes familles qui, dans la Bible commentée par les Monarchomaques, élisaient le roi[28]. Il s'agit bien sûr d'une fiction, d'une interprétation assez libre du texte sacré, mais il importe de remarquer que cette élection du roi par les chefs des grandes familles — qui par là même avaient le légitime pouvoir de chasser de son trône un roi infidèle — manifestait au grand jour l'élection de Dieu, opérée secrètement par l'onction du prophète.

Si l'on considère dans l'ensemble ce recours constant à la Bible pour concevoir et exprimer une pensée politique, on peut distinguer deux lignées de penseurs : les uns qu'on pourrait appeler « réformistes » tiennent compte du donné politique qui s'offre à eux, ils lui donnent un sens nouveau en interprétant cette organisation politico-sociale à la lumière des lois données à Israël et ils espèrent qu'une profonde réforme morale, conséquence d'une vie spirituelle authentique, transformera la société; ils savent néanmoins que le péché subsistera jusqu'à la fin du monde et que la justice et la liberté seront toujours à conquérir. Les autres, que j'appellerais la « lignée prophétique », veulent vivre radicalement les préceptes de l'Evangile et, souvent, ils se voient comme les

---

27. Robert M. Kingdon a édité *Du Droit des Magistrats* à la librairie Droz, Genève, 1970. Henri Weber a édité la traduction française des *Vindiciae* publiée en 1581 sous le titre *De la puissance légitime du prince sur le peuple*, Genève, Droz, 1979.
28. Voir dans les *Vindiciae* : « Elie assemble le peuple, et par manière de dire tient les estats », p. 56. Cité par M. Soulié, *o.c.*, p. 108.

acteurs des scènes de l'Apocalypse. Leurs prédications et leurs pamphlets appellent à la lutte armée. Cette seconde « lignée » a pris une importance particulière au cours des guerres de religion; c'est alors que les textes bibliques ont été lancés comme une arme, une parole-glaive contre l'ennemi. Ces théologiens et ces polémistes sont les précurseurs des révolutionnaires des temps à venir.

Marguerite SOULIÉ.

18

La Bible
et la « philosophie chrétienne »

« Le nom d'Erasme ne périra jamais ! »[1]. Cette exclamation enthousiaste de John Colet, doyen de Saint-Paul de Londres, ne visait pas
l'*Eloge de la folie*, le seul des ouvrages du Rotterdamois qui lui ait assuré
la pérennité, mais saluait la publication du *Nouveau Testament*. De fait,
comme il a été dit dans la première partie de ce livre[2], Erasme occupe
une place singulière parmi les humanistes biblistes. Admirés ou critiqués avec une égale passion par le XVIe siècle, ses travaux scripturaires
forment, quantitativement, le quart d'une production littéraire particulièrement féconde. On peut dire, sans exagérer, que l'œuvre biblique
l'a occupé intensément toute sa vie et que sa vision chrétienne de l'homme
et de la société est tout imprégnée par l'Ecriture sainte.

Dans notre terminologie d'aujourd'hui, on parlerait volontiers de
théologie biblique pour caractériser au plus près le projet érasmien.
L'humaniste de Rotterdam connaît seulement le terme de « philosophie
du Christ » *(philosophia Christi)* et tous ses synonymes : « philosophie
chrétienne », « philosophie céleste », « philosophie évangélique », « philosophie divine et salutaire », « notre philosophie », etc. Après en avoir

---

1. P. S. Allen, *Opus Epistolarum Desiderii Erasmi Roterodami*, Ep. 423, II, Oxford,
1910, p. 258, l. 47 (= Allen). Autres abréviations pour les œuvres d'Erasme : *LB = Opera
omnia*, ed. J. Clericus, I-X, Leyde, 1703-1706; *ASD = Opera omnia D. Erasmi Roterodami
recognita* [...], 15 vol. parus, Amsterdam, 1969-1986; Holborn = *D. Erasmus Roterodamus.
Ausgewählte Werke*, ed. H. Holborn, München, 1933, repr. 1964.
2. *Supra*, pp. 74 ss.

défini le contenu paradoxal, on essaiera de montrer comment ce vocable très souple englobe les divers aspects de ce qu'il est convenu d'appeler l'humanisme chrétien d'Erasme.

« *Philosophia Christi* » : *définition*

D'excellents spécialistes d'Erasme, tel Augustin Renaudet, se sont mépris sur le sens de l'expression : « nom inusité dont le choix est une des manifestations les plus évidentes du modernisme érasmien »[3]. En réalité, il était on ne peut plus courant chez les Pères grecs, surtout cappadociens et alexandrins; la littérature monastique, antique et médiévale, en fit aussi grand usage. Reprenant l'antithèse paulinienne entre sagesse du monde et sagesse chrétienne (cf. 1 Co 1, 17-25), les premiers soulignaient d'un trait vigoureux, par le rapprochement insolite des deux termes, la divergence radicale entre le christianisme et les philosophies profanes de leur époque[4]. Recueillant cet héritage patristique, la seconde en accentua la portée éminemment pratique. S'exercer à la « philosophie du Christ », « mener la vie philosophique » : formulations classiques pour désigner l'état monastique et résumer son idéal de perfection spirituelle[5].

Fin connaisseur de la patristique grecque qui avait ses faveurs, marqué, malgré tant de dénégations, par sa première formation monastique, Erasme use donc d'une expression traditionnelle, jetée en défi, en antiphrase, aux divers tenants d'une scolastique embourbée dans l'aristotélisme et à tous les moines plus soucieux de la lettre que de l'esprit des conseils évangéliques. Mais l'archaïsme calculé de la formule, sa tonalité provocatrice ne doivent pas nous faire oublier le contenu éminemment positif et la recharge de sens qu'elle acquiert sous la plume d'Erasme.

L'enquête lexicale signale déjà à quel point l'humaniste a fait de « *philosophia Christi* » l'une des expressions favorites de son biblicisme christocentrique. En la matière, les silences sont aussi parlants que les attestations d'emploi. Or le vocable est absent de l'œuvre érasmienne, y compris la Correspondance, jusqu'en 1516, année qui voit apparaître le *Nouveau Testament*. Tout semble donc s'être passé comme si le terme s'était imposé à Erasme adonné à sa tâche exégétique : impression confirmée par l'examen des contextes d'emploi. Entre 1516 et 1527, il est maintes fois associé à d'autres mots évoquant la symbolique de

---

3. A. Renaudet, *Etudes érasmiennes (1521-1529)*, Paris, 1939, p. 146.
4. A. M. Malingrey, *Philosophia. Etude d'un groupe de mots de la littérature grecque, des Présocratiques au IVe siècle après J.-C.*, Paris, 1961.
5. J. Leclercq, *L'amour des lettres et le désir de Dieu*, Paris, 1957, pp. 99-100.

l'eau, l'image de la source et, plus précisément, « les puits d'Abraham obstrués par les Philistins et à nouveau forés par Isaac » (Gn 24, 12-26, 22).

En lecteur avisé des *Homélies* d'Origène, découvertes auprès de Jean Vitrier[6], Erasme n'ignorait pas la subtile interprétation allégorique que l'exégète d'Alexandrie avait donnée de la péricope. Les puits représentent l'Ancien Testament, les Philistins sont les « littéralistes » ennemis de son explication figurative, Isaac représente le Christ qui a fait jaillir de l'ancienne Loi l'eau très pure de la Loi évangélique[7]. La connotation biblique de *philosophia Christi* est ainsi renforcée par la présence récurrente de métaphores origéniennes formant des grappes associatives autour du signifiant majeur. Leur quasi-disparition de la constellation linguistique à partir de 1527 constitue peut-être une trace linguistique des réticences croissantes d'Erasme à l'égard de l'allégorisme d'Origène et prouverait *a contrario* la prégnance scripturaire du mot clef.

A l'évidence, de tels enracinements sémantiques, révélateurs d'un paysage mental, voire d'une direction de pensée, ne nous dispensent pas d'un examen plus approfondi des exposés proprement dits sur cette philosophie chrétienne. Le plus suggestif se trouve dans l'une des préfaces au *Nouveau Testament*, intitulée *Paraclèsis*[8].

Erasme part d'un constat affligeant : le discrédit dans lequel se trouve plongée la philosophie chrétienne, bafouée, négligée ou traitée sans chaleur, parfois même hypocritement, par ses contemporains qui sont uniquement passionnés par les études de leur choix. En un vigoureux contraste, il oppose les divers systèmes philosophiques du paganisme et leurs chefs de file au Christ, seul docteur, unique Sauveur, Sagesse éternelle, dispensateur de cette philosophie qui l'emporte souverainement sur toutes les autres et assure à l'humanité le bonheur le plus sûr.

Mais où peut-on trouver cette philosophie d'un genre nouveau et admirable « au point d'avoir changé en folie toute la sagesse du monde » ? Dans quelques livres, « sources très pures » facilement accessibles, à la différence des ouvrages épineux d'Aristote et de ses commentateurs, innombrables, contradictoires, dont la lecture exige au préalable un savoir compliqué. Ici, au contraire, il suffit d'être disponible et pieux, d'avoir une foi simple et pure : « Contente-toi d'être docile et tu as déjà beaucoup progressé dans cette philosophie » (141, 30).

Il en va de la science du Christ comme du soleil qui brille pour

---

6. A. GODIN, *Erasme, lecteur d'Origène* (THR, nº 190), Genève, 1982, p. 25.

7. ORIGÈNE, *Homélies sur la Genèse*, trad. et notes de L. DOUTRELEAU (« Sources chrétiennes », nº 7), Paris, 1943, Hom. 13, pp. 214-227.

8. Plusieurs éditions s'intitulent explicitement : *Paraclesis, id est adhortatio ad christianae philosophiae studium* (Paraclèsis, *i.e.* exhortation à l'étude de la philosophie chrétienne). Avec renvoi entre parenthèses aux pages et lignes d'HOLBORN, citations empruntées à une traduction inédite d'Y. DELÈGUE que je remercie pour son obligeance.

tout le monde. A moins de se haïr soi-même, personne n'est soustrait
à son rayonnement, « nul âge, nul sexe, nulle fortune, nulle condition » (142, 5-6). Elle est adaptée à chacun, au chrétien débutant aussi
bien qu'au croyant plus avancé dans la vie spirituelle. Contrairement
à certains qui réservent la lecture de la Bible aux spécialistes, Erasme
voudrait que les Evangiles et les Epîtres de Paul soient traduits en
toutes les langues pour être lus et connus de la plus humble des femmes
aux Turcs et aux Sarrasins.

> Puisse le paysan au manche de sa charrue en chanter des passages, le
> tisserand en moduler des bribes dans le va-et-vient de ses navettes, le voyageur
> alléger la fatigue de sa route avec ces histoires; puissent celles-ci faire les
> conversations de tous les chrétiens ! (142, 21-24).

C'est là pour eux un droit qui s'enracine dans leur baptême, « cette
première profession de la philosophie chrétienne ». Pourquoi faudrait-il
que ses enseignements soient l'apanage des moines et des théologiens ?
La critique d'Erasme se fait alors incisive à l'égard de ces professionnels
de la science et de la perfection chez qui, trop souvent, il y a divorce
entre le dire et l'agir, entre une raison raisonneuse et l'élan du cœur
croyant. A une théologie orgueilleuse d'elle-même et de sa dialectique
subtile, il oppose « cette philosophie illettrée », inculquée par le Christ
et les Apôtres, « sagesse populaire » qui pourrait rendre à la religion
chrétienne son éclat d'autrefois, si princes, prêtres et pédagogues
— supports naturels de la philosophie chrétienne — s'y adonnaient
ensemble de toute leur âme.

> Ce genre de philosophie repose avec plus de vérité sur les sentiments
> que sur les syllogismes; elle est vie plus que dispute, inspiration plus que savoir,
> transformation plus que raisonnement (144, 35-145, 1).

Par conséquent, on peut être théologien sans être savant; et cela,
d'autant mieux que l'esprit humain assimile aisément ce qui est le plus
conforme à sa nature.

> Or la philosophie du Christ, qu'il a lui-même appelée renaissance (cf. Jn 3, 3),
> qu'est-ce sinon la restauration de la nature créée bonne ? C'est pourquoi,
> même si personne ne l'a enseignée aussi parfaitement et efficacement que le
> Christ, on peut cependant trouver dans les livres des païens beaucoup de
> points qui concordent avec sa doctrine (145, 5-9).

Cette déclaration optimiste, dans la ligne des Pères grecs tels
qu'Erasme les interprète, semble contredire le thème antidialectique
développé plus haut contre la philosophie païenne. En fait, le Rotterdamois loue seulement ici une éthique naturelle en consonance avec
les enseignements de l'Evangile : supériorité de l'âme immortelle sur
le corps, ses plaisirs vulgaires et ses passions fallacieuses; arrachement
du visible pour aller à l'invisible; espoir d'une rétribution future pour

ceux qui, tel Socrate dans Platon, n'ont pas répondu à l'injustice par l'injustice. Se demandant pourquoi nombreux furent les païens, notamment avec Socrate, Diogène, Epictète, à mettre partiellement en pratique la doctrine chrétienne, Erasme estime que leur conduite vertueuse fait ressortir le scandale des chrétiens insoucieux, ignorants, voire contempteurs de la philosophie céleste révélée en plénitude par le Christ.

Le propos n'est pas neuf; on y décèle le thème patristique des préparations évangéliques et de l'âme naturellement chrétienne, que développe une autre préface du *Nouveau Testament* : la *Lettre sur la philosophie évangélique*. L'originalité de la position érasmienne vient de ce qu'il y traite de l'annonce prophétique en mettant presque sur pied d'égalité celle de l'Ancien Testament et celle des grands moralistes de l'Antiquité, afin de mieux souligner, semble-t-il, la précellence christocentrique de la Révélation. D'entrée de jeu, il déclare en substance : voici mon opinion, mais libre à chacun d'avoir la sienne propre.

Puisque l'Ancien Testament a été l'ombre et comme un exercice préparatoire à la philosophie évangélique, et puisque la philosophie évangélique est à la fois la restauration et l'achèvement parfait de la nature dans son intégrité première, on ne doit pas, semble-t-il, s'étonner qu'il ait été donné à des philosophes païens de remarquer certains points qui concordent avec la doctrine du Christ[9].

Mais ce n'étaient là, malgré tout, qu'une « étincelle » ou de « minuscules étincelles » avant l'embrasement évangélique, des vérités partielles avant la manifestation de la pleine Vérité qui est le Christ en personne, « alpha et oméga de toutes choses ». Nous sommes ici au cœur du projet érasmien de théologie biblique dont le christocentrisme éclate, avec non moins d'enthousiasme, dans la dernière partie de la *Paraclèsis* :

La philosophie du Christ, pure et authentique, ne peut être puisée avec plus de bonheur que dans les livres évangéliques, que dans les lettres apostoliques. Dans ces écrits, tout homme qui philosophe pieusement, *i.e.* qui prie plus qu'il n'argumente, qui cherche à être transformé plutôt qu'à s'armer, trouvera sûrement qu'il n'est rien de ce qui fait le bonheur humain, rien de ce qui touche à l'accomplissement de notre vie, qui n'y ait été enseigné, discuté, résolu (146, 6-12).

Quel autre auteur, en effet, pourrait combler notre soif d'apprendre sinon « le Christ en personne » *(ipse Christus)* ? Est-il un meilleur modèle de vie que « le Christ en personne, notre archétype » ? Pourquoi nous évertuer à chercher la sagesse du Christ dans les Lettres humaines plutôt que dans « le Christ en personne » ? En écrivant ces lignes insistantes, Erasme se doutait-il qu'il s'inscrivait dans le droit fil de l'huma-

---

9. *Epistola de philosophia evangelica*, LB VI, *5.

nisme monastique médiéval dont témoigne, entre autres, cette formule insolite d'un abbé bénédictin rhénan du XIᵉ siècle à un écolâtre trop féru de dialectique : « le Christ qui est la philosophie en personne » *(Ipsa philosophia Christus)*[10] ? En tout cas, dans l'*Enchiridion militis christiani (Manuel du chevalier chrétien,* 1504), son premier manifeste (au mot près) de philosophie chrétienne, il tient un langage analogue : « le Christ Jésus, auteur de la sagesse et précisément la sagesse en personne » *(ipsa adeo sapientia Christus)*[11].

Des deux côtés, un identique référent scripturaire (« Christ, sagesse de Dieu », 1 Cor 1, 24) amène une formulation originale qui personnalise fortement l'un des plus fameux noms bibliques du Christ. Or, la présence quasi réelle du Christ-Sagesse dans le texte évangélique constitue bien le thème majeur de la *Paraclèsis*. Esquissé dès l'exorde (« le Christ en personne »; « la Vérité en personne »), repris dans la conclusion qui oppose la vivante image du Christ des Evangiles à n'importe quelle « petite image » matérielle, il est également au centre de l'exhortation.

> Le Christ nous a promis d'être avec nous jusqu'à la consommation des siècles (cf. Mt 28, 20), et c'est ce qu'il réalise dans ses Lettres; c'est là qu'encore maintenant pour nous il vit, respire, parle, plus efficacement oserais-je dire que lorsqu'il se trouvait parmi les hommes. Les juifs le voyaient moins, l'entendaient moins que tu ne le vois et l'entends dans les Lettres évangéliques, pourvu que tu leur appliques des yeux et des oreilles qui permettent de le voir et de l'entendre (196, 2 28).

Thème à ce point décisif qu'il anime la pompeuse préface du *Nouveau Testament* au pape Léon X. Le plus ferme espoir de promouvoir la piété chrétienne, de restaurer et de réparer la religion chrétienne, d'étendre à tous les humains la philosophie chrétienne — tâche que s'est fixée le souverain pontife et à laquelle Erasme souhaite très humblement s'associer — réside avant tout dans le fait, pour tous ceux qui font profession de cette philosophie chrétienne, de boire, de se pénétrer des enseignements de son fondateur. Ils sont contenus dans les Evangiles et les Epîtres où

> ce Verbe céleste jadis venu à nous du cœur du Père vit, respire, agit, parle encore pour nous et cela, à mon avis, de façon plus efficace et plus actuelle que nulle part à une autre époque[12].

Ces énoncés, plus ou moins récurrents dans les cinq ou six textes théoriques placés en tête ou à la fin de chacune des cinq éditions du *Nouveau Testament*, sont donc bien le noyau du discours érasmien sur

---

10. H. ROCHAIS, « Ipsa philosophia Christus », *Mediaeval Studies*, 13, 1951, pp. 244-247.
11. *Enchir.*, HOLBORN, p. 38, l. 21. Trad. A.-J. FESTUGIÈRE, Paris, 1971.
12. ALLEN, Ep. 384, II, p. 185, ll. 46-49.

la méthode biblique. En définitive, c'est la quête du Sujet divin dans son texte qui autorise, explique et justifie les raffinements de l'exégèse philologique du « grammairien » Erasme. Et s'il revendique hautement ce titre, objet de dérision pour les théologiens scolastiques[13], c'est justement parce que la grammaire est son meilleur outil pour établir un corpus textuel à ce point exact que « le Christ en personne » puisse y revivre plus vrai que de son vivant.

Pourquoi mépriser un seul mot de celui que nous adorons et vénérons sous le titre de Verbe[14] ?

Nous avons d'autant moins de raison de le faire que le Verbe de Dieu lui-même a déclaré que le plus petit iota ou apex ne passerait pas (Mt 5, 18). La lettre est la partie la plus humble, mais le sens mystique s'appuie sur elle comme sur un fondement. Cette pierraille vile n'en sert pas moins à l'édification du temple admirable de la divine sagesse. Ils ne perdront pas leur temps en lisant les *Annotations*, ceux qui préfèrent puiser la philosophie du Christ aux sources très pures plutôt qu'à n'importe quel ruisseau ou citerne fangeux. N'est-il pas plus agréable de manger le fruit cueilli à même l'arbre, de boire l'eau puisée à la source ou le vin tiré du tonneau d'origine ? Ainsi les Saintes Lettres ont-elles quelque chose de leur odeur native et un goût d'authentique si on les lit dans la langue où les ont écrites ceux qui les avaient puisées à la bouche même, sainte et céleste, et qui, inspirés par son Esprit, nous les ont ensuite transmises. Si nous possédions le texte hébreu ou syriaque des paroles du Christ, avec quel soin ne devrions-nous pas « philosopher » sur lui et examiner l'impact, la propriété des mots et de chaque accent ? Et voici que nous négligeons ce qui s'en rapproche le plus !

Quelqu'un nous montre la tunique du Christ; aussitôt, que de vénération ! On peut bien offrir tous ses vêtements à la piété des foules, mais

il n'est rien qui restitue, rende, représente le Christ de manière plus frappante, plus efficace, plus parfaite que les lettres des évangélistes et des apôtres[15].

En somme, la philosophie chrétienne n'est autre que l'Evangile, ou mieux encore le Christ-docteur présent et enseignant dans le nouveau Testament, d'où le synonyme fréquent chez Erasme : « philosophie évangélique ». A l'exclusion de la vaine dialectique, elle retient, des diverses sagesses humaines, l'élan naturel vers le bien qu'elle-même a porté à son plus haut point de perfection : « philosophie céleste ».

13. Cf. A. GODIN, *op. cit.*, pp. 198 ss.
14. *In annotationes Novi Testamenti praefatio* [...], LB VI, ***4 v⁰.
15. *Ibid.*, ***4 v⁰.

Pourvu qu'il ait un cœur réceptif, personne n'en est exclu : sagesse pratique, connaissance savoureuse, unifiante, transformante, elle est à la portée de tous, petits et grands, illettrés et savants : c'est vraiment « notre philosophie ».

« *Philosophie Christi* » : *conséquences*

Ainsi défini, le thème est si prégnant dans l'œuvre érasmienne qu'il s'applique aux situations les plus diverses de l'existence individuelle ou sociale. Et d'abord, la philosophie chrétienne peut et doit saisir l'homme tout entier aux principales étapes de sa vie.

Portrait d'un chrétien. — Il faut modeler la prime enfance sur les Evangiles : « Nos premiers sons doivent balbutier le Christ », réclame la *Paraclèsis*, « car les premières impressions sont les plus fortes et les plus durables » (148, 15-18). Gare ensuite aux pédagogues moroses et trop sévères. Au lieu de présenter le Christ de façon à ce qu'il se fasse aimer de l'élève, leur rigorisme rend trop souvent « triste et chagrine la philosophie du Christ, alors que rien n'est plus plaisant qu'elle » (148, 21-22). Dans un de ses Colloques, Erasme a campé le personnage d'un écolier qui a eu la chance d'échapper à la barbarie pédagogique du temps grâce à son maître en philosophie évangélique, John Colet, fondateur de la fameuse Saint Paul's School à Londres[16].

Dialogue familier entre deux adolescents, Gaspar et Erasme, le bref colloque intitulé *Pieux entretien*, ou *Piété de l'enfance*[17], présente un véritable programme de vie spirituelle à l'usage de la jeunesse. Comment faut-il, par exemple, se comporter à la messe ? Gaspar se place si possible tout près de l'autel afin d'entendre les paroles du célébrant, en particulier l'Epître et l'Evangile du jour qu'il médite longuement dans son cœur. Mais s'il est trop loin du prêtre ou que celui-ci — cas fréquent en Allemagne — parle si bas qu'on dirait un muet, l'édifiant jeune homme n'est pas pris au dépourvu. Il a l'habitude alors de lire les deux péricopes liturgiques dans un petit livre spécial, de facture assez voisine sans doute du recueil des *Epistres et Evangiles pour les cinquante et deux dimenches de l'an*, œuvre de Lefèvre d'Etaples et de ses disciples[18].

J'entends bien, lui réplique Erasme, mais quel est le contenu de cette prière du cœur qui t'occupe tout au long de l'office ? Je rends grâces à Jésus-Christ pour sa mort rédemptrice, répond Gaspar; je le prie pour que son sang versé pour moi ne l'ait pas été en vain et que,

---

16. Voir A. Godin, *Erasme. Vies de Jean Vitrier et de John Colet*, Angers, 1982, pp. 56-59.
17. *Confabulatio pia (Pietas puerilis)*, *ASD* I-3, pp. 171-181.
18. Ed. par G. Bedouelle et F. Giacone, Leyde, 1976.

nourri de son corps et de son sang, progressant peu à peu dans la vie vertueuse, « je devienne un digne membre de son Corps mystique qui est l'Eglise »[19]; enfin, que je ne trahisse jamais le pacte très saint conclu au dernier Repas avec ses disciples choisis et, par eux, « avec tous ceux qui lui ont été agrégés par le baptême »[20]. Pour ne pas laisser vagabonder ma pensée, précise notre humaniste chrétien en herbe, il m'arrive de lire quelques psaumes ou tout autre livre pieux.

Malgré la mention de l'Eglise, on ne manquera pas de trouver fort peu communautaire l'idéal de piété liturgique proposé par Erasme à la jeunesse. Plutôt que d'en souligner anachroniquement le caractère individualiste, il est plus important de remarquer sa tonalité éminemment scripturaire que confirme une autre séquence sur la prédication. Bien décidé à s'enquérir à fond de la vie spirituelle de son camarade, le jeune Erasme lui pose une nouvelle question :

E. — Comment es-tu disposé envers les sermons ?

G. — Le mieux du monde. Je ne m'en approche pas moins religieusement que de l'Eucharistie. Pourtant, je choisis mes prédicateurs car il en est qu'il vaut mieux ne pas entendre. Si je tombe sur l'un de cette sorte ou s'il n'y en a pas du tout, je passe mon temps dans une sainte lecture, je lis l'Evangile et l'Epître avec un commentaire de Chrysostome, de Jérôme ou, éventuellement, de quelque autre commentateur pieux et savant.

E. — Mais la parole vivante a plus d'efficacité.

G. — D'accord, et je préfère l'entendre, pourvu que le prédicateur soit tolérable. Mais il me semble que je n'ai pas été tout à fait privé de sermon, si j'ai écouté Chrysostome ou Jérôme parler par écrit[21].

Ce preste raccourci ébauche plusieurs des idées développées par Erasme en 1535 dans son volumineux traité de la prédication, l'*Ecclèsiastès*. Ici comme là, mais sans le souffle, la force et l'éclat de l'introduction au Traité, sont posées en principe l'excellence et la sublimité d'une fonction destinée à faire connaître et pratiquer la *philosophia Christi*. Mais, une fois reconnue la supériorité du parlé sur l'écrit, supériorité qui en dernière analyse repose sur la théologie origénienne du Verbe divin, « Parole toute puissante de Dieu qui, sans commencement ni fin, s'écoule éternellement du cœur éternel du Père »[22], on est bien forcé d'admettre que les prédicateurs sont rarement à la hauteur de leur tâche. Esquissée dans le *Pieux entretien*, la critique se fera incisive et brillante dans l'*Ecclèsiastès*. Plus prosaïquement, Gaspar s'en tient aux conséquences personnelles d'un constat de carence : le recours au texte sacré et à ses commentateurs patentés, les Pères de l'Eglise. Pru-

---

19. *ASD* I-3, p. 177, l. 1697.
20. *Ibid.*, l. 1700.
21. *Ibid.*, ll. 1713-1723 (trad. A. G.).
22. *Ecclèsiastès*, LB V, 772 C. Voir A. Godin, « Erasme et le modèle origénien de la prédication », *Colloquia erasmiana turonensia*, vol. II, Tours, 1972, pp. 807-820.

dente, la conclusion n'en souligne pas moins fermement la cohérence de l'idéal biblique et patristique d'Erasme : comme le maître de la philosophie évangélique dans le Nouveau Testament, les Pères continuent de nous parler dans leurs écrits marqués par la *docta pietas*, cette pierre de touche du vrai théologien.

La mort, couronnement de la philosophie chrétienne. — S'adressant au dédicataire d'une œuvre de la maturité, *La préparation à la mort* (1534), Erasme lui déclare : en me réclamant un livre sur ce sujet, « c'est au sommet même de la philosophie chrétienne que tu m'appelles »[23]. L'originalité de l'*ars moriendi* érasmien n'est pas dans le thème, très banal, mais dans ses inflexions scripturaires et son déploiement christologique.

Comme prévu, le propos débute par le rappel du *topos* platonicien : toute la philosophie n'est rien d'autre qu'une « méditation de la mort », *i.e.* commente Erasme qui se souvient du mot grec correspondant, une préparation active et en somme un entraînement à la manière du soldat qui se prépare au combat par des exercices militaires appropriés. Avertissement très salutaire pour nous autres chrétiens, à condition de prendre chrétiennement ce qui est dit philosophiquement par Platon. Or la visée principale de la philosophie chrétienne est bien de nous préparer à la mort, car elle seule nous permet d'accomplir vraiment, dans l'allégresse de l'esprit, le vœu du platonisme : apprendre à mépriser ce qui est terrestre et temporaire par la contemplation des biens célestes et éternels.

Comment pratiquer tout au long de notre vie cette « méditation » de la mort ? Par l'exercice des vertus théologales. Nous ne possédons en propre aucune d'entre elles; elles sont des dons de Dieu procurés par la vie et la mort de son Fils. Pour mieux nous assurer contre la mort,

le Christ a effacé, annulé, en la clouant sur la croix, cette première cédule que le premier Adam avait écrite pour notre malheur (cf. Col. 2, 14) et il nous a donné la cédule de la grâce, signée de son propre sang et contresignée, comme autant de témoignages, par la troupe innombrable des prophètes, des apôtres, des martyrs et des vierges[24].

En cette action salvatrice du Fils qui nous a libérés de la vieille dette, réside la certitude de notre confiance, fortifiée de surcroît par le gage de son Esprit et par le glorieux exemple de sa vie tout entière. En vérité,

le Christ est notre justice, notre victoire, notre espérance et notre certitude, notre triomphe et notre couronne[25].

---

23. *De praeparatione ad mortem*, ASD V-1, p. 337, l. 3 (trad .A. G.).
24. *Ibid.*, pp. 344, l. 125 - 346, l. 129.
25. *Ibid.*, p. 346, ll. 134-135.

A cette ferveur lyrique succède la question : où donc se trouve cette fameuse cédule qui nous rend assurés ? De toute évidence,

dans les Ecritures canoniques où nous lisons des paroles divines et non pas humaines. On ne doit pas moins leur ajouter foi que si Dieu te les avait proférées de sa propre bouche. J'oserais même aller plus loin. Car si Dieu te parlait [aujourd'hui] par une créature visible, peut-être à l'exemple de certains hommes pieux (cf. Jos. 5, 13), te demanderais-tu non sans hésiter si quelque fard ne brouille pas son visage. Mais le consentement perpétuel de l'Eglise catholique nous a radicalement ôté toute cette hésitation. La meilleure préparation à la mort consiste donc à philosopher *(philosophari)* pendant toute notre vie sur cette cédule, afin que, selon le mot de l'Apôtre (Rm 15, 4), « par la persévérance et la consolation des Ecritures nous possédions l'espérance »[26].

Ainsi aguerri par ses pratiques scripturaires, le philosophe du Christ pourra affronter sans crainte son dernier combat. Dans le colloque *Les funérailles*[27], Erasme a tracé le tableau contrasté de deux agonisants, Georges et Corneille. Au récit grinçant et même bouffon de l'agonie du premier, jouet de la compétition mercantile à laquelle médecins, curé et moines de toutes robes se livrent à son chevet, s'oppose la séquence paisible, presque extatique, des derniers instants du second, qui réalise point par point le schéma idéal du *De praeparatione ad mortem* érasmien.

Pressentant sa fin prochaine, Corneille se confesse au curé de sa paroisse, assiste à la grand-messe dominicale, écoute le sermon, communie pieusement, puis rentre au logis. Durant les trois jours suivants, après avoir reçu dans l'allégresse le diagnostic sans complaisance d'un médecin honnête, il règle certains détails qu'un testament, fait de longue date, n'avait pas prévus et passe le reste du temps à lire ou à se faire lire, quand il est trop las, les livres saints « qui produisent la confiance de l'homme envers Dieu »[28]. Le jeudi, il s'alite définitivement, reçoit en pleine lucidité l'extrême-onction et une fois encore le Corps du Christ mais sans nouvelle confession, n'étant pas de ces âmes scrupuleuses et angoissées qui réitèrent au prêtre l'aveu de leurs péchés.

Cela fait, il demande à son curé de simplifier au maximum les pompes funéraires dont l'Eglise entoure habituellement la mort, soucieux pourtant d'éviter le scandale des faibles qui ont besoin de toutes ces cérémonies. Pour lui, il se contenterait bien d'un seul service funèbre sans sonnerie, trentains, messes anniversaires, bulles de rémissions et autres rachats de mérites.

Le Christ déborde de mérites et j'ai la ferme confiance que les prières et les mérites de l'Eglise entière me seront utiles, à condition d'en être un membre vivant. Toute mon espérance réside en deux bulles : l'une est celle de mes

26. *Ibid.*, ll. 146-154.
27. *Funus, ASD* I-3, pp. 537-551.
28. *Ibid.*, p. 548, l. 406.

péchés que le Seigneur Jésus, prince des pasteurs, a supprimé en la clouant sur la croix; l'autre qu'il a lui-même écrite et signée de son très saint sang, nous donnant par elle la certitude du salut éternel si nous transférons sur sa personne toute notre confiance[29].

Après le départ du curé de la paroisse, Corneille, rempli de joie et d'allégresse, ordonne qu'on lui fasse lecture des passages de la Bible qui fortifient l'espoir en la résurrection et promettent la récompense de l'immortalité : le chapitre 37 du prophète Isaïe, qui raconte la mort différée du roi Ezéchias avec son cantique; le chapitre 15 de la première Epître aux Corinthiens; le récit de la mort et de la résurrection de Lazare (Jn 11, 1-45), « mais surtout l'histoire de la passion du Christ que narrent les Evangiles »[30].

Dans l'après-midi de ce même jour, après s'être assoupi quelques instants, il se fait lire jusqu'au dernier verset le chapitre douzième du quatrième Evangile :

Et alors on aurait dit un homme radicalement transformé *(transfigurari)* et animé d'un nouvel esprit[31].

Déclaration capitale qui a son exact parallèle dans d'autres écrits érasmiens et qui souligne à quelle profondeur, morale et spirituelle, s'opère l'assimilation au Christ des Ecritures. L'espèce d'extase ici suggérée est le point d'aboutissement parfait d'un processus inauguré au baptême et réalisé de plus en plus intensément, au fil des années, par une fréquentation assidue, active, concrète, de la Bible, au premier chef du nouveau Testament qui est sagesse et vie, conformément à la définition englobante de la *philosophia Christi*, relevée plus haut dans la *Paraclèsis*[32].

Telle était déjà, en 1504, l'intime conviction d'Erasme lorsqu'il publia l'*Enchiridion militis christiani*, ce manuel de spiritualité à l'usage de tous les chrétiens, clercs et laïcs :

Si tu touches aux saintes Lettres en toute pureté de l'âme, [...] en ayant sur ces Lettres des opinions dignes d'elles, tu sentiras que la Puissance divine souffle sur toi, agit sur toi, te ravit et te transforme *(transfigurari)* d'une manière ineffable[33].

Dans ce même ouvrage, on note que la force et la plénitude de transformation incluses dans le verbe concernent aussi l'Eucharistie,

29. *Ibid.*, pp. 549, l. 440 - 550, l. 445.
30. *Ibid.*, p. 550, l. 453.
31. *Ibid.*, ll. 458-459.
32. *Supra*, p. 567.
33. *Enchir.*, HOLBORN, p. 33, ll. 14-20. Cf. A. GODIN, *Erasme, lect. d'Origène*, p. 42.

pourvu que célébrant et fidèles étendent à toute leur vie la mystérieuse réalité du signe sacrificiel :

Si tu sens que de quelque manière tu es transformé *(transfigurari)* dans le Christ et que désormais tu vis de moins en moins pour toi-même, rends grâces à l'Esprit qui seul vivifie[34].

La similitude de vocabulaire signale la cohérence des divers actes de religion. Ainsi encore, dans l'*Ecclésiastès*, le résultat d'une prédication vraiment évangélique est-il de rendre présente

dans les auditeurs l'énergie *(énergeiam)* de l'Esprit. [...] En somme, on dirait que tous sont transformés *(transfigurari)*[35].

Par une métamorphose intime, ajoute Erasme, la Parole prêchée conduit les fidèles à ne faire qu'un avec le Christ et par là, en quelque sorte, à devenir fils avec le Fils unique de Dieu. Tel est aujourd'hui encore le formidable effet de l'Ecriture, lue directement ou par personne interposée. Tel était déjà le résultat obtenu par saint Paul, ce prédicateur incomparable de l'Evangile, dont la *Paraphrase* érasmienne sur un verset de la première Epître aux Corinthiens (2, 4) développe ainsi la fière déclaration :

Sans les fleurs de la rhétorique, sans l'argumentation des philosophes, mon discours n'en a pas moins été efficace pour vous transformer *(transfigurandos)*[36].

L'identité du dessein spirituel s'observe également à propos d'une autre *Paraphrase* (Rm 12, 12) : « soyez transformés par le renouvellement de votre intelligence ». En substituant, comme dans l'*Annotation* correspondante, le verbe *transformemini* (synonyme, pour lui, de *transfigurari*) au *reformamini* de la Vulgate, Erasme faisait plus qu'une simple correction linguistique[37]. Traduction et commentaire fournissaient une assise scripturaire solide à un vocable dont l'humaniste use avec prédilection pour marquer le passage, la conversion du « charnel » au « spirituel », de la lettre à l'esprit, de la terre au ciel.

Cette dynamique d'intériorisation transformante s'applique de la même manière aux « cérémonies » de l'Eglise, aux œuvres de piété, aux sacrements, à l'étude et à la lecture de la Bible. Parmi les instructions préparatoires données par la *Méthode de la vraie théologie* au futur exégète-théologien, on peut relever un texte décisif, analogue à celui que nous lisions plus haut dans l'*Enchiridion*. Erasme vient de rappeler à l'étudiant que chaque discipline a un objectif qui lui est propre. Celui

---

34. *Enchir.*, p. 73, ll. 32-34.
35. *Eccl.*, LB V, 447 D.
36. *Paraphr. cit.*, LB VII, 864 D.
37. Voir A. GODIN, *op. cit.*, pp. 390-391.

de la rhétorique n'est pas celui de la dialectique. Qu'en est-il de la théologie scripturaire ?

Ici, que ton but premier et unique, ton désir, ta seule visée soient de faire en sorte que tu sois changé, ravi, inspiré, transformé *(transformeris)* en cela même que tu étudies[38].

En somme, lue, étudiée, écoutée selon l'Esprit du Christ, « l'Ecriture sainte saisit et transforme l'homme tout entier »[39]. Appliquant au pieux Corneille, à l'article de la mort, un maître mot de sa théologie biblique, Erasme souligne avec une sobre ferveur l'aboutissement ultime de la transformation opérée par la *philosophia Christi*, Ecriture priée, vécue par un simple laïc dont l'existence en fut tout imprégnée.

Dans le *De praeparatione ad mortem*, il résume d'un mot l'idéal de la bonne mort que le héros de son colloque a mis en pratique. Il s'agit de « la mort 'transformatoire' *(transformatoria)* » qui s'ajoute à la nomenclature commune : mort naturelle, séparation de l'âme et du corps; mort spirituelle, séparation de l'âme d'avec Dieu par le péché; mort éternelle, suite logique des deux précédentes.

Reste une mort, par laquelle nous sommes transformés *(transformamur)*, de l'image du vieil Adam en l'image du nouvel Adam, qui est le Christ Seigneur. Cette mort est séparation de la chair d'avec l'esprit[40].

Le détachement lucide de Corneille par rapport aux réalités charnelles de cette terre, sa relativisation des « cérémonies », l'annonce prophétique que sa mort surviendra « à l'aurore », de même que Jésus est ressuscité « de grand matin », la métamorphose produite en lui par une méditation scripturaire qui ne s'arrête qu'avec son dernier souffle, bref tout le comportement du moribond des *Funérailles* indique qu'il a connu cette « mort transformatoire ».

En revanche, la conclusion du traité théorique d'Erasme est beaucoup plus prudente :

Je ne sais s'il est donné à quiconque de parvenir pleinement à une mort si heureuse en cette vie. Daigne cependant le Seigneur, dans sa libéralité, ajouter du sien à ce qui manque à notre faiblesse. Tel est en tout cas le genre de mort qu'il faut désirer, à laquelle il faut s'exercer *(meditanda)* avec le plus grand zèle durant toute la vie[41].

La guerre, la paix et l'Evangile. — Le pacifisme est un thème récurrent et bien connu de l'œuvre d'Erasme[42]. On ne retiendra ici que ses fondements évangéliques dont un geste symbolique du Rotterdamois

---

38. *Ratio verae theologiae*, HOLBORN, p. 180, ll. 23-24.
39. *Eccl.*, LB V, 1078 D.
40. *ASD* V-1, pp. 356, l. 407 - 357, l. 409.
41. *Ibid.*, p. 357, ll. 412-415.
42. Voir J.-Cl. MARGOLIN, *Erasme. Guerre et Paix*, Paris, 1973.

fournit déjà une première attestation. Il a en effet dédié à chacun des quatre grands souverains du xvie siècle ses *Paraphrases* des quatre évangiles : Matthieu, en 1522, à l'empereur Charles Quint dont il était le conseiller honorifique et, en 1523, Jean à Ferdinand d'Autriche, frère du précédent; Luc à Henri VIII d'Angleterre, enfin Marc à François Ier. L'intention du donateur est explicitée dans la préface au roi de France :

> Puisse l'esprit des Evangiles cimenter vos cœurs dans une concorde aussi étroite que celle de vos noms entrelacés au livre des Evangiles[43] !

Dans une Europe déchirée par les rivalités nationales, économiques, confessionnelles, le vœu nostalgique d'une chrétienté harmonieusement soumise à la philosophie évangélique n'avait évidemment aucune chance d'être suivi d'effet. Erasme n'en continua pas moins, courageusement et inlassablement, de prêcher la paix. Son chef-d'œuvre en la matière fut et reste *La complainte de la paix décriée et chassée de tous côtés et par toutes les nations* (1517), l'un des *best-sellers* érasmiens[44]. Comme dans l'*Eloge de la folie*, la Paix y plaide elle-même sa cause, usant d'abord d'arguments naturels auxquels font suite des justifications bibliques.

Quel contraste scandaleux entre la vie des chrétiens et les lettres chrétiennes ! Là, ce ne sont que guerres et intrigues; dans l'Ancien et le Nouveau Testament, au contraire, on n'entend que des paroles de paix et de concorde. Dans le droit fil de l'allégorisme d'Origène, Erasme se débarrasse aisément des mauvais arguments que les fauteurs de guerre tirent des expressions et situations belliqueuses de l'Ancien Testament. « Dieu des armées », soit ! à condition d'admettre qu'il s'agit des vertus grâce auxquelles les chrétiens mettent en pièces les vices. « Dieu de la vengeance », pourquoi pas ? pourvu qu'on entende par là le châtiment des vices. Il en va de même des « massacres cruels dont sont remplis les livres hébraïques »[45] : ils ont un sens métaphorique qui souligne les rudes exigences du combat spirituel.

Déblayé le terrain de l'anthropomorphisme biblique, Erasme peut déployer largement son idéal pacifiste en y englobant les prophéties de l'Ancien Testament, au premier chef celle d'Isaïe annonçant la venue du Christ, « prince de la paix » (Is 9, 6 ss.) : voulant nous faire connaître le meilleur des princes, il se devait de le caractériser par la paix, qui est la meilleure des réalités humaines. Il n'y a d'ailleurs pas lieu de s'étonner du titre choisi par le prophète, poursuit la Paix personnifiée,

puisque le poète païen Silius a parlé de moi en termes analogues : « la paix est la meilleure des choses que la nature ait accordée aux hommes »[46].

---

43. ALLEN, Ep. 1400, V, p. 353, ll. 19-21.
44. *Querela pacis*, ASD IV-2, pp. 1-100.
45. *Ibid.*, p. 70, l. 231 (trad. A. G.).
46. *Ibid.*, ll. 210-211.

Rapprochement qui nous renvoie derechef à cette sorte d'équivalence entre l'éthique païenne et le message vétéro-testamentaire, dont il a été question ci-dessus[47]. Au demeurant, la suite de l'exposé garantit la ferveur et la force de conviction de l'évangélisme pacifiste d'Erasme.

Sa vie entière, le Christ a-t-il enseigné autre chose que la concorde et l'amour mutuel ? Préceptes, paraboles avaient un seul but : nous inculquer la paix, la charité fraternelle. A sa naissance, les anges font-ils retentir les trompettes guerrières comme au temps des juifs à qui il était permis de faire la guerre et de haïr leurs ennemis ?

Au contraire, les anges de la paix chantent à la race pacifique un chant tout différent[48].

Adulte, Jésus s'évertue à prêcher la paix. « La paix soit avec vous », dit-il en abordant les siens et en faisant de ce souhait la seule formule digne du nom chrétien. Fidèles aux préceptes du Maître, les apôtres commencent leurs Epîtres par cette salutation. Avec raison, car quiconque demande avec ardeur la paix, implore le bonheur suprême.

Innombrables, les préceptes des philosophes ; variées, les lois de Moïse ; nombreux, les édits des rois ; mais unique, dit-il, mon commandement : « aimez-vous les uns les autres ». Dès le début du *Pater noster*, la prière apprise et prescrite à ses disciples, n'attire-t-il pas aussi admirablement leur attention sur la concorde chrétienne ?

Un seul prie, mais la demande est commune à tous ; une la demeure et tous forment la même famille, tous dépendent d'un seul Père [...] De quelle bouche t'adresses-tu au père commun, si tu plonges le fer dans les entrailles de ton frère[49] ?

Pourquoi tant de symboles et de métaphores de l'Evangile, le pasteur et ses brebis, le cep et les sarments, la poule qui rassemble ses petits sous ses ailes, la pierre angulaire de l'édifice, sinon pour faire pénétrer profondément dans le cœur des disciples l'amour de la concorde dont le Christ est l'auteur et le garant ?

Que dire enfin de son dernier repas ? Que lègue-t-il à ses amis ? Des chevaux et des soldats ? Des richesses et du pouvoir ? Non, il leur donne la paix, il leur laisse sa paix (Jn 14, 27). Et que demande-t-il à son Père à cette heure suprême ?

Vois, je t'en prie, quelle singulière concorde le Christ exige des siens. Il ne dit pas : « qu'ils soient unanimes », mais : « qu'ils soient uns »; et non pas n'importe comment mais, ajoute-t-il, « comme nous sommes uns » (Jn 17, 11) d'une manière très parfaite et ineffable[50].

---

47. *Supra*, p. 567.
48. *Querela*, p. 72, l. 255.
49. *Ibid.*, p. 74, ll. 288-292.
50. *Ibid.*, p. 72, ll. 275-278.

La charité mutuelle, tel est le seul signe auquel le monde reconnaîtra les disciples de Jésus (Jn 13, 15), et non d'après leurs habits, leur nourriture, leurs jeûnes ou la quantité de psaumes récités. C'est en pleine conformité avec l'enseignement de son maître, explique ailleurs la prosopopée érasmienne (faisant coïncider paix et charité), que Paul, devenu docteur de la paix après l'avoir persécutée (Ac 9, 5), a entonné mon éloge pour les Corinthiens avec tant d'éloquence (1 Co 13). En certains endroits, continue-t-elle, le même apôtre parle du « Dieu de paix » (Rm 15, 33), en d'autres, de « la paix de Dieu » (Ph 4, 7). Il est donc manifeste pour lui qu'il y a totale cohésion entre les deux. Erasme l'exprime par une formule qui est une réminiscence de la célèbre antienne, *Ubi caritas et amor, Deus ibi est*, chantée le Jeudi saint durant la cérémonie du lavement des pieds :

Il ne peut y avoir de paix là où Dieu est absent; et Dieu ne peut être là où fait défaut la paix[51].

Cependant, Erasme résiste à faire de la Paix un titre propre du Christ, malgré la caution scripturaire de l'Epître aux Ephésiens (2, 14). Sans doute gêné par le genre déclamatoire utilisé dans la *Querela pacis*, il ne cite jamais le texte paulinien. Peut-être lui était-il difficile de personnifier deux fois la paix, l'artifice rhétorique de la prosopopée l'emportant ici sur la théologie. Pourtant, même dans la Paraphrase *in loco*, où ne jouait plus la même contrainte littéraire, il n'identifie pas davantage la paix au Christ en personne. Celui-ci y est déclaré « auteur de la paix et de la concorde »[52]. Autrement dit, il la fonde en sa personne, ce qui dénote à suffisance le christocentrisme de la doctrine érasmienne de la paix.

Pour autant, l'Eglise n'est pas absente du processus évangélique de la paix que développe *La Complainte de la paix*, même si son rôle n'y apparaît pas avec la même plénitude que dans un autre écrit pacifiste majeur, l'adage « La guerre est douce pour ceux qui n'en ont pas l'expérience »[53]. Pour point de départ de sa séquence ecclésiologique, Erasme prend l'un des « sommaires » des Actes des Apôtres, qui décrit la première communauté chrétienne : « la multitude des croyants n'avait qu'un cœur et qu'une âme » (Ac 4, 32). A ce tableau unanimiste de l'Eglise primitive, il oppose le spectacle affligeant des chrétiens bellicistes de son temps qui semblent anéantir, par leur genre de vie, l'unité et la concorde que produisent en principe les sacrements, surtout baptême et eucharistie.

---

51. *Ibid.*, p. 70, ll. 219-221.
52. *Paraphr. in Eph.*, LB VII, 977 E.
53. *Dulce bellum inexpertis*, Adage 3001, LB II, col. 951-970; trad. dans J.-Cl. MARGOLIN, *op. cit.*, pp. 111-162.

Pour définir l'Eglise, Erasme emploie habituellement et indifféremment trois formules : « corps mystique du Christ », « consentement de tous » *(consensus omnium)*, « peuple chrétien ». Il a retenu ici la dernière :

> Le fait d'appeler volontiers église le peuple chrétien, que nous rappelle-t-il d'autre sinon la concorde ? Quoi de commun entre un camp militaire et une église ? Celle-ci signifie réunion, celui-là division[54].

La paix personnifiée développe alors sa plainte lancinante sur la trahison de l'idéal sacramentaire ecclésial. Tu tires gloire de faire partie de l'Eglise ? Mais dans ce cas, y a-t-il rien de commun entre toi et la guerre ? Et si tu te coupes de l'Eglise, y a-t-il quelque chose qui te soit commun avec le Christ ? Pourquoi tant de désordres entre les chrétiens, initiés aux mêmes sacrements, partageant la même demeure, guerroyant contre les vices sous le même chef, recevant une solde identique dans l'attente de la même récompense finale ?

Cœurs endurcis, les humains vivent dans d'inexplicables discordes, alors qu'ils ont en partage le même cycle naturel de la naissance à la mort, le même Père, le même fondateur de leur religion, le même rédempteur, les mêmes sacrements jaillis de la même source et dont ils retirent à égalité les mêmes fruits.

> Bien plus, cette Jérusalem céleste à laquelle aspirent les vrais chrétiens, tire son nom d'une vision de paix dont l'Eglise, entre-temps, est la figure. Mais comment se fait-il qu'elle diffère tellement de son modèle[55] ?

L'interrogation douloureuse inclut à nouveau l'ordre entier de la nature et de la grâce : serait-ce pour rien que la nature ingénieuse a déployé les voies de la concorde, pour rien que le Christ en personne les a rendues parfaites par tant de préceptes, de mystères et de symboles ?

Ainsi parle la Paix, porte-parole d'un humaniste chrétien qui n'en reste d'ailleurs pas à ce constat désenchanté. En effet, la troisième partie de la *Querela pacis* abonde en conseils pratiques pour prévenir ou régler les conflits et s'achève par un appel passionné aux princes, aux évêques, aux prêtres, aux théologiens, aux magistrats, au peuple chrétien enfin : tous, à des titres divers et à leur place, peuvent et doivent promouvoir la paix du Christ que fonde son Evangile.

A la table de l'Ecriture. — L'un des plus beaux et des plus importants colloques d'Erasme, le *Banquet religieux*[56], fait miroiter les mille nuances de sa *philosophia Christi* et nous offre une synthèse vivante de son bibli-

---

54. *Querela*, pp. 76, ll. 355-358.
55. *Ibid.*, p. 77, ll. 387-389.
56. *Convivium religiosum.* Texte et traduction dans *Erasme. Cinq banquets*, sous la direction de J. CHOMARAT, D. MÉNAGER, Paris, 1981, pp. 69-114.

cisme. Dans sa confortable maison de campagne, Eusèbe accueille pour un repas frugal huit amis, tous mariés et humanistes chrétiens comme lui. Le maître de céans invite d'abord ses hôtes à faire un tour de jardin. Sur la porte d'entrée on aperçoit une image de saint Pierre, portier de ce lieu symbolique qui tient à la fois du jardin d'Epicure, du paradis terrestre et du paradis céleste.

EUSÈBE. — Et mon gardien n'est pas muet : il parle aux visiteurs en trois langues[57].

De fait, trois citations scripturaires encadrent le portrait, soulignant d'emblée la visée pratique de l'exégèse érasmienne. La première, en latin, proclame : « Si tu veux entrer dans la vie, observe les commandements » (Mt, ch. 19). La seconde, grecque, déclare : « Repentez-vous et convertissez-vous » (Ac 3). Et la troisième, en hébreu : « Le juste vivra par sa foi », sans aucun renvoi à son lieu biblique (Ha 2, 4). Oubli curieux de la part d'un exégète comme Erasme, *lapsus* peut-être significatif s'agissant d'un verset vétéro-testamentaire où se lit la formule-choc de la justification par la foi d'après l'Epître aux Romains (1, 17), signature textuelle chez Saul de Tarse de sa rupture doctrinale avec la religion de ses ancêtres. Omettre, dans la légende à la gloire des trois langues sacrées de la Bible, d'exhiber la provenance de la citation en hébreu, n'est-ce pas suggérer aussi, subtilement ou involontairement, que le corpus hébraïque de l'Ancien Testament n'a plus de référent à soi, qu'il est tout entier dépendant du corpus grec du Nouveau Testament ?

L'effet réducteur se trouve confirmé par les commentaires d'Eusèbe sur les maximes trilingues et sur un autre groupe ternaire accompagnant cette fois une représentation de Jésus, « les yeux et la main droite tournés vers le ciel d'où son Père et l'Esprit-Saint le regardent »[58], image placée sur l'autel d'une petite chapelle sise en ce même jardin des délices « où les plantes non plus ne sont pas muettes »[59], grâce aux planches explicatives. Après avoir souligné une première fois que « ce ne sont pas les œuvres mosaïques qui donnent la vie »[60], Eusèbe *alias* Erasme précise à nouveau que pour atteindre la vie éternelle, qui est Jésus lui-même, il faut absolument « rejeter les ombres judaïques »[61].

En contraste, il est facile d'évaluer déjà la portée réelle de la citation grecque de la deuxième série : « Ἐγώ εἰμι τὸ ἄλφα καὶ τὸ ὦ »[62]. Parmi toutes les désignations ou dénominations du Christ, à sa disposition

---

57. *Conv. relig.*, trad. cit. n. 56, p. 70, l. 69.
58. *Ibid.*, p. 71, ll. 86-87.
59. *Ibid.*, p. 72, l. 117.
60. *Ibid.*, p. 71, l. 83.
61. *Ibid.*, l. 96.
62. « Je suis l'alpha et l'oméga », *ibid.*, l. 90.

dans l'Ecriture canonique, Erasme a retenu celle de l'Apocalypse (1, 8).
Pourquoi ce choix dans un livre, si peu prisé de l'humaniste qu'il en
a bâclé l'annotation dans son *Nouveau Testament* ? Pourquoi cet emprunt
au seul des écrits néo-testamentaires dont il s'est toujours refusé à
faire la *Paraphrase* ? Surmontant ici ses réticences d'exégète et de théologien, le grammairien Erasme s'enchante — et le dit avec éclat —
de voir le christocentrisme, qui constitue le cœur de sa religion personnelle, exprimé au mieux par la première et la dernière lettre de
l'alphabet grec. Dans cette simple proclamation, l'amour des lettres et
le désir de Dieu coïncident pour le plus grand plaisir de notre helléniste
chrétien : consécration de la grammaire par l'Ecriture sainte, dignité
du langage humain dont les deux lettres extrêmes, récapitulant la totalité de la chaîne alphabétique, sont établies en quasi-sacrement du
Christ en personne.

Il serait facile de relever d'autres traits qui font véritablement du
domaine d'Eusèbe un espace idéal de parole, voire un lieu symbolique
où « ça parle » : outre les plantes, déjà citées, s'expriment « et même
en grec »[63] non seulement les animaux figurés dans le jardin peint en
trompe l'œil jouxtant le jardin réel mais aussi les murs de la maison
et jusqu'aux verres des convives. Davantage encore, il importe d'observer
qu'en cette « demeure toute bruissante de mots »[64], le *logos* prédominant
est le grec comme il apparaît encore au dernier acte du repas : la remise
des cadeaux aux invités. Ceux-ci portent tous des noms grecs, fait
presque unique dans les Colloques érasmiens. Entre autres présents,
quatre livres sont distribués ; ils symbolisent la totalité de la production
littéraire en grec : Ancien Testament (Proverbes de Salomon) ; Evangiles (Evangile selon saint Matthieu) ; Epîtres de saint Paul ; littérature
païenne avec les *Moralia* de Plutarque.

Répétitives, disséminées dans la trame du récit, ces notations — aussi
fugaces soient-elles — imposent d'abord la question d'une hiérarchie
entre les langues chez notre bibliste. Suggérée ici, l'évidence d'une
polarité positive vis-à-vis du grec, négative vis-à-vis de l'hébreu, se
lit clairement en maints autres écrits érasmiens[65]. Les préférences philologiques de l'exégète Erasme me paraissent recouper, sinon même
expliquer, les ambiguïtés herméneutiques plusieurs fois signalées dans
ce chapitre[66].

Mais on retiendra avant tout, de ces préliminaires dans le jardin
enchanteur d'Eusèbe, un plaisir d'écrivain et l'intention avérée de

---

63. *Ibid.*, p. 74, l. 225.
64. *Ibid.*, p. 72, l. 118.
65. A. GODIN, « L'enfant bâtard et la langue du père », *Réforme, Humanisme, Renaissance*
(Bulletin de l'Association sur l'Humanisme, la Réforme et la Renaissance), nº 15/2, 1982,
pp. 83-94.
66. *Supra*, pp. 567, 578.

mettre en scène la parole dans ses diverses modalités. Cette célébration multiforme culmine dans le repas au cours duquel nos neuf « philosophes » (ainsi se désignent-ils eux-mêmes) vont nous apparaître constamment friands d'une Parole qui est le sel de leur banquet religieux.

Religieux, l'acte amical de partager ensemble la nourriture l'est déjà en lui-même : signification primordiale rappelée par Eusèbe, porte-parole d'Erasme.

> Lavons-nous, mes amis, pour nous présenter à table, les mains et l'âme pures. Car, s'il est vrai que les païens eux-mêmes avaient pour la table un respect religieux, elle doit être encore plus sacrée pour les chrétiens, qui y voient comme le symbole de ce saint repas que Notre Seigneur Jésus prit pour la dernière fois avec ses disciples[67].

Eusèbe en est d'autant plus convaincu qu'il a fait peindre, dans la salle à manger d'été, une fresque représentant la Sainte Cène, flanquée de ces deux contre-modèles que sont le festin d'Hérode (Mt 14, 1-11) et celui du Mauvais Riche (Lc 16, 19).

L'hymne dite à l'imitation d'une pratique fréquente dans l'Evangile, débute le déjeuner au cours duquel les convives débattent longuement de la religion en esprit et en vérité, sous la souriante direction du conciliant Eusèbe. Dans ces discussions familières où le rite de la parole ponctue l'ordre des plats en une paisible harmonie, sont abordés plusieurs thèmes érasmiens fondamentaux : intériorisation du christianisme, liberté chrétienne, évangélisme politique, nature de la vraie théologie, convergence de la sagesse antique avec la *philosophia Christi*, attitudes chrétiennes devant la mort, organisation sociale de la charité.

Autant que le contenu du débat, nous importent ici son déroulement et sa méthode, qui sont d'ailleurs conformes à des pratiques bien connues d'Erasme, en particulier à la table de John Colet, ce grand modèle érasmien de l'amitié conviviale[68]. A quatre reprises et selon un schéma invariable de lecture commentée, un texte suscite de foisonnants entretiens moraux et spirituels. Les interlocuteurs discutent successivement sur une péricope du livre des Proverbes (21, 1-3), un verset de la Première Epître aux Corinthiens (6, 12), un fragment de Cicéron (*Sur la vieillesse*, XXIII, 83-84), un passage de l'Evangile selon saint Matthieu (6, 24-25) : ordonnancement calculé dans lequel Ancien Testament et littérature païenne équilibrent en un subtil entrelacs les deux blocs majeurs du Nouveau Testament, Epîtres et Evangiles.

En prélude au commentaire de la première lecture, on rappelle que la présence d'un « véritable théologien »[69] n'est pas requise pour expliciter le texte : il est tout à fait permis à de simples laïcs, non spécialisés

67. *Conv. relig.*, p. 76, ll. 276-279.
68. A. GODIN, *Erasme. Vies*, pp. 52-55.
69. *Conv. relig.*, p. 77, l. 345.

en exégèse biblique, fussent-ils même des matelots incultes, d'en goûter le sens, à condition de ne pas chercher à définir témérairement. Erasme parlait-il autrement dans la *Methodus*, lorsqu'il déclarait vouloir former « un théologien populaire »[70] ? Cette règle posée, l'interprétation du premier verset de la citation vétéro-testamentaire est conduite selon l'un des quatre sens traditionnels de l'Ecriture, la tropologie, ici dédoublée en leçon de morale politique puis individuelle. Pour expliquer le troisième verset, Théophile le compare à ses parallèles scripturaires dans les deux Testaments, pratique exégétique patristique recommandée par Erasme dans la *Methodus* qui en crédite surtout Origène et Augustin : seule l'Ecriture explique bien l'Ecriture. Notre exégète laïc s'en voit illico féliciter par Eusèbe-Erasme :

> Tu dégages admirablement le sens par le rapprochement des textes, ce qui est la méthode fondamentale pour l'Ecriture sainte[71].

Quant à l'obscurité d'un des lieux parallèles (« je veux la miséricorde et *non* le sacrifice » : Mt 9, 13), elle est résolue selon une méthode exégétique fréquemment utilisée dans les *Annotations*. Selon Théophile,

> il s'agit d'un hébraïsme pour dire : « Je veux la miséricorde *plutôt que* le sacrifice »[72].

Recours peut-être abusif à la technique des idiotismes du Nouveau Testament, caractéristique en tout cas de la prudence d'Erasme car, prise à la lettre, la formule abrupte signifierait le rejet total des « cérémonies » traditionnelles à la manière de Luther.

Le deuxième temps fort des travaux pratiques d'exégèse menés par les neuf amis se situe vers le milieu du repas. Eulalius (celui qui parle bien), tirant de son sac un recueil des Epîtres de Paul qui ne le quitte jamais, s'avoue tourmenté par un passage de la première aux Corinthiens (6, 12 : « tout m'est permis mais tout ne m'est pas profitable », etc.). Belle occasion pour le subtil exégète d'appliquer avec une souveraine liberté un autre principe d'Erasme, annotateur du Nouveau Testament : le droit de rapporter et de trier des interprétations patristiques divergentes en vue d'aboutir à un sens obvie non exclusif d'ailleurs de significations encore plus pertinentes. Celles-ci lui seront à nouveau suggérées par Eusèbe, l'homme-orchestre du festin biblique, qui évoque — sans le nommer — Origène, expert incomparable dans l'art de déchiffrer la pensée paulinienne en ses incessants va-et-vient.

La troisième lecture, un fragment de Cicéron, fournit l'occasion d'une luxuriante proclamation d'humanisme chrétien sur la « con-

---

70. HOLBORN, p. 155, l. 27. Comme la *Paraclèsis*, la *Methodus* est une des préfaces au *Novum Testamentum* d'ERASME.
71. *Conv. relig.*, p. 81, l. 470.
72. *Ibid.*, l. 483.

gruence » de la morale évangélique et de l'éthique païenne face à la vie, face à la mort. Les paroles d'humilité prononcées par Socrate avant de boire la ciguë suscitent le mot fameux de Nephalius :

Oui, il faut vraiment admirer ce sentiment chez un homme qui ignorait le Christ et l'Ecriture. Aussi, quand je lis de tels traits de ces grands hommes, j'ai peine à me retenir de dire : « Saint Socrate, priez pour nous »[73].

Et Chrysoglottus (langue d'or), qui avait proposé le sujet, de surenchérir dans un bel élan d'œcuménisme religieux :

Et moi, souvent, je ne me retiens pas de penser que les âmes saintes de Virgile et d'Horace sont sauvées[74].

Ces déclarations enthousiastes font, à l'évidence, écho à l'un des thèmes majeurs de la *Paraclèsis* : l'âme naturellement chrétienne. Le prudent Eusèbe, *alias* Erasme, partage l'optimisme de ses amis malgré une restriction de pure forme :

On ne doit pas appeler profane ce qui est pieux et sert la morale. Il est vrai que les Saintes Lettres ont partout l'autorité la plus haute, mais il m'arrive quelquefois de rencontrer des choses dites par les Anciens, ou écrites par des païens, même poètes, et qui ont un caractère si pur, si saint, si divin, que je ne puis croire qu'au moment où ils les écrivaient leur intelligence n'était pas animée par quelque bon génie. Peut-être l'esprit du Christ se répand-il plus largement que nous ne l'admettons. Et il y a dans la communauté des saints beaucoup d'hommes qui ne figurent pas ici-bas sur le catalogue[75].

Le charme du *Banquet religieux* et des cinq autres récits de table rapportés par les Colloques érasmiens tient principalement au fait que la parole souveraine y reste intimement liée aux différentes phases du repas qu'elle ne cesse jamais de commenter. Tel est précisément le cas pour la quatrième lecture proposée aux convives par Eusèbe : un extrait de l'Evangile selon saint Matthieu. Il le leur présente comme « l'assaisonnement délectable d'un insipide dessert ».

J'ai voulu vous servir à la fin du repas ce que j'ai de plus exquis : le livre des Evangiles. Serviteur, reprends la lecture là où tu t'es arrêté la dernière fois[76].

L'injonction signifie qu'Eusèbe pratiquait à sa table la lecture et le commentaire continus de saint Matthieu. On ne peut s'empêcher de rapprocher cet usage, assurément monastique et donc familier à

---

73. *Ibid.*, p. 87, ll. 708-711.
74. *Ibid.*, p. 88, ll. 712-713.
75. *Ibid.*, p. 85, ll. 615-621.
76. *Ibid.*, p. 91, ll. 845 ; 850-852.

Erasme, de l'innovation accomplie par le doyen Colet dans sa chaire de Saint-Paul de Londres :

> Dans son église, il exposait un seul sujet qu'il épuisait en plusieurs prédications, par exemple l'Evangile selon saint Matthieu[77].

S'ajoutant à l'ordre de préséance quasi liturgique des lectures (Ancien Testament, Epîtres de Paul, Evangile), la coïncidence repérée entre la fiction scénographique et la réalité d'une pratique effective permet au moins de poser la question : Erasme a-t-il voulu esquisser dans le *Banquet religieux* un modèle plus scripturaire de célébration eucharistique ? Telle était en tout cas la pente de son fervent biblicisme et les réformes liturgiques de notre siècle ont confirmé la justesse de ses intuitions pastorales.

Culte et culture, individu et société, politique et religion, aucun domaine de la vie des hommes ne doit donc échapper à l'emprise rayonnante de la philosophie du Christ, cet autre nom, paradoxal mais combien plus adéquat, d'un humanisme chrétien dont la source très pure et le modèle parfait ne sont autres que le Verbe incarné à jamais présent dans son Ecriture sainte.

André GODIN.

---

77. A. GODIN, *Erasme. Vies*, p. 52, ll. 288-291.

19

Les mystiques catholiques
et la Bible

Délimitation du chapitre

Le temps des Réformes correspond à l'apogée de la littérature mystique en Espagne et en France, et sous bien des aspects, la Réforme catholique est d'abord un fait mystique : il est significatif qu'un saint Ignace, une sainte Thérèse ou un saint François de Sales soient à l'origine de nouveaux modes de vie religieuse qui vont bientôt pénétrer l'ensemble du monde catholique.

De cette vitalité mystique au cœur des Réformes naît une première difficulté : le Siècle d'Or espagnol a imprimé une moyenne de trente titres par an (sans compter les rééditions) dans le seul domaine qui nous concerne ici. Comment, dès lors, montrer en quelques pages les liens qui ont pu exister entre la Bible et les mystiques à cette époque ? Nous ne ferons, bien sûr, qu'effleurer le sujet, et notre crainte sera de minimiser la part des mystiques dans une évaluation globale de la place de la Bible au temps des Réformes. Et encore devrons-nous tenir compte d'un paramètre propre aux textes qui vont nous occuper dans ces pages : les spirituels ont été des gens censurés, infiniment plus que les théologiens ou que les auteurs profanes. N'oublions pas que deux jours avant sa mort, Jean de la Croix, depuis docteur de l'Eglise, fit un feu de joie de sa correspondance, « que seulement d'être son ami était un péché ! »[1].

---

1. Joseph de Jésus-Marie (Quiroga), *La Vie du bienheureux Père Jean de la Croix*, Paris, André Chevalier, 1638, III, p. 148.

Et si la prohibition par l'Inquisition espagnole en 1559 d'œuvres de Louis de Grenade ou d'Osuna n'a certainement pas arrêté le développement de la *vie* mystique, il faut bien voir qu'elle a bouleversé les conditions de rédaction et de diffusion de la *littérature* mystique, c'est-à-dire des témoignages que nous pouvons en recevoir quatre siècles plus tard. Aussi ne travaillerons-nous souvent que sur des débris, marqués de plus par les contraintes d'une certaine clandestinité, l'une de ces contraintes pouvant être de surcharger de citations bibliques rassurantes un ouvrage réputé suspect[2]. Plus que dans d'autres domaines, l'usure de l'histoire peut gravement fausser à notre insu notre regard sur l'époque. Aussi, pour avoir quelque chance de dire quelque chose d'utile au lecteur, voilà comment nous procéderons :

— Nous nous en tiendrons délibérément à quelques grandes figures, toute généralisation à l'échelle qui est ici la nôtre nous semblant forcément fausse ou inintéressante. Nous demanderons d'abord à ces témoins ce qu'ils disent eux-mêmes du rapport entre Bible et vie mystique, d'autant qu'ils en parlent clairement; nous leur demanderons ensuite de nous montrer l'usage qu'ils ont fait de la Bible. Et nous ne prendrons chez chacun que ce qu'il offre de plus significatif pour ce double propos.

— Puisqu'il nous faut choisir, nous privilégierons l'Espagne et la France dans ces pages : c'est là que le temps des Réformes est d'abord un temps mystique. L'Europe du Nord suit d'autres orientations, après deux siècles et demi de splendeur : l'Allemagne lit, édite et diffuse les mystiques, mais ne produit guère; des Pays-Bas, nous retiendrons l'entrée en Espagne de la *Devotio Moderna*, et nous regretterons de seulement mentionner ici la *Perle évangélique*, trait d'union entre la grande tradition nordique du XIVe et la France du XVIIe : les travaux préalables à l'étude de ce traité énigmatique sont encore en chantier. Pour l'Angleterre, le meilleur de sa spiritualité est maintenant en exil, notamment à Paris avec Benoît de Canfield; mais la *Règle de Perfection*, pour riche qu'elle soit de citations bibliques, ne se prête guère à une réflexion sur la Bible elle-même. Reste l'Italie; un saint Philippe Néri (1515-1595) représente assez bien ce qu'y fut la Réforme catholique : un grand courant de dévotion et d'œuvres pies, courant se dirigeant de Florence vers Rome. La mystique est loin d'en être absente, mais elle y a laissé relativement peu d'écrits, alors que Catherine de Sienne, Catherine de Gênes et Savonarole continuent de dominer l'ambiance spirituelle. Toutefois, et pour nous contredire, Florence donne aussi à l'Italie réformatrice une mystique littérairement exploitable : Marie-Madeleine de' Pazzi († 1607). Nous l'avons interrogée, ainsi qu'un texte de grande importance en raison de son influence sur l'Ecole française à travers l'adaptation qu'en

---

2. Par exemple, la fin de la *Règle de Perfection* de BENOÎT DE CANFIELD.

fit le jeune Bérulle : l'*Abrégé de la Perfection* (1596), œuvre commune de la Milanaise Isabella Berinzaga et de son directeur jésuite Achille Gagliardi[3].

Enfin, l'épanouissement mystique de la France réformatrice suit d'un demi-siècle celui de l'Espagne; dans la mesure où le Grand Siècle doit faire l'objet d'un volume à part dans cette collection, il nous a semblé de bonne méthode de ne pas nous appuyer sur des textes postérieurs à sa toute première génération mystique, celle du salon de Barbe Acarie, c'est-à-dire celle de Benoît de Canfield, de François de Sales et du premier Bérulle, l'adaptateur de l'*Abrégé de la Perfection* dans son *Bref Discours de l'Abnégation Intérieure*.

VIE MYSTIQUE ET BIBLE

Mots mystiques et mots de la Bible

Ce jour-là lui vint un élan d'amour immense, et il dura avec violence trois heures de suite, de 18 à 21 heures; elle fut forcée de se lever de son lit, elle prit en main un crucifix et se mit à courir dans la pièce en criant : Amour, amour !...[4]

Voilà le fait mystique dans toute la brutalité d'une extase de Marie-Madeleine de' Pazzi. Vu de l'intérieur, à quoi cela ressemble-t-il ?

... en un instant, je me suis trouvée si unie et transformée en Dieu, si extérieure à tout sentiment corporel, que si l'on m'avait plongée et brûlée en une fournaise, je n'aurais rien senti. Je ne savais pas si j'étais morte ou vive, en mon corps ou en mon âme, sur terre ou au ciel; mais je voyais seulement Dieu tout entier glorieux en lui-même, je le voyais s'aimer purement en lui-même, se connaître infiniment en lui-même, aimer toutes les créatures purement d'amour infini, être une union en la Trinité, une trinité indivise et un Dieu d'amour infini, de bonté suprême, incompréhensible et inscrutable; de telle sorte qu'étant en lui, je ne trouvais rien qui fût de moi, mais je me voyais seulement être en Dieu, ne me voyant pourtant pas moi-même, mais voyant Dieu seul. Je suis restée une heure en cette jouissance suprême, pour autant que je pus le comprendre après avoir repris mes sens. Ce que j'ai goûté là, je ne peux l'exprimer, n'ayant pu comprendre ce qui me fut montré, ce que l'on m'a fait saisir et goûter. Soustraite ensuite à cette abstraction, ces paroles d'Isaïe me vinrent un moment à l'esprit : *ut sis salus mea usque ad extremum terrae*... Je saisis que Jésus voulait élever nos corps de façon si haute et si

---

3. On regrettera peut-être l'absence de toute référence à la Réforme protestante dans ces pages. La présence d'éléments proprement mystiques dans la lecture de la Bible par Luther nous semble indéniable; mais là aussi nous avons dû choisir. Pour la même raison, nous ne pourrons pas considérer ici l'Evangélisme du « cercle de Meaux », alors que la correspondance entre la très mystique Marguerite de Navarre et Guillaume Briçonnet offrirait la matière d'un beau traité sur *Humanisme, Bible et vie mystique*.

4. ... Et elle souriait si doucement et gracieusement « *Ch'era una consolazione a vederla !* » (*Vita e Ratti di Santa Maria Maddalena de' Pazzi*, Lucca, 1716, III, p. 30).

sublime, que jamais, jamais, jamais il ne serait possible que je puisse vous le dire, ni que je puisse le comprendre; et c'est pourquoi je me suis sentie dire en l'esprit ces paroles de saint Paul : *Quae oculus non vidit nec auris audivit neque in cor hominis ascendit*[5].

Faisons un premier bilan. Surgissant sans aucune préparation proportionnée, le fait mystique est absolument passif (« elle fut forcée »), impénétrable (« incompréhensible, inscrutable »), indicible (« je ne peux l'exprimer »), tout entier contenu dans l'initiative divine (« rien qui fût de moi »). En parler à celui qui ne l'a pas expérimenté revient à parler des couleurs à un aveugle, nous dit Jean de la Croix[6]. A l'état brut, il n'a donc rien à voir avec la Bible ni avec quelque confession religieuse que ce soit. Cependant, après cette expérience, le mystique va parler, et donc retrouver une langue et une tradition déterminées. Il va parler, soit pour soulager la pression d'une expérience aussi enivrante, et cela donne les exclamations d'une Marie-Madeleine de' Pazzi; soit pour se soumettre à une authentification de son expérience, et cela donne la *Vida* de sainte Thérèse; soit pour aider un ami à se retrouver dans un univers aussi neuf, « car c'est alors chose dure et pénible pour une âme que de ne point se comprendre ni trouver qui la comprenne », nous dit encore Jean de la Croix[7], et cela donne la *Montée du Carmel*, véritable carte routière de l'âme mystique; soit encore pour fixer l'écho de ces instants privilégiés, et cela donne le *Journal spirituel* d'Ignace de Loyola. De plus, comme un écho de cet écho, au fur et à mesure que l'initiative de l'homme réapparaît et que s'estompe, au point peut-être de sembler s'évanouir, la violence du contact divin, le mystique va chanter le Bien-Aimé, soit pour tenter de conjurer une douloureuse sensation d'absence, soit surtout pour entretenir celle de sa présence secrète, et cela donne le *Cantique spirituel* de Jean de la Croix. On voit donc les textes mystiques naître par vagues concentriques, et c'est en les traversant que nous croiserons éventuellement les mots de la Bible, au niveau exact où celle-ci se sera prêtée à l'expression de l'ineffable : « Quand j'use des paroles de l'Ecriture, prévient François de Sales, ce n'est pas toujours pour les expliquer, mais pour m'expliquer par icelles, comme plus vénérables et agréables aux bonnes âmes »[8]. Dans la phase descendante de l'élan d'amour, ce sont déjà ces mots-là que rencontrait notre extatique, en écho le plus proche de sa première exclamation : « Amour, amour ! »

5. *Ibid.*, III, pp. 63-64. Cf. *Opere*, vol. 1, Florence, 1960, pp. 203-204.
6. *Montée du Carmel*, II, 3, 2. Nous citerons désormais *Subida* pour la Montée du Carmel, *Noche* pour Nuit obscure, *Cántico* pour le Cantique spirituel (toujours dans sa version A), *Llama* pour Vive Flamme et *Dichos* pour les sentences. Nous nous référons à la sixième édition de la BAC, Madrid, 1972, de la *Vida y Obras de San Juan de la Cruz*.
7. *Subida*, Prologue, 4.
8. FRANÇOIS DE SALES, *Introduction á la Vie dévote*, éd. d'Annecy, t. 3, p. 2.

Révélation biblique et révélation mystique

1. *Sens allégorique et sens mystique de l'Ecriture Sainte*

Nous venons de voir que le fait mystique se situe en amont de l'expression biblique. Lorsque les mystiques parleront de la *parole de Dieu*, il ne s'agira donc pas tant de la parole biblique que du Verbe éternel :

> Le Père n'a prononcé qu'une parole, et ce fut son Fils ; et il la prononce toujours en éternel silence, et c'est en silence qu'elle doit être entendue par l'âme[9].

Avant d'être parlée, la Révélation est silencieuse, et le privilège du mystique est d'être introduit dans ce silence. Aussi bien, parlant de l'intelligence des mystères du Christ chez les parfaits, Jean de la Croix n'en place jamais la source dans l'Ecriture, mais en Dieu même :

> ... en cet état de mariage spirituel..., très fréquentes sont les illuminations de nouveaux mystères que Dieu communique à l'âme en la communication qui est continuellement faite entre lui et l'âme; et il les lui communique en lui-même, et l'âme pénètre en lui comme de nouveau, selon la connaissance de ces mystères qu'elle connaît en lui; et en cette connaissance, elle l'aime de nouveau de façon très étroite et très élevée, se transformant en lui selon ces connaissances nouvelles. Et la saveur et les délices qu'elle en reçoit aussi de nouveau, sont totalement ineffables[10].

Cette entrée en Dieu est équivalemment une entrée en la Sagesse de Dieu, Sagesse qui a présidé à la disposition de ces mystères, mais qui a présidé aussi bien à celle du mystère de leur Révélation parlée dans la Bible[11]. Ecriture et expérience mystique se rejoignent ici, et le mystique sait, ou pressent, que le sens ultime de l'Ecriture est pour lui :

> A qui Dieu enseignera-t-il la sagesse de ses prophéties, et à qui fera-t-il entendre sa doctrine, sinon à ceux qui sont déjà sevrés du lait de la lettre et des mamelles de leurs sens[12] ?

9. *Dichos*, 99. L'expression « parole de Dieu » est d'ailleurs soigneusement réservée au Verbe en son attouchement mystique, chez Jean de la Croix, et ne désigne jamais l'Ecriture Sainte. Plus largement, la parole de Dieu désigne à l'époque la parole du prédicateur plutôt que celle de l'Ecriture.

10. *Cántico*, 36, 6.

11. Cf. par exemple *Cántico*, 36, 3 : « 'Nous entrerons dans les hautes cavernes de la pierre'...; cette pierre, c'est le Christ, selon saint Paul... Les hautes cavernes sont les mystères élevés, et profonds en sagesse de Dieu, qu'il y a dans le Christ, concernant l'union hypostatique, ... la correspondance qu'il y a entre elle et l'union des hommes en Dieu, la convenance qu'il y a entre sa justice et sa miséricorde pour le salut du genre humain en manifestation de ses jugements. »
Cette correspondance donne tout son mouvement au *Cántico* (1584) : on n'a pas assez remarqué que toute sa structure, au moins dans sa version A, parallèle en cela aux *Nombres de Cristo*, de Luis de León (1575), est celle d'une révélation du nom propre du Bien-Aimé, « le Seigneur Jésus, Epoux très doux », qui n'apparaît que tout à fait à la fin du texte.

12. *Subida*, II, 19, 6.

Nous avons là le ressort de l'intelligence proprement mystique de
la Bible : un lien étroit l'unit au progrès spirituel. Expérimentalement,
cette intelligence va être ressentie comme une réfraction de la Sagesse
divine dans l'Ecriture; celle-ci va se mettre à scintiller dans la lumière,
une fois l'âme débarrassée de tout ce qui l'encombre :

> — La clarté du Soleil éternel peut se recevoir dans les objets [qu'elle
> éclaire], c'est-à-dire dans les Ecritures sacrées, où, sous l'écorce de la lettre,
> les hommes ainsi disposés [= *abandonnés à Dieu*] trouvent, par le don d'in-
> telligence, une connaissance si haute, si céleste et si divine, des sens si profonds,
> qu'aucun Docteur ne pourrait les trouver par sa recherche et sa propre étude...
> Il y a plus; bien souvent, dans cette connaissance, l'entendement humain est
> enrichi au point que l'âme reçoit autant de sens cachés et profonds des Ecri-
> tures du Nouveau et de l'Ancien Testament, et elle les reçoit d'autant de
> manières, qu'il s'y trouve de paroles; et tous ces sens, elle les dirige et les
> ordonne pour augmenter l'amour divin[13].

Tel est le fondement ultime de l'allégorie traditionnelle. Mais cela
ne veut pas dire que les mystiques n'ont pratiqué qu'une lecture allégo-
risante de la Bible : Luis de León, dans son commentaire au Cantique
des Cantiques, essaie au contraire de restituer à ce texte indéfiniment
paraphrasé par les mystiques toute sa vraisemblance littérale, et, disons-le
tout net, les grands mystiques ont été de grands humanistes, y compris
dans le domaine exégétique; mais il est non moins vrai que le mystique
en tant que mystique rencontre l'Ecriture au niveau même de son inspiration, c'est-à-dire au niveau où l'Esprit-Saint révèle un fait divin dans un
fait humain[14]. Et le risque de placer la vérité de l'Ecriture dans le fait
humain explique la vigoureuse réaction d'un Francisco de Osuna au
faux humanisme d'une exégèse affranchie de l'allégorie traditionnelle :

> Maudite cervelle de tous ces orgueilleux d'aujourd'hui ! Elle nous a
> enlevé le Christ et divisé l'Eglise ! Elle nous a enlevé le profond savoir, si
> bien que tout ce qui nous reste, c'est : voici ce que lit le grec, voici ce que lit
> l'hébreu, ici comme ci, ici comme ça...[15].

Voilà pourquoi, à côté des vrais progrès de l'exégèse littérale, l'allégorie patristique et médiévale va continuer à fonctionner parfaitement
chez un Osuna et jusqu'à Jean de la Croix compris, et l'on en trouverait
de beaux restes chez Benoît de Canfield et François de Sales. Et elle ne
fonctionnera pas moins chez Luis de León, le commentateur du Cantique des Cantiques étant aussi l'auteur des *Noms du Christ*, véritable
mosaïque allégorique, quoique traitée avec toute sa rigueur de *catedrático*

---

13. JUAN DE LOS ANGELES (1536-1609), *Manual de Vida perfecta*, 4, 6.
14. C'est ce principe spirituel, bien plus qu'un principe méthodologique, qu'exprime
la sentence répétée à l'envi par les mystiques, et qu'ils ont lue dans l'*Imitation* : « *Omnis scriptura sacra eo spiritu debet legi, quo facta est* » (*De Imitatione Christi*, I, V).
15. *Quinto Abecedario*, p. 1a, c. 30, cité en M. ANDRÉS, *Francisco de Osuna, Tercer Abecedario
Espiritual*, BAC, Madrid, 1972, Introduction, p. 27.

de Salamanque[16]. La fécondation de l'allégorie traditionnelle par ce souci de la lettre est caractéristique de l'époque et aboutit chez lui à un enrichissement considérable du sens mystique de l'Ecriture :

Tous les noms établis par ordre de Dieu portent avec eux la signification de quelque détail secret que la chose nommée recèle en elle, et dans cette signification, ces noms lui ressemblent[17].

On remarque ici une profonde et ancienne philosophie du langage, celle de la « signature du monde », aurait dit Michel Foucault[18], dans laquelle les mots divins et les choses divines s'emboîtent exactement : nous trouvons là le fondement intellectuel de l'allégorie traditionnelle, très lié à son fondement spirituel. On va donc assister chez Fray Luis à un renouvellement de l'allégorie mystique sur l'analyse microscopique de la lettre de l'Ecriture, la forme des lettres et jusqu'au son de leur énonciation participant de la réalité divine :

A certains noms s'ajoutent des lettres, pour signifier l'augmentation de bénédiction en ce qu'ils signifient; à d'autres, certaines sont retirées pour indiquer calamité et pauvreté. Certaines paroles, si ce qu'elles signifient de masculin s'est accidentellement efféminé et amolli, vont prendre dans la langue biblique les lettres qui, pour ainsi dire, sont efféminées et propres aux femmes... En certaines, les lettres vont modifier leur propre tracé, celles qui sont ouvertes vont se fermer, et les fermées vont s'ouvrir et changer de place, se mettre ailleurs et se déguiser avec des visages et des gestes différents, etc.[19].

16. Cf. *La perfecta Casada*, Introduction : « L'Ecriture sacrée, qui est parole de Dieu, est comme une image de la condition et de la nature de Dieu. Et de même que la divinité est à la fois une seule perfection et de nombreuses perfections différentes, qu'elle est une en simplicité et multiple en valeur et éminence, de même l'Ecriture Sainte dit-elle de multiples choses différentes avec les mêmes paroles; et, comme l'enseignent les saints, en la simplicité d'une même sentence, elle renferme grande abondance de sens. Et comme en Dieu tout est bon, de même en son Ecriture, tous les sens introduits par l'Esprit-Saint sont véritables » (*Obras completas castellanas*, I, BAC, Madrid, 1957, p. 253).
   On lira avec profit la description pessimiste de la situation biblique de l'époque dans l'épître de dédicace des *Nombres de Cristo* au recteur de l'Université de Salamanque, don Pedro Portacarrero; Fray Luis voit dans la perversion de la lecture de la Bible « une des plus graves calamités de notre temps, qui en compte beaucoup ! » et « une indication claire que le monde approche de sa fin et qu'il est voisin de sa mort » (*ibid.*, p. 403). Il justifie du même coup (par conviction, semble-t-il, plutôt que par opportunisme alors qu'il écrit ces lignes du cachot de l'Inquisition) l'interdiction des traductions de la Bible; cf. *infra*, p. 601. De même JUAN DE AVILA dans son *Audi Filia II (1574)*, in *Obras completas*, BAC, Madrid, 1970, I, p. 691.
   17. *Los Nombres...*, p. 420. Sur cette exégèse quasi rabbinique, cf. ANDRÉS, *op. cit.*, I, p. 313.
   18. *Les mots et les choses*, Paris, 1966, pp. 40 ss.
   19. *Los Nombres...*, p. 420. Le cas particulier du Nom divin dans l'Ancien Testament montre bien la portée mystique de cette lecture microscopique de la lettre de l'Ecriture : « Si nous considérons le son de sa prononciation, il est entièrement vocal, tout comme celui qu'il signifie, qui est entièrement être, vie et esprit, sans aucun mélange de composition ou de matière. Et si nous relevons le rôle des lettres hébraïques avec lesquelles il s'écrit, chacune d'elles peut prendre la place des autres, ... et ainsi, en valeur, chacune d'elles est toutes, et toutes sont chacune; c'est comme l'image de la simplicité qu'il y a en Dieu d'une part, et de la multitude infinie de ses perfections d'autre part, car le tout est une grande perfection, et chacune est toutes ses perfections. Si bien qu'à proprement parler, la parfaite Sagesse de Dieu

Lecture d'un réalisme absolu, faisant abstraction de toute loi de la perspective, et donc de tout genre littéraire; habitant encore le même univers mental, saint François de Sales n'hésitera pas à en déduire fort logiquement : « Il est de foi que le chien de Tobie avait une queue »[20] ! Comprenons : l'existence scripturaire de la queue du chien est plus nécessaire à notre foi que l'existence physique de son maître. Ne sourions pas trop vite : notre réalisme moderne est sans doute aussi naïf dans son matérialisme que celui de nos pères l'était dans son spiritualisme; et alors que nous doutons même de l'existence de Tobie, il est bon de rappeler cette certitude pré-critique d'une révélation divine dans le moindre trait de la Loi.

On retrouve donc chez nos auteurs le sens mystique traditionnel comme sens ultime de l'Ecriture. Certes, le mot *mystique* est moins précis pour l'exégète que pour le spirituel; toutefois, dans leurs deux domaines, il qualifie « la chose même » dont parle l'exégète et qu'expérimente le spirituel, et l'intelligence mystique de l'Ecriture repose sur le fait que celui qui l'inspire est en même temps celui qui aime : « O Amour, Amour, ouvre-nous ton saint Cantique, demande déjà Guillaume de Saint-Thierry, dévoile le mystère de ton baiser et les secrets de ton murmure, par lesquels tu enchantes le cœur de tes fils des délices de ta douceur »[21]. Aussi connaissance et amour ne font-ils qu'un dans l'intelligence savoureuse de ce que voile l'Ecriture, *noticia amorosa*[22] de Jean de la Croix, « Sagesse amoureuse »[23], en laquelle prend sens (*sentido*, c'est-à-dire à la fois compréhension et sensation, intellect et volonté) la lettre de la Bible.

2. *Pratique de l'allégorie par les mystiques : sentir et comprendre l'Ecriture*

On voit dans les divins Cantiques de Salomon et en d'autres livres de l'Ecriture divine, que, ne pouvant pas faire entendre l'abondance de son sens par des termes communs et usuels, l'Esprit-Saint parle des mystères en d'étranges figures et comparaisons. Il s'ensuit que les saints docteurs, même s'ils disent beaucoup et pourraient dire encore plus, ne peuvent jamais finir de le déclarer en paroles, aussi peu qu'il a été possible de le dire en paroles[24].

---

ne se différencie pas de sa justice infinie, ni sa justice de sa grandeur, ni sa grandeur de sa miséricorde; et pouvoir, savoir et aimer ne font qu'un en Lui. ... Et non seulement la valeur des lettres, mais aussi, ce qui semble merveilleux, leur tracé et leur disposition forment le portrait de ce nom de quelque manière, etc. » (*ibid.*, p. 421).

20. *Sermon 137*, éd. d'Annecy, t. 8, p. 328.
21. *Exposé sur le Cantique des cantiques*, éd. sc, n° 25.
22. Par exemple en *Subida*, II, 24, 4; cf. la sentence célèbre de Grégoire le Grand : « *Amor ipse notitia est* » (PL 76, 1207 A).
23. *Noche*, II, 5, 1.
24. Jean de la Croix, *Cántico*, Prologue, 1. Cf. *Subida*, II, 19, 5. Cf. aussi Grégoire le Grand, le plus présent des Pères, avec Origène et saint Augustin, aux auteurs dont nous nous occupons ici : « L'Ecriture Sainte, parce qu'inspirée par Dieu, dépasse d'autant l'intelli-

L'allégorie des mystiques de la Renaissance ne va-t-elle pas dès lors échapper à la *disciplina* médiévale pour s'envoler vers un simple allégorisme au nom de l'ineffabilité des gémissements de l'Esprit[25] ? Ceux qui associent un peu vite mystique et imaginaire leur ont souvent reproché ce qui relève en réalité du verbiage de la scolastique décadente, même si nous ne sommes pas sûr qu'en certaines pages un Osuna ne soit pas tombé dans ce travers. Certes, nul, mieux que le mystique, n'a expérimenté la *mira profunditas* de la Sagesse divine, mais cela ne veut pas dire qu'il se sente autorisé à lire n'importe quoi dans l'Ecriture, car, nous l'avons vu, celle-ci épouse étroitement cette Sagesse qu'elle recouvre et révèle tout à la fois.

Il faut revenir ici à ce que nous indiquions plus haut comme condition d'écriture du texte mystique, mais qui vaut aussi du texte biblique : l'un et l'autre progressent par vagues concentriques autour d'un point focal qui recèle toute la Sagesse de Dieu. Ce point focal, pour l'un comme pour l'autre, c'est la Croix de Jésus, point de déflagration de tout l'amour du monde :

> [*Jean de la Croix commente les vers* « entrons plus avant dans l'épaisseur » *et* « nous entrerons dans les hautes cavernes de la pierre » :] ... cette épaisseur de tes œuvres merveilleuses et de tes jugements profonds... en lesquels il y a abondance de Sagesse... Et nous entrerons dans les hautes cavernes de la pierre : la pierre, c'est le Christ, selon saint Paul..., les hautes cavernes sont les mystères élevés et profonds en Sagesse de Dieu qu'il y a dans le Christ... O si l'on pouvait comprendre que l'on ne peut parvenir à l'épaisseur de la Sagesse et des richesses de Dieu, sinon en pénétrant dans l'épaisseur de la passion [= *el padescer*] de multiples manières..., et comme l'âme qui désire vraiment la Sagesse, doit d'abord vraiment désirer entrer plus avant en l'épaisseur de la croix qui est le chemin de la vie[26] !

Il faudrait tout citer de ce commentaire où se concentrent les richesses allégoriques de Jean de la Croix, car « c'est dans la Croix que sont les délices de l'esprit »[27], c'est là que l'expérience mystique prend origine, c'est là que la parole de Dieu est complète dans le silence du *consummatum est* :

> En nous donnant comme il l'a fait son Fils — il est sa Parole et il n'en a pas d'autre —, Dieu nous a tout dit à la fois, et il n'a plus rien à dire... A l'heure

gence des plus savants, qu'ils sont inférieurs à Dieu; et ils ne contemplent en cette élévation spirituelle, que ce qui leur est révélé dans la bonté de la faveur divine elle-même (*Sur le Iᵉʳ Livre des Rois*, proem., 3, PL LXXIX, 19 D).

25. « L'Esprit du Seigneur qui aide notre faiblesse, comme dit saint Paul, demeurant en nous, demande pour nous avec des gémissements ineffables ce que nous ne pouvons pas bien entendre ni comprendre pour le manifester » (*Cántico*, Prologue, 1).

26. *Cántico*, 35, 10..., 36, 3.

27. *Llama*, 2, 28.

où Christ prononça sur la Croix « tout est achevé » et expira, tous les modes [de révélation de l'Ancienne Alliance] s'achevèrent, et avec eux, les cérémonies et les rites de la vieille Loi[28].

C'est donc la Croix de Jésus qui sera la clef de l'intelligence de l'Ecriture. Seul le cri de Jésus en croix est univoque et ne souffre aucune allégorie; le reste de la Bible et le reste de la tradition authentique sont à lire spirituellement comme son écho à travers toute l'histoire de la révélation. Cet écho ferait-il défaut pour des raisons contingentes, on a vu que le mystique ne serait pas, à proprement parler, privé de la parole de Dieu qui s'épuise dans cette parole d'amour :

> Lorsque l'on supprima beaucoup de livres en castillan pour qu'on ne les lise pas [*allusion à l'Index de Valdés en 1559*], je le ressentis très fort, ... et le Seigneur me dit : « Ne te lamente pas, moi je te donnerai un livre vivant. » ... Sa Majesté a été le livre véritable dans lequel j'ai vu la vérité. Béni soit ce livre qui imprime ce qu'il faut lire et faire, de telle sorte qu'on ne puisse l'oublier[29] !

Où le mystique va-t-il entendre ce cri qui lui donnera accès d'un coup à toute la Sagesse de Dieu ? On vient de nous le dire : « dans l'épaisseur de la croix ». C'est dans le silence éternel de la Croix que le Verbe est prononcé et entendu, c'est là que le mystique rejoint Jésus au moment du *consummatum est*; un rapport direct unit la mort du mystique à la mort de Jésus, le *fiat voluntas tuas* de l'un répondant au *consummatum est* de l'autre, double abandon de l'un à l'autre dans lequel Dieu et l'homme se disent tout. Et symétriquement à son commentaire herméneutique de la mort de Jésus, plénitude de la Parole de Dieu donnée, Jean de la Croix va commenter la mort du mystique comme couronnement du mariage spirituel, plénitude de la Parole de Dieu reçue, long développement des deux demandes du Notre Père : « que ton règne vienne, que ta volonté soit faite »[30].

Mais avant cet instant de plénitude, le mystique va entrer dans le sens ultime de l'Ecriture par la porte des purifications intérieures et extérieures, qui vont éliminer les faux sens auxquels se prêtait une cer-

---

28. *Subida*, II, 22, 3... 7.

29. Santa Teresa de Jesus, *Libro de la Vida*, 26, 6, in *Obras completas*, bac, Madrid, 1974. (Nous citerons décormais : *Vida*, pour le Libro de la Vida, *Cantares*, pour les Meditaciones sobre los Cantares, *Moradas*, pour les Moradas del Castillo interior.) Le chapitre suivant illustre la manière dont « Dieu parle sans parler ». — Il est remarquable que ce que ce livre vivant révèle à sainte Thérèse, c'est notamment l'importance de la Bible : « J'entendis une vérité qui est l'accomplissement de toutes les vérités : ... tout le dommage qui arrive dans le monde est de ne pas connaître la vérité des Ecritures avec claire vérité : il n'en manquera pas un iota » (*Vida*, 40, 1).

30. C'est tout l'objet du commentaire à la première strophe de la *Llama* : « *Rompe la tela deste dulce encuentro.* » Il est permis de voir en ces pages, à travers le thème du voile que Dieu déchire, l'un des sommets, pour tous les pays et toutes les époques, de l'intelligence de la Révélation, en même temps que du lyrisme espagnol. Cf. *infra*, p. 610.

taine alliance avec l'esprit du monde, avec le « mauvais esprit ». On demandait au Maître Jean d'Avila, après un an dans les geôles de l'Inquisition, d'où lui venait sa profonde intelligence des épîtres de saint Paul : « Si vous aviez été condamné à mort avec trois témoins à charge, répondit-il, vous comprendriez très bien saint Paul »[31] ! Plus largement, il console ainsi un ami devant affronter le même genre d'ennui :

> Pour ce qui est de l'Ecriture Sainte, je vous dis que Notre Seigneur la donne en échange de persécution. « A vous, dit-il, est donné de connaître le mystère du royaume de Dieu, mais aux autres, il est donné en paraboles. » Qui sont ces « vous » ? A vous, mes disciples, qui ne vivez pas de bon gré en ce monde et qui le méprisez, dans la tribulation à cause de moi, devenus rebut de ce monde. Si Dieu m'a donné quelque chose [de l'Ecriture] et vraiment il l'a fait, c'est en échange de cela qu'il me l'a donné. Et sans cela, il ne sert à rien de [la] lire[32].

Nous avons dit que le progrès dans l'intelligence de l'Ecriture est directement lié au progrès spirituel; c'est dire ici qu'il est lié à la désappropriation de soi et à l'appropriation du Verbe éternel reçu sur la Croix, vérification du parallélisme absolu de la connaissance et de l'amour dans l'unique *sentido* spirituel. Au-delà des nuits de l'âme, le paysage biblique s'illumine et s'organise comme paysage de l'amour de Dieu, alors que s'estompe le fantasme d'un monde sans Dieu, paysage mondain et ténébreux de l'exil et du péché :

> ... cette boisson de Sagesse très haute de Dieu fait oublier à l'âme toutes les choses du monde, et il lui semble que ce qu'elle savait auparavant et ce que sait le monde entier, est pure ignorance en comparaison de ce savoir[33]. ... En ce haut état de mariage spirituel, l'Epoux découvre à l'âme ses secrets merveilleux, ... il lui communique surtout les doux mystères de son incarnation, le mode et la manière de la rédemption, ... et parlant avec elle, il lui dit comment ce fut au moyen de l'arbre de la Croix qu'elle devint son épouse, lui donnant là les faveurs de sa miséricorde, voulant mourir pour elle et la rendre belle de cette manière; en effet, il la restaura et la racheta par le même moyen dont elle fut corrompue, au moyen de l'arbre du paradis, en Eve, sa première mère, ... et de cette façon, Dieu découvre les ordonnances et dispositions de sa Sagesse, etc.[34].

---

31. Juan de Avila, *Obras...*, I, Introduction, p. 53.

32. « ... Et ainsi je vois que c'est ce Seigneur qui ouvre, découvre et enseigne le sens de l'Ecriture; c'est lui qui tient la clef, le pouvoir, le commandement et l'autorité dans le royaume spirituel de l'Eglise, ... et c'est si vrai, que personne d'autre ne peut enseigner le sens véritable de l'Ecriture, sinon ce seul Seigneur » (*Lettre 2, ibid.*, V, pp. 36-37).

33. *Cántico*, 17, 13.

34. *Cántico*, 28, 1..., 5. Dans cette inversion du regard, « l'âme goûte hautement la Sagesse de Dieu qui resplendit dans l'harmonie de ses créatures et de ses actes, ... elle sent que toutes les choses sont Dieu en un être simple, selon ce que sentit saint Jean quand il dit : '*Quod factum est, in ipso vita erat*' » (*Cántico*, 13, 5).
On remarque cette ponctuation du prologue de saint Jean, commune à toute la tradition mystique, contre celle de la Vulgate.

Et c'est tout le Cantique spirituel qui s'organise autour de cet arbre de la Croix comme une immense allégorie, appliquant toute l'Histoire Sainte à l'histoire de l'âme :

> A l'ombre du pommier,
> C'est là que tu me fus donnée pour épouse...

[l'Epoux] entend par le pommier l'arbre de la Croix, où le Fils de Dieu racheta, et, par conséquent, épousa la nature humaine, et, par conséquent, épousa chaque âme[35].

Autorité de la Bible en matière mystique

Pour dire quelque chose de cette Nuit, je ne m'en remettrai ni à l'expérience, ni à la science, car l'une et l'autre peuvent manquer et tromper : mais, sans laisser de m'en aider comme je pourrai, je me servirai de l'Ecriture divine...; en nous guidant par elle, nous ne pourrons pas errer, car celui qui parle en elle est l'Esprit-Saint[36].

L'autorité de la Bible à l'intérieur de la tradition chrétienne est universelle, et s'applique donc au domaine mystique aussi bien qu'aux autres. On en a vu plus haut le fondement dans l'origine commune de la révélation biblique et de la connaissance mystique. L'appel à cette autorité est constant chez les maîtres spirituels; on le rencontre par exemple une dizaine de fois dans la *Vida* de Thérèse d'Avila, car, « en l'Ecriture Sainte dont ils s'occupent, les doctes trouvent toujours les vérités du bon esprit »[37]. Le recours à la Bible est ici entièrement externe, et d'ailleurs, Thérèse le délègue à ces doctes (les chers *letrados* sans lesquels elle n'envisage aucun progrès spirituel), et, chose remarquable, il se peut fort bien qu'ils soient personnellement « sans oraison »[38]. Une décision comme celle de fonder le couvent de Saint-Joseph, point de départ de la réforme carmélitaine, est à cet égard exemplaire : la sainte en sent l'inspiration divine; mais elle est déterminée à tout abandonner si le *letrado* consulté, en l'occurrence le dominicain Ibañez, trouve à son

---

35. *Ibid.* Cf. M. HUOT DE LONGCHAMP, *Lectures de Jean de la Croix*, Paris, 1981, pp. 141 ss.
36. *Subida*, Prologue, 2.
37. *Vida*, 13, 18. Chez Jean de la Croix, pour la seule *Subida*, voir par exemple I, 9; II, 3; II, 19 (en II, 19, 1, on relève la synonymie entre *écritures* et *autorités divines*); II, 20, *passim*; II, 22, 7. L'attachement de sainte Thérèse à l'autorité de la Bible est d'autant plus significatif qu'elle n'a jamais pu la lire sérieusement, du fait des prohibitions successives de toute traduction en langue vulgaire. Cf. *infra*, p. 601.
38. *Vida*, 13, 18. Cf. 34, 12 : « Je ne dis pas que celui qui serait sans esprit, s'il est docte, ne puisse pas gouverner le spirituel, mais il doit le faire quant à la conformité des choses extérieures et intérieures avec la voie naturelle, et cela grâce à son entendement; et pour le surnaturel, qu'il considère sa conformité à l'Ecriture Sainte. »

projet, et non à son inspiration dont elle ne fait aucun état, quelque chose
de contraire à l'Ecriture :

> Je ne lui ai pas parlé de révélation, mais seulement des raisons naturelles
> qui me portaient à ce projet, car je ne voulais pas qu'il nous donne un avis
> qui n'y soit pas conforme... Même s'il me paraissait impossible d'y renoncer,
> je ne voulais pas croire véritable cette révélation si elle devait aller en quelque
> chose contre ce qu'il y a dans l'Ecriture Sainte ou contre les lois de l'Eglise[39].

On voit la place exacte de l'Ecriture dans cette authentification : le
fait mystique comme tel est mis en parenthèse et n'entre pas dans le
champ de la vérification; il porte sa certitude propre, et si par hypothèse il était illusoire, cela ne changerait rien au déroulement des événements : ce n'est pas à cause d'une révélation que Thérèse d'Avila a
fondé Saint-Joseph; ce n'aurait pas été à cause d'une absence de révélation qu'elle ne l'aurait pas fondé. Ce nécessaire désintéressement du
mystique par rapport à lui-même tient à la nature de son expérience :
la gratuité de la révélation mystique rejoint la gratuité de la Révélation
tout court, et c'est en aval de l'initiative divine qu'une comparaison
devient possible entre l'une et l'autre, le « bon esprit » du mystique n'étant
finalement autre que l'Esprit-Saint qui parle en l'Ecriture.

Relevons enfin dans cette authentification l'association de l'autorité
de l'Ecriture à celle de la raison et à celle des lois de l'Eglise : les trois
sont le plus souvent citées ensemble par les auteurs mystiques comme
les trois instances de vérification de l'expérience intérieure. Nous nous
contenterons ici de remarquer ce fait qui fonderait une réflexion ultérieure sur leur harmonie. Notons seulement que la lecture de la Bible
à laquelle se réfère sainte Thérèse est toujours celle de l'Eglise; il ne s'agit
donc pas d'appliquer aveuglément un passage de l'Ecriture à une situation donnée[40], mais de la lire comme un tout et à l'intérieur de la Tradition,
« pour ne pas sortir de ce qu'affirment l'Eglise et les saints »[41]. Mieux
encore, Juan de los Angeles fait de cette lecture traditionnelle un signe
d'authenticité spirituelle : « Un signe de l'esprit divin est de suivre les
sens de l'Ecriture approuvés par l'Eglise »[42].

---

39. *Ibid.*, 32, 17. Mieux encore : supposons que le spirituel entende quelque parole divine
(cas très fréquent à l'époque, nous prévient sainte Thérèse !), « même si cela vient de Dieu,
n'allez pas croire que vous en êtes meilleurs. D'ailleurs, il a beaucoup parlé aux Pharisiens !
Tout le bien est dans la façon dont on profite de ces paroles, et celle qui ne serait pas très
conforme à l'Ecriture, n'en faites pas plus de cas que si vous l'aviez entendue du démon
lui-même » (*Morada*, VI, 3, 4).

Cf. Louis de Blois (1506-1566) : « On doit examiner avec grand soin si les visions et
révélations... s'accordent avec la foi catholique, les Saintes Lettres et les écrits des Pères
orthodoxes... » (*Le Miroir de l'Ame*, in *Traités ascétiques*, Paris, 1932, p. 99).

Ibid., Juan de Avila, in *Audi Filia I (1556)*, *Obras...*, I, p. 500.

40. Par exemple, lorsqu'au nom des « femmes d'intérieur » de Tite 2, 5, l'on prétendait
empêcher sainte Thérèse de sortir pour une fondation (*Cuentas de Conciencia*, 16; cf. *ibid.*, 4).

41. *Cantares*, 1, 8. Cf. Juan de Avila, *Audi Filia*, *Obras...*, I, pp. 493 et 678.

42. *Manual de Vida perfecta*, 3, 3.

L'USAGE DE LA BIBLE PAR LES MYSTIQUES

Bible et pédagogie de la vie intérieure

Le Christ veut te fiancer à lui, toi aussi; voulant te fiancer à lui, il t'envoie ce serviteur [= *le serviteur d'Abraham reçu par Rachel*]; ce serviteur, c'est la parole prophétique, et si tu ne le reçois pas d'abord, tu ne pourras pas épouser le Christ[43].

Certes, le fait mystique ne doit rien qu'à Dieu. Cependant, dans la mesure où il prend forme dans une histoire, dans la mesure où il est présence de l'éternité dans le temps, dans la mesure où il retrouve et réoriente une culture et une langue données au sortir de son immédiateté qui, ici-bas, ne sera malgré tout que tangentielle, se pose la question d'une pédagogie de la vie intérieure, d'une direction spirituelle à prendre et à donner. Son rôle ne sera pas de provoquer l'expérience mystique, mais d'organiser la réponse libre de celui qui se trouve invité par Dieu à une histoire d'amour, histoire sainte qui l'insère dans l'Histoire Sainte, les deux ayant commune origine. C'est à ce titre que l'Histoire Sainte sera le fond de la pédagogie intérieure chrétienne, afin qu'elle prête ses formes à celui qui cherche un langage pour dire et se dire sa propre histoire. Cette pédagogie de l'Ecriture épouse en fait la dimension tropologique (révélation de *ea quae sunt agenda*) de son sens spirituel. Pour Grégoire de Nysse, le grand codificateur de la vie mystique, l'Ecriture doit indissociablement nous conduire « à la connaissance des mystères et à la conduite pure, non seulement par ses préceptes, mais aussi par l'enseignement de ses récits historiques »[44].

Au sortir du Moyen Age, le lien entre Histoire et Ecriture saintes n'est plus ce qu'il était au temps d'Origène ou de Grégoire, et de l'une à l'autre, des intermédiaires vont s'insérer, qu'il nous faut repérer dans l'éloignement croissant du texte même de la Bible et des foyers les plus ardents de la vie mystique. Nous considérerons successivement quelques moyens non livresques, puis livresques, de la formation spirituelle dans sa dimension biblique, avant de voir l'usage qu'en feront les mystiques. Ce faisant, tout ce que nous dirons ici ne sera pas toujours spécifique de la vie mystique comme telle, mais au moins du cadre immédiat dans lequel elle s'est le plus souvent épanouie au temps des Réformes.

---

43. ORIGÈNE, *Homélies sur la Genèse*, 10, 2.
44. *Sur le Cantique des cantiques*, PG 44, 757.

1. *Bible et pédagogie conventuelle féminine*

La conscience biblique ne se forme pas uniquement au contact du livre de la Bible. Du fait des interdictions répétées de ses traductions à l'époque qui nous concerne[45], cette voie était même pratiquement fermée, surtout en Espagne, à tous ceux qui n'entendaient pas le latin, c'est-à-dire à la majorité des non-clercs, et donc des femmes. Nous avons dit l'importance de la Bible pour une sainte Thérèse, mais il faut bien voir que ni elle, ni ses filles, n'ont eu le droit de la lire. Aussi, avant d'examiner la connaissance qu'elles ont pu en avoir au second degré à travers les lectures que nous verrons recommandées plus loin par les grands pédagogues de la vie spirituelle, il vaut ici la peine d'évaluer l'importance de quelques moyens non livresques d'imprégnation biblique, moyens qui ont joué au moins pour ceux des mystiques, et il y a lieu de croire qu'ils sont majoritaires, dont la vocation se sera épanouie au sein d'une famille religieuse.

Le premier de ces moyens est, bien sûr, la liturgie; nous ne nous y arrêterons pas dans la mesure où son effet d'imprégnation biblique fait l'objet d'une étude dans le précédent volume. Toutefois, il faut souligner que la difficulté du latin survenait là encore, même si une compréhension très variable, mais non négligeable, des textes liturgiques à force de répétition (plus que d'explication, semble-t-il), ressort de différents témoignages : à en juger par ses transcriptions phonétiques de quelques versets, une sainte Thérèse a dû beaucoup peiner; une Marie-Madeleine de' Pazzi semble avoir eu plus de facilités, et un peu plus tard, une Marie de l'Incarnation avouera comme un don du ciel de comprendre clairement l'office divin.

A côté de l'office proprement dit, il faudrait évaluer le rôle joué par la prédication dans la pédagogie biblique des contemplatifs. Elle a laissé peu de traces dans leurs écrits. Saint Jean de la Croix en parle surtout pour dénoncer la vaine gloire des prédicateurs; sainte Thérèse, dans ses lettres, remercie, félicite ou blâme plusieurs orateurs, elle leur était *aficionadísima* dans sa jeunesse[46], mais ses enthousiasmes comme ses réprobations nous suggèrent que le sermon au couvent était un spectacle autant qu'un enseignement. Il est révélateur de la voir gronder ses filles pour avoir quelque peu chahuté un prédicateur imprudent, malencontreusement embarqué dans l'exégèse des charmes de l'Epouse du Cantique[47] ! Le pauvre homme a dû beaucoup souffrir !

En dehors de la liturgie, l'ambiance des couvents les plus mystiques était-elle biblique ? Il faudrait ici dépouiller les innombrables petits

---

45. On trouvera une étude très complète de la question des index en Espagne dans M. ANDRÉS, *La Teología española en el Siglo XVI*, Madrid, 1977, II, chap. 22.

46. *Vida*, 8, 12.

47. *Cantares*, 1, 5.

papiers qui circulaient (et circulent encore !) dans les communautés, surtout féminines : de directeur à dirigé, au noviciat, lors des récréations, etc. Si l'on interroge la correspondance spirituelle, les poèmes (exercice obligé de toute carmélite), et les billets de direction d'une sainte Thérèse ou d'une Anne de Saint-Barthélemy, si représentative de la deuxième génération du Carmel réformé[48], on ne relève que bien peu de citations ou d'allusions bibliques, même dans les sujets qui s'y prêteraient le mieux. Plus révélateur encore : dans les mêmes circonstances, Jean de la Croix, si biblique dans ses traités, cesse de l'être ; sur plus de 200 lettres, billets de direction, avis rédigés en diverses circonstances, qui nous restent de lui, une dizaine seulement citent l'Ecriture. Et pourtant, nous savons que la Bible était le seul livre qu'il gardait constamment à sa portée, et que son interprétation faisait l'objet de nombreux entretiens conventuels[49]. De même dans les conférences aux novices d'Anne de Saint-Barthélemy, la Bible reparaît une trentaine de fois sur une vingtaine de pages, mais de façon très approximative, parfois erronée et toujours au second degré. Cela manifeste au moins une volonté de s'appuyer sur l'Ecriture, à défaut d'en avoir tous les moyens.

Enfin, il nous faut ici mentionner une pédagogie des murs conventuels : celle des sentences que l'on y inscrivait en grand nombre. Jamais considérée parce qu'ayant laissé peu de traces dans les bibliothèques, cette coutume est bien attestée dans les carmels du XVIIe siècle ; on peut la croire plus ancienne, étant donné la continuité de la vie carmélitaine. Une étude récente explore cette voie dont l'influence a dû être capitale[50] sur la conscience de nos mystiques féminines, car cet affichage était vu et revu indéfiniment dans le petit monde mille fois parcouru de la clôture conventuelle. On l'a vérifié pour l'époque moderne à travers l'œuvre de Thérèse de Lisieux[51] ; il y a tout lieu de penser que l'on aurait pu le vérifier quatre siècles plus tôt. La densité biblique est ici troublante : 100 citations de l'Ecriture sur 173 sentences relevées au Carmel de Saint-Denis, sans doute assez fidèle à des coutumes très anciennes[52].

Que conclure de ces apports non livresques à la pédagogie biblique ? Une certaine contradiction existe entre le biblisme communautaire et obligé de l'office, des conférences et des murs, et la pauvreté biblique des communications plus personnalisées, celles de la direction spirituelle notamment. Mais le rapport entre les deux serait-il très différent trois siècles plus tôt ou un siècle plus tard ? Quelques sondages nous sug-

---

48. Anne de Saint-Barthélemy (1549-1626) faisait partie du groupe des cinq Carmélites amenées par Bérulle en 1604 pour implanter en France la réforme thérésienne. Cf. Anne de SAINT-BARTHÉLEMY, *Lettres et Ecrits spirituels*, présentés par Pierre SEROUET, Présence du Carmel, Bruges, 1964.

49. Cf. J. VILNET, *Bible et Mystique chez saint Jean de la Croix*, Paris, 1949, pp. 2-4.

50. J. ROLLIN, *Murs mystiques*, Paris, 1986.

51. *Ibid.*, pp. 60-62.

52. *Ibid.*, pp. 75 ss.

gèrent que non, mais en dire plus supposerait une enquête qui reste à faire sur l'ensemble des manifestations non livresques de la spiritualité conventuelle.

2. *Bible et pédagogie de l'oraison*

Le fait mystique est passif et en amont de toute parole, biblique ou non biblique. Il correspond d'abord à un événement, parfois spectaculaire (par exemple l'extase rapportée plus haut), mais aussi à un état plus ou moins stable, état où la même dépendance radicale de Dieu devient le fond psychologique sur lequel va se dérouler la vie quotidienne du spirituel comme une modulation de cette relation; dans la typologie mystique habituelle, l'entrée dans cet état proprement contemplatif qualifie le *progressant*, par opposition au *débutant*, qui est plus actif que passif dans la conduite de sa vie intérieure, et au *parfait*, chez qui cet état est d'une stabilité définitive. L'oraison du débutant est caractérisée par la méditation, et d'ailleurs, comme pour souligner la passivité de tout progrès spirituel, tant que celle-ci est possible, elle est prescrite par nos auteurs, sa suspension intervenant d'elle-même lorsque la présence du Bien-Aimé succède à sa représentation[53]. La question que nous posons ici est très précisément celle-ci : tant que l'âme cherche des mots, des phrases et des images, tant qu'elle avance en régime de représentation, les mots, les phrases et les images qui lui sont offerts par ses moniteurs dans la vie spirituelle sont-ils ceux de la Bible ? Quel est le mode d'apparition de la Bible dans la méditation proposée par saint Ignace, sainte Thérèse ou saint François de Sales ?

Etablissons d'abord un point capital : à mesure de la diffusion en Europe des méthodes de la *Devotio Moderna*, la méditation transite de moins en moins par le texte biblique lui-même, et de ce point de vue, l'oraison moderne n'est plus en continuité avec la *lectio divina* traditionnelle ; dans la séquence classique *lectio, meditatio, oratio, contemplatio*, l'équilibre des deux premières phases va s'en trouver profondément bouleversé[54].

Ouvrons les *Exercices spirituels* de saint Ignace : nous tenons là une pédagogie de l'oraison qui va déferler sur toute la spiritualité occidentale ultérieure (une édition par mois depuis 1522 !). Au début de toute méditation, saint Ignace nous met en face d'un tableau, non pas d'un texte[55]. Certes, la Bible est là pour fournir l'histoire et la géographie du tableau, mais nulle part son texte ne fournit le point de départ de la

---

53. Cf. par exemple Jean de la Croix, *Subida*, II, 15, 1 ; François de Sales, *Introduction...*, p. 85 ; Juan de los Angeles, *Manual...*, 4, 5.
54. Cf. *DS*, « Lectio divina », col. 485 ss.
55. Cf. premier préambule au premier exercice, *Obras completas de San Ignacio de Loyola*, bac, Madrid, 1963, § 47.

méditation[56]; dans l'exposé des mystères de la vie du Christ (quatrième semaine), les versets de l'Evangile ne sont que la légende d'une composition dont les éléments sont organisés selon la *Vie du Christ* de Ludolphe le Chartreux (vers 1350), cadre obligé de toute méditation en aval de la *Devotio Moderna*. D'une manière générale, la lecture de l'Evangile n'est pas essentielle au déroulement des Exercices, même si parmi les livres conseillés, il prend place entre l'*Imitation* et les vies de saints, à utiliser avec parcimonie[57].

Presque un siècle plus tard, saint François de Sales, organisant la méditation de Philothée, n'envisage pas davantage un texte biblique comme point de départ. D'ailleurs, une fois dépassée la préparation de l'oraison et ses manuels, le livre n'est qu'un pis-aller à réserver aux cas d'aridité insurmontable[58]. De même, un Juan de los Angeles, résumé de son siècle, compose-t-il une série de miniatures à contempler visuellement dans son *Manuel de la Vie parfaite* (1608) : c'est de là que la méditation prendra son essor, même si par ailleurs, compilant les auteurs médiévaux, il déclare que « la matière de la méditation est toute l'Ecriture divine et ses mystères »[59]. Chez Jean d'Avila, le texte préparatoire à la méditation n'est pas biblique, même s'il semble jouer un rôle assez consistant : pour fournir l'image de Jésus à la méditation (et il faudrait ici traiter tout le thème de l'Humanité du Christ depuis la *Devotio Moderna*), il faut lire « en quelque livre qui parle de la Passion », par exemple chez saint Augustin, l'inévitable Ludolphe le Chartreux, ou encore Louis de Grenade. L'Evangile comme tel ne semble pas prévu[60].

Chez sainte Thérèse, grande lectrice en ses débuts[61], on peut aisément vérifier que le point de départ de l'oraison n'est jamais le texte, mais une image de la Bible ou de l'Evangile. Il est très significatif à cet égard, que sa « conversion » se soit faite à la *vue* d'une image de la Passion[62]. D'ailleurs, ne sait-elle pas mieux que les évangélistes ce que fut la Passion du Christ ?

> En y pensant, nous pensons à beaucoup plus de tourments et de peines que le Seigneur a dû supporter, que les évangélistes ne nous en ont rapporté[63].

On comprend au passage que la privation du texte même de la Bible n'ait pas été dramatique pour le développement d'une oraison déjà très

---

56. Deuxième annotation : « ... la personne qui contemple, à partir du fondement véritable de l'histoire... » (*ibid.*, § 2).
57. *Ibid.*, § 100. Cf. P. de LETURIA, « Lecturas espirituales durante los Ejercicios según San Ignacio de Loyola », in *Manresa*, 20 (1948), pp. 295-310.
58. *Introduction...*, p. 86.
59. *Manual...*, 4, 5.
60. *Audi Filia*, p. 743.
61. La suppression, qu'elle trouve providentielle, de ses lectures en 1559 (cf. *Vida*, 26, 6), souligne bien leur rôle secondaire dans son oraison.
62. *Vida*, 9, 1.
63. *Cantares*, 1, 8.

affranchie, sinon de toute lecture, au moins de celle de l'Ecriture. Une littérature de substitution a pu en prendre le relais sans grand dommage sur ce point :

> En notre temps, il me semble très nécessaire que tous les bons esprits à qui Dieu a donné capacité en cette affaire..., composent en notre langue pour l'usage commun de tous des choses qui, soit qu'elles proviennent des Saintes Lettres, soit qu'elles s'y rapportent et s'y conforment, y suppléent dans la mesure du possible[64].

On voit donc nos spirituels refermer très vite le livre biblique, ou plus souvent para-biblique, dans lequel ils auront pris le matériau d'une image qui constitue le véritable point de départ de la méditation. Il s'agit de

> proposer à son imagination le corps du mystère que l'on veut méditer, comme s'il se passait réellement et de fait en notre présente. Par exemple, si vous voulez méditer Notre-Seigneur en croix, vous vous imaginerez d'être au mont de Calvaire et que vous voyez tout ce qui se fit et se dit au jour de la Passion; ou, si vous voulez, car c'est tout un, vous vous imaginerez qu'au lieu même où vous êtes se fait le crucifiement de Notre-Seigneur, en la façon que les Evangélistes le décrivent[65].

Ce rôle de l'image au détriment du texte est un héritage décisif de la *Devotio Moderna,* et correspond à la psychologie de la prière qui domine le temps des Réformes. L'homme qui allait la faire passer à l'Espagne à travers Jean Standonck et García de Cisneros fut Jean Mombaer : l'*Ejercitatorio* et le *Directorio* de Cisneros reprennent l'esprit et bien souvent la lettre du *Rosetum* de Mombaer. Le contact entre le Nord et le Sud a dû s'établir à Paris vers 1500. Pour Mombaer, parmi les occupations de la vie religieuse, la première en dignité est l'oraison mentale, suivie de l'office liturgique, et après seulement vient la lecture de l'Ecriture[66]. C'est ici qu'il faudrait montrer la nouvelle hiérarchie des lectures spirituelles depuis Gérard Groote, témoin de l'éloignement progressif du texte biblique et de la prière. Dans ses *Conclusa et Proposita* (vers 1380), il place en tête de ses lectures les Evangiles « parce qu'on y trouve la vie du Christ ». Ensuite, les Pères; ensuite seulement, les épîtres de saint Paul, les épîtres canoniques et les Actes; ensuite, quantité d'auteurs patristiques et médiévaux; ensuite seulement les livres sapientiaux et les livres historiques de l'Ancien Testament[67]. Et dans une

---

64. *Los Nombres...,* p. 407.
65. FRANÇOIS DE SALES, *Introduction...,* p. 78. Cf. JUAN DE AVILA, *Audi Filia,* p. 743, et *Lettre 5, Obras...,* V, p. 48; THÉRÈSE D'AVILA, *Vida,* 13, 11-13.
66. Prologue du *Rosetum* : cf. DS, « Mombaer », col. 1520.
67. Texte in DS, « Dévotion moderne », col. 741; sur les différentes listes de la *Devotio Moderna,* cf. col. 741-742. On retrouverait en substance cette hiérarchie de lectures chez Cisneros, chez Jean d'Avila, et jusque chez François de Sales.

répartition voisine, il est remarquable que son disciple Mombaer range l'Ecriture sainte parmi les *lectures intellectuelles,* les distinguant des *morales* et des *dévotionnelles,* et qu'il en fasse l'objet de l'*industria,* de la *diligentia* et de l'*assiduitas magna,* toutes dispositions d'esprit que nos auteurs veulent absolument bannir de l'oraison[68] :

> D'une part, ne négligez pas de vous représenter une image, d'autre part, ne vous y attachez pas en continu, ne la fixez pas en vous avec peine, mais peu à peu et selon que cela vous sera donné sans travail... De même, fuyez le danger de penser avec acharnement et en vous rompant la tête; car... cela cause la sécheresse de l'âme, et le résultat est que l'on déteste l'oraison. Ne pensez pas de telle sorte et avec une telle force, qu'il paraîtrait que vous deviez réussir de vous-même et à la force du poignet; cela ressemblerait plus au mode d'étudier qu'au mode de prier; mais que votre exercice soit tel que vous soyez attaché aux forces du Seigneur, qui vous aide à penser... Pour vous attacher à Dieu, ne tentez en aucune manière de vous appuyer sur vos raisons propres ou sur votre labeur, mais humiliez-vous devant lui en affection simple, comme un enfant ignorant et un humble disciple calmement attentif à apprendre de son maître avec son aide. Et sachez que cette affaire relève plus du cœur que de la tête, car *el amar es fin del pensar*[69].

Au terme de ce tour d'horizon, doit-on dire que la méditation s'est désormais coupée de la Bible ? Non, mais cette mise hors circuit de la lettre de l'Ecriture vise en fait à rejoindre son sens mystique par un autre chemin, celui de l'image biblique : à un moment où la *lectio divina* traditionnelle ne fonctionne déjà plus dans bien des milieux, le passage à la présence spirituelle du Verbe ne peut plus se faire par le jeu d'une allégorie presque spontanée. C'est à l'image, et non plus au texte, que l'on demande alors la transparence révélatrice. Le texte supposerait désormais trop d'abstraction et risquerait de limiter l'oraison à une construction mentale, celle-là même des nominalistes. Le réalisme spirituel, qui présidait à l'allégorie, impose ici la re-présentation de la scène biblique dans laquelle il faut s'impliquer, pour de là « adhérer », au sens que l'Ecole Française donnera à ce mot, au mystère contemplé :

> Par le moyen de cette imagination, nous enfermons notre esprit dans le mystère que nous voulons méditer, afin qu'il n'aille pas courant çà et là, ni plus ni moins qu'on enferme un oiseau dans une cage, ou bien comme l'on attache l'épervier à ses longes, afin qu'il demeure dessus le poing. Quelques-uns vous diront néanmoins qu'il est mieux d'user de la simple pensée de la foi, et d'une simple appréhension toute mentale et spirituelle, en la représentation de ces mystères; ou bien de considérer que les choses se font en votre propre esprit; mais cela est trop subtile pour le commencement, et jusqu'à ce que Dieu vous élève plus haut, je vous conseille, Philothée, de vous retenir en la basse vallée que je vous montre[70].

68. Cf. *DS,* « Lectio Divina », col. 492.
69. Juan de Avila, *Audi Filia,* pp. 745-746.
70. *Introduction...,* p. 79.

La Bible, médicament et nourriture du mystique

Supposons maintenant que notre spirituel soit entré dans la contemplation proprement dite. Ce qui lui arrive lui échappe désormais complètement. Tout ce qu'il pourra faire, pour la part d'activité qui reste la sienne, sera de se plaindre ou de se réjouir du caractère douloureux ou délicieux du processus. Les mots de la Bible vont-ils se prêter à l'accompagnement de la contemplation ?

Commentant Rm 15, 4 (« Tout ce qui a été écrit l'a été pour notre consolation ...»), Louis de Grenade va nous parler de l'Ecriture comme d'un « médicament », reprenant l'idée fondamentale d'un recouvrement de l'Histoire Sainte et de l'itinéraire de l'âme :

La Sainte Ecriture est comme une fontaine où l'homme de bien puise une eau rafraîchissante, par laquelle il reprend des forces pour espérer en Dieu... Il ne voit rien de si souvent répété dans les psaumes, ni promis par les prophètes, ni raconté dans les histoires, depuis que le monde est sorti de son néant, que les faveurs, les caresses et les bienfaits que notre Seigneur répand continuellement sur ceux qui lui appartiennent, et comme il les secourt et les fortifie en toutes leurs angoisses, de quelle façon il conduisit Abraham en tous ses voyages; de quelle sorte il assista Jacob en ses périls, Joseph en son éloignement, David en ses persécutions, Job en ses maladies, Tobie en son aveuglement, Judith en son entreprise, Esther en sa requête, et les généreux Maccabées en leurs combats et en leurs triomphes; et généralement tous ceux qui d'un cœur humble et dévot se sont confiés en lui. Telles et semblables assistances fortifient notre cœur en ses travaux et le font espérer en Dieu...

Et voici maintenant le passage à la vie contemplative :

... Mais que fait ici la considération ? Elle prend en ses mains ce médicament, et elle l'applique au membre le plus faible et le plus malade qui en a besoin. Je veux dire qu'elle fait revenir toutes ces choses en la mémoire, et les présente à notre cœur : lequel recherche et examine la grandeur excessive de ces arrhes et de ces miséricordes de Dieu, d'où l'âme se fortifie, de crainte qu'elle ne perde le courage; mais plutôt afin qu'elle espère en ce Seigneur, qui n'a jamais manqué à quiconque ait recouru vers lui de tout son cœur[71].

Ce texte est important. Joseph en son éloignement, David en ses persécutions, Job en ses maladies, Tobie en son aveuglement, Judith en son entreprise, Esther en sa requête, et nous ajouterions Jérémie en ses jérémiades et Jonas en son engloutissement, sont effectivement les figures qui reviendront sans cesse sous la plume des mystiques dans les phases de purification pour soulager la nuit de l'âme.

71. *Les Œuvres spirituelles du R. Père Louys de Grenade*, Lyon, 1686 : De l'Oraison et de la Méditation, I, col. 401. Cf. THÉRÈSE D'AVILA, justifiant son commentaire au Cantique : « Voilà ce que je prétends faire : tout comme je prends mes délices en ce que le Seigneur me donne à comprendre lorsque j'entends quelque chose du Cantique, vous le dire vous consolera peut-être tout comme moi » (*Cantares*, 1, 8).

Médicament, mais aussi nourriture, et ici, c'est à l'intérieur de la présence ressentie de Dieu que la Bible va permettre à l'âme de dire et de se dire son amour :

> Je suis sûre que Sa Majesté n'est pas ennuyée de ce que nous nous consolions et prenions nos délices en ses paroles et en ses œuvres... nous autres femmes, nous n'avons pas à rester éloignées de jouir des richesses du Seigneur[72] !

« Gozar », jouissance : mot clef de l'expérience mystique, *sensus (= sentido) plenior* de l'Ecriture ! Et là, bien sûr, le texte privilégié est le Cantique des Cantiques, de loin le plus commenté par les mystiques; il semble que l'on en soit arrivé à une sorte de maniérisme du Cantique dans les couvents des xvie et xviie siècles : toutes les maîtresses des novices devront s'expliquer tôt ou tard sur le baiser de l'Epoux, et les premiers versets du texte sacré seront parfois les seuls considérés dans des opuscules de formation conventuelle, sans doute parce qu'ils seront les mieux mémorisés en ces années de prohibition. Là encore, il est révélateur d'une pratique abondante de voir sainte Thérèse se plaindre à demi-mot des âmes timorées qui « préfèrent fuir plutôt que d'entendre de telles paroles », ou qui leur donne un sens « conforme au peu d'amour de Dieu qu'elles ressentent », alors que le Seigneur les donne « pour provoquer l'âme, afin qu'elle puisse parler à Sa Majesté et trouver en lui ses délices »[73].

Mais comment jouir d'un texte que l'on n'a pas le droit de lire, au moins dans sa langue ? Faux problème : il n'est pas très important pour sainte Thérèse de comprendre ce texte bien-aimé — et pour nous, cela doit éclairer l'apparent non-sens des heures passées par les moniales à réciter au chœur des textes qu'elles ne comprennent pas :

> Depuis quelques années, le Seigneur m'a donné de grandement me délecter chaque fois que j'entends ou lis quelques paroles des Cantiques de Salomon, à tel point, que, sans comprendre en castillan ce qui est clair en latin, cela me recueille davantage et agit mieux sur mon âme que les livres très dévots que je comprends !... Et quoique l'on m'en ait donné le sens en castillan, je ne les ai pas mieux comprises[74].

D'une lecture allégorique, nous passons ici à une lecture proprement poétique de la Bible : le texte ne vaut plus par ce qu'il veut dire, mais par ce qu'il dit, il vaut par lui-même :

> [*à propos de Cant. 1, 1*] Je ne comprends pas cela, et ne pas le comprendre m'est délicieux. En vérité, mes filles, les choses que nous pouvons apparemment atteindre ici-bas avec nos pauvres entendements, l'âme n'a pas à les

---

72. *Cantares*, 1, 9.
73. *Cantares*, 1, 3. Il est révélateur aussi que sur son lit de mort Jean de la Croix ait prié ses frères de lui lire des passages du Cantique des Cantiques plutôt que les prières de recommandation de l'âme ! Cf. *Vida y Obras...*, p. 343.
74. *Cantares*, Prologue, 1.

contempler autant que celles qui ne se peuvent comprendre d'aucune manière. Aussi, je vous recommande beaucoup ceci : quand vous lirez un livre ou entendrez un sermon, quand vous penserez aux mystères de notre sainte foi, ce que vous ne pourrez pas entendre tout bonnement, ne vous cassez pas la tête à en venir à bout : ce n'est pas là l'affaire des femmes...[75].

L'intelligence, c'est l'affaire des hommes, des doctes, des défenseurs de la foi :

... quant aux hommes à qui le Seigneur demande de nous éclairer, il faut qu'ils travaillent, et ils y trouvent leur profit. Mais à nous revient de prendre avec simplicité ce que le Seigneur nous donnera[76].

Distinction lumineuse entre vie intellectuelle et vie spirituelle ! Il ne s'agit pas de travailler, mais de jouir, de cueillir ce que le Seigneur offre à l'épouse. On pense à Guillaume de Saint-Thierry : « Aux autres de servir Dieu, à vous d'adhérer à lui »[77]. Aussi sainte Thérèse déclare-t-elle solennellement au début de son commentaire au baiser de l'Epoux, qu'elle a tout oublié des explications qu'on a pu lui en donner, et qu'elle ne dira que ce que le Seigneur lui a personnellement enseigné[78]. Mais là, elle exagère ! Les allégories qu'elle va développer — le baiser, figure de l'Incarnation, de l'Eucharistie, de la paix, etc. — sont largement attestées dans la tradition antérieure, et si elle se plaint souvent de son manque de mémoire, si ses citations sont toujours approximatives, il n'en reste pas moins qu'un formidable patrimoine traditionnel transparaît à travers son œuvre, tout particulièrement dans ce commentaire au Cantique. Et son autobiographie montre qu'elle a largement rempli le programme de lectures recommandées plus haut, même si la cassure de 1559[79] a correspondu chez elle à une nouvelle et profonde intériorisation de la tradition spirituelle. Mais peu importe : elle ne veut pas de tous ces sens plus ou moins accommodatices, elle est l'épouse, elle a droit à ce baiser, et le rôle du texte ici est d'enflammer son amour :

« Baise-moi d'un baiser de ta bouche »; je sais qu'il y a bien des sens à ces paroles; mais l'âme embrasée d'amour à la folie n'en veut aucun : ce qu'elle veut, c'est dire ces mots-là, puisque le Seigneur ne l'en empêche pas[80] !

75. *Cantares*, 1, 1.
76. *Cantares*, 1, 2. Les insistantes précautions de sainte Thérèse sur ce point, un peu partout dans son œuvre, reflètent une nécessaire prudence face à l'Inquisition, particulièrement pointilleuse sur la discipline exégétique : cf. JUAN D'AVILA, *Obras...*, I, p. 420; elles reflètent surtout l'attitude de la *Devotio Moderna* dans l'*Imitation*, si présente aux spirituels du temps des Réformes : « Souvent notre curiosité nous embarrasse dans la lecture des Ecritures, alors que nous voulons comprendre et discuter là où il faudrait tout simplement passer. Si tu veux en tirer profit, lis avec humilité, simplicité et fidélité, et ne prétends jamais à la science » (*De Imitatione Christi*, I, V).
77. *Epistola ad Fratres de Monte Dei*, liv. 1, chap. 2.
78. *Cantares*, 1, 10.
79. Cf. *supra*, n. 45.
80. *Cantares*, 1, 11.

On ne saurait exprimer mieux le rôle exact de l'Ecriture comme aliment de la vie contemplative ! Il n'est pas de fournir des arguments, mais des mots d'amour, il est de nourrir un « sentiment de présence », expression par laquelle le P. Maréchal définissait l'expérience mystique, et Paul Valéry l'expérience poétique. On peut être inquiet de cette exégèse déliée de toute rigueur intellectuelle. Là n'est pas le problème : elle la retrouvera au sortir de l'union. Mais ici, c'est-à-dire au cœur du mystère, le sens le plus direct, le plus littéral, le plus matériel de la Bible coïncide avec son sens le plus spirituel :

> Il est *possible* à l'âme amoureuse de son Epoux *d'éprouver* toutes ces joies, toutes ces défaillances, toutes ces morts, toutes ces afflictions, toutes ces délices et toutes ces jouissances avec lui, une fois qu'elle a abandonné toutes celles du monde pour son amour, et qu'elle s'est entièrement remise et abandonnée entre ses mains[81].

Ce réalisme des mystiques confère une solidité nouvelle et définitive au texte biblique qui devient parfaitement univoque : « Le baiser de l'âme et de Dieu, nous dit Jean de la Croix, c'est le mariage spirituel », consommé sous l'arbre de la Croix[82]. Retournant au silence du *consummatum est* et du *fiat voluntas tuas*, nous trouvons dans la mort du mystique le point où le baiser de l'Epoux rejoint le cri de Jésus en Croix : « 'Brise le voile de cette douce rencontre', c'est-à-dire : 'achève de consommer avec moi le mariage spirituel' »[83].

Non plus « médicament » à usage externe, consolation de l'âme désolée, mais parole d'amour au sein du mariage spirituel, le texte biblique devient ici la toute dernière expression de ce qui est exprimable avant le retour au silence de l'unique Parole de Dieu. La meilleure illustration de ce retournement serait fournie par les deux versants du *Cantique Spirituel* de Jean de la Croix : dans la recherche du Bien-Aimé perdu (strophes 1 à 10), il lit l'Ecriture « en creux », y relevant les souvenirs de son passage (« Où t'es-tu caché, Bien-Aimé, me laissant gémissante ? »[84]), connaissance par vestige; dans les retrouvailles (strophes 12 à 39), il la fait au contraire chanter dans la louange des merveilles de l'Epoux, « car elle les connaît et en jouit en lui par cette union d'amour »[85], connaissance expérimentale de Dieu et des créatures en Dieu.

---

81. *Cantares*, 1, 6. C'est nous qui soulignons.
82. *Cántico*, 27, 8 et 28, 3. Cf. *supra*, pp. 596 s. et n. 30.
83. *Llama*, 1, 27.
84. *Cántico*, 1, 1.
85. *Cántico*, 13, 2.

CONCLUSION

Au terme de ce chapitre, nous avons le sentiment d'avoir récolté des données apparemment contradictoires sur les rapports des mystiques et de la Bible au temps des Réformes. Tel est sans doute le propre d'une époque de transition, dans le domaine de la vie intérieure comme ailleurs. L'allégorie médiévale et l'oraison moderne, très détachée du texte biblique, se superposent souvent chez les mêmes auteurs; par l'une, ils appartiennent encore au temps des cathédrales, par l'autre, ils sont déjà nos contemporains. Les deux nous ont cependant montré le parallélisme exact qui existe entre expérience mystique et révélation biblique, toutes deux enracinées dans l'ineffabilité de Dieu qui parle : « Ce qui était au commencement, ce que nous avons entendu, ce que nous avons vu de nos yeux, ce que nos mains ont palpé du Verbe de vie, nous vous l'annonçons »[86]. Tous les mystiques ont dû dire l'indicible, tous ont dû remonter au plus haut dans l'alliance de la chair et du Verbe. Voilà pourquoi un lien secret unit fondamentalement la Bible et les mystiques, voilà pourquoi ils ont trouvé et trouveront toujours une consonance unique entre leur expérience et l'expression biblique.

Nous avons vu que ce privilège a toujours entraîné un minimum de pédagogie biblique chez ceux qui, par vocation, étaient appelés à l'expérience mystique — indépendamment des probabilités d'aboutissement de cette vocation —, et un minimum de présence littéraire de la Bible dans l'expression de leur vie intérieure. Maintenant, cette pédagogie et cette présence ont considérablement varié selon les modes d'accès au texte sacré. Sainte Thérèse n'a pas eu le droit de lire la Bible, et, au même moment, saint Jean de la Croix l'enseignait à Salamanque. Un tel écart souligne à la fois l'indépendance de la vie mystique et de la Bible, leur communauté d'origine, et la richesse de leur rapprochement.

Enfin, si l'on devait faire un bilan de l'apport spécifique des mystiques aux sciences bibliques du temps des Réformes, il faudrait insister sur le prolongement et le renouvellement par eux de la lecture allégorique traditionnelle, la seule finalement qui soit d'Eglise, ce qui n'ôte rien aux voies nouvelles de l'oraison, qui s'affirment de plus en plus à partir de la décadence en d'autres ambiances de l'exégèse traditionnelle. Il serait intéressant de ce point de vue de mettre en parallèle les deux phénomènes, et d'y lire l'éclatement de la conscience occidentale, dont les années 1619-1620, celles des illuminations exactement parallèles de Descartes et de Marie de l'Incarnation, marquent l'aboutissement, deux faits mystiques qui ouvrent pour l'un la philosophie moderne, et pour l'autre l'évangélisation du Nouveau Monde.

Max HUOT DE LONGCHAMP.

86. 1 Jn, 1, 1-3.

BIBLIOGRAPHIE

Dictionnaire de Spiritualité ascétique et mystique, Paris, 1932... Outre les notices — et leurs bibliographies — consacrées aux auteurs et ouvrages mentionnés dans ce chapitre, on se reportera aux articles suivants : « Ecriture sainte », « Allégorie », « Lectio divina », « Image », « Méditation », « Composition de lieu ».

M. ANDRÉS, *La Teología española en el Siglo XVI*, Madrid, 1977.

ID., *Francisco de Osuna. El tercer Abecedario espiritual*, BAC, Madrid, 1972, Introduction.

H. de LUBAC, *Exégèse médiévale*, Paris, 1959, vol. 4.

J. VILNET, *Bible et mystique chez saint Jean de la Croix*, Paris, 1949.

WATRIGANT, *Quelques Promoteurs de la Méditation méthodique au XVe siècle* (« Collection de la bibliothèque des exercices de saint Ignace », n° 59).

ID., « La Méditation méthodique et l'Ecole des frères de la Vie commune », *RAM* 3 (1922), pp. 134-155.

H. RAHNER, « Die Gottesgeburt. Die Lehre der Kirchenväter von der Geburt Christi im Herzen des Gläubigen », *ZKT* 59 (1935), pp. 333-418.

20

La littérature française
et la Bible

La Bible est une *mer des histoires*. Son influence, dans la France du XVIᵉ siècle, est générale et profonde. Etablir ne serait-ce que la liste des œuvres rédigées en français qui s'en inspirent (pour ne rien dire des œuvres latines) requerrait un gros volume.

Nous allons indiquer par voie d'exemples quelques-unes des façons dont la Bible a influencé quelques auteurs français. Notre objectif est de mettre au jour des tendances et de suggérer, au moins sommairement, la fascination qu'exerce la Bible sur les auteurs de la Renaissance. Tous les chrétiens la tenaient pour inspirée mot à mot par le Saint-Esprit. Elle recelait tant de niveaux de significations que ceux qui en entrevoyaient le pouvoir prophétique connaissaient souvent le ravissement d'une extase émerveillée.

Une généralisation est possible : peu d'auteurs humanistes français, mis à part Baïf et son école, ont cherché à reproduire le parallélisme de la poésie hébraïque ou les formes stylistiques de la prose hébreu. Ce n'était pas pour son style qu'ils lisaient leur Bible, mais pour ses images, son sujet, et sa pertinence pour eux et leur temps. *Les Juifves* (la belle tragédie publiée par Robert Garnier en 1583) débute par un monologue du « Prophète »; il donne une description bibliquement fondée des souffrances que vaut aux Elus de Dieu leur idolâtrie. Pour condamner l'idolâtrie, Garnier s'inspire du Psaume 115 (113 B), 5, où on lit :

Elles ont des yeux, et ne voient pas ;
Elles ont des oreilles, et n'entendent pas ;
Elles ont un nez, et ne sentent pas :
des mains, et elles ne palpent pas :
des pieds, et elles ne marchent pas.

Garnier modifie le parallélisme de l'hébreu selon les règles rhétoriques usuelles à la Renaissance pour répondre au goût de son époque ; du Dieu-idole des hommes, il écrit :

Il a des yeux ouverts, toutefois ne voit goutte.
Des oreilles il a, toutefois il n'écoute.
On luy voit une bouche, et ne sçauroit parler.
Il a double narine et ne respire l'air.
Ses mains sans maniement demeurent inutiles,
Et ses pieds sans marcher sont plantez immobiles.

Et cependant Garnier recherche un parallélisme acceptable pour son temps et reste fidèle à la théologie de sa source principale, le prophète Jérémie, qui déclare que c'est Dieu qui inflige les souffrances aux élus et leur dit pourquoi : « Vous m'avez abandonné » (Jérémie 5, 18). Dieu inflige la souffrance à Israël parce que, comme un père avisé, il châtie ses enfants (II Samuel 7, 14 ; Proverbes 3, 11). L'intention de Garnier, en pleines guerres de religion, était de représenter « les souspirables calamitez d'un peuple qui a, comme nous, abandonné son Dieu ». Les auteurs français tendaient à voir la religion, la monarchie, les politiques, les guerres, les souffrances de la France d'alors dans les termes de l'Ancien Testament. Plongés dans les persécutions et l'angoisse, ils étaient moins enclins à suivre le commandement de Christ « Aimez vos ennemis » (Matthieu 5, 44), que la leçon que saint Paul tire de Deutéronome 2, 35 : « Ne vous vengez pas vous-même, mes bienaimés, mais laissez agir la colère de Dieu, car il est écrit : 'A moi la vengeance, c'est moy qui rétribuerai' » (Romains 12, 19).

La Cour de Marguerite de Navarre

Mais au départ les choses étaient différentes. C'était le Nouveau Testament non l'Ancien qui prédominait à la Cour de France et de Navarre. Pour sa traduction du Nouveau Testament (1523), Lefèvre d'Etaples avait bénéficié du soutien de la reine mère, Louise de Savoie, et de la sœur de François Ier, Marguerite de Navarre. Encouragés par des hommes comme l'évêque Guillaume Briçonnet, par des prédicateurs évangéliques tel Girard Roussel, un protégé de Marguerite, et par des écrits évangéliques (dont des versions françaises de Luther), des princes, des courtisans et des poètes de cour lisaient leur Bible et y retrouvaient un saint Paul platonisé et nuancé de teintes luthériennes.

Ils appliquèrent ses leçons à leurs vies autant qu'à leurs écrits. C'est l'époque à laquelle Rabelais (pensant aux princes royaux) souhaitait une pédagogie qui substituerait « à un gros bréviaire... pesant tant en gresse que en fermoirs... unze quintaulx » « quelque pagine de l'Escripture, avec prononciation compétente à la matière » (*Gargantua*, XX-XXI).

A la Cour, le poète biblique le plus prolifique fut Marguerite elle-même; elle composa dans différents *genres*, dont des pièces et des dialogues joués à la Cour; ses meilleurs travaux sont de longs poèmes tels *La Coche* ou *Les Prisons* qui analysent sa religion personnelle. Ils consistent en une mosaïque de textes bibliques lus et appliqués avec un sentiment très fort de leur pertinence personnelle. Son influence se mêla à celle de Clément Marot, de loin le meilleur poète biblique de son temps.

La Bible unit et divisa tout à la fois les auteurs français. Elle était comme le lieu de dépôt d'un trésor, accessible à tous, de vérité, sagesse, prophétie, histoire, métaphores et images. C'était en cela une source tranquille de beauté et de compréhension mutuelle. Un équilibre des plus instables s'établissait entre ce monde paisible et un autre monde dans lequel des *amants de vérité* rivaux découvraient dans leur Livre saint des certitudes rivales et des condamnations réciproques. Ces deux tendances se retrouvent chez les auteurs encouragés par Marguerite.

MÉTAPHORE TRADITIONNELLE

Clément Marot était passé maître en matière de métaphore biblique traditionnelle. Son *Chant royal* (écrit pour le *Puy de la conception* à Rouen, 1521) est construit autour de Proverbes 8, 23-35 (l'Epître pour la fête de l'Immaculée Conception) et du passage parallèle tiré d'Ecclésiastique 24. Le sujet littéral en est la *sagesse* « dès toute l'éternité... conçue ». La tradition applique l'éloge de la Sagesse à la Vierge, conçue sans péché par sainte Anne (ainsi que l'a décrété le concile de Bâle, comme une préparation pour l'incarnation du *Logos* qui est Christ). Le *Chant royal* de Marot parle du *Roy qui* :

> Délibera d'aller vaincre l'Ennemys
> Et retirer de leur prison obscur
> Ceulx de son Ost à grands tourmens submis.
>
> ...
> Puis commenda tendre en forme facile
> Ung Pavillon pour exquis Domicile
> Dedans lequel il proposa
> Son Lict de camp, nommé en plein Concile,
> La digne Couche où le Roy reposa.

> Au Pavillon fut la riche paincture
> Monstrant par qui noz péchez sont remis :
> C'estoit la Nue, ayant en sa closture
> Le Jardin clos, à tous humains promis,
> La grand' Cité des haulx Cieulx regardée,
> Le Lys royal, l'Olive collaudée...

Dans sa Bible, Marot trouva son *Pavillon (tabernaculum)* — sainte Anne — dans lequel *Le Roy* plaça son lit de camp temporaire — et sa *Belle Olive* (l'*Oliva speciosa in campis*) qui est la Vierge. Du Cantique des cantiques (4, 12), il prend l'image traditionnelle « d'un jardin clos, une source verrouillée », prophétie voilée de la virginité de Marie.

C'est là une des façons typiques dont la Bible ne cesse d'enrichir la littérature française.

RELIGION PERSONNELLE

Mais les contemporains de Marguerite trouvèrent dans leur Bible un évangile libérateur s'appliquant directement à eux : le schéma paulinien du péché, de la rédemption et du don d'une vie nouvelle par l'Esprit-Saint. *Le Miroir de l'âme pécheresse* (1531) de Marguerite — que la Sorbonne tenta d'interdire — montre comment l'Ecriture affine les sentiments de péché et du don purificateur de la grâce. *Le Miroir* est introduit par :

> Seigneur Dieu crée en moy cueur net.
>
> (Psaumes 50(51), 12.)

Le sentiment de ravissement personnel est accru par l'insistance sur le ravissement de saint Paul (Actes 9, 11 ; Corinthiens 12, avec des rappels de Romains 11, 33 et d'Ezéchiel 3, 3) :

> Parquoy venez O bienheureux sainct Pol.
> Qui tant avez gousté de ce doux miel,
> Trois jours sans veoir, vary jusqu'au tiers ciel,
> Satisfaictes mon ignorance et faulte :
> Qu'avez-vous sceu de vision si haulte ?
>   Oyez qu'il dit : « O indicible haultesse
> Du grand thrésor et Divine richesse,
> De la source de toute sapience,
> Voz jugements sont incompréhensibles. »
>
> (*Miroir*, 1382 f.)

On voyait dans saint Paul la clef de la vraie religion. Rabelais dit la même chose sur un ton moqueur en 1552 *(Quart Livre de Pantagruel)*. Son démon expérimenté déplore :

Monsieur Lucifer... se souloit desjeuner d'escholliers. Mais (las !) ne sçay par quel malheur depuys certaines années, ilz ont avecques leurs estudes adjoinct les sainctz Bibles. Pour ceste cause plus n'en pouvons au Diable l'un tirer. Et croy que si les Caphards [les faux chrétiens] ne nous y aident, leurs ostans par menaces, injures, force, violence et bruslemens leur sainct Paul d'entre les mains, plus à bas ne grignoterons.

L'accent mis sur saint Paul et le Saint-Esprit redonna force à l'ancienne interprétation de l'Ancien Testament en termes exclusivement chrétiens. Cela aboutit également à la christianisation de Socrate, de Platon et de ces auteurs païens platoniciens dans lesquels on voyait comme des précurseurs de la doctrine paulinienne... y compris Hermès Trismégiste. Pour Marguerite, Jean 1, 9 faisait autorité en la matière ; ils avaient été guidés

> Par cest Esprit, qui tout homme illumine
> Venant au monde.
>
> *(Prisons,* II, 683 f.)

Marguerite va même jusqu'à leur appliquer ce que Christ dit à Pierre qui vient de le reconnaître comme Messie (Matthieu 16, 17).

> ... L'on voyt bien...
> Par leurs escriptz...
> Que chair et sang ne les ont pas apris,
> Mais un Esprit seul.

Et Marguerite s'appliquait à elle-même, dans les derniers mots de *Les Prisons*, la théologie paulinienne libératrice de l'Esprit (II Corinthiens 3, 17) :

> Où l'Esprit est divin et véhément
> La liberté y est parfaictement.

Un imaginaire partagé

Ces auteurs évangéliques avaient leurs images scripturaires favorites. L'une (tirée du Psaume que Christ récita sur la Croix) devint une sorte d'*emblème*; une image à signification spirituelle. Christ y apparaît comme un « vers » crucifié (ou un « serpent ») « non un homme » (Psaumes 22(21), 7) :

> ... sur la croix se monstra estre un ver
> Et homme non.
>
> *(Prisons,* III, 1856.)

Ce qui était préfiguré dans *le serpent d'airain* que Moïse éleva dans le désert (Nombres 21, 9; Jean 3, 14). Dans sa *Déploration de Florimont Robertet* (395 f.), Marot écrit ce qui suit sur *La mort* :

> Jadis celluy que Moïse l'on nomme
> Ung grant serpent tout d'airain eslevoit,
> Qui (pour le veoir) povoit guérir un homme,
> Quant un serpent naturel mors l'avoit.
> Ainsi celluy qui par vive foy voit
> La mort du Christ guérist de ma morsure.

Victor Brodeau (autre poète de cour) écrit tout à fait la même chose dans ses *Louanges de Jésus-Christ notre Sauveur* (218 f.).

La Bible et le chrétien individuel

Marguerite montre l'une des manières par lesquelles une méditation sur la Bible a révolutionné la poésie personnelle. Marot — plus *exalté*, plus *emporté*, plus luthérien — en présente une autre. La Bible enseigna à Marot que ses souffrances personnelles faisaient partie du plan paternel de Dieu : Dieu châtie non seulement les nations mais également les individus, pour la raison précise qu'un vrai chrétien est un enfant de Dieu, un cohéritier de Christ (Galates 4, 6-8) :

> Si ton Père est, tu es donc son enfant,
> Et héritier de son règne prospère.
>
> *(Déploration de Florimont Robertet*, 343 f.)

La souffrance de l'Elu se produit ici et maintenant. Traditionnellement Sagesse 3, 4-6 était comprise comme une allusion au Purgatoire :

> Même si, selon les hommes, ils ont été châtiés, leur espérance était pleine d'immortalité. Comme l'or dans la fournaise Dieu les a éprouvés.

Pour Marot, plus précisément, ce texte explique son exil — il s'était enfui à la cour de Renée de Ferrare (1535) — et l'angoisse actuelle de vrais croyants :

> Viens veoir de Christ le règne commancé,
> Et son honneur par tourmens avancé.
> O siècle d'or le plus fin que l'on treuve,
> Dont la bonté dedans le feu s'espreuve.
>
> *(Avant-naissance du troisième enfant
> de Mme Renée de Ferrare.)*

Pour Ronsard, le thème de l'*Age d'or* évoquait des idées de joie, de joyeux chrétiens bon vivants officiant dans l'allégresse. Marot y trouvait évoqués *le feu d'un fondeur qui raffine* (Malachie 3, 2). Lefèvre d'Etaples enseigna aux croyants à se « mirer en la parole de Dieu » (Exhortation pour le cinquième dimanche après Pâques). Ainsi, Marot osa-t-il déclarer à François Ier en personne :

> Je ne suis pas si laid comme ils me font :
> Miré me suis au cler ruisseau profont
> De vérité.
>
> (Au Roy, nouvellement sorty de maladie, 57 f.)

Même un homme, professionnellement formé, comme Rabelais suit la même voie que Marot. Il peut conjoindre l'Ecriture au savoir traditionnel — ainsi quand Gargantua rend grâces pour le don d'un enfant en usant des termes de la théorie aristotélicienne de la génération qui suit la corruption. Mais il la limite (citant saint Paul, I Corinthiens 15, 24) :

> à l'heure du jugement final, quand Jésuchrist aura rendu à Dieu son royaulme pacifique (*Pantagruel*, VIII).

Pour Rabelais, la Bible peut être source de comédie — comme lorsque Thaumaste (l'Anglais crédule) vient discuter avec Panurge par signes. Rabelais fait alors référence à la reine de Saheba (I Rois 10) et avec Christ qui la cite en exemple pour condamner « une génération mauvaise et adultère qui réclame un signe » (Matthieu 12, 42). Son géant Pantagruel devient même une sorte de Christ de comédie (*Pantagruel*, XIII) lorsque les mots du Christ lui sont par deux fois appliqués : « Ici il y a plus que Salomon. » Les guerres de religion ont fini par rendre impensables de telles plaisanteries. Elles n'étaient plus comprises. Déjà *Gargantua* (1535 ou 1534) se termine par une allusion aux souffrances que les Elus doivent endurer pour défendre la « parolle saincte », et avec un chapelet de citations bibliques montrant que Christ enseigne que les chrétiens ne doivent pas être « scandalizés » (retomber dans l'incroyance) par la persécution (Matthieu 11, 6) :

> Ce n'est pas de maintenant que les gens reduictz [ramenés] à la créance Evangelicque sont persécutez. Mais bien heureux est celluy qui ne sera scandalizé (*Gargantua*, LVI).

LES PSAUMES

La poésie de Marguerite touchait un public influent, les *chroniques* de Rabelais étaient appréciées par des gens instruits et influents; mais les Psaumes de Marot se répandirent à travers la France; ils furent imités dans toute l'Europe; lorsque Théodore de Bèze les compléta, ils devinrent le livre de cantiques de l'*Eglise réformée*.

Avant Marot, les psaumes étaient associés aux liturgies monastiques;

les Psaumes de Marot étaient chantés dans la rue, sur les champs de batailles, et à la Cour dans la *Chambre parée* de Marguerite. Les Evangéliques les lurent d'une manière très personnelle. Ils étaient, bien entendu, tous considérés comme des prophéties voilées du Christ (Marot, *Epistre au Roy sur la traduction des pseaumes*; Etienne Dolet, Préface à l'édition des *Pseaulmes* de Marot, 1542). Ce qui explique l'aigreur des propos de Rabelais pour qui tous ces « *ocieux moynes... marmonnent... pseaumes, nullement par eulx entenduz* » (*Gargantua*, XXXVIII). Ils servaient également de chants de triomphe et de célébration de la libération du chrétien à l'égard de la superstition et des *constitutions humaines*. Dans la traduction de Marot, le Psaume 114 (113) est un péan en l'honneur de la liberté chrétienne de type paulinien, qui affranchit le fidèle de l' « idolâtrie » d'une grande part du culte traditionnel :

> Quand Israël hors d'Egypte sortit
> Et la maison de Jacob se partit
>   D'entre le peuple estrange :
> Juda fut faicte la grand' gloire de Dieu
> Et Dieu se feit Prince du peuple Hébrieu,
>   Prince de grand' louange.

En 1552, quand les héros de Rabelais mettent les voiles dans le *Quart Livre* (I) après

une briefve et saincte exhortation, toute auctorisée des propous extraictz de la Saincte Escripture, sur l'argument de la navigation,

tous chantent

le psaulme du sainct Roy David, lequel commence : *Quand Israël hors d'Aegypte sortit.*

Il n'est pas surprenant que le *Quart Livre* de 1552 satirise constamment l'idolâtrie sous toutes ses formes, y compris toute tendance à faire du pape une idole.

Les uns après les autres, les poètes de la Renaissance traduisirent ou paraphrasèrent les psaumes. Certains suivirent l'exemple de Marot, d'autres s'efforcèrent de le contrer : David était alors conçu comme un Orphée chrétien; du coup ses Psaumes devaient produire des effets spirituels proches de ceux des incantations magiques. Lorsqu'un huguenot en chanta un pour exorciser un homme possédé par Beelzebub, ce démon attaqua l'*Eglise réformée* et soutint avoir aidé Marot à les écrire ! (D. P. Walker, *Unclean Spirit*, 1981, p. 25). A l'époque où, dans leur enthousiasme pour des thèmes nouveaux, Ronsard, Du Bellay et la Pléiade étaient accusés d'introduire le paganisme en littérature, les Psaumes de Marot étaient perçus par certains comme une antidote, comme une force perturbatrice et schismatique par d'autres.

Guy Lefèvre de La Boderie prôna la substitution de traductions catholiques des hymnes liturgiques et des Psaumes, pour faire échec aux « effects » des Psaumes de Marot et de Théodore de Bèze, ainsi que l'usage de mythes néo-platoniciens pour contrer le paganisme de la Pléiade (D. P. Walker, *Spiritual and demonic Magic*, 1958, p. 125).

La Pléiade catholique

La Pléiade prit en compte ces critiques. Ronsard (aussi bien en voilant la vérité chrétienne dans des fables que dans l'*Hercule chrestien*) écrivit une poésie biblique d'une grande simplicité. Dans son *Hymne de la Mort* (1555), il amalgama la théologie de saint Paul dans I Corinthiens 15 avec Matthieu 16, 36; 19, 17 et particulièrement 11, 19, pour montrer que le *joug facile* et *le fardeau aisé à porter* de Christ doivent être portés jusqu'à la mort pour raison de Foi :

> ha, pour Dieu ! te souvienne
> Que ton âme n'est pas payenne, mais chrestienne,
> Et que nostre grand Maistre, en la Croix estendu
> Et mourant, de la mort l'aiguillon a perdu,
> Et d'elle maintenant n'a faict qu'un beau passage
> A retourner au Ciel, pour nous donner courage
> De porter nostre croix, fardeau leger & doux,
> Et de mourir pour luy, comme il est mort pour nous,
> Sans craindre, comme enfans, la nacelle infernalle,
> Le rocher d'Ixion, & les eaux de Tantalle,
> Et Charon, & le chien Cerbère à trois abbois,
> Desquelz le sang de Christ t'afranchit en la Croix,
> Pourveu qu'en ton vivant tu luy veuilles complaire,
> Faisant ses mandemens qui sont aisez à faire :
> Car son joug est plaisant, gracieux & léger,
> Qui le dôs nous soulaige en lieu de le charger.

> (*Hymne de la Mort*, 191-206.)

Plus souvent, dans ses ouvrages de controverse destinés au grand public, Ronsard adopte un ton biblique et prophétique, véhicule efficace de mépris et de reproche. Il est clair que pour le catholique Ronsard l'Evangile ne signifie pas en premier la Bible, mais cette « bonne nouvelle » qui fut confiée par Christ à son Eglise :

> Mais l'Evangile sainct du Sauveur Jésuschrist
> M'a fermement graveé une foy dans l'esprit,
> Que je ne veux changer pour une autre nouvelle,
> Et deussai-je endurer une mort trescruelle.
> De tant de nouveautez je ne suis curieux :
> Il me plaist d'imiter le train de mes ayeux,
> Je croy qu'en Paradis ils vivent à leur aise,
> Encor qu'ils n'aient suivy ny Calvin ny de Besze.

> Dieu n'est pas un menteur, abuseur, ny trompeur,
> De sa saincte promesse il ne faut avoir peur,
> Ce n'est que vérité, et sa vive parolle
> N'est pas comme la nostre incertaine et frivole.
> L'homme qui croit en moy (dit il) sera sauvé.
> Nous croyons tous en toy, nostre chef est lavé
> En ton nom, ô Jesus, et dès nostre jeunesse
> Par foy nous esperons en ta saincte promesse.
>
> (*Remonstrance au peuple de France*, 89-100.)

Cette référence à Marc 16, 16 est un usage frappant de la Bible : car Christ n'a jamais dit « *Celui qui croira sera sauvé* »; il ajouta la nécessité du baptême : « *... Celui qui croira et sera baptisé* »... et le baptême est la seule entrée dans l'Arche de l'Eglise...

Les poèmes polémiques de Ronsard sont de superbes exemples d'une propagande écrite dans un style poétique simple, souvent biblique, qui n'est pas sans analogie avec la prose limpide de Calvin :

> Ne presche plus en France une Evangile armée,
> Un Christ empistollé tout noircy de fumée.
>
> (*Continuation du Discours des misères de ce temps*, 119-120.)

Son but principal, même quand il adopte un style biblique, est de renforcer la doctrine tridentine selon laquelle le rôle de l'Eglise catholique romaine est d'être l'unique gardienne de l'Ecriture, et comme la nouvelle Arche de Noé dans laquelle le croyant entre par le baptême :

> Cette Eglise première en Jésuschrist fondée,
> Pleine du Sainct Esprit, s'aparut en Judée,
> Puis Sainct Pol, le vaisseau de grâce et de sçavoir,
> Le fit ardentement en Grèce recevoir,
> Puys elle vint à Rome...
>
> Elle, pleine de grâce et de l'esprit de Dieu,
> Choisit quatre tesmoings, S. Marc et S. Mathieu,
> Et S. Jehan et S. Luc, et pour les faire croire
> Aux peuples baptisez aprouva leur histoire...
>
> Or cette Eglise fut dès long temps figurée
> Par l'Arche qui flottait desur l'onde azurée,
> Quand Dieu ne pardonnoit qu'aux hommes qui estoient
> Entrés au fond d'icelle, et dans elle habitoient.
>
> (*Responce aux injures et calomnies de je ne sçay quels predicans
> et ministres de Genève*, 1563, 403-431.)

L'Eglise, comme l'Arche de Noé, vient de Pierre 3, 21 lu à la lumière de la conception théologique baptismale de la liturgie.

Les événements de Pentecôte (Actes 2, 1-13), que Ronsard perçoit comme autorisant les prétentions exclusives de son Eglise, étaient, bien entendu, utilisés par d'autres pour justifier leur propre inspiration personnelle par le Saint-Esprit. La *Responce aux injures* accentue le fait que la question fondamentale devint : qui a le droit de dire ce que la Bible signifie ? Mais des catholiques pouvaient réagir personnellement à leurs Bibles.

Dans les miracles de l'Ancien Testament, Ronsard voit avant tout matière à émerveillement (en lisant ainsi sa Bible, il suivait une ancienne tradition de l'Eglise, remise au goût du jour par des humanistes tel Erasme) :

> Tout homme qui voudra soigneusement s'enquerre
> De quoy Dieu fit le ciel, les ondes et la terre,
> Du serpent qui parla, de la pomme d'Adam,
> D'une femme en du sel, de l'asne à Balaam,
> Des miracles de Moÿse et de toutes les choses
> Qui sont dedans la Bible estrangement encloses,
> Il y perdra l'esprit, car Dieu, qui est caché,
> Ne veut que son segret soit ainsi recherché.
>
> (*Remonstrance au peuple de France*, 147-154.)

Les catholiques romains et les Psaumes

Les catholiques romains ne pouvaient pas ignorer la force des Psaumes de Marot et de Théodore de Bèze, même s'ils ne connaissaient pas l'appel lancé par Guy Lefèvre de La Boderie pour les contrer; aucun passage de la Bible n'était plus intimement connu du grand nombre que ces traductions provocatrices comprises à la lumière de la théologie réformée. Jean-Antoine de Baïf (qui comprit et admira l'esthétique de David, « l'Orphée hébreu ») soutint de tout le poids de son *Académie* de poésie et de musique les traductions catholiques des psaumes mis en musique par des compositeurs catholiques tel Jacques Maudit. Ses propres versions, en *vers mesurés* écrits en français (en utilisant les mètres grecs et latins), ne furent jamais publiées, mais furent écrites pour « servir aux bons catholiques contre les psaumes des hérétiques » (M. Jeanneret, *Poésie et tradition biblique au XVIe siècle*, 1969, p. 208). Il revenait à Blaise de Vigenère de publier une version en prose mesurée, qui conserve quelque chose de la saveur de l'original — mais qui n'égale pas Marot :

1. De ces lieux profonds égarez, — j'ay crié à toy Seigneur Dieu; — Seigneur exaulce ma prière.
2. Tes oreilles soient ententives — à la voix de mon oraison.
3. Si tu prends garde à nos offenses, — qui est-ce qui subsistera ?
4. Pour autant que tu es propice, — et t'appartient de pardonner, — j'ay en ta loy mis mon attente.
5. Mon attente est en sa parole; — mon ame a esperé en Dieu.

6. De la garde du poinct du jour, — jusques à la nuict toute close, — qu'Israël espère au Seigneur.

7. Car en luy est miséricorde; — toute redemption est en luy.

8. Il racheptera Israël — de toutes ses vieilles offenses.

De telles versions savantes aidèrent plus à inscrire les psaumes dans un contexte biblico-historique, que dans un contexte politique ou polémique.

Méditations protestantes sur les Psaumes

Mais les efforts de Baïf permettent de prouver que la langue française n'acceptera pas la poésie selon les mètres grecs et latins, ou même *la prose mesurée*. Les textes aux qualités littéraires les meilleures se retrouvent dans les méditations sur les psaumes, non dans les traductions. Pour Théodore de Bèze, de telles méditations aidaient à l'examen de conscience personnel — élément essentiel de la piété réformée :

Hélas, moy plus que misérable, assailli, pressé, outré de toutes parts, navré mortellement par ma conscience, percé d'outre en outre par le sentiment d'infinis forfaits, ne me restant plus que le profond abysme du désespoir : et quant au corps accablé de mal, plongé en douleurs, en qui tourment ne peut plus rien trouver à tourmenter, que feray-ie, que diray-je, ou iray-je... Si je regarde au ciel, j'y voy mon juge, le Soleil, ce grand œil du monde, qui m'a tant veu de fois offenser son Créateur et le mien, me fait mon procès, et me semble n'esclairer ce monde, que pour me voir souffrir la peine de mes démérites. La nuict qui semble couvrir toutes choses de ses tenebres, hélas, que tesmoigne elle contre moy ? Mesmes il me semble qu'elle a doublé ses ténèbres pour détester ce qu'au travers de son accoustumée obscurité, elle a esté contrainte d'appercevoir en moy. La terre s'ennuye de soustenir une si malheureuse créature, et ouvre desjà la grande gueule de son abysme pour m'engloutir et me redemander à moy-mesmes, comme ayant par trop abusé de la matière qu'elle a fourni à mon créateur pour me façonner.

(Méditation sur le sixième psaume.)

Dans les *Méditations*, ses interprétations des psaumes sont ahistoriques et strictement personnelles. Le pardon et le salut doivent être trouvés en Christ : « l'Emmanuel, conçu du S. Esprit » *(Méditations sur les psaumes XXXII* [31], *Beati quorum)*.

Jean de Sponde (dont la poésie catholique tardive atteint les sommets d'un *maniérisme* pieux) montre dans ses *Méditations sur les psaumes* (protestantes) le pouvoir d'un sentiment religieux prophétique allié à la pensée dramatique et poétique, même lorsqu'il s'exprime en prose. Il peut être aussi épigrammatique que Pascal :

> Rien de si misérable que l'homme : mais rien de si superbe (*Méditations sur le pseaume XIIII ou LII* (*Œuvres littéraires*, éd. A. BOASE, 1978, p. 96)).

Ses réflexions sur le psaume 62 (61), 11 *(Ne comptez pas sur la violence : ne vous essouflez pas en rapines)* montrent tout à la fois ses qualités rhétoriques et sa théologie personnelle :

> Ne dites point, Nous rendrons le change à noz ennemis, oppression pour oppression, rapine pour rapine : s'ils emportent noz biens d'un costé, nous en remporterons autant d'un autre. Non, ce n'est pas là le chemin de vostre délivrance, vous ne faictes qu'enflammer voz ulcères d'avantage. O que la guérison est bien loin de ces maladies redoublées ! C'est perdre autruy en se perdant soy-mesme, la ruïne qui comble les ruïnes ne faict point de bastiment : vous mettrez tout en mazures, et ces mazures vous serviront à la fin de tombeau (*ibid.*, p. 231).

La lyre chrétienne de Joachim du Bellay

La poésie est le fait des poètes, même lorsqu'ils écrivent en prose ! Mais Joachim du Bellay, avant Ronsard et sans son style de controversiste, montre la perte que fut pour la poésie biblique française sa disparition prématurée. Il répondit avec une sombre détermination à l'appel de la Pléiade, écrivant une *Lyre chrétienne* pour contrebalancer sa *Lyre païenne*. En 1557, Nicolas Denisot, le peintre, poète et nouvelliste admiré de la Pléiade, réécrit sa nouvelle sentimentale, *L'Amant ressuscité de la mort d'amour*, pour la rendre plus chrétienne. Elle est située en Angleterre, dans la maison de Margaret Seymour. Dans la vie réelle, ses élèves anglicanes, Anne et Jayne Seymour (filles du lord-protecteur Somerset), composèrent en latin un *Tombeau* pour la reine de Navarre. Du Bellay le traduisit en un français élégant :

> Jà l'Aigneau qui va devant
> Te guide aux fonteines vives :
> Jà du pain qui est vivant
> L'ÉTERNEL veult que tu vives.

> (*Tombeau de Marguerite de Valois*, distique 99.)

Les allusions à l'Apocalypse 7, 7 et Jérémie 2, 13 sont déjà dans l'original : il les fit siennes dans sa *Lyre chrétienne* (1552) dans laquelle il abandonne la source du mont Hélion pour celle de Christ :

> De l'onde vive il nous faut boyre,
> Qui seul inspire à bien chanter (v. 11-16).

Les prémices de sa muse biblique furent sa *Monomachie de David et de Goliath* (1552). Le récit biblique est fidèlement suivi mais dans le style classique qu'il a contribué à adapter au français :

> Finalement courbé sur les genous,
> Panché à droict, d'ung pié ferme il se fonde :
> Ainsi que Dieu, lors qu'il darde sur nous
> Le feu vangeur des offences du monde :
> Ce fort Hebrieu roüant ainsi sa fonde
> Deux fois, trois fois, assez loing de sa teste.
> Avec' un bruit qui en fendant l'air gronde,
> Fist descocher le traict de sa tempeste.
> Droict sur le front, ou le coup fut donné,
> Se va planter la fureur de la pierre.
> Le grand Colosse à ce coup estonné
> D'un sault horrible alla bruncher par terre.
> Son harnois tonne, & le vainqueur le serre :
> Puis le cyant mesmes de son espée,
> Entortilla, pour le prix de sa guerre,
> Au tour du bras la grand' teste coupée.

(Monomachie, 201-216.)

Dramatique de la Renaissance

Sans doute en raison de l'influence de Du Bellay, l'histoire de David inspira particulièrement les dramaturges de la Renaissance, en particulier les *réformés*. Ils voyaient dans ses relations perturbées avec Saul, l'inconstant « Elu du Seigneur », qui le persécuta mais qu'il refusa d'assassiner, deux thèmes susceptibles de mettre en évidence ce sens de la pitié qui fut souvent leur premier objectif *esthétique*, autant qu'un parallèle avec l'Eglise véritable, militant sous les rois de France « idolâtres ». Louis des Masures évite ces *mensonges* poétiques dans sa trilogie dramatique, *David combattant; triomphant; fugitif* (1566) : les y introduire eût été une *impiété patente*. Ainsi, même le meurtre de Goliath a-t-il sa place dans une mise en scène. Mais quand on fait appel à la poésie, le résultat est plus efficace quand elle est biblique. Ainsi dans le *Cantique* de David du *David fugitif* fondé sur le psaume 140(139) :

> Délivre-moy, Seigneur, du mauvais homme,
> De l'homme plein d'outrage et de ranqueur,
> Et de ces gens qui au fons de leur cœur
> Ne pensent rien tant ne si souvent, comme
>   Toute malice en somme.
>
> Leur faux conseil s'assemble et délibere
> De jour en jour, me faire guerre à mort.
> Leur langue aigüe en serpent pique et mord.
> Rien sous leur levre il n'y a qui appère
>   Que venin de vipère.

(David fugitif, 1519-1529.)

Nulle part les Psaumes ne révèlent leur rôle majeur dans la littérature de la Renaissance autant que dans les tragédies des *réformés* : ils disent ce mélange d'angoisse, de dégoût, d'indignation et d'espoir, de revanche substitutive que ressentent les victimes de l'oppression. Le poème de consécration écrit par Des Masures en 1582 se clôt sur une citation révélatrice imprimée en gros caractères :

Pseaulmes LXXII
Ses ennemis leicheront la terre.

Et lorsque Des Masures, dans son Epilogue du *David fugitif* évoque le Dieu de II Timothée 4, 8, le *Juste Juge*, c'est pour insister, non sur le jugement par Dieu de chaque âme chrétienne repentante, mais pour lier ce texte au psaume 58(57), 10 à Dieu, le Vengeur qui finira par combler un jour l'homme juste qui, de ce fait, pourra trouver plaisir à l'affliction :

D'estre affligé à tort il conçoit allégeance :
Et à Dieu, juste Juge, il remet la vengeance.

La poésie de la souffrance

Ces poètes de la souffrance ont eux-mêmes souffert, ainsi peuvent-ils joindre leur propre souffrance à la revanche de Dieu dans une espérance biblique. Une génération, ou plus, avant *Des Masures*, un poète (était-ce Marot ?, le poème fut trouvé parmi ses papiers) écrivit *Le Riche en pauvreté*. Il montrait comment la Bible donne un sens à la souffrance qui, sans l'espérance biblique, aurait été intolérable, car dépourvue de sens. La théologie de ce poème est calviniste; le mal qui implique la persécution de l'Elu est providentiel. Et Amos (3, 6) est cité pour l'établir dans sa forme la plus dépouillée

N'ont-ils pas dit, Amos & Jeremie
Qu'il n'advient rien en nostre humanité
Que le Seigneur par puissance infinie
Ne l'ayt permis, & mesme suscité ?
« Un tout seul mal n'est pas en la cité,
Dit le Seigneur, & à homme ne nuit,
Sans mon vouloir, qui çà & là conduit
Ce que mortels appellent mal ou bien. »
Qui dira donc qu'un seul cas fortuit
Soit entre nous il n'est pas bon chrestien.

(*Le Riche en pauvreté*, 107-120.)

La consolation que l'Elu peut tirer d'Amos se trouve dans Esaïe 25, 8, selon l'écho qu'en donne l'Apocalypse 7, 17 :

Ne soit donc plus la personne troublée
Pour quelque mal qui luy vienne en sa vie,
S'elle se veoit d'affliction comblée,
De pauvreté ou griefve maladie,
Que sa pensée au Seigneur soit ravie,
Qui de tous maux seul la soulagera,
De ses hayneux aussi la vengera
En certain temps, & au lieu qu'on l'opprime,
Luy mesme lors ses pleurs essuyera,
Et la tiendra en grand prix & estime.

(*Le Riche en pauvreté*, 151-160.)

Toutes les fois que la Bible est citée à propos de la souffrance et de la persécution, on peut retrouver la même confiance totale en un Dieu qui, à la fin, « essuiera toute larme ».

L'épopée biblique

Mais tous les *réformés* n'étaient pas également bibliques. Du Bartas, bien qu'empruntant son thème de la création à la Genèse, doit relativement peu à la Bible, alors que *Les Tragiques* d'Agrippa d'Aubigné, profondément marquées par les guerres de religion, font, page après page, largement écho à la Bible. Lorsque d'Aubigné appelle Elisabeth d'Angleterre « Deborah », ou Catherine de Médicis « Jézabel », toute la pression de l'Ancien Testament s'exerce sur lui. Pour d'Aubigné, la ville de Paris, qui engendra le massacre de la Saint-Barthélemy, était une nouvelle Babylone, méritant les imprécations du psaume 137 (136) :

Entre toutes, Paris, Dieu en son cœur imprime
Tes enfans qui crioyent sur la Hiérosolime,
A ce funeste jour que l'on la destruisoit.
L'Eternel se souvient que chacun d'eux disoit :
A sac, l'Eglise ! à sac ! qu'elle soit embrazée
Et jusqu'au dernier pied des fondemens rasée !
Mais tu seras un jour labourée en seillons,
Babel, où l'on verra les os et les charbons,
Restes de ton palais et de ton marbre en cendre.
Bien-heureux l'estranger qui te sçaura bien rendre
La rouge cruauté que tu as sçeu cercher;
Juste le reistre noir, volant pour arracher
Tes enfans acharnés à ta mamelle impure,
Pour les froisser brisés contre la pierre dure.

(*Les Tragiques* : « Jugement », 251 f.)

Psaumes rivaux

C'est contre de telles applications des Psaumes aux persécutions de cette « Nouvelle Jérusalem » qu'était l'*Eglise réformée* que les poètes catholiques romains composèrent leurs propres traductions. L'abbé de Thiron, Philippe Desportes (qui éclipsa momentanément Ronsard), composa ses propres *Pseaumes de David* (60 en 1591 - 98 en 1603). Sa version mièvre et assez prolixe du psaume 137(136) exprime de la sympathie pour la souffrance du peuple de David, mais réussit à limiter les lugubres imprécations de la fin de ce psaume à la beauté déroutante à la Babylone historique et « cette guerre » — à la guerre de l'histoire passée, et non pas aux guerres contemporaines :

> Assis le long des eaux qui bagnent la contrée
> Où se voit Babylon, l'ame d'ennuis outrée,
>   Nous plaignons nos malheurs :
> Et dés l'heure, ô Sion, que ta gloire abaissée
> S'offroit devant nos yeux, hélas cette pensée
>   Nous fondoit tout en pleurs.
>
> Au milieu de la ville où l'eau se fait passage,
> Dessus les saules vers qui bordent son rivage,
>   En piteuses façons
> Chascun nonchalamment pendoit sa triste lyre,
> Et ceux, las ! qui captifs nous avoyent sceu conduire
>   Nous parloyent de chansons.
>
> Ils nous importunoyent pour nos harpes reprendre :
> Chantez sus (disoyent-ils) & nous faites entendre
>   De Sion les accors :
> Las ! comment pourrions-nous dans une terre estrange
> Du Seigneur nostre Dieu bien chanter la loüange;
>   Répondions-nous alors.
>
> ...
>
>   Heureux qui te rendra la juste récompense
> Des maux sur nous commis, & de tant d'insolence
>   Paira ta mauvaistié :
>
> Bien-heureux qui pourra, vainqueur de cette guerre,
> T'arracher tes petits, pour en battre la pierre
>   Sans aucune pitié.

Sans doute le rôle majeur de ces psaumes de malédiction est-il de rappeler aux lecteurs d'aujourd'hui ce que la souffrance peut infliger à l'esprit des hommes, et nous faire éprouver de la pitié à l'égard de ceux qui haïssent tant parce qu'ils ont tant souffert. Mais il n'y a pas de place dans la version de Desportes pour la *rouge cruauté [du] reistre noir* d'Agrippa d'Aubigné. Pour en trouver la justification, il suffit de se tourner, par exemple, vers *Le Psaultier* avec *gloses extraictes des commentaires de M. Jean Calvin* (Genève, 1558). Chaque psaume est suivi d'une prière donnant (en des termes chargés d'allusions contemporaines) « toute la substance et interprétation d'icelluy ». L'*oraison* de ce psaume particulier inclut cette supplication :

> Mets bas le royaume de l'Antéchrist et de tous les meschans, lesquels ont opprimez si longtemps par leur tyrannie, et oppriment encore grand' nombre de ceux qui appartiennent au royaume de liberté... Ruine ce règne [de l'Antéchrist] avec ses scandales.

TEXTES-PREUVES

Les auteurs et les lecteurs étaient si familiers de la Bible que même quelques mots isolés avaient force de preuve. Aujourd'hui ils échappent souvent à notre attention; quand cela arrive, des significations sont perdues et perverties. L'*abbaye de Thélème* à la fin de *Gargantua* (1535 ou 1534) dépouillée de son ton biblique si prenant pourrait sembler un idéal abiblique de paresse et de luxure : mais une allusion furtive (au chapitre LV) au *joug de servitude* (Galates 5, 1) introduit à la liberté chrétienne, le cri de guerre des Evangéliques. De même dans son *Quart Livre*, le père Rabelais (un père érudit) justifie son « synergisme » catholique (qui insiste sur le point que les hommes doivent « co-opérer » avec Dieu) en citant « l'Ambassadeur » de Christ, saint Paul, dans I Corinthiens 13, 9 :

> ... de nostre part convient pareillement nous esvertuer, et, comme dict le sainct Envoyé, estre « coopérateurs avec luy » [c.-à-d. *avec Dieu*] (*Quart Livre de Pantagruel*, 1552, LV).

Mais de tels textes n'emportaient que la conviction de croyants du même bord. Il était toujours possible de répliquer, comme le montre Calvin :

> L'allégation qu'ameinent aucuns n'est pas moins sotte : c'est que sainct Paul appèle les hommes *coopérateurs de Dieu*. Car il est tout notoire que cela n'appartient qu'aux docteurs de l'Eglise, desquels Dieu se sert et applique en œuvre pour l'édifice spirituel, qui est l'ouvrage de luy seul. Et ainsi les ministres ne sont point appelez ses compagnons, comme s'ilz avoyent quelque vertu d'eux-mesme : mais pource que Dieu besongne par leur moyen, après les avoir rendue idoines à cela (CALVIN, *Institution de la religion chrestienne, Augmentée...*, 1560, p. 147, § 17).

La Bible était presque toujours lue avec un préjugé théologique. Mais tous les textes-preuves n'étaient pas controversés. Dans le *Tiers Livre* de Rabelais, des chapitres entiers d'une argumentation rhétorique ingénieuse mais immorale (Panurge *séduit* par l'amour de soi et le Mal) sont réfutés par quelques mots de saint Paul (Romains 13, 8) :

Rien (dict le Sainct Envoyé) à personne ne doibvez fors amour-et-dilection mutuelle (*Tiers Livre de Pantagruel*, 1546, V).

Amour-et-dilection c'est l'*agapè* (amour) chrétien reconnu par tous. Ainsi encore un mythe complexe sur la vérité prophétique et le savoir oral est-il christianisé (tiré de Platon, Plutarque et Celio Calcagnini) par Rabelais avec les mots qui forment la conclusion de l'Evangile de Matthieu : Christ promet de rester avec le fidèle,

jusques à la consommation du siècle

(*Quart Livre de Pantagruel*, LV.)

c'est-à-dire jusqu'à la fin du Temps. Le mythe est platonicien : son climax est biblique.

La Bible lue avec prudence

Montaigne avait traduit pour son père *La théologie naturelle* du théologien médiéval Raymond Sebond. Son *Apologie* de cet auteur est le plus long chapitre de ses *Essais* (II, 12). Toute son argumentation est fondée sur un texte-preuve toujours cité (par des théologiens de toutes convictions) pour justifier les méthodes de la théologie naturelle, Romains 1, 20 :

Les choses invisibles de Dieu, dit saint Paul, apparoissent par la création du monde, considérant sa sapience éternelle et sa divinité par ses œuvres (MONTAIGNE, *Essais*, éd. SAULNIER, 1965, p. 447).

Mais pour le catholique Montaigne, même les termes de Christ lui-même doivent être interprétés avec prudence, et en se conformant à l'interprétation de « l'Eglise catholique, apostolique et romaine ». Même le *Notre Père* — prière habituelle de Montaigne — ne fait pas exception : elle est biblique, mais en l'utilisant il pouvait se méprendre :

Je ne sçay si je me trompe mais, puisque, par une faveur particulière de la bonté divine, certaine façon de prière nous a esté prescripte et dictée mot à mot par la bouche de Dieu, il m'a toujours semblé que nous en devions avoir l'usage plus ordinaire que nous n'avons, [...] sinon seulement, au moins tousjours (*Essais*, éd. SAULNIER, I, 56, *Des Prières*).

Comme toujours, soit la Bible juge l'Eglise : soit l'Eglise juge la Bible.

***

La France n'était pas destinée à avoir une version de la Bible aussi influente que celle de Luther en Allemagne ou que l' « Authorised Version » dans les pays de langue anglaise. Il y avait du reste, de tous côtés une volonté de ne pas baser des épopées ou des drames sur le Nouveau Testament, de peur de l'altérer par des fictions littéraires, des *mensonges*. Théodore de Bèze défendit la théologie de la prédestination de saint Paul par le drame, mais pour ce faire il fit un drame, dans *Abraham sacrifiant* (1550), non de saint Paul lui-même, mais de la propre source de saint Paul (Romains 14, 3 est cité sur sa page de garde) :

> Abraham a creu en Dieu, et luy a esté réputé à justice.

La vie de saint Paul ou la Crucifixion pouvaient être matière à méditation dévote et pieuse, mais non à une « littérature » dramatique ou épique.

L'Ancien Testament est souvent apparu comme convenant le mieux aux époques de schisme et de conflit : mais les sermons et les prêches continuèrent de présenter aux fidèles le Nouveau Testament, comme le fit saint François de Sales dans son *Introduction à la vie dévote* (1608). De fait, le xviie siècle devait être le témoin d'une nouvelle floraison de thèmes néo-testamentaires. La tragédie biblique la plus noble de toute la Renaissance, *Les Juifves* — bien que Garnier basât son esthétique sur Sénèque et empruntât l'idée du *chœur* aux Classiques, celle d'une âme contrariée par le corps à Platon, et décrivît le Jardin d'Eden en termes d'un Age d'or classique —, cette tragédie reste cependant bien plus proche de cette religion biblique personnelle qui accentue les effets du péché originel pour chacun comme pour tous les hommes, et non simplement chez l'ennemi haï;

> Pourquoy Dieu, qui nous a faits
> D'une nature imparfaits,
> Et pécheurs comme nous sommes,
> S'irrite si grièfvement
> Du mal que journellement
> Commettent les pauvres hommes ?
>
> Si tost que nous sommes nez
> Nous y sommes adonnez :
> Nostre ame, bien que divine
> Et pure de tout mesfait,
> Entrant dans un corps infet
> Avec luy se contamine.
>
> Nul ne se peut empescher
> En ce monde de pécher,
> Tant est nostre humaine race
> Encline à se dévoyer,
> Si Dieu ne vient déployer
> Sur nous sa divine grâce.

Il estoit en ce beau lieu
Ainsi qu'un terrestre Dieu,
Commandant aux Créatures,
Qui voloyent et qui nageoyent,
Qui dans les plaines logeoyent
Et dans les forests obscures.

Il foisonnoit en tout bien,
Il n'avoit souci de rien,
La terre toute bénine
Sans le dur coutre souffrir,
Venoit tous les jours offrir
Les thrésors de sa poitrine.

Ses prez estoyent tousjours vers,
Ses arbres de fruicts couvers,
Et ses jardins de fleurettes :
Zéphyre éventoit le ciel,
Des chesnes couloit le miel
Sans artifice d'Avettes.

L'orgueilleuse ambition,
Ny l'avare passion,
La haine et l'amour encore,
L'espérance, ny la peur,
Ne luy gesnoyent point le cœur,
Comme elles nous gesnent ore.

Mais si tost qu'il fut taché
De la bourbe de péché,
Dieu le banit de sa veue,
Ses enfans furent maudits,
Luy chassé de Paradis
Avec sa femme déceue.

Depuis, sa postérité
N'a commis qu'iniquité,
Le frère meurtrit le frère :
Si bien que Dieu se fâchant
D'un animal si méchant,
Résolut de le défaire.

Il fist regorger les eaux
Des fleuves et des ruisseaux,
Il enfla la mer bruyante,
Le ciel si longuement pleut,
Que toute son onde cheut
Dessur la terre ondoyante.

Lors cet Element moiteux
Couvrit les monts raboteux
De quinze humides coudées :
Les Pins, qui croissent si hauts,
Ne peurent attaindre égaux
A la hauteur des ondées.

Aussi tout périt dedans,
Fors ceux qui eurent, prudens,
L'arche de Dieu pour refuge :
Mais ores, que les forfaits
Sont plus nombreux que jamais,
Je crains un autre déluge.

La théologie est celle de la souffrance envoyée par Dieu : mais, dans les mains de Garnier, elle devient la souffrance de tout chrétien dans une France qui, dans son ensemble, « a abandonné son Dieu ». Nabuchodonosor est le *fléau de Dieu*, mais non celui d'un seul parti au sein de l'Etat.

Michael A. SCREECH.

Traduit par Claire Roussel.

21

Le théâtre
et la Bible au XVIᵉ siècle

Tout le monde sait que le libre accès à la lecture de la Bible en français a été le moteur d'une révolution religieuse et culturelle, mais cela
est particulièrement vrai dans le domaine du théâtre puisqu'en un siècle,
sous l'influence conjuguée de la Bible et des auteurs gréco-romains de
tragédies et de comédies, on est passé des *Mystères* et des *Moralités*,
encore bien vivants et appréciés du public au début du XVIᵉ siècle, aux
formes de la tragédie classique qu'illustreront un Corneille, un Racine.
Etant donné l'espace restreint qui nous est imparti, nous nous bornerons
au domaine français sans négliger pour autant des pièces importantes
écrites en latin à l'usage des étudiants dans les collèges. Mais, à la Renaissance, les idées et les œuvres circulaient dans toute l'Europe et telle ou
telle comédie polémique ou tragédie biblique pouvait être traduite ou
adaptée d'un pays à l'autre.

LA BIBLE CAUSE DU DÉCLIN DES « MYSTÈRES »

Le libre accès à l'Ecriture sainte revendiqué dans les « Moralités »

Raymond Lebègue a bien montré, au début de sa thèse : *La tragédie
religieuse en France (1514-1573)*, que le désir de lire la Bible et, pour les
réformés, d'en faire le fondement absolu de la foi, provoquèrent soit
aversion soit méfiance pour les *Mystères*[1]. Les protestants considéraient

---

1. Voir R. LEBÈGUE, *La tragédie religieuse en France (1514-1573)*, Paris, Champion, 1929,
pp. 52 ss.

que beaucoup de scènes profanes, de diableries, de clowneries licen-
cieuses avaient envahi le canevas, biblique à l'origine, des *Mystères*;
l'apparition de Dieu ou le réalisme de la crucifixion de Jésus-Christ
étaient à leurs yeux blasphématoires, et ils ne pouvaient souffrir de voir
exalter la vie des saints ou les miracles de la Vierge. Quant aux catholiques, ils craignaient qu'à la faveur des diableries ou des propos du fou
on n'entendît des critiques du clergé ou l'on ne vît parodier certains
rites, ce qui aurait fait le jeu des hérétiques; et même si ces facéties
étaient exclues, ils craignaient que les épisodes tirés de la Bible ne fussent
une incitation pour les spectateurs à se reporter aux traductions françaises de la Bible et des Evangiles que des colporteurs venus de l'étranger
diffusaient largement. Ainsi, abandonnant la composition des *Mystères*,
les humanistes allaient traduire puis imiter les tragédies et comédies
antiques et, parmi eux, les protestants allaient, pour propager leur foi
et fortifier leurs coreligionnaires, emprunter à la Bible des histoires
tragiques analogues aux drames qu'ils vivaient. Mais ensuite, un peu
plus tard, les poètes catholiques devaient eux aussi chercher dans les
Ecritures des sujets aussi pathétiques que les grandes infortunes illustrées par un Sophocle, un Euripide ou un Sénèque.

Les *Moralités* offraient un cadre commode pour exprimer le mécontent-
tement des clercs ou des gens instruits et s'attaquer aux abus de l'Eglise.
Nous nous contenterons de citer quelques titres de *Moralités* où s'exprime
la volonté de réformer l'Eglise en appelant le « Médecin » qui va prescrire
un remède efficace : l'Ecriture sainte.

Dans *La Farce des Théologastres*[2], « une pauvre dame dangereusement
malade arrive, c'est Foy. Le remède qu'elle réclame est : 'le Texte de
saincte Escripture' »[3].

Même canevas dramatique pour la *Moralité de la maladie de Chres-
tienté* attribué par Th. Dufour à Thomas Malingre, pasteur à Neuchâtel :
« Inspiration vient demander l'avis du Médecin, celui-ci indique comme
remède : 'langue d'homme, de Lyon, de Beouf et d'Aigle', c'est-à-dire
les quatre Evangiles »[4]. Gérard-D. Jonker analyse une pièce plus importante, publiée à Lyon en 1563 et intitulée : *Tragédie de Timothée chrestien*
qui, dans le prologue, développe la même revendication : le pape a
interdit la lecture de la Bible sous peine de mort; Timothée se déclare
prêt à souffrir mille morts plutôt que de délaisser la Sainte Ecriture[5].

Ainsi s'exprime à travers le théâtre ce désir très répandu d'avoir
librement accès aux « Sainctes lettres », comme on disait alors, et d'y
trouver le secret d'une rénovation de la foi personnelle et de l'Eglise.

---

2. Texte dans Ed. FOURNIER, *Le théâtre français avant la Renaissance*, Paris, 1872.
3. Cité par G.-D. JONKER, *Le protestantisme et le théâtre de langue française au XVIᵉ siècle*,
Groningue, Pays-Bas, 1939, pp. 56-57.
4. *Ibid.*, p. 85.
5. *Ibid.*, p. 85.

Marguerite de Navarre (1492-1549) et ses « Comédies bibliques »

Disons tout de suite que ces *comédies* n'ont rien de comique ; ce sont de petits drames bibliques, avec un nombre restreint de personnages, qui mettent en scène les principaux épisodes de la naissance et de la petite enfance de Jésus-Christ. Elles développent des passages bibliques précis : les versets 7 à 20 du chapitre II de saint Luc ; 1 à 12, 13 à 19, 19 à 23 du chapitre II de saint Matthieu, mais ce scénario est constamment enrichi de citations du Cantique des cantiques, des prophéties bibliques et de l'Apocalypse. Elles s'intitulent : *La Nativité de Jésus-Christ, L'Adoration des trois Rois à Jésus-Christ, Les Innocents* et *Le Désert*[6].

« On peut tenir pour certain, déclare R. Lebègue, que nos moralités bibliques ont été représentées devant Marguerite »[7] soit par des comédiens italiens, soit par les filles de la cour comme le rapporte Brantôme. L'utilisation de la Bible dans ces pièces est intéressante, elle nous révèle surtout ce qu'était la Parole de Dieu sans cesse lue, priée, méditée, pour Marguerite tout imprégnée d'une piété mystique. Marguerite de Navarre choisit un passage précis et limité dans la Bible, elle concentre l'action sur un épisode, par exemple l'arrivée de Joseph et Marie à Bethléem, la naissance de Jésus-Christ et l'adoration des bergers.

Elle suit fidèlement l'Evangile en dessinant ce canevas. Mais elle l'enrichit de méditations, d'effusions lyriques qui lui appartiennent en propre et qui paraissent étranges dans la bouche des personnages. Dans *La Nativité de Jésus-Christ*, par exemple, l'arrivée des Bergers convoqués par les anges est bien ménagée, mais ensuite ils tiennent des propos qui d'une part ne vont pas sans afféterie :

> Je luy porteray mon fourmage
> Dans ceste faisselle de jon...

et qui d'autre part témoignent d'une compétence théologique assez invraisemblable :

Philetine

> Or voy-je ce qu'en Esaie ay leu :
> C'est une Vierge ayant son Filz conceu ;
> Dame, c'est vous dont il parla si bien.
> Rosée que le ciel voulté a pleu,
> O terre heureuse, ayant par Foy receu,
> Voire et germé le fruit, qui est lien

---

6. Elles ont été publiées en 1547 dans *Les Marguerites de la Marguerite des Princesses,* le texte de cette édition est reproduit par Slatkine, Genève, 1970.

7. *Op. cit.,* p. 93.

> De Dieu en nous, nous qui dessoubz ce Rien
> Viens habiter avec tes créatures !
> Las, je cognois qu'il n'est nul plus grand bien
> Que voir l'effect des saintes Ecritures.

Autre défaut de cette méditation, elle passerait difficilement la rampe. Les moralités médiévales faisaient une large place aux personnages allégoriques. La reine de Navarre a repris ce procédé dans la *Comédie de l'adoration des trois Rois* où les Rois Mages sont conduits par des abstractions : Philosophie, Inspiration, Intelligence divine, Tribulation. Poussés par ces personnages, ils se mettent en quête de l'Enfant, guidés par l'Etoile. Ils rencontrent Intelligence divine qui leur remet le livre nécessaire à toute connaissance, la Bible dont elle expose les principaux épisodes :

> Premièrement ce Livre vous faut prendre,
> Où tous humains verrez venir de cendre;
> Et retourner en cendre estre tenuz.

Intelligence divine termine son exposé par l'annonce de l'Enfant qui vient de naître qui est leur « vray Sauveur »; ils doivent renoncer à se couvrir de leurs mérites pour n'espérer qu'en la Grâce :

> Ne vous fiez en vous
> Car vos mérites tous
> Ne sont que draps honnys.
> N'espérez sauvement
> Sinon tant seulement
> En son Election.
> Grace vous a esluz,
> Qui fera le surplus
> Par sa dilection.

On voit que le jeu des symboles et la prédication, qui fait entendre ici un accent réformé, constituent l'essentiel du drame. Ensuite les rois arrivent à la crèche, adorent l'Enfant, remettent leurs présents et sont divinement avertis par les Anges de retourner chez eux par un autre chemin. Le symbole est beau : c'est l'aventure humaine où la philosophie, la recherche de la connaissance et les tribulations conduisent à l'étoile, mais la recherche de la connaissance n'aboutit qu'à travers la révélation, c'est la Bible qui indique l'ultime chemin, et cette dernière étape est renoncement à soi, à ses mérites, accueil de la pure grâce. Mais on ne peut pas dire que ces pièces bibliques aient une valeur dramatique. Elles se ramènent à une méditation sur les Evangiles de l'enfance.

La position religieuse de Marguerite de Navarre ne saurait être clairement définie : elle n'a pas rompu avec l'Eglise romaine, mais elle a protégé un Marot, un Calvin à l'heure où la persécution s'organisait contre les « luthériens ». Elle défend des attitudes religieuses qui sont celles de la Préréforme, mais elle fonde des couvents et refuse dans son âge mûr l'autorité spirituelle de Calvin; il faut dire aussi que la Réforme ne constituait pas un corps cohérent de doctrines à l'heure où elle pouvait penser sa foi. Mais ici nous voulons seulement examiner le rôle de la Bible dans son théâtre et sa vie intérieure. Le message évangélique l'a libérée de la hantise de la mort et du péché; libérée par le pur don d'amour, elle vit dans l'allégresse spirituelle et son théâtre n'est que l'expansion de cette joie.

Nicolas Barthélemy, « Christus Xilonus », 1529

Nous nous contentons de mentionner cette œuvre qui reste très proche des *Mystères* par son contenu et sa forme. C'est une pièce scolaire de 2 000 vers destinée peut-être à la représentation, peut-être, simplement, à la lecture et à l'explication. Le sens du titre est édifiant : Christ a vaincu la mort par le bois (de la croix). Son auteur, prêtre et professeur[8], suit pas à pas le récit de la Passion dans les Evangiles, mais, contrairement aux *Mystères*, il la resserre : il commence après la Cène et s'arrête au moment où Joseph d'Arimathie et Nicodème descendent Jésus de la Croix et le mettent au tombeau. Jésus fait un sermon démesuré de 700 vers après la Cène et l'auteur a introduit un vieil esclave du grand prêtre ainsi qu'un messager envoyé par sa femme à Pilate; ces deux personnages reproduisent le type de l'esclave revendicatif qu'on trouve chez Plaute; ils apportent au drame un élément comique.

Les thèmes bibliques dans les tragédies latines de Buchanan et de Roillet

Les tragédies bibliques composées par George Buchanan[9] et Claude Roillet[10] sont importantes, parce qu'elles ont été à l'origine de plusieurs tragédies françaises sur le même sujet et que les pièces de Buchanan ont été traduites à plusieurs reprises. Le fait qu'elles aient été écrites pour être représentées dans les collèges — cela est sûr du moins pour les tragédies de Buchanan — n'ôte rien à leur valeur.

L'un et l'autre se sont inspirés à la fois de la Bible et des tragédies grecques : Buchanan a traduit du grec *Alceste* et *Médée*, deux tragédies d'Euripide, et il a composé deux tragédies bibliques : *Baptistes* et *Jephtes*.

---

8. Voir R. Lebègue, *op. cit.*, pp. 169 ss.

9. George Buchanan, Ecossais, 1506-1582, enseigna au Collège de Guyenne de 1539 à 1543; il y composa les deux tragédies bibliques dont nous nous occupons.

10. Claude Roillet (1520-† après 1578) publia *Aman* en 1556.

Roillet déclare, dans la préface de ses quatre tragédies *Philanira*, *Petrus*, *Aman* et *Catharina*, qu'en général il s'est rapproché de l'usage des Grecs[11]. L'un et l'autre annoncent la fusion harmonieuse entre un sujet tiré des Ecritures, enrichi de résonances bibliques, et la forme de la tragédie grecque : division en cinq actes, respect des unités d'action, de temps, de lieu, rôle du chœur qui commente l'action.

Buchanan, professeur au Collège de Guyenne, fit représenter à Bordeaux entre 1539 et 1542 le *Baptistes*, mise en scène de l'histoire de Jean-Baptiste et de sa mort. Le sous-titre de la pièce est *La calomnie*, mais il ne s'agit pas d'un drame psychologique ou moral, l'actualité du conflit entre Jean-Baptiste et le roi, le prophète intransigeant et les hommes de l'appareil ecclésiastique redonne vie au récit des Evangiles. Buchanan voyait, dans plusieurs pays d'Europe, les prédicateurs de la Réforme persécutés, emprisonnés par les rois au moment même où leur prédication entraînait les foules ; les dignitaires de l'Eglise catholique, bien loin d'être touchés par ce renouveau prophétique, dénoncent aux autorités séculières ces témoins inspirés qui deviennent des martyrs : l'histoire tragique de Jean-Baptiste recommence. Des deux pharisiens qui portent des noms tirés du Nouveau Testament, l'un Malchus repré-sente le prêtre traditionnel qui voit disparaître son auditoire et son influence, l'autre Gamaliel (nom du savant docteur qui instruisit l'apôtre Paul) excuse le réformateur et dénonce la fourberie de ses collègues. Des évocations de l'histoire d'Israël contribuent à la couleur biblique de la pièce : le chœur qui suit le deuxième épisode provoque Dieu pour qu'Il se lève et qu'il porte secours à son peuple ; il rappelle le passage de la mer Rouge, les chars de Pharaon engloutis dans les flots ainsi que le char de feu emporté par des chevaux de flamme qui sépara Elie de son « fils » Elisée[12].

A la fin du cinquième épisode, le chœur déplore la funeste fureur de Jérusalem qui se déchaîne contre les Prophètes et Buchanan utilise, mais avec beaucoup de sobriété, les âpres sarcasmes d'Esaïe contre les idoles muettes et ceux qui les fabriquent :

A la place de Dieu [le peuple] adore un morceau de bois, une pierre, c'est pour eux que brûlent sur les autels les veaux et les agneaux. L'artisan adore la statue qu'il vient de fabriquer de sa main : il demande la vie, quelle aberration ! à une bûche...[13].

Cependant, l'imitation du style biblique reste très mesurée. La har-diesse des images poétiques dont les *Psaumes* et les *Prophètes* offrent tant d'exemples ne tente pas Buchanan, il ne désire pas dépayser son lecteur, il veut plutôt lui tendre l'Ecriture comme un miroir.

11. Voir R. Lebègue, *op. cit.*, p. 264.
12. Voir II Rois 2, 11 et 12.
13. Je traduis quelques vers du texte latin ; cf. Esaïe 44, 9 à 20.

Nous ne pouvons examiner en détail le *Jephtes* : un motif religieux et un motif littéraire expliquent le choix de ce sujet. *Jephtes sive votum*, c'est le titre : l'aspect polémique de ce drame est évident : il s'élève contre les vœux, or une vive controverse opposait les théologiens réformés comme Bucer ou Calvin aux théologiens catholiques comme Latomus qui soutenaient que tous les vœux devaient être accomplis. Cette controverse vise l'engagement à vie des prêtres et des moines qui, selon Buchanan, « enfreignent, au moyen d'excuses commodes leurs vœux de chasteté et de pauvreté imprudemment prononcés »[14]. Une certaine couleur biblique est donnée à ce drame par les thèmes bibliques que développe le chœur : l'attaque contre l'idolâtrie des Hébreux dont le point de départ se trouve au livre des Juges (10, 6) au commencement de l'histoire de Jephté et la reprise du Cantique d'Anne (I Samuel 2, 8) :

> *Et de pulvere pauperem*
> *Et custodem olidi gregis*
> *Sceptra attolit ad aurea*
> *Pastorum diademate*
> *Ornans tempora regio...*

(« De la poussière il élève le pauvre et le gardien du troupeau puant pour lui conférer le sceptre d'or; ornant les tempes des bergers du diadème royal »).

Mais surtout Buchanan trouvait une étroite similitude entre la situation de Jephté et de sa fille Iphis et la tragédie d'Agamemnon mise en scène par Euripide. « La Bible, écrit R. Lebègue, a fourni les événements essentiels, mais Euripide a collaboré avec Buchanan pour transformer en tragédie les brefs versets du livre des Juges »[15].

Claude Roillet, professeur de grammaire et humaniste, publia en 1556, dans ses *Varia Poemata*, quatre tragédies dont *Petrus* et *Aman*. Petrus repose sur des traditions pieuses et une imitation très fidèle de Sénèque. Mais *Aman* suit de près le livre d'Esther et nous intéresse à ce titre. Cette source doit être précisée : Roillet, catholique orthodoxe, chanoine de Laon à la fin de sa vie, utilisait la Vulgate ; deux textes s'y trouvent mais non à la même place : un récit hébraïque qui fait partie du Canon juif des Écritures et un texte grec que Jérôme avait rejeté dans les livres dits « deutérocanoniques » et que le concile de Trente introduisit dans le Canon. Ce dernier texte qui appartient à la traduction des Septante comprend un songe de Mardochée, antérieur à l'édit qui condamne les Juifs, deux prières, l'une de Mardochée, l'autre d'Esther, enfin l'entrevue d'Esther et d'Assuérus enrichie de détails pathétiques. Roillet, et la plupart de ses successeurs l'imiteront, retrouve la logique du récit

---

14. Voir R. Lebègue, *op. cit.*, p. 234.
15. *Ibid.*

initial mais y introduit au moment voulu les additions du texte des Septante, qui lui fournissent une matière romanesque et chargée d'émotion, il laisse de côté le songe de Mardochée.

Après avoir fondu ensemble les deux textes, Roillet simplifie la donnée biblique, il ne garde que le drame central : Esther, captive, partie de rien, gagne la faveur du roi et sauve son peuple qui était voué au massacre, Aman, au faîte de la puissance, enivré d'orgueil est soudain précipité dans la mort, il subit le supplice qu'il avait préparé pour Mardochée. Ce jeu de deux destinées qui s'inversent convenait fort bien à la tragédie dont Aristote avait laissé la définition, mais il illustrait aussi ce verset du Cantique d'Anne déjà cité :

Le Seigneur apovrit et enrichit : il abaisse et il hausse. Il eslève le povre hors de la poudre et le chétif hors de la fiente afin de le faire seoir avec les Princes et le faire hériter le siège de gloire...[16].

Les critiques qui ont étudié cette tragédie néo-latine d'*Aman* ont loué Roillet d'avoir nettement délimité son sujet en ne retenant que les chapitres 3 à 7 d'*Esther*, ce qui lui permet de distribuer la matière dramatique très clairement en cinq actes :

1er acte : Colère d'Aman, les Juifs sont perdus.
2e acte : Mardochée oblige Esther à intervenir, les Juifs se reprennent à espérer.
3e acte : Prière d'Esther et conversation avec ses servantes; cet acte ne fait guère avancer l'action.
4e acte : Assuérus fait bon accueil à Esther, Mardochée est récompensé.
5e acte : Aman est perdu et les Juifs sont sauvés[17].

Ces épisodes ont servi de modèle aux auteurs qui ont repris le même sujet.

Ce qui domine, dans la construction des personnages et dans le style, c'est l'imitation de Sénèque. Les auteurs de tragédies avaient encore à faire des progrès avant de retrouver la hardiesse et la force du style biblique.

LES TRAGÉDIES DES PROTESTANTS MILITANTS

Le trait commun de tous ces drames c'est leur *actualité* : grâce à eux, de lointains épisodes de l'Ancien Testament reprennent vie dans l'histoire présente.

Abraham sacrifiant proclame l'efficacité de la foi, de la foi totale

16. Samuel 2, 7 et 8.
17. Analyse empruntée à R. LEBÈGUE, *op. cit.*, p. 273.

dans une situation humaine à la fois tragique et absurde. Bien des huguenots réfugiés à Genève devaient y entendre une exhortation très directe. Les sympathisants de la Réforme avaient quitté la France pour un pays d'exil où ils pouvaient adorer Dieu « selon le pur Evangile ». Comme Abraham, ils étaient partis sur l'ordre de Dieu, « sans savoir où ils allaient », comme il est dit d'Abraham dans l'Epître aux Hébreux. Mais cette épreuve cruciale : le sacrifice d'un fils unique qui était la preuve même de la bénédiction divine et la première réalisation de la promesse, était-elle la leur ? Plusieurs menant une vie précaire ont dû voir disparaître des membres de leur famille; mais aussi un premier établissement qui leur paraissait assez prospère et sûr, récompense de leur obéissance et de leur foi, s'est trouvé souvent compromis, entraînant de nouveaux départs mettant en question leur obéissance première et peut-être la fidélité de Dieu. *Abraham sacrifiant* enseigne à ces fidèles tourmentés qu'il faut obéir contre toute raison, car « c'est la volonté de Dieu qui détermine ce qui est raisonnable » (Introduction à l'*Abraham sacrifiant*). Bèze lui-même avait abandonné une vie riche et honorée en France pour les incertitudes de l'exil : son expérience personnelle avait précédé et authentifiait cette prédication dramatique.

Abraham est le fondateur d'un peuple et Calvin ou Bèze fondent aussi à leur manière un peuple de croyants. La figure de David qu'illustrent les « *tragédies* » de Louis des Masures répond à une autre actualité : le moment où le peuple de la Réforme fait face aux persécutions par la résistance armée. Cette correspondance étroite entre le début des guerres civiles et le combat de David contre Goliath est, d'après Des Masures lui-même, la raison d'être de la mise en scène de l'épisode biblique : il envoie ces tragédies au seigneur Philippe Le Brun, « afin, lui dit-il,

> que tu te représentes
> (les lisant à part toy) le courage endurci
> Des Philistins pressant Israël en Querci ».

Dans la même épître liminaire, il se présente lui-même comme en proie aux ennemis de Dieu et délivré en un instant par la puissance du Seigneur qui a été sa seule assurance. Le thème du combat de David contre Goliath est d'ailleurs rapidement devenu un lieu commun pour les huguenots menant la guérilla contre le pouvoir qui soutenait l'orthodoxie catholique, les autres épisodes de la vie de David ont été repris dans les pamphlets politiques qui ont paru au lendemain de la Saint-Barthélemy.

David était le champion de Dieu pour maintenir son peuple; ensuite il apparaît comme l'élu, le chef charismatique en face de Saül, le roi rejeté : les conflits politiques du temps, l'accès d'Henri de Navarre au pouvoir devaient par la suite prolonger l'actualité des deux « tragédies » suivantes.

Avec l'*Aman* d'André de Rivaudeau, publié en 1566, mais composé, selon l'auteur, « en [sa] grande jeunesse », c'est-à-dire cinq ou six ans auparavant, nous sommes confrontés avec une actualité plus décisive encore : il s'agit de la vie du peuple juif réduit en esclavage, opprimé, c'est-à-dire, conformément à l'analogie rigoureuse que pratiquaient les huguenots, de la survie des Eglises et du peuple réformé. Qui est Aman ? Keith Cameron dans son introduction, si riche, propose Henri II, ou bien François de Guise, responsable du massacre de Vassy et tué dans un guet-apens au siège d'Orléans, ou, si l'on considère sa date de publication, le cardinal de Lorraine. De toute façon, c'est la vie même du peuple protestant qui est en jeu. L'épisode biblique du livre d'Esther prend alors un relief particulier et l'on comprend que ce soit l'ennemi nº 1, l'instigateur de l'édit de mort qui prenne la première place dans la tragédie à la place d'Esther, héroïne du récit biblique.

Nous pourrions passer sous silence le *Josias* de Philone publié à Genève en 1566; la pièce est hybride et des plus médiocres, mais le thème n'est pas sans intérêt, il se relie à l'histoire du temps; d'ailleurs la « tragédie » est ainsi sous-titrée : « *Vrai miroir des choses advenues de notre temps* ». On sait que, pour les réformés, Josias était le type du roi selon le cœur de Dieu : sous son règne on avait redécouvert la Loi dans le temple de Jérusalem, il avait restauré le culte du vrai Dieu en détruisant les idoles et en faisant massacrer leurs prêtres. La pièce reproduit cette histoire et contient une éducation de Josias, puis son sacre, enfin un long sermon du prophète Jérémie qui amène la décision de Josias de chasser l'idolâtrie. Chaque fois que la mort d'un roi amenait un jeune prince au pouvoir, en Europe, les réformés espéraient qu'il « chasserait l'idole » et qu'il serait le promoteur de la Réforme; en France, ils avaient reporté leurs espoirs sur le jeune Charles IX auquel le nom de Josias avait été donné.

Vingt ans après, le même auteur publiait un *Adonias* mettant en scène la tentative malheureuse d'Adonias qui s'était lui-même proclamé roi alors que David vivait encore. On pense que la pièce reflète le conflit des huguenots et des ligueurs qui avaient obtenu de Sixte Quint une bulle d'excommunication excluant de la succession royale Henri de Navarre et le prince de Condé. Personne ne sait qui est Philone; à cause de ce nom, on a supposé qu'un auteur italien aurait été traduit en français mais le mystère demeure.

Mentionnons encore *La Desconfiture de Goliath*, 1551, dont l'auteur est un pasteur berrichon, Joachim de Coignac et la pièce que publia en 1561 Antoine de la Croix : *Tragi-comédie. L'argument pris du troisième chapitre de Daniel : avec le cantique des trois enfants, chanté en la fournaise.* Cet épisode merveilleux servait à exhorter les martyrs et les persécutés à une fidélité intransigeante.

Pour la plupart de ces pièces, nous allons indiquer, trop rapidement, ce que l'auteur doit au texte biblique et pourquoi, à certains moments, il s'en écarte. Chacun de ces dramaturges considère la Bible non seulement comme la règle de la foi mais aussi comme le trésor de toutes les connaissances humaines. Composer une tragédie, c'est exhorter ses frères et les fortifier. Le respect quasi littéral du texte en découle : « J'ay poursuyvi le principal au plus près du texte que j'ay pu, déclare Théodore de Bèze, dans son épître au lecteur, suyvant les conjectures qui m'ont semblé les plus convenables à la matière et aux personnes. » Il ne s'interdit pas de développer la donnée biblique pour donner chair et vie aux personnages selon la vraisemblance. Th. de Bèze n'hésite pas à supprimer l'une des deux haltes d'Abraham et de son fils pour accélérer le rythme. La sobriété du récit biblique, son pathétique, indiqué mais non développé, ont contribué à la création d'un drame dense et déjà classique. Théodore de Bèze a ajouté le personnage de Satan en habit de moine. La polémique anticatholique y trouvait son compte, mais c'était aussi une manière simple et forte de rendre visibles la tentation et les conflits intérieurs. Louis des Masures s'est souvenu de cette mise en scène et l'a imitée en donnant à Satan un rôle considérable et sans doute excessif car sans cesse il manœuvre, il conduit ses intrigues, il touche au but, mais la fermeté sans faille de l'élu, la communion de David avec le Dieu vivant le font échouer, et ce schéma qui se répète engendre quelque monotonie.

La trilogie de Des Masures scinde en trois « tragédies » le destin de David, depuis son combat contre Goliath jusqu'à une réconciliation avec Saül qu'il a épargné, et chacun de ces drames s'appuie avec précision sur un chapitre de la Bible : *David combattant* sur I Samuel 26, *David triomphant* sur I Samuel 18, *David fugitif* sur I Samuel 26. Mais plus que cette fidélité au récit biblique nous sommes intéressés par les parties lyriques de ces tragédies. Elles sont nourries par les Psaumes et par des cantiques tirés de certains livres historiques comme le Cantique d'Anne. David lui-même, dans la seconde tragédie, reprend ce thème initial du Cantique d'Anne au vers 1493 :

> C'est Dieu qui l'humble et pauvre élève de la fange
> qui l'humilité basse en noble hauteur change.

On lisait dans les Bibles du temps :

> Le Seigneur apovrit et il enrichit : il abaisse et il hausse,
> Il élève le povre hors de la poudre et le chétif
> hors de la fiente afin de le faire seoir avec les Princes
> et le faire hériter du siège de gloire...
>
> (I Samuel 2, 7 et 8.)

David est le vivant exemple de cet évangile de la grâce qui est le centre rayonnant de la prédication réformée.

L'*Abraham sacrifiant* contenait trois cantiques d'une certaine étendue : Abraham et Sara chantent le premier, les deux autres sont chantés par la troupe des bergers de la maison d'Abraham. Le premier est inspiré des psaumes 8, 135, 136, il est formé de 11 sizains d'hexasyllabes et reproduit ces rythmes courts et légers dans lesquels Marot et Bèze lui-même ont coulé la traduction des Psaumes. Le premier cantique de la troupe reproduit pour une part le psaume 40, 4 que Bèze introduira dans la traduction des 34 psaumes publiés en 1551. Le deuxième cantique a un rythme un peu plus ample, il est fait de quatrains d'heptasyllabes, mètre fréquent dans la traduction des cantiques bibliques par les poètes protestants.

Mais les tragédies de Des Masures offrent des cantiques et des effusions lyriques en plus grand nombre : au début de *David combattant*, Isaïe et David célèbrent l'honneur de Dieu dans un cantique composé de huitains d'heptasyllabes, c'est sur ce schéma métrique que Bèze avait traduit le cantique de Zacharie et le psaume 150. Ainsi des psaumes de louange paraissent recréés à partir de thèmes bibliques et des timbres sur lesquels on chantait les psaumes au cours du culte.

David triomphant est longuement occupé par les hymnes et les cantiques à danser que chantent les femmes « sortant de toutes les villes d'Israël » selon la Bible, ces villes sont, bien sûr, réduites à une seule, mais les jeunes filles d'Israël célèbrent Dieu et sa toute-puissance avant d'exalter la victoire de David : le refrain « Dieu vaillant et fort / a fait grand effort » ponctue les évolutions de ce chœur de danse. Sans cesse des expressions bibliques telles que : « Dieu nous est garde et sauveur », « l'espoir est vain des humains / aux dieux forgez de leurs mains », viennent rappeler que l'exubérante joie est le fruit d'une délivrance divine. Avec une habileté dramatique certaine, mais la Bible en fournissait le modèle (I Samuel 18, 7), Des Masures fait naître la colère et la haine de Saül de ces chants triomphaux. Les jeunes filles chantent :

> Saül en a tué mille
> Et David homme plus fort
> En a mis dix mille à mort.

Ce qui est presque littéralement le texte biblique.
Saül alors s'écrie :

> Que veut dire ceci ? Qu'est-ce qu'ainsi on chante ?
> Que reste-il désormais à ceste gent meschante
> Que de l'avoir pour Roy, et lui donner matière
> D'occuper Israël et la Judée entière ?

La troisième pièce, *David fugitif*, offre trois cantiques de David dont le premier est fait d'une marqueterie d'expressions bibliques. Le second « est le Pseaume CXL » indique l'auteur, le troisième retrouve les sizains hétérométriques (8 et 6 syllabes) qui rappellent la traduction des Psaumes de Marot ou de Bèze. Si on y ajoute les pièces lyriques d'Abiathar et de David au plus fort du danger qui, elles aussi, sont tissées d'expressions empruntées aux Psaumes, on mesure l'importance du lyrisme, puisé aux sources bibliques, de ces drames. On peut sans doute regretter, comme le fait R. Lebègue, l'abondance de ces effusions pieuses : « On se croirait, dit-il, non au théâtre mais au service dominical. » Mais il faut penser que le théâtre religieux, lorsqu'il repose sur un accord profond entre l'auteur et le public, a une valeur de célébration liturgique, de communion. Même si l'action languit dans les « tragédies saintes » de Des Masures, l'objectif religieux est atteint. Or, au début des guerres de religion, cet appel à un engagement total, à une foi sans faille dans l'élection divine et le secours extraordinaire de Dieu, maître de l'histoire, apparaissait nécessaire. Il est vrai, sans doute, que l'*Abraham sacrifiant* offre des personnages plus émouvants, plus naturels avec une fidélité égale au texte biblique.

Il faut enfin étudier dans ce même groupe la « tragédie sainte » *Aman* d'André de Rivaudeau, publiée en 1566, mais, comme nous l'avons dit, composée au début des guerres civiles vers 1561 ou 1562 ou, selon certains, dans les deux dernières années du règne d'Henri II, la pièce est intéressante à plus d'un titre : « C'est la première tragédie religieuse de forme régulière », souligne Keith Cameron qui en a procuré une excellente édition en 1969. En effet, l'*Abraham* de Bèze, comme les tragédies de Des Masures, n'était pas divisé en actes et en scènes, mais se composait d'épisodes d'inégale longueur entrecoupés de pauses, les dialogues alternant avec des chœurs dont l'intervention n'était pas toujours commandée par les nécessités de l'action. A. de Rivaudeau se propose de choisir une histoire empruntée à la Bible mais de la traiter selon les préceptes d'Aristote et d'Horace que l'on connaissait surtout à travers les commentaires de Donat. Soucieux d'observer les deux unités : unité du temps, unité d'action, très attaché à la *vraisemblance* pour délier le nœud de la tragédie, il n'hésite pas à tailler librement dans le tissu biblique.

Autre particularité de cette tragédie : elle constitue un maillon dans une longue chaîne. Françoise Charpentier dans un article[18] cite *dix* pièces sur ce thème entre la tragédie latine de Cl. Roillet, *Aman*, la première sur ce sujet et la tragi-comédie de Racine. On en compte cinq en France, si l'on s'en tient au XVIᵉ siècle. Ce grand succès laisse entrevoir qu'à travers cette histoire un problème grave, une angoisse collective s'exprimaient : il s'agit du destin du peuple juif déjà asservi, désarmé, en butte aux calomnies et à la haine d'un conseiller pervers qui a l'oreille

---

18. « Le thème d'Aman et la propagande huguenote », dans *BHR*, 1971, pp. 377-383.

du roi : mise en jeu pathétique bien propre à susciter les passions des principaux acteurs réels : le peuple huguenot menacé dans son existence. Françoise Charpentier explique que c'est la propagande huguenote qui a modifié le rôle des personnages faisant passer au premier plan *Aman*, l'instigateur du pogrom, à la place d'Esther ou de l'action d'Esther dirigée par Mardochée qui avaient le premier rôle dans la Bible. C'est sans doute vrai pour l'œuvre d'A. de Rivaudeau mais nous avons vu que Claude Roillet avait déjà fait paraître un *Aman* en 1556. Chez ce dernier, c'est sans doute une raison proprement dramatique qui avait modifié la distribution et l'importance des rôles dans l'histoire biblique : un peuple courait un danger mortel à cause d'un conseiller ivre d'orgueil, il était miraculeusement délivré tandis que l'orgueilleux Aman, qui touchait au triomphe, ivre de cruauté, se brisait comme verre. Quoi qu'il en soit, ce drame d'*Aman* avait, comme nous l'avons dit, une importance décisive pour exhorter les réformés persécutés, voués à la mort ou à l'exil en 1559 et au cours des premières guerres ; A. de Rivaudeau se plaît à souligner le lien entre sa tragédie et la Bible : *tragédie sainte*, écrit-il, tirée *du chapitre VII d'* « *Esther* ». Son message est clair : « Dieu a choisi les choses faibles de ce monde pour confondre les fortes » ou encore : « Gardez la foi, Dieu délivre son peuple en détresse. » Ainsi A. de Rivaudeau dont les convictions réformées ne font aucun doute met son talent dramatique au service de ses coreligionnaires. Cette volonté d'être fidèle au message biblique — même si l'auteur changeait à son gré l'équilibre des rôles du scénario biblique — se manifeste également dans les exemples choisis pour rappeler les épreuves des justes persécutés; Israël étant la figure de ces justes en proie aux persécutions. Dès son entrée en scène, dans un long monologue, Mardochée rappelle les épreuves sans cesse renouvelées du « saint peuple de Dieu » et, pour que l'authenticité des références bibliques ne fasse aucun doute, elles sont chaque fois précisées en marge. Cet avant-parler crée le climat angoissé de la pièce et situe le drame dans ces années douloureuses de l'exil où Israël n'est plus qu'une « poignée d'hommes »; cependant apparaît en filigrane l'espoir d'une délivrance : « Mais Dieu dispose de tout... »

Le chœur formé des « filles d'Esther » récapitule les horreurs du siège de Jérusalem, le supplice de Sedecias contemplant d'un dernier regard le massacre de ses fils, la déportation à Babylone où le petit reste vit une détresse pire que la mort. Le drame actuel est rendu plus douloureux par ce rappel des souffrances qui chaque fois ont rudement châtié les infidèles et l'idolâtrie du peuple :

> Les Rois sont verges de Dieu
> Et fleaux du peuple Hebrieu
> Qui n'excèdent une onglée
> De leur puissance réglée (v. 1009-1012).

Mais ces épreuves mortelles contiennent une lueur d'espoir car Dieu n'abandonne pas son peuple :

> Car Dieu se sert des meschans
> Au salut de ses enfans.

Au moment décisif, la prière de Mardochée contraint en quelque sorte Dieu à agir en rappelant les délivrances de l'Exode, témoignages irrécusables de l'élection : passage de la mer Rouge, eau d'Horeb, Manne, ainsi que les victoires qui ont permis la conquête de Canaan. Le renversement de la situation prend ainsi sa véritable profondeur. Enfin, le Chant dernier de la troupe célèbre la délivrance en rappelant toutes les autres délivrances de l'histoire d'Israël si bien que la tragédie est incluse entre l'avant-parler de Mardochée qui énumère les épreuves constantes d'Israël et cet hymne à la miséricorde du Dieu tout-puissant, sans cesse manifestée dans la suite des générations. L'histoire d'Esther ainsi cadrée prend une valeur exemplaire et s'enrichit de toutes les résonances du passé, d'un passé qui est la figure de l'histoire du salut.

Après avoir passé en revue ces témoignages de dramaturges protestants militants, il n'est pas superflu de préciser quelle fut la position des théologiens et des pasteurs en face du théâtre religieux et même des pièces inspirées par la Bible. On a coutume de dire : « En théorie, ils s'en méfient et le considèrent comme un divertissement dangereux; en pratique, ils usent largement de ce moyen de propagande »[19]. C'est une vue un peu rapide et qui laisserait supposer un certain machiavélisme. En fait, des convictions contradictoires opposaient certains théologiens aux notables et au peuple, certains pasteurs voyaient dans les jeux scéniques le moyen de répandre les idées évangéliques dans un vaste public peu sensible à la prédication, et surtout une excellente propagande pour les jeunes qu'il fallait armer spirituellement. Un consensus ne s'établit que lentement : « En 1542, Fabri ne put empêcher la représentation de l'*Histoire de Job*; en 1546, Calvin ne réussit pas davantage à éviter *celle des Actes des Apôtres*[20]. Cependant, en Suisse et en France, des laïques ou des pasteurs composent des *Moralités* qui s'en prennent violemment au catholicisme et d'autres, comme nous venons de le voir, empruntaient à la Bible des sujets d' « actualité » destinés à l'exhortation des fidèles. Peu à peu les interdictions devinrent plus précises : voici la décision du synode national tenu à Poitiers en 1560 : « Tous consistoires seront avertis par les Ministres de défendre soigneusement toutes Danses, Mommeries, tours de Gibecière et Comédies »[21]. On sait que le mot *comédie* désigne à cette époque toutes sortes d'œuvres

---

19. Voir R. Lebègue, *La tragédie religieuse en France*, pp. 290 ss.
20. Cité par R. Lebègue, *op. cit.*, p. 289.
21. Voir Jean Aymon, *Tous les synodes nationaux des Eglises réformées de France*, t. 1, p. 16.

dramatiques. Le synode tenu à Sainte-Foy, en 1578, paraît moins rigou-
reux mais exige des dramaturges une soumission totale au texte sacré :
« Ceux qui mettent la main à la plume pour écrire les Histoires de l'Ecriture Sainte en vers seront avertis de n'y mêler pas des Fables poétiques,
et de n'attribuer pas à Dieu les noms des fausses divinités, et de n'ajouter
ni retrancher aucune chose de l'Ecriture mais de s'en tenir aux propres
termes du Texte sacré »[22].

Enfin, le dixième synode tenu à Figeac l'an 1579 interdit tout lien
entre la Bible et la création dramatique : « Les livres de la Bible, soit
Canoniques ou Apocryphes, ne seront point employés en Comédies
ou Tragédies par aucune représentation des Histoires Tragiques ou des
autres choses qu'ils contiennent. » Quelle est la raison de cette hostilité
radicale ? « Cela entretient une vraie curiosité qui cause de la dépense
et fait perdre beaucoup de temps », est-il dit au synode de Montpellier.
En fait, la montée des périls, les persécutions et les massacres ont imposé
aux protestants un mode de vie très austère et parce que la Bible était
pour eux la Vérité, la Parole qui change le cœur des hommes, ils ne
supportaient pas qu'elle fût mêlée au divertissement théâtral, créateur
d'illusions et d'émotions factices. Cela nous permet de comprendre
pourquoi les protestants les plus engagés abandonnèrent la création
dramatique. Mais des poètes moins militants, plus artistes que fervents
religionnaires, allaient maintenir la création de tragédies originales
inspirées par l'Ecriture sainte.

Ces décisions tout à fait intransigeantes expliquent sans doute que
les protestants les plus engagés aient délaissé le genre dramatique au
profit d'une réflexion politique ou morale qui devait fournir les bases
d'une société renouvelée par le message biblique. Mais la guerre, les
massacres faisaient aussi disparaître le minimum de paix indispensable
à la composition et à la représentation d'une œuvre dramatique. On cite
une tragédie, *Holopherne*, dont on ne connaît que le titre que Catherine
de Parthenay fit jouer à La Rochelle assiégée en 1572-1573 ; c'était sans
doute le drame vécu à peine transposé.

Parmi les auteurs de tragédies protestants, nous trouvons désormais
soit des huguenots qui, après s'être engagés dans la guerre civile, se sont
retirés à l'écart, soit des poètes issus d'un milieu réformé mais soucieux
avant tout de réconciliation et de paix.

22. *Ibid.*, p. 129.

LES DRAMATURGES PROTESTANTS PLUS ARTISTES QUE MILITANTS

Jean de La Taille (1533 (?)-1608)

Antoine de Montchrestien (1575-1621)

Un large espace de temps sépare ces deux auteurs, mais nous les rapprochons à cause de leur attitude vis-à-vis du parti protestant et de leurs visées, plus littéraires que « prophétiques » — même si leur message politique et moral n'est pas négligeable — quand ils choisissent un sujet biblique.

Saül le Furieux de Jean de La Taille était composé en 1562, mais il ne sonne pas la trompette du rassemblement partisan, ce qui était fort à la mode alors dans le camp réformé. Il semble bien que La Taille, suivant par avance les préceptes de l'*Art de la Tragédie*, ait choisi ce sujet parce qu'il offrait « de piteuses ruines des grands Seigneurs » et un exemple éclatant des « inconstances de la Fortune ». Comme l'a rapporté Elliott Forsyth, dans son introduction aux tragédies bibliques de La Taille[23], l'auteur se propose de « monstrer à l'œil de tous un des plus merveilleux secrets de toute la Bible, un des plus estranges mystères de ce grand Seigneur du monde... ». C'est proprement le tragique d'une destinée, humainement incompréehnsible, qui le fascine.

Quant à Montchrestien, auteur d'un *David* publié en 1601, il centre le drame sur l'épisode de la vie de David que tous ses prédécesseurs avaient évité : l'adultère avec Bethsabée et l'assassinat d'Urie. Plus intéressante est sa tragédie d'*Aman* où il montre une habileté certaine à construire un drame et surtout un vif intérêt pour l'aventure spirituelle de fortes personnalités.

Saül le Furieux de Jean de La Taille est ainsi sous-titré : « *Tragoedie prise de la Bible* », *faicte selon l'art et à la mode des vieux autheurs Tragiques*. Nous allons voir si l'auteur est rigoureusement fidèle à la source biblique qu'il résume lui-même avant le texte de sa tragédie et comment il a modelé, distribué cette matière biblique pour bâtir une tragédie « à l'antique » qui privilégie l'action et la condense dans une même journée, en un lieu unique. Au premier acte, Saül apparaît en plein délire, devant sa tente; il s'élance contre ses fils pour les tuer; ceux-ci décident de remplacer leur père à la tête de l'armée car la bataille va s'engager contre les Philistins. Au deuxième acte, Saül est plongé dans un sommeil profond; revenant à lui, il demande à Dieu la raison de la colère divine

---

23. Voir *Saül le Furieux*; *La Famine ou les Gabéonites*, éd. critique par Elliott FORSYTH, Paris, Didier, 1968, pp. XXX, XXXI.

qui le poursuit. Son écuyer lui rappelle sa désobéissance : il a laissé vivre Agag, roi des Amalécites que Dieu lui avait ordonné de mettre à mort. Saül se révolte contre la malédiction de Dieu, refuse d'implorer le secours de Dieu qui, pense-t-il, l'a définitivement abandonné, il décide d'évoquer, par l'intermédiaire d'une pythonisse, l'esprit de Samuel, pratique formellement défendue par la Loi de Dieu. L'acte III est rempli par cette scène de magie, Samuel reparaît mais c'est pour annoncer à Saül sa mort, la mort de ses fils et la défaite. Saül se pâme puis revient à lui et prend Dieu à partie pour l'avoir tiré de son humble condition, lui avoir conféré la couronne pour le précipiter de plus haut. Au quatrième acte, un messager arrive, il annonce la victoire des Philistins, la mort des fils du roi. Saül ne cherche que la mort et, comme son écuyer refuse de le tuer, il se précipite avec lui au fort de la mêlée. Au cinquième acte, David arrive, il a pendant ce temps triomphé des Amalécites. Il pleure sur la mort de Jonathan, le fils de Saül, son ami et sur la mort de Saül, « roi débonnaire ».

Si le récit biblique est reproduit dans ses grandes lignes, le personnage du héros a été singulièrement transformé : la Bible indique que le rejet de Saül et sa perte sont sans rémission, à partir du moment où le roi a désobéi en sauvant Agag et le meilleur du butin. Dans la tragédie, c'est le refus de reconnaître la grâce divine et d'accepter le silence de Dieu, c'est le péché du désespoir qui provoque la chute du héros. Elliott Forsyth a bien montré que c'était là une interprétation chrétienne de la chute de Saül, qu'on trouve souvent au xvie siècle en particulier chez Calvin[24]. D'autres critiques ont remarqué que Saül proteste contre la punition de Dieu, en déclarant qu'il a agi par humanité et pour respecter un code d'honneur vis-à-vis du roi vaincu. La morale antique et la conception qu'Aristote avait du héros tragique viennent ici contredire la décision mystérieuse du Dieu d'Israël. Le personnage de Saül y gagne assurément en complexité et vérité humaine. Enfin, une brève indication biblique sur l'esprit mauvais qui remplissait d'épouvante Saül (I Samuel 16, 14 et 18, 10) permet à La Taille d'ouvrir sa pièce sur le délire de Saül et de jeter le spectateur en pleine action.

Antoine de Montchrestien : « *Aman ou la Vanité* » *(1601)*

Nous avons vu que l'*Aman* de Rivaudeau avait un aspect polémique très marqué : il annonçait aux conseillers-persécuteurs le châtiment que Dieu allait lancer contre eux et il exhortait les huguenots, menacés d'extermination, à espérer fermement au sein de la détresse. On situe la composition de la tragédie de Montchrestien en 1598, c'est l'année

---

24. *Ibid.*, pp. XLVI, XLVII.

de l'édit de Nantes; dans le climat de pacification et de tolérance qui s'instaure, l'exhortation ardente de Rivaudeau n'a peut-être plus sa place. Avons-nous donc affaire à un drame purement moral ou psychologique ? L'utilisation de la source biblique et d'autres emprunts à la Bible peut nous permettre de mieux comprendre le sens et la profondeur de cette tragédie. De bons critiques ont déclaré qu'on ne savait rien de l'appartenance religieuse de Montchrestien; mais Françoise Charpentier, qui a consacré à cet auteur une thèse très bien documentée, écrit que le protestantisme de Montchrestien est probable et elle étudie *les résonances huguenotes* de la pièce[25] : elle souligne les analogies entre le peuple juif, pécheur, châtié par Dieu mais politiquement innocent — car Assuérus lui-même reconnaît son caractère paisible — et les huguenots qui n'ont cessé de réclamer qu'on tolère leur originalité religieuse tout en affirmant leur loyalisme monarchique. On peut appuyer encore cette démonstration en indiquant qu'au moment le plus critique du drame la supplication que Mardochée lance vers Dieu n'est autre que le psaume 79, cité presque textuellement :

> Les Barbares entrés en ton saint héritage
> Ont pollu notre temple et pillé ses trésors;
> Jérusalem la grande, exposée au ravage,
> En des monceaux de pierre a vu changer ses forts.
>
> On a donné la chair de ton peuple en viande
> Aux oiseaux carnassiers qui rôdent par les Cieux
> . . . .
> On a versé leur sang comme de l'eau coulante;
> Les carrefours noyés en ont tous regorgé... (v. 879-888).

Or c'est le psaume que les rescapés de la Saint-Barthélemy avaient adopté pour exprimer, après le massacre, leur horreur et leur espérance; on le trouve cité dans plusieurs pamphlets et « cantiques » de ce temps. Ainsi, même dans un temps de réconciliation, les anciennes blessures marquent le peuple des huguenots et ils s'identifient à ce « petit reste » du peuple juif promis au massacre. Mais le libre découpage du texte qu'offre le livre d'Esther[26] permet à Montchrestien d'enrichir spirituellement le personnage de Mardochée. F. Charpentier souligne que l'élan de la prière d'Esther qu'offre le texte biblique — et que Racine traduira avec un accent si émouvant — est transféré par Montchrestien à Mardochée[27]. Non seulement sa prière est portée par un élan mystique, mais elle présente des nuances néo-testamentaires qui lui donnent un caractère moderne. Dieu est d'abord le Dieu de l'Alliance : il a libéré

25. Voir F. CHARPENTIER, *Les débuts de la tragédie héroïque : Antoine de Montchrestien (1575-1621)*, Service de reproduction des thèses, Université de Lille III, 1981, pp. 320 ss.
26. Il s'agit du récit en grec dû aux Septante; ces additions avaient été rejetées à la fin du livre par saint Jérôme.
27. Voir F. CHARPENTIER, *op. cit.*, pp. 343, 345.

son peuple pour qu'il le loue et connaisse Son nom, mais il est aussi
« un père doux », un sauveur. « La véritable raison d'être de cette pièce,
écrit F. Charpentier, c'est qu'elle repose sur une théologie du salut »[28].
Mardochée a la stature d'un prophète biblique parce qu'il prévoit
l'avenir, qu'il est en communion fervente avec Dieu, qu'il invoque Sa
justice. Il révèle autant de grandeur spirituelle qu'Aman manifeste
d'*hubris*, d'orgueil et de folie ; et c'est le conflit entre ces deux personnages
qui donne à la tragédie sa vraie dimension, son sens mystique. La tragédie se clôt sur une paraphrase du psaume 124 ; personnages et spectateurs peuvent communier dans la joie de la délivrance.

LES TRAGIQUES CATHOLIQUES :
ROBERT GARNIER, « LES JUIVES », 1583

Nous avons mentionné la tragédie latine de Cl. Roillet, *Aman*,
publiée en 1566. Mais R. Lebègue signale qu'aucun auteur catholique
ne publie de tragédie française avant 1576. Quelle en est la raison ?
On pense que les défenseurs de l'orthodoxie romaine craignaient de
favoriser la Réforme en mettant sur la scène telle ou telle histoire tirée
des Ecritures ; c'eût été inciter un large public à lire la Bible en français,
ce que l'Eglise interdisait aux laïques. Mais comme dans le grand
combat qui se livrait au moyen de pamphlets, poèmes, pièces de théâtre,
histoires comiques, il fallait répondre aux attaques et rétorquer des
arguments aux citations tirés des Ecritures, la polémique donna accès
au Livre interdit et les poètes retrouvèrent cette féconde source d'inspiration. Laissant de côté le *Pharaon* de Chantelouve (1576) où l'élément
biblique est des plus faibles, ainsi que l'*Holopherne* d'Adrien d'Amboise,
une *Esther* de Pierre Matthieu (1584), nous nous attacherons au drama-
turge qui domine toute la production dramatique du xvie siècle : Robert
Garnier. Son unique tragédie biblique *Les Juives* (1583) baigne dans une
atmosphère profondément religieuse, elle est destinée à transmettre
à une France déchirée par les guerres de religion un message très actuel :
« Je vous ai représenté, déclare Garnier dans sa dédicace, les calamités
d'un peuple qui a comme nous abandonné son Dieu. »

1. *Sources bibliques et inspiration gréco-latine*

Dans l'argument de la tragédie, les sources bibliques sont indiquées
avec précision. « Ce sujet est pris des 24 et 25 chapitres du 4 livre des

---

28. *Ibid.*, p. 350.

Roys[29], du 36 chapitre du 2 livre des Chroniques et du 29 de Jérémie, et est plus amplement traité par Josèphe au 9 et 10 chapitre du 10 des Antiquitez. »

Nabuchodonosor avait établi roi de Juda Sédécias, fils d'Amital et de Josias tué par les Egyptiens à la bataille de Maggedo. Mais Sédécias fit ce qui est mal aux yeux de l'Eternel et il se révolta contre son suzerain le roi de Babylone. Celui-ci vint mettre le siège devant Jérusalem pendant deux ans. Les Juifs souffrirent de la famine. Une nuit, par une brèche des remparts, le roi s'enfuit avec sa famille; mais il fut fait prisonnier et conduit à Nabuchodonosor, à Reblatha, on le jugea : « Et on tua les fils de Sédécias en sa présence, on lui creva les yeux, on le lia avec des chaînes, et on le mena à Babylone. » Puis c'est le sac de Jérusalem, l'incendie du temple, du palais et de la plupart des maisons, on emmène à Reblatha le souverain sacrificateur Saraïs avec quelques dignitaires et on les met à mort. Voilà donc le schéma de la tragédie. Mais cet anéantissement du peuple juif rappelle à tout humaniste une autre catastrophe : le sac de Troie, l'esclavage de femmes illustres, Andromaque, Cassandre et la vieille Hécube, l'assassinat odieux de Polyxène et du fils d'Hector, Astyanax. Euripide a mis en scène dans les *Troyennes* ce dernier acte du siège de Troie, Sénèque a composé les *Troyennes* *(Troades)* et Garnier lui-même dans la *Troade* « contamine » les tragédies de Sénèque et d'Euripide qui mettent en scène le désastre de Troie. Il pouvait donc s'imiter lui-même et joindre ainsi les deux courants de pensée et de foi qui ont nourri l'imagination et la sensibilité de l'Occident. Mais la tradition grecque ne l'emporte pas, semble-t-il, sur les thèmes fondamentaux de l'histoire du peuple juif. Pour les Troyennes comme pour les Juives, la grande angoisse c'est : « Comment sera assurée la continuité de la lignée royale ? » Pour les Troyennes, la question clé, c'est : jusqu'où ira la cruauté des vainqueurs ? Mais pour les Juives cette continuité dépend étroitement de la bénédiction et du pardon de Dieu; il y a là un suspense beaucoup plus mystérieux que le thème de la *Troade*. Dieu qui s'est choisi une lignée royale va-t-il la condamner à la destruction ?

A travers cette douloureuse tragédie hébraïque, nous entendons l'écho d'un problème très actuel : la lignée des Valois est menacée; Henri III n'a pas d'enfant et la France affaiblie, exsangue, après plus de vingt ans de guerre civile, ne va-t-elle pas perdre toute puissance et son existence même ?

Les personnages, leurs modèles bibliques : nous n'en examinerons que trois : le Prophète, Sédécias, Amital.

Dieu, comme dans l'*Athalie* de Racine, est le personnage invisible et présent. Il parle par la bouche de son Prophète. Celui-ci n'a pas de

---

29. 2e livre des Rois dans les Bibles modernes.

nom car Jérémie, le prophète du règne de Sédécias, n'assistait pas au désastre de Jérusalem; néanmoins il a la même action que Jérémie et les mêmes souffrances. Devant l'horreur du châtiment il se solidarise avec son peuple, il s'en prend à Dieu, comme Job, il reproche à Dieu son silence, la Bible offre les modèles à la fois des prédications prophétiques pleines de menaces et de ce dialogue passionné avec Dieu pour lui rappeler son Alliance.

Sédécias est assez différent du roi de Juda dans la Bible. Le récit du livre des Rois et surtout les chapitres 37 et 38 de Jérémie font de lui un personnage faible, incertain : il reçoit Jérémie en cachette, mais ne tient aucun compte de sa prophétie, il le livre aux Princes qui demandaient qu'on le mette à mort, puis accepte qu'on le fasse sortir de la citerne. La théorie d'Aristote voulait que le héros tragique gardât une certaine noblesse, qu'il ne fût pas entraîné au désastre par sa seule faute car il ne devait pas cesser d'émouvoir la sympathie. De plus, R. Garnier est un solide partisan de la monarchie, même s'il avertit le monarque du péril que son luxe et ses excès font courir au pays. Sédécias reste donc le roi, défenseur de son peuple, opposé au tyran cruel.

Amital, sa mère, représente la création la plus originale de Garnier et en même temps la plus fidèle à l'esprit biblique. Dans la Bible elle n'est qu'un nom et, par bien des traits, R. Garnier lui a prêté le rôle que jouait Hécube dans les *Troyennes* ou dans sa propre *Troade*, mais si elle a ce goût du malheur et de la mort qu'on trouvait chez Hécube, elle lutte pied à pied avec beaucoup de lucidité et de psychologie pour essayer de sauver son fils; elle conserve une grandeur visible dans son abaissement; surtout elle est comme la mémoire de son peuple, gardant sans cesse à la pensée les délivrances du Seigneur et les exigences de Dieu. Même au moment où l'on entraîne les enfants de Sédécias elle leur recommande la fidélité en prononçant une véritable confession de foi malgré le déchirement de son cœur. R. Lebègue a bien raison de dire qu'elle est plus juive que troyenne.

Nous devons conclure cet exposé trop rapide et resserré. Le théâtre est un art qui établit une communion avec un public rassemblé; même si toutes ces pièces n'ont pas été jouées, elles ont été conçues pour être représentées et elles nous permettent de voir clairement ce que représentait la Bible pour les publics divers du XVIe siècle. Au début du siècle, le libre accès à la lecture de la Bible a été revendiqué dans les *Moralités*; pour Marguerite de Navarre elle est parole de salut qui renouvelle l'être intérieur, elle nourrit une effusion mystique. Buchanan trouve dans les Ecritures des thèmes de propagande et de contestation tandis que Cl. Roillet transforme un récit biblique en drame porteur d'un message moral. Les protestants militants choisissent des récits ou concentrent des épisodes bibliques pour durcir les énergies, à l'heure du combat, mais déjà un Th. de Bèze, un Rivaudeau ont le souci de faire œuvre d'art.

C'est pour eux l'occasion de faire revivre la Parole de Dieu pour consoler leurs coreligionnaires dans leurs tribulations. Lorsque les théologiens et les synodes protestants ont voulu condamner les jeux scéniques et séparer Bible et théâtre, des dramaturges protestants très soucieux des règles antiques de la tragédie, et moins étrangers aux persécutions du peuple huguenot qu'on ne l'a dit, ont créé des œuvres ordonnées suivant la doctrine d'Aristote mais qui n'ignoraient pas le message prophétique de la Bible. Enfin, R. Garnier, fidèle champion de l'orthodoxie romaine et de la monarchie, a produit un chef-d'œuvre en mêlant harmonieusement le tragique grec et sénéquien avec le désastre du peuple hébreu ordonné par une volonté toute-puissante. Mais il n'a pas soumis la donnée biblique au modèle grec, il n'a pas préféré la fatalité antique au dessein du Dieu vivant qui peut détruire un peuple infidèle mais qui garde son alliance à un petit reste ranimé par la parole prophétique. La Bible a été pour les dramaturges du XVIe siècle et leur public, révélation de la vérité humaine, message de rupture avec le monde, mais aussi parole d'espoir au sein de la détresse.

Marguerite SOULIÉ.

BIBLIOGRAPHIE

Textes et pièces de théâtre cités

La Farce des Théologastres, in Ed. FOURNIER, *Le théâtre français avant la Renaissance*, Paris, 1872.
Marguerite de NAVARRE, *Les Marguerites de la Marguerite des princesses*, 1547. Texte reproduit par Slatkine, Genève, 1970.
N. BARTHÉLEMY, *Christus Xylonicus*, Paris, 1529, Bibl. nat.
Th. de BÈZE, *Abraham sacrifiant*, 1550. Ed. critique par K. CAMERON, K. M. HALL et F. HIGMAN, Genève, Droz, 1967.
J. de COIGNAC, *La desconfiture de Goliath*, s.l.n.d. (Genève, 1551).
G. BUCHANAN, *Jephtes sive votum*, Paris, 1554.
— *Baptistes sive calumnia*, Londres, 1577. Rééd. in *Poemata quae extant*, Amsterdam, 1687.
F. CHRESTIEN, *Jephté* (traduction du *Jephtes* de BUCHANAN), Orléans, 1567.
Cl. de VESEL, *Jephté* (traduction du *Jephtes* de BUCHANAN), Paris, 1566.
Cl. ROILLET, *Aman*, in *Varia Poemata*, Paris, 1556.
L. DES MASURES, *Tragédies saintes*, Genève, 1566. Ed. critique par Ch. COMTE, Paris, Société des Textes Français Modernes, 1907; 2e tir. 1932.
A. de RIVAUDEAU, *Aman*, Poitiers, 1566. Ed. critique par K. CAMERON, Genève, Droz, 1969.
PHILONE, *Josias*, Genève, 1566, Bibl. nat.
— *Adonias*, Lausanne, 1586, Bibl. nat.
A. de la CROIX, *Tragi-comédie*, l'argument pris du troisième chapitre de Daniel : avec le Cantique des trois enfants, chanté en la fournaise. s.l.n.d. (1561 ?).
J. de LA TAILLE, *Saül le Furieux*, Paris, 1572.
— *La Famine ou les Gabéonites*, Paris, 1573. Ed. critique par Elliott FORSYTH, Paris, Didier, 1968.
P. MATTHIEU, *Esther*, Lyon, 1585, remaniée en deux tragédies : *Vasthi*, Lyon, 1589, et *Aman*, Lyon, 1589.
A. de MONTCHRESTIEN, *Aman*, Rouen, 1601; 2e éd., profondément remaniée, Rouen, 1604. Ed. critique par G. O. SEIVER, Philadelphia, 1939.
F. CHANTELOUVE, *Pharaon*, Paris, 1576.
A. d'AMBOISE, *Holopherne*, Paris, 1583.
R. GARNIER, *Les Juives*, Paris, 1583. Ed. par R. LEBÈGUE, Paris, Belles-Lettres, 1949.

Etudes sur les drames bibliques au XVIe siècle

M. A. Thiel, *La figure de Saül et sa représentation dans la littérature dramatique française*, thèse, Amsterdam, 1926.

R. Lebègue, *La tragédie religieuse en France. Les débuts (1514-1573)*, thèse, Paris, Champion, 1929.

— « Tableau de la tragédie française de 1573 à 1610 », *Bibliothèque d'Humanisme et Renaissance*, V, 1944 (supplément BHR, IX, 1947).

— *La tragédie française de la Renaissance*, Bruxelles, 1954, 2e éd.

— *Les « Juifves »*, cours à la Sorbonne, Paris, Centre de Documentation Universitaire, 1944-1945.

K. Loukovitch, *L'évolution de la tragédie religieuse classique en France*, Paris, Droz, 1933.

T. A. Daley, *Jean de La Taille. Etude historique et littéraire*, thèse, Paris, Gamber, 1934.

G. D. Jonker, *Le protestantisme et le théâtre de langue française au XVIe siècle*, thèse, Groningue, Pays-Bas, 1939.

E. Forsyth, *La tragédie française de Jodelle à Corneille (1553-1640). Le thème de la vengeance*, Paris, Nizet, 1962.

M.-M. Moufflard, *Robert Garnier, la vie, l'œuvre, les sources*, La Ferté-Bernard, Bellanger, 3 vol., 1961-1964.

F. Charpentier, « Le thème d'Aman et la propagande huguenote », *Bibliothèque d'Humanisme et Renaissance*, 1971.

D. Seidman, *La Bible dans les tragédies religieuses de Garnier et de Montchrestien*, Paris, Nizet, 1971.

Y. Le Hir, *Les drames bibliques de 1541 à 1600, étude de langue et de style*, Presses Universitaires de Grenoble, 1974.

F. Charpentier, *Les débuts de la tragédie héroïque : Antoine de Montchrestien (1575-1621)*, Service de reproduction des thèses, Université de Lille III, 1981.

22

Le chant, la Réforme
et la Bible

Le cantique dans la langue commune figure, avec la Bible « traduite en vulgaire » et le catéchisme, au nombre des réalisations à mettre au compte des « Réformes » du XVIᵉ siècle. Sans doute, un siècle auparavant, le mouvement hussite avait indiqué la voie avec ses cantiques en langue tchèque[1], en outre, depuis le XIIᵉ siècle, des chants en allemand accompagnaient processions, pèlerinages ou encadraient la liturgie[2] et des adaptations versifiées des psaumes, françaises et anglaises, existaient dès avant la Réforme[3]. Mais une assemblée qui chante est en soi, à cette époque, une nouveauté si grande, qu'elle suscite l'étonnement des uns ou les commentaires indignés des autres. Les aspirations du XVIᵉ siècle à redonner un texte biblique épuré et clair, à diffuser l'Ecriture au plus grand nombre allaient de pair avec la volonté de sortir la Bible du ghetto de la psalmodie des clercs, du « brouhaha » et du « braillement tumultueux »[4] des chapelles, qui masquaient le sens des paroles. Depuis

---

1. En 1501 paraît le premier recueil de cantiques des Frères Moraves en langue tchèque, point de départ de nombreux recueils ultérieurs. Sur l'ensemble de la question, voir M.-E. DUCREUX, *Hymnologia Bohemica, 1588-1764. Cantionnaires tchèques de la Contre-Réforme*, thèse de doctorat de 3ᵉ cycle, Paris III, 1982.

2. Cf. J. JANOTA, *Studium zu Funktion und Typus des deutschen geistlichen Liedes im Mittelalter*, München, 1968.

3. Voir M. JEANNERET, *Poésie et tradition biblique au XVIᵉ siècle. Recherches stylistiques sur les Paraphrases des Psaumes de Marot à Malherbe*, Paris, 1969, pp. 15 ss.

4. Expressions empruntées à la *Paraphrase de l'Epître I aux Corinthiens (1, 14)* d'ERASME (1517), dans laquelle l'humaniste exerce une violente critique contre la pratique musicale de l'Eglise de son temps : « Ce ne sont plus des voix que l'on entend, mais un brouhaha qui frappe les oreilles », et plus loin : « Non contents de cela, nous avons introduit dans les

la fin du xvᵉ siècle, il ne manquait pas de voix — et celle d'Erasme n'était pas des moindres — tant du côté des humanistes, des réformateurs que des gens d'Eglise, pour s'élever contre les pratiques musicales dans la liturgie de l'Eglise romaine et leur somptuosité sonore, et pour réclamer un retour à la simplicité de l'Eglise du Christ[5]. Ces réactions comme cette compréhension nouvelle de l'Ecriture allaient donner naissance à des formes de chant — qui engendraient elles-mêmes des formes musicales — imprégnant comportements culturels et mentalités dans la longue durée. En focalisant essentiellement le regard sur l'espace germanique et sur la France, de quelles façons avait-on envisagé au xvrᵉ siècle d'unir Bible et cantique ?

RÉPANDRE L'ECRITURE PAR LE CHANT

« Ceux qui rejettent le chant de la communauté de Dieu, écrit le réformateur strasbourgeois Martin Bucer en 1524, sont peu instruits du contenu de l'Ecriture comme de l'usage des premières Eglises apostoliques, qui, partout, ont loué Dieu aussi par des chants »[6]. Si l'on excepte, en effet, Zurich et Berne où, avec les débuts de la Réforme, le chant d'Eglise est aboli et les orgues détruites (Zurich en 1527) ou vendues (Berne en 1528)[7], les différents courants réformateurs du xvrᵉ siècle ont voulu introduire le chant en langue vulgaire pour en faire un véhicule de l'Ecriture. Les motifs qui poussent Luther en 1523-1524 à composer des cantiques en allemand vont tout à fait dans ce sens : « afin que la Parole de Dieu demeure parmi eux [le peuple] grâce au chant », écrit-il en 1523[8]. Il reprend une formule identique dans la préface

églises une espèce de musique artificielle et théâtrale, un braillement tumultueux de voix diversifiées, comme les Grecs et les Romains n'en ont, si je ne me trompe, jamais entendu dans leurs théâtres. Tout n'est qu'un vacarme de clairons, de trompettes, de flûtes et de harpes, et avec elles encore rivalisent des voix humaines » (cité par J.-C. Margolin, *Erasme et la musique*, Paris, 1965, p. 51). Erasme s'en prend essentiellement à la polyphonie sacrée de l'école franco-flamande de la fin du xvᵉ siècle.

5. Ainsi l'attitude de Luther, Zwingli ou Calvin. Cf. P. Veit, *Das Kirchenlied in der Reformation Martin Luthers. Eine thematische und semantische Untersuchung*, Stuttgart, 1986, pp. 10 ss.; Id., « Martin Luther, chantre de la Réforme. Sa conception de la musique et du chant d'Eglise », *Positions luthériennes* 30, 1982, pp. 47-66.

6. *Grund und Ursach der Neuerungen* (1524). R. Stupperich (éd.), *Martin Bucers deutsche Schriften*, t. 1, Gutersloh, Paris, 1960, p. 276.

7. Malgré ses dispositions musicales, Zwingli exclut toute musique dans l'organisation nouvelle du culte à Zurich. Une interprétation restrictive de Col 3, 16 — la prière étant essentiellement, pour le réformateur, d'ordre individuel, altérée par le grand nombre —, la dépendance à l'égard des positions d'Erasme en matière de musique liturgique et l'influence exercée par les cercles radicaux zurichois autour de Conrad Grebel, refusant tout chant d'Eglise, expliquent en partie l'attitude de Zwingli. Le chant communautaire fut introduit à Berne en 1574, après un premier essai en 1558. Il ne le fut à Zurich qu'en 1598. Voir M. Jenny, *Zwinglis Stellung zur Musik im Gottesdienst*, Zurich, 1966.

8. Luther, éd. de Weimar, *Briefwechsel*, t. 3, p. 220, nº 698 (cité *WA*). Luther, *Œuvres*, t. 8, p. 97.

au premier recueil de Wittenberg (1524) : « afin que soient répandues sous les formes les plus diverses et pratiquées la Parole de Dieu et la doctrine chrétienne », poursuivant plus loin : « pour pratiquer et divulguer le saint Evangile, qui maintenant est réapparu par la grâce de Dieu »[9].

La théologie luthérienne de la Parole posait pour principe que la Parole divine enfermée dans la Bible est lettre morte, si elle n'est pas en même temps annoncée, transmise par la voix et écoutée[10]. On comprend dès lors l'importance accordée à la prédication mais également au chant, ce d'autant plus que, pour parler avec Bucer, « ce qui intéresse particulièrement les gens, on ne le dit pas seulement, mais on le chante pour que cela pénètre davantage dans les cœurs »[11]. Cette idée est développée à maintes reprises dans les préfaces des recueils de cantiques du XVIe siècle et, notamment, par le pasteur de Joachimsthal en Bohême, Johann Matthesius : « Les textes de l'Ecriture sainte sont certes en eux-mêmes la plus agréable des musiques, qui apporte consolation et vie dans la détresse de la mort et peut vraiment réjouir le cœur. Mais quand s'y ajoute une mélodie douce et chaleureuse... alors ce chant reçoit une force nouvelle et pénètre plus profondément dans le cœur »[12]. En ce sens, le réformateur wurtembergeois Johann Brenz distingue trois formes de prédication, celle qui se tient du haut de la chaire, la plus importante, celle qui se fait par la lecture, celle enfin qui a le chant public pour moyen d'expression[13]. Luther, également, assimile à plusieurs reprises le chant au prêche, utilisant notamment l'expression de « prédication sonore »[14]. Cette conception va marquer de son empreinte

9. *WA* 35, 474.

10. Luther insiste à plusieurs reprises sur le caractère oral de l'Evangile, le Christ n'ayant rien écrit mais tout exprimé en paroles; c'est aussi oralement que doit se transmettre la Parole divine. Le réformateur écrit notamment dans un sermon de 1534 : « Le Royaume du Christ est fondé sur la Parole qu'on ne peut saisir ni comprendre sans les deux organes, les oreilles et la langue. Il règne seulement par la Parole et la foi dans le cœur des hommes. Les oreilles saisissent la Parole, mais la langue parle et confesse comme croit le cœur » (*WA* 37, 512). On reconnaîtra ici le thème typiquement luthérien de la *fides ex auditu*. Cf. V. Vajta, *Die Theologie des Gottesdienstes bei Luther*, Göttingen, 1952, 3e éd. 1959, pp. 119 ss.; également Veit, *Martin Luther, chantre de la Réforme, op. cit.*, pp. 58 ss.

11. *Vorrede zum Strassburger Gesangbuch*, 1541. R. Stupperich (éd.), *Martin Bucers deutsche Schriften*, t. 7, Gütersloh, Paris, 1964, p. 578. Calvin écrit de façon semblable dans la *Forme des prières et chants ecclésiastiques* (Epistre au lecteur) de 1542 : « Et à la vérité, nous congnoissons par expérience, que le chant a grand force & vigueur d'esmouvoir & enflamber le cœur des hommes, pour invoquer & louer Dieu d'un zèle plus véhément & ardent » (cité par P. Pidoux, *Le Psautier huguenot du XVIe siècle*, Bâle, 1962, t. 2, p. 17).

12. Préface aux *Historien von der Sindflut, Joseph, Mose...* de Nikolaus Herman (Wittenberg, 1562). Ph. Wackernagel, *Bibliographie des deutschen Kirchenliedes im XVI. Jahrhundert*, Frankfurt/Main, 1885; Neudruck Hildesheim, 1961, pp. 613-614.

13. *De poenitentia* (1545). Cité par W. Blankenburg, « Der gottesdienstliche Liedgesang der Gemeinde », *Leiturgia. Handbuch des evangelischen Gottesdienstes*, t. 4, Kassel, 1961, pp. 567-568.

14. Luther écrit dans la préface aux *Symphoniae jucundae* de Georg Rhau (1538) : « A l'homme uniquement il a été donné d'unir la parole à la voix, afin qu'il sache qu'il doit louer Dieu par le verbe et la musique, plus précisément par une prédication sonore *(sonora*

tout le cantique luthérien allemand et se révéler fondamentale en ce qui concerne la richesse musicale du culte comme l'évolution de la musique religieuse au sein du luthéranisme, que ce soit dans le motet sur les paroles bibliques, les Passions allemandes ou la cantate au XVIIIe siècle[15]. Mais à un chant qui se voyait confier la mission de répandre l'Ecriture, il fallait aussi une mélodie qui garde au texte toute sa clarté et toute sa force. Pierre Viret, le réformateur de Lausanne, en donne une définition précise : « Nous ne chantons qu'en langue intelligible, usans d'une musique plaine et fort modeste, ne baillans qu'à chacune syllabe sa note »[16]. Idéal de l'humanisme et exigences de la Réforme se rejoignent ici, dans cette volonté commune d'intelligibilité du texte, qui, pour les réformateurs, va de pair avec l'autorité retrouvée de l'Ecriture.

Si les intentions semblent identiques, des différences se manifestent cependant dans la façon de concevoir ce chant. Des positions plus ou moins radicales s'expriment en ce domaine comme, du reste, dans celui de la liturgie. Souci de la continuité, par exemple, à Wittenberg, marqué par le maintien du latin et des hymnes latines de l'Eglise médiévale à côté de la langue allemande[17], par la pratique au culte du chant et de la musique polyphoniques en dehors du cantique communautaire à une voix. Rupture plus nette à Strasbourg et dans l'Allemagne du Sud avec l'abolition totale du latin et l'introduction d'un chant exclusivement monodique et en allemand[18].

Les conceptions divergent également en ce qui concerne le chant en langue vulgaire. Si les cantiques wittenbergeois sont d'origine scrip-

---

praedicatione) et les mots mêlés à une douce mélodie » (*WA* 50, 369). A plusieurs reprises se trouvent associés prédication et chant, comme dans ce sermon de 1525 : « La Parole de Dieu veut être prêchée et chantée » (*WA* 17, II, 120), ou encore dans ce propos de table : « Sic praedicavit Deus evangelium etiam per musicam » (*WATR*, no 1258).

15. Voir P. VEIT, « Musique et cantiques protestants », Y. BELAVAL, D. BOUREL (dir.), *Le siècle des Lumières et la Bible* (Bible de tous les temps, 7), Paris, 1986, pp. 308 ss.; également W. BLANKENBURG, « Der mehrstimmige Gesang und die konzertierende Musik im evangelischen Gottesdienst », *Leiturgia, op. cit.,* pp. 669 ss.

16. *Des Actes des vrais successeurs de Jésus Christ et de ses apostres,* Genève, 1554, cité par J. BURDET, *La musique dans le pays de Vaud sous le régime bernois (1536-1798),* Lausanne, 1963, p. 22. Dans sa préface *A tous chrestiens et amateurs de la Parole de Dieu, salut* (1543), CALVIN écrit : « Touchant la mélodie, il a semblé le meilleur qu'elle fust modérée en la sorte que nous l'avons mise pour emporter poids & majesté convenable au subject, & mesme pour estre propre à chanter en l'Eglise, selon qu'il a esté dit » (cité par PIDOUX, *Le Psautier huguenot, op. cit.,* p. 21). En 1517, Erasme s'exprimait de façon analogue : « Chantons des psaumes avec l'esprit, mais chantons-les en chrétiens; chantons-les avec retenue, mais chantons-les plutôt avec l'intelligence » (cité par MARGOLIN, *op. cit.,* p. 52).

17. Cf. A. BOES, « Die reformatorischen Gottesdienste in der Wittenberger Pfarrkirche von 1523 an und die 'Ordenung der gesenge der Wittembergischen Kirchen' von 1543-1544 », *Jahrbuch für Liturgik und Hymnologie* 4, 1958-1959, pp. 1-40; 6, 1961, pp. 49-61. A Hambourg, les chants latins demeurent à côté des cantiques en allemand tout au long du XVIe siècle, pour ne disparaître complètement qu'à la fin du XVIIIe siècle. Leur maintien est encore attesté à Leipzig à l'époque de J.-S. Bach.

18. Cf. R. BORNERT, *La Réforme protestante du culte à Strasbourg au XVIe siècle (1523-1598),* Leiden, 1981.

turaire, ils ne sont pas nécessairement des adaptations strictes de textes bibliques. Le meilleur exemple est fourni par les cantiques de Luther, au nombre de 36 : un tiers seulement a pour source des psaumes ou d'autres textes de l'Ecriture, les autres sont des traductions de chants du répertoire grégorien, des versions augmentées de strophes médiévales en langue allemande ou des compositions plus ou moins libres[19]. A Strasbourg, au contraire, les cantiques sont majoritairement des versifications de psaumes, selon la règle fixée par Martin Bucer en 1524 : « Nous n'admettons aucune prière ni aucun chant qui ne soit tiré des Ecritures, et puisque ce qui est pratiqué dans la communauté de Dieu doit contribuer à rendre chacun meilleur, nous ne devons prier ni chanter autrement que dans la langue allemande commune pour que le laïc puisse dire Amen »[20]. S'inspirant des positions du réformateur strasbourgeois, Calvin se montre plus catégorique encore, se limitant aux seuls psaumes :

> Or ce que dit sainct Augustin est vray, que nul ne peut chanter choses dignes de Dieu, sinon qu'il l'ait receut d'icelui. Par quoy quand nous aurons bien circui par tout pour cercher ça et là, nous ne trouverons meilleures chansons ne plus propres pour ce faire, que les Pseaumes de David : lesquels le Sainct Esprit lui a dictez et faits[21].

Sans négliger le fonds de cantiques de Wittenberg, Strasbourg organise dès 1525 son propre répertoire, constitué principalement de psaumes, composés pour l'essentiel par des musiciens et poètes strasbourgeois comme Matthias Greiter, Wolfgang Dachstein, Ludwig Oeler ou Wolfgang Meuslin (Musculus)[22]. Certains de ces psaumes se répandent d'ailleurs très vite dans les différents recueils luthériens et font partie du répertoire commun à tous les recueils des XVIe et XVIIe siècles[23]. L'importance accordée aux psaumes est une caractéristique des recueils strasbourgeois et, plus généralement, de ceux de l'Allemagne du Sud. Les premiers psautiers complets allemands mis en musique sont édités à Augsbourg (Jacob Dachser, 1537) et à Strasbourg (Wolff Köpphel, 1538), et, dans les autres recueils, les psaumes constituent toujours une partie bien spécifique, placée en tête ou en fin de volume. Dans le recueil de 1541, préfacé par Bucer, premier livre de chants « officiel » de l'Eglise

---

19. Voir P. VEIT, « Les cantiques de Luther. Introduction, traduction et notes », *Positions luthériennes* 32, 1984, pp. 3-66; ID., *Das Kirchenlied in der Reformation Martin Luthers, op. cit.*, pp. 45 ss.

20. *Grund und Ursach der Neuerungen.* R. STUPPERICH (éd.), *Martin Bucers deutsche Schriften,* t. 1, *op. cit.*, p. 275.

21. *A tous chrestiens et amateurs de la Parole de Dieu, salut.* Cité par PIDOUX, *Le Psautier huguenot, op. cit.*, p. 21.

22. Cf. Th. GEROLD, *Les plus anciennes mélodies de l'Eglise de Strasbourg et leurs auteurs,* Paris, 1928.

23. Ainsi le cantique *An Wasserflüssen Babylon* (Dachstein), *Da Israel aus Egypten zog, O Herr Gott begnade mich* (Greiter), *Auf dich ist mein Trauen steif* (Oeler) que l'on retrouve déjà dans le recueil de BABST (Leipzig, 1545), préfacé par Luther.

de Strasbourg[24], ils forment la rubrique la plus importante avec 25 cantiques sur les 65 que compte l'ouvrage et, dans celui de Constance publié à Zurich en 1540, la première partie comprend plus de 60 psaumes sur les 150 cantiques du recueil[25]. Cette rubrique spécifique demeure dans les recueils strasbourgeois après 1550, époque où le luthéranisme conquiert progressivement la capitale alsacienne sous l'impulsion de Marbach puis de Pappus, et constitue un trait particulier des recueils luthériens du sud de l'Allemagne (Wurtemberg, Augsbourg, Ulm, Francfort-sur-le-Main) durant les xvie et xviie siècles, à la différence de ceux de Saxe et de l'Allemagne septentrionale où les psaumes, en tant que rubrique propre, disparaissent peu à peu des recueils[26].

L'influence des psaumes strasbourgeois ne se limite pas au seul espace germanique. Ils serviront aussi de modèle à Calvin pour son chant d'assemblée. Le petit recueil de 1539 mis au point par Calvin, alors réfugié à Strasbourg (1538-1541), pour la communauté française de cette ville, s'inspire en effet directement du chant de la capitale alsacienne, notamment des mélodies de Dachstein et de Greiter[27]. Il constitue la forme embryonnaire de ce qui allait donner en 1562, après plus de vingt années d'élaboration, le Psautier huguenot avec ses 150 psaumes « mis en rime françoise ». Cinquante textes (49 psaumes et le Cantique de

---

24. *Gesangbuch, darinn begriffen sind, die aller fürnemisten und besten Psalmen, Geistliche Lieder, und Chorgeseng aus dem Wittembergischen, Strasbürgischen, und anderer Kirchen zusamen bracht...* Cf. *Das grosse Strassburger Gesangbuch von 1541*, Faksimile-Ausgabe, Stuttgart, 1953.

25. Cf. *Nüw gsangbüchle 1540*. Faksimile-Ausgabe, J. Hotz (éd.), Zurich, 1946. Ce recueil, œuvre des réformateurs de Constance Johann Zwick, Thomas et Ambrosius Blaurer, fait la synthèse entre les différentes aires culturelles de la Réforme de langue allemande. En dehors de Constance, il regroupe des cantiques de Luther et du cercle de Wittenberg, des Allemands du Nord comme du Sud, de Strasbourg, de Suisse (Zwingli, Jud, Bullinger), y compris des dissidents (le Schwenckfeldien Adam Reusner ou l'anabaptiste Ludwig Hetzer).

26. L'énoncé des rubriques contenues dans deux recueils de la seconde moitié du xvie siècle, l'un de Strasbourg (Theodosius Rihel, 1569), l'autre de Leipzig (Johann Beyer, 1583), fait ressortir les différences. Le recueil de Rihel (214 cantiques) comprend les rubriques suivantes : 1) cantiques pour les fêtes (59 cantiques), 2) cantiques catéchétiques (22), 3) psaumes (55), 4) cantiques extraits de l'Ancien et du Nouveau Testaments, cantiques sur la doctrine chrétienne (32), 5) cantiques funèbres (17), 6) cantiques du matin, du soir et pour les repas (17). Le recueil leipzigois est composé de la façon suivante : 1) cantiques pour les fêtes, 2) cantiques catéchétiques, 3) cantiques d'action de grâce, cantiques concernant 4) la vie chrétienne, 5) la croix, 6) l'Eglise chrétienne, 7) la peste et les épidémies, 8) cantiques funèbres et sur les fins dernières, 9) cantiques du matin, du soir, avant et après les repas, 10) berceuses, 11) cantiques pour les grands chemins.

27. Les *Aulcuns pseaumes et cantiques mys en chant* (fac-similé édité par D. DELETRA, Genève, 1919) comprennent, outre 13 psaumes de Marot, 6 psaumes et les traductions du Cantique de Siméon et du Décalogue dus à Calvin ; 4 des psaumes de Calvin empruntent leurs mélodies à Matthias Greiter et les deux autres à Wolfgang Dachstein. Deux psaumes de Greiter, *Da Israel aus Egypten zog* (Ps. 114) et *Nicht uns, nicht uns o ewiger Herr* (Ps. 115), ont très vraisemblablement servi de modèle aux adaptations de Marot : *Quand Israel hors d'Egypte sortit* et *Non point à nous, non point à nous Seigneur*. *Es sind doch selig alle die* (Greiter) constituera dans le psautier genevois la mélodie des psaumes 36 (*Du maling les faicts vicieux*, Marot) et 68 (*Que Dieu se monstre seulement*, Théodore de Bèze). Cf. R. STAUFFER, « L'apport de Strasbourg à la Réforme française », *Strasbourg au cœur religieux du XVIe siècle*, Strasbourg, 1977, pp. 285-295.

Siméon) sont l'œuvre du poète Clément Marot (1496-1544), les 100 psaumes restants sont dus à Théodore de Bèze (1519-1605), le théologien et futur successeur de Calvin à Genève, qui reprend à partir de 1550 la tâche laissée par Marot; 125 mélodies, dont 85 ont été écrites par le chantre genevois Louis Bourgeois, accompagnent le Psautier[28], qui ne connaît pas moins de 136 formes strophiques et dispositions de rimes différentes. Ceci semble répondre à une intention pédagogique précise, comme le souligne Pierre Pidoux[29] : à une époque où la mémorisation jouait un rôle essentiel, associer une mélodie à un seul psaume constituait une aide précieuse. Comme souvent au xvie siècle, les mélodies sont rarement des créations originales mais bien davantage des arrangements et des adaptations d'airs et de formules mélodiques déjà existantes, et, contrairement à ce qui a été longtemps affirmé, les rédacteurs des mélodies ont été, semble-t-il, bien plus dépendants du répertoire grégorien que de la chanson profane[30]. L'impression du Psautier fut « la plus grande entreprise d'édition du siècle »[31], opération orchestrée par l'imprimeur lyonnais installé à Genève Antoine Vincent : plusieurs dizaines de milliers d'exemplaires sortent des presses genevoises en 1562 et en l'espace de trois ans, entre 1562 et 1565, le Psautier est édité à plus de soixante reprises. Si les « cantiques spirituels », destinés à l'usage domestique, représentèrent d'autres tentatives de mettre la Bible en musique du côté réformé[32], si le Psautier connut également de nombreuses versions à plusieurs voix « non pas pour induire à les chanter en l'Eglise, mais pour s'esjouir en Dieu particulièrement [en son particulier] ès maison »[33], les Psaumes de Marot et de Théodore de Bèze à

---

28. Les 40 mélodies restantes sont d'attribution plus incertaine, œuvre probable des musiciens Guillaume Franc, prédécesseur de Bourgeois à la cathédrale de Genève, Pierre Dagues et Pierre Dubuisson, sans qu'il soit possible de savoir quelle a été la part réelle de chacun d'eux. Cf. Pidoux, *Le Psautier huguenot, op. cit.*, t. 1, pp. vii-x.

29. Théodore de Bèze, *Psaumes mis en vers français (1551-1562)*, Edition préparée par P. Pidoux, Genève, 1984, pp. 6-7.

30. Voir Pidoux, *Le Psautier huguenot, op. cit.*, t. 1, pp. x ss.; également E. Weber, *La musique protestante de langue française*, Paris, 1979, pp. 79 ss.

31. E. Droz, « Antoine Vincent. La propagande protestante par le psautier », *Aspects de la propagande religieuse*, Genève, 1957 (thr 28), p. 278.

32. Voir les Paraphrases sur les psaumes de Guillaume Gueroult (1554), les cantiques de Maturin Cordier (1557), s'inspirant de la langue des psaumes de Marot, les cantiques d'Accace d'Albiac, sieur du Plessis, sur les Proverbes de Salomon et l'Ecclésiaste (1556-1558), les Saints Cantiques de Théodore de Bèze sur différents textes de l'Ancien Testament (1595). Cf. Pidoux, *Le Psautier huguenot, op. cit.*, t. 1, pp. 153 ss.; également M. Honegger, « La chanson populaire huguenote », *Jahrbuch für Liturgik und Hymnologie* 8, 1963, pp. 129-136.

33. Avertissement « *aux lecteurs* » de l'harmonisation à 4 voix de Claude Goudimel (1565). Le Psautier huguenot a été l'objet d'une intense activité musicale. En dehors de la version de Goudimel, qui se répandit dans toute l'Europe, il faut citer les adaptations polyphoniques de Claude Le Jeune (1601), Pascal de L'Estocart (1583), Philibert Jambe de Fer (1564), Jan Pieterszoon Sweelinck (1604-1621), à côté des harmonisations plus isolées de Clément Janequin, Pierre Certon ou Thomas Champion. Les psaumes connurent aussi des adaptations pour le luth comme celles d'Adrien Le Roy ou de Guillaume Morlaye.

une voix constituèrent le seul chant à pénétrer dans les temples réformés et le demeurèrent, dans leur forme de 1562, pendant plus d'un siècle[34]. Dès son achèvement, le Psautier huguenot avait acquis une véritable valeur canonique.

A une tout autre diversité et expansion s'ouvrait le cantique luthérien. Plus de 4 000 cantiques sont composés en Allemagne au XVIᵉ siècle et un minimum de 500 recueils édités ou réédités entre 1524 et 1620. La Bible y prend une infinité de facettes, destinées à l'usage liturgique ou domestique. Ainsi, les Histoires de l'Ancien Testament et des Evangiles sont racontées sous forme de chants pour les enfants et les pères de famille[35] ; ou bien encore les Evangiles des dimanches et fêtes sont mis en cantiques afin que « la jeunesse et les simples domestiques puissent d'autant mieux comprendre les textes des Evangiles et bien se rappeler les nobles enseignements entendus durant la prédication », comme l'écrit Paul Eber, superintendant à Wittenberg, en préface aux *Sonntagsevangelia* de Nikolaus Herman (1560)[36]. Il ajoute en digne héritier des leçons de Luther et de Melanchthon : « Il faut traiter et pratiquer de toutes les façons la Parole de Dieu... Parmi toutes ces façons, la moindre n'est certes pas de mettre la Parole de Dieu en vers et en chant et de la faire chanter au peuple et à la jeunesse à l'église et dans les maisons »[37].

Dans sa façon de pratiquer l'Ecriture en cantique, l'époque de la Réforme présentait au sein même du mouvement évangélique des visages variés. A cet égard, les critiques qu'adresse Johann Zwick, le réformateur de Constance, dans sa préface au recueil publié à Zurich en 1540, résument bien la situation qui se dégageait au XVIᵉ siècle :

Quant à ceux qui sont d'avis qu'on ne devrait chanter rien d'autre que les Psaumes ou ce qui se trouve écrit selon la lettre dans la Bible, ceux-là, certes, ne pensent pas à mal, mais il leur manque un jugement clair et une appréciation sûre des choses. Il est certes juste et bon d'insister sur l'Ecriture en raison du grand nombre qui l'ont jusqu'ici méprisée et le voudraient encore à l'avenir, mais qu'à côté on ne rejette pas complètement les dons du Saint-Esprit qu'il manifeste de façon si variée, et qu'on insiste partout bien plus sur le contenu et la compréhension de l'Ecriture que sur la lettre[38].

---

34. Il faudra attendre la révision des psaumes de Valentin Conrart et Marc-Antoine de La Bastide en 1677-1679.
35. Ainsi *Die Historien von der Sindflut/Joseph/Mose/Helia/Elisa / und der Susanna sampt etlichen Historien aus den Evangelisten... zu lesen und zu singen in Reyme gefasset / Für Christliche Hausveter und jre Kinder / Durch Nicolaum Herman* (Wittenberg, 1562). Ces cantiques furent édités à plus de 20 reprises jusqu'au début du XVIIᵉ siècle.
36. *Die Sontags Evangelia uber das gantze Jar / Jn Gesenge verfasset / Für die Kinder und Christliche Haußveter...* (Wittenberg, 1560). L'œuvre connut plus de 30 rééditions jusqu'au début du XVIIᵉ siècle. Préface : WACKERNAGEL, *op. cit.*, p. 609.
37. *Ibid.*, p. 608.
38. *Ibid.*, p. 557.

LA BIBLE : COMMENT ?
DE LA BIBLE MISE EN CHANT A L'IMPRÉGNATION BIBLIQUE

De quelle façon diffuser l'Ecriture ? La question portait bel et bien à débat dans la première moitié du XVIᵉ siècle, entre partisans d'un chant directement tiré des textes bibliques et ceux qui voulaient procéder plus librement. Mais, comme le laisse entendre Zwick, la question ne concernait pas simplement la façon de se comporter à l'égard de l'Ecriture, il y allait aussi de son adaptation au cantique.

En ce qui concerne la mise en chant des textes bibliques et principalement des psaumes, Luther, dès 1523, en même temps qu'il indiquait son intention de répandre la Parole divine par des cantiques en langue vulgaire, formulait ce qu'il entendait voir réalisé :

> Mais je désirerais que tu évites les expressions rares et celles qui appartiennent au langage des cours : si l'on veut se mettre à la portée du peuple, il faut que celui-ci chante des paroles aussi simples et aussi usuelles que possibles, en même temps que pures et convenables ; et il faut en outre que leur sens soit limpide, et aussi proche que possible du psaume original. Il faut donc procéder en toute liberté et, le sens étant conservé, remplacer les mots du texte par d'autres mots appropriés à cet objet[39].

A son programme, le réformateur joignait sa propre version du psaume 130 *Aus tiefer Not schrei ich zu dir*[40]. Elle permet de voir quels critères présidaient à cette mise en chant. Tout en restant fidèle au texte biblique, le cantique, en même temps que la traduction, fournit une interprétation, tirant le psaume dans un sens néo-testamentaire et particulièrement paulinien. Ceci est évident dans la dernière strophe du cantique, adaptation des versets 7 et 8 (« Quia apud dominum misericordia et copiosa apud eum redemptio et ipse redimet Israhel ex omnibus iniquitatibus ejus »)[41]. L'accent est clairement mis sur la toute-puissance de la grâce divine et sur la certitude du salut, et le texte du psaume est commenté à la lumière de Romains 5, 20 (Mais là où le péché s'est multiplié, la grâce a surabondé), d'Isaïe 59, 1 (Non, la main de l'Eternel

---

39. Lettre à Spalatin. *WABR* 3, p. 220, n° 698. LUTHER, *Œuvres*, t. 8, p. 97. Luther établit un véritable programme de traduction, joignant ses *Sept Psaumes de Pénitence* avec les commentaires (1517, *WA* 1, 158-220). Cf. G. HAHN, *Evangelium als literarische Anweisung. Zu Luthers Stellung in der Geschichte des deutschen kirchlichen Liedes*, München, Zürich, 1981, pp. 34 ss. En 1523, Luther a déjà fait paraître sa traduction allemande du Nouveau Testament (1522), qui sera suivie par celle du Psautier en 1524.
40. *WA* 35, 419-422. VEIT, Les cantiques de Luther, *op. cit.*, pp. 22-23. Luther publie presque simultanément deux versions de ce cantique, l'une en quatre strophes, l'autre en cinq. La différence essentielle réside en ce que Luther a adapté les versets 4 et 5 du psaume en deux strophes dans la version augmentée (str. 2 et 3), et en une seule dans l'autre (str. 2).
41. Car la miséricorde est auprès de l'Eternel, Et la rédemption est auprès de lui en abondance. C'est lui qui rachètera Israël de toutes ses iniquités.

n'est pas trop courte pour sauver) et de Jérémie 30, 12 (Ainsi parle l'Eternel : Ta blessure est grave, Ta plaie est douloureuse). Enfin la mention johannique du bon Pasteur souligne la dimension christologique du psaume :

> S'il y a beaucoup de péchés en nous,
> en Dieu il y a bien plus de grâce,
> sa main, pour nous aider, est sans limites,
> si grand que soit le mal.
> Lui seul est le bon Pasteur,
> qui sauvera Israël de tous ses péchés.

Le verset 4 également (« Quia apud te propitiatio est et propter legem tuam »)[42] donne l'occasion au réformateur de dégager les principes de la *sola gratia* et du rejet de la justification par les œuvres. Discrètement indiqué dans l'adaptation courte du psaume — « Il est en ton *seul* pouvoir »[43] ainsi que les allusions à Romains 3, 23 (Car il n'y a pas de distinction, tous ont péché et sont privés de la gloire de Dieu) et à Luc 17, 10 (Vous de même, quand vous avez fait tout ce qui vous a été ordonné, dites : Nous sommes des serviteurs inutiles, nous avons fait ce que nous devions faire) dans les deux derniers vers —, ceci ressort de façon plus nette dans la version amplifiée (5 strophes au lieu de 4) où se lit clairement la référence à Ephésiens 2, 8-9 (C'est par la grâce en effet que vous êtes sauvés par le moyen de la foi. Et cela ne vient pas de vous, c'est le don de Dieu. Ce n'est point par les œuvres, afin que personne ne se glorifie) :

(version courte) Il est en ton seul pouvoir / de pardonner les péchés, / les deux donc te craignent, le grand et le petit, / même dans la meilleure des vies.

(version amplifiée) Rien n'a de prix, sinon ta grâce et ta bienveillance, / pour pardonner les péchés, / Ce que nous faisons est vain / même dans la meilleure des vies. / Nul ne peut se faire gloire devant toi (cf. I Co 1, 31) / aussi que chacun te craigne / et vive par ta grâce[44].

Restituer le psaume pour Luther — comme plus tard pour la tradition luthérienne — c'est en dégager le sens (le *sensus psalmi*), en extraire ce qui constitue l'expression centrale et l'éclairer par le jeu d'associations tirées de l'Ecriture. L'Ecriture se trouve interprétée par elle-même, principe constant du luthéranisme. L'adaptation en cantique oscille sans cesse entre la traduction et le commentaire et la règle formulée par

---

42. Mais le pardon se trouve auprès de toi, Afin qu'on te craigne.

43. Luther traduit ce vers déjà dans ce sens dans ses *Busspsalmen* de 1517 : « Dan ist doch nur bey dir *allein* vorgebung » (*WA* 1, 206).

44. De la même façon, le principe de la *sola fide* est mis en avant dans la troisième strophe, adaptation du verset 5 (J'espère en l'Eternel, mon âme espère, Et j'attends sa promesse) : « Je veux espérer en Dieu, / ne pas compter sur mes mérites, / que mon cœur s'abandonne à lui / et se fie à sa bonté, / qui me promet sa chère Parole, / ma consolation et mon fidèle asile, / c'est elle que je veux attendre toujours. »

Luther en 1523 et concrétisée dans ce psaume se retrouve dans les autres cantiques sur les psaumes du réformateur — *Ein feste Burg ist unser Gott* (Ps. 46) en est l'exemple à la fois le plus tardif et le plus extrême[45] — comme dans les nombreuses adaptations ultérieures.

Cependant, le programme souhaité et amorcé par Luther ne trouve pas partout en Allemagne un écho favorable. Comme dans d'autres domaines, les réalisations du réformateur ne restent pas sans susciter des controverses en milieu protestant et d'autres conceptions dans l'adaptation des psaumes que celles émises de Wittenberg se font vite jour, principalement, semble-t-il, dans l'Allemagne du Sud, ainsi que le laissent entrevoir quelques préfaces de recueils. Jacob Dachser, un des chefs de file du mouvement anabaptiste à Augsbourg et éditeur du premier psautier complet mis en musique (Augsbourg, 1537), écrit notamment :

Mais parce que beaucoup de simples et bons chrétiens, qui reconnaissent l'utilité d'un tel chant, s'offusquent de ce que plusieurs psaumes sont mis en chant avec plus de mots que dans le texte, au point que le sens même du psaume s'en trouve presque complètement perdu, à cause des illettrés, j'ai essayé de mon mieux de recomposer en chant presque tout le Psautier, non seulement d'après le sens mais aussi d'après les mots du Psautier imprimé en allemand[46].

D'une façon identique s'exprime Hans Gamersfelder dans la préface de son psautier (Nuremberg, 1542) :

Je me suis appliqué, autant que cela m'était possible, à ne rendre que le texte, comme il a été dicté et donné par l'Esprit de Dieu... J'en suis resté au texte, tel que l'a fixé et prescrit le doigt de Dieu[47].

Calvin n'est pas loin de partager la même idée, écrivant à propos des psaumes dans sa préface de 1543 :

lesquels le Sainct Esprit lui a dictéz et faits. Et c'est pourquoi, quand nous les chantons, nous sommes certains que Dieu nous met en la bouche les paroles, comme si lui-même chantait en nous pour exalter sa gloire[48].

L'esprit de fidélité au texte biblique sans sortir du cadre scripturaire guide, du reste, les auteurs du Psautier huguenot, Clément Marot et Théodore de Bèze, dans leur traduction. Aussi, chacun, pour l'établissement de leurs textes, se réfère aux outils que la philologie de leur temps mettait à leur disposition. Marot puise principalement à la traduction

---

45. Cf. HAHN, *op. cit.*, pp. 267 ss.; également I. MAGER, « Martin Luthers Lied 'Ein feste Burg ist unser Gott' und Psalm 46 », *Jahrbuch für Liturgik und Hymnologie*, 30, 1986, pp. 87-96.
46. WACKERNAGEL, *op. cit.*, p. 564.
47. *Ibid.*, p. 575.
48. *A tous chrestiens et amateurs de la Parole de Dieu, salut.* Cité par PIDOUX, *Le Psautier huguenot*, *op. cit.*, p. 21.

française de la *Bible d'Olivétan* (1535) qui marque chacun de ses psaumes, traduction qu'il suit pas à pas, la copiant parfois littéralement ou la paraphrasant. En outre, il utilise, mais de manière plus discrète, la version française des psaumes due à Lefèvre d'Etaples et, pour éclairer plus d'un passage, il se sert de commentaires théologiques en latin, particulièrement le commentaire et la traduction de Martin Bucer, les *Sacrorum psalmorum libri quinque* (Strasbourg, 1529) et, à un degré moindre, les Paraphrases des psaumes du professeur de Louvain Jehan Campensis (1534)[49]. Comme l'indique Jan Samuel Lenselink, chez Marot se manifeste « le souci d'écrire des vers qui soient le reflet d'une interprétation théologique et philologique rigoureuse et correcte, mais en même temps des vers qui constituent un tout clair et cohérent »[50]. Reprenant le travail laissé par Marot, Théodore de Bèze recourt, pour mettre ses psaumes en vers, au texte français de la Bible genevoise, à savoir *Les Pseaumes de David traduits selon la vérité Hébraïque... par Loys Budé* (Genève, 1551), hébraïsant, fils de Guillaume Budé, installé à Genève depuis 1549 (il y meurt en 1551). Les psaumes de Bèze font un très large usage des textes de Budé — les correspondances sont nombreuses[51] —, ce qui n'empêche pas le poète de s'écarter de son modèle, substituant un terme concret à une abstraction, un mot usuel à un terme savant, incluant une paraphrase là où le texte original est obscur. Théodore de Bèze se comporte moins en poète qu'en théologien[52] et ses versifications sont davantage, selon Pierre Pidoux, « une transposition en strophes mesurées et en vers de la prose biblique »[53]. Dans leur fidélité au texte scripturaire, les psaumes de Marot et de Théodore de Bèze sont étrangers aux extensions que connaissent les adaptations luthériennes.

L'utilisation de la Bible ne se limite cependant pas aux seuls cantiques sur les psaumes ou sur d'autres passages de l'Ecriture. Elle imprègne constamment la langue et le contenu des cantiques de langue allemande.

---

49. Nombreux exemples cités par S. J. LENSELINK, *Les psaumes de Clément Marot*, Kassel Basel, 1969, pp. 32 ss., comme par JEANNERET, *op. cit.*, pp. 51 ss., qui conclut à « une influence prépondérante d'Olivétan, une utilisation plus discrète de Lefèvre et occasionnelle de Bucer et de Campensis » (p. 55). Marot a repris largement les sommaires dont Bucer avait fait précéder chaque psaume.

50. LENSELINK, *op. cit.*, p. 43.

51. Voir JEANNERET, *op. cit.*, pp. 94 ss. ainsi que l'introduction de Pierre Pidoux dans BÈZE, *op. cit.*, pp. 1-8. Comme le note Jeanneret (p. 98), alors que les psaumes de Marot utilisent un nombre de mots sensiblement plus élevé que l'original, ceux de Bèze sont parfois à peine plus longs : ainsi pour le psaume 48, Budé = 255 mots et Bèze = 274 ou pour le psaume 148, Budé = 207 et Bèze = 217.

52. Cf. JEANNERET, *op. cit.*, p. 97.

53. BÈZE, *op. cit.*, p. 5. Du reste, une bonne douzaine d'éditions jusqu'à la fin du XVIe siècle juxtaposent poésie et prose de Louis Budé en face l'une de l'autre, ce qui permet de constater la constante correspondance, comme l'indique le titre d'un exemplaire de 1556 : « Octanteneuf Pseaulmes... Ausquelz avons adjousté, et mis à l'opposite de la rithme, les vers en prose, correspondans l'un à l'autre selon les nombres, verset pour verset. La prose, de la traduction de feu fidelle, et docte en langue Hebraique, Maistre Lois Budé » (*ibid.*, p. 5).

Elle en constitue un partenaire essentiel, en est comme l'idiome, que ce soit par des références explicites ou implicites, des images ou de simples réminiscences. Cela est vrai de la plupart des cantiques de l'Allemagne protestante du XVIe siècle et, en premier lieu, de ceux de Luther. En effet, on ne relève pas moins de 473 références bibliques dans l'ensemble de ses 36 cantiques[54] et le cantique typiquement réformateur *Nu freut euch lieben Christen gmein* compte, par exemple, 40 références ou réminiscences scripturaires en quelque 70 vers. Ainsi, l'état et la détresse de l'homme pécheur se trouvent dépeints de la façon suivante :

J'étais prisonnier du diable,	Cf. He 2, 14-15
égaré dans la mort,	Cf. Rm 6, 23
le péché, dans lequel je suis né,	Ps 51, 7
me torturait nuit et jour.	Ps 14, 3
Je m'enfonçais de plus en plus,	
il n'y avait rien de bien dans ma vie,	Cf. Rm 7, 18-20[55]
le péché avait pris possession de moi.	

De même, dans le cantique de Pâques *Christ lag in Todesbanden*, la description de l'œuvre rédemptrice du Christ prend les traits de II Co 5, 21 et de I Co 15, 55-57 :

> Jésus-Christ, fils de Dieu
> est venu à notre place
> et a tué le péché,
> pour ravir à la mort
> son droit et sa puissance,
> il ne reste que son spectre,
> elle a perdu son aiguillon[56].

Les cantiques du réformateur privilégient dans leur ensemble la perspective néo-testamentaire, puisque plus des trois quarts des citations y font référence contre moins d'un quart à l'Ancien Testament. On y remarquera, du reste, une « lecture protestante » de la Bible, dans le sens où les épîtres pauliniennes, notamment celles aux Romains et aux Ephésiens, ainsi que l'Evangile selon saint Jean constituent les livres les plus fréquemment cités, ceux-là mêmes qui sont pour Luther « le cœur et la moelle » de l'Ecriture[57].

Entre chant réformé et luthérien se révèlent deux façons d'aborder l'Ecriture, deux langages bibliques différents, l'un parlant *avec* les mots de la Bible, tandis que l'autre s'exprime *à partir* d'elle.

---

54. Voir Veit, *Das Kirchenlied in der Reformation Martin Luthers*, *op. cit.*, pp. 59 ss.
55. *WA* 35, 422 ; Veit, « Les cantiques de Luther », *op. cit.*, p. 24.
56. *WA* 35, 443 ; Veit, « Les cantiques de Luther », *op. cit.*, p. 38.
57. Cf. Préface au Nouveau Testament (1522) : « En effet, l'Evangile de Jean et les lettres de saint Paul, particulièrement l'Epître aux Romains ainsi que la première lettre de saint Pierre, sont le cœur et la moelle de tous les livres... » (*WA DB* 6, 10 ; Luther, *Œuvres*, t. 3, pp. 262-263).

La Bible mise en chant et ses enjeux confessionnels

Surtout à partir de la seconde moitié du xvie siècle, époque d'établissement confessionnel, les cantiques et leurs succès vont susciter des réactions en milieu catholique mais aussi à l'intérieur même du protestantisme, qui concernent également la Bible mise en chant.

L'influence du Psautier huguenot ne tarde pas à dépasser les frontières de Genève et du royaume de France. Les traductions qui sont publiées se préoccupent, du reste, moins de rendre en détail les textes de Marot et de Théodore de Bèze que de reprendre leurs formes strophiques et la musique destinée à chaque psaume. A côté de la traduction néerlandaise du théologien Petrus Dathenus introduite aux Pays-Bas à partir de 1568[58] et des versions plus indépendantes du modèle genevois que sont la « Old Version » anglicane de Sternhold (Londres, 1562)[59] et le psautier écossais (Edimbourg, 1564)[60], le Psautier huguenot se répand aussi dans l'espace germanique à partir des années 1573-1574 grâce à l'adaptation en allemand d'un professeur de droit de Königsberg, lui-même pourtant luthérien, Ambrosius Lobwasser (1515-1585)[61]. Paru d'abord avec les mélodies genevoises à une voix, puis peu à peu avec l'harmonisation à quatre voix de Claude Goudimel[62], il s'impose rapidement dans tous les territoires réformés de l'Empire, ainsi qu'en Suisse alémanique à partir du début du xviie siècle. Aucune adaptation de

---

58. Officialisé par le synode de Dordrecht (1578), ce psautier supplanta les *Souterliedekens* (1540), psaumes traduits à partir de la Vulgate et chantés sur des mélodies populaires hollandaises, et fut en usage durant deux siècles. Le psautier genevois avait déjà été traduit en néerlandais par le réfugié Jan Utenhove (1566) pour la communauté hollandaise de Londres. Cf. Blankenburg, « Die Kirchenmusik in den reformierten Gebieten », F. Blume, *Geschichte der evangelischen Kirchenmusik*, 2e éd., Kassel, 1965, pp. 380 ss.

59. Seules 13 mélodies sur les 65 que compte ce psautier sont des copies du Psautier huguenot. Les 51 psaumes traduits par Sternhold et Hopkins pour la communauté des réfugiés anglais de Genève (1556) en constituent le point de départ. L'influence du psautier genevois se fera grandissante au fur et à mesure des éditions ultérieures, grâce à la collaboration du beau-frère de Calvin, William Whittingham, réfugié anglais à Genève. La reine Elisabeth autorisa en 1559 le chant des psaumes dans le culte anglican et la « Old Version » fut utilisée jusqu'en 1696.

60. Les mélodies genevoises sont ici bien plus largement représentées que dans le psautier anglican : sur les 96 mélodies, 33 sont reprises du Psautier huguenot. Ce psautier intègre les psaumes anglais de Genève auxquels s'ajoutent des traductions proprement écossaises dues à John Graig et Robert Pont. Il fut utilisé jusqu'en 1650.

61. *Psalmen Deß Königlichen Propheten Davids Jn Teutschen reimen verstendlich unnd deutlich gebracht nach Frantzösischen Melodey und reimen art.* Ce psautier fut d'abord publié à Leipzig en 1573 puis à Heidelberg en 1574. Cf. G. Schuhmacher, « Der beliebte, kritisierte und verbesserte Lobwasser-Psalter », *Jahrbuch für Liturgik und Hymnologie* 12, 1967, pp. 70-86.

62. Installé à Metz à partir de 1557, Claude Goudimel (1520-1572) se consacra dès lors presque exclusivement à l'harmonisation du Psautier huguenot, dont il a laissé deux versions complètes (1564-1565, la plus répandue, et 1568). Il périt à Lyon, victime de la Saint-Barthélemy. Cf. *Les CL Pseaumes de David... Genève 1565.* Fac-similé édité par P. Pidoux et K. Ameln, Kassel, 1935.

psaumes ne connut pareille diffusion en Allemagne — elle est éditée à plus de 90 reprises entre 1573 et 1620 et plus de 250 fois jusqu'à la fin du XVIIe siècle — et, tout comme son modèle genevois, elle acquiert une véritable canonicité, n'étant remplacée qu'à la fin du XVIIIe siècle.

Les luthériens tentèrent de contrebalancer un succès qui dépassait même les milieux réformés. Dans ce but, paraît en 1602 à Leipzig une version du psautier due à Cornelius Becker, professeur de théologie dans cette ville[63]. L'intention en est de redonner des vers qui s'appliquent mieux à la langue allemande, mais surtout de restituer aux psaumes leur véritable sens et s'opposer par là même, comme l'indique la préface, à « la falsification de l'Ecriture » des calvinistes qui « ont, à travers les arguments placés en tête des psaumes, enlevé le Seigneur Christ de ces prophéties remarquables et les ont tirées de façon incorrecte dans un sens étranger, contre le clair témoignage du Saint-Esprit »[64]. La perspective christologique redonnée aux psaumes est nettement indiquée dès les sommaires, comme dans celui du psaume 23 : « Ton sauveur Jésus-Christ est dépeint tout à fait clairement dans ce psaume : il est le pasteur fidèle en tout temps, si tu demeures une brebis de son pâturage, la grâce t'est assurée en lui, et, là-bas, le salut éternel »[65]. Avec une intention analogue, un *Lutherisch Lobwasser* est même publié en 1621 (Rothenburg ob der Tauber), psautier composé, à la manière de Lobwasser, sur les mélodies genevoises, mais débarrassé du « poison calviniste », « vraiment luthérien » c'est-à-dire, comme le souligne le titre, « orienté vers le Christ, le but véritable de l'Ecriture sainte, et particulièrement vers le Nouveau Testament »[66].

La Bible mise en cantiques ne nourrissait pas simplement la polémique intraprotestante. Elle allait éveiller également un biblicisme en terrain catholique. L'impact des cantiques protestants touchait aussi les milieux catholiques et un jésuite de la fin du XVIe siècle estimait même que les cantiques de Luther « avaient tué plus d'âmes que ses écrits et ses propos »[67]. Les premiers recueils catholiques sont au départ des entreprises isolées, nées dans des régions fortement touchées par le luthéranisme : ainsi, le recueil de Michael Vehe (Leipzig, 1537), prieur du chapitre de Halle, possession de l'archevêque de Mayence, et celui de

---

63. *Psalter Davids Gesangweis, Auff die in lutherischen Kirchen gewöhnliche Melodeyen zugerichtet.* Le psautier de Becker fut mis en musique notamment par Heinrich Schütz (1628 et 1661). Cf. K. LORENZEN, « Becker », *Musik in Geschichte und Gegenwart*, I, 1481-1483.

64. WACKERNAGEL, *op. cit.*, p. 681.

65. Ph. WACKERNAGEL, *Das deutsche Kirchenlied von der ältesten Zeit bis zu Anfang des 17. Jahrhunderts*, Leipzig, 1864-1877; Hildesheim, 1964, t. V, n° 582.

66. Cf. préface. Le titre exact du recueil est le suivant : *Der Lutherisch Lobwasser. Das ist : Der gantz Psalter Davids | auff Christum den rechten Scopum oder Zweck der H. Göttlichen Schrifft | sonderlich auff das New Testament | und diese letzte Zeit gerichtet. Nach D. Ambrosii Lobwassers Art | Reimen und Melodeyen zu singen...*

67. BLUME, *Geschichte der evangelischen Kirchenmusik, op. cit.*, p. 27.

Johann Leisentritt (Leipzig, 1567), doyen du chapitre de Bautzen dans le Lausitz, ville presque entièrement luthérienne[68]. Le souci est double : contrecarrer avec des armes semblables le rôle jugé néfaste des cantiques luthériens et fournir un chant communautaire répondant à l'attente de populations marquées par l'écho de ces cantiques. Ces premiers recueils se situent donc à la fois en réaction et dans la dépendance des recueils et cantiques luthériens. Ceci se remarque notamment dans la volonté de créer des cantiques qui s'appuient également sur l'Ecriture, comme l'indique le titre du recueil de Leisentritt : « Geistliche Lieder und Psalmen / der alten Apostolischer recht und warglaubiger christlichen Kirchen... *Aus klarem Göttlichem Wort / und Heiliger geschrifft.* » Les psaumes mis en musique représentaient un apport original de la Réforme. Aussi, n'est-ce pas un hasard si l'on trouve dans le recueil de Michael Vehe 12 cantiques sur les psaumes, sur le modèle de ceux de Luther, les premières paraphrases allemandes en cantiques du côté catholique. De même, dans le recueil de Johann Leisentritt, dont la forme, la présentation générale, y compris l'illustration biblique, s'inspirent directement du recueil luthérien de Valentin Babst (Leipzig, 1545), 15 cantiques sur les psaumes sont publiés sous une rubrique spéciale, à la manière des recueils protestants[69]. Les *Gesangpostille* du curé de Graz Andre Gigler (1574) fournissent un autre exemple d'imprégnation biblique par contamination : un ensemble de cantiques sur les Evangiles des dimanches et fêtes s'y trouve composé sur le modèle des *Sonntagsevangelia* du cantor de Joachimsthal en Bohême, Nikolaus Herman (1560), cycle largement diffusé en pays luthériens.

Davantage dans l'optique de la Contre-Réforme, afin de contrebalancer l'influence et le contenu des psaumes protestants allemands, Kaspar Ulenberg, luthérien converti au catholicisme, curé à Kaiserswerth puis à Cologne, publie les *Psalmen Davids in allerlei Teutsche gesangreimen bracht* (Cologne, 1582)[70]. Il est l'auteur à la fois des textes et des mélodies. La longue préface est une violente diatribe contre les « sectaires » :

> On se rend compte où veulent aller et ce que veulent faire les sectaires avec leurs nouveaux recueils de cantiques et on peut voir que les soupçonner

---

68. Voir M. Härting, « Die kirchlichen Gesänge in der Volkssprache », K. G. Fellerer (dir.), *Geschichte der katholischen Kirchenmusik*, Kassel, 1972, t. 1, pp. 455 ss. Les deux recueils ont été réédités en fac-similés : Michael Vehe, *Ein New Gesangbüchlin Geistlicher Lieder*. Faksimile der ersten Ausgabe 1537, hrsg. u. mit einem Geleitwort versehen von W. Lipphardt, Mainz, 1970; *Johann Leisentritts Gesangbuch 1567*. Faksimile-Ausgabe, hrsg. W. Lipphardt, Kassel, 1966.

69. Sur les 250 cantiques que compte le recueil, une part non négligeable a pour modèle des cantiques protestants, parodiés lorsque le contenu est trop visiblement réformateur ou repris tels quels : c'est le cas des cantiques de Thomas Müntzer, Paul Eber et surtout de Nikolaus Herman et du Silésien Valentin Triller.

70. Cf. J. Solzbacher, *Kaspar Ulenberg. Eine Priestergestalt aus der Zeit der Gegenreformation in Köln*, Münster/Westfalen, 1948; Id., « Die Psalmen Davids, in allerlei Gesangreime gebracht durch Caspar Ulenberg, Köln 1582 », *Kirchenmusikalisches Jahrbuch* 34, 1950, pp. 41-55.

n'est pas dénué de fondement. Car comment aurait-on confiance en des gens qui peuvent falsifier la Parole de Dieu et les saints Psaumes de façon si perverse, les dénaturer par des coupures et des ajouts, les forcer à des opinions absurdes à leur avantage ou y injecter le poison de leur fausse doctrine[71] ?

Pour « contrer la ruse des sectaires », le recueil entendait offrir des psaumes « purs et non contrefaits », conçus « selon le sens véridique et original »[72]. Il ne se débarrassait cependant pas de toute influence protestante. Les mélodies et la structure rythmique de ces adaptations sont, en effet, dépendantes des psaumes protestants, surtout du Psautier huguenot, trois mélodies genevoises étant même directement reprises dans l'édition de 1603. Aucune adaptation de psaume n'allait connaître par la suite la diffusion du psautier de Ulenberg dans les pays catholiques de langue allemande.

Plusieurs tentatives pour réduire l'influence grandissante du Psautier huguenot virent aussi le jour dans le royame de France : mentionnons, à côté des *Hymnes ecclésiastiques* de Guy Lefèvre de La Boderie (1578)[73], principalement les *Paraphrases des Psaumes de David* (1645) d'Antoine Godeau, évêque de Vence et de Grasse. Les *Paraphrases* de Godeau allaient connaître cependant un sort inattendu : à partir de 1661, date où un arrêt du conseil interdit aux protestants de chanter les psaumes hors des temples, ceux-ci s'emparèrent des paraphrases de Godeau pour les chanter dans les maisons, jusqu'à ce qu'un nouvel arrêt défende, de façon générale, le chant des psaumes en français[74].

71. Cité d'après l'exemplaire conservé à la bibliothèque universitaire de Göttingen. Dans la préface, Ulenberg cite un certain nombre d'exemples de « falsifications », où « le prophète doit de temps en temps dans les recueils parler de choses qui ne lui sont, à lui-même comme au Saint-Esprit, jamais venues à l'esprit ». Il s'en prend notamment à l'adaptation de Luther de Ps 130, 4 (version longue) (cf. *supra*, p. 668) qu'il commente ainsi : « C'est ainsi que David doit même aider à mépriser les œuvres dans le psaume 129 (130), là où le prophète chante une fois de plus la gloire de Dieu et enseigne à avoir ferme confiance en Dieu et en sa Parole. Il ne parle donc vraiment pas des œuvres chrétiennes, comme le chantent les sectaires... Personne ne doit se laisser tromper par ces vers, car ils ne viennent pas de David, c'est Luther qui, de lui-même, les a composés. »

72. En matière de traduction, Ulenberg avertit cependant son lecteur : « Les simples ne doivent pas craindre quelques falsifications perverses et rusées, comme les ont pratiquées les sectaires. Car, même si, en raison des contraintes imposées par la langue, j'ai dû utiliser un genre de traduction que les lettrés appellent paraphrase, m'obligeant par conséquent à ne pas conserver les paroles du prophète exactement selon la lettre, mais à développer de temps en temps un peu le texte et à rendre le sens avec davantage de termes à la manière d'une paraphrase, on trouvera cependant le contenu du texte dans son intégralité ainsi que la véritable conception du Saint-Esprit qui demeure partout inchangée. »

73. Cf. *Dédicace à Henri III* : « Considérant que les psaumes de David traduits en notre vulgaire, par la douceur de la musique et du chant mélodieux qu'on y ajoute, ont allégé et distrait non moins de votre peuple que les assemblées et prêches de la religion prétendue réformée, je me suis avisé pour un remède et contre-poison de traduire les hymnes ecclésiastiques et autres cantiques spirituels composés par les saints docteurs et anciens pères » (cité par F. Bovet, *Histoire du Psautier des Eglises réformées*, Neuchâtel, Paris, 1872, pp. 135-136).

74. Cf. *ibid.*, p. 138.

CHANT, DIFFUSION ET CULTURE BIBLIQUE

Chanter les psaumes et la Bible est déjà perçu par les hommes de ce temps comme un signe d'appartenance confessionnelle. N'est-ce pas d'ailleurs ce que reconnaît Godeau dans la préface de ses *Paraphrases* ?

Savoir les psaumes par cœur est, parmi les protestants, comme une marque de leur communion; et, à notre grande honte, aux villes où ils sont en plus grand nombre, on les entend retentir dans la bouche des artisans, et, à la campagne, dans celle des laboureurs, tandis que les catholiques, ou sont muets, ou chantent des chansons deshonnestes[75].

Déjà, dans les premiers temps de la Réforme, nombreux sont les cantiques qui ont servi à la propagation des idées évangéliques, que facilitaient la diffusion sous forme de pamphlet ou les formes de communication orale, telles que le chant dans les auberges, sur les marchés ou de maison en maison. La Bible et particulièrement les psaumes en sont le moyen d'expression, intégrés au combat présent. Ceux-ci sont le réservoir où les premiers cantiques luthériens puisent leur force militante : jadis chants du peuple d'Israël face à ses ennemis, ils deviennent en cette première moitié du XVIe siècle ceux de l'Eglise du Christ en but aux siens, « papistes » mais aussi « Schwärmer » et « Rottengeister ». Certains sommaires en tête de cantique le suggèrent : « Un psaume exaltant la délivrance des croyants du fardeau et de la toute-puissance des détracteurs de la Parole divine »[76] ou bien, du côté réformé : « Le peuple voyant son roy aller en une guerre fort dangereuse, invoque Dieu : puis le remercie, comme desja assuré de la victoire. Pseaume propre pour l'Eglise maintenant assaillie de tous costez par les princes infideles »[77]. Le psaume 12 donne matière à décrire la situation présente pour ce groupe d'élus que forment les hommes du XVIe siècle acquis aux idées évangéliques :

O Dieu, du ciel regarde ici-bas / et prends pitié, / qu'ils sont peu nombreux tes saints, / pauvres, que nous sommes esseulés, / On ne respecte pas la vérité de ta Parole, / la foi est même tout à fait éteinte / parmi les enfants des hommes[78].

75. Cité par O. DOUEN, *Clément Marot et le Psautier huguenot. Etude historique, littéraire, musicale et bibliographique*, Paris, 1878, fac-similé Niewkoop, 1967, pp. 1-2.
76. Cantique de Luther sur le psaume 124 *Wär Gott nicht mit uns diese Zeit*, *WA* 35, 440-441.
77. Argument du psaume 20 *Le Seigneur ta prière entende*. BÈZE, *op. cit.*, p. 26.
78. *Ach Gott vom Himmel sieh darein*, *WA* 35, 415. VEIT, *Les cantiques de Luther*, *op. cit.*, p. 20. Dans la première moitié du XVIe siècle, il est le cantique de la Réforme, par lequel on chante sa foi. Il est, par exemple, le premier cantique à avoir été chanté dans une église de Lübeck.

De même, comment ne se sentirait pas concerné le « Petit troupeau » à travers les paroles du psaume 68 ?

Que Dieu se monstre seulement, / Et on verra soudainement / Abandonner la place : / Le camp des ennemis espars, / Et ses haineux de toutes pars / Fuir devant sa face. / Dieu les fera tous s'enfuir / Ainsi qu'on voit s'esvanouir / Un amas de fumée. / Comme la cire aupres du feu, / Ainsi des meschans devant Dieu / La force est consumée[79].

Le chant de tel ou tel cantique fait partie des manifestations qui contribuent à l'introduction de la Réforme dans certaines villes d'Allemagne du Nord, interrompant le déroulement des cérémonies catholiques. A Lübeck, ils servent à couvrir le chant du « Salve Regina » et à protester contre la doctrine catholique après le sermon à la cathédrale. Des compagnons tisserands troublent de la même façon une procession à Göttingen en 1529[80]. Bien avant la rédaction complète du Psautier, les premiers psaumes huguenots permettent aussi de proclamer sa foi, ils sont « toute l'âme héroïque et chantante de la Réforme française » (Lucien Febvre)[81]. Combien de martyrs les entonnent au moment de monter sur le bûcher et, lors des manifestations huguenotes comme celles du Pré-aux-Clercs à Paris en mai 1558 ou du Pré-Fichault à Bourges en 1559, leur chant en public et à voix haute, au défi des interdictions, est un symbole de ralliement par lequel on exprime son adhésion à une foi commune et son zèle religieux[82]. Les psaumes retentissent aussi dans les assemblées secrètes tenues dans les maisons la nuit ou aux jours de fêtes, redonnant courage.

Quoi de plus neuf également en ce XVIe siècle que ces assemblées cultuelles où sont chantés psaumes et cantiques en langue vulgaire par hommes et femmes réunis[83]. A l'écoute de ces voix confondues, Gérard Roussel, le prédicateur de Marguerite d'Angoulême, réfugié à Strasbourg en 1525, écrit :

A huit heures, il y a sermon dans la cathédrale, accompagné du chant des psaumes traduits en langue vulgaire; le chant des femmes se mêlant à celui des hommes produit un effet ravissant... Par les cantiques avant le sermon, on demande à Dieu d'être rendu capable de recevoir la semence évangélique et par ceux qui suivent on lui rend grâces de l'avoir reçue[84].

79. Bèze, *op. cit.*, p. 106.
80. Voir R. Scribner, « Flugblatt und Analphabetum. Wie kam der gemeine Mann zu reformatorischen Ideen ? », H. J. Köhler (dir.), *Flugschriften als Massenmedium der Reformationszeit*. Beiträge zum Tübinger Symposion 1980, Berlin, 1981, p. 70.
81. L. Febvre, *Au cœur religieux du XVIe siècle*, Paris, 5e éd. 1968, p. 262.
82. Voir Bovet, *op. cit.*, pp. 52 ss., 118 ss.; également R. Zuber, « Les psaumes dans l'histoire des Huguenots », *Bulletin de la Société de l'Histoire du Protestantisme français* 123, 1977, pp. 350-361.
83. Cf. N. Z. Davis, *Les cultures du peuple. Rituels, savoirs et résistances au XVIe siècle*, Paris, 1979, pp. 137 ss.
84. Lettre de Gérard Roussel à Guillaume Briçonnet, décembre 1525. A.-L. Herminjard, *Correspondance des réformateurs de langue française*, t. 1, Genève, Paris, 1866, pp. 406-407.

La nouveauté choque aussi bien des catholiques et, derrière les propos malveillants de ce Parisien des années 1560, il n'est sans doute pas interdit de voir une certaine réalité, qui ne devait pas être toujours harmonieuse, en un temps où il fallait d'abord apprendre ces chants nouveaux :

> Le Ministre [...] commence une section d'un Pseaume de David en François [...]. Tout le peuple suit, hommes, femmes, enfans et valets, goujats et chambrieres [...]. Chacun hausse et baisse sa musique le mieux qu'il sçait [...]. A ce bout on chante un Verset, à cestuy-cy un autre : le pauvre Ministre, quoy qu'il tempeste en chaire et batte de la main, ne les peut remettre à la mesure [...]. Les pucelles aux belles voix desgorgent en ceste action leurs tirades fredonnés et leurs roulemens regringotez [...]. Les jeunes gens ont les oreilles attachées et pendües au chant de ces sereines...[85].

Le psautier devient, avec la Bible, le fondement de la culture huguenote. Ces deux livres sont de loin les plus répandus dans les familles protestantes, comme le montre l'exemple de Metz au XVIIe siècle, et il n'est d'ailleurs pas rare qu'un même foyer soit en possession de plusieurs psautiers. Leur reliure raffinée prouve qu'il s'agit souvent d'un bien précieux[86]. Tout protestant se doit d'avoir un psautier, condition indispensable pour participer au culte, ce que rappelle cet avertissement du synode de 1581 :

> A cause du grand mépris de la Religion, qu'on void même dans les saintes Assemblées, où plusieurs ne daignent pas de chanter les Psaumes, ni d'apporter les livres de Prières et de Psalmodie, on avertira publiquement dans toutes les Eglises un chacun de s'en pourvoir, et ceux qui, par mépris, négligeront d'en avoir, et de les chanter, seront sujets aux censures[87].

Il est aussi un livre de piété à usage quotidien, réunissant après chaque psaume des prières qui en prolongent la portée édifiante, ou intégrant encore calendrier et almanach qui le rapprochent des livres d'heures catholiques[88]. Bibles et psautiers occupent une place essentielle dans la vie religieuse et familiale des huguenots qui puisent directement à la source scripturaire leur nourriture spirituelle.

A l'inverse, l'accès à l'Ecriture chez les luthériens allemands se fait de manière plus indirecte, moins par la lecture de la Bible que par la prédication, le catéchisme mais aussi par les cantiques, qui commentent

---

85. Cité par Davis, *op. cit.*, p. 138.
86. Cf. Ph. Benedict, « Bibliothèques protestantes et catholiques à Metz au XVIIe siècle », *Annales ESC* 40, 1985, pp. 343-370.
87. Onzième synode national, 28 juin 1581, Matières générales, art. 39. Cité par Jeanneret, *op. cit.*, p. 109.
88. *Ibid.*, p. 113. Au XVIIe siècle, de nombreux psautiers comportent un calendrier perpétuel où chaque mois porte une épigraphe tirée des psaumes. Ainsi au mois de janvier correspond cet extrait du psaume 147 : « C'est luy qui couvre mont et plaine / De neige aussi blanche que laine », au mois de juillet cet autre du psaume 29 : « La voix du Seigneur tonnant / Va sur les eaux resonnant », etc. Cf. Bovet, *op. cit.*, pp. 120-121.

l'Ecriture et en expliquent le sens. Les bibles sont toutes au xvie siècle de grand format (in-folio), chères et donc peu accessibles à tous, alors que les innombrables recueils de cantiques sont pour la plupart beaucoup plus maniables (in-16, in-12) et moins coûteux. A Strasbourg, après 1550, l'édition biblique devient presque insignifiante, alors que ne cesse de croître la production de recueils de psaumes et de cantiques[89]. Bien souvent, aux cantiques s'ajoutent un livre de prières, le Petit Catéchisme, les Epîtres et Evangiles des dimanches et fêtes, ce qui en fait l'ouvrage idéal à mettre entre les mains des laïcs. Comme l'ont montré les études récentes[90], il n'est pas certain que les pasteurs aient voulu mettre directement l'Ecriture à la disposition des « simples », préférant s'en réserver cet usage. Il semble, en effet, que les autorités luthériennes tout au long du xvie siècle, à la suite de Luther, se soient montrées très réticentes à l'égard d'une lecture immédiate de la Bible par l' « homme ordinaire » *(gemeine Mann)*, par crainte de l'anabaptisme, et lui aient préféré le catéchisme et les cantiques, « une bible pour les simples mais aussi pour les lettrés », comme les nomme déjà le réformateur de Wittenberg[91]. Ainsi, psaumes et cantiques, le plus souvent appris par cœur, ont largement contribué à ouvrir les Ecritures au peuple, les mélodies permettant d'apprendre et de graver dans les mémoires les passages bibliques. Interrogeons les inventaires après décès et l'on remarquera qu'au contraire des foyers réformés où la Bible vient en tête, avant le psautier[92], dans les intérieurs luthériens du xviiie siècle des villes comme des campagnes, le *Gesangbuch* constitue le livre le plus fréquent, avant les bibles, il a valeur, en outre, de véritable relique familiale qu'on se transmet de génération en génération[93].

Le chant a joué un rôle essentiel dans la culture biblique des protestants. Mais alors que chez les réformés, elle se trouvait ancrée et figée dans le chant du Psautier de 1562, elle prenait chez les luthériens une

---

89. Cf. M. U. CHRISMAN, « Polémiques, bibles, doctrines. L'édition protestante à Strasbourg, 1519-1599 », *Bulletin de la Société de l'Histoire du Protestantisme français* 130, 1984, pp. 339-341; ID., *Lay culture, learned culture. Books and Social change in Strasbourg 1480-1599*, New Haven, London, 1982.

90. A côté des deux études de M. U. CHRISMAN précédemment citées, voir surtout l'article de R. GAWTHROP, G. STRAUSS, « Protestantism and literacy in Early Modern Germany », *Past and Present* 104, 1984, pp. 31-43.

91. *WA* 29, 44.

92. Cf. BENEDICT, *op. cit.*, p. 349. L'auteur remarque en conclusion : « Les protestants français semblent avoir cultivé une vie religieuse intérieure moins intense et s'être tournés davantage vers la Bible que les luthériens allemands » (p. 365).

93. Concernant l'importance et le rôle du *Gesangbuch* dans les pratiques populaires des luthériens allemands, voir H. MEDICK, « Buchkultur auf dem Land : Laichingen 1748-1820. Ein Beitrag zur Geschichte der protestantischen Volksfrömmigkeit in Altwürttemberg », *Glaube, Welt und Kirche im evangelischen Württemberg* (Katalog der Ausstellung zur 450-Jahr-Feier der evang. Landeskirche), Stuttgart, 1984, pp. 46-68; E. FRANÇOIS, « Livre, confession et société urbaine en Allemagne au xviiie siècle », *Revue d'Histoire moderne et contemporaine* 29, 1982, pp. 353-375; ID., « Les protestants allemands et la Bible au xviiie siècle. Diffusion et pratiques », Y. BELAVAL, D. BOUREL, *op. cit.*, pp. 47-58.

forme plus souple, plus mouvante aussi, à mesure qu'évoluait la langue des cantiques[94]. Combien d'ailleurs cette langue biblique, qui était pour les protestants l'essentiel de leur culture, n'influençait-elle pas également leur façon quotidienne de s'exprimer ? En faisant l'éloge de sa femme défunte à l'intention de ses enfants, ce maître d'école poitevin du xviie siècle témoigne de la place que le chant pouvait tenir dans la vie et les comportements individuels :

Elle vécut dans la crainte et dans l'amour de Dieu, et l'étude de sa sainte parole fit ses plus chers délices, même dès son enfance... Elle donnait aussi à nos psaumes une grande partie de son temps et de son attention, et elle les possédait si bien, ils étaient si fortement gravés dans son cœur que, la nuit, au milieu de son sommeil, il n'était pas rare de lui en entendre chanter des fragments[95].

Patrice VEIT.

ORIENTATION BIBLIOGRAPHIQUE

Théodore de BÈZE, *Psaumes mis en vers français (1551-1562)* accompagnés de la version en prose de Loïs BUDÉ. Edition préparée par P. PIDOUX, Genève, 1984.
W. BLANKENBURG, « Der gottesdienstliche Liedgesang der Gemeinde », *Leiturgia. Handbuch des evangelischen Gottesdienstes*, t. IV, Kassel, 1961, pp. 559-660.
— « Der mehrstimmige Gesang und die konzertierende Musik im evangelischen Gottesdienst », *ibid.*, pp. 661-718.
F. BLUME, *Geschichte der evangelischen Kirchenmusik*, Kassel, 2e éd., 1965.
F. BOVET, *Histoire du Psautier des Eglises réformées*, Neuchâtel, Paris, 1872.
K. G. FELLERER (dir.), *Geschichte der katholischen Kirchenmusik*, Kassel, 1972, 2 vol.
Th. GEROLD, *Les plus anciennes mélodies de l'Eglise de Strasbourg et leurs auteurs*, Paris, 1928.
G. HAHN, *Evangelium als literarische Anweisung. Zu Luthers Stellung in der Geschichte des deutschen kirchlichen Liedes*, München, 1981.
M. JEANNERET, *Poésie et tradition biblique au XVIe siècle, Recherches stylistiques sur les Paraphrases des Psaumes de Marot à Malherbe*, Paris, 1969.
M. JENNY, *Luther, Zwingli, Calvin in ihren Liedern*, Zürich, 1983.
— (éd.), *Luthers Geistliche und Kirchengesänge*. Vollständige Neuedition in Ergänzung zu Band 35 der Weimarer Ausgabe, Köln, Wien, 1985 (Archiv zur Weimarer Ausgabe der Werke Martin Luthers, Band 4).
« Kirchenlied », *Musik in Geschichte und Gegenwart*, VIII, pp. 781-856.
S. J. LENSELINK, *Les psaumes de Clément Marot*, Kassel, Basel, 1969 (*Le Psautier huguenot du XVIe siècle*, t. 3).
J.-C. MARGOLIN, *Erasme et la musique*, Paris, 1965.
P. PIDOUX, *Le Psautier huguenot du XVIe siècle*, t. I : *Les mélodies*, t. II : *Documents et bibliographie*, Bâle, 1962.
J. PORTE (dir.), *Encyclopédie des musiques sacrées*, t. II, Paris, 1969.
P. VEIT, « Les cantiques de Luther. Introduction, traduction et notes », *Positions luthériennes* 32, 1984, pp. 3-66.
— *Das Kirchenlied in der Reformation Martin Luthers. Eine thematische und semantische Untersuchung*, Stuttgart, 1986.

94. Concernant l'évolution du langage biblique dans les cantiques luthériens de la fin du xvie au début du xviiie siècle, voir VEIT, « Musique et cantiques protestants », *ibid.*, pp. 297 ss.
95. Journal de Jean Migault, cité par BENEDICT, *op. cit.*, p. 364.

— « Musique et cantiques protestants », Y. BELAVAL, D. BOUREL (dir.), *Le siècle des Lumières et la Bible*, Paris, 1986 (Bible de tous les temps, t. 7), pp. 289-315.
E. WEBER, *La musique protestante de langue française*, Paris, 1979.
— *La musique protestante en langue allemande*, Paris, 1980.

ORIENTATION DISCOGRAPHIQUE

Clément Marot et ses musiciens. Ensemble « per cantar e sonar », Stéphane Caillat. ERATO (Paris), 2 disques (STU 71219-20).
Martin Luther und die Musik. Das Wiener Mottetenchor, das Ensemble Musica Antiqua Wien, Leitung Bernhard Klebel. Christophorus-Verlag (Freiburg/Br.) (Musica practica) (SCGLX 73 964).
Musik der Lutherzeit. Renaissance Ensemble Köln. EMI Electrola (Köln) (069-46-680).
Musik der Reformation. Luther, Müntzer, Walter, etc. Peter Schreier, Dresdner Kreuzchor, Capella Fidicinia, Hans Grüss. Capriccio (Königsdorf/RDA), 3 disques (26 219-6/1-3).
La Réforme. Le psautier de Genève mis en musique. Centre de musique ancienne, Genève, Ensemble Clément Janequin, Ensemble « Les Eléments ». Cascavelle (Genève) (VEL 1001).

23

Les images
et la Bible

Il n'est pas ici question de l'accord, de l'opposition ou de la concurrence entre l'image et la parole en général, mais de l'influence mutuelle des arts de l'image et de la Bible. Entre la Bible et l'œuvre d'art, il y a l'homme : l'artiste qui crée une œuvre et le spectateur qui en reçoit le message. Il est question d'une part de l'impact de la Bible sur les arts de l'image et d'autre part de leur influence sur la foi. Car une œuvre d'art à thématique biblique est en même temps une sorte d'interprétation de la Bible. Par la parole et par l'image, des hommes enracinés dans leur époque s'adressent à leurs contemporains là même où ils essaient de dépasser l'actualité. Les arts de l'image sont un reflet des événements et ils reprennent, avec les questions de la foi, les problèmes du temps, les conflits de pouvoir dans les domaines politiques, religieux et économiques.

La Bible et les arts de l'image se situent au XVIᵉ siècle dans le champ de forces de la Renaissance, de l'Humanisme et de la Réforme. Les réformateurs ont posé d'une façon nouvelle la question de l'essence de l'image chrétienne et la problématique de l'image sacrale[1]. Ils les ont approfondies sous plusieurs aspects et y ont répondu d'une façon nouvelle. C'est par la Réforme catholique et la Contre-Réforme que l'Eglise

---

1. Sur la problématique de l'image chrétienne, cf. Walter ELLIGER, *Die Stellung der Alten Christen zu den Bildern in den ersten vier Jahrhunderten*, 2 vol., Leipzig, 1930 et 1934; Margarete STIRM, *Die Bilderfrage in der Reformation*, Heidelberg, 1977, pp. 180-195; l'introduction de Victor H. Elbern au Catalogue de l'exposition *Christus und Maria, Menschensohn und Gottesmutter*, Berlin, 1980, pp. 10 ss.

romaine a fait face à la rupture que représente le protestantisme. Le XVIe siècle se caractérise dès son début par des contradictions : critique véhémente généralisée envers les phénomènes de décadence des institutions ecclésiales, forte religiosité s'exprimant dans un grand nombre de formes de piété ecclésiale et extra-ecclésiale, pressentiments apocalyptiques, atmosphère de fin de monde suscitée par de sombres prophéties, croyance au diable, extravagances de la sorcellerie, joie de vivre et enthousiasme pour de nobles idéaux. Pendant des siècles l'Eglise avait pourvu à l'éducation. Maintenant de nouvelles forces émergeaient, optimistes et vigoureuses. Dans le processus de décomposition des autorités qui étaient en place jusque-là et avaient procuré à l'homme du Moyen Age formation, direction et protection, différentes peurs se mêlaient étroitement à l'exaltation de la liberté nouvelle.

La Renaissance et l'Humanisme posent la question de l'essence de l'homme. On espérait une nouvelle naissance. On n'allait plus recevoir la loi de sa vie de l'extérieur, toute faite, mais la découvrir en soi-même. Ainsi l'enthousiasme caractérise la Renaissance et l'Humanisme. Le cri *ad fontes*, revenons aux sources de l'Antiquité, à la simplicité et à la clarté, était en même temps une percée vers des mondes nouveaux et vers un nouvel homme[2]. Dans son recours à l'Antiquité, l'art de la Renaissance découvre le divin dans l'idéal de la beauté humaine parfaite. L'Humanisme en appelle aux études classiques, les *bonae litterae*, les sources écrites de l'Antiquité. La Bible dans ses langues originales, hébreu, grec, latin, en fait partie. Ensemble la Renaissance, l'Humanisme et la Réforme sont à la recherche de la force d'où provient la vie dans le cosmos et dans l'homme, à la recherche d'une autorité véritable qui ne s'impose pas du dehors. Quel que soit le nouveau rivage pour lequel on appareille au début du XVIe siècle, on tourne toujours autour du vieux problème de la relation authentique entre liberté et contrainte.

Dans le combat qu'il menait contre lui-même au sujet de la bienveillance de Dieu, Luther recherchait la véritable autorité. Il fut libéré de la peur d'un Dieu qui devait l'anéantir selon la justice de la loi par l'Evangile de l'amour de Dieu qui ne détruit pas le vieil homme, mais le recrée par la foi. Libéré de toute instance humaine intermédiaire, même de celle de sa propre conscience, il trouve en Jésus-Christ un accès direct à Dieu. Par l'attachement à Jésus-Christ, il s'est libéré du même coup de toute autorité étrangère de nature humaine ou satanique (à la foi en Dieu appartient la connaissance de la puissance du mal).

Il y va dans la Réforme de la liberté dans la foi, de l'accès direct à Dieu par Jésus-Christ (Luther) et de l'honneur et de la liberté de Dieu, sur laquelle l'homme ne peut exercer aucune emprise (Calvin).

2. Sur l'autoportrait de Luther comme expression manifeste de la nouvelle conscience, cf. *infra*, p. 727.

L'interdiction biblique des images et les arts de l'image

La source du renouvellement de la foi était pour les réformateurs la Bible en tant que Parole de Dieu mise par écrit. Ceux qu'on appelle les préréformateurs demandaient déjà que la Bible soit entièrement accessible à chacun dans sa langue. C'est ainsi qu'on redécouvrit l'interdiction des images[8].

Le texte des Dix Commandements, par les explications et les raisons qu'il donne, va plus loin que les termes bien connus (l'Ancien Testament présente deux fois ce texte, en Ex 20, 2 ss. et Dt 5, 6 ss.) : son contenu présente en fait onze interdictions (Ex 20, 3, 4, 7, 12, 13, 14, 15, 16, 17*a*, 17*b*). Au Moyen Age on avait coutume de laisser de côté Ex 20, 4 lorsqu'on apprenait les Commandements et de compter les deux interdictions du v. 17 comme deux commandements. Dès avant 1400 apparaît chez John Wyclif et plus tard chez les Vaudois et les Frères de Bohême le texte d'Ex 20, 3-5 dans toute sa teneur : « Tu n'auras pas d'autres dieux devant moi. Tu ne te feras aucune image sculptée, rien qui ressemble à ce qui est dans les cieux, là-haut, ou sur la terre, ici-bas, ou dans les eaux, au-dessous de la terre »[4].

Léo Jud est le premier des réformateurs à compter comme second commandement indépendant l'interdiction des images. Zwingli et Calvin l'ont suivi et ils ont fait d'Ex 20, 17 un seul commandement. Luther a adopté la façon de compter de l'Eglise catholique. Une analyse de l'histoire de la forme (étude des textes écrits selon des critères comme l'âge, la structure, l'usage des termes) montre que la manière réformée de compter correspond à la disposition originale du texte[5]. Dans leur manière de compter, les Eglises catholique et luthérienne peuvent se réclamer des plus anciens interprètes du Décalogue qui présente, après le verset 4, dans les versets 5 et 6, une explication du premier commandement. Du point de vue du contenu, l'interdiction des images est incluse dans le premier commandement. Dans l'Islam on suit à la lettre l'interdiction des images : Pas d'images ! Partout dans l'Ancien Testament lorsqu'on interdit les images ou qu'on ordonne leur destruction, le texte parle de statues — de bois, de pierre, d'or ou d'argent. Tu ne te feras pas de statues ! Dans l'Eglise grecque orthodoxe, cela apparaîtra, entre autres, comme fondement de l'autorisation des icônes.

Dans l'interdiction des images, il n'est cependant pas question de la forme extérieure, mais de la fonction. Comme son environnement païen, la Bible ne connaît que des images cultuelles. Toutes les sortes d'images

---

3. Stirm, *op. cit.*, pp. 134 s.
4. Stirm, *op. cit.*, pp. 238 s.
5. Walter Zimmerli, *Das zweite Gebot*, Tübingen, 1950, pp. 551 ss.; Stirm, *op. cit.*, pp. 230 s. et 234.

de culte, même les pierres informes, sont interdites. Tu ne te feras pas d'images de culte ! Le culte de Yahvé est sans images. A la fin du IIᵉ siècle s'est formée une « nouvelle façon chrétienne de considérer les images »[6], selon laquelle une œuvre d'art peut avoir d'autres fonctions que l'image de culte connue dans l'Ancien Testament et interdite par lui. La question est de savoir si l'interdiction de la Bible touche aussi l'usage chrétien sacral des images. Une image de culte ne doit pas être une réplique ou une reproduction d'une divinité, mais contenir son fluide. Elle doit garantir sa présence réelle et recevoir à sa place sacrifices, adoration et prière. L'Ancien Testament présente plusieurs motivations de l'interdiction des images, de différentes époques[7]. L'unicité de Dieu mentionnée dans la présentation d'Ex 20, 2 se retrouve partout. Intouchable dans sa puissance et sa liberté, créateur et seigneur du monde, maître et seigneur de son peuple, il entretient des relations avec le peuple élu quand, où et comment il le désire.

Au temps de Moïse, les tribus d'Israël réunies pour conclure une alliance se rassemblèrent autour du sanctuaire de l'arche dépourvu d'images : Dt 27, 15. En tant que guide, leur Dieu ne tolérait la présence d'aucune puissance étrangère à ses côtés, d'aucune image de culte, d'aucun prêtre, d'aucun roi. Ex 20, 5 donne la motivation du premier commandement : Dieu les a menés de l'Egypte à la liberté. Un culte attaché à des objets serait un lien à des divinités étrangères ou à un culte étranger. Is 40, 12 ss., 25 fait reposer l'interdiction des images sur la foi en Dieu comme créateur du monde. Yahvé ne peut pas apparaître sous une forme prise de la nature. Dt 4, 15 s. : Dieu leur a parlé au Sinaï à partir d'un feu, sans revêtir aucune forme. Dans sa relation à Yahvé, Israël n'est pas comme d'autres peuples obligé de passer par une image de culte[8].

Dans le refus du culte en images, l'Ancien Testament touche des questions brûlantes au XVIᵉ siècle : autorité et obligation. C'est pourquoi la question de l'image sacrale chrétienne fut posée d'une façon nouvelle par les réformateurs.

L'iconoclasme au XVIᵉ siècle

Au XVIᵉ siècle, tous ceux qui exigèrent que les églises fussent dépouillées de leurs tableaux, épitaphes et statues se référaient à l'Ancien Testa-

6. Elliger, *op. cit.*, pp. 30, 35, 40 s., 90-96; Stirm, *op. cit.*, p. 234; Albrecht Peters, « Bild Gottes », *Theologische Realenzyklopädie*, t. 6, pp. 491 ss.; Walther von Loewenich et autres, « Bilder », *Theologische Realenzyklopädie*, t. 6, pp. 515 ss.

7. Stirm, *op. cit.*, p. 232; Karl Heinz Bernhard, *Gott und Bild*, pp. 67 s., 155; Gerhard von Rad, *Théologie de l'Ancien Testament*, vol. 1, trad. E. de Peyer, 3ᵉ éd., Genève, 1971, pp. 188 ss.

8. Stirm, *op. cit.*, p. 233; von Rad, « Das Bilderverbot im AT », dans *Theologisches Wörterbuch zum Neuen Testament*, t. 2, pp. 378 ss.; W. Zimmerli, *op. cit.*, p. 554.

ment. Dans l'Ancien Testament, on interdit la possession et l'adoration d'une image de culte sous menace d'exclusion de la communauté; on ordonne la destruction de cette image : 1 R 19, 18; Dt 12. Des réformateurs comme Bucer, Capiton, Zwingli et Calvin souhaitaient qu'on fasse disparaître calmement et sans troubles les images des églises, et, lorsque c'était possible, qu'elles deviennent propriété privée. Mais on aboutit souvent à une destruction tumultueuse et aveugle des œuvres d'art. A Münster, dans les années trente, les anabaptistes, les premiers, agirent avec violence. Leur mouvement avait des traits de révolution sociale, les images étaient pour eux des « symboles de domination »[9].

A Wittenberg, en l'absence de Luther[10] et après une prédication intensive de Karlstadt contre les « idoles », on en vint à un véritable iconoclasme. Pour Karlstadt, c'était là l'éclatement à proprement parler de la Réforme, le signe visible que la peur était vaincue et la puissance des idoles détruite. Luther vit dans ces troubles un danger. Au lieu d'un nouveau départ et d'une réforme, la révolte et la révolution se profilaient à l'horizon. Il quitta en mai 1522 la sécurité de la Wartburg et ramena par ses prédications *(Invocavit)* le mouvement de Wittenberg sur la voie qu'il avait tracée. Là où dominait l'influence de Luther en général, on n'enleva pas les images des églises dans la période qui suivit. A Zurich, Léo Jud était la personnalité dominante. Il y eut une agitation iconoclaste à Zurich, à la suite de sa prédication, le 1er septembre 1523. Ces troubles touchèrent ensuite les environs. Après un débat public, Zwingli avait espéré une destruction paisible des images. La décision du Conseil du 2 juillet 1524 ordonna l'enlèvement par les autorités de toutes les images des églises de Zurich. Les parois des églises furent badigeonnées en blanc. De nombreux mouvements iconoclastes s'ensuivirent, surtout en Suisse romande. « Dans le cadre de la Réforme genevoise... les calvinistes ont détruit de nombreuses... œuvres d'art dans les mouvements iconoclastes qui ont touché les régions francophones dès le début des années soixante et à plus forte raison dans l'iconoclasme néerlandais de 1566. » Dans les années soixante, l'iconoclasme déferla sur « la patrie de la culture du haut Moyen Age, située entre les Pyrénées et le Bas-Rhin et très riche en trésors artistiques »[11]. Les émotions qui se manifestèrent dans ces troubles montrent clairement que pour les amis et les ennemis des images les valeurs artistiques ne représentaient pas le véritable enjeu. Pour les deux partenaires il y allait des fondements

9. Von LOEWENICH, *loc. cit.*, p. 550.
10. A partir de l'édit de Worms de 1521, Luther fut proscrit et banni jusqu'à la fin de sa vie. Il séjourna tout d'abord à la Wartburg sous le nom de Junker Jörg. Pour son conflit avec Karlstadt, cf. STIRM, *op. cit.*, pp. 38-67. Sur Zwingli, cf. STIRM, *op. cit.*, pp. 130-160.
11. Hubert JEDIN, « Entstehung und Tragweite des Trienter Dekrets über die Bilderverehrung », dans *Kirche des Glaubens... Ausgewählte Aufsätze und Vorträge*, vol. 2, Fribourg, Bâle, Vienne, 1966, p. 463.

de la foi. Il est certain que le ton se durcit pour d'autres raisons (par exemple fureur réprimée des paysans asservis).

Mais l'image sacrale avait un pouvoir sur les hommes. Les images de culte sont, il est vrai, des choses mortes, faites de mains humaines. La Bible le dit (Ps 115; Jr 10, 3 ss. et ailleurs). Mais elles acquièrent un pouvoir sur les hommes convaincus que leur Dieu et sa puissance étaient présents en elles. Dans le culte du temps de l'Ancien Testament, la colère de Dieu devait être apaisée et sa protection assurée. L'image cultuelle était un moyen d'influencer la divinité, de mettre la main sur sa force. Pour cela on avait besoin du prêtre qui connaissait les paroles et les actes adéquats. Sans lui, rien n'allait. Ainsi par la religion des hommes acquièrent-ils un pouvoir sur d'autres. Aussi étonnant que cela paraisse au XVIᵉ siècle, des hommes avaient peur de certaines images que nous admirons aujourd'hui comme des chefs-d'œuvre dans les musées. On appelait « idoles » des images de Marie, du Christ et des saints, parce que certains avaient confiance en leur pouvoir. Au IXᵉ siècle déjà, l'Eglise ancienne l'avait défini officiellement[12] et elle le répétait sans cesse depuis jusque dans les livres destinés aux laïcs : les images ne doivent pas être adorées. On doit les honorer en vue de la sainte personne qui y est représentée. Dans la simplicité de leur foi, de nombreux croyants ne faisaient pas cette différence, d'autant plus que la prière devant certaines images était liée à des indulgences. Si l'image contenait une relique, sa valeur s'accroissait. Les « images de grâce » passaient pour miraculeuses. Le peuple accourait en foule auprès d'elles dans les pèlerinages. En fait, de nombreuses images sacrales furent traitées par leurs dévots et leurs destructeurs comme des images de culte païennes. Il paraissait impossible de les séparer du pouvoir résidant en elles. On devait les anéantir. La haine de Karlstadt contre certaines œuvres d'art en est un symptôme : dans son cœur, il pressentait une puissance contraire à Dieu. Pour ne pas s'anéantir lui-même, il devait détruire le dépositaire de cette puissance, l' « idole ».

Pour le réformateur zurichois Zwingli, les images étaient inoffensives, parce que sa foi reposait sur l'Evangile du Christ. Mais il mettait en cause la doctrine catholique de l'image jusque dans ses détails[13]. Selon lui, une image est neutre, dépourvue de puissance intérieure. Mais l'Eglise qui était derrière elle, et dont l'enseignement trouvait son expression dans la production de l'image par l'artiste, lui donnait un pouvoir sur les cœurs des spectateurs croyants. Cela blessait l'honneur de Dieu.

12. Depuis le synode de Latran (863), on distingue la vénération des images de l'adoration de Dieu. Les *Libri Carolini* de 791 dont les affirmations sont parfois étonnamment proches de ce que dira Luther, disparurent peu après le synode de Paris (823) qui les connaissait, bien que sans les nommer. Leur première édition parut seulement en 1549.

13. « Huldreich Zwingli, réponse donnée à Valentin Compar », dans *Zwinglis sämtliche Werke*, IV, 88 (1525); Stirm, *op. cit.*, pp. 140 s.

En tant que danger potentiel, elles devaient être détruites. Les critères de Zwingli pour l'élimination des œuvres d'art étaient conséquents : nature de l'image, emplacement, usage. Une image sacrale dans un endroit neutre ne peut être considérée que comme un objet sacré.

Pas d'utilisation sacrale des images (Martin Luther)

Luther a lui-même éprouvé un sentiment de peur devant une image. Le Christ représenté comme Juge eschatologique sur l'arc-en-ciel était devant ses yeux ce qui se passait dans son cœur. Il avait peur de la juste colère de Dieu. Par les yeux du Christ, cette colère s'en prenait à lui. Son glaive l'atteignit en plein cœur. Luther prit l'image en haine, il baissa les yeux pour ne plus la voir. Mais cela ne le libéra pas de sa profonde crainte.

Comme moine au couvent, il en souffrit; il expérimenta en vain tout ce que son Eglise lui proposait; il trouva la compréhension amicale et le bon conseil de son vicaire général Staupitz. Rien ne l'aida. Etre conséquent dans le combat de la foi mena Luther au bord de l'autodestruction. Il ne renonça pas. C'est dans l'étude infatigable de la Bible qu'il trouva une réponse, surtout dans l'Epître aux Romains : « Car nous estimons que l'homme est justifié par la foi sans la pratique de la Loi » (Rm 3, 28). L'Evangile présente la justice de Dieu comme un don par lequel le Dieu miséricordieux justifie par la foi. En Jésus-Christ, Dieu lui-même a résolu la question du salut. Luther a retenu le respect de la majesté de Dieu, de sa puissance infinie et effrayante, et de sa sagesse. Mais l'affreuse peur de l'homme coupable livré sans protection à ce Dieu trop puissant lui fut enlevée.

La reconnaissance fondamentale de la bonté de Dieu qui se révèle pour nous en Jésus-Christ (Lc 22, 20; Jn 11, 51 s.; 2 Co 5, 15 et ailleurs) devient la charnière de la foi, de la vie et de la théologie de Luther. La question du pouvoir est résolue. Qui a le Christ pour Seigneur est un homme libre, malgré et dans tous les liens et toutes les dépendances de sa vie. Dans la mesure où il s'était lié à Dieu en Jésus-Christ par la foi, Satan perdait son pouvoir sur lui.

Luther aboutit au processus de la justification par la foi. Comme chrétiens, nous sommes en devenir, dans un développement perpétuel, orientés vers l'homme nouveau dont la nouvelle création a été inaugurée par Dieu en Jésus-Christ. Dans la Réforme, comme dans la Renaissance et l'Humanisme, il s'agissait de l'homme nouveau libéré des anciennes obligations. L'homme saisi par Jésus-Christ ne doit plus chercher à découvrir par soi-même la loi de sa vie ni essayer de se transformer lui-même. Il se trouve entièrement libéré du souci de soi-même et peut de toutes ses forces, en utilisant tous ses dons, se tourner directement vers son prochain[14].

14. Luther, *Von der Freiheit eines Christenmenschen* (1520), Weimarer Ausgabe (= *WA*), VII, 20-38 (« Le traité de la liberté chrétienne », dans *Œuvres*, t. 2, Genève, 1966, pp. 275-

Comme Luther ne garda pas pour lui la réponse trouvée dans l'Evangile, mais la mit au service de la vie et des questions du temps, il devint un réformateur. Ce qu'il avait reconnu ne devait pas avoir de conséquence seulement pour sa propre vie, sa pensée et son discours. Il a repensé à partir de sa découverte théologique fondamentale tous les domaines de la vie et même la question des arts de l'image qui selon lui n'appartient pas aux fondements de la foi, mais aux grâces et aux tâches de notre vie[15].

Les Dix Commandements valent d'abord pour le peuple de l'Ancienne Alliance que Dieu a libéré d'Egypte (Ex 20, 2). Dieu nous a donné la liberté par Jésus-Christ. Cela vaut pour tous les hommes et pas seulement pour le peuple juif. Au nom de Jésus-Christ, nous pouvons invoquer Dieu. Par lui, Dieu est présent pour nous. Ce qui est lié historiquement à une époque dans l'Ancien Testament n'est plus valable pour nous. La destruction des images ne nous est pas demandée. Mais le Dieu de l'Ancienne Alliance est aussi le Dieu de la Nouvelle Alliance et, comme Père de Jésus-Christ, Dieu nous parle aussi par les Commandements. Le Christ a accompli les Commandements et ôté à la Loi son caractère mortel. Pour nous vaut le caractère de grâce du Décalogue. Le préambule : « Je suis le Seigneur ton Dieu » contient l'Evangile du Christ. Celui qui recherche un accès à Dieu en passant à côté de sa révélation en Jésus-Christ, enfreint le premier commandement.

L'interdiction des images n'est pas selon Luther un commandement autonome, mais un exemple de la grande tentation, réprouvée dans le premier commandement, du culte des images dans l'environnement païen d'Israël. Pour les chrétiens qui, comme des païens, mettent les images à la place de Dieu, l'interdiction s'applique à nouveau. Dans l'Ancien Testament les images sont interdites, parce qu'elles sont adorées. Luther se réfère à Lv 21, 6 où se trouve l'interdiction de fabriquer des images de culte et d'ériger des pierres cultuelles *pour les adorer* (il n'y avait pas d'autre usage)[16]. Selon la teneur du premier commandement, il n'y va pas, dans l'interdiction des images, de leur fabrication, mais de leur adoration. Les images sont interdites *dans la mesure où* elles sont adorées. En intégrant l'interdiction des images dans le premier commandement, Luther lui donne un sens qui ne concerne que l'utilisation de l'image.

306, traduit de l'édition latine); *De captivitate Babylonica* (1520), *WA*, VI, 497-573 (« De la captivité babylonienne de l'Eglise », dans *Œuvres*, t. 2, pp. 157-260); STIRM, *op. cit.*, pp. 17-129, étudie la position de Luther dans la question des arts de l'image.

15. La question des arts de l'image n'était pas une préoccupation de Luther en tant que telle. C'est pourquoi on ne trouve que des remarques marginales à ce sujet dans ses écrits exégétiques et édifiants précédant le démêlé avec les iconoclastes. L'étude que Stirm fait de ces remarques montre que Luther défendait déjà la position claire et théologiquement fondée à laquelle il se tiendra plus tard.

16. STIRM, *op. cit.*, pp. 50-55 ; 46 s. Luther interprète l'interdiction des images dans : *Von beider Gestalt des Sakraments zu nehmen* (1522), *WA* X/II, 33 s.; *Wider die himmlichen Propheten von Bildern und Sakramenten* (1524 s.), *WA*, XVIII, 62-88; Dans les prédications annuelles sur les premiers commandements (1523), *WA*, XI, 31 ss.; sur Ex 20 (1525), *WA*, XVI, 437-445; sur le *Deutéronome* (1529), *WA*, XXVIII, 677-679, 714-717; cours sur le *Deutéronome* (1525), *WA*, XIV, 603-606.

La question de l'image sacrale dans un sens plus étroit ne s'est pas posée pour Luther. Une image est une chose religieusement neutre, elle n'est pas porteuse de salut ni nécessaire au salut, « *vera idolatria est in corde* »[17] : « La véritable incrédulité est celle du cœur. » Cette incrédulité, cette fausse image de Dieu dans le cœur, accorde à l'image qu'on a devant les yeux un pouvoir sur le cœur de l'homme. La superstition est la conséquence d'une prédication fausse ou déficiente, qui traite de Marie et des saints, de legs pour élever des autels, de pèlerinages, etc., au lieu du Christ et de l'amour du prochain[18]. Luther est conséquent. Il introduit avec succès la prédication du Christ contre le mauvais usage des images *et* contre l'iconoclasme[19]. Dans sa critique des abus et de la décadence de la vie ecclésiale d'alors, il n'était pas seul. Mais il alla plus loin. Il refusa l'usage sacral des images dans la mesure où il barre le libre accès à Dieu et introduit une instance médiatrice. Ici encore il voulait une foi libre d'attachements à des lieux sacrés, des choses, des actes, des personnes. En Jésus-Christ, Dieu lui-même est entré dans notre monde. Là où on le prêche et où on croit en lui, Dieu est présent. La séparation entre le sacré et le profane est à jamais abolie par Jésus-Christ. Luther ébranlait ainsi les fondements de son Eglise qui administrait les dons divins de grâce et les biens du salut. Il ne voulait pas la rupture, mais il refusait l'Eglise comme instance sacramentelle et hiérarchique intermédiaire entre Dieu et le croyant. Cela ne s'accordait pas avec ce qu'il avait lu dans la Bible. Il voulait conduire à nouveau l'Eglise au seul fondement selon lui : le Christ, la tête de son Eglise[20].

L'Eglise occupait la place du Christ, et personne ne devait porter atteinte à la liberté donnée au chrétien dans le baptême; aucun homme, aucun prêtre, pas même le pape; aucun saint, pas même Marie, la Mère de Dieu, et encore moins une chose en soi sans importance comme une image. Le grand danger de son temps, Luther le voyait moins dans la grossière superstition qu'est l'adoration des images que dans le lien entre la prière devant la croix du Christ, Marie ou un saint et la pensée du mérite. Au lieu d'une prière sincère, on ne prononçait souvent que des paroles pour obtenir l'indulgence liée à une image. Faire peindre une image était aussi une des nombreuses possibilités d'obtenir un crédit auprès de Dieu, de « s'acheter le ciel »[21]. Luther ne retrouvait pas là la vraie foi en Jésus-Christ. « Nous avons réduit l'essence à une apparence et peint la souffrance du Christ uniquement sur les lettres et sur

17. *WA*, XXVIII, 586, 6; X/III, 26-36; Stirm, *op. cit.*, pp. 41 ss. et 47.
18. *WA*, VII, pp. 241 s. (1521), d'après Stirm, *op. cit.*, pp. 32 s.
19. Ainsi dans les prédications *Invocavit* de 1522, après le retour de la Wartburg : *WA*, X/III, 26, 31 et ailleurs (*Œuvres*, t. 9, pp. 63-100).
20. *Von dem Papsttum zu Rom* (1520), *WA*, VI, 285-324 (« De la papauté de Rome », dans *Œuvres*, t. 2, pp. 9-56); *Ein Sermon von dem neuen Testament d. i. von der heiligen Messe* (1520), *WA*, VI, 353 ss. et ailleurs.
21. *WA*, VI, 211 s.; X/I, 1ʳᵉ section, 525 s.; XXXIII, 84, 30 ss.; 85, 23 ss.

les parois »[22]. Luther ne s'attaquait pas aux peintures murales, comme les crucifixions et les chemins de croix, mais à leur manque d'enracinement dans la souffrance du Christ. Le culte divin et la vie de foi ne dépassaient pas les actes extérieurs. Luther ne rejetait pas seulement l'utilisation de certaines sortes d'images, mais aussi le type de représentation. Il demandait aux peintres de ne pas représenter Marie comme une déesse élevée au-dessus de tous les hommes, mais comme la Bible la présente à nos yeux (dans l'Annonciation, selon le Magnificat). Si Dieu a regardé une « humble servante » avec une telle grâce, il nous considérera aussi avec miséricorde. L'image de Marie que Luther suspendit dans sa pièce de travail lui donnait confiance en la bonté de Dieu[23]. La représentation du Christ comme Juge eschatologique montre la colère de Dieu et ne dit rien du pardon pour l'amour du Christ qui restera valable aussi au jour du jugement dernier (Mt 25, 31 ss.; 1 Jn 4, 16 ss.).

Les images ne sont justement pas seulement « du bois et de la pierre ». Par elles l'artiste affirme quelque chose. Derrière cette affirmation, il y a la théologie de celui qui a passé la commande. La conséquence de l'assombrissement de l'image du Christ en celle d'un juge en colère, oui, d'un diable qui veut impitoyablement précipiter les hommes en enfer[24], est le recours à Marie et aux saints qu'on implore maintenant pour qu'ils intercèdent devant Dieu à la place du Christ, contre lui. Cela a des retombées sur les arts de l'image : Marie et Jean-Baptiste à droite et à gauche du Christ en colère exhibant ses plaies, ou bien Marie qui déploie son manteau et offre ainsi aux hommes tremblants un refuge[25]. Les images dans lesquelles se rencontrent prédication erronée et superstition populaire sont des hérésies en image. Elles sont nuisibles. Si la prédication leur enlève leur pouvoir, elles deviennent inoffensives, mais aussi inutilisables[26]. On ne doit pas les détruire, pas plus qu'on ne doit avoir des images. L'annonce de l'Evangile est nécessaire au salut. « L'exigence

---

22. *WA*, II, 142 (1519). Les « lettres » sont des imprimés d'une seule page contenant des gravures, des prières, des formules de bénédiction et qu'on portait parfois sur soi comme une amulette. Le regard de compassion vers la souffrance du Christ était devenu une forme de piété très répandue, surtout sous l'influence de l'Ordre franciscain.

23. *WA*, VII, 569, sur Lc 1, 48. Concernant l'image de Marie dans la pièce où travaillait Luther, cf. *WA, Tischreden*, n. 1755.

24. *WA*, XVIII/I, 430, 18; *WA*, XLVII, 10, 7 ss.; 277, 4 ss. (1537).

25. *WA*, XLVII, 275 s.; XLV, 86, 1; XXXVII, 420, 30 s.; XXXIII, 83 ss.; XLVIII, 8; XLVII, 276, 18 ss., 310, 15 s. et ailleurs.

26. Luther considère comme nuisibles les images des églises de pèlerinage, Marie, sainte Barbe avec le calice, saint Michel, la Vierge déployant son manteau protecteur surtout (*WA*, XXVIII, 677 (1529)). Le fait de mettre sur le même plan les œuvres du Christ et celles de saint François, sur l'autel sculpté de Lunebourg, lui apparaît même comme un blasphème (*WA*, *Tischreden*, 2649*b* (1529)). Sur le vaisseau de l'Eglise (l'état sacerdotal), *WA*, XXXVIII, 104 et ailleurs. On devrait enlever les images qui inspirent une peur du Christ : *WA*, XXXIII, 83, 41; 84, 16. Mais les iconoclastes devraient au moins « laisser un crucifix ou une image de saint (...) ou une représentation de Marie (...) pour le regard, comme témoignage, comme souvenir, comme signe » (*WA*, XVIII, 80, 7 s.).

qui se rencontre dans l'interdiction des images, valant pour nous, est celle du premier commandement : la foi au Christ »[27]. Dans le Christ toute la divinité est présente pour nous et en dehors du Christ il n'y a pas de Dieu pour nous[28]. Les arts de l'image ne peuvent pas être porteurs de la Révélation. La véritable image de Dieu est Jésus-Christ[29]. La présence du Christ est liée pour nous à la parole. Par sa parole, Dieu a lié pour nous la promesse de sa présence divine aux signes sacramentels du baptême et de l'eucharistie, pour que nous l'y trouvions avec certitude. L'Evangile, le baptême et l'eucharistie sont aussi pour cette raison appelés « véritablement images de Dieu » par Luther[30]. Par la parole et le sacrement, Dieu veut se laisser trouver par nous, et non par le moyen de n'importe quelle image[31]. Les images ne peuvent pas remplacer la prédication. L'annonce n'est pas non plus du ressort des arts de l'image. Voici le commandement positif correspondant à l'interdiction des images : « Tu dois écouter la voix de Dieu »[32]. La plénitude de l'annonce est selon Luther réservée à la parole et aux sacrements. Cela se passe dans l'Eglise[33]. A cette conception de l'Eglise correspond la liturgie de la parole, l'annonce par la parole et le sacrement. Les images ne sont ni porteuses de salut ni médiatrices de la Révélation, elles ne sont pas nécessaires au salut comme la parole et le sacrement, elles n'ont pas la mission de l'annonce.

Pas de théologie de l'art (Jean Calvin)

« Ainsi donc retenons ceste leçon de l'adorer en esprit... Coignoissons donc que Dieu se manifestant par sa voix, a voulu exclure toutes images, non point seulement quant aux Juifs, mais à nous... »[34].

Calvin a repris, dans la question des images, un souci des réformateurs suisses et l'a examiné au niveau des principes. Il a posé la question de la possibilité et de la légitimité d'une image de Dieu et par là de la légitimité de la Révélation et de l'annonce de l'Evangile par le moyen d'une œuvre d'art. Dans sa prise de position, il se référa à la Bible comme à la seule autorité qui oblige dans les questions de foi. S'il a bien vu le

27. *WA*, XXVIII, 588-600.
28. *WA*, X/I, 157, 8. Ces affirmations deviennent fausses si on omet le « pour nous ».
29. *WA*, X/I, 1, 155, 187. Stirm, *op. cit.*, pp. 103-116.
30. *WA*, XXXVII, 452 ss., 648; XLVI, 308; XLIX, 78, 16 s.; X/I, 1ʳᵉ section, 188, 6 ss.; XXIII, 150, 14.
31. *WA*, X/I, 1ʳᵉ section, 188.
32. *WA*, XXVIII, 551, 6 s.
33. *WA*, XLIX, 78, 20; cf. *La confession d'Augsbourg*, VII.
34. Jean Calvin, *Opera*, XXVI, 148. Pour la suite, cf. Stirm, *op. cit.*, pp. 161-223.

lien étroit unissant l'interdiction des images au premier commandement, il l'a pourtant considérée comme un commandement autonome contenant un message précis. Il sépare ainsi l'interdiction des images en deux parties : 1. Tu ne dois pas te faire d'images de Dieu, mais écouter sa voix (« Puisque vous n'avez vu aucune forme », Dt 4, 15 ss.; « Israël, écoute... », Dt 4, 1; 5, 1; 6, 4). 2. Tu ne dois pas adorer Dieu en images, mais en esprit (l'expression positive vient du Nouveau Testament : Jn 4, 24 et ailleurs)[35]. L'adoration de Dieu doit correspondre à sa révélation. Calvin ne s'occupa pas de la conception de l'image purement pagano-magique, mais de l'usage spécifiquement chrétien et cultuel des images, et de l'image de culte chrétienne, c'est-à-dire de l'image qui prend la place de Dieu, demandant à être contemplée et honorée. Sur ce point, la problématique de Calvin rejoignait l'iconoclasme du VIIIe siècle : l'icône tendait à être médiatrice et porteuse du divin[36]. La querelle des images byzantines fut transposée sur le terrain de la christologie. Il s'agissait là de l'image du Christ, mais en même temps de questions fondamentales de christologie.

La pensée de Calvin était plus large et reposait sur une autre question. Elle considérait l'image de Dieu, mais il y allait du vrai chemin vers Lui. La représentation de la Révélation prétend être un de ces chemins parmi d'autres. L'icône représente alors parmi les œuvres d'art l'image la plus pure, mais pas la seule. Calvin rejetait par principe l'image. L'image chrétienne contre laquelle il s'élève prétend apporter la connaissance de Dieu, pas n'importe quel savoir sur Dieu ou le divin, mais une rencontre avec Dieu, « il est question de venir à Dieu »[37]. La reconnaissance de Dieu a pour but de l'honorer. Les hommes sentent leur éloignement de Dieu et ils veulent se rapprocher de Lui. Ils utilisent pour cela des signes visibles et des images par lesquels ils attirent Dieu à eux. Cela blesse la liberté de Dieu. « *Deum igitur, non solo verbo auditur, sed etiam imaginum aspectu* (Ils ne veulent donc pas seulement entendre Dieu dans la parole, mais aussi le voir en images) »[38]. La question pour Calvin n'était pas celle de la puissance d'expression des arts de l'image en général. Il savait en effet quel pouvoir·peut émaner d'une image. Mais là n'était pas la raison de son refus. Il y allait du message théologique exprimé

---

35. CALVIN cite dans l'*Institutio* et dans tous les catéchismes le texte intégral d'Ex 20, 2 ss., *Opera Selecta*, I, 42-47 (*Institutio* de 1536); *Opera Selecta*, III, 359, 5 ss. (*Institutio* de 1539 ss.); *Opera Selecta*, I, 383 (Catéchisme de 1537); *Bekenntnisschriften der reformierten Kirche*, éd. Ernst F. K. MÜLLER, p. 130 (Catéchisme de Genève de 1545); *Corpus Reformatorum*, 52, *Opera Calvini*, XXIV, 375 (Décalogue *in formam harmoniae*). Pour la division en premier et deuxième commandement (= interdiction des images), il se réfère à l'ancienne Eglise : *Opera Selecta*, I, 48 s. Dans l'*Institutio*, 1er livre, c. XI (1539), la question des arts de l'image est traitée en détail (*Opera Selecta*, III, 89 ss.).

36. STIRM, *op. cit.*, 200.

37. *Opera Selecta*, III, 103, 21.

38. *Opera*, XXVI, 156; d'après GRAU, *Calvins Stellung zur Kunst*, Würzburg, 1917, p. 19.

en images[39]. L'interdiction s'applique à toute image qui prétend remplacer la Parole de Dieu comme messagère de la Révélation. Il prouvait par le Nouveau Testament que cela vaut aussi pour la conception chrétienne de l'image. En Jésus-Christ le Dieu invisible, insaisissable, s'est rendu visible et tangible, il est vrai. Mais la véritable image de Dieu et par là le seul lieu où on peut véritablement le trouver, est et reste Jésus-Christ. Ainsi les images du Christ ne sont pas pour autant devenues possibles. L'Incarnation ne peut être le fondement de la légitimité ou même de la nécessité d'une image visible du Christ que s'il faut accorder à l'image un caractère direct de révélation. Le Christ ne nous révèle cependant pas *son* image, mais l'image de *Dieu*. Dieu vient à nous dans le Christ fait homme, crucifié et ressuscité. Cette rencontre se produit par l'intermédiaire du Saint-Esprit.

C'est pourquoi le souci de Calvin dans la question des images était de défendre l'exclusivité de la Révélation de Dieu dans le Christ en même temps que la relation à Dieu par l'intermédiaire du Saint-Esprit. Comme il y va du rapport avec le Dieu un et trine, la question des images entre pour Calvin dans le cadre de la doctrine sur Dieu. Il refusait par principe toute image de Dieu et par là toute image du Christ, parce qu'à son avis cette image ne peut avoir d'autre fonction que celle de la Révélation et de l'annonce de l'Evangile. L'image est soit insensée et vide, parce qu'elle n'apporte aucune révélation, soit sacrilège, parce qu'elle veut révéler ou prêcher indépendamment de l'histoire et par elle-même. Les arts de l'image ne doivent en aucun cas prendre la place de la Bible, de la théologie ou de la prédication. Comme Dieu s'est lié à Jésus-Christ dans la Révélation, il a choisi la parole comme moyen de révélation utilisé par l'Esprit. C'est pourquoi le culte divin est de par son contenu une prédication du Christ inspirée par l'Esprit et une réponse orale de l'homme dans l'invocation, l'adoration et l'action de grâce dans l'Esprit-Saint. Une image, pas plus qu'un quelconque signe symbolique, même pas la croix, ne peut avoir une fonction liturgique. Avec l'image sacrale et l'usage sacral de l'image se trouve interdite la tentative de se ménager une relation à Dieu par la liturgie, les arts sacrés, les figures symboliques, les espaces de caractère sacré. L'ordonnance de la liturgie et de l'espace liturgique doit être conforme à l'Ecriture et centrée sur la parole. Le seul arrangement artistique permis était celui des mots écrits de la Bible. L'exigence d'avoir des églises dépourvues d'images était alors en vigueur chez les réformés. Aujourd'hui ce n'est plus le cas partout.

L'interdiction des images délimite aussi clairement le champ des images profanes. Les images historiques et narratives autorisées et

---

39. W. HOFMANN, *Luther und die Folgen für die Kunst*, Hambourg, 1983 (catalogue de l'exposition), pp. 37 s.

destinées à instruire et à réconforter sont certes utiles dans l'enseignement et inoffensives dans l'usage privé, mais elles ne doivent jamais
prendre la place de la Parole de Dieu écrite ou prêchée. Par là Calvin
a délimité clairement le champ des arts de l'image chez les réformés.
Mais il a en même temps fait éclater le rétrécissement de l'interdiction
à la thématique de l'image et donné à cette interdiction un contenu
positif tiré du Nouveau Testament : la relation entre Dieu et l'homme.
Dans l'interdiction des images Calvin ramène à un dénominateur
commun théologie, prédication et instruction, musique chrétienne et
arts de l'image, comme tous les domaines de la vie le dimanche et les
jours ordinaires : tout ce que nous faisons à la face de Dieu doit servir
à l'honorer et être conforme à sa parole.

Les arts de l'image fondés sur la Bible (Martin Luther)

Luther ne considérait pas la question des arts de l'image comme l'un
des fondements de la foi. Il n'a présenté sa position nulle part en détail[40].
Mais en tant qu'expression de la foi et de la vie chrétienne, il a pour
ainsi dire également « réformé » les arts de l'image. Ils furent ainsi révo-
lutionnés fondamentalement. La position de Luther qu'on peut tirer
de ses exposés de circonstance est clairement pensée et fondée théologiquement. Il décida de toute la question des images en refusant leur
usage sacral, en réprouvant l'iconoclasme et en exigeant un fondement
biblique pour l'utilisation des images, à partir du premier commandement. Par le lien avec la Bible, la Parole écrite de Dieu, il a détaché les
arts de l'image de leur usage sacral et ouvert pour eux un nouveau
champ d'action dans le cadre du protestantisme.

La « carte blanche décisive que la conception moderne de l'art a reçue de
Luther »[41] je ne peux pas la reconnaître de façon si absolue. Il a pensé à des
arts de l'image liés à la Bible dans leur mission, leur contenu, leur forme et
leur usage. Tout le reste ne l'intéressait pas. Il a désacralisé les arts de l'image
et par là les a « objectivés », mais non pas abandonnés à une « décision subjective et privée ». Peut-être bien que la prise de position de Luther, parmi d'autres,
a frayé une voie vers la conception moderne de l'art. Il est certain que « les
courants décisifs de l'époque moderne pointant vers 1500 sont formés par les
conflits de religion ». Mais la conception moderne de l'art qui se faisait jour
au XVIe siècle déjà n'a pas sa source seulement dans la Réforme, mais aussi
dans la Renaissance et l'Humanisme. L'émergence de thèmes iconographiques
séculiers et de l'usage privé des images a son fondement dans une dissolution
générale des obligations envers l'ancienne Eglise. Dans la rupture, dans la

---

40. Contre Hans Preuss, *Martin Luther, der Künstler*, Gütersloh, 1931. L'auteur expose
p. 6 que Luther aurait « défendu par la Bible le bon droit et l'importance des images ». Voir
à ce sujet Stirm, *op. cit.*, pp. 96-111.

41. Cela pour répondre à Hofmann, *op. cit.*, 17. Le catalogue vaut la peine d'être lu.

recherche de nouvelles formes de vie, dans l'éloignement des autorités traditionnelles et en même temps dans le retour aux origines, dans l'exigence de
clarté et de simplicité, la Renaissance, l'Humanisme et la Réforme concordent
en partie.

Une image sans message est vide et dans le meilleur des cas propre
à réjouir les yeux par sa valeur ornementale. L'artiste veut davantage;
Luther aussi. L'image doit exprimer quelque chose. L'image peinte est
comme le mot écrit un produit final. Les deux sont précédés d'une
pensée. Non seulement notre langue, mais déjà notre pensée est marquée
par ce que nous entendons et voyons. La pensée et la parole utilisent des
représentations imagées. L'interdiction des images défend de se faire
des représentations de Dieu. Toute pensée, tout mot sur son essence le
rabaisse à notre monde de représentations. Si nous voulions parler de
Dieu en soi, nous devrions nous taire. Celui qui le tente malgré tout
aboutit à la peur et à l'épouvante, comme Luther, lorsqu'il voulait
reporter sur Dieu ses représentations de la justice. L'incapacité pour
l'homme de parler adéquatement de Dieu vient du fait qu'il a perdu le
contact immédiat avec Dieu (péché originel). Mais la bonté de Dieu
vient à nous par Jésus-Christ. Nous connaissons Dieu par la révélation
de Jésus-Christ. Nous devrions le saisir dans cette bonté, au lieu de le
rechercher là où on ne peut pas le trouver. Lui-même s'est lié à sa parole.
Sans la Parole de Dieu ou hors d'elle, rien ne peut être pensé ou dit de
Dieu en vérité[42]. Mais la bonté de Dieu utilise notre langage et nous
permet de parler de lui à lui, par des concepts et des images prises à notre
monde de représentations — et par là en soi impropres à Dieu —,
pour autant que nous en restions à la révélation de Jésus-Christ transmise dans la Bible.

Tout ce que Luther a vu et vécu devint pour lui symbole des mystères
de Dieu. Il se savait là proche de Jésus qui a parlé en termes simples
et en paraboles, pour qu'on puisse comprendre sa parole et s'en souvenir[43]. A la parabole appartiennent la vue et l'ouïe, l'image et la parole.
On peut raconter une parabole, mais pas la peindre. Les représentations
artistiques sont comme le côté imagé d'une parabole. Sans les paroles,
elles ne sont que la moitié de l'énoncé, elles ne contiennent pas toute la
vérité. Les arts de l'image chrétiens étaient pour Luther le côté imagé
de la Bible rendu visible, une sorte de *discours imagé peint*, qui avait
besoin du texte de l'Ecriture pour être utilisé. C'est pourquoi Luther
accordait une grande valeur à la parole accompagnant l'image et au
texte lui servant de base.

L'image accompagnée d'une inscription n'est pas une nouveauté.
L'art du haut Moyen Age utilisait déjà l'inscription et la banderole.

---

42. *WA*, XLII, 11, 35; autres documents dans STIRM, *op. cit.*, pp. 90-95 et 112-121.
43. *WA*, XXXVII, 64, 7 ss.; X/II, 458, 19 s.; *WA, Tischreden*, 1650.

Chez Luther pourtant, le texte de l'Ecriture n'est pas un ajout explicatif, mais l'élément principal de l'image. *A l'image, telle que Luther la voulait, appartient inséparablement la parole de l'Ecriture.* Sans le mot qui fait de la créature observée un symbole et donne à l'image peinte un sens pris du texte, la créature et l'image sont muettes et sans valeur, l'image peut être mal comprise et mal utilisée. L'œuvre d'art est en soi neutre. Mais pas son contenu. La critique que Luther adresse à l'utilisation contemporaine de l'image touche à la théologie sous-jacente à l'image, dans la mesure où elle contredit la Bible. Il y oppose la prédication de l'Evangile et l'image fondée sur l'Ecriture. Les arts de l'image dont Luther parle sont liés à la Bible. Ce qui s'oppose à l'Evangile ne doit pas entrer dans l'image. Cela pourrait conduire à un étranglement des arts de l'image, mais pas nécessairement. Tel que le comprennent les réformateurs, le centre du message de la foi chrétienne est la croix et la résurrection du Christ. En font partie également dans la Bible la plainte, l'accusation, la prière désespérée par exemple. Y a-t-il un domaine de la vie que la Bible exclut ? Quant à sa destination, cette sorte d'art a le même contenu que la prédication, mais une fonction différente. Les arts de l'image ne doivent pas prendre la place de l'annonce orale. Ils ne peuvent pas non plus remplacer une prédication déficiente. Dieu veut s'adresser à nous dans la prédication[44]. Par l'image peinte, un homme nous parle, qui nous rappelle la Parole de Dieu. Seul l'usage de l'image ainsi compris peut se réclamer de Luther. Pour qu'on ne puisse pas passer à côté de l'Evangile ni l'oublier, il faut utiliser tous les moyens possibles, prédication, écriture, chant, peinture, dessein...[45].

Aux arts de l'image revient avant tout la tâche de rappeler l'essentiel. Différentes possibilités s'offraient, différentes formes d'art, un large champ au total. La gravure sur bois par exemple offrait la possibilité d'être reproduite et par là diffusée largement. Dans l'illustration de tracts et de livres, nous trouvons déjà un précurseur de notre art publicitaire. En tant qu'illustrations de la parole écrite dans la Bible, les catéchismes, les livres de prière, les images ne sont pas seulement un supplément ornemental. Elles doivent rendre expressives les histoires bibliques, à éclairer et à graver fortement dans la mémoire. La limitation à des exemples bibliques est fondamentale dans l'illustration des catéchismes de Luther, alors que l'illustration des livres de prière catholiques présente pour les Dix Commandements des exemples extra-bibliques et pour le Notre Père des images pieuses allégoriques. Les cinquante gravures sur bois que Luther a choisies en 1529 pour son livret de prière allemand et latin ont toutes un fondement biblique. Elles relatent

---

44. *WA*, II, 509, 14 s. (de 1519, sur Ga 3, 2 s.); *WA*, XVII/II, 73, 27 (sur Rm 10); LI, 11, 19-33 (de 1545, prédication sur Ps 8, 3).
45. *WA*, XXXVII, 63, 9 s. (de 1533); XL, 783, 5 s. (de 1545); XLV, 719, 10 (de 1537); LI, 217, 35 (de 1534-1535); X/I, 458, 30 ss. (préface au « Passional » de 1529).

les grandes actions de Dieu dans le passé et exposent au regard « l'œuvre et la Parole de Dieu » dans le présent et l'avenir, par le baptême, la prédication, la Cène et le Jugement dernier[46]. Les illustrations des Bibles, comme les images, ne sont pas une nouveauté dans la littérature édifiante. Dans les illustrations des traductions de Luther, l'important est le rapport voulu de chaque image avec le texte[47]. Dans la préface du « Passional », Luther exprime son désir d'un livre dans lequel toutes les histoires importantes de la Bible seraient mises en image. Ce serait une véritable « Bible des laïcs », qui contiendrait exclusivement des histoires bibliques sous forme imagée et les paroles de l'Ecriture correspondantes, comme c'était le cas pour le « Passional ». Un tel livre d'images bibliques ne devrait pas remplacer la Bible, mais faciliter l'intériorisation du message de la prédication, de la lecture ou de la récitation de la Bible, ce qui est comparable à la mémorisation des paroles de l'Ecriture[48].

La tâche purement didactique de la gravure comme illustration et livre d'images est reprise et poursuivie dans les tableaux. Les histoires principales de la Bible devraient être placées sur les murs extérieurs et intérieurs des maisons, « afin que l'on ait toujours et partout les actions et les paroles de Dieu devant les yeux, pour y exercer la crainte et la foi en Dieu »[49]. Ces tableaux ne devraient pas susciter la foi, mais l'entretenir. Leur fonction est de nature pédagogique, mais différente de ce qu'on attendait des images au Moyen Age et en partie aussi du temps de Luther : enseigner le peuple sur ce qu'il doit croire ou comment un chrétien doit vivre[50]. L'image de la Cène, par exemple sur l'autel, s'adresse au cœur : « Pour que le cœur pense que lorsque les yeux lisent ils doivent en même temps louer et remercier Dieu »[51]. Ainsi l'image devient un encouragement continuel à répondre à la bonté de Dieu dans l'obéissance en craignant et en faisant confiance, et dans la joie en louant et en remerciant. A ces retables et à ces tableaux appartient aussi la parole écrite. L'image et la parole biblique appellent ensemble à la louange de Dieu. Dans les cimetières, lieux particuliers du silence et du recueillement, les images devraient procurer à ceux qui méditent devant elles consolation dans la souffrance, réconfort dans la foi et les inviter à la prière, cela correspondant à la pensée du Jugement dernier et de la résurrection.

Les remarques de Luther sur les images qui ont pour thème des

---

46. *WA*, X/II, 458 ss.
47. Le retour à l'origine biblique formait la tendance fondamentale de l'activité réformatrice de Luther. Cela apparaît dans la question des images comme pour la prière et la liturgie. Le donné traditionnel n'est pas écarté, mais, autant que possible, reconduit à son contexte biblique.
48. *WA*, X/II, 458, 30 ss.
49. *WA*, X/II, 458, 26 ss.
50. Cf. *infra*, pp. 718 ss.
51. *WA*, XXXI/I, 415, 24 ss.

énoncés de foi chrétienne montrent jusqu'où le domaine thématique
des arts de l'image liés à la Bible peut s'étendre. Dès que la partie repré-
sentable d'une parabole ou d'un discours imagé a été rendue par un
symbole et est devenue directement parlante pour le spectateur, on n'a
plus affaire à une simple image, mais à un énoncé indépendant rendu
par une image. De tels symboles peints étaient bien connus au xvie siècle,
l'étendard victorieux de la résurrection par exemple, l'agneau ou le
lien des deux dans l'agneau porteur de l'étendard que Luther aimait.
Les symboles étaient intégrés dans un contexte global, ordonnés les
uns par rapport aux autres ou opposés. L'image de la descente aux
enfers utilise le symbole de l'étendard et de la porte des enfers[52]. Comme
la résurrection et le Jugement dernier, la descente du Christ aux enfers
entre dans la confession de foi, a un fondement biblique, mais fait
sauter notre cadre spatio-temporel, est inimaginable et ne peut pas être
représentée. Parce que ces représentations sont forcément inexactes,
Luther les a considérées utiles pour les enfants et les hommes simples,
ceux qui ne peuvent pas penser abstraitement. Mais l'image doit être
vue comme une unité. On ne doit pas la décomposer en ses éléments.
Cela conduirait à des spéculations. La porte et l'étendard ont un sens
uniquement comme parties d'un contexte plus vaste, comme un mot
dans la phrase pourrait-on dire.

On avait fait l'objection suivante à ce type d'images : le feu de l'enfer
aurait dû brûler l'étendard et la porte de bois; on en avait ri; mais on avait
conservé la représentation du feu et montré par là sa bêtise, qui s'exprimait
directement en image. Le caractère invraisemblable de la représentation montre
qu'on ne dépeint pas *comment* cela c'est passé, mais *ce* qui s'est passé. Celui
qui comprend autrement une telle image se trompe. Car, au sens strict, « il
n'est allé nulle part »[53]. Comme tous nos mots et nos représentations, cette
image montre les actes de Dieu sans en saisir la réalité ni pouvoir l'exprimer
pertinemment. Nous pouvons pourtant parler de ce que Dieu a fait et fera
pour nous. Dans ce but les images devraient être évidentes, claires, sans ajouts
ornementaux, pour que tous, même l'homme simple et l'enfant les comprennent; très grossières pour qu'on sache qu'il ne faut pas les prendre à la lettre.

L'image de la descente aux enfers est la représentation peinte du
récit de la victoire du Christ sur la mort et l'enfer. On doit comprendre
l'image en fonction du texte, dans ce qu'elle veut exprimer et non dans
ce qui est peint. Alors la pensée est rivée fermement au texte, à l'énoncé
biblique[54]. Cette image a particulièrement besoin du texte. Il délimite
le message de l'image. Il y avait déjà avant Luther des représentations
des contenus de la foi. L'essentiel est la fidélité de l'image de foi à l'Ecriture, dans son contenu, sa forme et l'impact sur le spectateur que Luther

---

52. Par exemple dans l'église du château de Mansfeld, où Luther allait souvent, « on
avait peint sur les murs sa descente (aux enfers) », *WA*, XXXVII, 63, 5 s.
53. *WA*, XXXVI, 161, 6.
54. *WA*, XXXVII, 63 ss.

en attendait. Ce style d'images s'adresse particulièrement à des chrétiens. L'image de foi évangélique est la profession de foi et la louange de l'artiste envers Jésus-Christ, le Seigneur crucifié pour nous et ressuscité.

Les Psaumes montrent quelle aide pour le croyant en recherche d'un recours la réponse de foi dans la louange et la profession de foi peuvent offrir. L'orant dépeint sa misère, articule son cri au secours, remercie Dieu pour son action salvatrice et en tire la conclusion dans un « exposé dogmatique » général; ainsi dans le Ps 3, 9 : « De Yahvé, le salut ! »[55]. La profession de foi manifeste une assurance où d'autres peuvent trouver l'espérance.

Comme celui qui cherche de l'aide prend courage dans la parole croyante du psalmiste, un chrétien devrait être conforté dans sa foi par la confession du Christ qui est peinte. C'est pourquoi les « peintres » doivent rappeler ce que Jésus a fait et souffert pour nous, mais pourtant de telle sorte que cela paraisse « consolant et non pas hideux »[56]. Par « l'image consolante », l'artiste parle directement au spectateur. L'image de la crucifixion dit : il a porté tes péchés; l'image du ressuscité : toi aussi tu dois vivre; celle de la descente aux enfers : Jésus-Christ est maître du péché et de la mort; celle du bon pasteur : tu es aussi assurément accepté auprès du Christ. Le crucifix est pour Luther une image historique exprimant d'une façon unique ce que Dieu a accompli pour nous en Jésus-Christ. Il correspond à l'image qui prend forme dans son cœur lorsqu'il entend le nom du Christ[57]. Il remplit l'attente qu'il attache à une image de foi chrétienne et biblique. « Expansis manibus pendet in cruce nos verbis ut Matth. 11 citatis vocaret : venite ad me omnes »[58] (Il est suspendu à la croix, les bras étendus, et s'adresse à nous par les mots de Mt 11 : venez tous à moi). Par les mots de la Bible, l'image de foi conforme à l'Ecriture parle aussi là où on ne peut pas les lire visiblement. L'image de foi évangélique est une image historique et un dogme peint au sens biblique.

L'artiste confesse son appartenance à Dieu en rappelant ses actions passées et il renforce ainsi la foi de la communauté, dans l'espérance de l'action de Dieu dans le présent et l'avenir. De ce point de vue, l'image de foi a le même effet sur le croyant que la prédication consolatrice. Précisément là où on parle de péché et de faute, de peur et de détresse, l'Evangile prêché et peint rend les chrétiens heureux, prêts à remettre entre les mains de Dieu leurs soucis et à se tourner vers le prochain dans l'amour et la gratitude[59]. La différence décisive est que la prédication

55. Voir Otto MICHEL, *Israels Glaube im Wandel*, 2e éd., Berlin, 1971, pp. 214 ss.
56. *WA*, XL, 159, 30 ss.
57. *WA*, XVIII, 83, 9-13.
58. *WA*, XLVIII, 169, 16.
59. « Un chrétien ne vit pas en soi-même, mais dans le Christ et dans son prochain. Dans le Christ, par la foi, et dans son prochain, par l'amour » (*WA*, VII, 38).

annonce la parole et peut convertir les païens, alors que l'image consolatrice rappelle la prédication et conforte la foi des chrétiens.

L'image conforme à l'Ecriture n'est pas seulement une imitation à
la lettre d'une histoire biblique. Comme les Psaumes ont été à l'origine
des prières chantées ou des chants de foi, ainsi les images de foi devraient,
en tant que prières peintes, conduire le spectateur croyant à la supplication, à la louange et à l'action de grâce. L'image chrétienne ne produit
pas la foi. Mais du cœur d'un chrétien croyant sortira une image de foi
rayonnante. C'est pourquoi l'artiste qui veut travailler pour des chrétiens
doit être un chrétien. Parce que la foi provient de l'écoute de la parole
prêchée[60], l'artiste fait partie de la communauté qui écoute et qui prie.
Il reçoit la Parole de Dieu et l'imprime par son art dans la mémoire et le
cœur des croyants. Ses œuvres sont aux mains des croyants, exposées sur
les murs des églises et des maisons, dans les cimetières. En tant que souvenir permanent et avertissement, procurant consolation et espoir,
l'œuvre de l'artiste met la communauté en face de ce qu'elle croit. Sans
la parole vivante de Dieu, l'image évangélique est condamnée au silence,
livrée sans défense à tous les abus. C'est pourquoi l'image ne peut pas
remplacer la prédication, mais la présuppose. Les images chrétiennes
ont un sens et une raison d'être uniquement là où la Parole de Dieu est
entendue et accueillie dans la foi.

Ainsi, jusque dans son travail, l'artiste est affecté par le don de la
foi et soumis à la plus haute autorité, Dieu lui-même. Devant lui, il est
aussi responsable de son travail artistique[61]. L'art lié à la Bible n'est pas
entravé dans ses réalisations, mais circonscrit. La forme de l'image ne
doit pas s'opposer à son contenu. D'une certaine façon, on met des
limites à la fantaisie de l'artiste. En second lieu, aux tâches qui reviennent
aux arts plastiques dans le domaine évangélique correspondent des
propriétés spéciales de ces arts. Ce qu'on voit s'imprime facilement dans
la mémoire. L'expressivité artistique permet de concentrer dans une
image une multitude d'énoncés[62]. La force d'expression de l'art peut
développer un sujet en de nombreuses variations. L'exigence de simplicité et de clarté caractéristique aussi de l'Humanisme avait chez Luther
des raisons plutôt didactiques et pédagogiques.

Les prétentions de l'art et les requêtes de la Réforme vont dans des
directions différentes, mais ne sont pas exclusives les unes des autres.
C'est précisément la conception d'une image de foi conforme à l'Ecriture
qui pose à l'artiste de grandes exigences. Le message de l'image, fondé
sur la Bible, demande à être reconnu par la mémoire, accueilli par le

---

60. Rm 10, 17.

61. Au XXᵉ siècle, le théologien luthérien Heinrich Vogel commente ainsi l'interdiction
des images dans le cadre du premier commandement : l'art chrétien n'a de légitimité que sous
la croix (*Der Christ und das Schöne*, Berlin, 1955, pp. 39 ss., 110 ss., 236 ss.).

62. Par exemple Cranach l'Ancien ou le Greco, cf. *infra*, pp. 720 ss. et 736 ss.

cœur et repris dans la prière. Cela présuppose que l'observateur comprenne le langage imagé de l'artiste, qu'il connaisse les fondements bibliques de l'image et croie au Christ[63].

LE CONCILE DE TRENTE

Le défi des réformateurs dans la question des images fut relevé relativement tard par l'Eglise catholique. C'est seulement le radicalisme des calvinistes, avant tout en France et dans les Pays-Bas, qui provoqua sa réaction. Il y avait depuis 1550 environ des disputes au sein du catholicisme, dans lesquelles de vieilles oppositions entre les diverses conceptions des images, orientale et occidentale, méridionale et septentrionale, survivaient[64]. Le culte divin était redevenu un problème. On repoussa certaines représentations de la Trinité.

Selon Cajetan, on ne pouvait accepter que les symboles mentionnés dans la Bible, tels que Dieu le Père sous les traits d'un vieillard, le Christ en croix et la colombe du Saint-Esprit. Erasme ne voulait pas d'une image de Dieu, parce que la divinité incorporelle élevée au-dessus de toute créature est par essence irreprésentable. Le comte Alberto Pio de Carpi opposa à cette conception le caractère de signe de l'art chrétien et son fondement biblique dans les théophanies[65]. Il se rapproche par là de l'argumentation luthérienne, mais il tient fermement à la vénération des images, à leur justification intérieure et à leur valeur psychico-religieuse. Il n'entre pas dans l'argumentation de Calvin. L'attaque des réformateurs était une raison suffisante pour se poser à nouveau la question de l'essence de la vénération des images et des contenus légitimes de l'image sacrale. Ambroise Catharin introduit un nouveau point de vue. Il parle de la sanctification « que les images reçoivent en étant destinées par l'Eglise à un usage sacré »[66]. Le juriste Konrad Braun estime les images dignes de vénération en tant que prototypes de ce qui est représenté. « La vénération des images est théocentrique. Comme confession et louange de Dieu qui a conduit les saints à la gloire, elle monte pour redescendre sur les hommes en amour de Dieu plus fervent et en héroïsme moral... Ce n'est pas des images des saints et des reliques... mais de l'intercession des saints » qu'on attend d'être exaucé[67].

On s'occupa surtout de la vénération légitime des images, et très peu de la question de fond soulevée par Calvin principalement. On était d'accord pour conserver l'héritage de la tradition catholique. « La vénération des images est permise car elle se réfère aux objets représentés et

---

63. Sur le langage de l'image, cf. *infra*, pp. 713 ss.
64. Hubert JEDIN, *op. cit.*, pp. 470 et 472.
65. *Ibid.*, p. 465.
66. *Ibid.*, p. 469.
67. Konrad BRAUN, *De imaginibus* (1547), d'après JEDIN, *op. cit.*, 466.

finalement toujours à Dieu lui-même, elle correspond à la tradition ecclésiale, même à celle de l'Antiquité, et elle ne doit pas être mise au même niveau que le culte des idoles païennes. Elle possède une grande valeur pédagogico-religieuse, car les images sont les livres des gens simples »[68].

Bien qu'on fût encore en plein milieu des disputes internes au catholicisme, on approuva dans la session finale du concile de Trente, le 3 décembre 1563, un décret sur la vénération des saints et des images. L'énergie opiniâtre du cardinal Charles de Guise fit merveille. Dans le cadre des luttes confessionnelles de France, il avait besoin d'une décision sur ce point. De France vinrent l'occasion et le projet du décret : une sentence de la Faculté de théologie de la Sorbonne[69]. Le décret n'entre pas dans les disputes catholiques sur l'essence de la vénération des images : il en propose une défense. Les arguments traditionnels suffisaient pour cela. On se référa surtout à Grégoire le Grand et, en négligeant la différence de problématique, au concile de Nicée II (787). Toute comparaison avec le culte des idoles visé par l'interdiction des images est récusée. Aucune divinité ne réside dans les images.

Dans son verdict, ce décret rencontre un argument de Calvin : il reconnaît dans la conception selon laquelle une force divine résiderait dans l'image un abus tout à fait insupportable et repousse par là le reproche de Calvin comme étant sans signification pour l'image sacrale catholique. Le décret avait, il est vrai, « procuré la victoire à la conception orientale, reprise par Rome... selon laquelle on pouvait vénérer les images en raison de leur lien aux prototypes, contre la conception occidentale, représentée par les Livres Carolins, d'un but purement didactique des images ». Mais il s'opposait par l'argument des images comme Bible des laïcs à la conséquence de la logique de Calvin selon laquelle « seule la Bible lue et proclamée aurait un caractère de révélation »[70].

La vénération des images vise les personnes représentées. L'adoration ne revient qu'à Dieu ou bien au Christ. Le fait de prendre en considération la critique des abus est une nouveauté. On interdit les représentations ou les images dogmatiquement douteuses, qui pourraient mener les simples à de dangereuses erreurs. C'est le contenu de vérité qui compte. On recherche dans les images bibliques la proximité historique. On devrait pouvoir atteindre à une certaine authenticité naturelle qui ne soit ni contraire à la nature ni naturaliste. On condamne la superstition et le gain honteux du trafic des reliques. Les peintres ne doivent pas créer des images d'une beauté exubérante. L'art profane et lascif est interdit. Rien de faux, de déshonorant, de mondain ne doit être vu dans les églises.

L'argument principal est la valeur didactique et pédagogique des

68. Jedin, *op. cit.*, pp. 470 ss.
69. *Ibid.*, p. 484.
70. *Ibid.*, pp. 480 et 494 s.

arts de l'image (Grégoire le Grand). De là l'exigence de pureté dogmatique, de vérité historique et d'intelligibilité. Les images dans lesquelles Dieu est représenté doivent être expliquées au peuple, pour parer aux erreurs. Dieu pourrait être représenté adéquatement par la forme et la couleur. La position sacrale de l'image est maintenue, et en même temps sa fonction didactique et pédagogique soulignée, et par là fondée la nécessité (et pas seulement la licéité) des images pour l'annonce de la foi. Aux évêques revient expressément la charge de veiller sur la pertinence et l'usage des images. Dans le doute, c'est au siège pontifical de décider.

Par ce décret on mettait en évidence la grande importance des arts de l'image dans l'Eglise catholique. De même coup se manifestait le pouvoir de la doctrine sur l'image. L'Eglise ancienne s'était assurée de son centre et de ses fondements comme elle l'avait aussi montré clairement dans la prise de position sur les arts de l'image. Appelés à représenter les histoires bibliques et le mystère du salut, les arts de l'image s'étaient rapprochés de la Bible. Les images de Marie, des martyrs et des saints d'après les récits légendaires occupaient pourtant encore une place importante. L'opposition frontale au protestantisme est évidente. On vit dans le calvinisme l'ennemi véritable, mais toutes les images refusées par Luther furent réhabilitées.

Le décret était destiné à être une arme dans le combat confessionnel, mais, qu'on l'ait voulu ou non, il eut des conséquences sur la conformation et l'usage des images. L'exécution effective, même si elle n'avait pas toujours été voulue par le décret, fit pour longtemps de l'art ecclésial dans la période qui suivit un auxiliaire de la théologie de controverse soutenant les doctrines combattues par le protestantisme. Les images des églises, les reliefs et les sculptures illustrèrent la vénération de la Mère de Dieu, des saints et de leurs reliques, la présence durable du Christ dans l'eucharistie, le sacrifice de la messe, les bonnes œuvres et la papauté. Ils soutinrent la prédication faite dans le sens de la théologie de controverse. Par l'évidence qui leur était propre, ils avaient un impact plus fort et plus profond, et ils contribuèrent ainsi à conforter le peuple dans la foi catholique.

Les membres de l'Eglise qui passèrent des commandes et les conseillers théologiques des artistes de l'époque suivante amenèrent l'art à appuyer l'Eglise dans l'exercice du magistère. Non seulement l'art reflète *effectivement* la théologie, mais on le poussa à soutenir la théologie de controverse qu'il *devait* refléter[71].

Le décret contient d'étonnantes proximités avec Luther (insistance sur la Bible, exigence de clarté et de simplicité, l'image comme enseignement dogmatique, sa fonction didactique et pédagogique), mais aussi

---

71. *Ibid.*, p. 496.

des oppositions profondes. Au lieu d'être centré sur des thèmes de la Bible ou rattachés à elle, l'art est lié au magistère ecclésial et il trouve ses thèmes à la fois dans la Bible, les légendes et la tradition. De la démarcation de Trente face au mouvement réformé, l'Eglise catholique fit un article de foi, dans le but de renforcer son essence ecclésiale mûrie pendant des siècles. En même temps l'appartenance commune des confessions à une même origine biblique demeura.

L'ILLUSTRATION DE LA BIBLE ET LES BIBLES EN IMAGES

Au Moyen Age, on mettait en images l'histoire biblique dans de coûteuses Bibles en images et des livres de prière que seulement peu de personnes pouvaient acquérir. Sur les parois et les vitraux des églises, tous pouvaient les voir. Dans les livres de prière et les suites d'images didactiques (*Biblia laicorum*, Miroir du salut), il y avait à côté des images bibliques, au même rang, des images légendaires et hagiographiques. La parole biblique écrite restait réservée aux théologiens et aux autorités ecclésiales. Le texte latin de la Vulgate était la référence obligatoire. Dans les éditions illustrées de la Bible, l'image était le plus souvent de caractère ornemental, rendant la lecture attrayante, mais pouvant aussi être expressive. Il y avait l'image isolée, parfois accompagnée d'un texte et l'image comme complément du texte.

L'investigation séculaire de l'Ecriture, la recherche d'énoncés valides de la foi contre l'hétérodoxie et l'hérésie avaient apporté un riche trésor de savoir traditionnel. Dans la pratique, la tradition l'emporta souvent sur l'Ecriture chez les théologiens et les prêtres. Pour prémunir les laïcs contre les malentendus et les erreurs, on leur interdit l'accès direct à la Bible. Les rares traductions, liées à la Vulgate dans la teneur des mots et la structure de la phrase, étaient difficiles à comprendre sans connaissance du latin. Luther traduisit la Bible en allemand sur la base du texte original hébreu et grec et sa traduction dans une langue accessible en fit pour beaucoup la parole vivante de Dieu. Les explications et les illustrations (gravures), l'impression typographique et le papier bon marché remplaçant le parchemin favorisèrent une large diffusion (au milieu du XVIe siècle il y en avait un demi-million environ).

Dans les Bibles de Luther, les images n'étaient pas seulement un complément ornemental ou explicatif, mais elles avaient une fonction à part entière. Elles aidaient à la compréhension. Presque tout existait déjà avant et indépendamment de Luther (traduction dans les langues courantes, explication, illustration)[72]. Mais chez lui tout est unifié, le

---

72. Voir à ce sujet Heimo REINITZER, *Biblia deutsch* (catalogue de l'exposition de la bibliothèque du duc Auguste à Wolfenbüttel, N. 40), Braunschweig, 1983, pp. 63 ss. ;

lien à la Sainte Ecriture se retrouve partout. Comme Parole de Dieu, elle est le fondement de la foi, de la théologie, de l'Eglise et des charges ecclésiales, des arts de l'image et par là aussi de l'illustration de la Bible. Elle est interprétée par l'Esprit présent et vivant en elle.

A Trente, l'Eglise catholique posait à nouveau l'Ecriture et la Tradition comme sources de la vérité du salut et de l'ordre éthique. C'est le pape en tant qu'instance doctrinale — dans la fidélité à la Tradition — qui décide de l'interprétation de la Bible. La prééminence de l'Eglise et des sacrements sur la parole biblique demeurait. La Vulgate est un texte authentique. L'image catholique est soumise à l'autorité de l'Eglise. L'importance différente accordée à la Bible et une conception distincte de l'image eurent aussi des conséquences sur l'illustration de la Bible. Sur ce dernier point, Luther reprit en partie une tradition plus ancienne. Dans le cas des images à fonction narrative ou explicative (construction du Temple, ustensiles du Temple...), on observe des différences minimes. La ressemblance des images de la création est étonnante.

Le type de *l'image de la création,* présentant un monde sphérique conformément au Commentaire sur la Genèse de Nicolas de Lyre, qui apparaît d'abord dans la Bible de Cologne (1478-1479), est repris par la Bible allemande préluthérienne de Koberger (1483), puis par Lucas Cranach pour le Commentaire sur la Genèse de Luther (1527) et par Holbein le Jeune dans une réimpression bâloise de l'Ancien Testament allemand de Luther de 1523[73].

Dieu apparaît deux fois : dans le globe terrestre, à la création d'Eve, et sur le cercle des étoiles, dans la sphère céleste, entouré d'anges chantant. La Bible de Koberger a une particularité : de la bouche de Dieu le Père, au zénith des cercles concentriques, coule un fleuve clair jusqu'au milieu du globe terrestre; de la parole de Dieu, de l'haleine de sa bouche, naît le monde; cela est en même temps une référence à Jn 1, 1-3. De même on indique au début de la Bible de Cologne que toutes les sciences et les livres savants ont parlé de la création, mais que seule la Bible recherche et fait connaître le créateur et sauveur du monde. L'intérêt théologique est évident. La chronique du monde de Schedel, qui veut exposer la conception du monde humaniste, ne peut pas faire l'économie d'une sphère où Dieu le Père apparaît rentouré des légions célestes, au-delà des treize sphères surmontant le globe terrestre[74].

Martin Luther und die Reformation (catalogue de l'exposition de Nuremberg, 1983), pp. 283 ss. (Johannes SCHILLING); *Religion in Geschichte und Gegenwart,* 3e éd., t. 1, pp. 1177 ss. (Chr.-A. ISERMEYER).

73. KOEPPLIN-FALK, *Lukas Cranach, Gemälde, Zeichnungen...,* catalogue du musée d'art de Bâle, 1974, vol. 2, p. 560 (reproduction, vol. 1, p. 281); reproduction en couleur de la Bible de Koberger dans REINITZER, *op. cit.,* p. 89; gravure de Holbein le Jeune dans Ph. SCHMIDT, *Die Illustration der Lutherbibel,* Bâle, 1962, p. 151; en couleur dans REINITZER, *op. cit.,* p. 68.

74. Préface de la Bible de Cologne d'après REINITZER, *op. cit.,* p. 70; Chronique de monde de Schedel, gravure VI sur le 7e jour de la création, *Bibliophile Taschenbücher,* t. 64, 2e éd., Dortmund, 1979.

Dans la Bible complète de Luther (1534), la sphère de Dieu manque (la raison en est la plus grande proximité au texte biblique qui, s'il a repris l'image babylonienne du monde, a dédivinisé le monde et voit Dieu hors du ciel et de la terre). Dieu apparaît bénissant la création. De sa tête émanent des cercles de rayons. La lumière illumine la création ainsi que la mer primordiale ondoyant hors du firmament. La création entière est façonnée et portée par la force de Dieu[75]. Toute l'intention théologique de ces images de la création apparaît dans une gravure de Cranach l'Ancien pour le Notre Père; la suite imagée pour le Petit catéchisme de Luther (1527) porte cette légende : « Cela veut dire : Ah ! toi, Père tout-puissant, miséricordieux et bon, tu es partout autour de nous et en nous, tu nous crées, nous nourris, nous conserves et nous protèges »[76]. Plus tard, Dieu le Père est aussi représenté comme un vieillard.

Le problème de l'image de Dieu avait pourtant été senti non seulement par Calvin, mais aussi par Luther et du côté catholique par Cajetan. Luther comme le concile de Trente y voient un signe imagé courant et universel, qu'on ne peut pas prendre à la lettre. Les anabaptistes et les réformés adoptèrent un point de vue différent. On trouve alors dans l'image de la Création le tétragramme ou bien un nuage lumineux en signe de la présence de Dieu. Dans l'édition de la Vulgate de Lyon (1521), Dieu est absent.

La cohérence dans l'illustration de la Bible de Luther apparaît dans le choix des images, sur lequel Luther lui-même exerça une influence. La grâce présente déjà dans l'Ancien Testament comptait beaucoup à ses yeux, comme par exemple dans l'histoire du Déluge. Il choisit des images dans lesquelles apparaît la grâce de Dieu. Il le dit dans ses explications (sur la branche d'olivier : « L'olivier signifie la miséricorde et la paix, l'Evangile l'enseigne »). Le sacrifice d'Isaac montre la force de la foi d'Abraham. Luther explique l'échelle de Jacob d'après Jn 1, 51, comme une promesse de l'Evangile du Christ. Dans la lutte au Yabboq, Jacob l'emporte « par la foi ancrée si fortement dans la Parole de Dieu qu'elle vainc la colère de Dieu et fait de Lui un Père miséricordieux »[77]. Les illustrations comme les remarques font ressortir les textes de la Bible qui parlent de la grâce de Dieu et de la foi qui lui correspond. C'est précisément ce que Luther a expérimenté comme message salvateur dans le Nouveau Testament. Le passage de la mer Rouge doit être illustré, car il est une preuve de la fidélité de Dieu et de la force de la

---

75. Reproduction en couleur dans l'édition fac-similé de la Bible de Luther de 1545 avec l'ornementation de l'exemplaire sur parchemin de l'édition de 1451 enluminé par Cranach l'Ancien, Berlin, 1927.

76. Cf. la suite d'images pour le Notre Père (de 1527) dont le seul exemplaire se trouve à Dresde, collection d'objets d'arts de l'Etat.

77. Voir SCHMIDT, *op. cit.*, pp. 180-182.

foi (He 11, 29; I Co 10, 2 lié au baptême). La *Biblia Pauperum* et le
« Miroir du salut » donnent déjà cette interprétation.

Avec le serpent d'airain, Luther reprend aussi une vieille tradition.
Dans tous les livres de messe, il y a à côté de l'image du canon (le Christ
en croix, Marie et Jean) le grand T *(Te igitur, clementissime Pater...)*
représentant la croix en forme de T supportant le serpent d'airain,
symbole de la crucifixion. Pour les images des prophètes, Luther reprend
une tradition que l'on trouve déjà dans la *Biblia Pauperum* et il la modifie.
Il y a là un rapprochement typologique de l'Ancien et du Nouveau
Testament : au centre de l'image se trouve un événement du salut relaté
dans le Nouveau Testament, flanqué de deux prototypes de l'Ancien
Testament. La résurrection par exemple est accompagnée de Jg 16
(Samson emporte les battants de la porte de Gaza) et de Jonas 2 (le
poisson vomit Jonas sur le rivage). À chaque image on adjoint quatre
témoins de l'Ancien Testament, dans la résurrection par exemple : David
(Ps 78, 65), Jacob (Gn 49, 9), Osée (Os 6, 3) et Sophonie (So 3, 9)[78].

Pour Luther, l'Ancien Testament n'est pas seulement une préfiguration du Nouveau. Il reconnaît à la Bible sa valeur historique propre
(dans le cadre du livre des Juges, il désire que beaucoup d'images illustrent les actions de Samson). Le peuple de l'Ancienne Alliance a aussi
fait l'expérience de la grâce de Dieu. Mais les prophètes ne sont pas
envoyés seulement au peuple juif. Leurs paroles, au-delà de l'Ancien
Testament, se réfèrent au Christ. Les représentations des prophètes le
montrent. On y voit le prophète prêchant au peuple et simultanément,
à l'arrière-plan, le contenu de sa prédication : chez Osée, la croix et la
résurrection de Jésus (Os 13, 14, repris dans 1 Co 15, 55)[79]. Ainsi l'accomplissement néo-testamentaire des prophéties de l'Ancien Testament
est porté à l'image et les prophètes parlent ouvertement du salut à venir
dans le Christ. Dans la *Biblia Pauperum*, le « Miroir du salut » et ailleurs,
l'image est la chose la plus importante et le texte un complément explicatif et justificatif. Comme illustration de la Bible, l'image aide le lecteur
à comprendre le texte. C'est la fidélité au texte qui importe à Luther
dans ses traductions, et dans les remarques et les illustrations, la compréhension de la Bible.

Cela apparaît clairement dans l'image de Job[80] que Cranach a faite
pour la troisième partie de l'Ancien Testament allemand selon le désir
de Luther (1524). Couvert d'ulcères, Job est assis sur le tas de cendres,

78. Edition fac-similé de la *Biblia Pauperum*, Codex Palatinus Latinus 871 de la Bibliothèque apostolique du Vatican, Zurich, 1982 : planche IX, Le baptême; XXI, La crucifixion; XXVI, La résurrection.

79. Ce que Luther voulait pour illustrer les exploits de Samson, *WA, Die deutsche Bibel*,
II, 274 (KOEPPLIN-FALK, *op. cit.*, vol. 2, p. 779). L'image d'Osée dans la Bible de Wittenberg
est reproduite dans SCHMIDT, *op. cit.*, p. 204.

80. Reproduction dans REITZENSTEIN, *op. cit.*, p. 148; KOEPPLIN-FALK, *op. cit.*, vol. 1,
p. 339; cat. Nuremberg, *op. cit.*, p. 355.

seul au milieu des hommes qui lui appartiennent. Ses amis dialoguent avec passion loin au-dessus de la tête de Job. Sa femme regarde le lecteur et indique par des gestes de raillerie la figure pitoyable : sa piété l'a mené jusque-là, « maudis donc Dieu et meurs ! » (Jb 2, 9). Qui est l'homme gesticulant violemment au premier plan ? Un serviteur apportant une des nouvelles des malheurs qui sont représentés à l'arrière-plan (les enfants tués par l'écroulement de leur maison, le bétail volé), ou Elihu qui, résumant les discours des trois amis en de grands gestes, proclame son jugement avec arrogance et sans compréhension pour le malheur de Job : « Il ajoute à son péché la rébellion » (Jb 34, 37) ? Selon la conception de l'image de Cranach, il s'agit d'Elihu. Car Job, déjà frappé par la maladie, n'entend pas l'homme qui se trouve auprès de lui. Tous parlent par-dessus lui, comme il regarde par-dessus eux, dans le vide, hors de l'image.

Luther indique le sens de Job dans la préface : la justice de Dieu reste cachée pour l'homme qui veut entrer en litige avec Lui. Une vie pieuse et des prières paraissent vaines ; les discours intelligents induisent en erreur. Seul celui qui a éprouvé une peur mortelle devant la colère de Dieu peut comprendre la contestation de Job et son désespoir, apparemment abandonné par Dieu, implorant celui qui cache sa grâce. Il peut arriver que « des pensées mondaines et humaines de Dieu et de sa justice » viennent à l'esprit de l'homme pieux dans la souffrance seulement. Il oublie que la grâce de Dieu ne peut pas être obtenue par la force, qu'elle est uniquement reçue.

Dès le XIIe siècle, au Moyen Age, Job était la préfiguration du Christ souffrant innocemment. Dans le langage des images, on avait « Job dans la misère » comme type vétéro-testamentaire du « Christ dans la misère »[81]. Cranach et Luther se rattachent à cette tradition et changent le message. La troisième partie de l'Ancien Testament de la Bible grand format ne contient plus qu'une page de titre avec le Christ assis sur la poutre transversale de la croix sur laquelle les soldats vont le clouer. D'en haut Moïse et les prophètes indiquent le Christ au lecteur. Les deux images vues ensemble conduisent le lecteur éprouvé comme Job au Christ qui a souffert pour nous[82]. La page de titre, en guise de programme théologique, aide le lecteur à lire les textes isolés dans le contexte général de la Bible, à en saisir le sens principal.

La conjonction d'une explication verbale et imagée et d'une traduction fidèle au texte dans une langue compréhensible rendit la Bible de Luther séduisante pour les laïcs et dangereuse aux yeux de l'Eglise de

---

81. Préface à Job, *WA, Die deutsche Bibel*, 276.
82. La troisième partie de l'Ancien Testament (Wittenberg, 1524) ne contient que la page de titre et l'image de Job (reproduction dans REINITZER, *op. cit.*, p. 148).

Job moqué par sa femme et ses amis
Bamberg, Staatsbibliothek (IL 105)

Rome. Le travail de traduction de Luther fut reconnu par ses opposants. Mais à cause du grand impact et de l'influence sur le peuple des conceptions de la Réforme — avant tout par les préfaces de Luther et ses annotations mais aussi par les illustrations —, la vieille Eglise allait répondre par ses propres traductions. La cause directe en fut déjà la traduction du Nouveau Testament par Luther en septembre 1522, qui, bien que n'ayant comme d'habitude que des initiales de titre et des images pour le manifester, prenait pourtant clairement ses distances face à la tradition.

Dans son commentaire, Luther accorda surtout de l'importance aux passages qui, à son avis, fondent la doctrine de la justification ou qui lui fournissent une occasion de s'attaquer à la papauté et à la justification par les œuvres. L'Apocalypse ne contient que quelques remarques mais de nombreuses images pour lesquelles Cranach prit les gravures de Dürer comme modèles. On tient aujourd'hui Cranach pour responsable de la critique contemporaine (contre les princes) et de la polémique (contre la papauté) qu'elles illustrent. Mais il pouvait compter avec l'assentiment de Luther. La bête surgie de l'abîme (c. 13), la bête sur le trône (c. 16) et la prostituée de Babylone (c. 17) portent la tiare pontificale. La ruine de Babylone est représentée par la destruction de Rome[83].

Le duc Georges de Saxe interdisit ce Nouveau Testament (de septembre) de Luther et il chargea Jérôme Emser de travailler à une contre-traduction. Il est étonnant qu'Emser se soit contenté de corriger le travail de Luther et qu'il acquît de Cranach les illustrations du texte de Luther paru en décembre, dans lesquelles, il est vrai, les tiares étaient rendues méconnaissables. Mais Rome était restée. Visiblement on considéra les images davantage comme un appât que comme un commentaire.

Les traductions de la Bible catholique postérieures de Johann Dietenberger (1534) et de Johann Eck (1537) puisent également dans le fonds des images luthériennes[84]. Il est possible que la fidélité au texte des images narratives et explicatives rencontrât le souci tridentin de vérité historique. Une opposition plus vive se fait jour dans les images de titre. La gravure de Lemberger pour le Testament d'Emser montre le pape en tant que représentant du Christ et autorité suprême de l'Eglise : Dieu le Père revêtu des ornements pontificaux, couronné d'une tiare, donne l'investiture au Christ, et celui-ci la confère aux apôtres à la tête desquels se trouve Pierre. Des inscriptions ajoutées soulignent la suc-

---

83. Edition fac-similé du « Testament de Septembre » (Wittenberg, 1524), Leipzig, 1972, et Stuttgart, 1978. Dans la mensuration du Temple (Ap 11, 2-8), le dragon porte la tiare, les deux prophètes sont des prédicateurs protestants qui se défendent contre le dragon au moyen des langues de feu du Saint-Esprit et en se référant à la Bible : le Temple est l'église du château de Wittenberg. Ainsi la prophétie apocalyptique de la nouvelle Jérusalem est-elle revendiquée par le parti luthérien.

84. Le Nouveau Testament allemand de Jérôme Emser parut à Dresde en 1527 (REINITZER, *op. cit.*, pp. 196 s.); Johann Dietenberger, Mayence, 1534, et Johann Eck, Ingolstadt, 1537 (REINITZER, *op. cit.*, pp. 203 et 205).

cession apostolique (Mt 17, 5*b*; Jn 20, 21; Lc 10, 6)[85]. Sur une page de titre de Holbein le Jeune, le Christ est seul intercesseur devant Dieu. Tous les évangélistes et les apôtres ont les clefs de Pierre[86]. Chez Emser, l'Apocalypse a, sur la page de titre, Dieu le Père avec la tiare bénissant Marie et l'Enfant Jésus qui montre Moïse tenant les tables de la loi[87]. Luther répondit dans une page de titre : Dieu le Père sur une balustrade rédige la Bible. Il est écrit au-dessous : « La Parole de Dieu demeure éternellement. » Au-dessous encore, des enfants lisent la Bible[88]. Dans l'optique de Luther, elle n'est pas destinée aux seuls théologiens.

Le Nouveau Testament allemand de Luther (1530) contient une polémique plus accusée jusque dans la préface et les annotations[89]. Même dans la polémique tout à fait grossière des tracts, des deux côtés, il ne s'agissait pas d'inimitiés personnelles, mais de foi. Dans l'Apocalypse précisément on reconnaissait des allusions aux conflits confessionnels contemporains. Dans le Nouveau Testament d'Emser (1528), le chevalier « Fidélité et vérité » a la visière rabattue, au contraire de tous les précédents. On veut signifier par là que l'Eglise traditionnelle prend le combat très au sérieux[90]. On ne doit pas seulement lutter par la prédication, mais aussi par l'épée. Ce n'est pas une polémique projetée sur la Bible. Dès avant le XVIe siècle on voyait des signes de l'Apocalypse dans les événements menaçants et effrayants[91].

A la veille de la Réforme, Dürer formula dans le cycle de l'Apocalypse un appel aux hommes déchirés entre l'espérance et la peur, la critique et la piété, en présentant la vision dramatique du combat entre le bien et le mal. « Les quatre cavaliers s'agitent avec frénésie dans l'espace. Le premier, muni d'un arc et couronné, fait tout tomber devant lui, le second sème la zizanie avec son épée, le troisième, avec la balance, renchérissement, détresse et misère, mais le quatrième cavalier est la mort sur sa rosse. Nobles et serfs, paysans, bourgeois, princes... aucun

85. Page de titre du Nouveau Testament d'Emser par Lemberger, Dresde, 1527 (Reinitzer, *op. cit.*, p. 197).

86. Page de titre de Hans Holbein le Jeune pour *Theophylactus, in Quatuor Evangelia enarrationes, diligenter recognitae* (par Œcolampade,) Bâle (catalogue de l'exposition *Basler Buchillustration 1500 bis 1545*, bibliothèque de l'université, Bâle, 1983-1984, N. 424, reproduction 611 avec commentaire pp. 466 ss.).

87. Emser, *Neues Testament deutsch*, Dresde, 1527; image des évangélistes par Lemberger (Reinitzer, *op. cit.*, p. 197). En 1524, Emser critiqua la distinction de Luther entre Loi et Evangile.

88. *Biblia, das ist die gantze Heilige Schrift*, Wittenberg, 1534 (Reinitzer, *op. cit.*, p. 171).

89. Luther interprète les prophéties apocalyptiques par l'épreuve des autorités civiles, par la guerre (Ap 6); la souffrance corporelle et spirituelle par Mahomet, les Sarrasins et la papauté (Ap 9 et 13).

90. Emser, *Neues Testament deutsch*, Leipzig, 1528 (Reinitzer, *op. cit.*, p. 199).

91. Dans la première image de Michael Wohlgemut (le maître de Luther), la pensée de l'opposition du Christ et de l'Antéchrist est déjà présente : alors que dans le ciel un ange affronte des monstres tenant des clercs dans leurs serres, sur la terre les hommes sont sommés de prendre parti entre la prédication inspirée par le diable et celle qui s'appuie sur l'Evangile (Nuremberg, 1483, *Bibliophile Taschenbücher*, t. 64, 2e éd., 1979).

état n'est épargné »[92]. Il avait mis beaucoup d'espoir dans le mouvement réformateur. En 1521, lorsqu'il apprit l'emprisonnement de Luther et pensait qu'on allait le tuer, Dürer exhorta Erasme à prendre les rênes comme « cavalier du Christ », à protéger la vérité et à gagner la couronne du martyre[93]. « Face au cavalier 'Fidélité et vérité' et à la foule de ses suivants, on pense à la Réforme qui se profile »[94].

Dans son œuvre, Dürer n'a lutté ni pour l'un ni pour l'autre parti, mais il a posé des signes très clairs en tant qu'humaniste chrétien. L'homme nouveau doit et peut devenir réalité sur la base du Nouveau Testament[95]. Il y a encore « une humanité sans cervelle en adoration devant les deux bêtes »[96] de la mer et de la terre : empereur, princesse, savant, chanoine, marchand et Turc. Mais Dieu le Père a déjà sur son trône la faucille à la main, car on en est au temps de la moisson. Le jugement est imminent. Les affres de la fin des temps menacent tout le monde. Mais le jugement touche Babylone. Et Babylone est partout. Du temps de Jean, le voyant, c'était la Rome de Domitien, au XVIe siècle c'est pour beaucoup la Rome des papes. Chacun se demandait s'il n'était pas lui aussi un citoyen de Babylone. Le combat entre la puissance de Dieu et celle de Satan fait rage sur nous, même si nous n'en savons rien[97].

Dans la première image déjà, Dürer cerne toute la scène. Conformément au texte, on voit le Fils de l'Homme au milieu des sept candélabres. A l'épée à deux tranchants sortant de sa bouche et aux sept étoiles de sa main droite est ajouté le livre du jugement (Ap 20, 12) de sa main gauche. Jean adore agenouillé devant Lui, mais le regard très sérieux de celui qui trône comme Juge eschatologique au-dessus de l'arc-en-ciel (Ap 4, 3) atteint le spectateur. Dürer reprend certains éléments de Daniel 7 et déploie l'arc-en-ciel jusqu'au jugement dernier[98]. Par un choix délibéré, il a concentré la vision de Jean en une vue générale. Le texte se trouve au verso des pages, si bien que le texte et la suite d'images peuvent être lus et compris séparément. Il s'adresse aux humanistes cultivés. Le public de Cranach est composé d'hommes de toutes les couches sociales. Il déroule la suite d'images et introduit les illustrations l'une après l'autre dans le texte; il s'en tient de plus près au texte et, sauf quelques renvois

---

92. Ernst ULLMANN, *Albrecht Dürer*, Leipzig, 1982, p. 42 concernant l'image 3. Suite de gravures de Dürer, *Die Offenbarung in Bildern*, en 1498 en allemand et en 1511 en latin, à Nuremberg (*Bibliophile Taschenbücher*, N. 95 ; catalogue de Berlin, *op. cit.*, pp. 27-38; Frits van der MEER, *Apocalypse*, Fribourg, Bâle, Vienne, 1987, pp. 282-306.

93. *Apocalypsis, A. Dürers schriftlicher Nachlass*, éd. HEIDRICH, Berlin, 1908, p. 101). Sur l'image 11, le pape et l'empereur se trouvent parmi les méchants qui abattent l'ange de l'Euphrate.

94. Frits van der MEER, *op. cit.*, p. 313.

95. Cf. les quatre apôtres de Dürer.

96. Van der MEER, *op. cit.*, p. 310, concernant la planche 11.

97. Van der MEER, *op. cit.*, p. 292.

98. Reproduction dans REINITZER, *op. cit.*, p. 136, et KOEPPLIN-FALK, *op. cit.*, vol. I, p. 333.

A. Dürer, Feuille 11 de l'*Apocalypse* (en réduction)

La Création

Gethsémani

Du *Livret de Prières* de M. Luther
Stadtbibliothek Lindau (Bodensee)

La Pentecôte

L'Envoi des disciples

à l'actualité, ne présente aucune vision globale à proprement parler. Cela correspond à la tâche qui lui avait été confiée.

Dans la première image le Fils de l'Homme se promène au milieu des sept candélabres, son visage resplendit comme le soleil, son habit flottant est retenu par une ceinture sur la poitrine. Par-dessus son bras gauche et trois candélabres, son regard s'adresse à Jean qui repose de tout son long sur le sol. Dieu va poser sa main dont les doigts sont déjà recourbés dans un geste de saisie sur le voyant dont on va lire la vision[99].

Dans la seconde moitié du XVIᵉ siècle, on aimait les séquences d'images et les Bibles en images sans texte intégral. Il y eut très tôt déjà des séries d'images protestantes. Dans celle qu'ébaucha Melanchthon pour les Dix Commandements et qui parut en 1529 dans le Grand Catéchisme de Luther, Cranach introduisit des exemples tirés de la Bible ou des explications du Petit Catéchisme de Luther, au lieu d'images prises de la vie de tous les jours constituant l'iconographie habituelle où il avait encore puisé pour sa table des Dix Commandements de 1516[100]. Dans la série d'images pour le Notre Père de 1527, Cranach représente pour la première fois le culte protestant pour illustrer la première demande. Dans l'image de la Pentecôte correspondant à la seconde demande, les langues de feu sont placées devant la bouche des apôtres, conformément à la volonté de Luther[101].

Luther joint à son livret de prière (1529) un « Passional » de cinquante images pour les simples et les enfants : la page juxtaposée à l'image présente l'essentiel de la signification dans deux ou trois versets bibliques. Conformément aux conceptions de Luther, ce sont des images dépouillées mais qui font une forte impression, s'imprimant facilement dans la mémoire. L'influence de Luther se fait sentir dans le changement des thèmes iconographiques connus : par exemple dans ce qui est omis : toute allusion au sacerdoce (dans la crucifixion par exemple, les anges qui recueillent le sang du Christ dans un calice); tout trait légendaire (comme le suaire de Véronique).

Dans le cours de l'histoire du salut, de la création à l'événement de Pentecôte, on renonce au système d'images typologiques. Is 7, 14 montre dans l'Annonciation à Marie la réalisation d'une prophétie. Les compositions sont faciles à comprendre, par exemple Gethsémani : en haut à gauche, à l'arrière-plan, Judas avec sa bourse et, près de là, les soldats qui s'approchent munis de piques; au premier plan les apôtres qui

---

99. Reproduction aussi dans Reinitzer, *op. cit.*, p. 128, et Koepplin-Falk, *op. cit.*, vol. 1, p. 333.

100. Tableau des Dix Commandements de l'atelier de Cranach l'Ancien pour la salle du jugement de l'hôtel de ville de Wittenberg.

101. Reproduction dans *Kunst der Reformation, op. cit.*, pp. 371 ss. Sur l'image de la Pentecôte : *WA*, L, 625, 18; XXIX, 348, 34; XLVI, 403, 7 s. De même pour la gravure du Grand Catéchisme, *WA*, XXX/I, 187, et pour la deuxième demande du Notre Père de 1529, XXX/I, 200.

dorment; au milieu Jésus en prière, agenouillé, les bras écartés. Au sommet du rocher se trouve la coupe que le Christ dut boire et qui renvoie en même temps à la Cène : « Versé pour toi. » L'antépénultième image du livret concerne Mc 16, 20; Ac 2, 38.41*a*, une représentation de l'Eglise au sens réformé, avec la prédication, le baptême et la Cène. L'histoire du salut se termine traditionnellement par le jugement eschatologique. Ici une image concernant l'envoi en mission est ajoutée (sur un fond de nuage, le globe dans la main gauche, le Christ bénit de la main droite le groupe des disciples envoyés deux par deux), qui renvoie directement au présent, « allez dans le monde entier et prêchez l'Evangile ». L'image ne veut pas introduire à une méditation mystique de la souffrance du Christ, mais, en portant un témoignage plein de force à la Parole, introduire à la prière dans la foi au Christ et à la diffusion de l'Evangile[102].

Les images rattachées à l'Ecriture sont aussi consolatrices en tant qu'elles enseignent et qu'elles émeuvent. « Prêcher l'Evangile, ce n'est rien d'autre que ceci : que le Christ vienne à nous ou que nous soyons amenés à Lui. Mais quand tu vois ce qu'il fait et comment il aide chacun... tu dois savoir que la foi l'accomplit en toi »[103]. (Les Bibles en images postérieures contiendront toujours plus de représentations imagées et perdront leur référence véritable au Christ. A l'époque de la guerre de Trente ans, les images bibliques isolées apportèrent beaucoup de consolation.) Aux Pays-Bas, les Bibles en bas allemand présentèrent d'abord des images prises de la Bible de Luther, puis des Bibles en images de Sebald Beham et de Holbein le Jeune. Les artistes proches de la foi traditionnelle se tournèrent aussi davantage vers des thèmes bibliques pour leurs gravures[104].

LES ARTS DE L'IMAGE
COMME EXPRESSION DE LA THÉOLOGIE PROTESTANTE
ET CATHOLIQUE

La différence entre la théologie catholique et la théologie protestante et leur influence correspondante sur les arts de l'image se révèlent plus fortement dans les tableaux et les retables. Du côté protestant on

---

102. De l'avis de Luther, il ne fallait mettre dans les livres d'enseignement destinés aux enfants et aux hommes simples que les éléments fondamentaux de la foi et non les questions disputées.

103. *WA*, X/I, 1er vol., p. 14.

104. Christian Tümpel, La réforme et l'art aux Pays-Bas, dans catalogue de Hambourg, 1984, *op. cit.*, pp. 309-321.

A. Dürer,
Le Christ au Pressoir
(vers 1505-1510)
Ansbach, Evang.-Luth.
Kirchenstiftung
St. Gumbertus

La messe de saint Grégoire, 1476
Bois de la Chronique de Johann Bäumler
Nürnberg, Germanisches Nationalmuseum
Inc. 4° 36 186

reprend et on poursuit le travail de la gravure sur bois et de l'estampe, bien qu'ici encore la tradition soit modifiée dans le sens de la Réforme et que les thèmes bibliques passent au premier plan. Le centre de gravité se déplace de l'objet à observer, par-delà la représentation marquante et didactique, à l'aspect consolant pour la foi et à la dimension confessionnelle de l'image.

Une gigantesque Bible en images se trouve dans le musée du château de Gotha, sous forme de retable composé de 160 images, de la création à la Pentecôte, sur de nombreux volets mobiles. Des images inspirées des modèles de Dürer, de Cranach et d'autres voisinent avec d'autres représentations sans tradition iconographique; pas de légendes, pas d'allégories; au lieu d'une représentation de Dieu anthropomorphe, un cercle lumineux; Jésus est sans nimbe; au-dessus de chaque image, un texte biblique et au-dessous, un vers mnémotechnique. L'artiste inconnu a peint la Bible conformément au texte écrit[105]. « Pour que le cœur pense que lorsque les yeux lisent ils doivent en même temps louer et remercier Dieu »[106].

On peut relever dans les œuvres de Cranach l'évolution des arts de l'image, de l'image catholique sacrale et pieuse au développement en images de la foi réformée. Sous l'influence de Luther, Cranach passe des thèmes usuels (vie de Marie, passion, images pieuses comme expression de la confiance en l'intercession des saints dans la prière et en l'impact des bonnes œuvres devant Dieu par des donations[107]), à des figures et à des thèmes bibliques[108] qui se réfèrent à la grâce de Dieu dans le Christ. Le Nouveau Testament se révèle une source abondante. Aux exemples connus de l'accueil des pécheurs par Jésus (Jésus et la femme adultère)[109], s'en ajoutent d'autres (Jésus et la femme de Canaan[110],

---

105. Herbert von HINTZENSTERN, *Die Bilderpredigt*. Le pendant en est l'autel de Möpelgart (Vienne, musé d'art).

106. *WA*, XXXI/I, 415, 27 s.

107. Par exemple, les quatorze intercesseurs de Torgau (1505) et l'autel de sainte Catherine de la collégiale de Wittenberg (1506) (von HINTZENSTERN, *op. cit.*, pp. 35 et 40); le mourant au-dessous de la Trinité de Leipzig (1518) (KOEPPLIN-FALK, vol. 2, pp. 466 s., avec reproduction; en couleur dans le catalogue de Berlin, *op. cit.*, p. 53) est un bon exemple de la catéchèse catholique d'alors.

108. Cf. *supra*, p. 708.

109. De Cranach, de 1532 (catalogue de Nuremberg, *op. cit.*, p. 381); de 1538 (HINTZENSTERN, *op. cit.*, p. 87); ANDERSSON, *Religiöse Bilder Cranachs*, p. 150, mentionne 16 versions qu'elle connaît et cite une prédication de Luther (*WA*, XXIII, 495) d'après laquelle cette histoire renverrait à la distinction entre Loi et Evangile. Le thème se trouve déjà au Moyen Age. A la Réforme il devint l'image de la justification du pécheur par la grâce. Cranach l'exprime par le fait que Jésus tient la main de la pécheresse. L'image contient le verset de Jn 8, 7*b*.

110. Avant Luther et Cranach, cela n'était pas représenté sur les tableaux. L'atelier de Cranach d'après un dessin à la plume de Cranach de 1540 (catalogue de Berlin, *op. cit.*, p. 374) et ailleurs.

Chaire de Grâce, après 1250
Berlin, Gemäldegalerie SMPK

L. Cranach l'Ancien
Le Mourant
(avec une Chaire de Grâce)
Peinture, 1518
Leipzig, Museum der
Bildenden Künste ;
Inv.-Nr. 1924.40

Jésus et la femme de Samarie[111]). L'adresse de Jésus à l'enfant dans la bénédiction des enfants parle du don de la grâce qui précède la foi[112].

L'abandon du riche trésor thématique des légendes pourrait passer pour un appauvrissement. Mais la concentration sur la Bible est la conséquence de la théologie réformée. Suivant en cela la voie ouverte par Luther, Cranach récupère de vieilles traditions et les ordonne dans un nouveau contexte de signification[113], ou leur donne un nouveau sens en laissant tomber certains éléments catholiques[114] ou en les réordonnant (par exemple la Sainte Famille[115]). La mise en image des conceptions réformées entraîne la création de nouvelles formes et pose de grandes exigences à la puissance créatrice des artistes. Le péché originel et la Rédemption sont des thèmes centraux de l'art réformé; la crucifixion, la prédication, le baptême et la Cène comme images de l'Eglise protestante. Des aspects politiques (Judith et Holopherne)[116], l'engagement social et la polémique en images marquent aussi le travail de Cranach.

Certains thèmes iconographiques furent repris tels quels, mais ils reçurent dans le cadre de la théologie réformée un sens nouveau[117], d'autres furent remplacés par un motif protestant[118]. Le Christ en homme des douleurs mort vivant par exemple, thème du Moyen Age tardif ne reposant sur aucun texte biblique, était étroitement associé à l'eucharistie, à la messe pour les défunts et aux indulgences; cela apparaît surtout clairement dans les images de l'eucharistie (messe de saint Grégoire,

---

111. Sauf dans l'enluminure des livres médiévaux, presque jamais avant Cranach. De Cranach, de 1532 et 1552 (?) avec Jn 4, 10.14 (KOEPPLIN-FALK, vol. 2, pp. 518 s.). Avant cela par Juan de Flandres, entre 1496 et 1519 (*Der Louvre*, II, p. 5); plus tard par exemple par Alessandro Allori, à Florence, en 1575 (*L'art de la Renaissance*, op. cit., n° 467).

112. Le thème, inconnu dans la peinture des tableaux avant Cranach, peut être considéré comme une création de la Réforme. Le verset de Mc 10, 13 se trouve sur la plupart des images.

113. Cf. *infra*, p. 728.

114. Par exemple, l'image centrale au dos de l'autel de Schneeberg, de 1539 : le Christ comme juge eschatologique sans intercession (von HINTZENSTERN, op. cit., p. 98).

115. Cranach, 1509-1510 (catalogue de Hambourg, op. cit., p. 244). Par l'ajout d'un chant de Melanchthon, on transforma une image du culte d'Anne — ce culte était entre autres une des sources des indulgences octroyées à la collégiale de Wittenberg par le pape Jules II — en exhortation à envoyer les enfants à l'école, ce qui préoccupait Luther et Melanchthon : *WA*, VI, 461, 11 ss.; XXX/II, 517-588, surtout 586, 25 s. (Cf. ANDERSSON, op. cit., pp. 46 ss.)

116. Dans la recherche sur Cranach la plus récente, on interprète les nombreuses représentations du thème comme une expression de la résistance protestante contre l'Empereur, par exemple sur un tableau de 1530, à Vienne (EBELING, op. cit., p. 263); de 1530, à Budapest. Et de 1530, Salomé avec la tête de Jean-Baptiste (catalogue de Berlin, op. cit., pp. 303 et 305). De 1530 : Reichstag de Augsbourg.

117. Comme image de la foi, Marie est la consolatrice. Elle a reçu une grande grâce, en tant que Mère de Dieu, elle renvoie à l'Incarnation (*WA, Tischreden*, 63, 65).

118. D. KOEPPLIN (catalogue de Nuremberg, op. cit., p. 351) voit dans l'image de Cranach « La Loi et la Grâce », une réponse à la mise en opposition de la Synagogue et de l'Eglise qui distribue l'eucharistie.

pressoir du Christ et autres)[119]. Tous les renvois à la fonction sacerdotale
de l'Eglise comme prolongement de l'œuvre salvifique du Christ furent
supprimés dans l'art protestant. Coupé de son renvoi à l'eucharistie,
l' « homme des douleurs »[120] fut repris comme image consolatrice de
l'œuvre salvifique du Christ et la « chaire de miséricorde » comme représentation de la Trinité[121].

On préféra à l'homme des douleurs l'*ecce homo* biblique (Jésus devant
Pilate) et en épitaphe la victoire du Christ sur la mort et le diable[122],
et pour la Trinité, l'événement biblique du baptême de Jésus par Jean-
Baptiste où Dieu le Père, au-dessus des nuages, professe sa paternité
et où le Saint-Esprit descend sur Jésus sous la forme d'une colombe.
Séparé dans le temps mais relié par la foi, il y a le plus souvent, sur l'autre
rive du Jourdain, un groupe de croyants autour de Luther. Ainsi naquit
une image de la confession réformée[123]. L'ensemble souligne l'immé-

119. La « Messe de saint Grégoire » remonte à une légende créée au Moyen Age tardif
et selon laquelle l'hostie consacrée s'est transformée en homme des douleurs mort vivant
devant les yeux du pape saint Grégoire (590-604) alors qu'il célébrait la messe. Cela donne
du poids à la pratique eucharistique de l'Eglise institutionnelle : gravure sur cuivre du maître
I. A. M. de la deuxième moitié du xve siècle, Paris, Bibliothèque Nationale (*L'art gothique*,
Paris, 1983, reproduction 182) ; tableaux de B. Notke, dans l'église de Marie de Lübeck,
vers 1504 (*Lexikon der Christlichen Ikonographie*, t. 5, p. 199); vers 1525 avec le cardinal
Albrecht, collégiale d'Aschaffenburg; épitaphe avec les « Arma Christi » et le suaire de Véro-
nique, indulgence promise pour une prière devant cette épitaphe (*op. cit.*, pp. 349 et 74). Le motif « Le Christ et le pressoir » repose sur Is 63, 3 et Ap 14, 19 :
Dieu sacrifie son Fils dans le « pressoir de la colère ». Le sang eucharistique qui coule du
pressoir est recueilli dans un calice : l'action salvifique du Christ débouche sur l'Eglise institution. Atelier de Dürer, 1505-1510, Ansbach (catalogue de Nuremberg, *op. cit.*, pp. 86, 349).
120. Voir la n. 81. Au xve siècle, le retable de Boulbon vers 1460 par exemple : le Christ
debout dans le sarcophage avec les « Arma Christi ». L'image est élargie en représentation de
la Trinité par la présence de la colombe et de la tête de Dieu le Père, avec S. Agricola et le
donateur en prière (*Der Louvre, op. cit.*, p. 17); « pour le Moyen Age tardif, l'homme des
douleurs était la représentation du Christ eucharistique tout court ». Depuis le milieu du
xvie siècle, l'image devient rarissime, elle est repoussée par les protestants à cause de son
caractère d'indulgence et remplacée par d'autres images dans la Contre-Réforme (chaire de
miséricorde, pressoir... images du cœur de Jésus) » (*Lexikon der Christlichen Ikonographie*,
t. 4, pp. 88 et 94). Cranach peignit ce motif pour des catholiques et des protestants. En 1524
pour le cardinal Albrecht au couvent des augustins de Fribourg-en-Brisgau (KOEPPLIN-
FALK, *op. cit.*, vol. 2, pp. 447 s.). Dans sa version protestante en 1540 (catalogue de Hambourg, *op. cit.*, p. 226). Il respecta le désir de Luther : peindre le Christ après la résurrection
avec ses plaies, mais « consolant et non pas hideux », *WA*, IL, 159, 30 ss.
121. La *Trinitas*, appelée par Luther « chaire de grâce » d'après He 9, 5, avait été développée depuis le xiie siècle comme illustration du « Te igitur » de la liturgie de la messe.
Voir la n. 107 et les pp. 736 ss.
122. *Ecce homo* : de Cranach, après 1537, avec citation d'Is 53, 4 s. et un personnage en
prière; il ne s'agit pas d'une image historique, mais d'une image de méditation (KOEPPLIN-
FALK, *op. cit.*, vol. 2, p. 452). Le Christ vainc la mort et le diable : image funéraire protestante
de Cranach le Jeune (Schweinfurt, 1542). Luther souhaitait voir de telles épitaphes et inscriptions dans les cimetières : *WA*, XXIII, 375, 29 ss.; XXXV, 480, 17 ss. Voir STIRM, *op. cit.*,
p. 88.
123. Comme représentation possible de la Trinité, appartenant aux thèmes les plus
anciens de l'art chrétien, le baptême du Christ représente aux yeux de Luther l' « heureux
échange » entre le Christ sans péché et le pécheur. Au baptême le ciel est ouvert et toute la
Sainte Trinité est présente : *WA*, XXXV, 281 ss.; LXIX, 111 ss.

L. Cranach l'Ancien,
*Georg Spalatin devant
le Crucifix*, 1515
Berlin, Staatliche
Museen, Preußischer
Kulturbesitz,
Kupferstichkabinett

A. Dürer, *La Cène*
Bois, 1523
Schweinfurt,
collection Otto Schäfer

diateté unissant le croyant au Christ. C'est l'image du crucifié qui correspondait le mieux à la théologie de la croix de Luther[124]. Là on peureprendre une riche tradition, lui donner un sens protestant et la développer. Le retable d'Isenheim de Grünewald souligne déjà fortement la
passion du Christ comme sacrifice rédempteur[125].

Cranach laisse tomber tous les traits légendaires et accorde la préférence aux personnes qui renvoient à l'acte salvifique du Christ : Marie-
Madeleine et l'un des deux larrons comme référence à la grâce de Dieu
envers le pécheur repentant ou la profession de foi du centurion, « vraiment celui-ci était le fils de Dieu ! »[126]. C'est l'image du canon des missels
qui produit le plus grand effet (le crucifié avec Marie et Jean). Cranach
lui redonne sa signification originelle comme image d'un événement
(Jn 19, 26 s.), par la façon de la représenter (inclinaison de Jean vers
Marie, présence des soldats ou des deux larrons)[127]. L'adjonction d'une
prière au crucifié transforme l'image du canon en image protestante[128].
Le message de l'illustration n'est pas tant la terrible souffrance du Christ,
mais la rédemption par sa mort. Le Christ se tournant vers lui est l'image
qui réconforte le cœur de Luther. C'est pourquoi ses armes contiennent
une croix dans un cœur posé sur une « rose épanouie »[129]. Tout comme
Cranach introduit le croyant dans l'image de la crucifixion, il met le
croyant de son temps, que ce soit le cardinal Albert de Mayence, Spalatin ou Luther et le prince électeur Johann Friedrich devant la croix du
Christ[130]. Cette croix n'est pas réelle, mais elle signifie le contenu de la
prière.

La différence entre le chrétien protestant et le catholique se trouve dans
la forte accentuation par la foi réformée du salut par le Christ seul. Cela
transparaît sur les images. Cela transforme la prière. A cela sert la prédication. L'image du crucifié devient un sommaire de la prédication
protestante (1 Co 1, 23).

124. Voir *supra*, pp. 701.
125. Terminé en 1515, Colmar, musée d'Unterlinden.
126. Cranach l'Ancien, avant 1537 : à l'écart de la cohue derrière elle, la Madeleine agenouillée prie, au-devant, au bord de l'image; atelier de Cranach, 1538; la Madeleine prie à
gauche derrière le groupe qui entoure Marie. A droite le centurion confesse : « Vraiment... »
(Mc 15, 39). Les deux tableaux se trouvent à la galerie d'Etat de Dessau (catalogue de Berlin,
op. cit., pp. 326 s., en couleur).
127. L'image du canon des livres de messe a un sens sacramentel (*Basler Buchillustration*,
op. cit., pp. 434 ss., 220 s., 285, contenant une comparaison avec des gravures de Holbein et de
Dürer; *Sacramentarium Rossianum* du xie siècle : *Bibliotheca Apostolica Vaticana*, *op. cit.*, p. 72).
128. Une prière de Paul Eber de 1557 à partir de Jn 5, 24 fut ajoutée à la copie d'une
gravure d'avant la Réforme de Cranach, utilisée d'abord pour le missel de Brandenbourg
de 1516 (catalogue de Nuremberg, *op. cit.*, p. 364).
129. *WA*, *Briefwechsel*, V, N. 1628, 2-21.
130. *Spalatin en prière devant le crucifix*, gravure de Cranach l'Ancien, vers 1515 (KOEPPLIN-
FALK, *op. cit.*, vol. 2, pp. 492 s., Berlin, musée de l'Etat), avec une légende (« Christo Salvatori... Au Christ sauveur... Georg Spalatin, un pécheur ») et une prière de Spalatin en distiques latins.

Sur la prédelle de l'église de la ville de Wittenberg[131], on voit à gauche la communauté rassemblée et à droite, sur la chaire de pierre, Luther prêchant. La main gauche sur la Bible posée sur le bord de la chaire et ouverte à l'endroit du texte de la prédication, il montre de la main droite tendue la croix du Christ (contenu de la prédication) qui se trouve devant lui, entre lui et la communauté. Tous regardent cette croix, personne n'observe le prédicateur. Le Seigneur crucifié et ressuscité prêché et reçu dans la foi est le centre invisible de sa communauté. Rien, pas même le prédicateur, ne peut s'interposer entre le Christ et sa communauté. Elle est « l'assemblée des croyants dans laquelle on prêche l'Evangile sans mélange et on administre les saints sacrements conformément à l'Evangile »[132]. Par le baptême (par Melanchthon) et la confession (par Bugenhagen), dépeints sur les volets, et par la Cène du centre du retable, la communauté signifie son attachement à la Réforme en réponse au reproche adressé par l'Ancienne Eglise de s'écarter des bases de la Tradition et de ne pas être une Eglise. L'Annonciation de la prédelle souligne que l'Evangile est le fondement de l'Eglise protestante. La séparation de la Cène en deux représentations (le Christ introduit le pain dans la bouche de Judas et un échanson — pas un prêtre — offre du vin dans un calice à un apôtre qui a la tête de Luther) se veut conforme à son institution. La participation de Luther à la Cène des apôtres représente en même temps la communion des saints au-delà des époques historiques.

Dans une gravure sur bois, Dürer a aussi montré son attachement à cette séparation en deux représentations et il a en même temps exhorté les protestants à l'unité — eux qui étaient désunis dans la compréhension de la Cène — par la représentation de la Cène comme repas d'amour et de communion, conformément à Jn 13, 34 ss. : Judas est parti. Le calice a pris sa place[133].

De combien de manières les artistes peuvent interpréter un adage, les images de la Pentecôte le montrent : « Ils virent apparaître des langues qu'on eût dites de feu; elles se partageaient, et il s'en posa une sur chacun d'eux. Tous furent alors remplis de l'Esprit-Saint et ils commencèrent à parler en d'autres langues, selon que l'esprit leur donnait de s'exprimer »[134]. On peignait traditionnellement les flammes sur la tête des apôtres, représentant par là la venue du Saint-Esprit sur eux. Une

---

131. Retable de l'Eglise protestante Sainte-Marie à Wittenberg, commencé avant 1539 et mis en place en 1547. L'attribution à Cranach l'Ancien ou le Jeune est discutée (THULIN, *op. cit.*, reproduction 27).

132. Cf. *supra*, n. 33.

133. *La Cène*, gravure de Dürer de 1523 à la galerie d'art de Hambourg (catalogue de Hambourg, *op. cit.*, p. 230).

134. Ac 2, 3, cité d'après la Bible de Luther. Luther rapporte ἐκάθισεν « s'assit » à l' « Esprit » du verset suivant, alors que la traduction de 1979 *(Einheitsübersetzung)* le rapporte aux « langues » et traduit : « Sur chacun d'entre eux s'en posa une. »

prière relative à cette conception pourrait avoir la teneur suivante :
« Seigneur, fais aussi venir ton Esprit sur notre Eglise. » Fidèle à la
volonté de Luther, Cranach peignit les flammes devant la bouche des
apôtres, indiquant ainsi que l'Esprit parla par eux[135]. Voici la prière qui
pourrait y correspondre : « Seigneur, viens et parle aussi par nous. »
Luther souhaitait des illustrations compréhensibles des fondements de
la foi qui en soi ne peuvent pas être représentés[136].

Lukas Cranach l'Ancien réussit à créer, en représentant artistiquement
le péché originel et la Rédemption, une image de foi dépeignant la
conviction fondamentale réformée — tirée du Nouveau Testament par
Luther — de la grâce de Dieu qui justifie celui qui s'est rendu coupable
par la foi en Jésus-Christ[137]. Il trouva une solution qui saisit la Loi et
la grâce dans l'Ancien et le Nouveau Testament.

Il créa pour cela en 1529, sur deux tableaux, deux représentations (appelées
du type de Gotha ou de Prague, selon le lieu où elles se trouvent) suivies
de nombreuses variations sous forme de retables ou de fresques, de gravures
isolées, de titres de livre ou d'illustrations. Avant déjà il y avait des compositions pour exposer le dogme concernant la question du salut[138].

Cranach reprit un vieux schéma en séparant l'image en deux moitiés
opposées ou liées l'une à l'autre. On connaissait aussi la représentation simul-
tanée d'événements liés par la pensée typologique mais séparés dans le temps
et dans l'espace[139]. Il y eut des images dans lesquelles les signes de l'Ancienne
Alliance (la mort, la loi, la Synagogue) étaient opposés ou subordonnés à
ceux de la Nouvelle Alliance (la vie, la grâce, l'Eglise). Cranach reprit la
confrontation de l'Ancien et du Nouveau Testament, de la loi et de la grâce,
mais non pas l'allégorie de la Synagogue et de l'Eglise[140]. Un arbre sépare
l'image en deux parties. A gauche, du côté de la mort, les branches sont
dégarnies; à droite, du côté de la vie, couvertes de feuilles.

De nombreux motifs choisis par Cranach étaient familiers aux spectateurs
d'alors : le péché originel, le Christ en Juge eschatologique avec Marie et
Jean-Baptiste (à gauche); Jean-Baptiste, l'agneau et l'étendard victorieux,
l'Annonciation avec l'enfant Jésus portant une croix, la crucifixion et la
résurrection (à droite); le serpent d'airain — parfois à gauche (quand l'image
mettait face à face l'Ancien et le Nouveau Testament) comme promesse
vétéro-testamentaire du Christ; parfois à droite (quand l'image reliait la loi
et la grâce l'une à l'autre) comme signe de la grâce. Le couple « la mort et le
diable » est une nouveauté, derrière Adam qui fuit et un groupe de trois
hommes en discussion avec Moïse. Pour exprimer l'essentiel du message,
Cranach a rapproché deux motifs : la mise en opposition classique d'Adam et
du Christ, du vieil homme et de l'homme nouveau (selon Rm 5, 14, lié à

---

135. Traditionnel par exemple dans la *Biblia Pauperum*, feuille XXXII, fac-similé du
Codex Palatinus Latinus 871 de la Bibliotheca Apostolica Vaticana.

136. Voir *supra*, p. 700.

137. Voir *supra*, p. 689.

138. Sur les avancées du Moyen Age tardif, voir Thulin, *op. cit.*, pp. 143 ss.

139. Samson qui arrache les portes et Jonas vomi par la baleine pour la résurrection du
Christ par exemple, miroir du salut (*Bibliophile Taschenbücher*, *op. cit.*, pp. 66 s.) et *Biblia Pauperum*, *op. cit.*, feuille XXVI.

140. Par exemple des allégories en image comme la croix agissante (voir *supra*, n. 118).

1 Co 15, 22.45-49), avec Jean-Baptiste situé au point de rencontre de l'Ancien et du Nouveau Testament et référence personnifiée au Christ.

Pour presque toutes les variations du type de Gotha et de Prague, un choix mûrement réfléchi de passages bibliques fonde et permet de comprendre exactement la composition iconographique dans toutes ses particularités : à gauche : Rm 1, 18; 3, 23; 1 Co 15, 56 et Rm 4, 15; Rm 3, 20 et Mt 11, 13. A droite : Rm 1, 17; 3, 38; Jn 1, 29 et 1 P 1, 2; 1 Co 15, 55. Il y a souvent, en guise de titre, à gauche Rm 1, 18 (le jugement) et à droite Is 7, 14 (la grâce).

Cranach met la prédication luthérienne en images : « ... Jean est aussi placé entre l'Ancien et le Nouveau Testament... car Jean éclaire la loi : on voit alors que nous ne sommes rien; et il nous montre le Christ, notre félicité... Voici les deux prédications de Jean : ... l'une conduit en enfer, l'autre au ciel; l'une tue, l'autre vivifie. Car il prêche la loi et l'Evangile, la mort et la félicité, la lettre et l'esprit, le péché et la justice. Celui que la voix de Jean atteint, c'est celui pour qui la loi s'ouvre vraiment, celui-là dit dans son cœur : oui, c'est vrai, j'appartiens au diable, enfant de la colère et des enfers que je suis; celui-là s'élève à la prière et il tremble... C'est la première prédication... Lorsque je suis frappé dans ma conscience... où dois-je me tourner ? La source s'avérera alors trop étroite pour moi. Ainsi Jean doit venir... Il pointe son doigt, montre l'agneau de Dieu et dit : voyez, c'est l'agneau de Dieu qui prend sur soi les péchés du monde » (Jn 1, 29)[141].

Considérons le tableau le plus ancien du type de Gotha *Damnation et rédemption*[142]; à gauche, du côté de la damnation, Adam nu est chassé en enfer par le diable et la mort unissant leurs forces et munis d'une longue pique. Désespéré, il jette ses bras en l'air et, la tête tournée de côté, il regarde vers le haut. Mais de là ne vient aucun secours. Son regard devrait se porter de l'autre côté, vers le Seigneur ressuscité. Mais devant lui l'arbre s'élève comme un mur insurmontable. Tout près de son peuple se trouve Moïse qui montre les tables de la loi sur son bras. « L'aiguillon de la mort, c'est le péché, et la force du péché, c'est la Loi » (1 Co 15, 56). Le péché, cause de la colère, on le voit directement au-dessus des bras levés d'Adam : Adam et Eve saisissant la pomme.

Là-dessus, au loin dans le ciel, le Christ sur l'arc-en-ciel comme Juge eschatologique : « En effet, la colère de Dieu se révèle du haut du ciel contre toute impiété et toute injustice des hommes » (Rm 1, 18). Aucun signe de grâce (le serpent d'airain à côté du péché originel) ni aucune intercession, qu'elle soit de Marie ou du Baptiste, ne peut aider celui qui n'écoute pas la Parole de Dieu : « Tous ont péché et sont privés de la gloire de Dieu » (Rm 3, 23). « Hélas ! hélas ! », dit le voisin de Moïse, la main droite levée et le regard dirigé vers le spectateur : « Que cela ne t'arrive pas. Si ta conscience qui t'a fourvoyé se reconnaît en Adam, écoute la deuxième prédication de Jean. » Moïse indique à nouveau les Commandements : « La Loi ne fait que donner la connais-

---

141. *WA*, X/III, 205 ss., recueil de textes d'Eglise, prédication pour le jour de Jean-Baptiste de 1522 sur Lc 1, 57-80 (cité d'après Thulin, *op. cit.*, p. 128).

142. *Damnation et rédemption* de 1529, au musée du château de Gotha (catalogue de Berlin, *op. cit.*, pp. 328 et 357 ; Thulin, *op. cit.*, p. 127; Hintzenstern, *op. cit.*, pp. 88 s.).

sance du péché » (Rm 3, 20). Son index pointe vers l'autre côté : « Tous les prophètes en effet, ainsi que la Loi, ont mené leurs prophéties jusqu'à Jean » (Mt 11, 13). Le mur est franchi. C'est le temps de la grâce.

On aperçoit Adam une nouvelle fois. Jean-Baptiste se tourne vers lui et lui montre de la main droite le crucifié. « Voici l'agneau de Dieu qui enlève le péché du monde » (Jn 1, 29). Et Adam contemple le salut avec les yeux de la foi : le Christ crucifié et ressuscité. « La mort a été engloutie dans la victoire. Où est-elle, ô mort, ta victoire ? Où est-il, ô mort, ton aiguillon ? » (1 Co 15, 54-55). La mort et le diable ne peuvent plus effrayer Adam. Ils gisent immobiles au pied de la croix. Ils sont surmontés de l'agneau et de l'étendard victorieux. Adam ne fait pas attention à eux. Il ne voit que le Christ : « Nous estimons que l'homme est justifié par la foi sans la pratique de la Loi » (Rm 3, 28). Le sang sortant du côté transpercé de Jésus atteint Adam, illustrant aussi la venue en lui de l'Esprit-Saint (symbolisé par la colombe) : « Dans la sanctification de l'Esprit, pour obéir et être aspergés du sang de Jésus-Christ » (1 P 1, 2). Le regard tourné résolument vers le Christ, Adam joint ses mains. « Le juste vivra de la foi » (Rm 1, 17)[143]. Libéré de l'angoisse d'une conscience accusée à juste titre par la loi, il peut maintenant louer Dieu par sa vie. « Eh bien, la mort est dans la loi et la vie, dans le Christ. La loi précipite en enfer, le Christ élève au ciel et donne la vie »[144].

Ainsi notre regard va d'Adam à la croix et au ressuscité qui indique en élevant sa main droite, derrière les rameaux verdissants de l'arbre, l'aurore du soleil de justice entourant le ressuscité de ses rayons. « Mais grâces soient à Dieu, qui nous donne la victoire par notre Seigneur Jésus-Christ ! » (1 Co 1, 57). Cranach a fait de la parole prêchée le fondement de l'image de foi évangélique et il a créé ainsi un nouveau type d'images dépeignant la vie et la mort de l'homme en tant qu'expression du jugement et de la grâce, de la faute et du rachat[145]. Sur l'image centrale de l'autel de Weimar, il a représenté la mise en image de la parole de l'Ecriture en peignant une Bible ouverte[146] :

> Le sang du Christ nous purifie de tous les péchés. C'est pourquoi tu peux nous faire entrer joyeux dans la « chaire de miséricorde » pour qu'il nous soit fait miséricorde et que nous trouvions grâce au temps où nous aurons besoin

---

143. Bible luthérienne actueile : « Le juste vivra par la foi. » Autre traduction *(Einheitsübersetzung)* : « Celui qui est juste selon la foi vivra. »

144. Du texte cité à la note 141 : *WA*, X/III, 208.

145. Dans le type de Prague, l'homme est assis devant l'arbre et choisit entre la loi et la grâce (Thulin, *op. cit.*, p. 128; catalogue de Hambourg, *op. cit.*, p. 210). Une gravure du peintre français Geoffroy Tory de 1535 atteste que le thème s'est répandu hors de l'Allemagne; Bibliothèque nationale de Paris (catalogue de Hambourg, *op. cit.*, p. 212).

146. *Loi et grâce*, commencé par Cranach l'Ancien avec son fils qui a achevé le travail après la mort de son père en 1555; église de la ville de Weimar (Thulin, *op. cit.*, pp. 55 ss.; Ebeling, *op. cit.*, p. 287).

L. Cranach le Jeune, *La Rédemption*, 1555
Weimar, Stadtkirche

d'un secours. Comme Moïse a élevé le serpent dans le désert, ainsi le Fils de l'Homme doit aussi être élevé, pour que tous ceux qui croient en lui ne soient pas perdus, mais qu'ils obtiennent la vie éternelle[147].

On voit au milieu de l'image le Fils de l'Homme élevé sur la croix ; à l'arrière-fond, Moïse avec les tables de la loi, Adam chassé (une aide est nécessaire), le serpent dressé et les bergers dans les champs (la grâce est proche). Sur la droite, le Baptiste et Luther conduisent Lucas Cranach l'Ancien à la croix. Le Baptiste montre d'une main le Christ et de l'autre l'agneau blanc portant une croix (le sacrifice du Christ). Luther, la Bible ouverte dans la main, élève les yeux de la foi vers le Christ. De la plaie au côté du Christ le jet de sang se répand sur la tête de Cranach. Les mains jointes, il considère le spectateur, comme pour dire : « Tu peux toi aussi par la foi atteindre le but malgré tous les dangers. » Ainsi tous trois tendent, au-delà de la croix, au Christ qui a vaincu la mort et le diable. Le ressuscité nous regarde comme pour nous poser cette question : « Et où vas-tu tourner tes yeux, tes pieds, ton cœur ? Viens à moi. »

De la sorte Cranach créa une image qui fortifie la foi et console le croyant, construite à partir de ce qu'il y a d'essentiel dans la Bible et y trouvant ses motifs : la promesse de Dieu dans le Christ[148]. Les images ne doivent pas seulement être considérées dans la beauté de leurs formes et l'éclat de leurs couleurs. Il faut les envisager dans leur signification, dans ce qu'elles ont d'évangélique — correspondant à la parole biblique que reflète l'image —, dans ce qu'elles ont de catholique — exprimant un énoncé de foi ecclésiale.

Après Trente, l'Eglise romaine répondit à la Réforme par une réforme intra-ecclésiale, en vue de se renforcer elle-même, et par la Contre-Réforme, pour reconquérir le terrain perdu[149].

Pour la Réforme catholique il fallait avant tout dans l'application du décret écarter les dangers : dans la question des images, l'abus des images, par exemple la croyance exagérée aux miracles dans le cas des pèlerinages (désormais interdits) aux quatorze saints auxiliaires. On écarta les représentations non historiques ou indignes et on recommanda les thèmes iconographiques illustrant la foi catholique[150]. Pour le peuple, il ne fallait pas chercher à parer à

147. 1 Jn 1, 7 ; He 4, 16 ; Jn 3, 14 s. La formulation brève du décalogue sans l'interdiction des images, en hébreu, à l'arrière-fond, sur les tables de la loi de Moïse : Ex 20, *2a*, *7a*, 8, *12a*, 13, 14-16, *17a*. Comme dans la représentation de la loi et de la grâce de Prague et de Gotha, on renvoie directement au Christ dans la vie et dans la mort.

148. Dans les images destinées à l'enseignement de la foi protestante, Cranach ne représente pas les bonnes œuvres, l'action salvifique de l'Eglise ou l'intercession de Marie et des saints.

149. Après d'âpres combats, surtout en France et aux Pays-Bas où les oppositions politique et religieuse s'unirent, le protestantisme domina au nord de l'Europe alors que le sud resta catholique (Italie et Espagne).

150. L'usage légitime des images est traité en lien avec le Décret dans le *Catechismus Romanus*, 2e partie, § 24.

tous les abus possibles : les évêques, à l'exception de Borromée et de Paleotti, ne prirent pas très au sérieux leur devoir de surveillance en ce domaine. La première victime des nouvelles prescriptions fut le *Jugement dernier* de la Sixtine, de Michel-Ange, où on dut recouvrir d'une nouvelle couche de peinture les scènes choquantes.

Au concile on cita Dürer comme exemple d'artiste chrétien moderne. Il évite les nudités choquantes dans les images à thème chrétien, par exemple dans une gravure sur la descente du Christ aux enfers dont la représentation fut prise pour modèle de descente aux enfers par le baroque italien[151]. On refusa comme contraire à l'histoire la représentation d'événements bibliques dans un environnement contemporain. On fit de même pour des représentations invraisemblables comme l'Annonciation dans un palais, des saints en habits somptueux et parés de joyaux, ce qui est contraire à leur modestie et à leur humilité[152]. Calvin et Luther pensèrent de même. Ce dernier s'opposa à ce qu'on peigne Marie en vêtements précieux, cela ne correspondant pas à son milieu social[153]. Les saints devaient maintenant être représentés avec les symboles traditionnels et non plus accompagnés de détails non bibliques comme les scènes animales[154]. On accorda une nouvelle attention à Joseph, en tant que protecteur paternel de Jésus et de sa mère sur la terre[155].

Dans la Réforme catholique et la Contre-Réforme, on fit ressortir la valeur didactique des images. De fait, l'image de culte prit une importance toujours plus grande, surtout dans la Contre-Réforme. De là la différence qu'on observera à l'avenir entre les arts catholiques et protestants, surtout dans les représentations destinées aux églises. Le cardinal Paleotti insista sur la primauté traditionnelle de l'image qui serait plus ancienne que la Bible et s'adresserait à tous, alors que le livre est accessible aux seules personnes cultivées. Les artistes participent à la force créatrice de Dieu[156]. Institués instruments de la Contre-Réforme à cause de leur force attractive, les arts de l'image devaient se soumettre aux prescriptions du décret dans le choix du thème, le message et l'exécution[157].

On n'a pas imposé une tendance artistique précise. Mais l'insistance sur des règles fixes et l'appel au sentiment et à l'émotion engagèrent dans une certaine direction artistique. La « vérité naturelle » formulée par Paleotti est une des marques du maniérisme. Mais, parmi d'autres, même les frères Caracci, qui se retournèrent vers 1600 vers la Renaissance, furent attirés par les représen-

---

151. Sur Dürer : PALEOTTI, *Discorso intorno alle imagine sacre et profane*, 1582. Gravure de Dürer de 1510 à la galerie d'art de Hambourg, *Le Christ aux limbes*. Dürer présente une invitation pré-réformatrice originale à imiter le Christ en montrant Adam racheté avec la croix.

152. Federigo BORROMEO, *De pictura sacra libro duo*, I, 7, 19e thèse (ASCHENBRENNER, *Die tridentinischen Bildervorschriften*, Fribourg-en-Brisgau, vers 1930, pp. 83 ss.).

153. CALVIN, *Institutio*, III, 28.

154. BORROMEO, d'après JEDIN, *Das Tridentinum*, *op. cit.*, p. 329.

155. MOLANUS, *De picturis et imaginibus*, 1570, III, p. 12 : « Certains peintres représentent saint Joseph comme un imbécile naïf... ou comme un vieillard sénile, un tel homme ne serait pas propre à remplir la tâche que Dieu lui a confiée » (catalogue de Hambourg, *op. cit.*, p. 260).

156. PALEOTTI, d'après JEDIN, *Das Tridentinum*, *op. cit.*, p. 333.

157. Paolo Veronese suscita la réaction de l'Inquisition par ses images qui témoignaient d'une créativité indigne de la sainteté des thèmes catholiques : la Cène, appelée ensuite le banquet dans la maison de Lévi, à Venise (*Kindler Malerei Lexikon*, t. 10, pp. 53 s. avec reproduction; *L'art de la Renaissance*, pp. 168 s.).

tations de la théologie de la Contre-Réforme. On a constaté chez les artistes de Bologne et des environs un « style tridentin » influencé par Paleotti[158]. En généralisant, on peut ranger le maniérisme dans le cadre de la Réforme catholique et le style baroque dans celui de la Contre-Réforme[159]. Comme on le souhaitait, on représenta la souffrance du Christ et les tourments des martyrs sur de nombreux tableaux[160].

Cela vaut dans l'ensemble pour tous les artistes qui travaillèrent pour l'Eglise romaine après le concile de Trente : s'il est vrai qu'ils se tournèrent davantage vers les thèmes bibliques, ils préférèrent pourtant les légendes sur les personnages bibliques (les miracles de saint Marc) et les saints. A côté du mystère du salut dans le Christ, on présenta Marie et l'Eglise, tout à fait dans le sens de la théologie tridentine, comme dépositaires du salut et, à côté de la Cène biblique, le sacrifice du Christ transmis et rendu présent dans l'eucharistie[161].

Le Tintoret combattit en faveur de la foi catholique par son art : il représenta des miracles bibliques, des légendes sur des personnages bibliques et des saints. Le combat de l'archange Michel contre le dragon illustre le combat dépeint dans l'Apocalypse entre la lumière et les ténèbres, le bien et le mal, la foi et l'incrédulité. Pour le Tintoret, Michel incarne l'esprit de l'*Ecclesia militans*, de l'Eglise qui combat sur la terre. Il était persuadé de la victoire du catholicisme. A côté de l'eucharistie, de la passion, de la crucifixion, de l'ascension du Christ et du jugement dernier, il y a aussi d'autres thèmes bibliques que la Réforme surtout aime beaucoup, comme le Christ et la femme adultère ou le baptême du Christ[162].

Plus âgé que lui, mais, au-delà du maniérisme, annonçant déjà le baroque par son style, Titien présente à côté d'une multitude de thèmes bibliques (gravure), par le choix des thèmes et la composition de l'image, l'Eglise

158. D'après JEDIN, *Das Tridentinum, op. cit.*, pp. 334 et 339.

159. *Ibid.*, pp. 330 s.

160. Réclamé par Giglio da Fabriano, Gabriele Paleotti, Federigo Borromeo et d'autres. En lien avec la théologie pré-tridentine apparut « une nouvelle conception de la passion » et du Christ « aussi dans l'œuvre du Pontormo... dans le chemin de croix de la chartreuse de Galuzzo... On ne représente pas le Christ comme juge, mais le Christ en gloire qui distribue la grâce... le concile de Trente » préféra les images édifiantes (*Lexikon der Christlichen Ikonographie*, t. 1, p. 432).

161. En réponse à la Réforme, le concile de Trente avait expressément souligné la présence durable du Christ dans l'hostie consacrée. C'est pourquoi dans les églises le tabernacle du maître-autel remplaça le dépôt du sacrement qui se trouvait du côté gauche du chœur; voir le *Triomphe* de Raphaël.

162. Jacopo Robusti dit Tintoretto de Venise (1518-1594) : *Le miracle de saint Marc*, de 1548, à l'Académie de Venise (*L'art de la Renaissance, op. cit.*, pp. 167 s., reproduction 117); *La cène*, de 1591-1594, à S. Giorgio Maggiore (*Kindlers Malerei Lexikon, op. cit.*, t. 12, p. 21; M. WUNDRAM et E. HUBALA, *Renaissance und Manierismus... Neue Balser Stilgeschichte*, Stuttgart, Zurich, vol. 5, p. 183, reproduction 191). « Le renouveau religieux du temps s'exprima particulièrement bien dans les images murales du Tintoret pour la Scuola di S. Rocco de Venise où, selon H. Thode, la synthèse entre l'Ancien et le Nouveau Testament fut mise au service d'une conception sacramentelle : les tâches caritatives de la confrérie (représentées par le miracle de la source de Moïse ou par le serpent dressé) devinrent les symboles de l'obtention de la vie éternelle par le baptême, l'eucharistie et la résurrection » (*Lexikon der Christlichen Ikonographie*, t. 1, p. 433).

triomphante, la victoire de la foi et surtout Marie comme *mater dolorosa* réconfort de celui qui lutte et signe de l'Eglise triomphante dans son assomption[163].

La différence avec la Réforme apparaît mieux dans la théologie sous-jacente à l'image, dans le message s'exprimant dans le choix du thème et la composition de l'image. Dans les Pays-Bas du Sud, les énoncés de foi catholiques trouvèrent une large diffusion par la gravure[164]. A côté des thèmes bibliques, après une guerre de quatre-vingts ans entre catholiques et calvinistes, on aimait représenter le thème du martyre dans la chrétienté primitive et dans le temps présent. L'extase passait alors pour l'expression essentielle du martyre et la douleur pour la sensation la plus intense. L'apparition céleste de Marie dans l'Assomption et comme Immaculée en vint à compter parmi les thèmes préférés de la Contre-Réforme[165].

Les images de la Vierge étaient déjà appréciées auparavant. La Madone de Raphaël à la Sixtine incarnait dans sa composition, ses coloris et sa forme l'idéal de la Haute Renaissance[166]. Alors que Marie restait dans le domaine protestant l'exemple par excellence de la grâce de Dieu, elle apparaît dans la Contre-Réforme ravie hors du monde terrestre, élevée à une hauteur mystico-symbolique sous différentes formes (Assomption, Couronnement, Reine du ciel, Immaculée[167]).

En Italie et en Espagne, la représentation du Christ devint plus rare. Les chrétiens demeuraient unis dans leur foi en la *Trinité*. Des différences apparaissaient cependant dans sa représentation. Dans la réception de vieux motifs (le plus souvent Dieu le Père, le Christ et la colombe), on souligne parfois des traits ébauchés simplement dans la tradition. La référence à Dieu qui montre sa puissance dans les événements bibliques par le crucifié est protestante[168]. Ainsi le regard est

---

163. *Ascension* de Titien à l'église S. Maria dei Frari de Venise de 1516-1518 (*L'art de la Renaissance*, reproduction 106).

164. Eckhard SCHAUER, *Kunst der Gegenreformation im Barock*; Christian TÜMPEL, *Reformation und die Kunst der Niederlande* (catalogue de Hambourg, *op. cit.*, pp. 293 ss. et 309 ss.).

165. Le deuxième article du Symbole des apôtres était important pour Luther et la Réforme (Jésus-Christ, le Seigneur crucifié et ressuscité). La réforme catholique souligna avec insistance le troisième article : l'Eglise comme lieu du salut et de la sécurité, personnifiée en Marie comme Vierge au manteau protecteur (motif traditionnel) à laquelle on préférait maintenant Marie comme reine du ciel, image de l'Eglise victorieuse et triomphante.

166. *Vierge* de la Sixtine de 1512-1513, commandée par le pape Jules II, à la Galerie de tableaux de Dresde.

167. Ainsi du Tintoret, *Marie et l'enfant vénérés par les évangélistes Marc et Luc*, vers 1570-1575, à la Galerie de tableaux de Berlin. « Marie est représentée à la fois comme la femme de l'Apocalypse, avec le croissant de lune et la couronne d'étoiles (Ap 12, 1-17) et comme l'*Immaculata* » (catalogue de Berlin, *op. cit.*, p. 346). Dans *Le paradis* de 1578-1579 (*Der Louvre*, *op. cit.*, p. 40, esquisse pour la peinture murale du palais des doges de Venise), la masse des personnages est tendue vers le couronnement de Marie. Au-dessus une ellipse nébuleuse forme une sorte de centre autour duquel la gloire tournoie dans un perpétuel mouvement.

168. Par exemple, *La conversion de saint Paul* : gravures de Cranach l'Ancien pour le recueil d'hiver de Luther, de 1526; comme tableau, par Cranach le Jeune en 1549 (KOEPPLIN-FALK, vol. 1, p. 357, et vol. 2, p. 499).

ramené du ciel sur la terre et le croyant renvoyé dans sa vie et sa mort
à la grâce de Dieu dans le Christ. La représentation traditionnelle de la
Trinité dans l'image de l'événement du baptême devint l'image de la
confession réformée.

Dans la représentation catholique, ce n'est plus l'événement biblique
qui est important, mais l'énoncé de foi qui y est contenu. L'art catholique dirige le regard de la terre vers le ciel. On aime montrer la Trinité
dans le couronnement de Marie : la représentation du Greco rayonne de
silence — malgré l'agitation[169]. Dans le tiers inférieur de l'espace les
saints peints dans l'accomplissement de leur mission forment un cercle : à
gauche le Baptiste, revêtu d'une peau de chameau et muni d'un bâton
cruciforme dont le drapeau blanc portant l'inscription « Agnus Dei »
se dresse jusqu'au banc de nuages sous le Christ; au milieu, tenu par
Jean l'Evangéliste, un calice; derrière, saint Sébastien dont les plaies — il
a été transpercé de flèches — répandent du sang juste au-dessus du
calice (en référence à l'eucharistie). Tout près, au-dessus d'eux, sur un
croissant de lune, s'élève Marie dans ses couleurs traditionnelles rouge et
bleu comme Immaculée. Les mains jointes, elle lève les yeux vers le
Christ. Avec Dieu le Père (à droite, tout en blanc), il la regarde. Ensemble
ils tiennent la couronne sur sa tête. En haut la colombe plane dans la
lumière céleste qui émane de sombres nuages ourlés de têtes d'anges.
La lumière se répand sur Marie, l'enveloppe, rayonne à travers l'ange
lumineux qui se trouve derrière le Christ, remplit les bancs de nuages
sur lesquels le Christ et Dieu le Père trônent, et se reflète sur les visages
des saints dont les yeux peuvent voir comment Marie est accueillie par la
Trinité divine.

A travers les nombreux tableaux, jouet de la technique propre au
Greco qui conduit le regard du bas vers le haut de l'image, le spectateur
est englobé dans le cercle de ceux qui élèvent leurs yeux, leur cœur
et leurs mains vers Marie, centre et aboutissement de l'événement, pour
contempler avec eux la vision céleste — en silence comme Dominique,
les mains jointes sur son rosaire; les bras ouverts comme le Baptiste;
à l'instar du remuant Paul les doigts écartés comme pour saisir le pied
de Marie juste devant lui; plongé dans la méditation comme François ou
tout œil comme Jean et Sébastien : « Priez avec nous la reine des cieux,
notre chère Dame ». Dans la chaire de miséricorde[170], on reprend la vieille

---

169. Le Greco, *Couronnement de Marie entourée de saints*, de 1591-1592, à Tolède (J. Brown,
R. L. Kagan, A. Sanchez, W. B. Jordan, *El Greco und Toledo*, Toledo/Ohio, 1982; Berlin,
1893, pp. 131 ss., reproduction 96. Le livre parut à l'occasion d'une exposition en 1982-1983.
Quatre auteurs présentent des informations et de nouvelles perspectives sur le Greco et
Tolède : un artiste espagnol original, d'origine gréco-crétoise, dans une ville marquée par la
Contre-Réforme). La représentation de la Trinité dans le couronnement de Marie existait
déjà, par exemple dans une œuvre de Enguerrand Quarton de 1453-1454 qui se trouve au
musée de la ville de Villeneuve-lès-Avignon (*L'art gothique*, Paris, 1983, reproduction 101).

170. Cf. *supra*, p. 730.

référence à l'eucharistie. Le Greco imita la composition de Dürer[171] dans sa représentation, sans les symboles de la passion[172] : le ciel s'ouvre sur un triangle d'or dans lequel la colombe plane sur Dieu le Père. Le centre d'intérêt est le Christ mort. Son corps presque nu paraît glisser des mains du Père et tomber sur le spectateur prêt à le saisir. Des anges entourent le groupe placé sur des nuages. Leurs visages contractés par la douleur soulignent le sacrifice du Fils de Dieu fait homme.

Dans d'autres scènes appartenant au programme de l'image (l'adoration des bergers), on accorde de l'importance au corps du Christ, référence à l'eucharistie; au cours de la messe on élève l'hostie à ces mots : « Ceci est le vrai corps du Christ né de la Vierge Marie. » De la résurrection (dans une version non biblique goûtée après le concile et agréée par Molanus, dans laquelle les soldats sortant de leur sommeil aperçoivent la divinité du ressuscité dans un resplendissement de lumière), le Greco fait, en mettant en évidence le corps presque nu, une vision du Dieu vivant et de son incarnation dans le sacrement de l'autel contemplée par saint Ildefonse, patron de Tolède et défenseur de l'Immaculée conception[173]. Le programme de la représentation de Santo Domingo devait mettre en image la foi de la donatrice dans la rédemption par le Christ et la Vierge Marie (tel était son désir). Il conduisit dans l'ensemble à vénérer Marie comme Immaculée. Dans le tableau de l'autel privilégié, elle apparaît sur le croissant de lune dans l'Assomption.

Dürer a intégré l'autre version de la chaire de miséricorde (le Christ en croix) dans une composition à laquelle l'adoration de l'agneau selon l'Apocalypse et la fête de la Toussaint servent de fondement[174]. Dans un vaste paysage où n'apparaît aucun homme, on aperçoit à droite Dürer qui contemple, en quelque sorte à la place du voyant de Patmos, la liturgie divine qui, se déroulant sur les nuages, remplit presque tout l'espace de l'image : « Puis l'Ange me montra le fleuve de Vie, limpide comme du cristal, qui jaillissait du trône de Dieu et de l'Agneau. Au milieu de la place... des arbres de vie... et leurs feuilles peuvent guérir les païens... le trône de Dieu et de l'Agneau sera dressé dans la ville » (Ap 22, 2 ss.). Dieu le Père trône dans le ciel bleu clair sur un double arc-en-ciel, avec la couronne impériale et un manteau d'or qui s'ouvre — retenu sur ses bords par des anges — en un triangle vert. Des deux mains Dieu y tient la croix sur laquelle son Fils est suspendu. Son corps clair reluit sur le fond bleu sombre de l'habit du Père.

171. *La Trinité*, gravure de 1511 par Dürer qui se trouve au Museum of Fine Arts de Boston (*El Greco, op. cit.*, reproduction 71). Dürer développa les deux versions (le crucifix et l'homme des douleurs ou le cadavre du Christ) et devint dans les deux cas un exemple pour les artistes de la Contre-Réforme.

172. *La Sainte Trinité*, Madrid, Musée du Prado (*El Greco, op. cit.*, reproduction 85).

173. *Images de l'autel de Santo Domingo el Antiguo*, de 1577-1579 (*El Greco, op. cit.*, pp. 96 ss.; reproduction 84, 91 et 92).

174. *Image de tous les saints* de 1511, au Musée d'Art et d'Histoire de Vienne (Wundram et Hubala, *op. cit.*, reproduction 164).

A. Dürer, *La Toussaint*, 1511 (avec Chaire de Grâce)
Vienne, Kunst historisches Museum (en réduction)

La colombe plane au-dessus d'eux dans un resplendissement de lumière, entourée d'anges qui portent les instruments de la passion du Christ : « J'entendis la voix d'une multitude d'Anges rassemblés autour du trône... Digne est l'Agneau égorgé de recevoir... l'honneur, la gloire et la louange » (Ap 5, 11 s.). Une bande de nuages tourbillonnant comme le « fleuve de Vie » sépare la Trinité de ses adorateurs; à gauche, emmenées par Marie, sainte Agnès avec l'agneau, sainte Catherine avec la roue, sainte Barbe avec la roue et de nombreuses personnes portant des palmes : « Le salut à notre Dieu, qui siège sur le trône, ainsi qu'à l'Agneau ! » (Ap 7, 10); à droite, derrière le Baptiste agenouillé, les patriarches avec Moïse, les prophètes et d'autres témoins de l'Ancien Testament, des hommes et des femmes : « Louez notre Dieu, vous tous qui le servez » (Ap 19, 5).

Dans la zone céleste inférieure se trouve la large bande des adorateurs du monde entier; à gauche, derrière le pape, les états de vie ecclésiastiques et à droite, derrière l'empereur, les laïcs : « une foule immense que nul ne pouvait dénombrer, de toute nation... Louange... honneur... à notre Dieu pour les siècles des siècles ! Amen ! » (Ap 7, 9 ss.). Réunis dans l'*unio sanctorum*, tous adorent tournés vers le trône de miséricorde. Seul l'empereur se tourne vers le spectateur, observant à moitié celui qui est à côté de lui à genoux priant les mains jointes sur son chapelet. Il montre de la main droite la Trinité vers le haut et de la gauche il réclame le silence devant le grand mystère : « Heureux les gens invités au festin des noces de l'Agneau » (Ap 19, 9).

Raphaël peignit la fresque *Triomphe de la religion (La Dìsputa del Sacramento)*, un chef-d'œuvre de la Renaissance elle aussi, semblable dans sa composition à la représentation de tous les saints de Dürer, mais d'une signification différente[175]. Il ne s'agit pas dans cette œuvre de la foi en la souffrance rédemptrice du crucifié et du regard plein d'espoir vers la Cité de Dieu dans laquelle un jour Dieu le Père, le Fils et le Saint-Esprit seront seuls vénérés, mais au contraire du triomphe de la Trinité, de la victoire de la foi en la Trinité et en la présence permanente du Christ dans l'eucharistie.

Une bande de nuages sépare la zone céleste du domaine terrestre. Sur elle, à droite et à gauche, les représentants de l'Ancien et du Nouveau Testament ont pris place. Au centre, dessous, s'élève un autel surmonté d'un ostensoir, présence de Dieu en personne dans le mystère de l'eucharistie par l'intermédiaire de l'Eglise dont les représentants remplissent l'espace situé à droite et à gauche de l'autel, des saints et des saintes (parmi eux le pape Pie IV). Tout près de l'autel, un des quatre Pères

---

175. *La Dìsputa del Sacramento*, tableau pour une lunette et consacré à la théologie, dans le cycle de fresques de la Stanza della Segnatura du Vatican, commencé en 1508 à la demande du pape Jules II.

Raphaël, *La Dispute du Saint Sacrement*
Stanza de la Signatura (Vatican)

de l'Eglise latine lève le bras vers la Trinité (encore dans la verticale de la chaire de miséricorde); au milieu, sur un trône de nuages, le Christ, les mains élevées montrant les cicatrices des clous, entre Marie et Jean Baptiste en prière, à la fois homme des douleurs et Juge eschatologique. Derrière le dossier circulaire de son trône, Dieu le père apparaît au zénith portant le globe terrestre. Une lumière céleste l'entoure comme des rayons de soleil; de droite et de gauche se précipitent trois anges. Devant le banc de nuages, aux pieds du Christ, la colombe plane dans un cercle de lumière, flanquée de chaque côté par deux petits anges qui présentent les quatre Evangiles ouverts. L'un d'eux étend son pied comme une flèche hors du nuage, vers l'ostensoir qui se trouve immédiatement au-dessous de lui. Là se trouve la partie la plus claire de la représentation. Là triomphe la foi de l'Eglise romaine. Et elle conservera cette foi malgré les attaques du mouvement réformé.

C'est pourquoi la gloire acquiert une grande importance dans la Contre-Réforme. On appellera plus tard *Gloire* la Trinité de Titien. Elle servira d'école à de nombreuses représentations du type « gloire » aux xviie et xviiie siècles[176]. Comme dans la représentation de *Tous les saints* de Dürer, la vision remplit presque tout l'espace de l'image, au-dessus d'un paysage où n'apparaît aucun homme. Entourés de chœurs angéliques, Dieu le Père et son Fils trônent l'un à côté de l'autre au-dessus des nuages. Les deux sont munis des insignes de la domination du monde, le sceptre et le globe impérial. Entre les deux têtes se trouve le Saint-Esprit sous forme de colombe : une lumière rayonnante au centre de la Trinité. Moïse, David et d'autres témoins de l'Ancien Testament tournent autour d'elle dans une ronde tourbillonnante.

Une lumière descend sur Charles Quint qui s'agenouille devant Dieu, vêtu de son suaire. Des anges l'assistent. Derrière lui, Isabelle, Philippe II et d'autres membres de la famille impériale. Sur les bras larges ouverts d'une femme, la lumière se répand circulairement vers Moïse, en bas et, dans un rond mouvant, remonte à nouveau, jusqu'à ce qu'elle s'éteigne presque devant la sombre figure qui se trouve aux pieds du Christ. C'est la seule qui soit immobile. Elle regarde vers le bas, le visage détourné de la Trinité. Pourquoi ? De quoi s'entretiennent les deux hommes sur le bord droit de l'image ? A quoi pense le vieillard qui leur fait face, la tête appuyée sur la main ?

Pourquoi a-t-on appelé plus tard ce tableau d'une part *Triomphe de la Trinité* et manifestation de la Contre-Réforme, et d'autre part y a-t-on vu une expression de la tentative de Charles Quint en vue de maintenir l'unité de la foi de l'Eglise et la « Pax Christiana » ? Les motifs

---

176. *Triomphe de la Trinité* de 1551-1554, commandé par l'empereur Charles V, Madrid, Musée du Prado. « Manifestations contre-réformatrices », *Kindlers Malerei Lexikon, op. cit.*, t. 13, p. 250; « Document sur les tentatives de Charles V pour sauvegarder l'unité de foi dans l'Eglise », *op. cit.*, p. 294.

Cornelius Cort, *Triomphe de la Trinité*, 1566
Hamburger Kunsthalle, Kupferstichkabinett

de l'Ancien Testament parlent en faveur de la deuxième solution : Ezéchiel, prophète du retour et apôtre du rétablissement du peuple de Dieu gracié; l'arche de Noé symbolisant l'Eglise.

Les deux personnages de droite rappellent un groupe de la représentation de Cranach *La loi et la grâce*; le vieillard qui considère pensivement Charles Quint ressemble à une figure du *Jugement dernier* de Michel-Ange, représentation de la majesté de Dieu dans le jugement. Moïse élève les tables de la loi. La cithare de David se tait. Que va devenir Charles Quint ? D'où viendra le secours ? Noé soulève l'arche. L'Eglise est le refuge des pécheurs. En quête d'une aide, les mains levées dans un geste de prière, Charles Quint regarde la femme aux pieds de Jésus. C'est Marie, la prière personnifiée que son Fils ne peut pas repousser. Elle tourne aussi son regard vers tous ceux qui se trouvent sous l'image espérant son soutien, pour les introduire dans le cercle des bienheureux. « *Ave Maria gratia plena ora pro nobis.* » Dans la prière pour obtenir la grâce, les protestants du xvie siècle se tournent vers Dieu et le crucifié qui s'incline vers eux les bras ouverts. Les catholiques invoquent les saints et Marie qui déploie son manteau protecteur.

Selon une légende, le Greco peignit un tableau pour une chapelle funéraire exprimant ceci : la miséricorde l'emporte sur la mort et conduit à la délivrance[177]. Il fait nuit. A la lueur des torches, des hommes en collerette blanche se sont rassemblés pour l'enterrement du comte d'Orgaz.

Pendant que le prêtre de paroisse lit l'office des morts dans son bréviaire, le miracle se produit. Les saints Augustin et Etienne apparaissent revêtus d'habits dorés et soulèvent délicatement le mort pour le déposer dans son tombeau, alors qu'un autre prêtre entonne une pièce de plainchant, sans doute le « In Paradisum » (ixe siècle) : « Que les anges te conduisent au paradis; que les martyrs te reçoivent et t'introduisent dans la Jérusalem céleste. Que le chœur des anges t'accueille et que tu reposes pour l'éternité avec le pauvre Lazare »[178]. Les bras ouverts et la tête relevée, ce personnage voit ce qu'aucun homme ne peut voir : un ange porte l'âme du mort[179] à travers un voile de nuages flottant vers le ciel où le Christ, revêtu de blanc, dans le resplendissement de la lumière céleste et entouré de chœurs angéliques, l'attend — pour le jugement.

Mais déjà se pressent les groupes des saints emmenés par le Baptiste, pour prier avec Marie en faveur de celui dont les bonnes actions ont été

---

177. *L'enterrement du comte d'Orgaz*, de 1586-1588, à Santo Tomè de Tolède, destiné à la chapelle funéraire du comte mort en 1323. Celui qui passa la commande au Greco détermina exactement la représentation de la scène dans le contrat, ainsi pour le ciel ouvert avec la gloire au-dessus du reste (*El Greco, op. cit.*, pp. 104 ss., reproductions 100 ss. Dans *L'art de la Renaissance*, reproduction 153).

178. Cité d'après *El Greco, op. cit.*, p. 105.

179. Représenté traditionnellement sous la forme d'un embryon.

reconnues de façon merveilleuse dès son enterrement. Derrière Marie se trouve Pierre portant la double clé (Mt 16, 19). Le Christ écarte ses bras. Au-dessus des têtes de Marie et de Jean, ses mains bénissent longuement. Oui, le comte d'Orgaz est admis, il peut prendre place dans la liturgie céleste. Un voile de nuages se lève. David joue de la harpe. Le vieillard près de lui est sans doute Lazare.

Le Greco combine deux types d'images (le jugement dernier et l'image de la Toussaint) dans la « gloire » et il ajoute à la prière un élément supplémentaire de la foi catholique, la confiance dans les bonnes œuvres. Pour donner du poids à ces vérités (contre la Réforme) valables aussi pour le présent, le Greco peint des contemporains de Tolède en costume du XVIe siècle comme témoins du miracle du XIVe. Cranach et d'autres indiquaient aussi de cette manière que les positions réformées avaient une valeur contemporaine.

Avec les mêmes éléments de création artistique et souvent en reprenant les mêmes motifs de la tradition[180], on exprime des conceptions contraires, on traduit visuellement des idées abstraites en des représentations expressives. La théologie détermine le message de l'image, l'art sert de propagande à la théologie protestante écrite ou à l'enseignement de l'Eglise catholique.

Cranach comme le Greco passèrent maîtres dans l'art d'exprimer des pensées complexes dans une représentation claire et évidente, de rendre accessibles à la grande masse certaines conceptions théologiques. Tous deux étaient conseillés par des théologiens et des humanistes. Chez le Greco, la représentation contient plusieurs couches de signification; elle est pleine d'idées ardues et mystérieuses compréhensibles aux seuls clercs et savants qui connaissent les subtilités de la théologie catholique.

Les images du Greco sont difficiles à décrire. On doit les avoir vues. « Il serait curieux de pouvoir rendre par des mots ce que le peintre voit »[181]. Elles sont pleines de vie, de couleur et de mouvement; ses personnages sont comme illuminés à l'intérieur par une lumière venue de l'arrière, transparents à la vérité cachée derrière le visible. Il peint la réalité qui n'est pas de ce monde. On peut décrire les personnages de ses tableaux, en raconter les événements, se faire l'écho de l'impression subjective causée par l'ensemble, mais il faut voir la vérité cachée dans l'image. C'est comme pour une fleur. On peut l'effeuiller, la réduire en pièces détachées, avoir accès au pédoncule. Sa beauté reste son secret.

Même là où le Greco représente des événements bibliques, ce qui se passe sur terre devient transparent pour le mystère, l'irruption de la force de Dieu dans notre monde. Dans l'*Annonciation* par exemple : la colombe fait resplendir sur Marie la clarté de Dieu, si bien que, saisie au plus profond d'elle-même, presque ravie à la terre, elle est comme suspendue

---

180. Par exemple l'agneau, le pélican, le sacrifice d'Isaac, l'expulsion du paradis, le baptême. La main qui montre quelque chose est un élément didactique ; ici un enfant (le fils du Greco).
181. Dessin du Greco, cité d'après *El Greco, op. cit.*, p. 111.

El Greco, *Le Baptême du Christ*,
1596-1600
Madrid, Museo del Prado

au-dessus du sol pendant que l'ange qu'elle regarde dans une attitude d'adoration est fermement planté sur le nuage, les pieds nus[182]. L'agir de Dieu est plus réel que ce qui se passe sur terre. Dans le *Baptême*[183], le Greco ne peint sous des formes terrestres à trois dimensions que Jésus, le Baptiste et le terrain rocheux sur lequel ils s'agenouillent ou mieux s'élèvent.

Au moment où l'eau atteint la tête de Jésus, « voici que les cieux s'ouvrirent : il vit l'Esprit de Dieu descendre comme une colombe et venir sur lui » (Mt 3, 16). Un ange qui se trouve entre les deux (vêtu de vert comme dans l'*Annonciation*) lève les mains vers le vêtement de dessus de Jésus rouge sang flottant sur le côté (des anges le retiennent; l'image se trouve par là partagée en deux plages supérieure et inférieure), comme s'il soulevait un voile. La colombe vole vers le bas dans une lumière brillante. Le ciel s'ouvre. On aperçoit Dieu le Père dans un habit d'argent. Il lève la main : « Voici qu'une voix venue des cieux disait : Celui-ci est mon Fils bien-aimé, qui a toute ma faveur' » (Mt 3, 17).

Le Greco a choisi des thèmes propres à la Contre-Réforme[184]. Ainsi la scène de la *Purification du Temple*[185] dans laquelle on vit une allusion au renvoi des hérétiques hors de l'Eglise. La scène abonde en personnages, gestes violents, vêtements qui s'envolent. A l'origine du mouvement, il y a le Christ du milieu de l'image, vêtu de rouge. Il lève la main droite pour frapper avec une corde. Epouvantés, les personnages battent en retraite. Dans un geste de défense, l'homme qui se trouve devant le Christ lève un bras et dans ce geste son vêtement jaune lui tombe de l'épaule. Jésus le regarde avec sévérité. Lui seul a les yeux tournés vers Jésus.

Comme aveuglés par une vision, tous les autres portent leurs regards vers le haut, comme si le coup foudroyant venait de là. Sur le mur derrière lui on voit une sculpture : deux personnages fuyant devant un ange. L'expulsion du paradis est une préfiguration de celle du Temple, expression de la colère de Dieu. De l'autre côté un vieillard se met à genoux devant le Christ qui d'un geste de la main gauche cherche à apaiser son visage interrogateur. Un homme derrière le vieillard indique le Christ avec le pouce et l'index, la tête tout près de celle du vieillard, comme pour lui murmurer à l'oreille : « Celui qui fait pénitence dans la prière est épargné. »

---

182. *Annonciation* de 1596-1600, Madrid, Musée du Prado, à l'origine image centrale du maître-autel du séminaire des augustins de Madrid auquel appartenaient aussi selon A. E. P. Sanchez l'*Adoration des bergers*, le *Baptême*, la *Crucifixion*, la *Résurrection* et la *Pentecôte* (*El Greco, op. cit.*, pp. 133 ss., reproduction 100).

183. De 1596-1600, Madrid, Musée du Prado (*El Greco, op. cit.*, pp. 136 et 195, reproduction 138).

184. Voir Jonathan BROWN dans *El Greco, op. cit.*, pp. 94 ss.

185. De 1610-1614, Madrid, Collection Várez-Fisa (*El Greco, op. cit.*, p. 217, reproduction 52).

Le groupe situé derrière ces deux personnages nous dit la même chose. L'un pose la main sur sa poitrine, l'autre montre le Christ; au-dessus d'eux se trouve suspendue une sculpture du sacrifice d'Isaac, prototype du sacrifice du Christ sur la croix. A gauche les réprouvés — à droite ceux qui sont épargnés ! Voici le thème caché dans l'image : « Damnation et rédemption ».

Le Greco se retrouve étonnamment proche de la conception réformée telle que Cranach lui a donné forme dans sa représentation *La loi et la grâce*. Tous les deux reprennent la problématique contemporaine de la vérité et de la véritable autorité, et ils lui donnent une réponse du point de vue de la théologie dont ils sont les partisans. La foi chrétienne se retrouve des deux côtés. C'est pourquoi il aurait été étonnant que, malgré toutes les divergences soulignées, la foi commune dans le Christ, la pénitence et la grâce, la gratitude et l'adoration n'aient pas été exprimées elles aussi dans l'art.

Coup d'œil rétrospectif

Les réformateurs ont formulé sur une base nouvelle la question de l'image chrétienne et ils ont rejeté l'image sacrale. L'Eglise romaine répondit à ce rejet par une contre-attaque. Dans sa réforme interne et dans la Contre-Réforme, elle mit en avant avec insistance la fonction sacrale de l'image et elle se servit de sa valeur didactique et pédagogique — reconnue d'ailleurs par Luther — pour renforcer et défendre la foi catholique. Les réformés mirent aussi leur foi en image.

Ainsi dans l'image sacrale catholique et dans l'image historique et confessionnelle luthérienne exprima-t-on des conceptions opposées, en se servant quelquefois des mêmes éléments de création artistique et en reprenant souvent les mêmes motifs traditionnels. Des deux côtés la théologie déterminait la signification de l'image, des deux côtés on traduisit des idées abstraites en des représentations expressives pour les yeux. Les arts de l'image furent mis au service de l'annonce protestante de la Parole de Dieu et de l'enseignement de l'Eglise catholique. Les divergences internes au mouvement réformé provenaient essentiellement de la différence des conceptions de l'image. L'image que Luther voulait conforme à l'Ecriture n'est pas l'image révélatrice ou pédagogique refusée par Calvin sur la base de l'Ecriture. L'icône, porteuse du salut, est un élément essentiel de la foi orthodoxe, inséparable de la liturgie. De ce point de vue, rien ne changea au XVIe siècle.

Dans le cadre de la Réforme, l'art religieux en a été réduit à illustrer la Bible et à représenter des histoires bibliques. Pas d'images dans les églises. Pour orner les parois, on n'accepta que des paroles de l'Ecriture. Martin Luther établit un lien étroit entre les arts de l'image et la Bible en tant que seul fondement de la foi. Précisément là où l'article énonçait par l'image un message spécifique, se forma un accord inséparable entre la parole biblique et l'image. La foi protestante peut renoncer aux arts de l'image, mais pas à la parole vivante de Dieu dans la prédication. Mais les arts de l'image ont un rôle particulier à jouer dans la communauté. Comme figure expressive remémorant la Parole de Dieu, comme profession de foi protestante, ils participent à la louange de la communauté et expriment la foi protestante fondée sur la Parole. Liés à l'Evangile, ils se trouvent dans le domaine de la grâce de Dieu et peuvent servir à l'honorer. Le chrétien protestant se tourne directement vers Dieu, même là où il est introduit à la prière par l'image.

Le catholique, à travers les saints de la Bible ou de la tradition représentés sur les images, se tourne vers Dieu. Les arts de l'image au service de l'Eglise catholique expriment la foi transmise par l'autorité de l'Eglise et de son culte. Référés à l'autorité religieuse, ils sont au pouvoir de l'Eglise et sous sa protection. L'image catholique comme l'image protestante reposent sur une théologie.

Les arts de l'image ne sont pas seulement un reflet des différentes tendances d'une Eglise séparée en une confession catholique et une confession protestante, mais aussi l'expression d'une croyance commune en la Trinité. Les arts de l'image d'empreinte catholique et protestante trouvent une orientation commune au XVIe siècle déjà et malgré toutes les divergences en ce qu'ils introduisent à la prière, à l'invocation et à la louange.

Traduction d'Yvan Mudry.   Margarete Stirm.

BIBLIOGRAPHIE

Andersson Christiane D., « Religiöse Bilder Cranachs im Dienste der Reformation », *in* L. W. Spitz u.a., *Humanismus und Reformation als kulturelle Kräfte in der deutschen Geschichte*, Berlin, New York, 1981, S. 43 ff.

L'art gothique = Alain Erlande-Brandenburg, « L'art gothique », in *L'art et les grandes civilisations*, Paris, 1983.

L'art de la Renaissance = Bertrand Jestaz, « L'art de la Renaissance », in *L'art et les grandes civilisations*, Paris, 1984.

Aschenbrenner Thomas, *Die tridentinischen Bildervorschriften*, Diss., Freiburg i. Br. um 1930.

Bek. Schr. = *Die Bekenntnisschriften der evang.-lutherischen Kirche*, hrsg. vom deutschen ev. Kirchenausschuß, 1930.

Bek. Schr. d. reform. Kirche = *Die Bekenntnisschriften der reformierten Kirche*, ed. E. F. K. Müller, Leipzig, 1903.

Bernhardt Karl-Heinz, *Gott und Bild*, Berlin, 1956.

Bibliotheca Apostolica Vaticana, hrsg. unter d. Patronat S. E. Kardinal Alfons Maria Stickler u. des Präfekten L. E. Boyle, Stuttgart, Zürich, 1986.

Le Brun Jacques, « Frankreich, III, 2 (Reformation und Neuzeit) », in *Theologische Realenzyklopädie (= TRE)*, XI, S. 366 ff., Berlin, New York, 1983.

CALVIN, *OS = Calvini Opera Selecta*, ed. P. BARTH et W. NIESEL, 1926 ff.
— *CR* oder *Op = Corpus Reformatorum. Calvini Opera*, 1869 ff.
DÜRER Albrecht, *Die Kleine Passion*, verkleinerte Wiedergabe, in *Die Bibliophilen Taschenbücher*, Nr. 461, Dortmund, 1985.
— *Das Marienleben, die Große Passion und die Apokalypse*, verkleinerte Wiedergabe, in *Die Bibliophilen Taschenbücher*, Nr. 95, Dortmund, 1979.
A. Dürers schriftlicher Nachlaß, hrsg. HEIDRICH, Berlin, 1908.
EBELING, *Luther, sein Leben in Bildern und Texten*, hrsg. G. BOTT, G. EBELING, B. MOELLER, Frankfurt a. M., 1983.
El Greco = El Greco und Toledo von J. BROWN, W. B. JORDAN, R. L. KAGAN, A. E. P. SANCHEZ, Boston, 1982 *(englische Originalausgabe)*, Berlin, 1983 *(deutsch)*.
ELLIGER Walter, *Die Stellung der Alten Christen zu den Bildern in den ersten vier Jahrhunderten*, 2 Bde, Leipzig, 1930 u. 1934.
GRAU Marta, *Calvins Stellung zur Kunst*, Diss., Würzburg, 1917.
HEILSSPIEGEL *(Speculum humanae salvationis)*, verkleinerte Wiedergabe einer Handschrift um 1360 aus der Handschriftenabteilung der Hessischen Landes- und Hochschulbibliothek Darmstadt, in *Die Bibliophilen Taschenbücher*, Nr. 267, Dortmund, 1981.
VON HINTZENSTERN Herbert, *Die Bilderpredigt des Gothaer Tafelaltars*, Berlin, 1964.
VON HINTZENSTERN Herbert, *Lucas Cranach d.Ä., Altarbilder aus der Reformationszeit*, Berlin, 1972.
ISERMEYER Chr. A., « Bibelillustrationen », in *Religion in Geschichte und Gegenwart (= RGG)*, Tübingen, 1957[3], I, S. 1174 ff.
JEDIN Hubert, « Entstehung und Tragweite des Trienter Dekrets über die Bilderverehrung », in *Kirche des Glaubens, Kirche der Geschichte, Ausgew. Aufsätze und Vorträge*, Bd. 2 : *Konzil und Kirchenreform*, Freiburg, Basel, Wien, 1966, S. 460-498.
JEDIN Hubert, « Das Tridentinum und die bildenden Künste », in *Zeitschrift für Kirchengeschichte*, XII, 1963, S. 321 ff.
Kindlers Malerei Lexikon, Taschenbuchausgabe, 15 Bde, München, 1982.
KNAPPE Karl Adolf, « Bibelillustration », in *TRE*, VI (1980), S. 131 ff.
LCI = Lexikon der Christlichen Ikonographie, hrsg. Bd. 1-4 : Engelbert Kirschbaum SJ u.a., Bd. 5-8 : Wolfgang Braunfels, Rom, Freiburg, Basel, Wien, 1968 ff.
Von LOEWENICH Walter, « Bilder », in *TRE*, VI, S. 515 ff.
LUTHER, *Martin Luthers Werke*, Weimarer Ausgabe, 1833 ff. = *WA; Briefe = WABR; Deutsche Bibel = WADB; Tischreden = WATR; D. M. Lutheri Exegetica Opera Latina*, hrsg. Joh. LINKE.
MÂLE E., *L'art religieux après le concile de Trente*, Paris, 1932.
MEER Frits van der, *Apokalypse. Die Visionen des Johannes in der europäischen Kunst*, Freiburg, Basel, Wien, 1978 (original : Antwerpen, 1978; *französisch*, Paris, 1978).
MICHEL Diethelm, *Israels Glaube im Wandel*, Berlin, 1971[2].
Patrologia Latina (J.-P. MIGNE), Paris (= *PL*).
PETERS Albrecht, « Bild Gottes », in *TRE*, VI, S. 491 ff.
PREUß Hans, *Martin Luther. Der Künstler*, Gütersloh, 1931.
Quellen zur Geschichte des Papsttums und des römischen Katholizismus, Bd. I hrsg. Carl MIRBT, 1924[4], und Kurt ALAND, Tübingen, 1967[6].
RAD Gerhard von, *Theologie des Alten Testamentes*, Bd. 1, München, 1957; « Das Bilderverbot im Alten Testament », in *Theologisches Wörterbuch zum Neuen Testament (= ThWNT)*, Stuttgart, II, S. 378-380.
RÉAU L., *Iconographie de l'art chrétien*, 1955 ff.
Schedelsche Weltchronik, Nürnberg, 1493, lat. und deutsch, verkleinerte Wiedergabe der deutschen Ausgabe, in *Die Bibliophilen Taschenbücher*, Nr. 64, Dortmund, 1979[2].
SCHMIDT Philipp, *Die Illustration der Lutherbibel, 1522-1700*, Basel, 1962; 2. Aufl. 1977.
STIRM Margarete, *Die Bilderfrage in der Reformation*, Gütersloh, 1977.
ULLMANN Ernst, *Albrecht Dürer*, Leipzig, 1982.
VOGEL Heinrich, *Der Christ und das Schöne*, Berlin, 1955.
WUNDRAM Manfred und HUBALA Erich, « Renaissance und Manierismus, Barock... », Bd. V der *Neuen Belser Stilgeschichte*, Stuttgart, Zürich, 1986.
ZIMMERLI Walter, *Das zweite Gebot (Festschrift für Albrecht Bertholet)*, Tübingen, 1950, S. 551 ff.
Zwingli = Huldreich Zwinglis Werke, Corpus Reformatorum, S. 88 ff. (= *ZW* I ff.)

Editions en fac-similés :

Biblia Pauperum, Faksimile des Codex Palatinus Latinus 871 der Bibliotheca Apostolica Vaticana, Zürich, 1982.
Martin LUTHER, *Betbüchlein*, 1529, Bärenreiterverlag, Kassel, 1929.
— *Die Bibel oder die gantze Heilige Schrift*, 1545, mit dem Bilderschmuck des in der preußischen Staatsbibliothek befindlichen Pergamentexemplares der Ausgabe von 1541, Wegweiser-Verlag, Berlin, 1927.
— *Septembertestament*, Wittenberg, 1522, Faksimileausgabe, Leipzig, 1972; Stuttgart, 1978.

Catalogues d'expositions et de musées :

Basler Buchillustration, 1500-1545, Universitätsbibliothek, Basel, 1983-1984.
Berlin : *Kunst der Reformationszeit*, Staatliche Museen zu Berlin, Hauptstadt der DDR, Berlin, 1983.
Biblia deutsch, Luthers Bibelübersetzung und ihre Tradition, Herzog- August- Bibliothek Wolfenbüttel, 1983, hrsg. Heimo REINITZER = REINITZER.
Christus und Maria, Menschensohn und Gottesmutter, Ausstellung anläßlich des 86. Deutschen Katholikentages 1980, Berlin, 1980.
Gemäldegalerie Berlin, Staatliche Museen, *Preußischer Kulturbesitz*, Berlin, 1985.
Gemäldegalerie Dresden, *Alte Meister*, Dresden, 1979[13].
Hamburg : *Luther und die Folgen für die Kunst*, Hamburger Kunsthalle, hrsg. Werner HOFMANN, München, 1983.
Lukas Cranach, Kunstmuseum Basel, 1974, hrsg. Dieter KOEPPLIN, Tilman FALK, 2 Bde, Basel, Stuttgart 1974[2] = KF.
Der Louvre, Gemäldesammlungen des Louvre, Bd. 1 : *Französische Malerei* von Jean-Pierre CUZIN, Paris, 1982; Bd. 2 : *Europäische Malerei außerhalb Frankreichs* von Michel LACLOTTE, Paris, 1982.
Nürnberg : *Martin Luther und die Reformation in Deutschland*, Germanisches Nationalmuseum Nürnberg, Frankfurt a. M., 1983.

Abréviations :

AT	Altes Testament
BV	Bilderverbot
DDR	Deutsche Demokratische Republik
GK	Großer Katechismus
NT	Neues Testament

CONCLUSION

Notre itinéraire, partant du milieu du xve siècle, nous a donc menés jusqu'à la fin du xvie, au moment où les Réformes, consolidées, s'affermissent et se répandent selon leurs propres principes. En 1582, Théodore de Bèze, à Genève, publie une seconde édition de son Nouveau Testament à l'aide du célèbre *Codex* qui porte son nom. Dix ans plus tard, Clément VIII, à Rome, autorise l'édition de la Vulgate latine qui porte encore le nom de son prédécesseur Sixte Quint et deviendra la « Sixto-Clémentine ». L'élaboration de la fameuse « Authorized Version » anglicane de 1611 et la controverse de Galilée avec les autorités romaines sur l'interprétation biblique qui date des années 1614-1616 inaugurent une autre période aux caractéristiques différentes dont rendra compte le volume suivant de la collection.

Les repères de la périodisation classique semblent donc convenir à l'histoire de la Bible. Le temps des Réformes est si riche en événements religieux qui, en s'appuyant sur de graves enjeux qu'on peut déceler bien avant l'éclatement, posent tant de questions nouvelles et débouchent sur tant de controverses et de contradictions que le présent livre, avec ses inévitables lacunes, reflète nécessairement l'abondance de la matière, en dépit des efforts de ses auteurs pour l'organiser et la maîtriser. Il n'est donc pas inutile de tenter en quelques pages d'établir un bilan et, par un retour en arrière, d'en évaluer le parcours. Une coupure autour des années 1560 semble s'imposer : les réalisations de la fin du siècle ne correspondent pas aux aspirations du début.

L'ÉPOQUE DES ESPOIRS ET DES RÊVES

A partir des dernières décennies du xve siècle se constitue en Europe une nouvelle élite, celle qui s'adosse à l'imprimerie : ces hommes s'appellent entre eux « humanistes », professeurs de « belles et bonnes » lettres, si l'on peut dire, ou hommes d'Eglise, et bien souvent les deux à la fois, ce qui expliquera leur intérêt tout particulier pour la Bible, la Parole de Dieu. Pour elle, ils vont formuler des souhaits et des rêves pour leur génération et surtout pour la suivante : un retour aux sources qui favorise une lecture généralisée de la Bible en la rendant accessible à tous.

La réalité technique de l'imprimerie ne permettra-t-elle pas d'échapper à l'usure du temps ? Il convient de noter un fait à cet égard : à la différence des religions du « Livre » telles que se présentent le judaïsme et l'islam, qui, dans les lieux de culte, s'attachent au manuscrit, le christianisme ne manifeste aucune réticence à faire traiter son livre sacré par le « nouvel art ». La chrétienté du xve siècle n'hésite pas à proposer une Bible comme premier spécimen d'une réussite typographique.

Le retour aux sources bibliques s'est-il produit ?

Le mot d'ordre : *ad fontes* ! a bien été suivi d'effets. On peut en juger, preuves en mains avec ces éditions des textes originaux dont les savants peuvent disposer à la fin du xvie siècle. Les travaux pionniers des grands humanistes, travaillant avec acharnement, seuls ou en groupes commis à une œuvre déterminée, et le plus souvent avec l'aide obscure d'une foule de correcteurs et de compilateurs, portent leurs fruits en de beaux volumes, en plusieurs tomes s'il s'agit de Polyglottes. On arrive ainsi à disposer, pour l'Ancien Testament, d'un texte hébreu satisfaisant d'une part, et d'une version critique des Septante de l'autre avec l'édition romaine de 1587. Pour le Nouveau Testament, depuis les efforts à la fois élémentaires et novateurs de Lorenzo Valla, on n'a pas cessé d'en accumuler les variantes et d'en recenser les difficultés de lecture et d'interprétation.

Quant aux versions hiéronymiennes de la Bible, même si certains doutent qu'elles soient de la plume de l'ermite de Bethléem, l'Eglise romaine entend leur donner un statut spécial par une attention portée à la « Vulgate ». Dès sa première période, le concile de Trente décide d'en fixer le degré d'autorité en un terme qui tient compte aussi bien de la hiérarchie des langues bibliques que de son usage traditionnel : la Vulgate ne bénéficie d'aucun privilège d'inspiration mais peut et doit être dite « authentique », ce qui ne signifie ni plus ni moins qu'une chose : elle est considérée comme suffisamment conforme, pour l'essentiel, aux textes originaux, pour pouvoir servir dans l'enseignement et dans la controverse ; elle est digne de confiance et d'honneur.

Ce souci d'authenticité se porte naturellement aussi sur le sens de l'Ecriture. Quel est le sens auquel songeait l'écrivain sacré toujours identifié comme instrument de Dieu ? On peut dire que la recherche du *sensus germanus* est au centre de toutes les discussions bibliques du temps. Si la systématisation des quatre sens médiévaux a disparu dans la rigidité de sa formulation — Erasme et Luther y ayant chacun à sa manière contribué —, les préoccupations qui la sous-tendaient demeurent bien présentes. Quelle que soit la confession de l'exégète, il procède généralement par étapes où on peut bien souvent retrouver les anciennes distinctions. En fait, tous s'accordent à partir de la « lettre », d'un moment consacré à l'examen philologique ou grammatical, pour se diriger ensuite, sans la rupture qu'opérera le XVIIe siècle, vers une appropriation théologique ou une application pastorale. Sans l'ambition qu'avait le dernier Moyen Age de retrouver sous chaque texte les différentes facettes de l'Ecriture, il y a bien la même visée.

Et précisément parce que le « sens » de l'Ecriture constitue le chemin par lequel la doctrine est atteinte, le débat herméneutique va l'utiliser comme arme défensive et offensive dans les affrontements confessionnels. Alors que le mot de « critique » n'est pas encore inventé même si la réalité se fait jour depuis les *Annotations* d'Erasme, le retour aux sources conduit dans les discussions de part et d'autre à leur utilisation comme preuve du bien-fondé de chaque position. Comme dans les joutes théologiques de tous temps, la Bible fait figure d'arsenal d'arguments. C'est bien pourquoi l'intérêt porté aux Pères de l'Eglise, qui est une dimension importante du retour *ad fontes*, est décisif pour le renouveau biblique du XVIe siècle. Les catholiques y voient la référence à la Tradition qui leur semble indispensable dans la compréhension qu'ils défendent, tandis que les protestants y chercheront davantage des exemples d'application de l'analogie de la foi. Mais ces débats ne déchirent pas seulement l'Eglise latine en proie à ses affrontements, ils concernent également l'orthodoxie orientale, et plus encore le judaïsme, eux aussi entraînés dans la confrontation de la tradition et des nouvelles requêtes.

La lecture pour tous

Le rêve humaniste d'une mise à la disposition de la Bible pour tous les chrétiens s'accomplit en fait au XVIe siècle, mais certainement pas selon l'évolution souhaitée. On assiste à une véritable explosion de la traduction de l'Ecriture en langue vernaculaire en tous pays et dans les principales langues : ce choix et ces tentatives font l'objet de débats passionnés dont notre dossier a voulu montrer l'arsenal des arguments de part et d'autre, toujours les mêmes, répétés à satiété. Il importe de voir que, si pour les protestants cette possibilité d'accès populaire à la Bible est comme une condition de vérité de la doctrine et de la conception de l'Eglise, le catholicisme ne nie nullement son importance, mais refuse d'en faire ce sans quoi son message serait invalide ou invalidable. L'analogie la meilleure peut-être serait celle de la communion sous les deux espèces : les réformateurs en font une nécessité pour que la Cène soit ce que le Christ a voulu léguer à son Eglise ; à l'inverse, le catholicisme tridentin estime que cette pratique liturgique, pour estimable qu'elle puisse être, ne conditionne pas la réalité du sacrement. On pourrait dire la même chose, *mutatis mutandis*, de la traduction de la Bible en langue nationale : les protestants requièrent la traduction ; les catholiques en font une commodité.

Dans les deux cas, l'Eglise romaine, devant la virulence de la contestation, choisit de ne pas céder et n'assouplit pas la discipline. Pour la Bible, cette discipline est même renforcée par une série de mesures dissuasives qui touchent non les savants mais tous ceux qui ne peuvent accéder au latin. Cette série d'autorisations nécessaires pour pouvoir posséder et lire la Bible en langue vulgaire s'accompagne d'un contrôle strict de l'orthodoxie des versions disponibles, précaution prise également par les autorités protestantes, en dépit de la différence des principes affirmés au départ. Il convient donc d'être attentif aux analogies des comportements pratiques des Eglises autant qu'aux différences tellement soulignées par le passé.

En fait, l'accès de tous les chrétiens à la Bible est beaucoup plus largement conditionné par la situation culturelle de l'époque que par ces entraves mises par les Eglises. Les masses sont encore pour la plus grande part analphabétisées et ne peuvent donc pas avoir de contact direct avec le texte. Il y a un grand contraste qui s'établit entre les efforts très louables déployés pour faciliter l'emploi du texte sacré, comme la répartition en versets ou les travaux d'établissement de concordances fort utiles aux spécialistes et l'incapacité de la foule des chrétiens à lire la Bible. Plus encore qu'à la fin du Moyen Age, une imprégnation de l'Ecriture existe par le biais de la prédication. N'est-ce pas le moyen commun aux protestants et aux catholiques, d'un renouveau pastoral sans précédent ? Les sermons se fondent plus directement sur le texte et veulent avoir une portée plus directement théologique ou catéchétique. Pendant toute cette période, l'écrit n'annule pas l'oral mais le soutient. Il n'en demeure pas moins vrai que maintenant la Bible est disponible, chez soi, à portée de la main, comme un livre peut l'être, sans la dépendance ou la contrainte du sermon ou de la liturgie.

La culture profane qui s'affirme au XVIe siècle s'adresse à un public chrétien et permet encore largement une imprégnation biblique. On continue à trouver l'Ecriture sainte dans les textes et sur la scène. Sans parler seulement des paraphrases poétiques des Psaumes ou des autres livres bibliques, ni des tragédies sacrées qui font du théâtre un lieu de rencontre avec l'Ecriture, il y a aussi dans la littérature un affleurement continuel des récits ou même des versets de la Bible : ce qui est vrai de Rabelais ou de Marguerite de Navarre, ou de Ronsard, l'est déjà moins de Cervantès, semble-t-il, ou surtout de Montaigne qui se tient à assez bonne distance, pas nécessairement respectueuse, de l'Ecriture. Ce n'est pas tellement avant lui que s'effectue la sécularisation de l'Ecriture. Mais au même moment naît une des œuvres les plus fortes inspirée par elle : celle d'un Agrippa d'Aubigné. De plus, la musique sert d'appui et de relais à la diffusion de la Bible dans le protestantisme, par les cantiques et les psaumes adaptés mettant à la portée de tous la Parole inspirée, d'une tout autre manière que ne le faisait le grégorien.

Entre le moment de l'humanisme, dans les trente premières années du siècle, et la consolidation des Réformes, la lecture de la Bible pour tous s'accomplit mais selon des itinéraires variés. Si l'on compare les moines bénédictins de Saint-Germain-des-Prés, que Lefèvre d'Etaples rencontre dans leur cloître « l'âme dégoûtée des Psaumes » et pour lesquels il compose son commentaire synoptique à la fois littéral et spirituel, avec les carmes et carmélites de la réforme issue conjointement de Thérèse d'Avila et de Jean de la Croix, on s'aperçoit bien du changement opéré : si la réforme carmélitaine ne propose pas d'herméneutique particulière, elle exige, dans la vie contemplative qu'elle restaure et raffermit, une compréhension intime, personnelle de l'Ecriture sainte, qui n'a pas besoin spécialement d'un contact avec le livre de la Bible mais se bâtit par la réception d'un enseignement spontanément axé sur le mystère qu'elle révèle.

Mais ce qui est vrai des contemplatifs et des religieux se présente de façon un peu différente chez les théologiens de profession. Alors que la *Philosophia Christi* de type érasmien proposait une approche simplifiée, unificatrice et par là irénique de la doctrine à partir de la Bible, après les affrontements confessionnels, après la réaffirmation des Confessions de foi ou les décrets dogmatiques du concile de Trente, s'ouvre le temps des nouvelles synthèses qui se mueront bientôt en nouvelles scolastiques. La Bible y est bien présente, bien visible, surtout chez les théologiens protestants, mais elle n'a plus cette place exclusive que voulaient lui donner, par choix intuitif, les humanistes, par option théologique, les réformateurs. Elle est un moteur, certes, mais à l'intérieur d'une mécanique fort complexe où réthorique et logique donnent accès au sens. C'est ainsi que s'amorce le tournant du milieu du siècle où l'Ecriture sainte devient l'objet d'enjeux institutionnels.

L'ÉPOQUE DES DISCIPLINES

Entre les années 1555 et 1560, autour de la conclusion et de la mise en œuvre de la paix d'Augsbourg, et 1570 et 1575, s'opère, au sujet de la Bible, toute une série de durcissements et de renoncements aussi. L'Ecriture sainte n'est plus seulement le champ où se livrent les batailles doctrinales et spirituelles, mais aussi le matériau avec lequel se bâtissent les forteresses. Par elle on fonde les institutions et on établit des structures qu'il faudra désormais défendre. Cela implique nécessairement une dimension dramatique du rapport à la Bible, qui se prolonge souvent en guerres de religion. Prenons quelques exemples qui nous montreront comment l'Ecriture, spécialement dans le protestantisme, implante des Eglises, dicte des comportements et va même jusqu'à assurer une identité.

Que ce soit dans le domaine de l'implantation des Eglises, au moment du passage à la « foi nouvelle » ou dans les lieux d'émigration ou de refuge, que ce soit dans l'instauration de ministères qu'un Calvin par exemple à Genève, à la suite d'un Bucer, entend instaurer dans la cité réformée, ou encore dans la pratique de la discipline à pratiquer et à imposer, la Bible est invoquée, spécialement dans le modèle proposé par les Actes des Apôtres ou dans les recommandations pauliniennes. A Zurich, à Bâle, à Strasbourg, à Genève et à Londres, Matthieu 18, 15-17 devient article de discipline et permet de justifier l'excommunication, non sans divergence dans l'interprétation du texte.

Les protestants font un usage quotidien de l'Ecriture : le choix des prénoms dans l'Ancien Testament en est un indice, marquant pour la vie une empreinte biblique plus caractérisée que chez les catholiques. Mais la vie publique et la politique sont aussi saisies par cette domination de l'Ecriture dans la société. Cinquante ans après Machiavel qui proposait une vision sans référence religieuse, la réaction est patente. La chose politique est, en référence à l'Ecriture, surtout pour l'Ancien Testament, conçue selon deux tendances. Pour l'une, la Bible est prise comme un modèle qu'il s'agit de proposer au prince, comme le fait par exemple ce véritable traité de « politique biblique » que Martin Bucer, réfugié à Cambridge propose au roi Edouard VI dans son *De regno Christi* de 1560. La seconde tendance consiste davantage à trouver dans l'Ecriture sainte, non pas tellement un modèle à reproduire qu'une théologie de l'histoire par une lecture de l'Apocalypse : telle sera l'aventure de Thomas Münzer et de tous les mouvements prophétiques contre lesquels les nouvelles Eglises protestantes réagiront avec tant de violence. La lecture anabaptiste de l'Ecriture prétend faire l'économie de l'étape d'interprétation. Calvin, refusant apocalyptique et prophétisme, impose une interprétation doctrinale normative. Sébastien Castellion en fit l'expérience lorsqu'il présenta ses traductions latine et française avec des annotations jugées hétérodoxes par Calvin. Tel sera encore le sort réservé aux interprétations bibliques de Servet et des sociniens.

Dans les guerres de religion qui déchirent le royaume de France à la fin du siècle, la Bible est aussi mise à contribution. Du Plessis-Mornay dans ses différents traités apologétiques de la théologie protestante, en particulier dans celui de l'Eglise en 1578, revient à une utilisation de la Bible comme arsenal pour la controverse. On sent d'ailleurs que l'usage tellement permanent de l'Ecriture au cours de ces décennies engendre comme une sorte de rejet et contribue paradoxalement à une sécularisation de la société qui se met lentement et douloureusement en œuvre.

L'espace et le temps ne sont bientôt plus conçus dans leur stricte référence scripturaire ou liturgique. La découverte des nouveaux mondes géographique et scientifique va obliger l'homme de la rue à subir cet abandon de ce qui avait été le seul centre concevable pour le Moyen Age. Impossible après la découverte du continent américain de faire de Jérusalem le centre du monde habité. Et progressivement les nations vont abandonner le centre de l'année liturgique pour compter le temps vécu : en France le « style de Pâques » est officiellement abandonné en 1564. Bien plus, c'est la papauté elle-même qui propose en 1582 un nouveau calendrier tenant compte des observations scientifiques. Le retard avec lequel ce calendrier « grégorien » est adopté par les nations protestantes, sauf exception, ne tient pas seulement à un sentiment anti-romain mais probablement aussi à un refus d'une certaine sécularisation du temps.

Alors qu'on se dirige vers la fin du siècle, l'enthousiasme et la fraîcheur avec lesquels l'humanisme chrétien a retrouvé la Bible ont fait place, après tant de déchirements sur l'objet même de cette grande admiration, à des religions où les disciplines ont été instaurées, restaurées, réaffirmées. Quoi qu'il en soit des distances prises, la Bible continue d'indiquer le croyable et le sacré. C'est bien là une différence essentielle avec ce qui va se passer au siècle suivant, même si on peut trouver çà ou là des précurseurs ou des audacieux.

LA BIBLE AVANT LA « CRITIQUE »

Il est vrai que Samuel Berger avait donné comme sous-titre à son livre : *La Bible au XVIe siècle*, une formule qu'on peut à bon droit juger anachronique, même si elle est au fond très prudente : « Etude sur les origines de la critique biblique ». Il faut préciser en effet : c'est le mot de « critique » dont Richard Simon à la fin du siècle suivant disait encore qu'il « n'était pas du bel usage », qui n'est pas de saison. Car il y a de fait des activités que nous pouvons juger « critiques ». La meilleure preuve en est que la fin du xviie siècle précisément va les utiliser et en quelque sorte les récupérer. Les huit volumes des *Critici sacri*, au nom évocateur du but poursuivi (Londres, 1660; Francfort, 1696), intègrent des œuvres du siècle précédent : sur l'Ancien Testament, Sébastien Münster et Vatable, mais aussi Clarius, Castellion, Arias Montano, avec également Luc de Bruges et les échanges polémiques entre Erasme et Lopez Stunica. Mais quand au même moment Richard Simon juge du xvie siècle dans son « Histoire critique », il n'y a guère que Castellion qui puisse échapper à son jugement exigeant.

Il est des questions qu'on ne pose pas vraiment quand le xvie siècle aborde la Bible. Le premier exemple serait celui de l'inspiration de cette Ecriture sainte : on voit rarement émerger une problématique concernant les auteurs bibliques, ou les genres littéraires, même si certains esprits distinguent quand même entre les livres écrits « pour la foi » ou « pour l'édification ». La confirmation de l'innerrance biblique intéresse davantage : l'archéologie débutante, à Rome en particulier, est plutôt au service de l'apologétique que d'une réelle confrontation entre les pierres et les textes.

Il en va de même pour le canon biblique. Ses implications théologiques ne sont pas vraiment envisagées. Il s'agit essentiellement de savoir si le canon hébraïque doit être ratifié comme tel ou si l'on doit prendre en considération celui de la Septante, selon la controverse qui opposait déjà à son propos Jérôme et Augustin. Après le refus du concile de Trente de distinguer formellement entre deux sortes de livres bibliques puisqu'ils relèvent tous, selon la tradition catholique de l'inspiration prophétique donnée par l'Esprit-Saint, Sixte de Sienne va en systématiser la discussion en adoptant la terminologie qui permet d'indiquer le moment d'entrée dans le canon : les livres protocanoniques et les deutérocanoniques. Les protestants dévalorisent ces derniers comme apocryphes mais les traduisent et les impriment : leur lecture publique ou privée semble admise en certains cas. Ce qui est sûr, du consentement commun des confessions, est l'intangibilité du canon. Et il demeure aussi qu'en ce qui concerne la place des différents textes, spécialement, ceux qui, même pour les catholiques, n'offrent pas de garantie d'inspiration, comme les IIIe et IVe Esdras ou encore la Prière de Manassé, aucune Bible du xvie siècle ne correspond à celle que les premiers imprimeurs pouvaient proposer.

Il est enfin une problématique qui n'appartient pas au xvie siècle, malgré toutes les assimilations hâtives et anachroniques qui ont été faites : celle d'une lecture de la Bible qui serait « privée », qu'on a stigmatisée sous le nom de « libre examen ». Le P. Joseph Lecler a bien montré en son temps « les étapes et le vocabulaire d'une controverse ».

Les réformateurs parlent seulement d' « examen », c'est-à-dire la confrontation de la doctrine conciliaire, pontificale et même patristique avec la « pure Parole de Dieu ». L'audace du projet a été ressenti comme insupportable par les catholiques, en raison du poids attaché à la Tradition et à l'autorité de l'Eglise. Mais l'expression de « libre examen » appartient au protestantisme libéral du XIXe siècle et désigne une interprétation personnelle de l'Ecriture, qui n'entre pas dans l'horizon du XVIe siècle.

Certes, le danger est prophétisé par les catholiques dans leurs controverses. Pour saint François de Sales, « la touche de la Parole de Dieu » à laquelle les réformateurs, et en particulier Théodore de Bèze, son contemporain qui emploie cette expression, veulent soumettre toute opinion, est grosse de l'éclatement ecclésial en opinions contradictoires, en herméneutiques contraires, « autant de particuliers que d'épreuves, autant d'épreuves, autant d'opinions ». Pour lui, les conciles par exemple font ce travail d'épreuve « à la touche de la Parole ». Mais on rejoint par là les diverses conceptions du magistère, de la clarté ou de l'obscurité de l'Ecriture, et le vieux thème du « nez de cire ».

C'est dire la nouveauté des grands esprits du XVIIe siècle lorsqu'ils se penchent sur la Bible, un Galilée, un Cappel, un Richard Simon pour ne rien dire des vues radicales de Spinoza en la matière. D'ailleurs la grandeur d'un siècle ne consiste pas à préparer le suivant. Celle du XVIe siècle, dans l'histoire de la Bible, est différente. Une autre époque a-t-elle autant introduit l'Ecriture au cœur de toutes ses préoccupations, chez les savants comme chez les simples croyants, dans les bibliothèques et les cabinets d'humanistes comme dans les conseils des rois et sur les champs de bataille, dans les cloîtres aussi bien que sur les scènes des théâtres ? Et ce siècle l'a fait avec une telle passion que les affrontements, les divisions comme les grandes fondations, se sont aussi opérés au nom d'un égal amour de cette Ecriture sainte.

Egal peut-être cet amour, mais s'exprimant de manière bien différente. Si nous écoutons deux grands poètes français de la fin du XVIe siècle, l'un ostensiblement catholique, l'autre profondément protestant, Pierre de Ronsard (1524-1585) et Agrippa d'Aubigné (1552-1630), nous en saisirons le contraste.

En 1563, Ronsard compose les *Discours des misères de ce temps*. Il y expose sa foi catholique contre les Prédicants, et spécialement « de Baize ». La confession de foi dont nous extrayons quelques vers ne comporte aucun éloge de l'Ecriture sainte qui pourtant y est bien présente :

> Or ce fils bien aymé qu'on nomme Jesuschrist
> (Au ventre virginal conceu du saint Esprit)
> Vestit sa deité d'une nature humaine,
> Et sans péché, porta de nos péchés la peine

Publiquement au peuple en ce monde prescha,
De son père l'honneur, non le sien, il chercha
Et sans conduire aux champs ny soldats ny armées
Fist germer l'Evangile es terres Idumées (v. 373-380).
...
Quand veinqueur de la mort dans le ciel il passa,
Pour gouverner les siens une Eglise laissa
A qui donner pouvoir de lyer et de dissoudre,
D'accuser, de juger, de damner et d'absoudre,
Promettant que toujours avecque elle seroit,
Et comme son espoux il ne la laisseroit (v. 397-401).
Ceste Eglise nous est par la tradition
De père en fils laissée en toute nation
Pour bonne et legitime, et venant des Apostres
Seulle la confessons sans en recevoir d'autres.
Elle pleine de grace et de l'esprit de Dieu
Choisit quatre temoings, S. Marc et S. Mathieu
et S. Jehan et S. Luc, et pour les faire croire
Aux peuples baptisez aprouva leur histoire (v. 409-416).
...
Comme un bon laboureur qui par sa diligence
Separe les chardons de la bonne semence
Ainsi qui voudra bien l'Evangille avancer
Il faut chasser l'abus et l'Eglise embrasser
Et ne s'en separer, mais fermement la suivre,
Et dedans son giron toujours vivre et mourir (v. 455-460).

Ici les réminiscences bibliques affleurent implicites, presque cachées, parfois transformées (1 P 2, 22-24; Ph 2, 6; Mt 28, 20; Eph 5, 31; Mt 3, 12, etc.). Sans qu'elle soit mise en évidence, l'Ecriture irrigue le texte, parfois d'une façon souterraine, parfois visiblement. Telle est la manière d'être « catholique » de Ronsard en face de la Bible.

Agrippa d'Aubigné rédige ses premières *Méditations sur les Psaumes* dès 1588, quelques mois avant la réconciliation d'Henri III et d'Henri de Navarre qu'il conseille.

S'adressant au lecteur, lors de leur édition en 1629-1630, il loue la Parole de Dieu que certains « descrient pour estre d'un style grossier, infectans d'un mortel desgoust les oreilles des Grands ».

Ce langage aussi plein de malice que d'orgueil ne se pouvant combattre par disputes ni remonstrances, pour ce que les professeurs de l'Atheisme n'advoüent leur impiété qu'a leurs disciples et complices, j'ay estimé estre à propos de faire voir comment parmi les styles les plus elaborés, et dans les discours qui pour le moins sont purgez de barbarie, les passages de l'Escriture sont non seulement un esmail sur l'or, mais comme les pierreries exquises, et relevent le langage le plus eslevé, confirment par axiomes, preuvent par arrest du Ciel, illustrent par exemples, et recreent les esprits qui aiment Dieu par ravissantes lumieres et parfaites beautez.

Et d'Aubigné de souligner que « les escrivains, prescheurs et harangueurs » citent l'Ecriture

dans les chaires et barreaux de Paris, comme aussi dans les Estats Generaux, [où] ils ont allegué les authoritez de la version vulgate, ... sachans que mesmes dans la rudesse de celle-là reluit tousjours la Majesté de celui qui prononce, et la richesse qui n'a besoin d'artifice, pour ravir à soi les yeux de l'ame et l'admiration des esprits[1].

Le temps des Réformes est clos quand est prononcé le second de ces éloges : vers 1600-1620. Une part de la fiction rêvée autour de 1500 est devenue réalité. Déjà Genèse et l'Apocalypse fondent de nouveaux développements de l'histoire de la Bible. La « Majesté » de celui qui parle par l'Ecriture demeure certes une évidence initiale que confessent de nombreux lecteurs chrétiens instruits par leurs évêques et pasteurs. Mais, dans le même temps, des juristes, des historiens, des philosophes, des linguistes, des savants en nombre croissant comprennent qu'il leur appartient d'établir l'autorité de l'Ecriture en conclusion de la chaîne de leurs observations et raisonnements. Des confrontations s'annoncent; le XVIIe siècle s'ouvre donc sur une perspective de réexamen des connaissances et des conduites acquises au long du XVIe siècle[2].

G. B. et B. R.

---

1. Agrippa d'AUBIGNÉ, *Œuvres*... Texte établi par Henri WEBER, Paris, Gallimard, 1969, p. 493 [Bibliothèque de la Pléiade].
2. Sur le regard que des « érudits et théologiens » du début du XVIIe siècle auront pour les « orientalistes » et les savants qui les précèdent de peu (J. Drusius, J.-J. Scaliger...), voir Fr. LAPLANCHE, *L'Ecriture, le Sacré et l'Histoire*..., Amsterdam et Maarssen, APA-Holland University Press, 1986, pp. 85 ss.

Bibliographie

PRÉSENTATION

La liste des Sigles (1), est suivie de deux séries de rubriques 2 à 19.

Des Usuels et des Instruments de recherche bibliographique sont identifiés (2. *Banques de données*; 3. *Ouvrages à consulter : Dictionnaire et Encyclopédies*; 4. « *La Bible* » dans quelques ouvrages de référence).

Suivent les Travaux (5-19) : ouvrages de synthèse, monographies, articles de recherches et, le cas échéant, mention de traductions, rééditions ou reprints.

Des contraintes éditoriales ont conduit à la rédaction d'une Bibliographie sélective. Toute prétention à l'exhaustivité s'efface donc ici devant des impératifs de brièveté et de commodité. Les rubriques renvoient à des chapitres ou parties du livre. Tenus à des choix, souvent personnels, nous renvoyons fréquemment à l'ouvrage récent qui comporte une *Bibliographie* à laquelle notre lecteur devra se reporter (par ex. BENTLEY J. H.); nous avons cependant retenu parfois des noms et des titres, anciens ou contemporains, dont nous souhaitions qu'ils soient directement connus.

Ce faisant, nous avons inégalement corrigé une triple distorsion, reflet bibliographique de « l'état des recherches ». — Un grand nombre des travaux accessibles porte sur la première moitié du siècle. Les ouvrages rédigés en allemand ou en anglais sont les plus nombreux. Indiquant le plus possible de textes français, nous avons omis la majeure partie de ceux qui sont publiés en espagnol, italien, hollandais, hébreu... — Des études de théologie, systématique ou historique, traitent très souvent de la Bible au XVIᵉ siècle : nous avons sciemment limité le nombre des références à ce champ peu familier à nombre de nos lecteurs, tout en donnant les moyens de les retrouver rapidement.

1. SIGLES

AFP	*Archivum Fratrum Praedicatorum*
ARG	*Archiv für Reformationsgeschichte*
AKG	Arbeiten zur Kirchengeschichte
BBAur	Bibliotheca Bibliographica Aureliana
BGBE	Beiträge zur Geschichte der Biblischen Exegese
BGBH	Beiträge zur Geschichte der Biblischen Hermeneutik
BGLRK	Beiträge zur Geschichte und Lehre der Reformierten Kirchen
BHR	*Bibliothèque d'Humanisme et Renaissance*
BHaRa	Bibliotheca Humanistica et Reformatorica
BHTh	Beiträge zur Historischen Theologie

BSHPF	*Bulletin de la Société de l'Histoire du Protestantisme français*
BWKG	Blätter für Württembergische Kirchengeschichte
CBQ	*Catholic Biblical Quarterly*
Chambers	CHAMBERS B. T., *Bibliography of French Bibles...*, Genève, 1983
ChH	*Church History*
CTJ	*Calvin Theological Journal*
CC	*Corpus Catholicorum*
CR	*Corpus Reformatorum*
EThR	*Etudes théologiques et religieuses*
FGLP	Forschungen zur Geschichte und Lehre des Protestantismus
FKDG	Forschungen zur Kirchen- und Dogmengeschichte
Index	*Index des Livres interdits...*, Sherbrooke, Genève, 1984 ss.
JEH	*Journal of Ecclesiastical History*
JRH	*Journal of Religious History*
KLK	Katholisches Leben und Kirchenreform im Zeitalter der Reformation
MennQR	*Mennonite Quarterly Review*
NeAKG	*Nederlands Kerkelijke Geschiedenis*
QFRG	Quellen und Forschungen zur Reformationsgeschichte
QGT	Quellen zur Geschichte der Täufer
RHE	*Revue d'Histoire ecclésiastique*
RHPR	*Revue d'Histoire et de Philosophie religieuses*
RSPTh	*Revue des Sciences philosophiques et théologiques*
RSR	*Recherches de Science religieuse*
RGST	Reformationsgeschichtliche Studien und Texte
RTL	*Revue théologique de Louvain*
RThPh	*Revue de Théologie et de Philosophie*
SCJ	*Sixteenth Century Journal*
SDGSTh	Studien zur Dogmatischen und Systematischen Theologie
SHCT	Studies in the History of Christian Thought
SJTh	*Scottish Journal of Theology*
SMRT	Studies in Medieval and Reformation Thought
ThLZ	*Theologische Literaturzeitung*
THR	Travaux d'Humanisme et Renaissance
TLF	Textes littéraires français
TRE	*Theologische Realenzyklopädie*
VIEGM	Veröff. des Instituts für Europäische Geschichte Mainz. Abteilung für Abendländische Religionsgeschichte
WA	Weimarer Ausgabe
Z	*Huldreich Zwinglis Sämtliche Werke*
ZBR	Zürcher Beiträge zur Reformationsgeschichte
ZKG	*Zeitschrift für Kirchengeschichte*
ZSTh	*Zeitschrift für Systematische Theologie*
ZThK	*Zeitschrift für Theologie und Kirche*

2. « BANQUES DE DONNÉES »

« Francis », accessible en France par le Serveur QUESTEL, produit par le Centre de Documentation en Sciences humaines (Paris). Edition partielle des données dans le *Bulletin signalétique 527 (CNRS) : Histoire et Sciences des Religions.*
« Religion Index Database », accessible *via* « BRS Information Technologies (New York) » ou « Dialog Information Services (Palo Alto, Ca.) », produit par ATLA (American Theological Library Association). Edition des données dans *Religion Index One* (Periodicals) et *Religion Index Two* (Multi-Authors Works).

3. OUVRAGES A CONSULTER
(Informations fondamentales et Bibliographies)

Archiv für Reformationsgeschichte | Archive for Reformation History. « Beiheft *Literaturbericht | Supplement Literature Review* », Gütersloh. Gütersloher Verlagshaus Gerd Mohn [Annuel. Jahrgang 16 = 1987].

Bibliographie de la Réforme [publiée sous les auspices de la Commission internationale d'Histoire ecclésiastique comparée au sein du Comité international des Sciences historiques], Leiden, E. J. Brill.
(Ouvrages parus de 1940 à 1955) : 1. Allemagne, Pays-Bas (2e éd. 1964); 2. Belgique, Suède, Norvège, Danemark, Irlande, Etats-Unis d'Amérique (1960); 3. Italie, Espagne, Portugal (1961); 4. France, Angleterre, Suisse (1963) ; 5. Pologne, Hongrie, Tchécoslovaquie, Finlande (1965).
(Ouvrages parus de 1940 à 1960) : 6. Autriche (1967); 7. Ecosse (1970).
(Ouvrages parus de 1956 à 1975-1976) : 8. Benelux (1982).
Bibliographie internationale de l'Humanisme et de la Renaissance, publiée par la Fédération internationale des Sociétés et Instituts pour l'Etude de la Renaissance, Genève, Droz, 1966 ss.
Bibliotheca Bibliographica Librorum Sedecimi Saeculi, edidit F. G. WAGNER. *Bibliographisches Repertorium für die Drucke des 16. Jahrhunderts*, Aureliae Aquensis, Verlag Heitz GmbH, 1960 [BBAur 3].
Contemporaries of Erasmus. A Biographical Register of the Renaissance and Reformation, ed. by P. G. BIETENHOLZ et Th. B. DEUTSCHER, Toronto, University Press, 1985 ss.
Diccionario de Historia Ecclesiastica de España, dirigido por Quintin ALDEA VAQUERO, Tomas MARIN MARTINEZ, Jose VIVES GATELL, Madrid, Instituto Enrique Flores, Consejo Superior de Investigaciones Científicas, 1972-1975.
Dictionnaire de Spiritualité ascétique et mystique. Doctrine et histoire, publié sous la direction de Marcel VILLERS s.j., assisté de F. CAVALLERA et J. de GUIBERT s.j. ... puis A. RAYEZ, A. DERVILLE et A. SOLIGNAC, Paris, Beauchesne, 1937 ss.
Dictionnaire de Théologie catholique, commencé sous la direction de A. VACANT et E. MANGENOT, continué sous celle de Mgr E. AMANN, Paris, Letouzey & Ané, 1903-1950. *Tables générales* par BERNARD LOTH et Albert MICHEL, *ibid.*, 1951-1972.
Enciclopedia Cattolica, Cité du Vatican, 1948-1954.
Encyclopaedia Judaica, Jérusalem, Keter Publishing House, 1971-1972.
Evangelisches Kirchenlexicon. Internationale Theologische Enzykloplädie, Göttingen, Vandenhoeck & Ruprecht, ³1984 ss.
FARGE James K., *Biographical Register of Paris Doctors of Theology 1500-1536*, Toronto, Pontifical Institute of Mediaeval Studies, 1980 [Subsidia Mediaevalia 10].
Gestalten der Kirchengeschichte. Bd. 5, Bd. 6 : « *Die Reformationszeit* », hrsg. von Martin GRESCHAT, Stuttgart, Kohlhammer, 1981.
Guide to Reprints. An International Bibliography of Scholarly Reprints, ed. by Ann S. DAVIS, Kent (Conn.), Guide to Reprints, 1983.
Katholische Kontroverstheologen und Reformer des 16. Jahrhunderts. Ein Werkverzeichnis, hrsg. von Wilbirgis KLAIBER, Münster, Westfalen, Aschendorffsche Verlagsbuchhandlung, 1978 [RGST, 116].
Katholische Theologen der Reformationszeit. Bd. 1, 2, 3, hrsg. von Erwin ISERLOH, Münster i. W., Aschendorff, 1984-1986 [KLK 44-46].
Klassiker der Theologie, hrsg. von Heinrich FRIES und Georg KRETSCHMAR. Bd. 1 : *Von Iraenäus bis Martin-Luther*, München, C. Beck, 1981.
Lexikon des Mittelalters, München und Zürich, Artemis Verlag, 1977 ss.
Lexikon für Theologie und Kirche. Zweite, vollig neu und bearbeitete Auflage, hrsg. von Josef HOFER und Karl RAHNER, Freiburg i. Br., Verlag Herder, 1957-1968.
Mennonite Encyclopedia (The). A Comprehensive Reference Work on the Anabaptist-Mennonite Movement, Scottdale, Mennonite Publishing House..., 1955-1959.
New Catholic Encyclopaedia, New York/Saint Louis/San Francisco, McGraw-Hill Book Company, 1967.
Oxford Dictionary of the Christian Church (The), ed. by F. L. CROSS. Second Edition, ed. by F. L. CROSS and E. A. LIVINGSTONE, Oxford, Oxford University Press, 1984.
Radikale Reformatoren. 21 biographische Skizzen von Thomas Müntzer bis Paracelsus, hrsg. von Hans J. GOERTZ, München, Beck, 1978 [Beck'sche Reihe 183].
Realencyklopädie für protestantische Theologie und Kirche, gegründet von J. J. HERZOG. In dritter verbesserter und vermehreter Auflage..., hrsg. von D. Albert HAUCK, Leipzig, J. C. Hinnch'sche Buchhandlung, 1896-1913.
Reformation Europe : A Guide to Research, ed. by Steven OZMENT, Saint Louis (Mo.), Center for Reformation Research, 1981.

Religion in Geschichte und Gegenwart (Die). Handwörterbuch für Theologie und Religion Wissenschaft. Dritte Auflage, hrsg. von Kurt GALLING, Tübingen. J. C. B. Mohr (Paul Siebeck), 1957-1965.

Revue d'Histoire ecclésiastique : « Bibliographie », Louvain-la-Neuve/Leuven [vol. LXXXII = 1987].

SCHOTTENLOHER Karl, *Bibliographie zur Deutschen Geschichte in Zeitalter der Glaubensspaltung.* Zweite unveränderte Auflage, Stuttgart, Anton Hiersemann, 1956, 1956-1962.

Theologische Realenzyklopädie, Berlin/New York, Walter de Gruyter, 1975 ss.

4. « LA BIBLE »
Dans quelques ouvrages de référence

ANDERSON Marvin W., *The Battle for the Gospel : the Bible and the Reformation, 1444-1589,* Grand Rapids (Mich.), Baker Book House, 1978.

BATAILLON Marcel, *Erasme et l'Espagne. Recherches sur l'histoire spirituelle du XVIe siècle,* Paris, Droz, [1]1937; nouv. éd. avec compléments inédits et articles sur Erasme, préparés par Ch. AMIEL et D. DEVOTO, sous presse [THR].

Erasmo y España. Estudios sobre la Historia espiritual del siglo XVI, México/Buenos Aires, Fondo de Cultura Económica, 1950.

Bibelsammlung (Die) der Württembergischen Landesbibliothek Stuttgart. — 1 Abt., Bd. 3. : *Griechische Bibeldrucke...,* beschrieben von Stefan STROHM unter Mitarbeit von Peter AMELUNG, Irmgard SCHAUFFLER und Eberhard ZWINK, 1984. — 2 Abt. Bd. 1 : *Deutsche Bibeldrucke im 15. und 16. Jahrhundert,* beschrieben von Stefan STROHM..., 1986.

Bible (The) : Texts and Translations of the Bible and the Apocrypha and their Books from the National Union Catalog, pre-1956 Imprints, Washington, Library of Congress / London, Mansell, 1981.

Biblia. Catalogo di Edizioni a stampa (1501-1957)..., Istituto Centrale per il Catalogo unico delle Biblioteche Italiane e per le informazioni bibliographiche, 1983.

Bibliotheca Sacra post Jacobi Le Long et C. F. Boerneri iteratas curas ordine disposita, emendata, suppleta, continuata ab A. G. Masch, Halae, 1778-1785.

Bibliothèque nationale (Paris) : Catalogue général des Anonymes, 1987 ss.

British Museum General Catalogue of Printed Books. Photolithographic Edition to 1955. Vol. 17 : « Bible », published by the Trustees of the British Museum, London, 1965.

Cambridge History of the Bible (The). The West from the Reformation to the Present Day, edited by S. L. GREENSLADE, Cambridge, University Press, 1963. I : « *The Bible in the Reformation* », by Roland H. BAINTON, p. 1-37; II : « *Biblical Scholarship : Editions and Commentaries* », by Basil HALL, pp. 38-93; III : « *Continental Versions to c. 1600* », p. 94-140. « 1. German », by Hans VOLZ; « 2. Italian », by Kenelm FOSTER; « 3. French », by R. A. SAYCE; « 4. Dutch », by S. VAN DER WOUDE; « 5. Spanish », by E. M. WILSON; « 6. The Bible in East-Central Europe », by R. A. AUTY; « 7. Scandinavian », by Bent NOACK. — IV : « *English Versions of the Bible, 1525-1611* », by S. L. GREENSLADE, pp. 141-174. VI : « *The Bible in the Roman Catholic Church from Trent to the Present Day* », by F. J. CREHAN, pp. 199-237. XII : « *The Printed Bibel* », by M. H. BLACK, pp. 408-475. Appendix I, Appendix II : « Aids to the Study of the Bible », « Commentaries », by D. R. JONES, pp. 520-535. Bibliography, pp. 536-549 [+ 48 reproductions].

Catalogue de l'Ecole pratique d'Etudes bibliques établie au Couvent dominicain Saint-Etienne de Jérusalem. Réalisé par Jourdain-Marie ROUSÉE et Marie-Joseph PIERRE, assistés par Anton HAZOU, Paris, Diffusion J. Gabalda & Cie, 1985.

CHAMBERS Bettye Thomas, *Bibliography of French Bibles. Fifteenth- and Sixteenth-Century French-Language Editions of the Scriptures,* Genève, Librairie Droz, 1983 [THR 192].

Christianisme (Le) est-il une « Religion du Livre » ?, Actes du Colloque organisé par la Faculté de Théologie protestante de l'Université des Sciences humaines de Strasbourg du 20 au 23 mai 1981, Strasbourg, 1984 [Assoc. des Publications de la Faculté de Théologie protestante et Assoc. pour l'Etude de la Civilisation Romaine, Etudes et Travaux 5].

DAGENS R., *Bibliographie chronologique de la littérature de spiritualité et de ses sources (1501-1610),* Paris, Desclée de Brouwer, 1952.

DE BRUYNE Dom D., *Préfaces de la Bible latine,* Namur, Godenne, 1920.

Dictionary of the Bible (A), dealing with its Language, Literature and Contents, including the Biblical Theology, edited by James HASTINGS M.A., D.D., with the Assistance of John A. SELBIE M.A., D.D., Edinburgh, T. & T. Clark, 1898-1904.

Dictionnaire de la Bible, publié par F. Vigouroux, Paris, Letouzey & Ané, 1895-1922, et *Supplément au Dictionnaire de la Bible*, sous la direction de Louis Pirot..., *ibid.*, 1928 ss.

Dictionnaire encyclopédique de la Bible, publié sous la direction du Centre « Informatique et Bible », abbaye de Maredsous (Belgique), Brepols, 1987.

Enchiridion Biblicum. Documenta ecclesiastica sacram Scripturam spectantia. Auctoritate Pontificiae Commissionis de re biblica edita, Naples, Rome, ⁴1961.

Encyclopaedia Biblica [titre et textes en hébreu]. *Thesaurus rerum biblicarum alphabetico ordine digestus*. Ediderunt Institutio Bialik... et Museum Antiquitatum Judaicarum ad Universitatem Hebraicam Hierosolymitanam pertinens. Jerusalem. 1954-1982.

Encyclopaedia Judaica : « Bible », vol. 4 (1971), col. 813-970.

Evans G. R., *The Language of the Bible : the Road to Reformation*, Cambridge, Cambridge University Press, 1985.

Handbuch der Dogmengeschichte, hrsg von M. Schmaus, L. Scheffczyk, Bd. I : « 1 *b*. Die Offenbarung : Von der Reformation bis zur Gegenwart ». Kap. 1 : Die Lehre von der Offenbarung in der tridentinischer Ära (H. Waldenfels), pp. 5-55. « 3,2*b*. Theologie der heiligen Schrift. Von der Vaterzeit bis zur Gegenwart : Die Inspiration der Heiligen Schrift » (J. Beumer s.j.). — Kap. 4 : Die älteren Konzilien (biz sum Konzil von Trient einschließlich), pp. 44-48. — Kap. 5 : Die neuere Theologie : die Reformatoren und die Protestanten, pp. 49-55, Freiburg/Basel/Wien, Herder, 1951 ss.

Handbuch der Dogmen- und Theologie-Geschichte, hrsg. von C. Andresen. Bd. 2 : *Die Lehren im Rahmen der Konfessionalität*, von B. Lohse, W. Neuser, G. Gaßman, W. Dantine, R. Slenczka, G. A. Benrath. — Bd. 3 : *Die Lehrenentwicklung im Rahmen der Oekumenizität*, von G. A. Benrath, G. Hornig, W. Dantine, E. Hultsch, R. Slenczka, Göttingen, Vandenhoeck & Ruprecht, 1980 et 1984.

Hillerbrand H. J., *Bibliographie des Täufertums (1520-1630)*, Gütersloh, Gütersloher Verlag, 1962 [QGT 10].

Histoire de l'Exégèse au XVIᵉ siècle. Textes du Colloque international tenu à Genève en 1976 réunis par O. Fatio et P. Fraenkel, Genève, Librairie Droz, 1978 [Etudes de Philologie et d'Histoire 34] [« I. *Exégèse de l'Ancien Testament* » : Problèmes généraux : F. von Gunten (Cajetan), D. Augsburger (Calvin, Exode); Exégèse du Psautier : G. B. Winkler, C. Bene (Erasme), G. Bedouelle (Lefèvre d'Etaples), G. Hobbs (M. Bucer), J. Friedmann (M. Servet), A. Séguenny (S. Franck). — « II. *Exégèse du Nouveau Testament* » : 1. Evangiles : J.-P. Massaut (Lefèvre d'Etaples, Clichtove), J. Chomarat (L. Valla, Erasme), J.-C. Margolin (Bovelles), G. Müller (Osiander), H. H. Holfelder J. Bugenhagen), Ph. Denis (Eglises de la Réforme, discipline), M. A. Screech (Mat. 2). — 2. Epîtres : « Romains » : A. Godin (Origène, Erasme), B. Roussel (Exégètes français); « Galates » : H. Feld (W. Steinbach), E. Koch (H. Bullinger); I. Backus (Aristotélisme, Calvin et Th. de Bèze). — « III. *Problèmes de méthode et de théologie* », O. Fatio (M. Flacius Illyricus, Hyperius), D. Steinmetz (Théologie et Exégèse)].

Historical Catalogue of the Printed Editions of Holy Scripture in the Library of the British and Foreign Bible Society, compiled by T. H. Darlow and H. F. Moule, London, 1903-1911.

Consulter désormais :

Historical Catalogue of the Printed Editions of the English Bible (1525-1961), revised and expanded from the Edition T. H. Darlowe and F. H. Moule (1903) by A. S. Herbert, London, British and Foreign Bible Society, 1968 [I. *English* (Reprint New York, Kraus Reprint Corporation, 1963). II. *Polyglots and Languages other than English*].

Hurter H., *Nomenclator Literarius Theologiae Catholicae Theologos exhibens aetate, natione, disciplinis distinctos*, edidit et commentariis auxit H. Hurter s.j. Editio Quarta. Cura Franciscus Pangerl s.j., t. II et III [Oeniponte (Innsbruck), 1926] = New York, Burt Franklin, s.d. [Burt Franklin Bibliographical and Reference Series, n° 39].

Index des Livres interdits, directeur J.-M. de Bujanda, Sherbrooke, Centre d'Etudes de la Renaissance, Editions de l'Université de Sherbrooke; Genève, Librairie Droz, 1984 ss. (11 volumes prévus).

Internationale Zeitschriftenschau für Bibelwissenschaft und Grenzgebiete, Düsseldorf, Patmos Verlag, 1951.

Kraeling Emil G., *The Old Testament since the Reformation*, Londres, Lutterworth Press, 1955.

KRAUS Hans Joachim, *Geschichte der Historisch-Kritischen Erforschung des Alten Testaments von der Reformation bis zur Gegenwart*, Neukirchen-Vluyn, Neukirchener Verlag ([1]1956), 2. überarb. Aufl., 1969.

LAPLANCHE François, *L'Ecriture, le Sacré et l'Histoire. Erudits et politiques protestants devant la Bible en France au XVIIe siècle*, Amsterdam et Maarssen, APA-Holland University Press (diffusion en France : Presses Universitaires de Lille), 1986. [Voir particulièrement : Première partie, chap. II : L'Ecole de Saumur, héritière du XVIe siècle : théologie, érudition et politique. « Erudits et théologiens : l'héritage humaniste dans l'Ecole de Saumur », pp. 39-100.]

LUBAC Henri de, *Exégèse médiévale. Les quatre sens de l'Ecriture*, Paris, Aubier, 1959-1964 [Théologie 41 (1-2), 42, 59].

New Catholic Encyclopaedia, New York/Saint Louis/San Francisco, McGraw-Hill Book Company, 1967 [« Bible » - « Biblical Theology », vol. II, pp. 381-550].

PIDOUX Pierre, *Le Psautier huguenot du XVIe siècle. Mélodies et documents*. Vol. 1 : *Les mélodies*. — Vol. 2 : *Documents et Bibliographie*. — Vol. 3 : cf. « Sources » : LENSELINK S. J., Bâle, Baerenreiter, 1962.

QUACK Jürgen, *Evangelische Bibelvorreden von der Reformation bis zur Aufklärung*, Gütersloh, Gütersloher Verlagshaus Gerd Mohn, 1975 [QFRG 43].

QUENTIN Henri (dom), « Aperçus sur les progrès de la critique du texte (1450-1592) », *Mémoire sur l'établissement du texte de la Vulgate*. 1re Partie : *Octateuque*, Rome, Desclée et Cie ; Paris, J. Gabalda, 1922, pp. 74-208 [Collectanea Biblica Latina 6].

RENAUDET Augustin, *Préréforme et humanisme à Paris (1494-1517)* [Paris, [2]1953], Genève, Slatkine, 1981.

ROUSSEL Bernard, « L'Epître aux Ephésiens de Laurent Valla à Sixte de Sienne et Théodore de Bèze : quelques aspects de l'histoire des écrits bibliques au XVIe siècle », *Les Règles de l'interprétation*, édité par M. TARDIEU [Centre d'Etudes des Religions du Livre], Paris, Les Éditions du Cerf, 1987, pp. 172-194 [Patrimoines-Religions du Livre].

RUPP E. Gordon, « The Bible in the Age of the Reformation », *The Church's Use of the Bible. Past and Present*, ed. by D. E. NINEHAM, London, SPCK, 1963, pp. 73-87.

SCHÄFER Rolf, *Die Bibelauslegung in die Geschichte der Kirche*, Gütersloh, Gütersloher Verlagshaus G. Mohn, 1980 [Studienbücher Theologie. Kirchen- und Dogmengeschichte].

SCHILD Maurice E., *Abendländische Bibelvorreden biz zur Lutherbibel*, Gütersloh, Gütersloher Verlagshaus Gerd Mohn, 1970 [QFRG 39].

Sommaires, divisions et rubriques de la Bible latine, Namur, Auguste Godenne, 1914.

TERRIEN Samuel, « History of the Interpretation of the Bible. III : Modern Period », *The Interpreter's Bible*, 1, New York and Nashville, Abingdon Press, 1952.

Theologische Realenzyklopädie, Berlin/New York, Walter de Gruyter, Bd. VI (1980). — Bibel IV. « 3. Reformationszeit » (WEGENAST Klaus), Bd. VI, pp. 70-77. — Bibelwissenschaft I.2. « 3. Reformation » (ROGERSON John W.), Bd. VI, pp. 347-348. — Bibelwissenschaft II. « 4. Humanismus »; « 5. Die Reformatoren » (MERK Otto), Bd. VI, pp. 379-381 (Bibliographie, pp. 395-409). — Bibelübersetzungen. « III. Mittelalterliche und Reformationzeitliche Bibelüber setzungen ». Bd. VI. 1,5. *Uebersetzungen ins Deutsche : Die Uebersetzungen der Reformationszeit* (SAUER-GEPPERT Waldtraut Ingeborg), pp. 239-246. 2. *Uebersetzungen in andere germanische Sprachen* (HALL Basil, STOLT Birgit), pp. 246-256. 3. *Uebersetzungen in romanische Sprachen* (HALL Basil, BRYNER Erich), pp. 254-261. 4. *Uebersetzungen in slavische Sprachen* (BRYNER Erich), pp. 261-265. 5. *Uebersetzungen in finno-ugrische Sprachen* (STOLT Birgit, BRYNER Erich), pp. 265-266. — Die Funktion der Bibel in der Kirche. 3. *Reformationszeit.* 4. *Neuzeit* : « 1. Orthodoxie und Frühaufklärung ». (KAPP Heinrich), Bd. VI (1980), pp. 70-80. — Bibelillustrationen. « 4. *Die druckgrafische Bibelillustration im Spätmittelalter und Neuzeit* » (KNAPPE Karl Adolf), Bd. VI (1980), pp. 146-160.

VAN DER HAEGHEN Ferdinand, *Bibliotheca Erasmiana. Répertoire des Œuvres d'Erasme* [Gand, 1893] = Nieuwkoop, B. de Graaf, 1961.

Quelques rééditions et reproductions

Early Modern Bibles. Printed Bibles and Bible translations in the 15th and 16th Centuries on microfiche, Fritz BÜSSER and Christoph WEICHERT ed., Leiden, Inter-Documentation Company [en préparation].

Biblia Pauperum. A Facsimile and Edition by Avril HENRY, Aldershot (GB), Scolar Press, 1987.

Johannes Gütenbergs zwei- und vierzigzeilige Bibel. Kommentarband zur Faksimile. Ausgabe nach dem Exemplar der Staatsbibliothek Preussischen Kulturbesitz Berlin, mit Beiträgen von S. CORSTEN, I. HUBAY, E. KÖNIG, O. MAZAL, P. R. WEBER und einem Vorwort von E. VESPER, Hrsg. von W. SCHMIDT und F. A. SCHMIDT-KÜNSEMÜLLER, München, Idion Verlag, 1979.

La Bible de Gütenberg, Paris, Les Incunables, 1985 [1. Jean-Marie DODU, La Bible de Gütenberg... : présentation historique, transcription, traduction. 2. Texte, reproduction de l'édition de Mayence, J. Gütenberg, 1453 ?].

Biblia Polyglotta Complutensia. Facsimile Edition, Madrid, Universidad Complutense de Madrid; Valencia, Edilva; Roma, Pontificio Istituto Biblico, 6 vol. in-fol., 1984.

Die Zürcher Bibel von 1531, Zürich, Theologischer Verlag, 1983.

Coverdale Bible (The) [1535]. Fac-Simile Edition. With an Introduction by Stanley L. GREENS-LADE, Folkestone (Kent), Dawson, 1975.

[Olivétan Pierre-Robert], *La Bible qui est toute la Saincte Escripture...* [réimpression de la Bible imprimée par Pierre de WINGLE, Neuchâtel, 1535], Torino, Albert Meynier, 1986.

[M. Luther], *Die Gantze Heilige Schrifft Deudsch*, Wittenberg, 1545. Letzte zu Luthers Lebzeiten erschienene Ausgabe. Hrsg. von Hans VOLZ unter Mitarbeit von Heinz BLANKE. Textre-daktion Friedrich KUR, München, Rogner & Bernhard, 1972 (2 Bde + Anhang und Dokumente).

Geneva Bible (The), A Fac-Simile of the 1560 ed. with an Introduction by Lloyd E. BERRY, Madison (Wisc.), London, The University of Wisconsin, 1969.

The Holy Bible, « Douay Version », transl. from the Latin Vulgate (Douay 1609, Rheims 1582)... with Notes compiled by Bishop Richard CHALLONER, London, Catholic Truth Society, 1963.

Genesis Octapla (The). Eight English versions of the Book of Genesis in the Tyndale-King James Tradition, ed. by Luther A. WEIGLE, London-New York-Toronto, Nelsons & Son, 1965.

Tyndale William, *William Tyndale's Five Books of Moses called The Pentateuch being a verbatim reprint of the Edition of M.CCCCC.XXX. compared with Tyndale's Genesis of 1534, and the Pentateuch in the Vulgate, Luther, and Matthews' Bible*, with various Collations and Prolegomena by the rev. J. I. MOMBERT D.D. and newly introduced by F. F. BRUCE D.D., Fontwell (Sussex), Centaur Press Ltd, 1967.

[J. Lefèvre d'Etaples éd.], *Quincuplex Psalterium*. Fac-similé de l'édition de 1513, Genève, Librairie DROZ, 1979 [THR 170].

[Erasmus von Rotterdam], *Novum Instrumentum*, Basil, 1516. Faksimile Neudruck mit einer historischen, textkritischen und bibliographischen Einleitung von H. HOLECZEK, Stuttgart, Fromman-Holzboog, 1986.

[M. Luther], *Das Newe Testament Deutzsch*, Leipzig, 1982 (= Septembertestament 1522).

[J. Lefèvre d'Etaples], *Le Nouveau Testament*. Fac-similé de la première édition Simon de COLINES, 1523. Introduction par M. A. SCREECH, Wakefield, S. R. Publishers; New York, Johnson Reprints; La Haye, Mouton, 1970.

English Hexapla of the New Testament Scriptures (The) (= Wycliffe, Tyndale 1534, Great Bible, Geneva NT 1557, Rheims, A.V.). — Rep. 1841.

New Testament Octapla (The) (= Tyndale 1534, Great Bible, Geneva NT 1557, Bishop's Bible, Rheims, A.V. ...), ed. by Luther A. WEIGLE, 1962.

5. LES HUMANISTES ET LA BIBLE

BERGER Samuel, *La Bible au XVIe siècle. Etude sur les origines de la critique biblique* [Paris-Nancy, Berger-Levrault, 1879], Genève, Slatkine, 1969.

GAROFALO Salvatore, « Gli Umanisti italiani del Secolo XV e la Bibbia », *Biblica* 27 (1946), pp. 338-375.

DE VOCHT H., *History of the Foundation and the Rise of the Collegium Trilingue Lovaniense (1517-1550)*, Louvain, Publications Universitaires, 4 vol., 1951-1955 [Humanistica Lovaniensia 10 à 13].

VACCARI Alberto, « La lettura della Bibbia alle vigilia della Riforma protestante », *Scritti di Erudizione e di Filologia*, Roma, Edizioni di Storia e Litteratura, 1952, t. 2, pp. 367-390 [Storia e Letteratura].

RENAUDET Augustin, *Préréforme et humanisme à Paris (1494-1517)*, [Paris, ²1953], Genève, Slatkine, 1981.

JARROT Catherine A. L., « Erasmus' 'in principio erat sermo'. A controversial Translation », *Studies in Philology* 61 (1961), pp. 35-40.

MORISI Anna, « La fillogia neotestamentaria di Lorenzo Valla », *Nuova Rivista Storica* 48 (1964), pp. 35-49.

PAYNE John B., « Toward the Hermeneutics of Erasmus », *Scrinium Erasmianum. Mélanges historiques publiés à l'occasion du cinquième centenaire de la naissance d'Erasme*, ed. J. COPPENS, Leiden, E. J. Brill, 1969, t. 2, pp. 13-49.

SANTINELLO Giovanni, « Cusano, Petrarca, Lefèvre, Erasme, Colet, More. Tre Meditazioni umanistice sulle Passione », *Studi sull'Umanesimo europeo*, Padoue, 1969, pp. 75-128.

FELD Helmut, « Der Humanisten-Streit um Hebräer 2.7 (Psalm 8, 6) », *ARG* 61 (1970), pp. 5-35.

HOLECZEK Heinz, *Humanistische Bibelphilologie als Reformproblem bei Erasmus von Rotterdam, Thomas More und William Tyndale*, Leiden, E. J. Brill, 1971 [SHCT 9].

DI NAPOLI Giovanni, *Lorenzo Valla. Filosofia e religione nell'umanesimo italiano*, Roma, Edizioni di Storia e Letteratura, 1971 [Uomine e Dottrine 17].

CHANTRAINE Georges, « *Mystère* » et « *Philosophie du Christ* » *selon Erasme. Etude de « La lettre à Paul Volz » et de la « Ratio verae Theologiae » (1518)*, Namur, Facultés Universitaires; Gembloux, J. Duculot, 1971.

PAYNE John B., « Erasmus Interpreter of Romans », *SCJ* 2 (1971), pp. 1-35.

CAMPOREALE S., *Lorenzo Valla. Umanesimo e teologia*, Firenze, Istituto Nazionale di Studi sul Rinascimento, 1972.

CHANTRAINE Georges, « Erasme lecteur des Psaumes », *Colloquia Erasmiana Turonensia (Douzième Stage international d'Etudes humanistes, Tours, 1969)*, ed. par J.-Cl. MARGOLIN, Paris, J. Vrin; Toronto and Buffalo, University of Toronto Press, 1972, pp. 690-712.

RABIL Albert Jr, *Erasmus and the New Testament : the Mind of a Christian Humanist*, San Antonio, Trinity University Press, 1972 [Trinity University Monograph Series in Religion 1].

WINKLER Gerhard B., *Erasmus von Rotterdam und die Einleitungs-schriften zum Neuen Testament. Formale Strukturen und theologischer Sinn*, Münster i. W., Aschendorffsche Verlagsbuchhandlung, 1973 [RGST 108].

MASSAUT Jean-Pierre, *Critique et Tradition à la veille de la Réforme en France. Etude suivie de textes inédits et annotés*, Paris, Librairie philosophique J. Vrin, 1974 [De Pétrarque à Descartes 31].

PAYNE John B., « Erasmus and Lefèvre d'Etaples as Interpreters of Paul », *ARG* 65 (1974), p. 54-82.

BEDOUELLE Guy, *Lefèvre d'Etaples et l'Intelligence des Ecritures*, Genève, Librairie Droz, 1976 [THR 152].

FELD Helmut, *Die Anfänge der modernen biblischen Hermeneutik in der spätmittelalterlichen Theologie*, Wiesbaden, F. Steiner Verlag, 1977.

BEDOUELLE Guy, *Le « Quincuplex Psalterium » de Lefèvre d'Etaples. Un guide de lecture*, Genève, Librairie Droz, 1979 [THR 171].

DE JONGE Henk Jan, « Erasmus and the *comma johanneum* », *Ephemerides Theologicae Lovanienses* 56 (1980), pp. 381-389.

CHOMARAT Jacques, *Grammaire et rhétorique chez Erasme*, Paris, Les Belles-Lettres, 1981, 2 vol. [Les Classiques de l'Humanisme].

SCHAR Max, *Das Nachleben des Origenes im Zeitalter des Humanismus*, Bâle/Stuttgart, Helbing Lichtenbahn, 1981 [Basler Beiträge zur Geschichtewissenschaft].

FELD Helmut, « Die Wiedergeburt des Paulinismus im europäischen Humanismus », *Catholica* 36 (1982), pp. 294-327.

GIBAUD Henri, *Un inédit d'Erasme : la première version du Nouveau Testament copiée par Pierre Meghen (1506-1509) : contribution à l'établissement d'une édition critique du Nouveau Testament*, Angers, Moreana, 1982.

GODIN André, *Erasme, lecteur d'Origène*, Genève, Librairie Droz, 1982 [THR 116].

BEDOUELLE Guy, « Lefèvre d'Etaples et Luther. Une recherche de frontières (1517-1527) : le cas de l'épître de Jacques », *RHPR* 63 (1983), pp. 17-32.

MASSAUT Jean-Pierre, « Lefèvre d'Etaples et l'exégèse au XVIe siècle », *RHE* 78 (1983), pp. 73-78.

BENTLEY Jerry H., *Humanists and Holy Writ. New Testament Scholarship in the Renaissance*, Princeton, Princeton University Press, 1983.

BROWN Andrew J., « The Date of Erasmus' Latin Translation of the New Testament », *Cambridge Bibliographical Society Transactions* 8 (1984), pp. 351-380.

DE JONGE Henk Jan, « Novum Testamentum a nobis versum : the Essence of Erasmus' Édition of the New Testament », *Journal of Theological Studies* 35 (1984), pp. 394-413.

— « The Character of Erasmus' Translation of the New Testament as reflected in his Translation of Hebrews 9 », *Journal of Medieval and Renaissance Studies* 14 (1984), pp. 81-87.

RUMMEL Erika, *Erasmus' Annotations on the New Testament. From Philologist to Theologian*, Toronto, University of Toronto Press, 1986 [Erasmus Studies 8].

AUGUSTIJN Cornelis, *Erasmus von Rotterdam. Leben, Werk, Wirkung*, München, C. H. Beck, 1986.

HOLECZEK Heinz, « Die Entstehung des *Novum Instrumentum* des Erasmus von Rotterdam von 1516 », *Erasmus von Rotterdam « Novum Instrumentum »*, Basel, 1516. Faksimile Neudruck mit einer historischen, textkritischen und bibliographischen Einleitung von H. H., Stuttgart, Frommann-Holzboog, 1986, pp. V-XLI.

KRÜGER Friedhelm, *Humanistische Evangelienauslegung : Desiderius Erasmus von Rotterdam als Ausleger der Evangelien in seinen Paraphrasen*, Tübingen, J. C. B. Mohr, 1986 [BHTh 68].

Lorenzo Valla e l'Umanesimo italiano. Atti del Convegno internazionale di Studi Umanistici (Parma, 18/19-10-1986). Ed. par Chr. COPPENS, J. IJSEWIJN, J. ROEGIERS et G. TOURNOY, Louvain, 1986 [Supplementa Humanistica Lovaniensia 4].

LA GARANDERIE Marie-Madeleine de, « Erasme et Luther commentateurs de la première épître de saint Jean (1, 1-7) », *Colloque erasmien de Liège... Etudes rassemblées par Jean-Pierre MASSAUT*, Paris, Les Belles-Lettres, 1987, pp. 161-175 [Bibliothèque de la Faculté de Philosophie et Lettres de Liège 247].

DE JONGE Henk Jan, « The Date and Purpose of Erasmus *Castigatio Novi Testamenti*. A Note on the Origins of the *Novum Instrumentum* ». *The Use of Greek and Latin. Historical Essays*, ed. by A. C. DIONISOTTI, A. GRAFTON and J. KRAY, London, Warburg Institute, 1988, pp. 97-110.

Quelques rééditions de textes

VALLA Lorenzo, *Collatio Novi Testament*, ed. A. PEROSA, Firenze, Sansoni, 1970.

COLET John, *Joannis Coleti Enarratio in Epistolam S. Pauli ad Romanos. An Exposition of Saint Paul's Epistle to the Romans delivered as Lectures in the University of Oxford about the Year 1497*, ed. by H. J. LUPTON [London, 1873], Reprint : New Jersey, Ridgewood, 1965.

— « Joannis Coleti Epistolae B. Pauli Expositio Literalis », *Ioannis Coleti Opuscula quaedam theologica, letters to Radilphus on the Mosaic Account of the Creation, together with other treatises by John Colet*, ed. by J. H. LUPTON [London, 1876], Reprint : New Jersey, Ridgewood, 1966, pp. 49-163, 199-281.

— *Commentary on First Corinthians. A New Edition of the Latin Text, with Translation, Annotations and Introduction* by Bernard O'KELLY and Catherine A. L. JARROTT, Binghamton (NY), 1985 [Medieval and Renaissance Texts and Studies 21].

[ERASME] :

— *D. Erasmi Roterodami Opera Omnia in decem Tomas distincta, recognovit Joannes Clericus*, Hildesheim/New York, Olms (Unveränd. reprog. Nachdruck), 1961 [t. 6 : *Novum Testamentum*; t. 7 : *Paraphrases in Novum Testamentum*; t. 9 : *Apologiae*].

— *Enchiridion Militis Christiani*, introd. et traduction par André-Jean FESTUGIÈRE, Paris, Vrin, 1971 [Bibliothèque des Textes philosophiques].

— MESNARD Pierre, « La Paraclesis d'Erasme », *BHR* 13 (1951), pp. 26-42.

— *Enarrationes in Psalmos. Pars Prior* : « Introduction générale » (Ch. BENE); *Enarratio Allegorica in Primum Psalmum...* (ed. A. GODIN); *Commentarius in Psalmum II...* (ed. Ch. BÈNÈ); *Paraphrasis in tertium Psalmum...* (ed. S. DRESDEN); *In Psalmum IV Concio*; *Enarratio Psalmi XIV...*; *In Psalmum XXII...* (ed. Ch. BÈNÈ). — *Opera Omnia Desiderii Erasmi Roterodami. Recognita et Adnotatione Critica Instructa Notisque Illustrata*. Ordinis Quinti : Tomus Secundus, Amsterdam/NewYork/Oxford, North-Holland, 1985.

— *Erasmus' Annotations on the New Testament : The Gospels*. Fac-Simile of the Final Latin Text (1535) with all earlier Variants (1516, 1519, 1522 and 1527), ed. by Anne REEVE, London, Duckworth, 1986.

— *Erasmus von Rotterdam « Novum Instrumentum »*, Basel, 1516. Faksimile Neudruck mit einer historischen, textkritischen und bibliographischen Einleitung von H. HOLECZEK, Stuttgart, Frommann-Holzboog, 1986.

— SIDER Robert D. ed., *Erasmus New Testament Scholarship, Paraphrases on Romans and Galatians*, Toronto, Toronto University Press, 1984 [Collected Works of Erasmus 42].

[LEFÈVRE D'ETAPLES Jacques] :

— *Epistres & Evangiles pour les cinquante & deux sepmaines de l'An.* Fac-Similé de la première édition Simon du BOIS, avec Introduction, note bibliographique et appendices par M.-A. SCREECH, Genève, Librairie DROZ, 1964 [THR 63].

— *The Prefatory Epistles of Jacques Lefèvre d'Etaples and related Texts*, ed. by Eugene F. RICE Jr, New York and London, Columbia University Press, 1972.

— *Epistres et Evangiles pour les cinquante et deux dimenches de l'An*, texte de l'édition Pierre de VINGLE, ed. critique avec Introduction et notes par Guy BEDOUELLE et Franco GIACONE, Leiden, E. J. Brill, 1976.

— *S. Pauli epistolae XIV ex Vulgata, adiecta intelligentia ex graeco, cumm commentariis.* Faksimilie-Neudruck der Ausgabe, Paris, 1512, Stuttgart-Bad Cannstatt, Frommann-Holzboog, 1978.

6. LUTHER ET LA BIBLE

1. *Retrouver les textes et les conditions de leur rédaction :*

ALAND Kurt, *Hilfsbuch zum Lutherstudium*, bearbeitet in Verbindung mit Ernst Otto RÜCHERT und Gerhard JORDAN, Witten, Luther-Verlag, Dritte, neubearb. und erw. Auflage, 1970.

LIENHARD Marc, *Martin Luther. Un temps, une vie, un message*, Paris, Le Centurion; Genève, Labor et Fides, ²1983.

2. *Retrouver les éditions du XVIe siècle :*

BENZING Josef, *Lutherbibliographie. Verzeichnis der gedruckten Schriften Martin Luthers bis zu dessen Tod*, bearbeitet in Verbindung mit der Weimarer Ausgabe unter Mitarbeitung von Helmut CLAUS, Baden-Baden, Heitz, 1966 [BBAur 10, 16, 19].

A compléter par :

Ergänzungen zur Bibliographie der zeitgenössischen Lutherdrucke im Anschluß an die Lutherbibliographie Josef Benzings, bearbeitet von Helmut CLAUS und Michael A. PEGG, Gotha, 1982 [Veröffentlichungen der Forschungsbibliothek Gotha, Heft 20].

3. *Edition critique :*

D. Martin Luthers Werke. Kritische Gesamtausgabe, Weimar, Hermann Böhlau [... Nachfolger], 1883 (compléments et rééditions en cours) (*citée : WA* + indication du volume, du tome, de la page, des lignes). — Dans le tome 60, publié en 1980 : « Eigenhändigen Randbemerkungen zu Erasmus' *Novum Testamentum* und *Annotationes* von 1527 » (pp. 192-228); « ... in Luthers Handexemplar des hebräischen *Alten Testaments* von 1494 » (p. 240-307); et par E. WOLGAST und H. VOLZ, « Geschichte der Luther-Ausgaben von 16. bis zum 19. Jahrhundert » (pp. 429-606); « Bibliographie der Lutherausgaben » (pp. 607-637).

Consulter également les volumes de la série *Die Deutsche Bibel*, voir pp. 213 ss.

« Archiv zur Weimarer Ausgabe der Werke Martin Luthers. Texte und Untersuchungen ». Bd. 2 : D. Martin LUTHER, *Operationes in Psalmos, 1519-1521*. Teil II : *Psalm 1 bis 10 (Vulgata)*, unter Mitarbeit von Heino GAESE, Hans Ulrich PERELS und Ursula STOCK; herausgegeben und bearbeitet von Gerhard HAMMER und Manfred BIERSACK. Wissenschaftliche Leitung Heiko Augustinus OBERMAN, Köln, Wien, Böhlau, 1981 (voir B. ROUSSEL, « Etude critique : Une édition nouvelle des *Operationes in Psalmos* », RHPR 64 (1984), pp. 271-278).

4. *Traductions françaises :*

Consulter :

JANUS Gérard, « Luther commentateur des écrits bibliques. Des traductions françaises. Bibliographie établie par G. J. », *Bulletin du Centre protestant d'Etudes et de Documentation*, n° 293, Paris, juillet-août 1984, pp. 30-31.

[Dans la série « Martin Luther, *Œuvres*, publiées sous les auspices de l'Alliance nationale des Eglises luthériennes de France et de la revue *Positions luthériennes*, Genève, Labor et Fides, 1957 ss. », ajouter : t. XII : *Commentaires de l'Epître aux Romains (t. II) (Les scolies, chap. 3, 21 jusqu'au chap. 16).* Traduction par Georges LAGARRIGUE, *ibid.*, 1985 [= MLO].]

[En préparation : traduction des Préfaces aux livres bibliques, par Pascal HICKEL, Genève, Labor et Fides.]

5. *Des travaux* :

HOLL Karl, « Luthers Bedeutung für den Fortschritt der Auslegungskunst (1920) », *Gesammelte Aufsätze zur Kirchengeschichte*. I : *Luther*, Tübingen, J. C. B. Mohr, Sechste, neu durchgesehene Auflage, 1932, pp. 544-582.

BORNKAMM Heinrich, « Die Vorlagen zu Luthers Uebersetzung des Neuen Testaments » *TL* 72 (1947), pp. 23-28.

— *Luther und das Alte Testament*, Tübingen, J. C. B. Mohr, 1948.

EBELING Gerhard, « Die Anfänge von Luthers Hermeneutik », *ZThK* 48 (1951), pp. 172-230.

— « Luthers Psalterdruck vom Jahre 1513 », *ibid.* 50 (1953), pp. 43-99;

— « Luthers Auslegung des 14 (15) Psalms in der ersten Psalmen Vorlesung im Vergleich mit der exegetischen Tradition », *ibid.* 50 (1953), pp. 280-339.

PELIKAN Jaroslav, *Luther the Expositor. Introduction to his Exegetical Writings*, Saint Louis, Concordia Publishing House, 1959 [Luther's Works, Companion Volume].

RAEDER Siegfried, *Das Hebräische bei Luther untersucht bis zum Ende der ersten Psalmenvorlesung*, Tübingen, J. C. B. Mohr, 1961 [BHTh 31].

EBELING Gerhard, *Evangelische Evangelienauslegung. Eine Untersuchung zu Luthers Hermeneutik*, Darmstadt, Wissenschaftliche Buchgesellschaft, 1962 (= 1. Aufl., München, 1942). Mit einem Vorwort zur Neuausgabe und den berichtigungen und Ergänzungen zur 1. Aufl. [FGLP Zehnte Reihe, Bd. 1].

BORNKAMM Karin, *Luthers Auslegung des Galatersbriefs von 1519 und 1531. Ein Vergleich*, Berlin, W. de Gruyter, 1963 [Arbeiten zur Kirchengeschichte 35].

BLUHM Heinz, *Martin Luther, Creative Translator*, Saint Louis, Concordia Publishing House, 1965.

RAEDER Siegfried, « Vorraussetzungen und Methode von Luthers Bibelübersetzung », *Geist und Geschichte der Reformation. Festgabe H. Ruckert zum 65. Geburtstag*, Berlin, 1966, pp. 152-178.

— *Die Benutzung der masoretischen Textes bei Luther in der Zeit zwischen der ersten und zweiten Psalmenvorlesung (1515-1518)*, Tübingen, J. C. B. Mohr, 1967 [BHTh 38].

KOLB Winfried, *Die Bibelübersetzung Luthers und ihre mittelalterlichen deutschen Vorgänger im Urteil der deutschen Geistesgeschichte von der Reformation bis zur Gegenwart*, Saarbrücken (Phil. Diss., Saarbrücken, 1970), 1972.

VOLZ Hans, « Einleitung », dans D. Martin LUTHER, *Die gantze Heilige Schrifft Deudsch*, Wittenberg, 1545. Letzte zu Luthers Lebzeiten erschienene Ausgabe. Hrsg. von Hans VOLZ unter Mitarbeit von Heinz BLANKE. Textredaktion Friedrich KUB. — München, Rogner & Bernhard, 1972, pp. 19*-144*.

KOHLS E. W., « Luthers Aussagen über die Mitte, Klarheit und Selbsttätigkeit der Heiligen Schrift », *Luther-Jahrbuch* 40 (1973), pp. 46-75.

HAHN Sönske, *Luthers Uebersetzungsweise im Septembertestament von 1522. Untersuchungen zu Luthers Uebersetzung des Römerbriefs im Vergleich mit Uebersetzungen vor ihm*, Hamburg (Diss. Theol. Hamburg, 1972), 1973 [Hamburger Philologische Studien 29].

RAEDER Siegfried, *Grammatica Theologica. Studien zu Luthers « Operationes in Psalmos »*, Tübingen, Mohr. 1977 [BHTh 51].

VOLZ Hans, *Martin Luthers deutsche Bibel. Entstehung und Geschichte der Luther Bibel*, eingeleitet von Friedrich Wilhelm KANTZENBACH, hrsg. von Henning WENDLAND, Hamburg, Friedrich Wittig Verlag, 1978.

HOFMANN Hans Ulrich, *Luther und die Johannes-Apokalypse : dargestellt im Rahmen der Auslegungsgeschichte des letzten Buches der Bibel und im Zusammenhang der theologischen Entwicklung des Reformators*, Tübingen, J. C. B. Mohr, 1982 [BGBE 24]. — Voir CONGAR Yves-M., « L'Apocalypse pour Luther et quelques-uns de ses contemporains », *RSPTh* 68 (1984), pp. 94-100.

EBELING Gerhard, *Luther. Introduction à une réflexion théologique*, Genève, Labor et Fides, 1983 [Lieux théologiques 6].

STOLT Birgit, « Luthers Uebersetzungstheorie und Uebersetzungspraxis », *Leben und Werk Martin Luthers von 1526 bis 1546. Festgabe zu seinem 500. Geburtstag. Im Auftrag des Theologischen Arbeitskreises für Reformationsgeschichtliche Forschung*, hrsg. von Helmar JUNGHANS, Berlin, Evangelische Verlagsanstalt, 1983, Bd. I, pp. 241-252, et Bd. II, pp. 797-800.

RAEDER Siegfried, « Luther als Ausleger und Uebersetzer der Heiligen Schrift », *ibid.*, Bd. I, pp. 253-278, et Bd. II, pp. 800-805.

HENDRIX Scott H., FORDE Gerhard O., STEINMETZ David C., GRITSCH Eric W., HALS Ronald L., KRODEL Gottfried, HARRISVILLE Roy A., « Luther as Interpreter of Scripture », *Interpretation* 37 (July 1983).

REINITZER Heimo, *Biblia Deutsch. Luthers Bibelübersetzung und ihre Tradition*, Hamburg, Wittig, 1983.

STREUBEL Gerhard, « Sprechsprachlich-kommunicative Wirkungen durch Luthers September-testament 1522 », *Wissenschaftlicher Zeitschrift der Friedrich-Schiller-Universität Iena. Gessell-schafts- und sprachwissenschaftliche*, Reihe 32/1-2 (1983), pp. 65-83.

BLUHM Heinz, *Luther Translator of Paul. Studies in Romans and Galatians*, New York/Berne/Frankfurt am Main, Peter Lang, 1984.

— « Untersuchungen zur Psalmenexegese Luthers », *Lutheriana. Zum 500. Geburtstag Martin Luthers von den Mitarbeiten der Weimarer Ausgabe...*, hrsg. von Gerhard HAMMER und Karl Heinz zur MÜHLEN, Köln, Wien, Böhlau Verlag, 1984, pp. 153-268 [Archiv zur Weimarer Ausgabe der Werke Martin Luthers. Texte und Untersuchungen 5] (avec des études de Siegfried RAEDER, Horst BEINTKER, Hein GAESE, Ursula STOCK, Manfred BIERSACK).

7. MELANCHTHON ET LA BIBLE

Edition de référence : Les écrits exégétiques de Melanchthon sont édités, en principe dans l'ordre chronologique (deux séries : Ancien, puis Nouveau Testament), dans les premiers volumes de *Philippi Melanthonis* [!] *Opera quae supersunt omnia*. Ed. *Carolus Gottlieb Bretschneider*, [*deinde*] *Henricus Ernestus Bindseil*, Hallis Saxonum, Brunsvigae, C. A. Schwetschke, 1834-1860 [première série des ouvrages devant constituer le *Corpus Reformatorum*].

— Vol. 13-15 : *Libri in quibus enarravit Scripturam sacram* (il s'agit souvent de notes de cours).
— Vol. 24-25 : *Postillae Melanchthonaniae.*

Edition plus récente partielle, mais avec une chronologie et des annotations plus sûres : *Werke in Auswahl*, unter Mitwirkung von Hans ENGELLAND, Gerhard EBELING, Richard NÜRN-BURGER und Hans VOLZ, hrsg. von Robert STUPPERICH, Gütersloh, C. Bertelsmann Verlag, puis Gütersloher Verlagshaus Gerd Mohn, 1951 ss.

— Bd. I et II : *Loci communes von 1521*; *Loci praecipui theologici von 1559*, hrsg. von Hans ENGELLAND [1952].
— Bd. IV : *Frühe exegetische Schriften*, hrsg. von Peter F. BARTON [1963].
— Bd. V : *Römerbrief-Kommentar 1532*, in Verbindung mit Gerhard EBELING, hrsg. von Rolf SCHÄFER [1965].
— Autre source : *Melanchthons Briefwechsel. Kritische und kommentierte Gesamtausgabe*, hrsg. von Heinz SCHEIBLE, Stuttgart, Bad Canstatt, Frommann-Holzboog, 1977 ss. [5 volumes de « Regesten » parus en 1987 (1514-1549; n° 1-5707)].

Parmi l es *monographies* :

SICK Hansjörg, *Melanchthon als Ausleger des Alten Testaments*, Tübingen, J. C. B. Mohr, 1959 [BGBH 2].

SCHAFER Rolf, « Melanchthons Hermeneutik im Römerbriefkommentar von 1532 », *ZThK* 60 (1963), pp. 216-235.

MAURER Wilhelm, *Der junge Melanchthon zwischen Humanismus und Reformation*, Göttingen, Vandenhoeck & Ruprecht, 1967.

SCHIRMER Arno, *Das Paulusverständnis Melanchthons 1518-1522*, Wiesbaden, Franz Steiner, 1967 [VIEGM 44].

DAUTRY Marcel, « Melanchthon commentateur de l'Epître de Paul aux Romains. Présentation, traduction d'extraits, réflexions, références à Luther », *Positions luthériennes* 35 (1987), pp. 32-55.

WENGERT Timothy, *Philip Melanchthon's « Annotationes in Johannem »*, Genève, Librairie Droz, 1987 [THR 220].

8. STRASBOURG, BÂLE, ZURICH

Bibliographies : voir p. 232.

Etudes :

LANG August, *Der Evangelienkommentar Martin Butzers und die Grundzüge seiner Theologie* [Leipzig, 1900, Studien zur Geschichte der Theologie in der Kirche Bd. 2, H. 1] = Aalen, Scientia Verlag, 1972.

MÜLLER Johannes, *Martin Bucers Hermeneutik*, Gütersloh, Gütersloher, Verlaghaus G. Mohn, 1965 [QFRG 32].

ROUSSEL Bernard, *Martin Bucer, lecteur de l'Epître aux Romains*, thèse dactyl., Strasbourg, 1970.

HOBBS R. Gerald, *An Introduction to the Psalms Commentary of Martin Bucer*, thèse dactyl., Strasbourg, 1971.

ROUSSEL Bernard, « Martin Bucer exégète », *Strasbourg au cœur religieux du XVIe siècle. Hommage à L. Febvre. Actes du Colloque international de Strasbourg (25-29 mai 1975)*, réunis et présentés par G. LIVET et F. RAPP; textes revus par J. ROTT, Strasbourg, Librairie Istra, 1977, pp. 153-166 [Société savante d'Alsace et des régions de l'Est, coll. « Grandes Publications », t. 12].

FRAENKEL Pierre, « Deux disputes de Bucer sur *Esaïe* », BACKUS I., FRAENKEL P., LARDET P., *Martin Bucer apocryphe et authentique. Etudes de bibliographie et d'exégèse*, Genève, Lausanne, Neuchâtel, 1983 pp. 31-40 [= Cahiers de la R.ThPh 8].

DE KROON Marijn, *Studien zu Martin Bucers Obrigkeitverständnis [Rm 13. Evangelisches Ethos und politisches Engagement*, Gütersloh, Gütersloher Verlagshaus Gerd Mohn, 1984.

HOBBS R. Gerald, « How firm a Foundation : Martin Bucer's historical Exegesis of the Psalms », *Church History* 53 (1984), pp. 477-491.

HOBBS R. Gerald, « Le félin et le dauphin : Martin Bucer dédie ses commentaires sur le Psautier au fils de François Ier », *Revue française d'Histoire du Livre*, NS 50 (1986/1), pp. 217-232.

ROUSSEL Bernard, « Martin Bucer tourmenté par les 'Spiritualistes'. L'exégèse polémique de l'Epître aux Ephésiens (1527) », *Anabaptistes et dissidents au XVIe siècle... Actes du Colloque international d'Histoire anabaptiste du XVIe siècle, tenu à l'occasion de la XIe Conférence mennonite mondiale à Strasbourg, juillet 1984*, publiés par Jean-Georges ROTT et Simon L. VERHEUS, Baden-Baden et Bouxwiller, Ed. Valentin Koerner, 1987, pp. 413-447 [Bibliotheca Dissidentium. Scripta et Studia 3].

Editions de textes de M. Bucer :

BUCER Martin, « Quomodo S. Literae pro concionibus tractandae sint », *RHPR* 26 (1946), pp. 56-58.

— [= ARETIUS FELINUS], *The Psalter of David (1530)*, transl. from the Latin by George JOYE. Introd. by G. E. DUFFIELD. Appleford, 1971 [Courtenay Fac-Simile 1].

— *Enarratio in evangelion Johannis 1528, 1530, 1536*, éd. critique par Irena BACKUS, Leiden, E. J. Brill, 1988 [SMRT; Martini Buceri Opera Latina, vol. 2].

STIERLE Beate, *Capito als Humanist*, Gütersloh, G. Mohn, 1974 [QFR 42].

HOBBS R. Gerald, « Monitio amica : Pellican à Capiton sur le danger des lectures rabbiniques », *Horizons européens de la Réforme en Alsace. Mélanges offerts à J. Rott...*, publiés par M. de KROON et M. LIENHARD, Strasbourg, Librairie Istra, 1980, pp. 81-93 [Société savante d'Alsace et des régions de l'Est. Coll. « Grandes Publications », t. 27].

MILLET Olivier, « Wolfgang Fabricius Capiton à Marguerite de Navarre (1528) : Dédicace de *In Hoseam prophetam commentarius* », « *Le Livre et la Réforme* », *Revue française d'Histoire du Livre*, NS 50 (1986/1), pp. 201-216.

BURMEISTER Karl Heinz, *Sebastien Münster. Versuch eines biographischen Gesamtbildes*, Basel und Stuttgart, Helbing & Lichtenhahn, 1963 [Basler Beitr. zur Geschichtswiss. 91].

— *Sebastien Münster. Eine Bibliographie mit 22 Abbildungen*, Wiesbaden, Guido Pressler, 1964.

— *Neue Forschungen zu Sebastian Münster...*, Ingelheim, Historischer Verein, 1971 [Beiträge zur Ingelheimer Geschichte 21].

KUENZLI Edwin, « Nachwort zu den Uebersetzungen und Erläuterungen der Psalmen [Zwingli] », *Z* 12 (= *CR* 100), pp. 829-836.

— « Zwingli als Ausleger des Alten Testamentes », *Z* 13 (= *CR* 101), pp. 869-899.

KUENZLI Edwin, « Quellenproblem und mystischer Schriftsinn in Zwinglis Genesis und Exoduskommentar », *Zwingliana* 9/4 (1950), pp. 185-206.

— *Zwingli als Ausleger von Genesis und Exodus*, Diss. masch., Zurich, 1951.

KUENZLI Edwin, « Zwinglis Jesaja-Erklärungen », *Zwingliana* 10/8 (1957), pp. 488-491.

MEYER Walter E., « Die Entstehung von Huldrych Zwinglis neutestamentlichen Kommentaren und Predigtschriften », *Zwingliana* 14/6 (1976), pp. 285-331.

HOBBS R. Gerald, « Exegetical Projects and Problems : a new Look at an undated Letter from Bucer to Zwingli », *Prophet, Pastor, Protestant : the Work of Huldrych Zwingli after*

500 years. Ed. by E. J. FURCHA and H. W. PIPKIN, Allison Park (Pa.), Pickwick Publications, 1984, pp. 89-108 [Pittsburg Theological Monographs. New Series].

HOBBS R. Gerald, « Zwingli and the Study of the Old Testament », *Huldrych Zwingli (1484-1531) : a Legacy of Radical Reform. Papers from the 1984 International Zwingli Symposium McGill University*, E. J. FURCHA ed., Montreal, McGill University - Faculty of Religious Studies, 1985, pp. 144-179 [ARC Supplement 2].

STEPHENS W. Peter, *The Theology of Huldrych Zwingli*, Oxford, Clarendon Press, 1986.

Editions de textes de H. Zwingli :

Huldreich Zwinglis Werke. Erste vollständige Ausgabe durch Melchior SCHULER und Johannes SCHULTHESS, Zurich, 8 vol. 1828-1842 + *Supplementorum fasciculus* von Georg SCHULTHESS und Kaspar MARTHALER, Zurich, 1861 [sigle : *S*].

Huldreich Zwinglis sämtliche Werke, unter Mitwirkung des Zwinglis-Vereins in Zurich, hrsg. von Emil EGLI, Georg FINSLER, Walther KÖHLER..., Berlin, puis Zurich, 1905 ss. (en cours) [= *Corpus Reformatorum* 88-(101)] [sigle Z] (Exegetica = Z, Bd. XIII-XIV).

ANDERSON Marwin W., *Peter Martyr. A reformer in Exile (1542-1562). A Chronology of Biblical Writings in England and Europe*, Nieuwkoop, B. de Graaf, 1975 [BHaRa 10].

FRAENKEL Pierre éd., *Pour retrouver François Lambert. Biobibliographie et études éditées par Pierre Fraenkel...*, Baden-Baden et Bouxwiller, Ed. Valentin Koerner, 1987 [BBAur 108].

9. PARACELSE ET LA BIBLE

PAGEL Walther, *Paracelse. Introduction à la médecine philosophique de la Renaissance*, Paris, Arthaud, 1963 [Signes des temps 15].

RUDOLPH Hartmut, « Theophrast von Hohenheim (Paracelsus), Arzt und Apostel der neuen Kreatur », *Radikale Reformatoren. 21 Biographische Skizzen von Thomas Müntzer bis Paracelsus*, hrsg. von H. Jürgen GOETZ, München, C. H. Beck, 1978, pp. 231-242.

Cahiers de l'Hermétisme. Numéro spécial, sous la direction d'Antoine FAIVRE et Frédéric TRISTAN, Paris, A. Lichel, 1980.

RUDOLPH Hartmut, « Schriftauslegung und Schriftverständnis bei Paracelsus », *Medizin Historisches Journal (Mainz)* 16 (1981), pp. 101-124.

FUSSLER Jean-Pierre, *Les idées éthiques, sociales et politiques de Paracelse (1493-1541) et leur fondement*, Strasbourg, Ass. des Publications près les Universités de Strasbourg, 1986.

GOLDAMMER Kurt, *Paracelsus in neuen Horizonten*, Wien, Verband der Wissenschaftlichen Geschichte Oesterreich, 1986 [Salzburger Beiträge zur Paracelsusforschung 24].

Edition critique des manuscrits portant sur des textes bibliques :

Theophrast von HOHENHEIM genannt PARACELSUS, *Sämtliche Werke. Zweite Abteilung : Theologische und Religionsphilosophische Schriften*, hrsg. von Kurt GOLDAMMER, Wiesbaden, Franz Steiner Verlag. Bd. III : *Dogmatische und polemische Einzelschriften* (1986); Bd. IV-Bd. VII (pp. 1-115) : *Auslegung des Psalters Davids* (1955 ss.). Bd. VII (pp. 117-359) : *Auslegung über die zehn Gebote Gottes*; Fragmentarische Entwürfe zu den zehn Geboten = Lamentationes in praecepta; « Jesajakommentar » = In Esaiam prophetam maximum philosophia; « Danielkommentar » = Explicatio in Danielemn prophetam liber quartus.

10. J. CALVIN ET LA BIBLE

1. *Bibliographies :*

ERICHSON Alfred, *Bibliographia Calviniana. Catalogus chronologicus Operum Calvini. Catalogus systematicus Operum quae sunt de Calvino cum indice auctorum alphabeticus*, ed. D. Alfredus ERICHSON [Berlin, 1900], Nieuwkoop, B. de Graaf, 1960.

NIESEL Wilhelm, *Calvin-Bibliographie, 1901-1959*, München, Kaiser, 1961.

FRAENKEL Pierre, « Petit supplément aux Bibliographies calviniennes », *BHR* 33 (1971), pp. 385-413.

KEMPFF D., *A Bibliography of Calviniana, 1959-1974*, Leiden, E. J. Brill, 1975 [SMRT 15].

Années récentes : consulter « Calvin Bibliography » publiée annuellement par Peter DE KLERK dans *Calvin Theological Journal*, vol. 6 (1971) et ss.

2. *Edition de référence :*

Ioannis Calvini Opera quae supersunt omnia... Ediderunt Guilielmus BAUM, Eduardus CUNITZ, Eduardus REUSS, Brunsvigae, apud C. A. Schwetschke et Filium, 1863-1900 [59 volumes du *Corpus Reformatorum*, nᵒˢ 29-88; *Index* divers dans le volume 58-59].

[Jean Calvin], *Commentarius in epistolam Pauli ad Romanos J. C.*, ed. T. H. L. PARKER, Leiden, E. J. Brill, 1981 [SHCT 22].

3. *Editions et traductions en français :*

— *Commentaires de Jehan Calvin sur le livre des Pseaumes avec une table fort ample des principaux points traittez és commentaires*, Paris, Ch. Meyrueis, 1859 [t. 1 : Ps 1-68; t. 2 : Ps 69-150].
— *Commentaires de Jehan Calvin sur le Nouveau Testament*, Toulouse, Société des Livres religieux, 1892-1894 [t. 1 : *Sur la concordance ou harmonie composée des trois évangélistes...*; t. 2 : *Jean, Actes*; t. 3 : *Romains-Ephésiens*; t. 4 : *Philippiens-Jude*].
— *Commentaires de Jean Calvin sur l'Ancien Testament* : 1. *Le livre de la Genèse*, texte établi par A. MALET, avec la collab. de P. MARCEL et Michel RÉVEILLAUD, Genève, Labor et Fides, 1962.
— *Commentaires de Jean Calvin sur le Nouveau Testament*, édités par Pierre MARCEL, Genève, Labor et Fides. T. 2 : *L'Evangile selon saint Jean*, texte établi par Michel RÉVEILLAUD, 1968; t. 4 : *L'Epître aux Romains*, texte établi par J.-M. NICOLE, avec la collab. de P. MARCEL et M. RÉVEILLAUD, 1960; t. 6 : *Epîtres aux Galates, Ephésiens, Philippiens, Colossiens*, 1965.
— « Epître à tous amateurs de Jésus-Christ » [Préface au Nouveau Testament (1535)], « *La vraie piété* ». *Divers traités de Jean Calvin et Confession de foi de Guillaume Farel*, textes présentés par Iréna BACKUS et Claire CHIMELLI, Genève, Labor et Fides, 1986 [Histoire et Société 12].

4. *Travaux sur l'œuvre exégétique de Jean Calvin :*

BAUMGARTNER Antoine, *Calvin hébraïsant et interprète de l'Ancien Testament*, Paris, Lib. Fischbacher, 1889.
KRUSCHE Werner, *Das Wirken des Heiligen Geistes nach Calvin*, Göttingen, Vandenhoeck & Ruprecht, 1957.
VISCHER Wilhelm, « Calvin exégète de l'Ancien Testament », *EThR* 40 (1965), pp. 213-221.
SCHELLONG Dieter, *Calvins Auslegung der synoptischen Evangelien*, München, Kaiser, 1969 [FGLP Reihe, 10, 38].
HIGMAN Francis M., « Calvin and the Art of Translation », *Western Canadian Studies in Modern Languages and Literature* 2 (1970), pp. 5-27.
PARKER Thomas H. L., *Calvin's New Testament Commentaries*, London, SCM Press, 1971.
AUGSBURGER Daniel, *Calvin and the Mosaic Law*, thèse 3ᵉ cycle (dactyl.), Strasbourg II, 1976.
STAUFFER Richard, *Dieu, la Création et la Providence dans la prédication de Calvin*, Bern/Frankfurt a. M./Las Vegas, Peter Lang, 1978 [Basler und Berner Studien zur Historischen und Systematischen Theologie 33].
GIRARDIN Benoît, *Rhétorique et Théologie. Calvin : le Commentaire de l'Epître aux Romains*, Paris, Ed. Beauchesne, 1979 [Théologie historique 54].
NEUSER Wilhelm, « Calvins Stellung zu den Apokryphen des Alten Testaments », *Text-Wort-Glaube. Studien zur Ueberlieferung, Interpretation und Autorisierung biblischer Texte Kurt Aland gewidmet*, hrsg. von M. BRECHT, Berlin, New York, W. de Gruyter, 1980, pp. 298-323 [AKG 50].
GANOCZY Alexandre und SCHELD Stefan, *Die Hermeneutik Calvins. Geistesgeschichtliche Voraussetzungen und Grundzüge*, Wiesbaden, Franz Steiner V., 1983 [VIEGM 114].
VINCENT Gilbert, *Exigence éthique et interprétation dans l'œuvre de Jean Calvin*, Genève, Labor et Fides, 1984 [Histoire et Société 5].
PARKER Thomas H. L., *Calvin's Old Testament Commentaries*, London, SCM Press, 1986.
FISCHER Danielle, « Michel Cop : Congrégation sur Josué 1, 6-11 du 11 janvier 1563, avec ce qui a été ajouté par Jean Calvin. Première impression du manuscrit original avec une introduction et des notes », *Freiburger Zeitschrift für Philosophie und Theologie* 34 (1987), pp. 205-229.
VINCENT Gilbert, « La rationalité sociologique du discours herméneutique de Jean Calvin », *ASSR* 63 (1987), pp. 133-154.
MOTTU Henri, « Le témoignage intérieur du Saint-Esprit selon Calvin », *Actualité de la Réforme...*, Genève, Labor et Fides, 1987, pp. 145-163 [Publications de la Faculté de Théologie de Genève 12].

Büsser Fritz, « Bullinger as Calvin's model in biblical exposition. An examination of Calvin's preface to the *Epistle to the Romans* », *In honor of John Calvin (1509-1564)*. *Papers from the 1986 International Calvin Symposium McGill University*, ed. by E. J. Furcha, Montréal, Faculty of Religious Studies, McGill University, 1987, pp. 64-95 [arc Supplement 3].

McKee Elsie Anne, *Elders and the Plural Ministry : The Role of Exegetical History in Illuminating John Calvin's Theology*, Genève, Librairie Droz, 1988 [thr 223].

Consulter aussi les *Actes* des Colloques du « Congrès international des Recherches calviniennes » publiés par Wilhelm H. Neuser.

ii. Théodore de Bèze et la Bible

Orientations :

Raitt Jill, « Beza Theodor (1519-1605) », *TRE*, Bd. 5 (1980), pp. 765-774.

Fatio Olivier, « Theodor Beza », *Gestalten der Kirchengeschichte*. Bd. 6 : *Die Reformationszeit*, II, hrsg. von Martin Greschat, Stuttgart/Berlin/Köln/Mainz, Verlag W. Kohlhammer, 1981, pp. 255-276.

Bibliographie :

Gardy Frédéric, *Bibliographie des œuvres théologiques, littéraires, historiques et juridiques de Th. de B.*, publiée avec la collab. de A. Dufour, Genève, Droz, 1960 [thr 41].

Fellay Jean-Blaise, « Bibliographie générale des *Nouveaux Testaments* latins et grecs de Th. de Bèze », *Théodore de Bèze exégète. Texte, traduction et commentaire de l'Epître aux Romains dans les « Annotationes in Novum Testamentum »*, thèse (dactylographiée) présentée à la Faculté autonome de Théologie de Genève, mars 1984, pp. 363-395.

Candaux Jean-Daniel (Préf.), *Le Psautier de Genève (1562-1685). Images commentées et Essai de Bibliographie*, Genève, Bibliothèque Publique et Universitaire, 1986.

Travaux bibliques :

— Participation aux *Bibles françaises* : consulter B. T. Chambers, *Bibliography...*, à partir du n° 150 (1551) : les *Apocryphes*. — « Préface à l'exposition sur l'*Apocalypse* d'Antoine du Pinet » (1557), *Correspondance de Th. de Bèze*, t. II..., pp. 231-237.

— *Responsio ad defensiones... Castellionis* (1563).

— *Psalmorum... paraphrasis poetica* (1566).

— *Lex Dei moralis, ceremonialis et politica. Moïsycarum et Romanorum legum collatio* (1577).

— *Canticum Canticorum Salomonis* (1577).

— *Sermons sur les trois premiers chapitres du Cantique des cantiques de Salomon* (1586).

— *La Bible... par les Pasteurs et Professeurs de l'Eglise de Genève* (1588; *Chambers*, n° 515).

— *Ecclesiastes. Solomonis concio ad populum habita...* (1588).

— *Jobus Theodori Bezae partim commentariis partim paraphrasi illustratus* (1589).

— *Sermons sur l'Histoire de la Passion et Sépulture de nostre Seigneur Jésus Christ, descrite par les quatre Evangélistes* (1592).

— *Sermons sur l'histoire de la résurrection de nostre Seigneur Jésus Christ* (1593).

— *Chrestiennes Méditations. Texte établi et introduction par M. Richter*, Genève, Librairie Droz, 1964 [tlf 113].

— *Abraham sacrifiant. Edition critique avec introduction et notes par K. Cameron, K. M. Hall, F. Higman*, Genève, Librairie Droz, 1967 [tlf 135].

— *Cours sur les épîtres aux Romains et aux Hébreux (1564-1566). D'après les notes de Marcus Widler. Thèses disputées à l'Académie de Genève (1564-1567)*. Edités par Pierre Fraenkel et Luc Perrottet, Genève, Librairie Droz, 1988 [thr 226].

[Psautiers français] :

Clément Marot, *Les Psaumes de Clément Marot. Edition critique du plus ancien texte : Ms Paris BN Fr. 2337 avec toutes les variantes des mss et des plus anciennes éditions jusqu'à 1543, accompagnée du texte définitif de 1562 et précédée d'une étude* par Samuel Jan Lenselink, Assen, Van Gorcum; Kassel, Bâle, Paris..., Baerenreiter, 1969 [Le Psautier huguenot 3].

Théodore de Bèze, *Psaumes mis en vers français (1551-1562), accompagnés de la version en prose de Loïs Budé*, éd. préparée par Pierre Pidoux, Genève, Librairie Droz, 1984 [thr 199].

Clément Marot et Théodore de Bèze, *Les Psaumes en vers français avec leurs mélodies*. Fac-similé de l'édition genevoise de Michel Blanchier, 1562, publié avec une Introduction de Pierre Pidoux, Genève, Droz, 1986 [tlf 338].

Sur Théodore de Bèze :

KICKEL Walter, *Vernunft und Offenbarung bei Theodor Beza. Zum Problem des Verhältnisses von Theologie und Staat*, Neukirchen-Vluyn, Neukirchener Verlag, 1967 [BGLRK 25].

FRAENKEL Pierre, *De l'Ecriture à la Dispute. Le cas de l'Académie de Genève sous Théodore de Bèze*, Genève, Lausanne, Neuchâtel, 1977 [= Cahiers de la R*ThPh* 1].

DELVAL Michel, *La doctrine du salut dans l'œuvre homilétique de Théodore de Bèze*, Paris, Ecole Pratique des Hautes Etudes, section des Sciences religieuses, 1983.

DELVAL Michel, « La prédication d'un réformateur au XVIᵉ siècle : l'activité homilétique de Théodore de Bèze », *Mélanges de Sciences religieuses* 41/2 (1984), pp. 61-86.

RAITT Jill, « Beza, Guide for the Faithful Life (Lectures on Job, Sermons on Song of Songs (1587) », *Scottish Journal of Theology* 39 (1986), pp. 83-107.

12. DES SPIRITUALISTES ET ANABAPTISTES ET LA BIBLE

1. Bibliographies :

HILLERBRAND Hans Joachim, *Bibliographie des Täufertums (1520-1630)*, Gütersloh, G. Mohn, 1962 [QFRG 30 = Quellen zur Geschichte der Täufer 10].

SPRINGER Nelson P. and KLASSEN A. J., *Mennonite Bibliography (1631-1961)*, Scottdale (Pa.), Herald Press, 1977.

Bibliotheca Dissidentium. Répertoire des non-conformistes religieux des XVIᵉ et XVIIᵉ siècles, éd. par André SEGUENNY, Baden-Baden, Ed. Valentin Koerner, 1980 ss. [BBAur 79 *et al.*].

The Mennonite Encyclopedia, ed. by H. S. BENDER, E. H. SMITH..., Scotdale, The Herald Press, 1955 ss.

Mennonistisches Lexicon, hrsg. von Christian HEGE und Christian NEFF. Fortgeführt von Harold S. BENDER und Ernst CROUS, Frankfurt a. Main, Weierhof, 1913-1937; Karlsruhe, H. Schneider, 1958 ss.

Bibliographie courante : *The Mennonite Quarterly Review*, Goshen (Indiana).

2. Synthèses historiques :

WILLIAMS George Huntston, *The Radical Reformation*, Philadelphia, The Westminster Press, 1962.

GASTALDI Ugo, *Storia dell'anabattismo*. 1 : *Dalle origini a Münster (1525-1535)* ; 2 : *Da Münster ai giorni nostri*, Torino, Claudiana, 1972 et 1981.

The Origins and Characteristics of Anabaptism / Les Débuts et les caractéristiques de l'anabaptisme. Actes du Colloque organisé par la Faculté de Théologie protestante de Strasbourg (20-22 février 1975). Avec une Bibliographie détaillée, publiée par Marc LIENHARD, The Hague, Martinus Nijhoff, 1977 [Archives internationales d'Histoire des Idées 87].

Anabaptistes et dissidents au XVIᵉ siècle. Actes du Colloque international d'Histoire anabaptiste du XVIᵉ siècle, tenu à l'occasion de la XIᵉ Conférence mennonite mondiale à Strasbourg, juillet 1984, publiés par Jean-Georges ROTT et Simon L. VERHEUS, Baden-Baden et Bouxwiller, Ed. Valentin Koerner, 1987 [*Bibliotheca Dissidentium Scripta et Studia* 3].

3. Editions de textes :

— Consulter la série des « Quellen zur Geschichte der Täufer », sous-série de la collection « Quellen und Forschungen zur Reformationsgeschichte », Gütersloh, Gütersloher Verlagshaus Gerd Mohn [= suite de « Quelle zur Geschichte der Wiedertäufer, Leipzig].

Corpus Schwenckfeldianorum, ed. by Chester David HARTRANFT, Elmer Ellsworth SCHULTZ JOHNSON, Selina GERHARDT SCHULTZ, Pennsburg (Pa.), The Board of Publication of the Schwenckfelder Church, 19 vol., 1907-1939; 1958-1961.

[Menno Simons], *Opera Omnia Theologica...*, Amsterdam, 1681.

The Complete Writings of Menno Simons. Translated from the Dutch by L. VERDUIN and edited by Ch. WENGER, Scottsdale (Pa.), Herald Press, 1956.

MUENTZER Thomas, *Schriften und Briefe. Kritische Gesamtausgabe*, unter Mitarbeit von Paul KIRN, hrsg. von Günther FRANZ, Gütersloh, G. Mohn, 1968 [QFRG 33].

Thomas MUENTZER (1490-1525), *Ecrits théologiques et politiques, Lettres choisies*, traduction, introduction et notes par Joël LEFEBVRE, Lyon, Presses Universitaires de Lyon, 1982 [Christianisme et Révolution dans l'Allemagne du XVIᵉ siècle].

— Anthologies :

Spiritual and Anabaptist Writers. Documents Illustrative of the Radical Reformation, ed. by
G. H. WILLIAMS..., Philadelphia, The Westminster Press, 1957 [The Library of Christian
Classics 25].

*Der linke Flügel der Reformation. Glaubenzeugnisse der Täufer, Spiritualisten, Schwärmer und Anti-
trinitarier*, hrsg. von Heinold FAST, Bremen, Carl Schünemann Verlag, 1962 [Klassiker
des Protestantismus 4].

Schriften von katholischer Seite gegen die Täufer ; Schriften von evangelischer Seite gegen die Täufer,
hrsg. von Robert STUPPERICH, Münster W., Aschendorffsche Verlagsbuhhandlung,
1980 et 1983 [Die Schriften der Münsterischen Täufer und ihrer Gegner 2 et 3].

Principes et doctrines mennonites, par Pierre WIDMER et John H. YODER, Montbéliard et Bruxelles,
Publications Mennonites, 1955.

4. *Travaux* :

YODER J. H., « The Hermeneutics of the Anabaptists », *MQR* 42 (1967), pp. 291-308.

MICHAELIS Heinz, *Die Verwendung und Bedeutung der Bibel in den Hauptschriften der Bauern
von 1525-1526*, Theol.-Diss., Greifswald, 1954.

WISWEDEL W., « Zum Problem 'inneres und äusseres Wort' bei den Täufern des
16. Jahrhunderts », *ARG* 46 (1955), pp. 1-19.

WENGER J. C., « Der Biblizismus der Täufer », *Das Täufertum. Erbe und Verpflichtung*,
HERSHBERGER G. hrsg., 1963, pp. 161-172.

BORNHÄUSER Christoph, *Leben und Lehre Menno Simons. Ein Kampf um das Fundament des
Glaubens (etwa 1496-1561)*, Neukirchen-Vluyn, Neukirchener Verlag, 1973 [BGLRK 35].

DISMER Rolf, *Geschichte-Glaube-Revolution. Zur Schriftauslegung Thomas Müntzers*, Diss. Theol.,
Hamburg, 1974.

GERNER G. G., *Der Gebrauch der heiligen Schrift in der oberdeutschen Täuferbewegung*, Diss. Theol.,
Heidelberg, 1973.

SEGUENNY André, *Homme charnel, homme spirituel : étude sur la christologie de Caspar Schwenckfeld
(1489-1561)*, Wiesbaden, F. Steiner, 1975 [VIEG 76].

SÉGUY Jean, *Les Assemblées anabaptistes-mennonites de France*, Paris et La Haye, Mouton, 1977
[EHESS. Société, Mouvements sociaux et Idéologies, 1re série : Etudes, 17].

FURCHA E. J., « The Paradoxa as Hermeneutical Principle. The case of S. Franck (1499-
1542) », *Spirit within Structures. Festschrift G. Johnston*, Pittsburgh, The Picwick Press,
1983, pp. 99-116 [Pittsburgh Theological Monographies 3].

LIENHARD Marc, « La Réforme à Strasbourg. Les événements et les hommes », *Histoire de
Strasbourg des origines à nos jours*. T. II : *Strasbourg des grandes invasions au XVIe siècle*, Strasbourg, Les Dernières Nouvelles d'Alsace et Istra, 1981, pp. 363-540 (= liv. VI).

BLOUGH Neal, *Christologie anabaptiste : Pilgram Marpeck et l'humanité du Christ*, Genève, Labor
et Fides, 1984 [Histoire et Société 4].

McLAUGHLIN R. Emmet, *Caspar Schwenckfeld, Reluctant Radical. His Life to 1540*, New Haven
and London, Yale University Press, 1986.

13. LA RÉFORME CATHOLIQUE

Etude de la Bible et Réforme catholique :

ALLGEIER A., « The name 'Vulgate' », *Biblica* 29 (1948), pp. 345-390.

VILNET Jean, *Bible et mystique chez saint Jean de la Croix*, Paris, Desclée de Brouwer, 1949.

BARONI Victor, *La Bible dans la vie catholique depuis la Réforme*, Lausanne, A l'Enseigne du
clocher, 1955.

KAEPPELI Thomas, « Lecteurs de la Bible à Saint-Jacques de Paris (1454-1523) », *AFP* 28
(1958), pp. 298-314.

WERBECK Wilfrid, *Jacobus Perez von Valencia, Untersuchungen zu seinem Psalmenkommentar*,
Tübingen, J. C. B. Mohr, 1959 [BHTh 28].

STRAND Kenneth A., *Reformation Bibles in the Crossfire. The Story of Jerome Emser, his anti-
lutheran Critique and his catholic Bible Version*, Ann Arbor (Mich.), Ann Arbor Publishers,
1961.

TAVARD George H., *Holy Writ or Holy Church, the Crisis of the Protestant Reformation*, London,
Burns and Oates, 1959 ; = *Ecriture ou Eglise ? La crise de la Réforme*, Paris, Le Cerf, 1963
[Unam Sanctam 42].

MONTGOMERY John Warwick, « Sixtus of Siena and Roman Catholic Biblical Scholarship in the Reformation Period », *ARG* 54 (1963), pp. 214-234.

DROZ Eugénie, « Bibles françaises après le concile de Trente (1546) », *Journal of the Warburg and Courtauld Institute* 28 (1965), pp. 209-222.

HORST U., « Der Streit um die hl. Schrift zwischen Kardinal Cajetan und Ambrosius Catharinus », *Warheit und Verkündigung (Festschrift Michael Schmaus)*, Paderborn, F. Schöningh, 1967, pp. 551-577.

MARC'HADOUR Germain, *Thomas More et la Bible. La place des livres saints dans son apologétique et sa spiritualité*, Paris, J. Vrin, 1969 [De Pétrarque à Descartes 20].

— *The Bible in the Works of Thomas More*, Nieuwkoop, B. de Graaf, 2 vol., 1969-1972.

NIETO J. C., « Mystical Theology and 'Salvation-history' in John of the Cross : Two Conflicting Methods of Biblical Interpretation », *BHR* 36 (1974), pp. 17-32.

TELLECHEA J. I., « Bible et théologie en 'langue vulgaire' : discussion à propos du catéchisme de Carranza », *L'Humanisme dans les Lettres espagnoles. XIXe Colloque international d'Etudes humanistes (Tours, juillet 1976)*, éd. par A. REDONDO, Paris, Librairie philosophique J. Vrin, 1979, pp. 219-231 [De Pétrarque à Descartes 39].

CHAIX Gérald, *Réforme et Contre-Réforme catholiques. Recherches sur la Chartreuse de Cologne au XVIe siècle*, Salzburg, Institut für Anglistik und Amerikanistik Universität Salzburg, 1981 [Analecta Cartusiana 80].

MUSSELECK Karl Heinz, *Untersuchungen zur Sprache katholischer Bibelübersetzungen der Reformationszeit*, Heidelberg, C. Winter, 1981 [Studien zum Frühhochdeutschen 6].

LLAMAS R., « Santa Teresa y su Experiencia de la Sagrada Escritura », *Teresianum. Ephemerides Carmeliticae* 33 (1982), pp. 447-513.

RENAULT E., « La lecture thérésienne de la Bible », *Carmel*, Vénasque, 1982, pp. 65-80.

HORST U., « Der Streit um die Autorität der Vulgata. Zur Rezeption der Trienter Schriftdekrets in Spanien », *Revista da Universidade de Coimbra* 29 (1983), pp. 157-252.

FARGE James K., *Orthodoxy and Reform in Early Reformation France. The Faculty of Theology of Paris (1500-1543)*, Leiden, E. J. Brill, 1985 [SMRT 32].

Concile de Trente :

CAVALLERA F., « La Bible en langue vulgaire au concile de Trente », *Mélanges E. Podechard*, Lyon, Facultés Catholiques, 1945, pp. 37-56.

VACCARI Alberto, « Esegesi e Esegeti al Concilio di Trento », *Biblica* 27 (1946), pp. 320-337. *Bibbia (La) e il Concilio di Trento. Conferenze tenute al Pontificio Istituto Biblico nel quarto Centenario del Concilio di Trento*, Roma, Pontificio Istituto Biblico, 1947 [Scripta Pontificii Instituti Biblici 96].

ORTIGUES Edmond, « Ecriture et traditions apostoliques au concile de Trente », *RSR* 36 (1949), pp. 270-299.

GEISELMANN Josef Rupert, « Das Konzil von Trient über dem Verhältnis der heiligen Scrihft und der nicht geschriebenen Traditionen. Sein Mißverständnis in der nachtridentinischen Theologie und die Ueberwindung dieses Mißverständnisses », *Die mündliche Ueberlieferung*, hrsg. v. M. SCHMAUS, München, M. Lueber, 1957, pp. 183-206.

HOLSTEIN H., « La tradition d'après le concile de Trente », *RSR* 47 (1959), pp. 367-390.

EMMI Beniamino, « Il Decreto Tridentino sulla Volgata nei commenti delle prime e seconda polemiche protestantico-cattolice », *Angelicum* 30 (1963), pp. 107-130, 228-272.

McNALLY R. E., « The Council of Trent and Vernacular Bibles », *Theological Studies* 27, 1966, pp. 204-227.

PASCOE Louis B., « The Council of Trent and Bible Study : Humanism and Scripture », *The Catholic Historical Review* 52 (1966), pp. 18-38.

MIDALI Mario, *Rivelazione, Chiesa, Scrittura e Tradizione alla IV. sessione del Concilio di Trento*, Roma, Salesianum, 1973 [Bibliotheca del Salesianum 78].

BEDOUELLE Guy, « Le Canon de l'Ancien Testament dans la perspective du concile de Trente », *Le Canon de l'Ancien Testament. Sa formation et son histoire*, éd. par J.-D. KAESTLI et O. WERMELINGER, Genève, Labor et Fides, 1984, pp. 253-282. [Le Monde de la Bible].

FRAENKEL Pierre, « Le débat entre Martin Chemnitz et Robert Bellarmin sur les Livres deutérocanoniques et la place du Siracide », *Le Canon de l'Ancien Testament. Sa formation et son histoire*, éd. par J.-D. KAESTLI et O. WERMELINGER, Genève, Labor et Fides, 1984, pp. 283-312 [Le Monde de la Bible].

BRANDMÜLLER W., « *Traditio scripturae interpres*. The Teaching of the Councils on the right Interpretation of Scripture up to the Council of Trent », *The Catholic Historical Review* 73 (1987), pp. 523-540.

14. LA BIBLE ANGLAISE

CARLETON J. G., *The Part of Rheims in the Making of the English Bible*, Oxford, 1902.

POLLARD Alfred W., *Records of the English Bible. The Documents relating to the translation and publication of the Bible in English (1525-1611)*, ed. with an Introd. by A. W. P. [London, 1911] = Repr. Folkestone, Dawsons of Pall Mall, 1974.

DAICHES David, *The King James Version of the English Bible. An Account of the Development and Sources of the English Bible of 1611, with Special Reference to the Hebrew Tradition*, Chicago, Chicago University Press, 1941.

BUTTERWORTH Charles C., *The English Primers, 1529-1545. Their Publication and Connection with the English Bible and the Reformation in England*, Philadelphia, University of Pensylvania Press, 1953.

MOZLEY James F., *Coverdale and his Bibles*, London, Lutterworth Press, 1953.

FLACK E. E., « Luthers Einfluß auf die englische Bibelübersetzung », *Zeitschrift für Systematische Theologie* 24 (1955), pp. 103-121.

BRUCE Frederik F., *The English Bible. A History of Translations*, London, Lutterworth [1961], ²1970.

POPE H. o.p., BULLOUGH S. o.p., « The History of the Rheims-Douai Version », *A Catholic Commentary on Holy Scriptures*, ed. by B. ORCHARD o.s.b., London, Darlow-Moule, 1968.

DANNER D. G., *The Theology of the Geneva Bible of 1560*, Diss. Univ. of Iowa, 1969.

HAMMOND Gerald, « William Tyndale's Pentateuch : its Relation to Luther's German Bible and the Hebrew Original », *Renaissance Quarterly* 33 (1980), pp. 351-385.

BACKUS Irena, *The Reformed Roots of the English New Testament. The Influence of Theodore Beza on the English New Testament*, Pittsburgh, The Pickwick Press, 1980 [Pittsburgh Theological Series 28].

COTTRET Bernard, « Traducteurs et divulgateurs clandestins de la Réforme dans l'Angleterre henricienne, 1520-1535 », *Revue d'Histoire moderne et contemporaine* 23 (1981), pp. 464-480.

DANNER D. G., « The Contributions of the Geneva Bible of 1560 to the English Protestant Tradition », *SCJ* 12 (1981), pp. 5-18.

BETTERIDGE Maurice, « The Bitter Notes : the Geneva Bible and its Annotations », *SCJ* 14 (1983), pp. 41-62.

HAUGAARD William P., « The Bible in the Anglican Reformation », *Anglicanism and the Bible*, ed. by F. BORSCH, 1984, pp. 11-80.

MCDIARMID J.-F., « Humanism, Protestantism and English Scripture (1533-1540) », *Journal (The) of Medieval and Renaissance Studies* 14 (1984), pp. 121-138.

LEVI Peter, *The English Bible from Wycliff to William Barnes (1534-1859)*, 2nd Worthing (Sussex), Churchman Publishing, 1985.

GINSBERG David, « Ploughboys versus Prelates : Tyndale and More and the Politics of Biblical Translation », *SCJ* 19 (1988), pp. 45-61.

15. EXÉGÈTES JUIFS ET HÉBRAÏSANTS CHRÉTIENS

GEIGER Ludwig, *Das Studium der Hebräische Sprache in Deutschland vom Ende des 15. bis zur Mitte des 16. Jahrhunderts*, Breslau, Schletter, 1870.

GINSBURG Christiand O., *Introduction to the Masoretico-critical Edition of the Hebrew Bible...* [1896] = New York, Ktav Publishing House, 1966.

CENTI T. M., « L'attivita letteraria di Santi Pagnini (1470-1530) nel campo delle scienze bibliche », *AFP* 15 (1945), pp. 5-51.

GOLDSCHMIDT Lazare, *The Earliest Editions of the Hebrew Bible*, New York, Aldus, 1950.

KUKENHEIM Louis, *Contributions à l'histoire de la grammaire grecque, latine, hébraïque à l'époque de la Renaissance*, Leyde, E. J. Brill, 1951.

RAUBENHEIMER Richard, *Paul Fagius aus Rheinzabern*, Grünstadt (Pfalz), Emil Sommer, 1957.

HAILPERIN Herman, *Rashi and the Christian Scholars*, Pittsburgh, University of Pittsburg Press, 1963.

WEIL Gérard, *Elie Levita : humaniste et massorète (1469-1549)*, Leuden, E. J. Brill, 1963 [Studia post-biblica 7].

PRIJS Josef, *Die Basler hebräischen Drucke (1492-1866)*, erg. und hrsg. von Bernhard PRIJS, Olten, Freiburg i. Br., Urs Graf Verlag, 1964.

SECRET François, *Les Kabbalistes chrétiens de la Renaissance*, Paris, Dunod, 1964 [Sigma 5].

— « Notes sur les hébraïsants chrétiens... », *Revue des Etudes juives* 123 (1964), pp. 203-235; 124 (1965), pp. 157-177.

WEIL Gérard, *Initiation à la Massorah. L'introduction au Sepher Zikhronot d'Elie Levita*, Leiden, E. J. Brill, 1964.

BEN-SASSON Haim Hillel, « Jewish-Christian Disputation in the Setting of Humanism and Reformation in the German Empire », *Harvard Theological Review* 59 (1966), pp. 369-390.

BURMEISTER Karl Heinz, « Johannes Campensis und Sebastian Münster. Ihre Stellung in der Geschichte der hebraischen Sprachstudien », *Ephemerides Theologicae Lovanienses* 46 (1970), pp. 441-460.

BARON J., « The Council of Trent and Rabbinic Literature », *Ancient and Medieval Jewish History*, New Brunswick, New Jersey, 1972.

REKERS B., *Benito Arias Montano (1527-1598)*, London, Warburg Institute; Leiden, E. J. Brill, 1972.

VIDAL SEPHIHA H., *Le ladino, judéo-espagnol calque. Deutéronome, versions de Constantinople (1547) et de Ferrare (1553)*, Paris, Institut d'Etudes Hispaniques, 1973.

HOLFELDER Hans Hermann, « Matthäus Aurogallus (ca 1490-1543) », *ZKG* 85 (1974/1), pp. 383-388.

WILLI T., « Christliche Hebraisten der Renaissance und Reformation », *Judaica* 30 (1974), pp. 100-125.

ZÜRCHER Christoph, *Konrad Pellikans Wirken in Zürich (1526-1556)*, Zürich, Theologischer Verlag, 1975 [ZBR 4].

FRIEDMAN Jerome, *Michael Servetus : a Case Study in Total Heresy*, Genève, Librairie Droz, 1978 [THR 163].

ZIMMER E., « Jewish and Christian Hebraist Collaboration in Sixteenth Century Germany », *Jewish Quarterly Review* 71 (1980), pp. 69-88.

KUNTZ Marion L., *Guillaume Postel, Prophet of the Restitution of All Things. His Life and Thought*, The Hague/Boston/London, Martinus Nijhoff Publishers, 1981 [Archives internationales d'Histoire des Idées 98].

OBERMAN Heiko, *Wurzeln des Antisemitismus. Christenangst und Judenplage im Zeitalter von Humanismus und Reformation*, Berlin, Severin & Siedler, 1981 [= *The Roots of Anti-Semitism in the Age of Renaissance and Reformation*, Philadelphia, Fortress Press, 1983].

AMIGO Lorenzo, *El Pentateuco de Constantinopla y la Bilia medieval romanceada judeoespañola : criterios y fuentes de traducción*, Salamanca, Universidad Pontificia de Salamanca, 1983 [Bibliotheca Salmaticensis, Dissertationes 4].

GOSHEN-GOTTSTEIN M. H., « The textual Criticism of the Old Testament : Rise, Decline, Rebirth », *Journal of Biblical Literature* 102 (1983), pp. 365-399.

— « Humanism and the Rise of Hebraic Studies : from Christian to Jewish Renaissance », *D. N. Freedman Festschrift*, Jérusalem, 1983, pp. 691-696.

Jewish Thought in the Sixteenth Century, ed. by Bernard Dov COOPERMAN, Cambridge (Mass.) and London, Harvard University Press, 1983, pp. 326-364 [Harvard University Center for Jewish Studies].

JONES G. Lloyd, *The Discovery of Hebrew in Tudor England : a Third Language*, Manchester/Dover (NH), Manchester Univ. Press, 1983.

CARRETTE PARRONDO Carlos, « Hebraistas Judeos conversos en la Universidad de Salamanca (siglos XV-XVI) », *Simposio Biblico Español. Salamanca 1982*, Madrid, Univ. Complutense, 1984, pp. 723-737.

ESTEVA DE LLOLET Maria Dolorès, « Presencia de la Biblia en la Historia de los Judeos conversos en la España del siglo XVI », *Simposio Biblico Español. Salamanca 1982*, Madrid, Univ. Complutense, 1984, pp. 739-756.

RÜGER Hans Peter, « Karlstadt als Hebraist an der Universität zu Wittenberg », *ARG* 75 (1984), pp. 297-308.

PATER Calvin A., *Karlstadt as the Father of the Baptist Movement*, Toronto-Buffalo, Univ. of Toronto Press, 1984.

Postel, Guillaume (1581-1981). Actes du Colloque international d'Avranches (5-9 septembre 1981), éd. par J.-Cl. MARGOLIN, Paris, Guy Tredaniel, 1985.

MARTIN-ACHARD Robert, « Aperçus sur l'enseignement de l'Ancien Testament à l'Académie et à l'Université de Genève », *RThPh* 119 (1987), p. 17-32.

MORISI-GUERRA Anna, « Incontri Ebraico-cristiani : il Psalterio poliglotto di Santi Pagnini », *Itinerari ebraico-cristiani*, Fasano, Schema, 1987.

16. TRADUIRE

1. *Des textes du XVIe siècle :*

— P.-R. OLIVÉTAN, *La Bible Qui est toute la Saincte escripture...* [*Bible d'Olivétan*], Neuchâtel, 1535 : « Apologie du translateur », fol. *iii rº-*iii vº.

— S. MÜNSTER, *Hebraica Biblia Latina... Nova...*, Bâle, 1534 : « Christiano et pio lector : ... Qua ratione consiliove facta sit aeditio...», fol. β 3 vº-β 6 vº.

— P. CHOLINUS, *Biblia Sacrosancta Testamenti Veteris & Novi...*, Zurich, 1543 : « Petrus Cholinus lectori... », fol. aa 2 rº-fol. aa 4 vº.

— S. CASTELLION, *La Bible nouvellement translatée...*, Bâle, 1555 : « Avertissement touchant cête translacion... », fol. *5 rº-*6 rº.

— B. ARIAS MONTANO [*Polyglotte d'Anvers*, 1572]. — T. VI : « B. A. M. Hispalensis in Novi Testamenti Graeci latinam interpretationem e verbo expressam ad Christianum lectorem Praefatio », fol. A 2 rº-A 3 vº; « B. A. M. Hispalensis in latinam ex hebraica veritate Veteris Testamenti interpretationem ad christianae doctrinae studiosos », fol. ‡ 2 vº-‡ 3 vº. — T. VIII : « Communes et familiares hebraicae linguae idiotismi», fol. A i vº ss.

2. *Problèmes théoriques et histoire de la traduction :*

Dictionnaires, encyclopédies et ouvrages de synthèse *(TRE, Cambridge History of the Bible...) :* voir les par. 1-3 de la *Bibliographie*.

SCHWARZ Werner, *Principles and Problems of Biblical Translation. Some Reformation Controversies and their Background*, Cambridge, University Press, 1953.

MOUNIN Georges, *Les problèmes théoriques de la traduction*, Paris, Gallimard, 1963 [Bibliothèque des Idées].

BORST Arno, *Der Turmbau von Babel. Geschichte der Meinungen über Ursprung und Vielfalt der Sprachen und Völker*. Bd. III, Teil I, « 2. Humanismus und Reformation », « 3. Konfession und Skepsis », Stuttgart, Anton Hiersemann, 1960, pp. 1048-1262.

NIDA Eugène Albert, *Toward a Science of Translating. With special reference to principles and procedures involved in Bible Translating*, Leiden, E. J. Brill, 1964.

— *Comment traduire la Bible*, Paris, Alliance Biblique Universelle, 1967.

DUBOIS Claude-Gilbert, *Mythe et langage au XVIe siècle*, Bordeaux, Ducros, 1970.

KELLEY Donald R., *Foundations of Modern Historical Scholarship : Language, Law and History in the French Renaissance*, New York and London, Columbia University Press, 1970.

MARGOT Jean-Claude, *Traduire sans trahir. La théorie de la traduction et son application aux textes bibliques*, Lausanne, L'Age d'Homme, 1979 (Bibliographie, pp. 341-363).

CAVE Terence, *The Cornucopian text : Problems of Writing in the French Renaissance*, Oxford, Clarendon Press, 1979.

KELLY Louis G., *The True Interpreter. A History of Translation. Theory and Practice in the West*, Oxford, Blackwell, 1979.

GUILLERM Luce, « L'auteur, les modèles et le pouvoir ou la topique de la traduction au XVIe siècle en France », *Revue des Sciences humaines*, 52e année, nº 180 (1980), pp. 71-103.

LADMIRAL J. R., MESCHONNIC H. *et al.*, « La traduction », *Langue française*, 1981, nº 51.

Uebersetzungswissenschaft, hrsg. von Wolfram WILSS, Darmstadt, Wissenschaftliche Buchgesellschaft, 1981 [Wege der Forschung].

NORTON Glyn P., *The Ideology and Language of Translation in Renaissance France and their Humanist Antecedents*, Genève, Librairie Droz, 1984 [THR 201].

RICE Eugene F. Jr, *Saint Jerome in the Renaissance*, Baltimore and London, The John Hopkins University Press, 1985 [The John Hopkin Symposia in Comparative History 13].

COLETTI Vittorio, *L'éloquence de la chaire. Victoires et défaites du latin entre Moyen Age et Renaissance* (trad. de *Parole del pulpito*, 1983), Paris, Le Cerf, 1987.

GUILLERM Luce, *Sujet de l'écriture et traduction autour de 1540*, Atelier national de Reproduction des Thèses (diffusion : Paris, Aux Amateurs de Livres), 1988.

Les problèmes d'expression dans la traduction biblique. Traduction, interprétation, lectures. Actes du Colloque des 7-8 novembre 1986, édités par H. GIBAUD, Angers, Université Catholique de l'Ouest, Institut de Perfectionnement en Langues vivantes, 1988 [Cahiers du Centre de Linguistique religieuse, n° 1].

3. Pour l'étude des Bibles françaises :

RANCŒUR René, *Bibliographie de la littérature française du Moyen Age à nos jours*, Paris, A. Colin jusqu'en 1980. A partir de 1981, intégrée dans *Revue d'Histoire littéraire de la France*.

Bibliographie der Französischen Literaturwissenschaft / Bibliographie d'Histoire littéraire de la France, Frankfurt a. Main, Vittorio Klostermann [t. XXIV = 1986].

Bibliothèque d'Humanisme et Renaissance, « Travaux et Documents ».

Nouvelle Revue du XVIᵉ siècle.

VOGEL Paul Heinz, *Europäische Bibeldrucke des 15. und 16. Jahrhunderts in den Volkssprachen. Ein Beitrag zur Bibliographie des Bibeldrucks*, Baden-Baden, Verlag Heitz GmbH, 1962 [BBAur 5].

RICHARD Willy, *Untersuchungen zur Genesis der reformierten Kirchenterminologie der Westschweiz und Frankreichs, mit besonderer Berucksichtigung der Namengebung*, Bern, A. Francke, 1959.

BRUNOT Ferdinand, *Histoire de la langue française, des origines à nos jours*, nouv. éd. préfacée par G. ANTOINE. 2 : *Le XVIᵉ siècle*, bibliographie et notes complémentaires par Hélène NAÏS, Paris, Armand Colin, 1967.

GOUGENHEIM Georges, *Grammaire de la langue française du XVIᵉ siècle*, nouv. éd. entièrement refondue (ouvrage posthume), Paris, Ed. A. et J. Picard, 1974 [Connaissance des Langues 8].

DEMAIZIÈRE C., *La grammaire française au XVIᵉ siècle : les grammairiens picards*. Thèse, Université de Paris IV, 1983. Diffusée par Didier-Erudition.

TOBLER A., LOMMATZSCH E., *Altfranzösisches Wörterbuch*, Berlin, Weidmannsche Buchhandlung, 1925-1938; Wiesbaden, F. Steiner, 1955 ss. (T. 10 = « T » en 1976).

HUGUET Edmond, *Dictionnaire de la langue française du XVIᵉ siècle*, Paris, Librairie Ancienne Edouard Champion, 7 t., 1925-1967.

KESSELRING W., *Dictionnaire chronologique du vocabulaire français : le XVIᵉ siècle*, Heidelberg, Carl Winter, 1981.

REUSS Edouard, *Fragments littéraires et critiques relatifs à l'histoire de la Bible française*, avec une Introduction de G. E. WEIL, Genève, Slatkine, 1979 (repr. d'articles parus entre 1851 et 1867).

KUNZE Horst, *Die Bibelübersetzungen von Lefèvre d'Etaples und P. R. Olivetan verglichen in ihren Wortschatz*, Leipzig, Verlag M. Dittert, 1935 [Leipziger Romanistichen Studien II].

DE CLERCQ C., « La Bible française de R. Benoist », *Gütenberg-Jahrbuch*, 1957, pp. 168-174.

BOSSARD Maurice, « Le vocabulaire de la Bible française de Castellion (1555) », *Etudes de Lettres* (Lausanne), série 2, t. 2 (1959), pp. 61-86.

KELLER Erich, « Castellios Uebertragung der Bibel ins Französische », *Romanische Forschungen* 71 (1959), pp. 383-403.

BOGAERT Pierre-Marie, « Les versions françaises de la Bible au XVIᵉ siècle, sources de controverses et symboles d'unité », *Les religions facteurs de paix, facteurs de guerre* [Les Cathiers du Centre de Recherches sur la paix, n° 2], Louvain-la-Neuve, 1979, pp. 33-34.

ROUSSEL Bernard, « Simon du Bois, P. Olivétan, Etienne Dolet, auteurs ou éditeurs de traductions de textes de Martin Bucer : l'exemple du Psaume 1 (1529-1542) », *RHPR* 59 (1979), pp. 529-539.

BOGAERT Pierre-Marie et GILMONT Jean-François, « La première Bible française de Louvain (1550) », *Revue théologique de Louvain* 11 (1980), pp. 276-281.

CHAMBERS Bettye Thomas, *Bibliography of French Bibles. Fifteenth- and Sixteenth-Century French-Language Editions of the Scriptures*, Genève, Librairie Droz, 1983 [THR 192] (Bibliographie, p. 514-519).

BARTHÉLEMY Dominique, *Critique textuelle de l'Ancien Testament. Rapport final du Comité pour l'Analyse textuelle de l'Ancien Testament hébreu institué par l'Alliance biblique universelle...* 1. *Josué, Juges, Ruth, Samuel, Rois, Chroniques, Esdras, Néhémie, Esther* : « Introduction : L'histoire de la critique textuelle de l'Ancien Testament depuis ses origines jusqu'à D. Michaelis », 1982, p. *1-*63. 2. *Isaïe, Jérémie, Lamentations* : 1. Introduction. 2. Origines des corrections et Excursus (I. R. Estienne éditeur de la Bible. II. La Bible de Vatable aux prises avec l'Inquisition espagnole), 1986, pp. *16-*71, Fribourg, Editions Universitaires, Göttingen, Vandenhoeck & Ruprecht, 1982 et 1986 [Orbis Biblicus et Orientalis 50/1 et 2].

ROUSSEL Bernard, « La Bible d'Olivétan : la traduction du prophète Habacuc », *EThR* 57 (1982), pp. 537-557.

ARMSTRONG Bryan G., « Geneva and the Theology and Politics of French Calvinism : the Embarassment of the Bible of the Pastors and Professors of Geneva », *Calvinus Ecclesiae Genevensis Custos...*, Frankfurt a. M..., Peter Lang, 1984, pp. 113-133.

ROUSSEL Bernard, « Les nouveaux Jérôme (1525-1535) : le psautier traduit en français *iuxta hebraeos* », *La Réforme. Enracinement socioculturel...*, Paris, Editions de la Maisnie, 1985, pp. 273-282.

GILMONT Jean-François, « La fabrication et la vente de la Bible d'Olivétan », *Musée neuchâtelois*, 3e sér., 22e année, 1985, pp. 213-224.

LIEBING Heinz, « Die Schriftauslegung Sebastian Castellios », *Humanismus-Reformation-Konfession. Beiträge zur Kirchengeschichte...*, hrsg. von Wolfgang BIENERT und Wolfgang HAGE, Marburg, N. G. Elwart Verlag, 1986, pp. 11-124 [Marburger Theologische Verlag].

O ivétan, traducteur de la Bible, Actes du Colloque Olivétan (Noyon, mai 1985), présentés par Georges CASALIS et Bernard ROUSSEL, Paris, Les Editions du Cerf, 1987 (Contributions de S. AMSLER (Es 53), G. AUDISIO (Vaudois, Bible en français), G. CASALIS (Culture et traduction), J.-C. DONY (Bibliothèque d'O.), J.-F. GILMONT (Fabrication et commercialisation de la Bible d'O.; Jean Crespin), A. GODIN (Erasme et la Picardie), B. ROUSSEL (Traduction Es 3 et Eph 1), G. TOURN (Vaudois et Bible d'O.), M. VEISSIÈRE (Bible française dans le diocèse de Meaux)].

17. LA CULTURE ET LA BIBLE

DOUEN Emmanuel-Orentin, *Clément Marot et le Psautier huguenot. Etude historique, littéraire, musicale et bibliographique, contenant les mélodies primitives des Psaumes et des spécimens d'harmonie,* Paris, Imprimerie Nationale, 1878-1879.

BESSON Marius, *L'Eglise et la Bible,* Genève, SADEA, 1927, avec 142 illustrations.

LEBÈGUE Raymond, *La tragédie religieuse en France. Les débuts (1514-1573),* Paris, Champion, 1929.

LEFRANC Abel, *Le Collège de France (1530-1930). Livre jubilaire composé à l'occasion de son quatrième centenaire,* Paris, PUF, 1932.

LOCKWOOD D. P., BAINTON R. H., « Classical and Biblical Scholarship in the Age of the Renaissance and the Reformation », *ChH* 10 (1941), pp. 2-21.

LECLER Joseph, « Littéralisme biblique et typologie au XVIe siècle : l'Ancien Testament dans les controverses protestantes sur la liberté religieuse », *RSR* 41 (1953), pp. 76-95.

WEBER Henri, *La création poétique au XVIe siècle en France, de Maurice Scève à Agrippa d'Aubigné,* Paris, Nizet, 1955.

HARBISON E. Harris, *The Christian Scholar in the Age of the Reformation,* Grand Rapids (Mich.), W. B. Eerdmans Publishing Company, 1956.

SCREECH Michael, *Marot évangélique,* Genève, Droz, 1967 [Etudes de Philologie et d'Histoire].

GANOCZY Alexandre, *La Bibliothèque de l'Académie de Calvin. Le catalogue de 1572 et ses enseignements,* Genève, Librairie Droz, 1969 [Etudes de Philologie et d'Histoire 13].

JEANNERET Michel, *Poésie et tradition biblique au XVIe siècle. Recherches stylistiques sur les paraphrases des Psaumes, de Marot à Malherbe,* Paris, Corti, 1969.

LECLER Joseph, « Protestantisme et 'Libre examen'. Les étapes et le vocabulaire d'une controverse », *RSR* 57 (1969), pp. 321-374.

STAUFFER Richard, « Calvin et Copernic », *Revue de l'Histoire des Religions* 179 (1971), pp. 31-40.

GREEN Lowell C., « The Bible in Sixteenth-Century Humanist Education », *Studies in the Renaissance* 19 (1972), pp. 112-134.

LARÈS Micheline M., *Bible et civilisation anglaise : naissance d'une tradition (Ancien Testament),* Paris, Didier, 1974 [Publications de la Sorbonne. Littérature 6 - Etudes anglaises 54].

LE HIR Yves, *Les drames bibliques de 1541 à 1600. Etude de langue et de style,* Grenoble, Presses Universitaires de Grenoble, 1974.

BALL Brian W., *A Great Expectation. Eschatological Thought in English Protestantism to 1660,* Leiden, E. J. Brill, 1975 [SHCT 12].

PARACHOFF Naomi E., *Playwrights, Preachers and Politicians : a Study of Four Tudor Old Testament Dramas*, Salzburg, Institut für Englische Sprache und Literatur, Univ. Salzburg, 1975 [Salzburg Studies in English Literature, Elizabethan and Renaissance Studies 45].

HIGMAN Francis M., « The Reformation and the French Language », *L'Esprit créateur* 16 (1976/4), pp. 20-36.

WILSON Derek, *The People and the Book. The Revolutionary Impact of the English Bible (1380-1611)*, London, Barrie & Jenkins, 1976.

LEBEAU Jean, *Salvator Mundi. L'exemple de Joseph dans le théâtre allemand du XVIe siècle*, Nieuwkoop, B. de Graaf, 1977.

SOULIÉ Marguerite, *L'inspiration biblique dans la pensée religieuse d'Agrippa d'Aubigné*, Paris, Klincksieck, 1977 [Bibl. française et romane. Série C : Etudes littéraires 63].

STIRM Margarete, *Die Bilderfrage in der Reformation*, Gütersloh, Gütersloher Verlagshaus Gerd Mohn, 1977 [QFR 45].

BLACK James, *Edified by the Margent : Shakespeare and the Bible*, Calgary, Faculty of Humanity, 1979.

FIRTH Katharine R., *The Apocalyptic Tradition in Reformation Britain (1530-1565)*, Oxford, Oxford University Press, 1979 [Oxford Historical Monographs].

FREYDAY Dean, *The Bible : its Criticism, Interpretation and Use in 16th and 17th Century England*, Pittsburgh, Catholic and Quakers Studies, 1979 [Catholic and Quakers Studies 4].

SCREECH Michael, *Rabelais*, London, Duckworth, 1979.

REVENTLOW Henning, *Bibelautorität und Geist der Moderne. Die Bedeutung des Bibelverständnisses für die geistesgeschichtliche und politische Entwicklung in England von der Reformation bis zum Aufklärung*, Göttingen, Vandenhoeck & Ruprecht, 1980 [FKDG 30] = *The Authority of the Bible and the Rise of the Modern World*, Philadelphia, Fortress Press, 1985.

KNOTT John R. Jr, *The Sword and the Spirit. Puritan responses to the Bible*, Chicago and London, The University of Chicago Press, 1980.

PETER Rodolphe, « Noël Journet, détracteur de l'Ecriture sainte », *Croyants et sceptiques au XVIe siècle. Le dossier des « Epicuriens ». Actes du Colloque organisé par le GRENEP, Strasbourg, 9-10 juin 1978*, éd. par M. LIENHARD, Strasbourg, Libr. Istra, 1981, pp. 147-156 [Publications de la Société savante d'Alsace et des régions de l'Est. Collection « Recherches et Documents » 30].

ERDEI Klara A., « Méditations calvinistes sur les Psaumes dans la littérature française », *Acta Literaria Academiae Scientiarum Hungaricae* 24 (1982), pp. 117-155.

HANKS Joyce M., *Ronsard and Biblical Tradition*, Tübingen, Narr; Paris, Ed. J.-M. Place, 1982 [Etudes littéraires françaises 17].

LEBEAU Jean, « Théologie luthérienne et Théâtre. Le 'jeu divin' de la justification (Gn 37-50) », *RHPR* 63 (1983), pp. 35-47.

SOULIÉ Marguerite, « Les femmes et la Bible aux temps de la Réforme », *BSHPF* 129 (1983), pp. 269-275.

CHRISMAN Myriam U., « Polémique, Bibles, doctrine : l'édition protestante à Strasbourg (1519-1599) », *BSHPF* 130 (1984), pp. 319-344.

HOOYKAAS R., « Rheticus's Lost Treatise on Holy Scripture and the Motion of the Earth », *Journal for the History of Astronomy* 15 (1984), pp. 77-80.

PATRIDES C. A., WITTREICH Joseph ed., *The Apocalypse in English Renaissance Thought and Literature : Patterns, Antecedents and Repercussions*, Manchester, Manchester University Press, 1984.

VALENTIN Jean-Marie, *Le Théâtre des Jésuites dans les pays de langue allemande. Répertoire bibliographique. Ire Partie : 1555-1728...*, Stuttgart, A. Hiersemann, 1984.

VEIT Patrice, « Les cantiques de Luther. Introduction, traduction et notes », *Positions luthériennes* 32 (1984), pp. 3-66.

ROUSSEL Bernard, « Les nouveaux Jérôme (1525-1535) : le psautier traduit en français *iuxta hebraeos* », *La Réforme. Enracinement socioculturel. XXVe Colloque international d'Etudes humanistes, Tours, 1-13 juillet 1983*. Etudes réunies par B. CHEVALIER et R. SAUZET, Paris, Editions de la Maisnie, 1985, pp. 273-282.

BOUDOU Bénédicte, « Montaigne et l'interprétation des Ecritures saintes », *BSHPF* 132 (1986), pp. 5-22.

GODIN André, « Polémique et imaginaire biblique : les pamphlets des guerres de religion (1559-1598) », *Actes du Colloque « Etat et Eglise dans la genèse de l'Etat moderne »*, Madrid, Casa de Velasquez, 1986, pp. 129-144.

VEIT Patrice, *Das Kirchenlied in der Reformation Martin Luthers. Eine thematische und Semantische Untersuchung*, Stuttgart, Franz Steiner Verlag Wiesbaden, 1986 [VIEGM 120].

MILNARD Peter, *Biblica Influences in Shakespeare's Great Tragedies*, Bloomington and Indianapolis, Indiana University Press, 1987.

PARENTE James A. Jr., *Religious Drama and the Humanist Tradition. Christian Theater in Germany and in the Netherlands (1500-1680)*, Leiden, E. J. Brill, 1987 [SHCT 39].

ZIM Rivkah, *English Metrical Psalms : Poetry as Praise and Prayer (1535-1601)*, Cambridge, Cambridge University Press, 1987.

PARKER K. L., *The English Sabbath. A Study of Doctrine and Discipline from the Reformation to the Civil War*, Cambridge, Cambridge University Press, 1988.

SCHMIDT Francis, « Arzareth en Amérique : l'autorité du *Quatrième Livre d'Esdras* dans la discussion sur la parenté des Juifs et des Indiens américains (1530-1729) », *Moïse géographe. Recherches sur les représentations juives et chrétiennes de l'espace*, publiées sous la direction de A. DESREUMAUX et Fr. SCHMIDT..., Paris, Librairie Philosophique J. Vrin, 1988, pp. 155-201 [Etudes de Psychologie et de Philosophie XXIV. Centre d'Analyse pour l'Histoire du Judaïsme hellénistique et des Origines chrétiennes. EPHE Section des Sciences religieuses].

18. LE LIVRE ET LA BIBLE

Orientation bibliographique générale : voir *Histoire de l'édition française*. T. 1 : *Le livre conquérant. Du Moyen Age au milieu du XVIIe siècle*, Paris, Promodis, 1982.

REUSS Edouard, *Bibliotheca Novi Testamenti Graeci cuius Editiones ab initio Typographiae ad nostram aetatem impressas quotquot reperiri potuerunt...*, Brunsvigae, apud C. A. Schwetschke et Filium (M. Bruhn), 1872.

LENHART John M., « Protestant Latin Bibles of the Reformation from 1520-1570. A Bibliographical Account », *Catholic Biblical Quarterly* 8 (1946), pp. 416-432.

ARMSTRONG Elizabeth, *Robert Estienne, Royal Printer. An historical Study of the Elder Stephanus*, Cambridge, University Press, 1954; 2nd ed. rev., Appleford (Berks.), Sutton Courtenay Press, 1986 [Courtenay Studies on Reformation Theology 6].

VOLZ Hans, *Hundert Jahre Wittenberger Bibeldruck 1522-1626*, Göttingen, L. Häntzschel, 1954 [Arbeiten aus der Staats- und Universitätsbibliothek Göttingen, NF 1].

DE CLERQ C., « Les éditions bibliques, liturgiques et canoniques de Plantin », *Gedenkboek der Plantin-Dagen (1555-1955)... (Mémorial des Journées Plantin), De Gulden Passer...*, Anvers, 34 (1956), pp. 157-192.

BLACK M. H., « The Evolution of a Book-Form : the Octavo-Bible from Manuscript to the Geneva Version », *The Library*, 5th series, March 1961, pp. 15-28; 18, 1963, pp. 191-253.

VOGEL Paul Heinz, *Europäische Bibeldrucke des 15. und 16. Jahrhunderts in den Volkssprachen. Ein Beitrag zur Bibliographie des Bibeldrucks*, Baden-Baden, V. Heitz GmbH, 1962 [BBAur 5].

HALL Basil, *The Great Polyglot Bibles*, San Francisco, 1966 [Book Club of California 124].

HIRSCH Rudolf, *Printing, Selling and Reading (1450-1550)*, Wiesbaden, Otto Harrassowitz, 1966.

EISENSTEIN Elizabeth, « L'avènement de l'imprimerie et la Réforme », *Annales ESC* 26 (1971), pp. 1355-1383.

HIRSCH Rudolf, « Bulla super Impressione Librorum 1515 », *Gütenberg-Jahrbuch*, 1973, pp. 248-251.

VOET Léon, en collab. avec Jenny VOET-GRISOLLE, « De Antwerpse Polyglot-Bijbel », *Noordgow, Cultureel Tijdschrift van de Provincie Antwerpen*, 1973, pp. 33-52.

VORDRAN Rolf, « Die in Tübingen und Urach hergestellen Drucke der 'Südslawischen Bibelanstalt' », *Universität Bibliothek Tübingen. Theologische Abteilung. Mitteilungen und Neuerwerbungen* 4 (1976), Nr. 10, pp. 5-11 (Lit.).

HIRSCH Rudolf, *The Printed Word : its Impact and Diffusion (primarily in the 15th and 16th Centuries)*, London, Variorum Reprints, 1978.

EISENSTEIN Elizabeth, *The Printing Press as an Agent of Change*, Cambridge, Cambridge University Press, 2 vol., 1979.

HIGMAN Francis M., *Censorhip and the Sorbonne. A Bibliographical Study of Books in French censured by the Faculty of Theology of the University of Paris (1520-1551)*, Genève, Librairie Droz, 1979 [THR 172].

CROFTS Richard, « Books, Reform and the Reformation », *ARG* 71 (1980), pp. 21-36.
GILMONT Jean-François, « Printer by the Rules », *The Library*, 6ᵉ série, 2 (1980), pp. 129-155.
SCHUTTE Anne J., « Printing, Piety and the People in Italy », *ARG* 71 (1980), p. 5-19.
VOET Léon, in collab. with Jenny VOET-GRISOLLE [*Bible polyglotte d'Anvers*], *The Plantin-Press (1555-1589)*. *A Bibliography of the Works printed and published by Christopher Plantin at Antwerp and Leiden*, Amsterdam, Van Hoeve, 1980-1983, t. I, nᵒ 644.
HIGMAN Francis M., « Le levain de l'Evangile », et PALLIER Denis, « Les réponses catholiques », *Histoire de l'édition française*. T. 1 : *Le livre conquérant. Du Moyen Age au milieu du XVIIᵉ siècle*, Paris, Promodis, 1982, pp. 305-325, pp. 327-347.
POORTMAN Wilco C., *Bijbel en prent*. Vol. 1 : *Boekzaal van de Nederlandse Bijbels*, 's-Gravenhage, Uuitgeverij Boekncentrum BV, 1983.
SCHUTTE Anne J., *Printed Italian Vernacular Religious Books (1465-1550)*. *A finding List*, Genève, Librairie Droz, 1983 [THR 194].
CHRISMAN Myriam U., « Polémique, Bibles, doctrine : l'édition protestante à Strasbourg (1519-1599) », *BSHPF* 130 (1984), pp. 319-344.
GILMONT Jean-François, « Deux traductions concurrentes de l'Ecriture sainte : les Bibles flamandes de 1548 », *Palaestra typographica. Aspects de la production du livre humaniste et religieux au XVIᵉ siècle*. Recueil édité par J.-F. GILMONT, Aubel (Belgique), Gason, 1984, pp. 131-148 [Livres-Idées-Sociétés 6].
RHODES D. E., « The Three Florentine Editions of the *Psalterio di S. Hieronymo abreviato* » (trad. de N. MALERMI), *Gütenberg-Jahrbuch* 60 (1985), pp. 153-154.
Le Livre dans l'Europe de la Renaissance, Actes du XXVIIIᵉ Colloque international d'Etudes humanistes de Tours, sous la direction de P. AQUILON et H.-J. MARTIN, avec la collaboration de Fr. DUPUIGRENET-DESROUSILLES, Paris, Promodis, 1988.

19. HISTOIRE DE L'EXÉGÈSE

REID John K. S., *The Authority of Scripture. A Study of the Reformation and Post-Reformation Understanding of the Bible*, London, Methuen & Co., 1957.
PREUS James Samuel, *From Shadow to Promise. Old Testament Interpretation from Augustine to the Young Luther*, Cambridge (Mass.), Harvard University Press, 1969.
RODRIGUES Manuel A., *A Catedra de Sagrada Escritura na Universidade de Coimbra Primeiro Seculo (1537-1640)*, Coimbra, Faculdade de Letras da Universidade de Coimbra. Instituto de Estudos Historicos, 1974.
OIKONOMOS Elias, *Bibel und Bibelwissenschaft in der orthodoxen Kirche*, Stuttgart, Verlag Katholisches Bibelwerk, 1976 [Stuttgarter Bibelstudien 81].
DE JONGE Henk Jan, *De Bestudering van het Nieuwe Testament aan de Noordnederlandse Universiteiten en het Remonstrants Seminarie vam 1575 tot 1700*, Amsterdam/Oxford/New York, Noord-Hollandse Vitgevers Maatschappig, 1980 [Verhandelingen der Koninklijke Nederlandse Akademie van Wetenschappen. Afd. Letterkunde, Nieuwe Reeks 106].
REINHARDT Klaus, « Bibelkommentare spanischen Autoren der 16. und 17. Jahrhunderts », *Revista Española de Teologia* 41 (1981), pp. 91-145 (« A »); 43 (1983), pp. 22-55 (« B »); 44 (1984), pp. 55-111 (« C »).
DE ROBERT Philippe, « La naissance des études samaritaines en Europe aux xvıᵉ et xvııᵉ siècles », *Etudes samaritaines. Pentateuque et Targum, exégèse et philologie, chroniques. Actes de la Table ronde :* « *Les manuscrits samaritains, problèmes et méthodes* » *(Paris, IRHT, 7-9 octobre 1985)*. Textes réunis par J.-P. ROTSCHILD et Guy D. SIXDENIER, Paris/Louvain, E. Peeters, 1988, pp. 15-26 [Collection de la *Revue des Etudes juives*].

[sur des textes]

WILLIAMS Arnold, *The Common Expositor : an Account of the Commentaries on Genesis (1527-1633)*, Chapel Hill, University of North Caroline Press, 1948.
NAVARRO Hipólito, « Una Obra inédita de Fray Luis de León : *Expositio in Genesim* », *Scripta Theologica* 16 (1984), pp. 573-578.
In Principio. Interprétations des premiers versets de la Genèse, Paris, Etudes Augustiniennes, 1973 [Centre d'Etudes des Religions du Livre. Ecole pratique des Hautes Etudes] (Jean ORCIBAL, « Gen 1, 1-2 chez les commentateurs catholiques des xvıᵉ et xvııᵉ siècles », p. 267-287; François SECRET, « Beresithai ou l'interprétation des premiers mots de Genèse chez les Kabbalistes chrétiens », pp. 235-243; Richard STAUFFER, « L'exégèse de Genèse 1, 1-3 chez Luther et Calvin », pp. 245-266).

GALLUS Tibor, « *Der Nachkomme der Frau* » *(Gen 3, 15) in der Altlutheranischen Schriftauslegung. Ein Beitrag zur geschichte der Exegese von Gen 3, 15.* Bd. 1 : « *Der Nachkomme der Frau* » *(Gen 3, 15) in der Schriftauslegung von Luther, Zwingli und Calvin.* — Bd. 2 : *Von den Zeitgenossen Luthers bis zur Aufklärungszeit*, Klagenfurt, V. Carinthia, 1964-1973.

DE LIBERA A. et ZUM BRUNN E. eds, *L'Etre et le Bien. Celui qui est, interprétations juives et chrétiennes d'Exode 3, 14*, Paris, Le Cerf, 1986 [Patrimoines 1].

KOLB Robert, « God, Faith and Devil : Popular Lutheran Treatments of the First Commandment in the Era of the Book of Concord », *Fides et Historia* 15 (1982), pp. 71-89.

REICKE Bo, *Die Zehn Wörter in Geschichte und Gegenwart. Zählung und Bedeutung der Gebote in den verschiedenen Konfessionen*, Tübingen, J. C. B. Mohr, 1973 [BGBE 13].

[livres historiques]

DUBOIS Claude-Gilbert, *La conception de l'histoire en France au XVIᵉ siècle (1560-1610)*, Paris, Nizet, 1977.

KNUTH Hans Christian, *Zur Auslegungsgeschichte von Psalm 6*, Tübingen, J. C. B. Mohr, 1971 [BGBE 11].

HOLFELDER Hans Hermann, *Tentatio et Consolatio : Studien zu Bugenhagens « Interpretatio in Librum Psalmorum »*, Berlin, New York, W. de Gruyter, 1974 [AKG 45].

HENDRIX Scott H., *Ecclesia in via. Ecclesiological Developments in the Medieval Psalms Exegesis and the « Dictata super Psalterium » (1512-1515) of Martin Luther*, Leiden, E. J. Brill, 1974 [SMRT 8].

GESIGORA Gerd, « Probleme Humanistische Psalmenexegese dargestellt am Beispiel des Reformbischofs und Kardinals Jacopo Sadoleto », *Der Kommentar in der Renaissance*, hrsg. von August BIRCK und Otto HERDING, Bad Godesberg, Deutsche Forschungsgemeinschaft. Kommission für Humanismusforschung, Mitteilung 1, 1975, pp. 35-46.

GOSSELIN Edward A., *The King's Progress to Jerusalem : some Interpretations of David during the Reformation Period and their patristic and medieval Background*, Malibu, Undena, 1976. [Humana Civilitas. Sources and Studies relating to the Middle Ages and the Renaissance, The Center for Medieval and Renaissance Studies, U. of California, Los Angeles, vol. 2].

WIEDERMANN Gotthelf, « Alexander Alesius' Lectures on the Psalms at Cambridge (1536) », *Journal of Ecclesiastical History* 37 (1986), pp. 15-41.

BARUZI Jean, *Luis de León, interprète du Livre de Job*, Paris, PUF, 1966 [Cahiers de la RHPR 40].

CARREIRA José Nunes, *Filologia e Critica de Isaias non commentàrio de Francisco Foreiro (1522 ?-1581 ?). Subsidios para da exegese quinhentista*, Braga, Pontifice Universitas Gregoriana, Facultas Theologica, 1969.

PINEAS R., « George Joye's *Exposicion of Daniel* », *Renaissance Quarterly* 28 (1975), pp. 332-342.

RUIZ Gregorio, « Lutero y Don Isaac Abrabanel, exegetas de Dn 11, 36-39 », *Miscellanea Comillas* 42 (1984), pp. 3-16.

MEDFORD Floyd C., « The Apocrypha in the XVIth Century : a Summary and a Survey », *Historical Magazine* 52 (1983), pp. 343-354.

BAVAUD Georges, « La position du réformateur Pierre Viret face aux Deutérocanoniques », *Le Canon de l'Ancien Testament. Sa formation et son histoire*, éd. par J. D. KAESTLI et O. WERMELINGER, Genève, Labor et Fides, 1984, pp. 245-251 [Le Monde et la Bible].

GAMBERONI Johann, *Die Auslegung des Buches Tobias in der griechish-lateinischen Kirche der Antike und der Christenheit des Westens bis um 1600*, München, Kösel-Verlag, 1969.

METZGER Bruce M., « An early protestant Bible containing the third Book of Maccabees. With a List of Editions and Translations of Third Maccabees », *Text-Wort-Glaube. Studien zur Ueberlieferung, Interpretation und Autorisierung biblischer Texte Kurt Aland gewidmet*, hrsg. von M. BRECHT, Berlin, New York, W. de Gruyter, 1980, pp. 123-133 [AKG 50].

O'CALLAGHAN José, *El Nuevo Testamento en las Versiones Españolas*, Rome, Biblical Inst. Pont., 1982 [Subsidia Biblica 6].

WÜNSCH Dietrich, *Evangelienharmonien im Reformationszeitalter. Ein Beitrag zur Geschichte der Leben-Jesu-Darstellungen*, Berlin/New York, Walter de Gruyter, 1983 [AKG 52].

BOUTERSE Johannes, *De Boom en zijn Vruchten. Bergrede en Bergredechristendom bij Reformatoren, Anabaptisten en Spiritualisten in de zestiende eeuw*, Kampen, Vitgeversmaatschappij J. H. Kok, 1986.

OLSEN V. Norskov, *The New Testament Logia on Divorce. A Study of their Interpretation from Erasmus to Milton*, Tübingen, J. C. B. Mohr, 1971 [BGBE 10].

KUENZI Martin, *Das Naherwartungslogion Matthäus 10, 23. Geschichte seiner Auslegung*, Tübingen, J. C. B. Mohr, 1970 [BGBE 9].

— *Das Naherwartungslogion Markus 9, 1 par. Geschichte seiner Auslegung, mit einem Nachwort zur Auslegungsgeschichte von Markus 13, 30*, Tübingen, J. C. B. Mohr, 1977 [BGBE 21].

BIGANE John E. III, *Faith, Christ or Peter : Matthew 16, 18 in Sixteenth Century Roman Catholic Exegesis*, Washington (DC), University Press of America, 1981.

MONSELEWSKI Werner, *Der Barmherziger Samariter. Eine Auslegungsgeschichtliche Untersuchung zu Lukas 10, 25-37*, Tübingen, J. C. B. Mohr, 1967 [BGBE 5].

PARKER Thomas Henry L., *Commentaries on the Epistle to the Romans 1532-1542*, Edinburg, T & T Clark, 1986.

HAUSAMAN Susi, *Römerbriefauslegung zwischen Humanismus und Reformation. Eine Studie zu Heinrich Bullingers Römerbriefvorlesung von 1525*, Zurich, Zwingli Verlag, 1970 [SDGSTh 27].

SCHREINER Klaus, « Zur biblischen Legitimation des Adels. Auslegungsgeschichtliche Studien zu 1. Kor. 1, 26-29 », *ZKG* 85 (1974), pp. 317-357.

RADER William, *The Church and Racial Hostility. A History of Interpretation of Ephesians 2, 11-22*, Tübingen, J. C. B. Mohr, 1978 [BGBE 20].

HAGEN Henneth, *Hebrews Commenting from Erasmus to Beze (1516-1598)*, Tübingen, J. C. B. Mohr, 1981 [BGBE 23].

FELD Helmut, *Martin Luthers und Wendelin Steinbachs Vorlesungen über dem Hebräerbrief. Eine Studie zur Geschichte der neutestamentlichen Exegese und Theologie*, Wiesbaden, Steiner, 1971 [VIEG 62].

DEMAREST Bruce, *A History of Interpretation of Hebrews 7, 1-10 from the Reformation to the Present*, Tübingen, J. C. B. Mohr, 1976 [BGBE 19].

BACKUS I., DE JONGE H. J., FRAENKEL P., PERROTTET L., « Text, Translation and Exegesis of Hbr. 9 (1516-1599) », *Journal of Medieval and Renaissance Studies* 14 (1984), pp. 77-119.

POSSET Franz, « John Bugenhagen and the Comma Johanneum », *Concordia Theological Quarterly* 49 (1985), pp. 45-251.

ARGYRIOU Asterios, *Les exégèses grecques de l'Apocalypse à l'époque turque (1453-1821). Esquisse d'une histoire des courants idéologiques au sein du peuple grec asservi*, Thessalonique [Hetaireia Makedonikôn Spoudôn], 1982 [Epistimonikai Pragmateiai. Seira Philologiki kai Theologiki 15].

BRADY David, *The Contribution of British Writers between 1560 and 1830 to the Interpretation of Revelation 13, 16-18 (The Number of the Beast). A Study in the History of Exegesis*, Tübingen, J. C. B. Mohr (Paul Siebeck), 1983 [BGBE 27].

Index biblique

Index nominum

Sont recensés des noms d'auteurs, et plus exceptionnellement d'éditeurs, des années 1450-1600. Cette liste inclut aussi quelques titres d'ouvrages ou « familles » d'ouvrages, ainsi que le libellé de rubriques de la Bibliographie.

Table analytique

L'autorité de l'Ecriture
Les réponses confessionnelles

8. Des protestants, 309

9. La Réforme catholique, 327

10. La Bible anglaise, 369

11. La Bible dans le monde orthodoxe au XVIe siècle, 385

12. L'exégèse juive de la Bible, 401

DEUXIÈME PARTIE

BIBLE, CULTURE ET SOCIÉTÉ

Imprimerie des Presses Universitaires de France
73, avenue Ronsard, 41100 Vendôme
Imprimé en France
pour les Editions Beauchesne
Avril 1989 — N° 34 558